# breaking dawn

breaking dawn : 새로운 새벽

# breaking dawn

## 브레이킹던

스테프니 메이어 장편소설 | 윤정숙 옮김

B 북폴리오

**日** 북폴리오

# 브레이킹 던

초판  1쇄 발행  2009년 6월 15일
초판 10쇄 발행  2010년 8월 30일

지은이 / 스테프니 메이어
옮긴이 / 윤정숙
펴낸곳 / (주) 미래엔 컬처그룹
펴낸이 / 김영진

본부실장 / 이영호
편집진행 / 임지은
디자인 / 김지혜
북폴리오 개발팀 / 박은식, 김기원, 강세미, 이서림
마케팅 / 이정균, 이용복
인터넷 마케팅 / 채보연
제작 · 관리 / 김경수, 김진영, 오형식, 장동숙, 손성아
등  록 / 1950년 11월 1일(제16–67호)
주  소 / 137-905 서울시 서초구 잠원동 41-10번지
전  화 / (02)3475-3863, 3844(영업부)  (02)3475-4082~7(편집부)
팩  스 / (02)541-8249
홈페이지 / cafe.naver.com/bookfoliolit
E-mail / bookfolio@korea.com

ISBN  978-89-378-3254-3  03840

* 책값은 뒤표지에 있습니다.
* 잘못된 책은 바꾸어드립니다.

이 책을 나의 닌자이자 대리인인 리머에게 바칩니다.

내가 절벽으로 떨어지지 않게 지켜줘서 고마워요.


그리고 내가 가장 좋아하는 밴드에도 감사를 전합니다.

그 밴드의 이름은 뮤즈, 너무나도 어울리는 이름이지요.

그들은 내게 엄청난 영감을 주었답니다.

# 차례

BOOK ONE

# bella

어린 시절은 몇 살까지로 정해진 게 아니다. 어떤 나이가 되면
아이는 어린 시절의 것들을 버리게 된다.
어린 시절은 아무도 죽지 않는 왕국과도 같다.

에드나 세인트 빈센트 밀레이

# 프롤로그

죽을 뻔한 경험을 나는 지나치게 많이 했다. 그 누구라도 이런 일에 익숙해지기는 힘들 것이다.

그럼에도 늘 어쩔 수 없이 다시 죽음과 마주해야 했다. 정말이지 나는 재앙을 몰고 다니는 것 같다. 아무리 도망치고 또 도망쳐도, 재앙은 번번이 나를 찾아왔다.

하지만 이번만큼은 상황이 다르다.

무서운 상대라면 도망치면 되고, 싫은 상대와는 싸우면 된다. 그렇게 내 대처방법은 언제나 괴물이나 적 등 살인자들에게 맞춰져 있었다.

하지만 날 죽음으로 몰고 갈 사람을 사랑하게 된다면, 선택권은 없다. 사랑하는 사람을 아프게 하는 일인 줄 알면서도, 어떻게 도망치거나 싸울 수 있을까? 그에게 줄 수 있는 게 내 생명뿐이라면 어떻게 주지 않을 수 있을까.

진정으로 사랑하는 사람이라면.

# 1

# 약혼 중

자, 보는 사람은 아무도 없어. 나는 스스로에게 그렇게 확신시켰다. 아무도 널 보지 않는다니까.

하지만 그 거짓말은 나 자신조차 속일 수 없었고, 결국 나는 주위를 둘러보았다.

신호등이 초록색으로 바뀌기를 기다리던 내 시선이 오른쪽으로 향했다. 미니밴을 탄 웨버 부인이 내 쪽으로 몸을 돌리고 있었다. 웨버 부인의 눈이 내 눈을 꿰뚫듯 응시했다. 나는 움찔하면서, 왜 그녀가 시선을 돌리거나 무안해하지 않는지 의아하게 생각했다. 사람을 빤히 쳐다보는 건 무례한 일 아닌가? 아니면 나한테는 그래도 괜찮다는 걸까?

그러다 곧, 그녀는 내가 자신을 보고 있다는 사실은커녕 여기 앉아있다는 것조차 알아채지 못하리라는 데 생각이 미쳤다. 짙게 선팅된 내 차 때문이다. 웨버 부인은 차를 보고 있을 뿐, 나를 보고 있는 게 아니라고 생각하며 나는 애써 위안을 얻으려 했다.

내 차…… . 한숨이 절로 나왔다.

나는 왼쪽을 바라보다가 신음을 흘렸다. 행인 두 명이 내 차를 뚫어지게 바라보면서, 길도 건너지 못한 채 보도에 얼어붙어 있었다. 그들 뒤쪽에는 작은 기념품 가게가 있었는데, 주인인 마셜 씨 또한 유리창 너머로 멍하니 밖을 내다보고 있었다. 그래도 마셜 씨는 유리창에 코를 박고 있지는 않군. 적어도 아직까지는.

신호등이 초록색으로 바뀌었다. 나는 아무 생각 없이, 그저 이곳에서 빠져나가기 위해 서둘러 가속 페달을 밟았다. 내 낡은 셰비 트럭을 몰 때와 똑같이.

사냥 중인 표범처럼 엔진이 울부짖더니 차가 무시무시한 속도로 튀어나갔다. 그 바람에 내 몸은 검은 가죽 시트에 세게 부딪힌 후 등받이에 밀착되었다.

"악!"

발로 브레이크를 찾으면서 숨을 헐떡이다가, 겨우 마음을 다잡고 브레이크 페달을 밟을 수 있었다. 어쨌든 이제 차는 꼼짝 하지 않고 멈춰 섰다.

차마 반응을 살피기 위해 주위를 둘러볼 엄두가 나지 않았다. 이 차를 운전하는 게 누군지 궁금해 하던 사람이 있다면, 이제 그 답을 확실히 알게 되었으리라. 나는 발끝으로 가속 페달을 0.5밀리미터 정도 밟았고 차는 다시 앞으로 달려 나갔다.

드디어 목적지인 주유소에 도착했다. 자동차 연료가 떨어지지만 않았다면 절대로 시내에 오는 일은 없었을 것이다. 요즘은 사람들과 섞이지 않으려고 팝타트(미국에서 식사대용으로 많이 먹는 과자의 일종 :편집자)나 구두끈 같은 게 없어도 그냥 견디고 있다.

마치 경주라도 하는 것처럼 나는 몇 초 만에 주유구를 열고 신용카드를 긁은 다음, 노즐을 주유 탱크에 꽂았다. 하지만 기름이 들어가는 속도를 빠르게 할 방법은 없었다. 게이지의 숫자들은 나를 짜증나게 하려는 듯 느리게만 올라갔다.

밖은 밝지 않았다. 부슬비가 내리는 워싱턴 주 포크스의 전형적인 날씨. 하지만 여전히 스포트라이트가 나를 따라다니며, 내 왼손에 끼워진 섬세한 반지로 사람들의 이목을 집중시키는 것만 같았다. 간혹 이런 식으로 등에 따가운 시선을 느낄 때면, 반지는 마치 네온사인처럼 깜박이는 것 같았다. 날 봐, 나를 보라고!

남의 시선을 이토록 의식하는 게 어리석은 짓이라는 건 나도 안다. 엄마와 아빠 외에 다른 사람들이 내 약혼에 대해 뭐라고 말하든 그게 뭐가 중요하단 말인가? 그럼 내 차에 대해서는? 미스터리한 아이비리그 입학은 어떨까? 또 지금 내 뒷주머니에 들어 있는 반짝이는 검은색의 신용카드에 대해서는?

"그래, 사람들이 어떻게 생각하든 무슨 상관이야?"

나는 낮게 중얼거렸다. 그때 갑자기 남자 목소리가 들려왔다.

"음, 아가씨?"

나는 돌아보면서 나를 부른 게 아니길 빌었다.

지붕 위에 새 카약을 매단 멋진 SUV 차량 옆에 두 남자가 서 있었다. 그들은 나를 보고 있지 않았다. 두 남자는 차를 보고 있었다.

나로서는 이해할 수 없는 모습이었다. 하지만 한편으로 내가 도요타, 포드, 셰비의 심벌들을 구별할 수 있다는 게 자랑스럽기도 했다. 번쩍이는 검은색 자동차는 매끈하고 예쁘긴 하지만, 내겐 그저 차일 뿐이다. 둘 중 키가 큰 남자가 내게 물었다.

"귀찮게 해서 죄송한데요, 차종이 뭔가요?"

"음, 메르세데스인가 아마 그럴 거예요."

"네."

남자는 예의바르게 대답했지만, 키가 작은 그의 친구는 내 말에 눈을 굴렸다.

"알아요. 하지만 제가 궁금한 건…… 당신, 메르세데스 가디언을 운전하나요?"

남자는 경외심을 가득 담아 그 이름을 언급했다. 이 남자라면 내…… 내 약혼자인 에드워드 컬렌과 잘 지낼 수 있을 것 같다. 아, 내가 이렇게 말하는 건 며칠 앞으로 다가온 결혼에 대해 별 이견이 있어서는 아니다.

"미국에서는 물론이고 아직 유럽에도 출시되지 않았는데."

그 남자가 말을 이었다.

나로선 당연히, 이 차와 다른 메르세데스 세단의 차이점을 알 수 없었다. 그의 눈이 내 차를 훑는 동안 나는 약혼자, 결혼, 남편 등등의 단어를 떠올리며 내 관심사들에 대해 고민하기 시작했다.

머릿속에서 이 모든 생각을 한데 모으기 힘들었다. 자라면서 풍성한 하얀 드레스와 부케만 생각해도 움츠러들도록 교육받은 탓이다. 하지만 그보다 더 큰 이유는, 에드워드를 '남편' 따위의 안정되고 점잖고 또 따분한 단어와 결합시킬 수 없어서였다. 그건 마치, 대천사를 회계사 역으로 캐스팅하는 거나 마찬가지다. 그런 평범한 역할을 맡은 그의 모습을 나는 상상조차 하기 힘들었다.

에드워드에 대해 생각하면서부터 난 항상 그렇듯 현기증 나는 환상 속에 갇혀버렸다. 그러다 남자가 낸 헛기침 소리에 다시 정신을 차렸다. 그는 여전히 내가 자동차의 브랜드와 모델에 대해 알려주기를 기다리고 있었다.

"모르겠어요."

내가 솔직하게 대답했다.

"그럼 자동차 옆에서 사진을 찍어도 괜찮을까요?"

그 말을 이해하기까지 좀 시간이 걸렸다.

"네? 저 차 옆에서 사진을 찍고 싶다고 하신 건가요?"

"당연하죠. 증거가 없으면 아무도 내 말을 믿지 않을 거예요."

"음, 그러세요. 좋아요."

그 남자가 배낭을 뒤져 전문가용으로 보이는 커다란 카메라를 꺼내는 동안, 나는 재빨리 노즐을 빼고 운전석으로 숨었다. 남자와 그의 친구는 차례로 후드 옆에 포즈를 취하고 서더니 곧 자동차 뒤에서도 사진을 찍었다.

"내 트럭이 보고 싶어."

나는 혼자 투덜거렸다.

참 신기하기도 하지. 에드워드와 내가 불공평한 계약(계약 안에는 내 트럭이 수명을 다하면 에드워드가 다른 차를 사주어도 좋다는 조항도 들어 있었다)에 동의하고 나서 바로 몇 주 만에, 내 트럭은 마지막으로 털털대는 소리를 내더니 더 이상 꼼짝하지 않았다. 에드워드는 그냥 예상했던 일일 뿐, 자신은 아무 짓도 하지 않았다고 맹세했다. 천수를 누린 내 트럭이 자연적으로 수명을 다했다는 것이다. 그의 말에 따르면 그렇다. 내게는 그의 말을 확인할 방법도, 트럭을 다시 소생시킬 수 있는 방법도 없었다. 내가 가장 좋아했던 정비사는…….

내 생각은 더 앞으로 나아가기를 거부한 채, 거기서 멈추어버렸다. 대신 나는 닫힌 차문을 통해 작게 들려오는 남자의 목소리에 귀를 기울였다.

"……동영상으로 본 적 있어. 이 차, 화염 방사기를 통과하던데. 페인트도 벗겨지지 않더라니까."

"당연하지. 탱크에 깔려도 무사할 거야. 하지만 여기서는 잘 안 팔릴걸. 주로 중동의 외교관, 무기 거래상, 마약 거래상을 위해 디자인했다던데."

"저 여자도 그런 거물급일까?"

키 작은 남자가 좀 더 부드러운 목소리로 물었다. 나는 뺨을 붉히며 고개를 숙였다. 키 큰 남자가 대답했다.

"흠, 그게 아니라면 미사일 방탄유리와 1800킬로그램짜리 방탄차체가 왜 필요하겠어. 분명히 어딘가 위험한 곳으로 가는 거겠지."

방탄차체라. 1800킬로그램짜리 방탄차체. 게다가 미사일 방탄유리? 멋진걸. 구식 방탄유리는 어떻게 된 거야?

뭐, 이해할 만한 일이긴 하다. 삐딱한 유머 감각만 있다면.

에드워드가 우리의 거래를 이용해서, 자신이 받은 것보다 더 많은 걸 주려 하리라는 걸 짐작 못한 것은 아니었다. 그럼에도 나는 트럭을 교체해야 할 시기가 오면 교체해도 좋다고 동의했었다. 그 순간이 그렇게 빨리 올 거라고 생각하지 않았기 때문이다. 내 트럭이 박물관에서나 볼 수 있는 더이상은 움직일 수 없는 기념물이 되고 나서야 나는, 차를 바꿔주겠다는 그의 제안이 얼마나 당황스러운 것인지 비로소 깨달았다. 아마 온갖 시선, 수군거림이 내게 집중되겠지. 그리고 그런 깨달음은 곧 현실이 되었다. 더군다나 나는, 에드워드가 내게 두 대의 차를 사주는 최악의 상황으로까지 치달을 줄은 꿈에도 몰랐었다.

'이전' 차와 '이후' 차야.

내가 벌컥 화를 내자 그는 그렇게 설명했다.

지금 타고 있는 이건 '이전' 차다. 빌린 차라서 결혼식이 끝나면 돌려줄 거라고, 에드워드는 그렇게 설명했었다. 나로선 전혀 이해할 수 없는 상황이었다. 조금 전까지는 그랬다.

하 하. 너무 약해빠진 인간인데다. 사고를 몰고 다니고, 게다가 지독히도 재수가 없기 때문에 나에게는 탱크와 부딪혀도 끄떡없는 차가 필요한 것이다. 재밌지 않은가. 에드워드와 그의 형제들은 아마 분명 내 뒤에서 그런 농담을 하며 즐거워했으리라.

그게 아니면, 어쩌면, 아마도……. 작은 목소리가 내 머릿속에서 들려왔다. 그냥 농담이 아니었을지도 몰라, 멍청아. 에드워드는 진심으로 널 걱정했던 거야. 널 지키려고 에드워드가 오버한 게 이번이 처음은 아니잖아.

한숨이 나왔다.

난 아직 '이후' 차를 보지 못했다. 그 차는 포장을 뒤집어쓴 채 컬렌 가의 차고 깊숙한 곳에 숨어 있었다. 나는 사람들이 아직도 내 차를 힐끔대고 있으리라는 사실을 안다. 정말이지 알고 싶지 않았지만.

아마 그 차의 차체에는 방탄 처리가 되어 있지 않을 것이다. 신혼여행을 다녀오고 나면 내게 더 이상 그런 건 필요하지 않게 될 테니. 사실 불멸의 존재가 된다는 건, 내가 기대하는 수많은 이점 중 하나일 뿐이다. 컬렌 가의 일원이 되어서 가장 좋은 점은 값비싼 자동차나 신용카드를 가질 수 있다는 게 아니다.

조금 후 키 큰 남자가 손을 나팔 모양으로 만들더니 차창에 대고 차 안을 들여다보았다.

"이봐요. 다 됐어요. 정말 고마워요!"

그가 소리쳤다.

"아니에요."

나도 마주 외쳐주고 나서, 시동을 걸고 페달을 부드럽게 밟았다. 긴장이 되었다.

집으로 향하는 익숙한 길인데도 비로 흐릿해진 전단들을 그냥 지나칠 수 없었다. 전신주와 표지판에 붙어 있는 전단지 속의 얼굴은 마치 막 뺨을 얻어맞은 것처럼 보였다. 당연히 맞아야겠지. 나는 아까 갑작스럽게 중단되었던 생각 속으로 다시 빨려 들어갔다. 이 길을 달릴 때는, 어쩔 수가 없다. 일정 간격으로 내가 가장 좋아하는 정비사의 사진이 스쳐 지나가기 때문이다.

내 가장 좋은 친구 제이콥의 얼굴이.

'이 소년을 보셨나요?'라는 제목의 전단지를 붙이자고 한 것은 빌리가 아니었다. 전단지를 만들어 뿌린 건 아빠였다. 포크스뿐 아니라 포트앤젤 레스, 세큄, 호퀴엄, 애버딘 등 올림픽 페닌슐라에 있는 모든 도시에 전단 지가 뿌려졌다. 또 그는 워싱턴 주에 있는 모든 경찰서에 똑같은 전단지를 붙이게 했다. 아빠가 근무하는 경찰서에는 제이콥만을 위한 코르크보드가 따로 마련되어 있었다. 거의 비어 있는 코르크보드는 아빠에게 실망과 좌 절을 안겨주었다.

아빠는 단지 신고하는 사람이 없어서 낙담한 것만은 아니었다. 아빠를 가장 실망시킨 것은 제이콥의 아버지이자 찰리의 가장 친한 친구인 빌리 였다.

빌리가 가출한 열여섯 살짜리 아들에게 더 관심을 보이지 않아서. 빌리 가 제이콥의 집이 있는 인디언보호구역 라푸시에 전단지를 붙이는 것을 거절해서. 또 제이콥이 실종되자, 마치 자신이 할 수 있는 일은 아무것도 없다는 듯 체념해버려서. 찾아나서는 대신 "제이콥은 다 컸어. 제 발로 돌 아오겠지."라고 말했기 때문에.

내가 빌리 편을 들자 찰리는 내게도 실망했다.

나 역시 전단지를 붙일 생각은 없었다. 빌리와 나는 제이콥이 어디 있는 지 대충 알고 있고, '이 소년'을 본 사람이 없으리라는 것도 알았기 때문 이다.

전단지를 볼 때마다 내 목에는 뭔가 큰 덩어리가 걸려 있는 것 같았고, 눈에서는 따가운 눈물이 솟구쳤다. 이번 토요일에 에드워드가 사냥을 가 서 다행이라고 생각했다. 이런 내 모습을 본다면 에드워드의 기분도 끔찍 해지고 말 테니까.

그렇다고 토요일이 되는 게 괴롭지 않다는 뜻은 아니다. 천천히 자동차 를 돌려 조심스럽게 우리 동네로 들어섰다. 아빠의 순찰차가 집 앞에 세워 져 있었다. 아빠는 오늘 낚시를 가지 않았다. 그는 여전히 내 결혼식 때문에 부루퉁해 있었다.

그래서 집 전화를 쓸 수가 없다. 하지만 꼭 전화를 걸어야 하는데…….

나는 이제 장식품으로 전락한 셰비 트럭 뒤에 차를 주차하고, 에드워드가 급할 때 쓰라고 준 휴대전화를 글로브박스에서 꺼냈다. 전화번호를 누른 후 신호가 가는 동안 나는 손가락을 종료 버튼에 대고 있었다. 만약에 대비해서다.

"여보세요?"

전화를 받은 것은 세스 클리어워터였다. 나는 안도의 한숨을 쉬었다. 세스의 누나 리와는 도저히 겁이 나서 통화를 할 수 없을 것 같았다. 리는 번번이 나를 물고 늘어지려 했기 때문이다.

"안녕, 세스. 나 벨라야."

"안녕, 벨라! 어떻게 지내요?"

숨이 막혀왔다. 나는 꼭 확인해야만 할 게 있다.

"잘 지내."

"새로운 소식이 있냐고 물으려는 거죠?"

"예지 능력이라도 생겼어?"

"아니, 전혀. 난 앨리스가 아니잖아요. 그냥 아는 거죠. 워낙 뻔해서."

그는 농담을 했다. 라푸시의 퀼렛 부족 가운데 세스만이 아무렇지 않게 컬렌 가족의 이름을 불렀다. 뿐만 아니라 내 시누이가 될, 도무지 모르는 거라곤 없는 앨리스에 대해 농담까지 할 수 있다.

"그래, 나도 알아."

수긍한 나는 잠깐 주저하고서 다시 물었다.

"그는…… 어때?"

세스는 한숨을 쉬었다.

"똑같죠 뭐. 우리 목소리가 들릴 텐데도 아무 말도 하지 않는걸요. 지금 제이콥은 인간으로서 사고하지 않고 그저 본능만 따르고 있어요."

"어디 있는지 알아?"

"캐나다 북부 어딘가에 있어요. 어느 지방인지까지는 알려줄 수 없겠네요. 제이콥은 주 경계선 같은 것에 별로 신경 쓰지 않거든요."

"그가 돌아올지 힌트라도……."

"아직은 돌아오지 않아요, 벨라. 미안해요."

나는 침을 삼켰다.

"괜찮아, 세스. 이미 알고 있었어. 그냥 희망을 갖고 싶어서."

"네. 우리도 마찬가지예요."

"내 얘기 들어줘서 고마워, 세스. 나 때문에 다른 사람들한테 싫은 소리 듣는 거 알아."

"그 사람들이 벨라의 왕팬은 아니죠."

유쾌하게 내 말에 동의하고서 세스는 덧붙였다.

"좀 유치해요. 제이콥은 자신의 선택을 했고, 벨라도 자신의 선택을 했잖아요. 사람들이 그러는 걸 제이콥도 좋아하지 않아요. 물론 벨라가 제이콥의 소식을 묻고 다니는 것도 반가워하지 않죠."

숨이 막혔다.

"제이콥이랑 얘기해 봤어?"

"제이콥은 우리에게 모든 걸 숨길 수는 없어요. 아무리 노력해도요."

제이콥이…… 내가 걱정하는 걸 알고 있다고? 내 기분을 나도 모르겠다. 적어도 그는, 내가 저녁놀 속으로 사라져 영원히 그를 잊어버린 건 아니라는 사실을 알고 있는 셈이다. 그는 정말로 내가 그렇게 잊을 수 있으리라고 생각했던 걸까.

"저, 올 거지……? 결혼식 말이야."

나는 간신히 그 단어를 내뱉을 수 있었다.

"네, 엄마랑 갈 거예요. 우리를 초대하다니 멋져요."

그의 목소리에는 진심어린 감동이 묻어났고, 나는 미소를 지었다. 클리어워터 가족을 초대하자는 건 에드워드의 생각이었다. 그가 그런 생각을 해주었다는 게 기뻤다. 세스가 온다면 정말 멋질 것이다. 비록 미약하더라도, 내가 잃어버린 최고의 친구와 나를 연결해주는 선이니까.

"네가 없었다면 상황이 달라졌을 거야."

"에드워드에게 안부 전해주세요, 알았죠?"

"당연하지."

나는 고개를 끄덕였다. 에드워드와 세스 사이에 피어난 우정이 여전히 나를 깜짝깜짝 놀라게 한다. 그걸 본다면 뱀파이어와 늑대인간이 반드시 원수로 지내야 하는 건 아닌 것 같다. 그럴 마음만 있다면 서로 잘 지낼 수도 있다는 얘기다.

그러나 모두가 이런 생각에 찬성하지는 않을 것이다. 조금 후 세스가 말했다.

"아, 리가 왔어요."

"이런! 잘 있어."

전화가 끊어졌다. 나는 휴대전화를 옆 좌석에 올려두고는 찰리가 기다리는 집 안으로 들어가기 위해 마음의 준비를 했다.

불쌍한 아빠는 지금 당장 해결해야 할 문제가 많다. 제이콥의 가출 사건은 이미 잔뜩 짐을 진 아빠의 어깨에 지푸라기 정도의 무게밖에 되지 않을 것이다. 아빠는 나 때문에 걱정이 태산이었다. 간신히 법적으로 성인이 된 딸이 며칠 후에 누군가의 부인이 되겠다고 하니, 무리도 아닐 것이다.

이슬비를 맞으면서 나는 천천히 걸어갔다. 아빠에게 결혼 이야기를 꺼냈던 그날 밤을 회상하면서……

찰리의 순찰차 소리가 들려오자 손가락에 끼워진 반지가 갑자기 50킬로그램은 나가는 양 무겁게 느껴졌다. 왼손을 주머니에 넣거나 엉덩이로 깔고 앉고 싶었다. 하지만 에드워드가 침착하고 단호하게 내 왼손을 붙잡고 있었다.

"불안해하지 마, 벨라. 살인죄를 자백하려는 것도 아니잖아."

"말이 쉽지."

터벅터벅 현관 문을 향해 걸어오는 아빠의 부츠 소리가 불길하게 들렸다. 이미 열려 있는 문에 열쇠가 찰칵 소리를 내며 꽂혔다. 그 소리는 여주인공이 문을 잠그지 않았다는 사실을 알아차리는, 공포영화의 한 장면을 연상시켰다.

"진정해, 벨라."

내 심장박동이 빨라진 것을 느낀 에드워드가 속삭였다. 열린 문이 쿵 소리를 내며 벽에 부딪혔고, 나는 전기충격기를 갖다 댄 양 움찔했다.

"안녕하세요, 아저씨."

에드워드가 느긋한 목소리로 외쳤다.

"안 돼!"

나는 목소리를 낮춰 말했다.

"뭐가?"

에드워드가 속삭였다.

"아빠가 총을 걸어둘 때까지 기다려."

에드워드는 킥킥 웃더니 한 손으로 헝클어진 청동빛 머리카락을 쓸었다.

찰리가 여전히 제복을 입고 무장을 한 채 집 안으로 들어섰다. 그는 우리가 2인용 소파에 함께 앉아 있는 것을 보고 얼굴을 찡그리지 않으려 애를 썼다. 최근 아빠는 에드워드를 좀 더 좋아해보려고 많이 노력하고 있었다. 물론 우리가 이 이야기를 터뜨리는 즉시 그런 노력도 끝장나고 말겠지만.

"애들아, 무슨 일이니?"

"아저씨와 이야기를 좀 하고 싶어서요. 좋은 소식이에요."

에드워드가 침착하게 말했다. 억지로 친밀한 표정을 짓고 있던 찰리의 얼굴이 단숨에 의심으로 굳어졌다.

"좋은 소식?"

찰리가 나를 똑바로 쳐다보면서 으르렁거렸다.

"앉으세요, 아빠."

아빠는 한쪽 눈썹을 치켜 올린 채 5초간 나를 바라보았다. 그러고는 안락의자 쪽으로 쿵쿵거리며 걸어가더니 등을 곧게 편 채로 살짝 걸터앉았다.

"흥분하진 마시고요, 아빠. 다 괜찮으니까요."

몇 초간의 무거운 침묵이 흐른 후 다시 내가 그렇게 말하자, 에드워드가 얼굴을 찡그렸다. '괜찮다'는 말에 동의하지 않는다는 의미였다. 그라면 '멋진', '완벽한', '빛나는'이라는 단어를 대신 썼을지도 모른다.

"알았다, 벨라. 알았어. 다 좋다면서 왜 그렇게 땀을 흘리니?"

"땀 흘리는 거 아니에요."

나는 그렇게 거짓말하고 나서, 아빠의 무시무시한 시선으로부터 도망쳐 에드워드에게 기댔다. 그러곤 본능적으로 증거를 없애려고 손등으로 이마를 닦았다.

"너, 임신했구나! 임신했어. 그런 거지?"

찰리가 소리쳤다.

그 질문은 내게 한 것이었지만 찰리는 에드워드를 노려보고 있었다. 게다가 분명 그의 손은 총을 향한 상태였다. 맹세할 수 있다.

"아니에요. 당연히 아니죠."

에드워드의 갈비뼈를 힘껏 찌르고 싶었지만 괜히 내 팔꿈치에 멍만 들 것 같아 관뒀다.

내가 그랬잖아, 누구든 다 이런 결론을 내릴 거라고! 제정신인 사람이 열여덟 살에 결혼한다는데 다른 이유를 찾을 수 있겠어? (그러고 나서 돌아온 에드워드의 대답은, 나를 한층 더 화나게 했다. '사랑 때문에'라고?)

벌겋게 달아올랐던 찰리의 얼굴이 조금 제 빛깔을 되찾았다. 사실을 말하는지, 아니면 거짓말을 하고 있는지 난 얼굴에 뚜렷이 티가 나는 편이다. 그래서 아빠도 내 말을 믿기로 한 것이다.

"미안하다."

"사과를 받아들이겠어요."

그리고 긴 침묵이 있었다. 조금 후에야 나는, 다들 내가 무슨 말을 하기만을 기다린다는 걸 깨달았다. 공포에 질린 얼굴로 에드워드를 올려다보았다. 난 한마디도 하지 않을 거야.

그는 내게 미소를 지어보이고서, 어깨를 펴고 아빠를 바라보았다.

"제가 일의 순서를 틀린 것 같네요. 아저씨께 먼저 말씀드려야 했던 건데. 결례를 범하려던 건 아니었어요. 하지만 벨라가 이미 승낙했고, 전 그 선택을 존중하고 싶습니다. 그래서 이 자리에서 청혼하는 대신, 저희를 축복해달라고 부탁드리는 거예요. 저희, 결혼하기로 했어요. 저는 벨라를 그 무엇보다, 아니 제 생명보다 사랑합니다. 기적 같은 일이지만 그녀 역시 절 그만큼 사랑하고 있고요. 저희를 축복해주시겠어요?"

그의 목소리는 단호하고도 침착했다. 절대적인 확신이 가득한 그의 목소리를 들으면서 나는 아주 잠깐 동안 통찰의 순간을 경험했다. 왜 모두가 그토록 그를 신뢰하는지 알 수 있었던 것이다. 심장이 한 번 뛸 만큼의 아주 짧은 순간에 우리의 결혼은 너무나도 이치에 맞는, 그런 당연한 일이 되어버렸다.

찰리의 표정을 보았다. 그의 눈은 내 반지에 고정되어 있었다. 아빠의 피부색이 흰색에서 빨간색으로, 빨간색에서 자주색으로, 다시 자주색에서 푸른색으로 변해가는 동안 나는 숨을 참았다. 내가 자리에서 일어나려는데 에드워드가 내 손을 꽉 잡으며 나만 들을 수 있는 낮은 목소리로 말했다.

"그에게 시간을 줘."

나도 일어나서 특별히 뭔가를 하려던 건 아니었다. 그냥 아빠가 질식하지 않도록 하임리히 요법을 써볼까 했을 뿐. 이번에는 침묵이 훨씬 더 길어졌다. 그러고는 점차, 조금씩 찰리의 피부색이 정상으로 돌아왔다. 그는 입을 내밀고 눈썹을 찡그렸다. '깊은 생각에 빠진' 표정이었다. 그는 우리 둘을 한참 동안 살폈고, 에드워드는 내 옆에 편안한 모습으로 앉아 있었다.

"그렇게 놀랍지는 않구나. 조만간 이런 일이 있을 줄 알았어."

찰리가 투덜거렸다. 나는 심호흡을 했다.

"그래, 확신이 섰어?"

찰리가 나를 노려보며 다시 물었다.

"에드워드에 대해서라면 100퍼센트 확신하죠."

나는 주저하지 않고 말했다.

"하지만 결혼이라니……. 왜 그렇게 서두르니?"

그가 다시 의심스럽다는 듯 나를 바라보았다.

서두르는 이유? 에드워드는 90년이 넘는 세월 동안 한결같이 열일곱 살에 머물러 있는데, 내 열아홉 번째 생일은 하루하루 쉬지 않고 다가오기 때문이다.

하지만 그게 우리가 결혼하려는 가장 주된 이유는 아니다. 에드워드와 내가 맺은 섬세하고 복잡한 계약에 따라, 내가 언젠가 죽어야 할 존재에서 죽지 않는 존재로 변하려면 결혼이 필요했다.

하지만 이런 걸 찰리에게 설명할 수는 없다.

"벨라와 저는 가을에 다트머스에 함께 갈 거잖아요. 음, 전 그렇게 하고 싶어요. 그렇게 하는 게 옳다고 배웠으니까요."

에드워드가 찰리에게 일깨워주고서 어깨를 으쓱였다. 그가 괜히 그렇게 말하는 건 아니었다. 제1차 세계대전 당시 사람들은 실제로 그런 보수적인 도덕관에 열광했었다.

찰리의 입매가 삐뚤어졌다. 논쟁 벌일 거리를 찾는 것처럼. 하지만 무슨 말을 할 수 있을까. 우선은 결혼하지 말고 살아보라고? 어디까지나 그는 내 아빠다. 찰리가 두 손을 맞잡았다.

"이럴 줄 알았어."

잔뜩 찡그린 채 중얼거린 찰리의 얼굴이 갑자기 부드럽고 약간 얼빠진 표정으로 변했다.

"아빠?"

내 목소리에 불안이 섞여 있었다. 이번엔 찰리를 바라보는 에드워드를 흘깃 쳐다보았지만 그의 표정 역시 읽을 수가 없었다.

"하!"

결국 찰리가 폭발했고, 난 움찔하고 말았다.

"하, 하, 하!"

내 눈을 믿을 수가 없어서 찰리가 몸을 구부린 채 웃어대는 모습을 그저 바라만 보아야 했다. 아빠는 온몸을 흔들며 웃고 있었다. 무슨 영문인지 몰라 에드워드를 바라보았지만, 에드워드 역시 웃음을 참으려는 듯 입술을 굳게 다물고만 있었다.

"그래, 좋아."

찰리가 웃음을 참으며 말했다.

"결혼해. 하지만……."

다시 웃음이 터져 나올 것처럼 그의 온몸이 떨렸다.

"하지만 뭐요?"

내가 물었다.

"하지만 엄마한테도 네가 직접 말해야 해! 난 르네에게 한마디도 안 할
테니까, 네가 알아서 하란 뜻이야."

그러고 나서 그는 큰 소리로 웃음을 터뜨렸다.


* * *


나는 문고리에 손을 올려놓은 채 잠깐 미소 지었다. 분명 그 당시에는
찰리의 말이 날 무섭게 했었다. 엄마에게 알려야 한다는 건, 마치 최후의
심판처럼 느껴졌으니까. 평소 엄마는 어린 나이에 결혼하는 걸 강아지를
산 채로 삶은 것보다 더 나쁘게 생각했다.

그러니 엄마가 어떻게 나올지 누가 알 수 있단 말인가. 적어도 나는 아
니다. 찰리도 분명히 아니고. 앨리스라면 말해줄 수 있겠지만, 나는 그녀
에게 물어볼 생각은 하지 않았다.

"엄마, 나 에드워드랑 결혼해요."

내가 도저히 입에 담기 힘든 그 말을, 목이 멘 채 더듬거리며 뱉어내자
르네가 말했다.

"저기 말이다, 벨라. 그렇게 한참 뜸을 들이다 이제야 말하다니 난 좀
화가 나는구나. 괜히 비행기 티켓만 더 비싸졌잖아."

엄마는 초조해하며 곧 말을 이었다.

"그때까지 필이 깁스를 풀 수 있을까? 턱시도를 못 입게 되면 사진을 망
치고 말텐데―."

"잠깐만요, 엄마. 뜸을 들이다니, 그게 무슨 소리예요? 난 방금 약,

약……."

약혼이라는 말을 차마 입에 담을 수 없었다. 숨이 막혀왔기 때문이다.

"어쨌든 이건 다 오늘 정해진 일이란 말이에요."

"오늘? 정말? 좀 놀랐는데. 내 생각에는……."

"무슨 생각이요? 언제 그런 생각을 했는데요?"

"음, 4월에 너희가 날 보러 왔었잖니. 그때 보기에도 거의 확실히 정해진 것 같았거든. 무슨 뜻인지 알지? 네 마음을 읽는 건 어렵지 않아. 하지만 별 도움이 안 될 것 같아서 아무 말도 하지 않았단다. 넌 찰리랑 똑같아. 일단 마음을 정하고 나면 설득하는 건 불가능하지. 네 결정을 고수하니까, 꼭 아빠처럼."

엄마는 포기했다는 듯 한숨을 내쉬고 나서, 내가 전혀 예상하지 못했던 얘기를 들려주었다.

"넌 나 같은 실수를 하지는 않을 거야, 벨라. 네 목소릴 들으니 꼭 겁먹은 바보 같구나. 무서워서 그러는 거니?"

르네가 소리 내어 웃었다.

"아마 내가 네 얘길 듣고 무슨 생각을 할지 두려웠던 거겠지. 난 결혼이란 게 얼마나 어리석은 건지 너한테 자주 얘기했었어. 결국은 아무 소용없었지만 말이야. 하지만 내가 했던 말들은 사실, 나한테만 해당되는 거란다. 넌 나랑은 완전히 다른 사람이잖아. 너는 너대로 실수를 할 거고, 또 삶에 대한 회한이란 것도 갖게 되겠지. 하지만 넌 내가 아는 대부분의 40대들보다 잘 해낼 거야."

엄마는 다시 웃고서 덧붙였다.

"넌 중년의 꼬마잖니. 다행히 너만큼이나 나이 든 영혼을 찾아낸 것 같구나."

"엄마……, 어디 아픈 거 아니죠? 내가 엄청난 실수를 저지르고 있는 거란 생각은 안 하세요?"

"음, 네가 몇 년 더 기다려줬으면 하는 생각은 해. 내가 사위를 둘 만큼 늙어 보이니? 아, 대답은 필요 없어. 하지만 중요한 건 내가 아니라 너잖아. 지금 행복해?"

"모르겠어요. 그냥 지금은…… 유체이탈이라도 하는 것 같아요."

엄마가 깔깔 웃었다.

"에드워드가 행복하게 해주니, 벨라?"

"네, 하지만……."

"아니면, 다른 사람을 원해?"

"아뇨, 하지만……."

"하지만 뭐?"

"내가 얼빠진 십대 같지 않아요?"

"넌 얼빠진 십대가 아냐. 최선의 선택이 뭔지 스스로 알고 있잖니."

또 하나 예상하지 못했던 일. 마지막 몇 주 동안 르네는 결혼식 준비에 푹 빠져 지냈다. 엄마는 매일 몇 시간씩 에드워드의 엄마 에스미와 통화를 했다. 사돈끼리 사이가 나쁠까 봐 걱정할 필요는 없을 것 같았다. 엄마는 에스미를 아주 좋아했다. 혹시 곧 내 '시어머니'가 될 에스미에게 누군가가 미리 코치해준 것은 아닐까.

나는 홀가분해졌다. 에드워드의 가족과 내 가족이 결혼식 준비를 하고 있었으므로, 내 스스로 뭔가 열심히 하거나 알아두거나 생각해야 할 필요가 없었던 것이다.

물론 찰리는 분노했다. 하지만 다행히도 내게 화가 난 것은 아니었다. 찰리가 생각했을 때 배신자는 르네였다. 자기 대신 르네가 문제를 해결해 주기를 바랐던 것이다. 엄마에게 말하라던 마지막 협박마저 무용지물이 되어버린 지금 그가 무엇을 할 수 있을까? 아빠가 할 수 있는 일은 아무것도 없었고, 그 스스로도 그걸 알고 있었다. 그래서 아빠는 세상에 믿을 사람 하나 없다는 말을 중얼거리며 힘없이 집 안을 돌아다녔다.

"아빠? 저 왔어요."

나는 현관문을 열며 소리쳤다.

"잠깐만, 벨라! 거기 있어봐."

"네?"

반사적으로 멈춰서면서 내가 물었다.

"잠깐만. 아얏, 앨리스! 살을 집었잖아."

앨리스?

"죄송해요, 아저씨. 괜찮으세요?"

새의 지저귐 같은 앨리스의 목소리가 들려왔다.

"피가 나잖아."

"괜찮은데요. 피부가 찢어지지는 않았어요. 제 말 믿으세요."

"무슨 일이에요?"

내가 문간에서 머뭇대며 물었다.

"30초만, 벨라! 조금만 참으면 좋은 일이 생길 거야."

앨리스가 말했다.

"흠."

이건 찰리 목소리다. 나는 발을 톡톡 두드리며 숫자를 세기 시작했다. 30을 채 세기도 전에 앨리스가 말했다.

"됐어, 벨라, 들어와!"

나는 조심스럽게 모퉁이를 돌아 거실로 들어섰다.

"와, 와……! 아빠, 정말……"

내가 숨을 헐떡였다.

"바보 같아?"

찰리가 끼어들었다.

"정말 멋져요."

찰리가 얼굴을 붉혔다. 앨리스는 팔꿈치를 잡고서 아빠를 천천히 한 바퀴 돌렸다. 아빠가 입고 있는 연회색 턱시도를 보여주기 위해서였다.

"그만해, 앨리스. 바보처럼 보이잖니."

"내가 옷을 입혀준 사람 중에 바보처럼 보인 사람은 없어요."

"맞아요, 아빠. 정말 멋져요! 오늘 무슨 특별한 일이라도 있어요?"

앨리스가 눈알을 굴렸다.

"마지막으로 피팅해보는 거예요. 두 사람 모두."

나는 평소에 보기 힘든 우아한 찰리의 모습에서 눈을 떼고, 소파에 소중히 모셔져 있는 무시무시한 흰 옷가방을 바라보았다.

"아."

"벨라, 너만을 위한 행복의 나라로 가자. 오래 걸리지 않을 거야."

나는 심호흡을 하고 눈을 감았다. 그리고 눈을 감은 채 비틀거리며 내 방을 향해 계단을 올라갔다.

"내가 네 손톱에 대나무가시라도 박으려는 것 같잖아."

앨리스가 내 뒤를 따라 들어오면서 중얼거렸다. 그녀의 말에 신경 쓰지 않았다. 이미 난 나만을 위한 행복의 나라에 있으니까.

그곳에서 결혼식 소동은 먼 나라 이야기 같았다. 나와는 상관없는, 이미 끝나 기억에서 지워진 그런 일.

그곳에는 우리, 그러니까 에드워드와 나뿐이었다. 무대는 모호하고 끊임없이 변했다. 안개 낀 숲에서 구름이 드리운 도시로, 다시 북극의 밤으로 바뀌어갔다. 에드워드가 나를 놀라게 하기 위해 신혼여행 장소를 비밀로 했기 때문이다. 하지만 난 여행지 같은 것엔 관심 없다.

에드워드와 나는 함께이고, 나는 계약을 완벽하게 이행했다. 그와 결혼하기로 했으니까. 그 외에도 에드워드의 부담스러운 선물들을 모두 받아들였고, 가을에 다트머스 대학교에 입학하기 위해 등록도 했다. 소용없는 짓인 걸 알면서도. 이제는 그가 계약을 이행할 차례였다.

나를 뱀파이어로 변신시키기 전에(에드워드는 나를 직접 뱀파이어로 만들어주기로 했다. 엄청나게 양보한 셈이다) 그는 또 다른 약속을 지켜야 한다. 에드워드는 내가 포기하려 하는 인간적인 것들에 대해 거의 강박적인 관심을 가지고 있어서, 내가 그 경험들을 놓치지 않기를 바랐다. 하지만 그런 경험들 ─ 예를 들면 졸업파티 같은 것─ 은 대개 내게는 그저 바보 같아 보였다. 사실 내가 인간으로서 놓치고 싶지 않은 경험은 하나뿐이다. 그리고 물론 에드워드는 내가 '그 경험'에 대해서는 깨끗이 포기해 주길 바랐다.

하지만…… 사실을 말하자면 이렇다. 더 이상 인간이 아닌 내 모습이 어떨지 나도 조금은 알고 있다. 난 새로 태어난 뱀파이어들을 직접 보았고, 변신 초기에 얼마나 큰 고통을 겪어야 하는지 곧 내 가족이 될 뱀파이어들로부터 듣기도 했다. 몇 년 동안 나의 가장 두드러진 특성은 바로 '갈증'이 될 것이다. 내가 본래의 모습을 되찾는 데는 몇 년이 걸리겠지. 뿐만 아니라 스스로를 통제할 수 있게 된다고 해도, 지금과 똑같은 감정을 느끼지는 못할 것이다.

극히 인간적으로, 그리고 정열적으로 사랑하는 것.

따뜻하고, 허약하고, 페로몬에 쉽게 흔들리는 내 몸을 아름답고, 강하고…… 알 수 없는 어떤 것으로 바꾸기 전에 경험해보고 싶었다. 나는 에드워드와 '진짜' 신혼여행을 즐기고 싶었다. 에드워드는 내가 다칠까봐 두려워하면서도 시도해보자고 동의해 주었다.

어렴풋이 앨리스의 손길이 느껴졌다. 내 피부에 와 닿는 매끄러운 새틴의 감촉도. 온 도시가 내 이야기를 떠들어댄다 해도 지금은 상관없다. 내가 주연을 맡은 쇼에 대해서도 아무 생각이 나지 않았다. 드레스 자락을 밟고 넘어지는 것도, 엉뚱한 순간에 그만 웃음을 터뜨리는 것도, 내 나이가 너무 어리다는 것도, 날 지켜볼 하객들도, 그리고 가장 친한 친구의 빈자리까지도 걱정되지 않았다.

나만을 위한 행복의 나라에 에드워드와 함께 있었으므로.

## 2

# 긴 밤

———◆———

"벌써 네가 보고 싶은걸."

"안 가도 돼. 그냥 여기 있어도⋯⋯."

"음."

한동안 고요했다. 단지 격렬하게 뛰는 나의 심장소리와 간간이 끊기는 우리의 거친 숨소리, 둘의 입술이 하나가 되어 움직이는 소리만 들렸다.

때로는 내가 뱀파이어와 키스하고 있다는 사실을 너무 쉽게 잊어버리곤 한다. 그가 평범하거나 인간적이어서가 아니다. 내가 인간이라기보다 천사에 가까운 누군가를 안고 있다는 사실을 어떻게 단 한순간이라도 잊을 수 있을까. 그가 너무도 아무렇지 않게 내 입술에, 얼굴에, 목에 키스하고 있기 때문이었다. 에드워드는 내 피를 향한 유혹을 이미 오래전에 떨쳐냈다고 말했다. 나를 잃을지도 모른다고 생각하니 내 피에 대한 욕망이 날아가 버렸다는 것이다. 하지만 내 피에서 나는 향기가 아직도 그를 고통스럽게 한다는 걸 나는 알고 있다. 불꽃을 삼킨 것처럼 여전히 그의 목구멍을 화끈거리게 한다는 걸.

눈을 떠보니 그는 나를 바라보고 있었다. 그가 나에게 그런 시선을 보낼 때면 나는 도통 이해가 되지 않았다. 내가 최고의 선물을 손에 넣은 운 좋은 승자가 아니라, 그 반대라고 여기고 있는 것 같기 때문이다.

한동안 우리는 시선을 나누었다. 그의 황금빛 눈은 너무 깊어서 들여다보고 있으면 그의 영혼까지 보이는 것만 같았다. 그런데도 자신에게 영혼이 있는지 의심했다니 그가 어리석게 느껴졌다. 뱀파이어이기는 해도 에드워드는 가장 아름다운 영혼을 지녔다. 그의 빛나는 마음이나 비할 데 없는 얼굴, 눈부신 몸보다 더 아름다운 영혼을.

그도 마치 내 영혼을 들여다보는 것처럼, 그리고 자신의 눈에 보이는 것이 퍽 마음에 든다는 듯이 나를 바라보았다.

그는 다른 사람의 마음을 꿰뚫어볼 수 있지만 내 마음만큼은 보지 못한다. 누가 그 이유를 알까. 내 머리에 뭔가 문제가 있어서, 불멸의 존재들이 지닌 특별하고 무서운 능력에 면역성이 있는 건지도 모른다. (아, 면역성이 있는 건 마음뿐이다. 에드워드와는 다른 방식으로 능력을 발휘하는 뱀파이어들에게 내 몸은 쉽게 영향을 받는다). 내 머리에 대체 어떤 문제가 있는 건지는 몰라도, 덕분에 그가 내 생각을 꿰뚫어 볼 수 없다는 게 나는 정말 기뻤다. 만약 그렇지 않았다면…… 상상하는 것만으로도 당황스럽다.

나는 다시 그의 얼굴을 내 얼굴 쪽으로 끌어당겼다.

"정말 여기 있고 싶은데."

조금 후 그가 중얼거렸다.

"아니, 안 돼. 총각파티잖아. 가봐야지."

그렇게 말하면서도 내 오른손은 그의 청동빛 머리카락을 움켜잡았고, 왼손은 그의 허리를 잡아당기고 있었다. 에드워드의 서늘한 손이 내 얼굴을 쓰다듬었다.

"독신으로 보내던 날들이 아쉬운 사람한테나 총각파티가 중요하지. 난 빨리 그런 날들이 지나갔으면 하는걸. 나한테는 아무 의미도 없어."

"맞아."

나는 겨울 날씨처럼 차가운 그의 목에 대고 속삭였다.

지금 내 방은 나만을 위한 행복의 나라와 비슷하다. 찰리는 정신없이 잠에 빠져 있어 우리 둘만 있는 것이나 다름없었다. 우리는 최대한 뒤엉켜 몸을 밀착한 채로 작은 침대 위에 웅크렸다. 하지만 고치처럼 날 감싸고 있는 담요는 어쩔 수 없었다. 담요를 덮긴 싫었지만, 내가 이를 덜덜 떨면 이 로맨틱한 순간을 망쳐버리고 말 것이다. 8월에 난방을 틀면 찰리가 알아차릴 테고……

그렇게 몸을 감싼 나와는 대조적으로, 에드워드의 셔츠는 바닥에 떨어져 있었다. 나는 완벽한 그의 몸에 새삼 충격을 받았다. 대리석처럼 하얗고 차갑고 매끄러운……. 이제 나는 그의 단단한 가슴을 쓰다듬고 있었다. 에드워드의 몸이 가볍게 전율했고, 그의 입술은 다시 내 입술을 찾았다. 나는 조심스럽게 혀끝으로 그의 유리처럼 매끈한 입술을 눌렀다. 그가 한숨을 쉬었다. 달콤한 숨결이 내 얼굴을 스쳐갔다. 차갑고도 향기로운 그의 숨결.

에드워드가 내게서 조금씩 몸을 뗐다. 선을 넘었다 싶으면 그는 그런 반응을 보이곤 한다. 그러나 사실 그가 그렇게 행동할 때는, 그 이상을 원한다는 의미이기도 했다.

"잠깐."

나는 그의 어깨를 잡고 몸을 밀착시켰다. 그리고 한쪽 다리를 들어 그의 허리에 둘렀다.

"연습이 완벽함을 만든다잖아."

그가 킥킥거렸다.

"이쯤 되면 거의 완벽에 가까워야 하지 않아? 지난달에 잠이란 걸 자긴 했었던가?"

"하지만 이번 건 드레스 리허설이야. 우리는 몇 장면만 연습했잖아. 안전 따위는 생각할 시간이 없다고."

내가 그에게 일깨워주었다. 에드워드가 웃을 거라고 생각했지만, 그는 아무 대답도 하지 않았다. 그는 갑자기 몸을 긴장시킨 채 꼼짝 하지 않았다. 그의 눈 속 가득한 황금빛은 이제 액체에서 고체로 굳어버린 것 같았다. 난 내가 한 말을 곱씹어보고, 에드워드가 그 속에서 무엇을 읽어냈는지 깨달았다.

"벨라……."

그가 속삭였다.

"또 다시 반복하진 말자. 계약은 계약이야."

내가 말했다.

"모르겠어. 네가 이런 식으로 나오면 정신을 집중하기가 너무 힘들어져……. 제대로 생각할 수가 없어. 난 내 스스로를 통제할 수 없을 거고, 넌 다치고 말 거야."

"난 괜찮을 거야."

"벨라……."

"쉿!"

그의 두려움이 사라지도록 내 입술을 그의 입술에 갖다댔다. 전에도 이이야기를 들은 적 있다. 하지만 그는 계약을 깨려 하지는 않았다. 내가 결혼부터 하겠다고 한 이후에는.

그가 잠시 동안 내게 키스해주었다. 하지만 전만큼 몰두하는 것 같지 않았다. 걱정, 항상 걱정. 그가 더 이상 내 걱정을 하지 않게 된다면 모든 게 얼마나 달라질까. 더 이상 걱정을 하지 않게 되면 에드워드는 그 남는 시간에 뭘 할까? 아마 새로운 취미를 만들어야겠지.

"발은 어때?"

그가 물었지만, 진짜 내 발에 대해 묻고 싶었던 게 아니란 걸 난 안다. 그래서 이렇게 대답했다.

"따뜻해."

"정말? 생각도 안 해보고 대답해도 돼? 아직 늦지 않았으니 생각을 바꿔도 되는데."

"내 주의를 딴 데로 돌리려는 거니?"

그가 소리 내어 웃었다.

"확인하려는 것뿐이야. 네가 스스로 확신하지 않는 일은 안 했으면 좋겠어."

"난 너에게 확신을 갖고 있어. 그리고 그 나머지 일은 모두 견뎌낼 수 있고."

그는 머뭇거렸다. 내가 또 말실수를 한 걸까?

"정말 그래? 결혼식은, 네가 불안해하고 있긴 해도 견딜 수 있을 거라고 생각해. 하지만 나중에…… 르네나 찰리는 어떻게 할 생각인데?"

그는 그렇게 조용히 물어왔다. 나는 한숨을 쉬었다.

"두 분이 그리울 거야."

그보다는 부모님이 나를 그리워하리라는 점이 더 괴로웠지만. 에드워드를 고통스럽게 하고 싶지 않았다. 에드워드가 다시 덧붙였다.

"앤젤라와 벤, 그리고 제시카와 마이크도."

"그래, 친구들도 그리울 거야. 특히 마이크가 보고 싶겠지. 오, 마이크! 그를 못 보고도 살 수 있을까?"

나는 어둠 속에서 미소 지었고, 에드워드는 씩씩거렸다. 잠시 동안 웃다가 난 다시 심각해졌다.

"에드워드, 우리는 몇 번이고 이런 일을 겪었잖아. 물론 힘들겠지. 나도 알아. 하지만 내가 원하고 있잖아. 난 너를 원해. 그것도 영원히 말이야.
한평생으로는 부족해."

"영원히 열여덟 살로 얼어붙은 채 말이지."

그가 속삭였다.

"모든 여자들의 꿈이 이루어지는 거지."

내가 농담을 했다.

"절대로 변하지 않고……, 앞으로 나아가지도 않고서."

"그게 무슨 뜻이야?"

에드워드가 천천히 대답했다.

"찰리에게 결혼하겠다고 말했던 날 기억나? 그는 네가…… 임신했다고
생각했어."

"그리고 널 총으로 쏘아버릴까를 고민하셨지. 자, 인정해. 1초 동안 정
말로 고민했었잖아."

그렇게 말하고 나는 웃었지만, 에드워드는 대답하지 않았다.

"왜 그래, 에드워드?"

"그저…… 그 말이 사실이었으면 해서."

"윽."

질식할 것 같았다.

"그의 말을 실현시킬 수 있는 방법이 있었으면 좋겠어. 언젠가는 우리
가 그렇게 될 수 있었으면 좋겠어. 너에게서 그 기회를 박탈해야 한다는
게 정말 싫어."

1분쯤 침묵한 후 내가 말했다.

"내가 뭘 하고 있는지는 스스로 잘 알고 있어."

"어떻게 아는데, 벨라? 우리 엄마를 봐, 내 누이를 보라고. 네가 상상하
는 것만큼 쉽지 않은 희생이야."

"에스미와 로잘리는 잘 지내고 있잖아. 나중에 문제가 생기면 에스미처럼 하면 돼. 입양 말이야."

그는 한숨을 쉬더니 흥분한 목소리로 말했다.

"그건 옳지 않아! 네가 나 때문에 희생하는 게 싫어. 나는 너에게 뭔가를 주고 싶지, 그 무엇이라도 빼앗고 싶지는 않아. 네 미래를 훔치고 싶지 않아. 만일 내가 인간이었다면……"

나는 에드워드의 입술에 손을 갖다댔다.

"내 미래는 너야. 그러니 이제 그만해. 그만 징징거려. 안 그러면 너희 형들한테 전화해서 잡아가라고 할 테니까. 아무래도 총각파티가 필요할 것 같거든."

"미안해. 우는 소리 해서. 예민해졌나 봐."

"겁이 나는 거야?"

"그런 게 아냐. 난 너와 결혼하기 위해 100년을 기다렸어, 스완 양. 도저히 결혼식을 기다릴 수 없……"

이야기를 멈춘 그가, 갑자기 이를 갈며 말했다.

"오, 성스러운 사랑을 위해."

"왜 그래?"

내가 물었다.

"형들한테 전화할 필요 없겠는걸. 오늘 밤 에밋과 재스퍼는 나를 놔주지 않을 테니까."

나는 1초 동안 그를 꼭 끌어안았다가 놓아주었다. 내가 에밋과의 줄다리기에서 이길 가능성은 전혀 없으니까.

"재미있게 놀아."

내가 그렇게 말했을 때 창문에서 끽 소리가 났다. 누군가 강철 같은 손톱으로 유리창을 긁어서, 등줄기에 오싹 소름이 돋게 하는 무시무시한 소리를 만들어내고 있었다. 나는 온몸에 소름이 돋았다.

"에드워드를 보내지 않으면 우리가 들어갈 거야!"

에밋이 여전히 어둠 속에 몸을 숨긴 채 위협적으로 을러댔다.

"가! 안 그러면 에밋과 재스퍼가 집을 죄다 부수고 말겠어."

나는 그렇게 말하고 웃음을 터뜨렸다. 에드워드는 눈을 굴리더니 우아하게 일어서서 셔츠를 입었다. 그가 몸을 숙이고 내 이마에 입을 맞췄다.

"잘 자. 내일은 결혼식 날이니까."

"고마워! 그 말을 들으니까 긴장이 풀리는걸."

"결혼식 제단에서 만나자."

"그래, 흰 드레스를 입고 있을게."

어쩌면 이렇게 감동 없는 목소리로 말할 수 있을까. 스스로도 미소 짓지 않을 수 없었다. 에드워드가 키득거렸다.

"그 말을 들으니 빨리 가봐야겠는걸."

그가 갑자기 몸을 웅크리는 바람에 근육들이 스프링처럼 꿈틀거렸다. 에드워드는 곧 사라졌다. 너무 빨리 창문으로 빠져나가서 내 눈은 채 그를 좇지 못했다.

밖에서 희미하게 쿵 소리가 들렸고, 에밋이 불평하는 소리도 들려왔다.

"에드워드가 결혼식에 늦지 않게 해줘."

나는 그들이 내 말을 들을 수 있으리라 생각하고 작게 중얼거렸다. 그때 내 방 창문을 기웃거리는 재스퍼의 얼굴이 보였다. 구름 사이로 비치는 달빛 때문에 그의 벌꿀색 머리카락이 은색으로 빛났다.

"걱정 마, 벨라. 일찌감치 집에 데려다놓을 테니까."

갑자기 내 마음은 아주 평온해졌다. 내 머리에 어떤 문제가 있든, 어쨌든 재스퍼에게는 통하지 않는 것 같다. 섬뜩할 정도로 정확한 예언 능력을 지닌 앨리스만큼이나 재스퍼에게도 뛰어난 능력이 있다. 재스퍼의 능력은 미래가 아닌 현재의 기분과 관련 있다. 사람들은 재스퍼가 조종하는 대로 울고 웃을 수밖에 없다.

나는 여전히 담요를 감은 채로 어색하게 일어나 앉았다.

"재스퍼, 뱀파이어들은 총각파티에서 뭘 하는 거야? 에드워드를 스트립클럽에 데려갈 건 아니잖아?"

"말하지 마!"

에밋이 아래에서 투덜거렸다. 또다시 쿵 소리가 들리더니 에드워드가 조용히 웃었다.

"진정해."

재스퍼가 그렇게 말하자 내 기분이 좀 더 안정되었다.

"컬렌 가 사람들만의 총각파티가 있지. 쿠거 몇 마리와 회색 곰 두 마리만 있으면 돼. 거의 평소와 다름없어."

내가 '채식주의' 뱀파이어의 먹이에 대해 앞으로도 그렇게 태연하게 말할 수 있을까.

"고마워, 재스퍼."

그는 윙크를 하더니 내 시야에서 사라졌다.

밖은 완전히 조용해졌다. 찰리의 코 고는 소리가 벽 너머에서 단조롭게 들려왔다. 나는 베개를 베고 누웠다. 그제야 졸려왔다. 난 작은 방의 벽을 노려보았다. 두꺼운 구름을 뚫고 나온 달빛이 벽을 창백하게 비추었다.

내 방에서 보내는 마지막 밤이었다. 이사벨라 스완으로 보내는 마지막 밤이기도 했다. 내일 밤이면 난 벨라 컬렌이 되어 있을 것이다. 결혼식을 치러야 한다는 게 끔찍하기는 하지만, 벨라 컬렌이라는 이름이 마음에 드는 건 사실이었다.

잠이 나를 데려가주기를 빌며, 잠시 동안 이 생각 저 생각을 했다. 하지만 몇 분 후 불안이 스멀스멀 기어들어와 내 뱃속을 헤집어놓으면서 정신은 다시 또렷하게 맑아졌다. 에드워드가 없는 침대는 지나치게 부드럽고 또 따뜻하다. 재스퍼가 가버리자 평화롭고 안정되었던 기분도 사라져버렸다.

내일은 아주 긴 하루가 될 게 분명하다.

내 두려움은 대부분 근거 없는 것들이었고, 그러니 스스로 이겨내야 했다. 살다보면 사람들의 주목을 받는 날도 있다. 하지만 난 항상 남들에게 관심의 대상이 되는게 영 익숙하지 못했다. 물론 몇 가지 걱정은 아주 타당한 것이긴 하다.

우선 질질 끌리는 웨딩드레스. 앨리스는 분명 드레스의 실용성은 무시한 채, 예술성만 강조했겠지. 하이힐을 신고 웨딩드레스를 끌면서 컬렌 가의 계단을 오르내리는 건 도저히 불가능한 일로 여겨졌다. 연습을 했어야 하는 건데.

그리고 결혼식 하객 명단.

디날리에 사는 타냐 가족은 결혼식이 시작되기 전에 도착할 것이다.

디날리 일족이 퀼렛족 보호구역에서 온 제이콥의 아빠나 클리어워터 모자와 같은 방에 있는 것은 걱정할 만한 일이 아닐 수 없다. 타냐네 가족이 늑대인간을 좋아할 리 없으니까. 게다가 타냐의 여동생인 아이리나는 결혼식에 오지 않을 것이다. 그녀는 자신의 친구인 로렌트를 죽인 늑대인간들에게 여전히 피맺힌 원한을 품고 있었다(늑대인간들은 로렌트가 나를 죽이려던 바로 그 찰나, 내 목숨을 구했다). 그런 원한 때문에 디날리 일족은 가장 도움이 필요하던 순간에 에드워드의 가족을 버렸다. 새로 태어난 뱀파이어들이 공격해왔을 때 우리 모두가 목숨을 구할 수 있었던 것 퀼렛 부족 늑대인간들과 맺은, 도저히 불가능한 것으로 보였던 그 동맹 덕분이었다…….

에드워드는 퀼렛 부족과 디날리 일족이 함께 있어도 위험하지 않을 거라고 약속했었다. 타냐와 아이리나를 뺀 그녀의 가족은 한때의 배신 때문에 엄청난 죄책감을 느끼고 있다는 것이다. 늑대인간들과의 휴전은, 그 빚을 갚기 위해 치러야 할 작은 대가였다. 그들이 지불할 준비가 되어 있는 그런 대가.

큰 문제들 말고 작은 문제도 있었다. 부서지기 쉬운 내 자존심 얘기다.

타냐를 본 적은 없지만, 그녀를 만나는 게 내 자아에 그리 유쾌한 경험이 되지 않으리라는 건 알고 있다. 옛날에, 아마 내가 태어나기도 전에 그녀는 에드워드에게 구애한 적이 있다. 아, 난 그녀든 다른 누구든 에드워드를 원했다고 해서 미워할 생각은 없다. 어쨌든 그녀는 아름다울 거고, 그게 아니라면 적어도 화려하긴 하겠지. 아무리 에드워드가 나를 더 좋아한다고 해도, 나는 그녀와 나를 비교하지 않을 수 없을 것이다.

예전에 내가 살짝 불평한 적이 있다. 그러자 내 약점을 잘 알고 있는 에드워드는 내 죄책감을 자극하려 했다.

"우리는 그들에게 가족과 마찬가지야. 이렇게 오랜 시간이 흐른 뒤에도 그들은, 여전히 고아 같은 기분을 느낀다고."

그가 내게 그렇게 일깨워주었다. 그래서 나는 찡그린 얼굴을 감춘 채 물러났었다.

타냐는 이제 컬렌 가족과 비슷한 정도의 대가족을 이루었다. 그들은 모두 다섯 명이다. 원래 타냐, 케이트, 아이리나가 있었고, 여기에 카르멘과 엘리저가 합류했다. 앨리스와 재스퍼가 컬렌 가족에 합류한 것처럼. 타냐의 가족은 다른 뱀파이어들과 달리 인정을 베풀고 싶다는 바람으로 뭉쳐 있었다.

타냐와 그녀의 자매들은 한 가지 이유 때문에 고립되어 있었다. 그들은 여전히 어머니의 죽음을 애도하고 있었던 것이다. 아주 오래전에는 그들에게도 엄마가 있었다.

상실이 남긴 구멍을 나는 상상할 수 있었다. 천 년이 지난다 해도 사라지지 않는 공백. 나는 컬렌 가족의 창조자이자 컬렌 가족의 중심이고 또한 지도자인 칼라일이 없는 컬렌 가족을 상상해보려 했다. 도저히 상상할 수 없었다.

내가 선택한 미래에 대해 가능한 한 많은 것을 배우고, 많은 것을 준비하면서 늦은 시각까지 컬렌 가족과 시간을 보내고 있을 때였다. 칼라일이 타냐 가족에 관한 이야기들을 들려주었다. 그 중에 타냐 엄마의 이야기도 들어 있었다. 그것은 내가 불멸의 세계에서 알아야 할 규칙을 알려주는 퍽 교훈적인 이야기였다. 천 가지의 다른 갈래들을 아우르는 단 하나의 중요한 법칙을. '비밀을 지켜라.'

비밀을 지킨다는 말은 많은 것을 의미한다. 컬렌 가족처럼 조용히 살다가 사람들이 늙지 않는 외모에 의심을 품을 만한 시점에 이사를 갈 수도 있다. 아니면 제임스나 빅토리아 같은 떠돌이들이 그랬던 것처럼, 굶주릴 때를 제외하고는 철저히 인간사회를 피해 살아가는 것도 방법일 것이다. 재스퍼의 친구인 피터와 샬럿은 아직도 이렇게 살아가고 있다.

재스퍼가 마리아와 함께 지낼 때 그랬던 것처럼, 만일 자신이 새로 뱀파이어들을 만들어냈다면 비밀을 지키기 위해 그들을 계속 통제해야 한다. 그러나 빅토리아는 자신이 만들어낸 뱀파이어들을 통제하는 데 실패했다.

그러니 비밀을 지키려면 우선은 뭔가를 만들어내지 않아야 한다. 통제가 되지 않는 창조물들도 있기 때문이다.

"타냐 엄마의 이름은 모르겠구나."

칼라일이 말했다. 그의 머리색과 정확히 같은 색깔의 황금빛 눈은 타냐의 고통을 떠올리며 슬픔에 젖어 있었다.

"정말 피할 수 없는 경우가 아니라면 그들은, 절대로 엄마에 대해 이야기하지도 또 생각하지도 않아. 타냐와 케이트와 아이리나를 만들어낸 여자는 내가 태어나기 훨씬 전에, 그러니까 갓난아기들을 뱀파이어로 만드는 일이 역병처럼 번지던 시절에 살았단다. 분명 그녀는 엄마로서 딸들을 몹시 사랑했던 것 같아. 옛날 뱀파이어들이 무슨 생각을 했는지는 나도 잘 모르겠어. 갓난아기들을 뱀파이어로 만들다니 말이야."

그의 말을 머릿속으로 그려보면서 나는 목구멍으로 솟구쳐 오른 분노를 억지로 삼켜야만 했다.

"그들은 아주 아름다웠지."

나의 반응을 확인한 칼라일이 재빨리 말을 이어갔다.

"너무도 사랑스럽고 매혹적이었어. 아마 상상조차 할 수 없을 거다. 그래서 누구라도 그들 옆으로 다가갔고 그들을 사랑할 수밖에 없었지. 그냥 필연적인 일이었단다. 하지만 그들을 가르치는 건 불가능했어. 아이들은, 뱀파이어에게 물리기 직전의 발달 단계에 멈추어 있었으니까. 보조개를 보이며 혀짤배기소리를 해대는 사랑스러운 두 살배기들이 짜증을 내면 마을은 반쯤 파괴되었지. 배가 고프면 그들은 배를 채웠고 어떤 경고의 말도 소용없었어. 그리고 사람들이 그들을 보게 됐지. 흉흉한 이야기가 돌며 공포가 퍼져나갔어. 마치 마른 덤불에 불이 번지듯이……. 타냐의 엄마도 그런 어린 뱀파이어를 만들어낸 거야. 당시 뱀파이어 선조들이 그랬듯, 그녀의 생각을 나 역시 이해하기 힘들단다."

그는 깊고 안정된 숨을 내쉰 후 다시 덧붙였다.

"물론 볼투리 가가 개입했지."

항상 그랬듯이 나는 그 이름을 듣고 움찔했다. 역시 늘 자신들의 판단에 충실한 이탈리아 뱀파이어 군단이 이 이야기의 중심이었다. 어떤 처벌도 따르지 않는다면 법이 존재할 이유가 없다. 마찬가지로 집행할 사람이 없다면, 처벌은 이루어질 수 없게 된다. 아로, 카이우스, 마르쿠스가 볼투리 군대를 다스렸다. 내가 그들을 만난 건 딱 한 번뿐이지만, 그 짧은 만남을 통해서도 아로가 진정한 지도자라는 것을 알 수 있었다. 그는 마음을 읽는 능력을 지니고 있어서, 누군가의 몸에 손이 한 번 닿는 것만으로 그동안의 모든 생각을 읽어냈다.

"볼투리 가는 볼테라에 있는 자신들의 아지트에서, 그리고 전 세계에서 불멸의 아이들을 조사했어. 결국 카이우스는 어린 뱀파이어들이 비밀을 지킬 수 없다는 결론을 내렸지. 그들은 모두 말살되어야 했단다. 내가 말했지? 아이들은 너무도 사랑스러웠다고. 음, 뱀파이어 무리들은 그들을 지키기 위해 마지막 한 명까지 싸웠어. 그리고 철저히 죽어갔지. 아메리카 대륙의 경우 대학살이 남부의 전쟁만큼 확산되지는 않았지만, 그래도 충분히 가공할 만한 파괴력이었단다. 오래된 무리들, 오래된 전통들, 그리고 친구들…… 많은 것을 잃었지. 결국 그 관행은 완전히 뿌리 뽑혔어. 그리고 불멸의 아이들에 대한 이야기는 결코 입에 올려서는 안 되는 금기가 되었단다."

칼라일의 이야기는 이어졌다.

"난 볼투리 가 사람들과 함께 지낼 때 불멸의 아이들 둘을 본 일이 있단다. 그래서 그들이 얼마나 매력적인지 잘 알아. 아로는 대학살이 끝난 후에도 여러 해 동안 그 어린 뱀파이어들을 연구했지. 그가 유난히 탐구심이 강하다는 건 너도 알잖아. 그는 아이들을 길들이고 싶어 했어. 하지만 그의 제안은 전원의 찬성을 얻지 못했고 그 아이들도 더 이상 존재할 수 없게 됐지."

내가 디날리 자매의 엄마에 대해 거의 잊어가고 있을 무렵, 이야기는 다시 그녀에게로 돌아갔다.

"타냐의 엄마에게 무슨 일이 일어났는지는 분명하지 않아."

칼라일이 말을 이었다.

"타냐, 케이트, 아이리나는 볼투리 가가 찾아올 때까지 아무것도 모르고 있었어. 그들의 엄마와 그녀가 만들어낸 창조물은 이미 볼투리 가에 잡혀 있는 상태였지. 타냐와 그 자매들은 사건에 대해 몰랐기 때문에 살아남을 수 있었어. 아로가 그들을 만져보고, 그들이 아무것도 모른다는 걸 알아냈거든. 그래서 그들은 엄마와 함께 벌을 받지 않았지.

그들은 엄마의 팔에 안긴 채 불에 태워지는 남자아이를 봤어. 그들이 한 번도 본 적 없는 아이였지. 또 꿈에서조차 생각해보지 않은 아이였고. 아마 디날리 자매의 어머니는 딸들을 보호하기 위해 비밀을 지켰던 것 같아. 하지만 대체 그녀는 왜 그 남자아이를 만들어낸 걸까? 그는 누구였을까? 대체 뭐였기에 그녀가 넘어서는 안 되는 선을 넘은 걸까? 타냐 자매는 이 질문들에 대한 답을 얻지는 못했어. 하지만 엄마가 유죄라는 건 의심할 수 없는 사실이었지. 그들은 엄마를 진심으로 용서하지는 못한 것 같아.

아로가 타냐, 케이트는 아무것도 모른다고 확인해주었다고 했지? 그런데도 카이우스는 그들을 불에 태우고 싶어 했어. 일종의 연좌제 같은 거지. 운 좋게도 그날은 아로가 자비를 베풀고 싶어 했단다. 타냐 자매는 그렇게 용서받았지만, 그들 마음속엔 치유되지 않은 상처와 법에 대한 존경심이 남았어⋯⋯."

어느 순간 기억은 꿈으로 바뀌었다. 바로 전 순간 나는 기억 속에서 칼라일의 얼굴을 바라보며 그의 말에 귀를 기울이고 있었는데, 다음 순간에는 회색 황무지를 바라보며 향을 태우는 진한 냄새를 맡고 있었다. 나는 혼자가 아니었다.

회색 망토로 몸을 가린 채 황무지 한가운데에 모여 있는 무리를 보고 나는 두려움에 떨어야 했다. 그들은 볼투리 가 사람들이었고, 나는 여전히 그들의 명령에 따르지 않은 채 인간으로 남아 있었으니까. 하지만 꿈에서 가끔 그렇듯 내 모습은 그들에게 보이지 않았다. 여기저기에 연기가 피어오르는 작은 언덕들이 있었다. 공기 중에 감도는 달콤한 향기를 맡은 나는 작은 언덕들을 자세히 살펴보지 않았다. 처형당한 뱀파이어들의 얼굴을 보고 싶지 않았다. 연기가 피어오르는 작은 언덕 가운데 내가 아는 누군가가 있을까 두려웠기 때문이다.

볼투리 가의 전사들은 뭔가의 주위에 둥글게 서 있었고, 작게 속삭이던 그들의 목소리는 어느새 흥분으로 커졌다. 망토 입은 무리가 무엇을 그렇게 열심히 바라보는지 궁금했으므로, 나는 그들에게로 다가갔다. 서로를 비난하는 두 명의 망토 입은 키 큰 뱀파이어들 사이를 조심스럽게 기어간 나는, 마침내 작은 무더기 위에 올려진 것을 보고 그들이 무엇 때문에 말다툼을 하는지 알아냈다.

그 남자아이는 칼라일이 설명한 것처럼 아름답고 사랑스러웠다. 겨우 두 살 정도 된 유아였다. 곱슬거리는 밝은 갈색의 머리카락이, 둥근 뺨과 통통한 입술이 돋보이는 천사 같은 얼굴을 감싸고 있었다. 게다가 그 아이는 떨고 있었다. 매순간 다가오는 죽음이 견딜 수 없이 두려운 듯 두 눈을 꼭 감은 상태였다.

나는 겁에 질린 사랑스러운 아이를 구해야 한다는 너무나 강렬한 책임감을 느꼈다. 그들의 무시무시한 힘을 알고 있음에도 볼투리 가는 더 이상 내게 중요하지 않았다. 그들이 내 존재를 알아차리든 말든 나는 그들을 밀고 지나갔다. 그리고 그들을 지나쳐 그 아이에게로 달려갔다.

가까이 다가갈수록 그 아이가 앉아 있는 낮은 언덕이 또렷이 보였다. 그건 흙도, 바위도 아니었다. 그것은 피가 바짝 말라버리고 생명도 빠져나간 인간의 시체 더미였다. 그리고 결국 나는 그들의 얼굴을 보고 말았다. 모두 내가 알고 있는 이들이었다. 앤젤라, 벤, 제시카, 마이크······. 그리고 그 사랑스러운 아이 바로 밑에는 엄마와 아빠의 시체가 있었다.

그 아이가 눈을 떴다. 눈은 선명한 핏빛이었다.

# 3
# 결혼식

눈을 번쩍 떴다.

꿈을 떨쳐버리기 위해 나는, 몇 분 동안 따뜻한 침대에 누워 몸을 떨며 숨을 헐떡였다. 내 심장이 진정되기를 기다리는 동안 창밖의 하늘은 회색으로, 다시 연분홍색으로 변했다.

어질러지고 익숙한 내 방, 그러니까 현실로 완전히 돌아온 나는 스스로에게 약간 짜증이 났다. 하필 결혼식 전날 밤에 그런 꿈이라니! 한밤중에 온갖 불길한 이야기들을 열심히 생각한 덕분이었다.

악몽을 떨쳐버리기 위해 나는 옷을 입고 일찌감치 부엌으로 내려갔다. 이미 깨끗한 부엌을 다시 한번 청소하고, 잠에서 깬 아빠를 위해 팬케이크를 만들었다. 난 너무 긴장한 탓에 식욕이 생기지 않았다. 그래서 찰리가 식사를 하는 동안 자리에 앉아만 있었다.

"3시에 웨버 목사님을 데리러 가야 해요."

내가 찰리에게 귀띔했다.

"오늘은 목사님을 모셔오는 것 말고는 별로 할 일이 없구나. 해야 할 일이 그것뿐인데 잊어버리지는 않을 거야."

결혼식 때문에 휴가를 받은 찰리는 당황하고 있었다. 때로 아빠의 눈은, 낚시 장비가 들어 있는 계단 아래 창고를 흘끔거렸다.

"할 일이 그것 뿐은 아니죠. 하객들 앞에 서려면 옷도 입어야 하고."

그는 시리얼 그릇을 향해 얼굴을 찡그리고는 작은 목소리로 "젠장"이라고 중얼거렸다. 그때 현관문을 힘차게 두드리는 소리가 났다.

"그게 힘들어요? 난 앨리스와 하루 종일 붙어 있어야 되는데."

난 그렇게 말하고 얼굴을 찡그리며 일어섰다. 찰리는 자신의 처지가 조금 낫다는 걸 인정하며 사려 깊게 고개를 끄덕였다. 아빠의 곁을 지나면서 나는 고개를 숙여 정수리에 입을 맞추었다. 그러고는 내 가장 친한 여자친구이자 곧 시누이가 될 앨리스를 맞기 위해 현관으로 갔다.

앨리스의 짧은 검은 머리카락은 평소처럼 뾰족뾰족 튀어나온 스타일이 아니었다. 핀컬로 산뜻해진 머리카락이 꼬마 요정 같은 그녀의 얼굴을 부드럽게 감싸고 있었다. 덕분에 그녀는 평소와는 달리 사무적인 모습이었다. 그녀는 어깨 너머로 간신히 "안녕하세요, 아저씨"라고 외치고는 나를 집밖으로 끌어냈다.

내가 포르쉐에 올라타자마자 앨리스가 내 얼굴을 뜯어보았다.

"이런, 세상에, 이 눈 좀 봐!"

그녀가 비난하듯 혀를 차고 나서 나를 다그쳤다.

"무슨 짓을 한 거야? 밤이라도 새웠어?"

"거의 새웠지."

내 대답에 그녀가 얼굴을 찡그렸다.

"난 너를 남들이 보면 기절초풍할 정도로 멋지게 꾸며주려고 엄청난 시간을 쏟아 부었어. 그러니 벨라 넌 최소한 네 얼굴이라도 제대로 관리했어야지."

"아무도 내가 그렇게 깜짝 놀랄 만큼 멋지게 보일 거라고 기대도 하지 않을걸. 결혼식 중에 잠을 자다가 제때 '네'라고 못할까 봐 걱정이야. 그럼 에드워드에게 빠져나갈 틈이 생길 거 아냐."

앨리스는 웃었다.

"그럼 네가 대답할 차례가 되면 내 부케를 던질게."

"고마워."

"그래도 내일은 비행기에서 하루 종일 잘 수 있을 거야."

나는 한쪽 눈썹을 치켜 올렸다. 내일. 나는 생각에 잠겼다. 오늘밤 피로연을 마치고 출발했는데도 내일까지 비행기를 타고 있다면…… 음, 아이다호 주 보이시는 아니란 얘기군. 에드워드는 내게 아무런 힌트도 주지 않았다. 나도 굳이 수수께끼를 풀려고 애를 쓰지는 않았다. 그러나 내일 밤 내가 어디서 잠들지 알 수 없다는 게 이상하기는 했다. 사실 잠들지 않았으면 하는 게 진짜 속마음이긴 하지만…….

앨리스는 자신이 뭔가를 폭로했다는 사실을 깨닫고는 얼굴을 찡그렸다.

"짐은 다 꾸려놨어."

그녀는 내 관심을 다른 데로 돌리려 했다. 그리고 그 방법은 효과가 있었다.

"앨리스! 내 짐은 내가 싸고 싶었단 말이야."

"그러면 너무 많은 걸 빼버렸겠지."

"무엇보다도 네가 손수 쇼핑할 기회를 놓쳤을 거고."

"10시간만 있으면 넌 공식적으로 내 올케가 돼……. 그러니 새 옷에 대한 거부감은 이제 극복할 때가 된 거지."

컬렌 가 저택에 가까워질 때까지 나는 화난 얼굴로 앞만 바라보았다.

"에드워드는 아직 안 왔어?"

내가 물었다.

"걱정 마. 음악이 시작되기 전에 돌아올 테니까. 하지만 에드워드가 언제 돌아오든 넌 그를 볼 수 없을 거야. 그게 우리 전통이거든."

나는 코웃음을 쳤다.

"전통이라고!"

"그래, 신랑 신부는 서로 보면 안 돼."

"벌써 그가 엿봤다는 거 알잖아."

"오, 안 돼. 드레스 입은 네 모습을 나만 본 것도 그래서란 말이야. 에드워드가 근처에 있을 때에는 네 모습을 생각하지 않으려고 얼마나 조심했는데."

"음. 졸업 파티 때 썼던 장식을 재활용했네."

차가 집 안으로 들어섰을 때 내가 말했다. 집 안에 나 있는 5킬로미터쯤 되는 길에는 다시 한 번 수십만 개의 전구가 반짝이고 있었다. 이번에는 거기에 흰색의 새틴 리본까지 달려 있었다.

"낭비가 없으면 부족한 것도 없다고 했지. 그냥 즐겨. 때가 될 때까지 식장은 볼 수 없을 테니까."

앨리스는 집 북쪽에 있는 동굴 같은 차고로 들어섰다. 에밋의 커다란 지프는 여전히 보이지 않았다.

"언제부터 신부가 식장을 볼 수 없게 된 거야?"

내가 항의했다.

"신부가 내게 모든 걸 맡긴 다음부터. 난 네가 계단을 내려가면서 엄청난 감동을 받았으면 하거든."

앨리스는 손으로 잽싸게 내 눈을 가리더니 나를 부엌으로 데려갔다. 곧바로 향기가 내 코를 찔렀다.

"뭐야?"

나는 궁금해하며 앨리스가 이끄는 대로 집 안으로 들어섰다.

"내가 좀 오버했나? 사실 네가 여기 들어온 최초의 인간이거든. 제대로 한 건지 모르겠네."

갑자기 앨리스가 걱정스러운 목소리로 말했다.

"정말 향기가 끝내주네."

내가 앨리스를 안심시켜 주었다. 전혀 불쾌하지 않게, 더없이 매혹적으로 서로 다른 향기들이 절묘한 조화를 이루고 있었다.

"오렌지 꽃……, 라일락……, 그리고 다른 뭔가. 맞아?"

"잘했어, 벨라. 프리지어랑 장미만 놓쳤네."

앨리스는 거대한 욕실에 들어선 후에야 내 눈에서 손을 뗐다. 뷰티살롱에서 쓰는 자잘한 물건들이 길쭉한 선반 위에 가득했다. 그것들을 노려보고 있으려니 간밤 내내 뜬눈으로 지새웠다는 것을 새삼 실감할 수 있었다.

"이런 게 정말 필요해? 아무리 애써봤자 에드워드 옆에 서면 평범해 보일 텐데."

앨리스는 나를 나지막한 분홍색 의자에 앉혔다.

"내가 손질해준 후에도 너더러 평범하다고 하는 사람은 없을 거야."

"너한테 피를 빨릴까 봐 무서워서 그러겠지."

나는 투덜거렸다. 나는 잠깐이라도 잠들 수 있기를 바라며 의자에 등을 기댄 채 눈을 감았다. 앨리스가 내 얼굴을 구석구석 닦아내는 동안 잠깐 잠이 들었다 깼다.

점심시간이 지나자 로잘리가 반짝이는 은색 가운을 입고 금발머리를 부드러운 왕관처럼 틀어 올린 채 욕실로 들어섰다. 그녀가 너무 아름다워서 그저 울고 싶을 뿐이었다. 로잘리가 옆에 있는데 아무리 꾸며봤자 무슨 소용이 있을까?

"다들 돌아왔어."

로잘리가 이렇게 말하자 내 유치한 절망감은 금세 날아가 버렸다. 에드워드가 돌아왔다!

"이 근처에 못 오게 해."

"오늘은 에드워드도 방해하지 않을 거야. 죽고 싶지는 않을 테니. 에스미가 남자들을 준비시킬 거야. 도와줄까? 나도 머리는 만질 수 있는데."

로잘리가 앨리스를 안심시켰다. 나도 모르게 입을 벌렸다. 어찌된 일인지 곱씹어보는 동안 내 머릿속에는 이런저런 생각들이 떠올랐다.

로잘리는 나를 좋아한 적이 없다. 그녀는 내 선택을 마음에 들어 하지 않았고, 우리 사이엔 더 큰 긴장감이 흐르게 되었다. 그녀는 보는 사람의 눈을 의심하게 하는 지독한 아름다움과 사랑하는 가족, 소울메이트인 에밋을 가졌지만 인간으로 살아갈 수만 있다면 그 모두를 버릴 수도 있었다. 반면 나는, 그녀가 원했던 그 모든 것을 마치 쓰레기처럼 아무렇지 않게 버리고 있었다. 그렇다보니 날 대하는 그녀의 태도는, 그리 따뜻한 것이 못되었다.

"좋아. 머리 좀 땋아봐. 머리를 좀 복잡하게 꾸며보고 싶거든. 베일은 여기 아래에다."

앨리스는 로잘리에게 그렇게 말하고, 손으로 내 머리카락을 빗질하기 시작했다. 그러고 나서 그녀는 내 머리카락을 잡아 올리고 비틀면서 자신이 원하는 모양이 어떤 건지 자세히 보여주었다. 앨리스가 설명을 마치자 로잘리의 손이 깃털처럼 가볍게 내 머리카락에 와 닿았다. 앨리스는 다시 내 얼굴을 매만지기 시작했다.

머리 손질을 마친 로잘리는 앨리스의 칭찬을 받은 후, 내 드레스를 가지러 갔다. 그러고 나서는 재스퍼가 어디쯤 왔는지 알아보러 가기도 했다. 재스퍼는 엄마와 새 아빠 필을 데려오기 위해 그들이 묵고 있는 호텔에 간 상태였다. 아래층에서 문이 열렸다 닫히는 소리가 계속 들렸고, 사람들의 목소리도 들려왔다.

앨리스는 나를 일으켜 세우고 머리와 화장이 망가지지 않도록 조심스럽게 드레스를 입혔다. 그녀가 등 뒤의 진주 단추를 잠그는 동안 내 무릎이 심하게 떨려서 드레스 자락이 잔물결을 일으키며 흔들렸다.

"숨 들이쉬어, 벨라. 그리고 좀 진정해. 땀 때문에 화장이 다 지워지겠어."

앨리스가 말했다.

"그거 반가운 소리네."

그렇게 대꾸하며 나는 최대한 냉소적인 표정을 지으려 노력했다.

"이젠 나도 옷 입어야겠다. 2분 정도는 가만히 있을 수 있지?"

"음, 아마도?"

눈동자를 굴리고 난 앨리스는 곧 문으로 튀어나갔다. 난 숫자를 세면서 숨 쉬는 데 정신을 집중했다. 그러고는 욕실 조명을 받아 내 드레스 위에 생긴 무늬만 하염없이 바라보았다. 거울을 보는 게 무서웠다. 웨딩드레스를 입은 내 모습과 마주치고 발작을 일으킬까봐 두려워서.

내가 미처 200을 세기도 전에 앨리스가 돌아왔다. 날씬한 몸에, 흘러내리는 은빛 폭포 같은 드레스를 걸친 차림으로.

"앨리스, 와아!"

"소용없어. 오늘은 아무도 날 보지 못할 테니까. 네가 여기 있는 동안은 말이야."

"하, 하!"

"이제 진정이 됐어? 아니면 재스퍼를 불러줄까?"

"다들 돌아왔어? 엄마도 여기 있고?"

"그래. 방금 집 안으로 들어왔어. 그리고 지금 이리 올라오는 중이야."

나는 이틀 전 도착한 엄마와 모든 시간을 함께 보냈다. 좀 더 정확히 말하면 르네가 에스미나 결혼식장에 정신이 팔려 있지 않은 모든 시간을. 르네는 밤새 디즈니랜드에 갇힌 아이보다 더 재미있어했다. 어떤 면으로 나는 찰리만큼이나 사기당한 기분이었다. 엄마의 반응에 대해 전혀 쓸데없는 공포심을 품어왔으니까.

"오, 벨라!"

르네는 비명을 질렀다. 그녀는 문으로 들어서기 전부터 말을 쏟아내고 있었다.

"오, 애야, 너무 아름답구나! 정말 눈물이 날 것 같아. 앨리스, 정말 대단하다! 너와 에스미는 웨딩플래너로 나서야 돼. 이런 드레스는 어디서 찾은 거니? 정말 멋지다. 너무나 우아하고, 또 너무 고상해. 벨라, 오스틴 영화에서 걸어 나온 사람 같구나."

엄마의 목소리는 좀 멀리서 들리는 것처럼 느껴졌고, 욕실 안에 있는 모든 것이 조금 흐릿해졌다.

"벨라가 받은 반지를 중심으로 결혼식을 디자인하다니, 정말 독창적이야. 너무나 로맨틱해! 그 반지가 에드워드의 집안에서 1800년대부터 전해 내려오던 거라니!"

앨리스와 나는 잠깐 동안 공범처럼 시선을 교환했다. 엄마는 드레스 스타일부터 100년쯤 잘못 짚었다. 사실 결혼식은 반지가 아니라 에드워드를 중심으로 준비된 것이었다.

문 앞에서 크고 퉁명스러운 헛기침 소리가 들려왔다.

"르네, 에스미가 그만 자리에 앉으라는데."

찰리가 말했다.

"찰리, 기운이 없어 보이네!"

르네가 충격 받은 목소리로 말했다. 그것만으로도 찰리가 시무룩한 이유는 설명될 것이다.

"앨리스가 괴롭혀서 그래."

"벌써 시간이 된 거야? 모든 게 너무 빨리 지나가서 현기증이 나."

르네가 중얼거렸다. 그녀도 나만큼이나 불안한 것 같았다.

"내려가기 전에 안아다오. 조심해, 옷이 상하면 안 되니까."

엄마는 그렇게 조르고서, 내 허리를 부드럽게 안았다. 그리고 문을 향해 돌아서다가 다시 한 번 내 얼굴을 바라보았다.

"저런, 잊어버릴 뻔했네! 찰리, 그 상자 어디 있어?"

아빠는 잠깐 동안 주머니를 뒤지더니 작고 하얀 상자를 꺼내 르네에게 건넸다. 엄마는 상자의 뚜껑을 열어 내게 내밀었다.

"파란 거(영미권에는 신부가 결혼식 때 오래된 것, 새 것, 친구에게 빌린 것, 그리고 파란 것 이 네 가지 물건을 가지고 있으면 행복해진다는 속설이 있다: 편집자)란다."

르네가 알려주었다.

"오래된 물건이야. 할머니가 남기신 거거든. 보석가게에 가서 박혀 있는 보석을 사파이어로 싹 갈았지."

찰리가 덧붙였다. 상자 안에는 은으로 만든 두 개의 묵직한 빗이 들어 있었다. 빗살 위쪽에는 짙은 푸른색의 사파이어가 꽃 모양으로 섬세하게 박혀 있었다.

"엄마, 아빠……! 이러실 필요 없는데……."

그렇게 말하며 나는 목이 메었다.

"앨리스가 다른 건 못하게 하더라. 우리가 뭘 하려고 할 때마다 우리 목을 찢어버리기라도 할 것처럼 덤벼서 말이야."

르네의 말이었다. 내 입에서 신경질적인 웃음소리가 터져 나왔다. 앨리스가 다가오더니 두툼하게 땋은 머리 바로 아래에 두 개의 빗을 꽂았다.

"오래되고 파란 물건이라."

앨리스는 나를 보기 위해 몇 걸음 뒤로 물러서더니 생각에 잠긴 듯 말했다.

"네 드레스는 새 것이고…… . 아, 그리고 이거."

그녀는 내 앞에 뭔가를 흔들었다. 나는 무심결에 손을 뻗었고, 얇은 흰색의 가터벨트가 손에 잡혔다.

"내 거니까 나중에 돌려줘."

앨리스가 말했다. 나는 얼굴을 붉혔다.

"흠, 뭔가 살짝 색깔 있는 게 필요했는데. 이제 완벽해."

앨리스가 만족한 듯 말하고, 자축의 미소를 지으며 내 부모님에게로 돌아섰다.

"르네 아줌마, 이제 그만 내려가셔야겠는데요."

"네, 알겠습니다."

엄마가 내게 키스를 날리고 서둘러 문 밖으로 나갔다.

"아저씨, 부케 좀 갖다 주세요."

찰리가 밖에서 기다리는 동안 앨리스는 내 손에서 가터벨트를 낚아채더니 몸을 숙였다. 그녀의 차가운 손이 내 발목을 잡는 바람에 나는 숨을 헐떡이며 비틀거려야 했다. 앨리스는 가터벨트를 제자리에 달아주었다. 그녀가 몸을 펴자 찰리가 두 개의 하얀 부케를 들고 돌아왔다. 장미와 오렌지꽃, 그리고 프리지어의 향기가 나를 부드럽게 감쌌다.

아래층에서는 로잘리가 피아노를 연주하기 시작했다. 파헬벨의 캐넌이었다. 내 호흡이 거칠어지기 시작했다.

"진정하거라, 벨라."

찰리는 그렇게 말하고 초조하게 앨리스 쪽으로 돌아섰다.

"벨라가 아파 보이는데. 결혼식을 무사히 마칠 수 있을까?"

그의 목소리가 멀리서 들려왔다. 다리에 감각이 없었다.

"괜찮아질 거예요."

앨리스는 까치발을 한 채 내 눈을 들여다보며 바로 내 앞에 서 있었다.

그녀가 단단한 손으로 내 손목을 감싸 쥐었다.

"정신 차려, 벨라. 에드워드가 아래에서 널 기다린단 말이야."

그래서 난 냉정을 찾기 위해 심호흡을 했다. 천천히 음악이 바뀌었다. 찰리가 내게 다가왔다.

"벨라, 우리 차례야."

"벨라?"

앨리스가 아직 내 눈을 들여다보고 있었다.

"응. 에드워드. 좋아."

그렇게 말하는 내 목소리는 잔뜩 갈라져 있었다. 나는 앨리스에게 이끌려 방을 나섰다. 찰리가 내 팔꿈치를 붙잡고 있었다.

복도에 음악 소리가 더 크게 울려 퍼졌다. 그 음악 소리가, 백만 송이의 꽃향기와 함께 계단을 올라오는 것 같았다. 걸음을 한 발짝씩 떼어놓기 위해 나는, 에드워드가 아래층에서 기다리고 있는 생각에 정신을 집중하려 했다.

익숙한 음악이다. 꾸밈음이 잔뜩 붙은, 바그너의 결혼 행진곡.

"내 차례야. 다섯까지 세고 나서 날 따라와."

앨리스가 노래하듯 말하고, 춤추는 것처럼 우아하고 느리게 계단을 내려가기 시작했다. 앨리스를 유일한 신부들러리로 세우다니, 내 실수였다. 내가 그녀 뒤를 따라가면 얼마나 어설퍼 보일까.

음악소리가 들려오는 가운데 갑작스럽게 팡파르가 터졌다. 내려오라는 신호였다.

"내가 쓰러지지 않게 잡아주세요, 아빠."

나는 속삭였다. 찰리는 내 손을 팔에다 끼우고 단단히 잡았다.

한 번에 한 걸음씩이야. 행진곡의 느린 템포에 맞춰 계단을 내려가면서 나는 속으로 중얼거렸다. 내가 등장하자 하객들이 웅성거리는 소리가 들려왔지만 난 발이 평평한 바닥에 닿을 때까지 눈을 들지 않았다. 그러나 그 웅성거리는 소리 때문에 피가 얼굴로 확 몰렸다. 보는 사람들은 그저 신부 특유의 수줍음 때문이라고 생각할지도 모르지만.

위태롭게 계단을 내려가자마자 그를 찾았다. 잠깐 동안 나는 수많은 흰 꽃들에 정신이 팔렸다. 방 안에는 흰 꽃으로 만든 화환이 가득했고, 화환마다 하늘하늘한 흰색 리본이 길게 늘어져 있었다. 그러다 나는 화려한 캐노피에서 눈을 떼고, 새틴이 늘어진 의자들 사이를 뒤져ㅡ나를 바라보고 있는 얼굴들을 알아보고는 더 얼굴을 붉힐 수밖에 없었다ㅡ마침내 그를 찾아냈다. 에드워드는 더 많은 꽃과 리본이 넘쳐나는 아치 앞에 서 있었다.

난 칼라일이 그의 옆에 서있는 것도, 그리고 그 두 사람 뒤에 앤젤라의 아버지가 서 있는 것도 거의 알아차리지 못했다. 앞줄에 앉아 있을 엄마조차 보이지 않았다. 나의 새로운 가족도, 손님들도 눈에 들어오지 않았다. 그들은 좀 더 나중에야 알아볼 수 있을 것 같았다.

내게 보이는 것이라고는 에드워드의 얼굴뿐이었다. 그의 얼굴은 내 눈을 가득 채우고 내 마음을 압도했다. 그의 눈은 버터같이 타오르는 황금빛이었다. 그 완벽한 얼굴은 그가 가진 감정의 깊이만큼이나 진지했다. 경외감을 담은 내 눈을 본 그는 의기양양하게 매혹적인 미소를 지었다.

내가 급하게 통로를 걸어 내려가지 않도록 찰리가 내 손을 꼭 쥐었다. 행진곡이 너무 느려서 그 리듬에 걷는 템포를 맞추느라 애를 먹었다. 자비롭게도 통로는 짧았다. 그리고 마침내, 드디어 나는 그곳에 섰다. 에드워드가 손을 내밀었다. 찰리가 내 손을 들어 에드워드의 손 위에 올려놓았다. 그것은 이 세상만큼이나 오래된 상징이었다. 차가운, 기적 같은 그의 피부가 느껴졌다.

우리의 결혼서약은 지금까지 백만 번은 족히 되풀이되었을 간단하고 전통적인 문구들로 이루어져 있었다. 비록 그 맹세를 한 커플 중에 우리 같은 커플은 없었겠지만. 우리는 웨버 목사님에게 서약 내용 중 한 대목만 바꿔달라고 부탁했었다. 친절하게도 그는 "죽음이 우리를 갈라놓을 때까지"라는 대목을 "우리 둘이 살아 있는 한"으로 바꿔주었다.

웨버 목사님이 주례사를 하는 동안, 그때까지 뒤죽박죽이었던 내 세계는 제자리를 찾기 시작했다. 우리의 결혼식을, 원치 않는 생일 선물이나 당황스러운 행사―이를테면 댄스파티 같은 것―라도 되는 것처럼 두려워했다니……. 난 정말 어리석었다. 에드워드의 반짝이는 눈을 들여다보면서 나는, 나 역시 승리했다는 걸 알았다. 그의 곁에 있다는 사실 말고는 그 무엇도 중요하지 않았기 때문이다.

결혼 서약을 할 때까지 내가 울고 있다는 것도 몰랐다. 나는 그의 얼굴을 보려고 눈물이 고인 눈을 깜박였다. 그리고는 거의 알아들을 수 없는 목소리로 속삭였다.

"네."

에드워드가 대답할 차례가 되자 또렷하고 당당하게 결혼 서약이 울려 퍼졌다.

"네."

그가 맹세하자 웨버 목사님은 결혼이 성립되었음을 선언했다. 그리고 에드워드는 손으로 내 얼굴을, 마치 우리 머리 위에서 흔들리는 하얀 꽃잎이라도 되는 것처럼 조심스럽게 감쌌다. 눈물이 앞을 가리는 가운데 나는 이 경이로운 사람이 내 것이 되었다는 비현실적인 사실을 이해해보려고 애썼다. 그의 황금빛 눈에도 눈물이 고인 것 같은 느낌이 들었다. 그런 일이 불가능하지만 않다면 말이다. 그는 내게로 고개를 숙였고, 난 몸을 죽편 채 발끝으로 서서 그의 목에 팔을 감았다.

부드럽고 사랑스럽게, 에드워드가 내게 키스했다. 나는 사람들도, 장소도, 시간도, 그리고 이유도 잊어버렸다……. 대신 그가 나를 사랑하고, 그가 나를 원하고, 내가 그의 것이라는 사실만 기억할 뿐이었다.

그가 키스를 시작했으니 그가 끝내야 한다. 난 하객들 사이에서 들려오는 웃음소리도, 헛기침소리도 무시한 채 그에게 매달렸다. 마침내 그가 내 얼굴을 떼어내더니 나를 바라보았다. 너무도 순식간에. 겉보기에 그의 갑작스러운 미소는 즐거워보였다. 심지어 능글맞아 보이기까지 했다. 내가 사람들 앞에서 감정을 표현하는 모습을 보면서 그 역시도, 나만큼 열렬히 기뻐하고 있었다.

사람들이 박수를 쳤고, 그는 나와 함께 우리의 친구와 가족들을 향해 돌아섰다. 나는 도저히 에드워드의 얼굴에서 눈을 뗄 수 없었으므로, 친구와 가족의 모습도 보지 못했다.

나를 가장 먼저 붙잡은 것은 엄마의 손이었고, 마지못해 에드워드에게서 눈을 뗀 내가 가장 먼저 본 것도 엄마의 얼굴이었다. 그리고 난 차례대로 사람들의 품에 안겼지만, 사실 내 손을 꼭 잡고 있는 에드워드의 손에만 정신을 쏟고 있어 누가 나를 안았는지도 제대로 알지 못했다. 그러나 인간 친구들의 부드럽고 따뜻한 포옹과 새 가족들의 상냥하고 서늘한 포옹만큼은 구분할 수 있었다.

그리고 다른 포옹들과는 너무나 다른, 한 번의 뜨거운 포옹이 있었다. 세스 클리어워터는 나의 잃어버린 늑대인간 친구를 대신하기 위해 뱀파이어들 사이에 용감히 서 있었다.

# *4*
# 어떤 인사

---

결혼식은 피로연으로 물 흐르듯 이어졌다. 앨리스의 흠잡을 데 없는 기획력 덕분이다. 강 위로 황혼이 드리우고 있었다. 결혼식은 나무들 뒤로 해가 저물 때까지 계속되었다. 에드워드가 유리로 된 뒷문으로 나를 데려갔다. 나무의 불빛들이 반짝이면서 하얀 꽃들을 비추었다. 바깥에는 두 그루의 삼나무 아래에 무도회장이 꾸며져 있었다. 잔디밭이 댄스플로어 역할을 하고, 1만 송이의 하얀 꽃들은 향기롭고도 가벼운 텐트가 되어주었다.

모든 게 점점 느려져갔다. 우리를 에워싸고 있는 달콤한 8월의 저녁만큼이나 느긋하게. 사람들이 부드러운 불빛 아래 흩어져 있었고 우리는 방금 포옹했던 친구들에게서 다시 축하 인사를 받았다. 이제는 서로 이야기를 나누고 웃을 만한 시간이 있었다.

"축하해요."

화환 아래서 세스 클리어워터가 꾸벅 인사를 건넸다. 그의 엄마 수는 열심히 하객들을 살펴보면서 세스 곁에 바짝 붙어 있었다. 마른 얼굴이 사나워보였다. 짧고 단정한 머리 모양은 그런 인상을 더욱 두드러지게 했다.

그녀의 머리카락이 딸인 리만큼이나 짧은 것은 서로의 유대감을 보여주기 위해서일까. 세스의 옆에는 빌리 블랙도 있었다. 하지만 수만큼 긴장한 것 같지는 않았다.

제이콥의 아빠를 볼 때마다 한 사람이 아닌 두 사람을 보는 것 같다고 느끼게 된다. 휠체어 위에 앉아있는 것은 주름진 얼굴에 믿음직한 미소를 띤 늙은 남자였다. 하지만 그는 사실 강한 마법의 힘을 타고난 추장 가문의 직계자손이라는 권위 속에 숨어 있었다. 그 마법은 그의 세대를 건너 뛴 셈이지만, 빌리는 여전히 그 강력한 힘과 전설의 일부였다. 마법은 그를 관통하여 후계자인 아들에게로 전해졌다. 그러나 그의 아들은 마법에 등을 돌렸고, 이제 샘 울리가 전설의 추장이 되었다…….

여기 모여 있는 사람들, 그리고 여기서 벌어진 사건에도 불구하고 빌리는 이상하게도 편안해 보였다. 그의 검은 눈은 마치 뭔가 좋은 소식을 들은 것처럼 반짝였다. 나는 그의 침착함에 깊은 인상을 받았다. 빌리의 눈에는 이 결혼식이 너무도 불길한 일, 그리고 자신의 가장 친한 친구에게 벌어질 수 있는 최악의 일로 보였을 것이다.

이 사건이 컬렌 가와 퀼렛 부족의 조약에 어떤 위협으로 작용할지 생각해보면, 빌리로서는 감정을 억제하기 힘든 게 정상일 것 같았다. 컬렌 가와 퀼렛 부족 사이의 오래된 조약에 따르면, 더 이상의 뱀파이어를 만드는 일은 금지되어 있었다. 늑대인간들은 곧 조약이 깨지리라는 걸 알고 있지만, 컬렌 가는 이에 어떻게 대처할지 아직 결정하지 못했다. 동맹을 맺기 전이었다면 이런 일이 벌어질 경우 즉각 공격에 들어갔을 것이다. 전쟁의 시작. 하지만 이제는 서로에 대해 전보다 잘 알게 되었다. 그러니 용서할 수 있을까?

그런 내 생각에 반응한 것처럼 세스가 에드워드 쪽으로 몸을 숙이며 팔을 벌렸다. 에드워드도 자유로운 한쪽 팔로 세스를 안았다. 나는 수가 미묘하게 떠는 것을 보았다.

"당신이 행복한 모습을 보니 좋아요. 나도 기뻐요."

세스가 말했다.

"고마워, 세스. 내게 정말 큰 힘이 되는구나."

에드워드가 세스를 풀어주고 나서 수와 빌리를 보았다.

"고맙습니다. 세스를 데려와주셔서. 오늘 벨라를 응원해주셔서."

"천만에."

빌리가 깊고 거슬리는 목소리로 말했다. 그의 목소리가 밝아서 나는 깜짝 놀랐다. 아마도 더 강력한 휴전이 임박한 것 같았다.

하객들이 우리와 인사를 나누기 위해 줄을 서기 시작했다. 세스는 인사를 하고 나서 빌리의 휠체어를 밀고 음식이 있는 곳으로 갔다. 수는 한 손으로는 세스를, 또 한 손으로는 빌리를 붙잡고 있었다.

앤젤라와 벤이 뒤를 이어 우리 앞에 섰다. 그리고 앤젤라의 부모님, 그다음에는 마이크와 제시카였다. 놀랍게도 마이크와 제시카는 손을 잡고 있었다. 둘이 다시 사귄다는 말은 못 들었는데. 어쨌든 잘된 일이다.

내 인간 친구들 뒤에는 이제 내 사촌이 된 디날리 뱀파이어 일족이 있었다. 앞에 있는 뱀파이어—곱슬거리는 금발 머리에 붉은 기가 도는 것으로 보아 타냐였다—가 팔을 뻗어 에드워드를 포옹했을 때 나는 숨을 죽였다. 그녀 옆에는 세 명의 다른 뱀파이어들이 노골적인 호기심을 드러낸 채 황금빛 눈으로 나를 바라보고 있었다. 한 여자는 옥수수수염처럼 곧게 뻗은 길고 엷은 금발 머리였다. 또 다른 여자와 그녀 옆에 서 있는 남자는 검은 머리여서, 그들의 창백한 피부가 살짝 올리브빛으로 보였다. 네 남녀는 너무나 아름다웠다. 내 위장이 욱신거릴 정도로.

타냐는 여전히 에드워드를 안고 있었다.

"에드워드. 보고 싶었어."

타냐가 그렇게 말하자 에드워드는 웃으며 교묘히 포옹에서 벗어났다. 그리고 마치 타냐를 더 잘 보기 위해 그러는 것처럼 그녀의 어깨에 가볍게 손을 올리고 한 걸음 물러섰다.

"만난 지 오래 됐지? 좋아 보이는데, 타냐."

"너도 그런걸."

"내 부인을 소개할게."

공식적으로 내가 에드워드의 부인이 된 후 처음으로 그가 부인이라는 단어를 사용했다. 그렇게 말하고 나서 그는 스스로 만족해하는 것 같았다. 디날리 일족도 다들 가볍게 웃음을 터뜨렸다.

"타냐, 이쪽은 나의 벨라야."

내 최악의 악몽들이 예언했던 그대로 타냐는 사랑스러웠다. 그녀는 체념했다기보다는 생각에 잠긴 시선으로 나를 바라보더니 손을 뻗어 내 손을 잡았다.

"우리 일족이 된 걸 환영해요, 벨라."

타냐가 좀 슬퍼 보이는 미소를 지었다.

"우리도 칼라일의 가족이죠. 지난번에는 가족답게 행동하지 못해서 미안해요. 우리가 좀 더 빨리 만났어야 하는 건데. 용서해줄래요?"

"물론이죠. 만나게 돼서 기뻐요."

나는 숨을 죽이고 말했다.

"이제 컬렌 가는 모두 짝을 맞췄네. 다음에는 우리 차례겠지, 케이트?"

타냐는 금발 여자에게 미소 지었다.

"꿈을 잃지 말아야지."

케이트는 황금빛 눈을 굴리며 그렇게 말하고 나서, 타냐에게서 내 손을 빼내더니 부드럽게 잡았다.

"환영해요, 벨라."

검은 머리의 여자가 케이트의 손 위에 자신의 손을 올려놓았다.

"난 카르멘이고, 이쪽은 엘리저예요. 드디어 만나게 되다니 기쁜걸요."

"저, 저도요."

나는 말을 더듬었다. 타냐는 자기 뒤에 서 있는 사람들을 바라보았다. 찰리의 부관인 마크와 그의 아내였다. 마크와 그의 아내는 눈을 크게 뜨고 디날리 일족을 바라보았다.

"서로에 대해서는 나중에 알아가도 되겠죠. 우리에겐 시간이 엄청나게 많으니까!"

타냐는 가족들과 자리를 피하면서 웃음을 터뜨렸다.

식은 전통적인 절차를 모두 따라 진행되었다. 섬광전구 때문에 눈이 보이지 않는 가운데 나는 화려한 케이크를 자르기 위해 에드워드와 함께 나이프를 들어올렸다. 친한 친구와 가족만 모인 자리인데 케이크가 지나치게 화려하다는 생각이 들었다. 우리는 차례로 서로의 얼굴에 케이크를 들이밀었다. 내가 눈을 의심하며 바라보는 동안 에드워드가 씩씩하게 자기 몫의 케이크를 삼켰다. 내가 어설픈 동작으로 던진 부케는 놀란 앤젤라의 손에 안착했다. 에드워드가 앨리스의 가터―내가 거의 발목까지 끌어내린―를 이빨로 아주 조심스럽게 벗겨내는 동안 나는 얼굴을 붉혔고, 에밋과 재스퍼는 그런 내 모습에 웃음을 터뜨렸다. 에드워드는 내게 재빨리 윙크하고는 가터를 마이크 뉴턴의 얼굴에 던졌다.

음악이 시작되자 관습에 따라 에드워드가 나를 품에 안고 첫 춤을 추었다. 춤추는 것, 특히 사람들 앞에서 춤추는 것을 두려워하는 나지만, 그의 품 안에 안겨 있다는 행복 때문에 기쁘게 춤을 출 수 있었다. 반짝이는 수많은 불빛 아래에서 카메라플래시 세례를 받으며 난 그가 이끄는 대로 꽤 수월하게 빙글빙글 돌았다.

"파티가 즐거우신가요, 컬렌 부인?"

에드워드가 내 귓가에 속삭였고, 난 웃음을 터뜨렸다.

"익숙해지려면 시간이 좀 걸릴 거야."

"시간은 충분하잖아."

그가 의기양양한 목소리로 일깨워주었다. 춤추는 동안 그는 고개를 숙여 내게 키스했다. 여기저기서 사진 찍는 소리가 들렸다.

음악이 바뀌자 찰리가 에드워드의 어깨를 두드렸다. 찰리와 춤을 추는 건 그리 쉽지 않았다. 아빠의 춤 실력도 나보다 나을 게 없기 때문이다. 우리는 안전하게 작은 사각형을 그리며 이쪽저쪽으로 왔다 갔다 했다. 에드워드와 에스미는 프레드 아스테어와 진저 로저스처럼 우리 주위를 돌고 있었다.

"집에 가면 네가 그리울 거야, 벨라. 벌써 외로워지는걸."

목이 메었지만 나는 농담을 했다.

"아빠가 요리할 생각을 하니 무서워지는데요. 제가 학대 죄로 잡혀가는 건 아니겠죠?"

그가 씩 웃었다.

"난 그런 걸 먹어도 멀쩡할 거야. 전화 자주 하고."

"네."

모두와 춤을 춘 것 같았다. 옛 친구들을 모두 볼 수 있어서 좋았지만 내가 진짜 원하는 건 에드워드와 함께 있는 것이었다. 행복하게도 새로 춤이 시작되고 30초 만에 에드워드가 끼어들었다.

"아직도 마이크가 마음에 안 드나 봐?"

에드워드가 나를 마이크에게서 떼어냈을 때 내가 그렇게 말해줬다..

"그가 생각하는 걸 들었으니까. 내가 발로 걸어차거나 그보다 더 심한 짓을 하지 않은 걸 다행으로 여겨야 할걸."

"그래, 알았어."

"지금 네 모습 봤어?"

"음. 아니. 왜?"

"그럼 오늘밤 네가 얼마나 가슴 떨리게 아름다운지 모르겠네? 마이크가 결혼한 여자에게 그런 부적절한 생각을 갖는 것도 별로 놀라운 일이 아니지. 앨리스에게 실망했는걸. 네게 억지로라도 거울을 보여주지 않았다니 말이야."

"네 취향이 특이한 거지."

그가 한숨을 쉬더니 잠시 말을 멈추었다. 그러고는 나를 집 쪽으로 돌려 세웠다. 유리벽이 기다란 거울처럼 파티의 정경을 비추고 있었다. 에드워드는 우리 건너편에 있는 거울 속의 커플을 가리켰다.

"내 취향이 뭐 어쨌다고?"

난 에드워드의 이미지 — 그의 완벽한 얼굴의 완벽한 복제품 — 를 흘깃 보았다. 그 옆에는 머리색이 짙은 미녀가 서 있었다. 그녀의 피부는 크림색과 장미색이었고, 풍성한 속눈썹에 둘러싸인 눈은 흥분으로 커져 있었다. 몸에 붙는, 반짝이는 하얀 드레스는 끝자락이 섬세하게 퍼져서 마치 칼라 꽃을 뒤집어 놓은 것 같았다. 드레스가 너무도 잘 맞아서 그녀의 몸은 우아하고 고상해 보였다. 적어도 움직이지 않는 동안은 그랬다.

내가 그게 나라는 걸 알아차리기도 전에 에드워드가 긴장하더니 다른 쪽으로 몸을 틀었다. 마치 누군가 그를 부르기라도 한 것처럼.

"아!"

그렇게 외친 그는 잠깐 눈썹을 찡그렸다가, 재빨리 펴고 밝게 미소 지었다.

"왜 그래?"

내가 물었다.

"깜짝 결혼 선물이 있어."

"응?"

그는 대답하지 않았다. 대신 지금까지의 진행방향과 반대로 빙글빙글 돌며 다시 춤을 추기 시작했다. 그렇게 우리는 불빛들로부터 점점 멀어져, 환한 댄스플로어를 둘러싼 가장자리의 깊은 어둠 속으로 들어갔다. 거대한 삼나무 뒤에 다다르자 에드워드는 마침내 멈춰 섰다. 그리고 가장 어두운 곳을 노려보기 시작했다.

"고맙다. 넌 정말…… 친절하구나."

에드워드가 어둠에 대고 말했다.

"내가 좀 친절하기는 하지. 잠깐 그녀와 춤을 춰도 될까?"

거칠고 귀에 익숙한 목소리가 새카만 어둠 속에서 대답했다. 나도 모르게 목으로 손을 가져갔다. 에드워드가 나를 붙잡고 있지 않았다면 아마 쓰러졌을 것이다.

"제이콥……. 제이콥!"

숨이 막히는 것 같았다.

"헤이, 벨라."

제이콥의 목소리를 듣고 나는 비틀거렸다. 내 팔꿈치를 붙잡고 있던 에드워드는, 어둠 속에서 모습을 드러낸 또 다른 힘센 손이 나를 잡자 손을 놓았다. 제이콥이 나를 잡아당겼을 때 그의 몸에서 나오는 열기가 얇은 새틴 드레스 아래로 전해졌다.

제이콥은 춤출 생각이 없는 것 같았다. 그가 나를 안고 있는 동안 난 그의 가슴에 얼굴을 묻었다. 그는 내 정수리에 자신의 뺨을 댔다.

"로잘리랑 춤을 춰야겠어. 안 그러면 화낼 거야."

에드워드가 중얼거렸다. 나는 그가 자리를 피해 주려 한다는 걸 눈치 챘다. 내게 제이콥과의 재회를 선물하기 위해.

"아, 제이콥. 고마워."

난 그 말을 똑똑히 전할 수가 없었다. 울고 있었기 때문이다.

"울지 마, 벨라. 드레스 버리겠어. 내가 뭐 대단하다고."

"대단하지 않다고? 제이콥! 이제 모든 게 완벽해."

제이콥은 코웃음 쳤다.

"그래, 파티를 시작할 수 있겠네. 신랑들러리가 이제야 돌아왔으니까."

"이제 내가 사랑하는 사람이 모두 모였으니까."

그의 입술이 내 머리카락을 스치는 게 느껴졌다.

"늦어서 미안해."

"네가 와 준 것만으로도 정말 행복해!"

"그걸 노린 거지."

나는 손님들 쪽을 바라보았다. 하지만 춤추는 사람들에 시야가 가려져 아까 빌리를 마지막으로 보았던 장소가 보이지 않았다. 제이콥의 아버지가 아직 남아 있는지도 알 수 없었다.

"빌리 아저씨도 네가 온 걸 아셔?"

그렇게 질문하자마자 나는 빌리가 이미 알았으리라는 사실을 깨달았다. 빌리의 들뜬 표정은 그렇게밖에 설명되지 않았으므로.

"샘이 말했을 거야. 음……, 파티가 끝나면 아빠를 보러 가야지."

"네가 돌아와서 정말 좋아하시겠다."

제이콥이 조금 물러서더니 몸을 똑바로 폈다. 그는 한 손을 내 허리에 대더니 다른 손으로는 내 오른손을 잡았다. 그리고 내 손을 가슴에 갖다댔다. 손바닥 아래에서 그의 심장박동이 느껴졌다. 나는 그가 괜히 내 손을 거기 가져다댄 게 아니라는 걸 알았다.

"이 한 번의 춤, 그 이상의 것을 얻을 수 있을지는 잘 모르겠어."

제이콥이 그렇게 말하고 나서, 뒤에서 들려오는 음악과 맞지 않는 템포로 나를 천천히 한 바퀴 돌렸다.

"어쨌든 최대한 즐기는 게 좋겠지."

우리는 내 손 아래에서 뛰고 있는 그의 심장박동에 맞춰 움직이기 시작했다.

"여기 와서 기뻐. 사실 오리라고는 생각 못했는데. 하지만 한 번 더……널 보니 좋아. 생각만큼 슬프지도 않고."

한동안 춤을 추던 제이콥이 조용히 말했다.

"네가 슬프지 않았으면 좋겠어."

"나도 알아. 너에게 죄책감을 느끼게 하려고 온 게 아냐."

"아니, 네가 와줘서 얼마나 좋은지 모를 거야. 내게 줄 수 있는 최고의 선물인걸."

그가 웃었다.

"잘됐네. 실은 선물 살 시간이 없었거든."

눈이 어둠에 적응되어 가면서 그의 얼굴이 차츰 또렷이 보이기 시작했다. 내가 예상했던 것보다 더 높이 고개를 들어야 그의 얼굴을 볼 수 있었다. 설마 제이콥은 아직도 자라고 있는 걸까. 그게 가능하긴 할까? 이제 그의 키는 180센티미터보다는 210센티미터에 가까웠다. 낯익은 그의 얼굴을 다시 보니 안도감이 느껴졌다. 무성한 검은 눈썹 아래 움푹 들어간 두 눈, 튀어나온 광대뼈, 그의 목소리와 어울리는 냉소적인 미소를 짓고 있는 도톰한 입술과 하얀 이. 조심스런 빛을 띤 눈 주변은 굳어진 상태였다. 그가 오늘 밤 아주 조심하고 있다는 걸 알 수 있었다. 나를 행복하게 해주기 위해, 자칫 실수로 자신의 고통스러운 마음이 드러나지 않게 필사적으로 노력하고 있다.

난 제이콥 같은 친구를 둘 만큼 좋은 일을 한 적이 없는데.

"언제 돌아올 결심을 한 거야?"

"의식적으로, 아니면 무의식적으로?"

그는 깊게 숨을 들이쉰 후 스스로 던진 질문에 대답했다.

"사실은 몰라. 한참 동안 이쪽 방향으로 헤맨 것 같아. 나도 모르게 여기로 향했던 거겠지. 그리고 오늘 아침부터 달리기 시작했어. 제 시간에 도착할 수 있을지는 장담할 수 없었지만."

제이콥이 웃고 나서 덧붙였다.

"다시 두 다리로 걷는 기분이 얼마나 이상한지 알아? 게다가 옷까지 입고서! 사실 이런 게 낯설게 느껴진다는 게 더 이상해. 그럴 줄은 몰랐거든. 인간적인 모든 것이 너무 어색하게 느껴져."

우리는 끊임없이 돌고 돌았다.

"올 가치가 있었어. 이런 네 모습을 보지 못했다면 후회했을 테니. 진짜 끝내준다, 벨라. 너무너무 아름다워."

"앨리스가 종일 시간을 쏟아 부었는걸. 게다가 여기가 어두워서도 있어."

"내게는 어둡지 않아, 알잖아."

"그래."

늑대인간들만의 감각. 제이콥이 너무 인간적으로 보여서 그 능력에 대해 잊고 있었다. 특히 지금 이 순간.

"머리 잘랐네."

내가 말했다.

"응. 더 편해서. 그럼 손을 더 잘 쓸 수 있을 것 같아서."

"멋지다."

나는 거짓말을 했다. 제이콥이 코웃음 쳤다.

"응. 녹슨 부엌 가위로 직접 깎았지."

그는 잠깐 동안 활짝 웃었지만, 미소는 곧 사라지고 표정이 심각해졌다.

"행복해, 벨라?"

"응."

"좋아. 그게 중요한 거지."

그가 어깨를 으쓱대는 게 느껴졌다.

"넌 어떤데, 제이콥? 정말 괜찮아?"

"괜찮아, 벨라. 진짜로. 더 이상 내 걱정은 하지 마. 세스도 그만 괴롭히고."

"너 때문에 그런 거 아냐. 난 세스가 좋아."

"좋은 놈이지. 누구보다 나은 동료이기도 하고. 내가 말했잖아. 내 머릿속의 목소리들을 없앨 수만 있다면 늑대로 지내는 게 더할 나위 없이 좋다고."

그 말에 나는 웃었다.

"내 머릿속에도 그런 목소리가 있는데."

"네 경우엔 제정신이 아니라 그런 거지. 당연히 난 알고 있었어. 네가 살짝 맛이 갔다는 거."

그가 놀렸다.

"고마워."

"무리와 생각을 공유하느니 차라리 미치는 게 더 편할 거야. 적어도 미친 사람들은, 그런 목소리 때문에 베이비시터가 찾아와서 감시하지는 않잖아."

"무슨 뜻이야?"

"샘이 밖에 있어. 그리고 다른 사람들도. 만약에 대비해서 말이지."

"만약에 뭐?"

"내가 이성을 잃는다든지…… 뭐, 그런 경우에 대비해서. 피로연장을 난장판으로 만들 수도 있고."

잠깐 생각하던 그는, 마음속에 떠오른 발상이 마음에 들었는지 잠깐 미소를 지었다.

"하지만 네 결혼식을 망칠 생각이었다면 여기 오지 않았을 거야, 벨라.

내가 여기 온 건······."

그는 말을 맺지 못했다.

"내 결혼식을 완벽하게 해주려고, 아냐?"

"그건 너무 힘든 요구야."

"난 네 키가 너무 커서 쳐다보기 힘든데."

내 어설픈 농담을 들은 그가 신음소리를 내더니 곧 한숨을 쉬었다.

"친구로 남으려고 온 거야. 네 가장 친한 친구. 마지막으로 말이야."

"샘이 널 더 믿어줬어야 하는 건데."

"음, 내가 지나치게 민감하게 굴어서 그렇겠지. 뭐 샘은 세스를 감시하기 위해서라도 여기 왔을 거야. 여긴 뱀파이어들이 많고, 세스는 조심성이 부족하니까."

"세스는 위험하지 않다는 걸 알아. 샘보다는 세스가 컬렌 가 사람들에 대해 더 잘 아니까."

"그래, 그래."

싸움이 벌어지기 전에 제이콥이 진화에 나섰다. 오늘따라 그가 외교관처럼 구는 게 이상했다.

"그 목소리들 말인데, 유감이야. 내가 도울 수 있었으면 좋겠어."

내 말은 진심이었다. 정말로 여러 면에서 그랬다.

"사실 그렇게 나쁘지는 않아. 그냥 조금 불평해 본 거야."

"너는······ 행복해?"

"뭐 그럭저럭은. 자, 나에 대해선 충분히 이야기한 것 같은데. 오늘의 스타는 너잖아."

제이콥이 킥킥대더니 덧붙였다.

"너 그런 거 좋아하지? 관심의 대상이 되는 거 말이야."

"맞아. 지금 이 정도론 부족해."

내가 그렇게 답하자 그는 웃으면서 내 머리 위쪽을 바라보았다. 그대로 입술을 내민 채 제이콥은 피로연의 반짝이는 열기, 사람들의 우아한 춤, 화관에서 흩날리는 꽃잎들을 찬찬히 바라보았다. 그가 보는 곳을 나도 함께 응시했다. 어둡고 고요한 이곳과는 아주 동떨어진 풍경이었다. 스노글 로브 안에서 빙글빙글 돌아가는 하얀 눈보라를 바라보는 것 같았다.

"다시 봐야겠던데, 그들 말이야. 파티를 제대로 열 줄 아는걸."

제이콥이 말했다.

"앨리스가 못 말릴 에너지를 지니고 있거든."

그가 한숨을 쉬었다.

"음악이 끝났어. 한 곡 더 춰도 될까? 너무 무리한 요구인가?"

나는 그의 손을 꼭 잡았다.

"네가 원한다면 얼마든지."

내 대답에 그는 웃었다.

"그거 재미있겠는데. 하지만 그냥 두 번이면 돼. 또 잔소리하지는 말고."

우리는 또 다른 원을 그리며 돌았다.

"이제는 내가 작별 인사에 익숙해졌을 거라고 생각하겠지?"

제이콥의 중얼거림을 들은 순간, 목구멍에 뭔가 걸린 것 같아서 삼키려 했지만 그럴 수 없었다. 제이콥은 나를 보면서 얼굴을 찡그렸다. 내 뺨을 쓰다듬은 그의 손에는 눈물이 묻어 있었다.

"넌 울면 안 돼, 벨라."

"결혼식에선 누구나 울어."

내가 가라앉은 목소리로 대답했다.

"이게 네가 원한 거 아냐?"

"맞아."

"그럼 웃어."

그래서 난 애써 웃으려 했다. 제이콥은 찡그린 내 얼굴을 보고 웃었다.

"이 모습을 난 기억할 거야. 너를⋯⋯."

"나를 뭐? 죽은 사람이라고 생각하겠다고?"

제이콥이 이를 악물었다. 그는 지금 스스로와 싸우고 있었다. 자신이 이 자리에 온 것은 심판하기 위해서가 아니라 선물을 주기 위해서라는 사실을 잊지 않기 위해. 나는 그가 무슨 말을 하고 싶은지 알 수 있었다.

"아냐. 어쨌든 머릿속에 이 모습을 기억해둘게. 핑크빛 뺨, 네 심장박동, 형편없는 춤 실력⋯⋯ 그 모두를."

한참 후에야 그가 한 대답이었다. 나는 일부러 그의 발을 세게 밟았다. 그가 미소 지었다.

"그래야 나의 벨라지."

그리고 뭔가 더 말하려다가 입을 다물었다. 제이콥은 내뱉고 싶지 않은 단어들을 안에 담아둔 채 이를 갈았다.

제이콥과 나의 관계는, 너무도 편안했었다. 거의 숨쉬는 것처럼 자연스러웠다. 하지만 에드워드가 내 삶으로 돌아온 뒤 긴장이 계속되었다. 왜냐하면 제이콥의 눈에는 내가 에드워드를 선택하는 것이 죽음보다 나쁜 운명, 기껏해야 죽음과 맞먹는 운명을 받아들이는 것으로 보였기 때문이다.

"뭐야, 제이콥? 말해. 나한텐 무슨 말을 해도 괜찮잖아."

"나―나⋯⋯ 난 할 말이 없어."

"제발. 말해줘."

"진짜야. 아무것도 아니었는데⋯⋯. 실은 그냥 묻고 싶은 게 하나 있어. 나한테 말해줬으면 하는 것."

"물어봐."

그는 1분쯤 고민하다가 말했다.

"그러면 안 될 것 같아. 별로 중요하지 않은 일이야. 알잖아, 난 좀 병적으로 호기심이 많아."

나는 그에 대해 너무나 잘 알고 있어서, 그게 무슨 질문인지도 알 수 있었다.

"오늘밤은 아냐, 제이콥."

내가 속삭였다. 제이콥은 오히려 에드워드보다 더 나의 '인간성'에 집착하고 있었다. 그는 내 심장박동 하나하나를 소중하게 여겼다.

"아……, 아."

제이콥은 애써 안도감을 숨기려 했다. 새로운 노래가 연주되기 시작했지만 그는 알아차리지 못했다.

"언제야?"

그가 속삭였다.

"확실히는 몰라. 아마 한두 주 후겠지."

그의 목소리가 방어적인, 조롱하는 듯한 투로 바뀌었다.

"왜 미룬 거야?"

"신혼여행을 고통 속에서 보내고 싶지 않았을 뿐이야."

"어떻게 보내고 싶은데? 체스라도 두면서? 하, 하!"

"그것도 재밌겠네."

"농담이야, 벨라. 하지만 솔직하게 말하면…… 그렇게 하는 게 대체 무슨 의미가 있는지 모르겠어. 어차피 너와 네 뱀파이어가 '진짜' 신혼여행을 즐길 순 없는 거잖아. 그런데 왜 흉내를 내는 거야? 솔직해져 봐. 부끄러워하지 말고."

제이콥의 목소리가 갑자기 진지해졌다.

"아무것도 미룬 적 없어. 그리고 난, 진짜 신혼여행을 즐길 수 있어. 원하는 건 뭐든 할 수 있다고! 상관 마."

내가 날카롭게 쏘아붙였다. 그러자 천천히 원을 그리던 그가 갑자기 멈추어 섰다. 처음엔 그가 음악이 바뀐 것을 그제야 알아챈 거라고 생각했다. 그래서 제이콥이 작별인사를 하기 전에 이 사소한 말다툼을 무마할 방법을 찾으려고 머리를 쥐어짜고 있었다.

"뭐? 뭐라고 그랬어?"

제이콥이 숨을 헐떡였다.

"뭐가……? 제이콥? 왜 그래?"

"무슨 소리야? 진짜 신혼여행을 즐긴다고? 네가 아직 인간인데? 지금 장난치는 거야? 그건 구역질나는 농담이야, 벨라!"

나는 그를 노려보았다.

"상관 말랬지, 제이콥. 이건 네 일이 아니잖아. 내가…… 아니, 우리가 굳이 너한테 그걸 말할 이유는 없어. 그냥 사생활―."

그의 거대한 손이 내 팔뚝을 잡았다. 손은 내 팔을 완전히 감싸고도 남을 크기여서, 손가락들이 밖으로 삐죽 튀어나왔다.

"아얏, 제이콥! 놔!"

그가 나를 세게 흔들었다.

"벨라! 제정신이야? 설마…… 그렇게까지 어리석을 리가 없어! 농담이라고 말해!"

그가 다시 내 몸을 흔들었다. 지혈대처럼 단단한 그의 손이 떨리고 있었다. 그 떨림이 내 뼈에까지 전해졌다.

"제이콥, 그만해!"

갑자기 어둠 속에서 누군가 나타났다.

"손 치워!"

에드워드의 목소리는 얼음처럼 차갑고, 면도날처럼 날카로웠다.

제이콥 뒤쪽의 어둠 속에서 낮게 으르렁대는 소리가 들리더니, 또 다른 으르렁 소리가 겹쳐져 울려 퍼졌다.

"제이콥, 형! 물러서야 해. 형은 지금 이성을 잃었어."

세스 클리어워터가 설득했다. 제이콥은 얼어붙은 채 공포에 질린 눈을 크게 부릅뜨고 있었다.

"벨라가 다칠지도 몰라. 벨라를 놔줘."

세스가 속삭였다.

"당장!"

에드워드가 소리쳤다. 제이콥이 손을 내리자 짓눌려 있던 혈관으로 갑작스럽게 피가 몰리면서 고통이 느껴졌다. 내가 미처 뭔가를 하기도 전에 차가운 손이 뜨거운 손대신 나를 잡았다. 갑자기 내 옆으로 바람이 일었다.

눈 깜짝할 사이에 나는 원래 서 있던 자리에서 2미터쯤 떨어진 곳에 와 있었다. 에드워드는 긴장한 채 내 앞에 서 있었다. 에드워드와 제이콥 사이에는 거대한 두 명의 늑대인간이 서 있었다. 그러나 늑대인간들은 공격적으로 보이지는 않았다. 그들은 싸움을 막으려는 것 같았다.

그리고 호리호리한 15세의 세스가 제이콥의 떨리는 몸에 긴 팔을 감더니 그를 데려가려 했다. 만약 세스와 그렇게 가까이 있을 때 제이콥이 변신한다면…….

"이리 와, 제이콥. 가자."

"널 죽여 버릴 거야."

제이콥이 말했다. 그의 목소리는 극심한 분노 때문에 거의 속삭임에 가까울 만큼 낮았다. 에드워드를 노려보는 제이콥의 눈이 불타고 있었다.

"내가 널 죽여 버린다고! 지금 당장!"

그는 발작적으로 몸을 떨었다. 몸집이 가장 큰 검은 색 늑대가 날카롭게 울부짖었다.

"세스, 비켜."

에드워드가 낮지만 강한 어조로 말했다. 세스가 다시 제이콥을 잡아당졌다. 그는 분노로 통제력을 잃은 제이콥을 겨우 몇 미터쯤 끌어낼 수 있었다.

"이러지 마, 제이콥. 그만 가자. 어서."

그때 샘(몸집이 가장 큰 검은 늑대였다)이 세스와 합류했다. 그는 거대한 머리로 제이콥의 가슴을 밀었다.

세스는 당기고 제이콥은 경련하고 또 샘은 밀면서, 그들 셋은 어둠 속으로 재빨리 사라졌다. 또 다른 늑대가 그들의 뒷모습을 지켜보고 있었다. 불빛이 흐릿해서 확실하지는 않았지만…… 저 털 빛깔은 초콜릿색인가? 그렇다면 퀼일 것이다.

"미안해."

내가 그 늑대에게 속삭였다.

"괜찮아, 벨라."

에드워드가 중얼거렸다.

늑대가 에드워드를 보았다. 그 시선은 호의적이지 않았다. 에드워드는 그에게 차갑게 한 번 고개를 끄덕였다. 늑대는 발끈하더니 몸을 돌려 무리를 따라갔다. 그리고 곧 그들처럼 사라져버렸다.

"괜찮아. 돌아가자."

에드워드가 혼잣말을 하더니 나를 쳐다보았다.

"하지만 제이콥은 ─."

"샘이 데려갔잖아."

"에드워드, 미안해. 내가 바보같이……."

"네가 잘못한 건 없어."

"내가 너무 입이 가벼웠어. 왜 나는……. 그를 말렸어야 하는 건데. 대체 난 무슨 생각을 하고 있었던 걸까?"

"걱정하지 마. 자, 누군가 알아차리기 전에 피로연장으로 돌아가야 해."

그가 내 얼굴을 어루만졌다. 나는 정신을 차리기 위해 머리를 흔들었다. 누군가 알아차리기 전에? 설마 이 소란을 못 본 사람도 있다는 거야?

하지만 다시 생각해보니, 내게는 마치 재난 같았던 좀 전의 소동은 사실 어둠 속에서 조용히 벌어진 잠깐의 해프닝에 지나지 않았다.

"2초만 기다려줘."

나는 그에게 부탁했다. 내 마음은 심한 공포와 슬픔으로 어지러웠지만, 그건 중요하지 않았다. 지금 중요한 건 겉모습이다. 멋지게 공연하는 법을 나는 터득해야만 한다.

"내 드레스 어때?"

"멋져. 머리카락 한 올도 흐트러지지 않았고."

나는 심호흡을 두 번 했다.

"좋아, 가자."

그가 팔로 나를 감싸더니 밝은 곳으로 걸어갔다. 반짝이는 불빛들 아래를 지날 때, 그가 내 몸을 부드럽게 돌리며 댄스플로어로 이끌었다. 우리는 마치 잠시도 춤을 멈추지 않았던 것처럼 자연스럽게 다른 사람들 속으로 섞여 들어갔다.

나는 하객들을 둘러보았다. 그러나 아무도 충격을 받거나 겁에 질린 것 같지는 않았다. 그 중 가장 창백한 얼굴을 가진 이들에게서만 긴장한 기색을 읽어낼 수 있었다. 하지만 그들은 그런 긴장감을 잘 숨기고 있었다. 재스퍼와 에밋은 댄스플로어 가장자리에 함께 있었다. 문제의 소동이 벌어지는 동안, 그들이 가까이 있었으리라는 사실을 나는 알 수 있었다.

"너―"

"괜찮아."

나는 그렇게 안심시키고 나서 덧붙였다.

"내가 한 짓을 믿을 수 없어. 뭘 잘못한 걸까?"

"네 잘못은 없어."

제이콥을 만나서 좋았는데.

그저 제이콥을 만나서 기쁘다는 마음뿐이었다. 여기 오는 게 제이콥에게 얼마나 힘든 일이었을지 나는 알고 있었다. 그런데 그걸 망쳐버리다니. 그가 준 선물을 결국 재난으로 바꾸어버리고 말다니. 나란 인간은 모두에게 배척당해도 싸다.

그러나 오늘밤, 내 어리석음 때문에 뭔가를 망쳐버리는 일은 더 이상 없을 것이다. 지금은 이 일을 서랍 속에 쑤셔 넣고 열쇠를 채울 때다. 나중으로 미루어두자. 스스로를 질책할 시간은 앞으로도 충분할 거고, 지금은 뭘 하든 도움이 되지 않을 테니.

"이미 끝난 일이야. 오늘밤엔 그 일에 대해 다시 생각하지 말자."

내가 말했다. 에드워드가 재빨리 동의할 거라고 생각했지만, 그는 아무 말이 없었다.

"에드워드?"

그가 눈을 감더니 자신의 이마를 내 이마에 댔다.

"제이콥이 옳아. 난 무슨 생각을 하고 있는 걸까?"

에드워드가 속삭였다.

"아니. 제이콥은 틀렸어. 그 앤 편견 덩어리라서 무엇도 정확하게 보지 못해."

우리 쪽을 쳐다보는 친구들 때문에 애써 온화한 표정을 지어야 했다. 그는 낮은 목소리로 뭔가를 중얼거렸지만 "그의 손에 죽었어야 하는데……"라는 대목밖에 알아듣지 못했다.

"그만해."

나는 날카롭게 말하고, 두 손으로 그의 얼굴을 감쌌다. 그러고는 그가 눈을 뜰 때까지 기다렸다.

"너와 나. 중요한 건 그것뿐이야. 네가 지금 생각할 건 그것뿐이라고. 내 말 알아듣겠어?"

"그래."

에드워드가 한숨을 쉬었다.

"제이콥이 왔던 건 잊어버려. 나를 위해서, 잊겠다고 약속해."

나는…… 그럴 수 있다. 아니 그렇게 할 것이다. 에드워드는 잠시 내 눈을 들여다보더니 대답했다.

"약속할게."

"고마워. 에드워드, 나는 무섭지 않아."

"난 무서워."

그가 속삭였다.

"무서워하지 마."

나는 심호흡을 하고서 웃어보였다.

"있잖아, 사랑해."

에드워드가 살짝 미소 짓고서 대답했다.

"그게 우리가 이 자리에 있는 이유지."

에드워드 뒤쪽으로부터 에밋이 다가왔다.

"혼자 신부를 독점할 참이야? 나한테도 제수와 춤출 기회 좀 주지? 벨라 얼굴을 빨갛게 만들어줄 마지막 기회잖아."

가라앉은 분위기에 영향을 받는 일이 거의 없는 에밋은, 그답게 이번에도 크게 웃었다.

그러고 보니 아직 함께 춤추지 못한 사람이 많았다. 덕분에 침착하게 마음을 다잡을 수 있는 짬이 생겼다. 에드워드가 다시 내게 왔을 때, 제이콥 문제는 이미 서랍 속 깊이 들어간 뒤였다. 에드워드가 나를 팔로 감싸자 전에 느꼈던 기쁨, 오늘밤 내 삶의 모든 것이 제자리를 찾았다는 확신이 다시 솟아올랐다. 나는 미소 지으며 그의 가슴에 머리를 묻었다. 에드워드의 팔이 날 더 단단히 안았다.

"이런 분위기에 익숙해질 수 있을 것 같아."

내가 말했다.

"춤까지 잘 추게 되었다는 뜻은 아니겠지?"

"너랑 춤출 때는 그렇게 나쁘지 않아. 그게 아니라…… 이런 생각을 해봤어. 널 절대로 보내지 않겠다고."

나는 그의 품으로 더 깊이 파고들었다.

"그래. 절대로."

그렇게 약속한 그가 고개를 숙여 내게 입을 맞췄다. 진지한 키스였다. 열정적이고 느긋하지만 점점 뜨겁게 달아오르는……. 내가 있는 곳이 어디인지조차 하얗게 잊어가고 있을 때, 앨리스의 목소리가 들렸다.

"벨라! 시간 됐어!"

이 순간을 방해하는 시누이 때문에 나는 아주 잠깐, 살짝 짜증이 났다. 에드워드는 앨리스를 무시했다. 그의 입술이 내 입술에 더 세게 부딪혔다. 심장이 미친 듯 뛰기 시작했고, 내 손은 그의 대리석 같은 목을 단단히 붙잡았다.

"비행기 놓치고 싶어? 대기자 명단에 이름을 올려놓고 공항에서 야영하는 것도 꽤 멋진 신혼여행이겠는데."

앨리스가 내 옆에 붙어 선 채 비아냥댔다. 에드워드가 살짝 고개를 돌리고서 중얼거렸다.

"저리 가, 앨리스."

그러더니 그의 입술이 다시 내 입술로 다가왔다.

"벨라, 비행기에서 그 옷 입고 있을 거야?"

앨리스가 물었다. 사실 나로선 별 관심이 없었다. 아니, 이 순간만큼은 아무래도 상관없었다. 앨리스가 조용히 으르렁댔다.

"신혼여행을 어디로 갈 건지 벨라한테 다 얘기해버리는 수가 있어, 에드워드. 그러니까 내 말 듣는 게 좋을걸."

에드워드가 경직되었다. 그는 내게서 시선을 들어 자신이 가장 사랑하는 누이를 노려보았다.

"덩치는 이렇게 작아서는, 정말 귀찮게 하네."

"완벽한 신혼여행용 드레스를 골라냈는데 버릴 순 없잖아."

그녀가 날카롭게 대꾸하고서 내 손을 잡았다.

"가자, 벨라."

앨리스에게 붙잡힌 나는 몸을 죽 편 채 한 번이라도 더 에드워드에게 키스하려 했다. 그러자 앨리스가 참을성 없게 내 손을 잡아당겼다. 하객들 사이에서 킥킥대는 웃음소리가 들려왔다. 할 수 없이 포기하고 앨리스가 이끄는 대로 빈집으로 들어갔다. 앨리스는 짜증이 난 것 같았다.

"미안해, 앨리스."

내가 사과했다.

"네 잘못이 아니야, 벨라."

그녀가 한숨을 쉬었다.

"넌 혼자서는 아무것도 못하는 것 같아."

나는 순교자 같은 앨리스의 표정을 보고 소리 내어 웃지 않을 수 없었다. 그러자 앨리스가 얼굴을 찡그렸다.

"고마워, 앨리스. 세상에서 가장 아름다운 결혼식이었어."

진심을 담아 내가 말했다.

"모든 게 흠 잡을 데 없었어. 넌 세상에서 가장 훌륭하고, 가장 똑똑하고, 가장 능력 있는 시누이야."

그 말에 앨리스의 마음이 풀렸다.

"마음에 들었다니 기쁜걸."

그녀가 환하게 미소 지었다. 르네와 에스미는 위층에서 기다리고 있었다. 르네와 에스미, 그리고 앨리스는 재빨리 내 웨딩드레스를 벗기고 짙푸른 색 신혼여행용 드레스를 입혀주었다. 누군가 내 머리에서 핀들을 뽑자 머리카락이 등 뒤로 흘러내렸다. 머리핀 때문에 두통까지 느꼈던 터라 그 누군가에게 진심으로 고마웠다. 엄마는 한순간도 쉬지 않고 눈물을 흘렸다.

"어디로 가는지 알게 되면 전화할게요."

나는 엄마와 작별의 포옹을 했다. 엄마는 신혼여행지를 몰라 안절부절 못하고 있었다. 엄마는 자신이 모르는 비밀을 싫어한다.

"벨라가 가고 나면 제가 말씀드릴게요."

앨리스는 역시 나보다 한수 위였다. 내가 상처 입은 표정이 되자 앨리스가 능글맞게 웃었다. 나한테만 끝까지 얘기해주지 않다니, 불공평해.

"나랑 필도 만나러 와줘. 이번엔 너희들이 남쪽으로 올 차례잖아. 태양도 보고 말이야."

르네가 말했다.

"오늘은 비가 오지 않았네요."

엄마의 말에 대한 대답을 나는 회피할 수밖에 없었다.

"기적이지."

"다 됐어요. 가방은 차 안에 실었어. 재스퍼가 가져다놨을 거야."

앨리스가 그렇게 말하고서 다시 나를 계단으로 데려갔다. 엄마는 여전히 나를 포옹한 채로 뒤따라왔다.

"사랑해, 엄마. 엄마가 필을 만나게 돼서 정말 기뻐요. 서로 잘 보살펴주세요."

계단을 내려가기 전에 나는 그렇게 속삭였다.

"사랑해, 벨라, 내 아가."

"안녕, 엄마. 사랑해요."

다시 한 번 내가 말했다. 목이 메어왔다.

에드워드는 계단 아래에서 기다리고 있었다. 난 그가 내민 손을 잡고 슬쩍 그의 뒤쪽을 바라보았다. 우리를 배웅하려는 사람들이 보였다.

"아빠는?"

두리번거리며 내가 물었다.

"저쪽에."

에드워드가 중얼거렸다. 그는 내 손을 잡고서 사람들을 헤치고 나갔다. 사람들이 우리에게 길을 비켜주었다. 인파 뒤쪽으로 찰리가 보였다. 아빠는 마치 숨어 있는 것처럼 벽에 어색하게 기대어 있었다. 빨갛게 된 아빠의 눈이 그 이유를 설명해주었다.

"아, 아빠!"

나는 찰리의 허리에 팔을 감았다. 다시 눈물이 흘러내렸다. 오늘밤에는 정말 많이 운 것 같다. 찰리가 내 등을 두드려주었다.

"이제 그만. 비행기 놓치겠다."

찰리와는 사랑한다는 말을 하기가 힘들다. 너무도 비슷한 우리는, 당황스러운 감정표현을 피하기 위해 서로 엉뚱한 이야기만 하곤 했다. 하지만 이젠 더 이상 부끄러워 할 시간이 없다.

"영원히 사랑해요, 아빠. 그걸 잊지 마세요."

내가 말했다.

"그래. 나도 그렇단다, 벨라. 항상 그랬고, 앞으로도 그럴 거야."

우리는 동시에 서로의 뺨에 입을 맞췄다.

"전화해."

찰리가 말했다.

"빨리 할게요."

그게 내가 약속할 수 있는 전부였다. 전화한다는 것. 아빠와 엄마는 다시는 나를 보지 못할 것이다. 나는 아주 많이 달라질 테니까. 아주 아주 위험한 존재가 될 테니까.

"그만 가봐. 늦으면 안 되잖니."

찰리가 무뚝뚝하게 말했다. 사람들이 또다시 길을 내주었다. 그 사이를 빠져나가는 동안 에드워드가 나를 바짝 끌어당겼다.

"준비 됐어?"

그가 물었다.

"응."

내가 대답했다. 그 말은 진심이었다.

에드워드가 현관문 앞에서 내게 키스하자 사람들이 환호성을 질렀다. 사람들이 쌀을 뿌리는 가운데 에드워드는 나를 차로 데려갔다. 쌀은 대부분 비껴갔지만, 누군가(아마도 에밋일 것이다)가 섬뜩할 정도로 정확하게 쌀을 뿌려대는 바람에 나는 에드워드의 등을 맞고 튕겨 나온 쌀들에 얻어맞아야 했다.

자동차의 차체를 따라 잔뜩 꽃이 장식되어 있었고 꽃에는 리본이 달려 있었다. 또 범퍼 뒤에는 십여 켤레의 신발(신제품으로 보이는 디자이너 브랜드 슈즈)이 매달려 있었다. 신발마다 기다랗고 하늘하늘한 리본이 펄럭였다.

에드워드가 날아오는 쌀을 막아주는 가운데 나는 차에 탔고, 내 뒤를 이어 에드워드도 차에 올랐다. 자동차가 서서히 움직이는 동안 나는 차창 밖으로 손을 흔들었다. 가족들이 포치에서 손을 흔들고 있었다.

"사랑해요."

나는 내 가족을 향해 소리쳤다. 내게 남아 있는 마지막 이미지는 부모님의 모습이었다. 필은 두 팔로 부드럽게 르네를 감싸 안고 있었다. 르네는 한 팔은 필의 허리에 감고, 다른 한쪽 손으론 찰리의 손을 잡은 모습이었다. 서로 다른 종류의 사랑들이 이 순간만은 조화를 이루고 있었다. 내게는 커다란 희망을 주는 그림이었다.

에드워드가 내 손을 꼭 잡았다.

"사랑해."

그가 말했다. 난 그의 팔에 머리를 기댔다.

"그게 우리가 이 자리에 있는 이유잖아."

내가 에드워드의 말을 그대로 흉내 냈다. 에드워드가 내 머리에 입을 맞췄다.

어두운 고속도로로 들어서자 에드워드는 액셀러레이터를 세게 밟았다. 엔진소리 너머로 울부짖는 소리가 들려왔다. 우리 뒤쪽의 숲에서 나는 소리였다. 내 귀에도 들릴 정도니, 에드워드는 당연히 들었겠지. 하지만 그는 그 소리가 천천히 잦아들 때까지 아무 말이 없었다. 나 역시 아무 말 하지 않았다.

찢어지는 듯한 애끓는 울부짖음은 점점 희미해지더니 이윽고 완전히 사라져버렸다.

## 5
# 에스미 섬

———◆———

"휴스턴?"

시애틀 공항에 도착했을 때 내가 눈썹을 치켜 올리며 물었다.

"그냥 경유지야."

에드워드가 싱긋 웃었다. 별로 오래 자지 않은 것 같은데 어느새 그가 나를 깨웠다. 에드워드는 비틀대는 나를 공항 터미널로 밀어 넣었다. 한 번 눈을 깜박일 때마다 다시 눈을 뜨기가 힘들었다. 우리는 다음 비행기로 갈아타기 위해 국제선 카운터에 멈춰 섰고, 몇 분이 지나고서야 난 상황이 어떻게 되어 가는지 파악할 수 있었다.

"리우데자네이루?"

그렇게 묻는 내 목소리는 아까보다 좀 더 떨려 나왔다.

"또 다른 경유지지."

그가 말했다. 남아메리카까지의 비행시간은 길었지만, 에드워드의 품에 안긴 채 널찍한 1등석에 앉아 있으니 편안하기만 했다. 잠에 빠져 있던 나는 비행기가 공항을 향해 선회할 때에야 잠에서 깨어났다. 황혼녘의 햇빛이 비행기창을 비추고 있었다.

공항에서 기다렸다가 다음 비행기로 갈아탈 줄 알았는데, 내 예상은 빗나갔다. 대신 우리는 어둡고 풍요로우며 생기가 넘치는 리우데자네이루의 거리를 택시로 달렸다. 에드워드는 택시기사에게 포르투갈어로 뭔가 말했다. 포르투갈어를 모르는 나는, 아마 내일 비행에 대비해 호텔에서 하룻밤 묵으려는 생각인가 보다고 추측했다. 그 생각을 하니, 뭔가 무대 공포증에 가까운 날카로운 고통이 명치에서 느껴졌다. 택시는 군중을 헤치고 나아갔고, 마침내 사람이 조금 적은 지역이 나타났다. 바다로 뚫려 있는 리우데자네이루의 서쪽 끝이었다.

우리는 부두에 멈췄다.

에드워드는 검은 밤바다에 길게 정박해 있는 하얀 요트들 옆을 앞장서서 걸어갔다. 그러다 이윽고 한 요트 앞에 멈춰 섰다. 다른 것들보다 작고 매끈한 요트로, 크기보다는 스피드를 염두에 두고 만든 것 같았다. 다른 요트들만큼 화려하기는 했지만 더 우아한 느낌이었다. 에드워드는 무거운 짐을 들고도 가볍게 요트에 올라탔다. 그는 짐을 갑판에 내려놓고는 돌아서서 내가 요트에 오를 수 있게 도와주었다.

그가 출항을 준비하는 동안 나는 조용히 그 모습을 바라보았다. 그가 너무나 능숙하고 편안해 보여 깜짝 놀랐다. 내가 알기로 에드워드는 한 번도 항해에 대한 관심을 드러낸 적이 없었기 때문이다. 하긴, 그는 못하는 게 없지.

우리가 정동으로 항해하는 동안 나는 머릿속에서 기본적인 지리 지식을 정리해보았다. 내 기억으로는 브라질 동쪽에는 별게 없는데……. 죽 가면 아프리카가 나올 테고.

하지만 에드워드는 리우데자네이루의 불빛이 희미해지다가 결국 사라질 때까지 앞으로 나아갔다. 그의 얼굴에는 들뜬 미소가 번져 있었다. 스피드를 즐길 때 나타나는 미소였다. 요트는 파도에 흔들렸고 내 몸은 물보라에 젖었다.

더 이상 호기심을 누를 수 없어져서 나는 물었다.

"더 멀리 가야 돼?"

그는 내가 인간이라는 걸 잊지는 않은 것 같았다. 그러니 한동안 이 작은 요트에서 살자는 말은 설마 안 하겠지?

"30분쯤 더 가야 돼."

그가 좌석을 움켜쥐고 있는 내 손을 바라보더니 미소 지었다.

아, 그래. 나는 생각했다. 결국 그는 뱀파이어잖아. 우린 지금 아틀란티스로 가고 있나 봐.

20분 후 엔진소리가 들려오는 가운데 그가 내 이름을 불렀다.

"벨라, 저기 봐."

그가 곧장 앞쪽을 가리켰다. 처음에는 어둠만 보였고, 그다음엔 바다를 가로질러 달의 하얀 꼬리가 보였다. 나는 에드워드가 가리킨 곳을 살펴보다가 파도 위에서 나지막한 검은 형체를 발견했다. 어둠 속을 들여다보자 윤곽이 더 뚜렷하게 보였다. 그 형체는 납작하고 불규칙적인 삼각형으로, 한쪽이 다른 쪽보다 길었다. 우리는 그곳에 점점 가까워졌고 그 윤곽은 미풍에 흔들리는 깃털 같았다.

다시 자세히 살펴보니 비로소 그 형체가 무엇인지 알 수 있었다. 바다 위에 솟아있는 작은 섬이었다. 섬에서는 야자수 잎사귀가 살랑살랑 흔들렸고 해변은 달빛으로 창백하게 빛났다.

"여기가 어디야?"

나는 놀라서 물어보았다. 에드워드는 섬 북쪽 끝으로 뱃머리를 돌리고 있었다. 엔진 소리가 요란했지만 그는 내 말을 알아듣고는 활짝 미소 지었다. 그의 미소가 달빛을 받아 환하게 빛났다.

"에스미 섬이야."

요트의 속도를 완전히 줄인 에드워드는 널빤지 — 달빛으로 하얗게 탈색된 — 로 만든 짤막한 선착장에 정확하게 요트를 댔다. 엔진이 꺼지자 고요가 깊어졌다. 요트에 가볍게 부딪히는 파도 소리와 야자수 잎사귀가 미풍에 흔들리는 소리뿐이었다. 공기는 따뜻하고 축축하며 향기로웠다. 마치 뜨거운 물로 샤워한 뒤에 남은 수증기처럼.

"에스미 섬?"

내 낮은 목소리가 밤의 고요를 깼다.

"칼라일의 선물이야. 에스미가 빌려줬지."

선물? 선물로 섬을 주다니! 나는 얼굴을 찡그렸다. 평소 에드워드가 보여주었던 극단적인 관대함이 학습된 행동이었다는 걸 나는 몰랐다.

에드워드는 선착장에 짐을 내려놓고는 돌아섰다. 그 완벽한 미소를 지으며, 그가 내게 팔을 내밀었다. 그러곤 내 손을 잡는 대신 나를 그의 품으로 잡아당겼다.

"문 앞에서 안아줘야 하는 거 아냐?"

그가 요트 밖으로 가볍게 뛰어내리는 동안 나는 숨조차 제대로 쉬지 못한 채 물었다. 그가 씩 웃었다.

"내가 철저한 것 빼면 남는 게 없다는 거 알잖아."

한 손에 거대한 트렁크를 두 개나 든 에드워드는 다른 팔로 나를 안더니, 선착장을 지나 어두운 덤불 사이로 난 창백한 모랫길을 걸어갔다.

잠깐 동안 정글 같은 덤불 속은 캄캄했다. 그러나 곧 앞쪽에서 따뜻한 불빛이 보였다. 그 불빛이 집이라는 것을 깨달을 즈음 다시 무대 공포증이 나를 엄습해왔다. 이전보다 더 강력하게. 우리가 호텔로 향하고 있다고 생각했을 때보다 훨씬 더 심각하게.

내 심장이 뛰는 소리가 갈비뼈 사이에서 울려 퍼졌고, 호흡은 목구멍에서 막혀버렸다. 에드워드가 날 바라보는 게 느껴졌지만 나는 그와 시선을 맞추지 않았다. 그저 똑바로 앞만 응시했고, 사실은 아무 것도 보이지 않았다.

에드워드는 내게 무슨 생각을 하는지 묻지 않았다. 그의 성격상 어울리지 않았다. 아마 그도 나만큼이나 초조해하고 있다는 의미일 것이다.

에드워드가 포치에 짐을 내려놓고서 잠겨 있는 문을 열었다. 그는 내가 그의 눈을 바라볼 때까지 날 내려다보았다. 그러고 나서 문 안으로 발을 들여놓았다.

에드워드는 날 집 안으로 안고 들어갔고, 우리 둘 다 말이 없었다. 그가 움직이는 동안 집안에 불빛이 하나둘 켜졌다. 그 집에 대한 내 막연한 인상은 섬에 비해 너무 크다는 것과, 이상할 정도로 친숙하다는 것이었다. 컬렌 가족들이 선호하는 연한 색깔배합이 익숙하게 느껴진 탓인지, 꼭 집 같았다. 자세히 살펴보지는 못했지만 말이다. 귀 뒤에서 격렬한 박동이 느껴지면서 모든 것이 좀 부옇게 보이기 시작했다.

그 순간·에드워드가 멈춰서더니 마지막 불을 켰다.

방은 크고 온통 하얀빛이었다. 그리고 반대쪽 벽은 거의 유리로 되어 있었다. 내 사랑하는 뱀파이어들이 선호할 만한 전형적인 장식이었다. 밖을 보니 하얀 모래사장 위로 밝은 달이 떠 있었고, 집에서 몇 백 미터 떨어진 곳에서는 물결이 반짝이고 있었다. 그러나 그런 건 거의 눈에 들어오지도 않았다. 나는 방 한가운데 자리 잡은 정말 거대한 하얀 침대에 정신이 팔렸다. 침대에는 소용돌이치는 연기 같은 모기장이 늘어져 있었다.

"짐…… 가지러 갔다 올게."

에드워드가 날 내려놓고서 말했다. 방은 너무 덥고, 바깥의 열대야보다 더 숨이 막혔다. 목덜미에 땀방울이 맺혔다. 나는 천천히 앞으로 걸어가 팔을 뻗고, 거품 같은 모기장을 만져보았다. 이 모든 게 현실인지 확인하고 싶었기 때문이다.

에드워드가 돌아오는 소리를 나는 듣지 못했다. 갑자기 그가 차가운 손가락으로 내 목덜미를 쓰다듬어 땀방울을 닦아냈다.

"좀 덥지, 여기."

미안한 듯 그렇게 말한 에드워드가 덧붙였다.

"내 생각엔…… 그렇게 하는 게 가장 좋을 것 같았어."

"철저하게 말이지."

내가 작게 중얼거렸고, 에드워드는 소리 내어 웃었다. 그로서는 정말 듣기 힘든 신경질적인 웃음 소리였다.

"어떻게 하면…… 좀 더 편안하게 할 수 있을지 계속 생각했거든."

그가 고백했다. 나는 여전히 그를 외면한 채 침을 꿀꺽 삼켰다. 우리 이전에도 이런 신혼여행이 있었을까?

그리고 난 그 대답을 알고 있었다. 아니, 절대로 없었을 거야.

에드워드가 천천히 말했다.

"그러니까…… 먼저…… 같이 수영할래?"

그가 깊이 숨을 들이쉬었다. 그리고 좀 더 긴장이 풀린 목소리로 덧붙였다.

"물은 아주 따뜻할 거야. 해변도 네 마음에 들 거고."

"멋질 것 같아."

내 목소리가 변했다.

"네가 좋아할 줄 알았어……. 긴 여행이었잖아."

나는 어색하게 고개를 끄덕였다. 마치 정신이 나간 것 같았다. 몇 분만 혼자 있으면 괜찮아지겠지.

에드워드의 입술이 귀 아래쪽을 스치고 지나갔다. 그가 한 번 키득거리자 차가운 숨결이 내 달아오른 피부를 간질였다.

"너무 늦진 마세요, 컬렌 부인."

그가 나의 새 이름을 발음했을 때 난 조금 움찔하고 말았다. 에드워드의 입술이 목부터 어깨까지 쓸고 지나갔다.

"바다에서 기다릴게."

내 옆을 지나친 에드워드는 해변으로 이어지는 프렌치도어를 향해 걸어갔다. 그는 셔츠를 벗어 바닥에 떨어뜨리더니 문을 지나 달빛 가득한 밤 속으로 걸어 들어갔다. 그의 뒤로 소금기가 섞인 후텁지근한 공기가 방 안으로 밀려들었다.

혹시 내 피부가 지금 타오르고 있는 건 아닐까? 문득 고개를 숙여 살펴보았다. 아니, 타는 건 아무것도 없었다. 적어도 눈으로 보기에는.

숨쉬는 것을 잊지 않기 위해 필사적으로 노력했다. 그러고는 에드워드가 나지막한 흰색 서랍장 위에 열어놓은 거대한 수트케이스를 향해 비틀거리며 걸어갔다. 익숙한 내 화장품 가방이 위에 올려져 있는 것으로 보아 그 수트케이스는 내 것이 맞는 것 같았다. 하지만 정작 그 안에는 알아볼 수 없는 옷들만 가득했다. 게다가 온통 핑크, 핑크였다. 나는 익숙하고 편안한 무언가, 그러니까 낡은 트레이닝복 같은 것을 찾기 위해 깔끔하게 개어져 있는 옷들을 뒤졌다. 하지만 눈에 들어오는 것은 프랑스 상표를 단, 어디로 보나 란제리라고 할 수밖에 없는 것들뿐이었다. 안이 비쳐 보이는 레이스와 꽉 죄는 새틴이 끔찍할 만큼 눈에 띄었다.

언제 어떻게일지는 몰라도, 언젠가 꼭 앨리스에게 이번 일을 갚아줄 것이다.

나는 자포자기한 채 욕실로 가서 프렌치도어와 같은 방향으로 난, 기다란 창문을 내다보았다. 에드워드는 보이지 않았다. 물에 들어간 것 같았다. 그는 숨을 쉬기 위해 물 위로 올라올 필요가 없을 것이다. 하늘에는 거의 만월에 가까운 달이 떠 있었고, 모래사장은 달빛을 받아 하얗게 빛났다. 그리고 작은 움직임 하나가 내 눈에 들어왔다. 해변의 야자수에 걸린 에드워드의 옷이 미풍에 날리고 있었다.

다시 내 피부에 열기가 느껴졌다. 나는 두 번쯤 심호흡을 하고 거울 앞으로 갔다. 비행기에서 하루 종일 잠만 잔 티가 났다. 빗을 찾아들고 목 뒤쪽에 엉켜있는 머리카락을 거칠게 빗어 내렸다. 머리가 다시 찰랑이게 되었을 무렵, 빗살 사이에는 빠진 머리카락이 가득했다. 이어 나는 꼼꼼하게 칫솔질을 했다. 그것도 두 번이나. 다음으로 세수를 하고 나서, 화끈거리는 목 뒤에 물을 뿌렸다. 그게 너무 기분 좋게 느껴져서 팔도 씻었다. 그러다 결국은 포기하고 샤워를 하기로 했다. 수영 전에 샤워라니 좀 순서가 이상하기는 하지만, 지금은 마음을 가라앉혀야 한다. 마음을 진정시키는 데는 뜨거운 물만 한 게 없으니까.

다리 면도를 하는 것도 나쁘지 않을 것 같다.

샤워를 마치고서 나는, 선반에서 커다란 흰 수건을 꺼내 몸을 감쌌다. 그 순간 미처 생각지 못했던 딜레마와 맞닥뜨렸다. 뭘 입어야 하지? 수영복은 안 돼. 하지만 벗어놨던 옷을 도로 입는 것도 이상하잖아. 앨리스가 챙겨 준 옷들은 그야말로 생각조차 하기 싫었다.

다시 내 호흡이 거칠어졌고 손도 떨려왔다. 샤워가 마음을 진정시켜준다고? 이젠 심지어 살짝 현기증까지 느끼기 시작했다. 이건 공황이 몰려오고 있다는 징조다. 나는 수건을 두른 채 차가운 타일바닥에 주저앉아 무릎 사이로 머리를 숙였다. 제정신을 찾게 될 때까지는 그가 날 찾으러 오지 않기만을 빌면서. 평정을 잃은 내 모습을 그가 보게 된다면, 무슨 생각을 할지 뻔했다. 우리가 실수를 하고 있다고 믿어버리겠지.

하지만 내가 이러고 있는 건, 실수를 하고 있다고 생각해서가 아니다. 그럴 리가 없잖아. 그저 어떻게 해야 할지 몰라서일 뿐이다. 이 방을 걸어나가 미지의 것과 대면해야 한다는'게 무서웠다. 특히 프랑스제 란제리를 입고서라면 더더욱. 난 아직 준비가 안 됐어. 내게 주어진 대사가 뭔지도 모르는 채, 수천 명이 지켜보는 무대로 걸어 나가야 하는 상황과 비슷하게 느껴졌다.

다른 사람들은 어떻게 이런 과정을 겪어내는 걸까? 불완전하고 나약한 인간이란 존재를 신뢰하며, 어떻게 공포를 삼킬 수 있을까. 에드워드가 내게 해주었던 영원의 약속 같은 것도 없이. 저 밖에 에드워드가 없다면, 내가 그를 사랑하는 만큼 그가 나를 사랑한다는 걸 내 몸의 세포 하나하나가 알지 못한다면 나는 절대로 여기서 일어서지 못할 것이다.

그러나 저밖에 있는 것은 바로 나의 에드워드고, 그래서 나는 작은 목소리로 이렇게 중얼거린다.

"겁쟁이처럼 굴지 마."

나는 서둘러 일어서서 몸을 수건으로 더 단단히 감싸고 욕실을 걸어 나왔다. 레이스가 가득한 가방과 커다란 침대엔 눈길도 주지 않고 지나쳤다. 그리고는 열려 있는 유리문을 지나 가루처럼 고운 모래가 깔려 있는 백사장으로 나갔다.

모든 것이 달빛에 색깔을 빼앗겨 마치 흑백의 영상처럼 보였다. 따뜻한 모래사장을 천천히 걸어가던 나는 에드워드의 옷이 걸려 있는 나무 옆에 섰다. 잠시 거친 나무껍질에 손을 올리고 호흡을 가다듬었다.

에드워드의 모습을 찾으면서 나는 어둠 속에서 검게 일렁이는 잔물결을 바라보았다. 그를 찾는 건 어렵지 않았다. 에드워드는 내게 등을 돌린 채 타원형의 달을 바라보며 서 있었다. 창백한 달빛 속에서 그의 피부는 모래처럼, 달처럼 하얗게 빛났고 젖은 머리카락은 바다처럼 검은색이었다. 그는 손바닥을 물에 댄 채 꼼짝도 하지 않았다. 마치 그의 몸이 돌이기라도 한 것처럼 주변에서는 잔물결들이 부서지고 있었다. 나는 그의 등, 어깨, 팔, 목으로 이어지는 부드러운 선을 바라보았다. 그 완벽한 모습을……

이제 뜨거운 것은 피부가 아니었다. 내 피부를 달아오르게 했던 불은 이제 더 깊숙한 곳에서 더 느리게 움직이고 있었다. 그러곤 내 어색함과 수줍음을 모두 태워버렸다. 나는 주저하지 않고 수건을 풀어 그의 옷가지 옆에 걸어두었다. 그리고 하얀 달빛 속으로 걸어 들어갔다. 내 몸도 눈밭을 닮은 모래사장만큼이나 하얗게 보였다.

물가로 걸어가는 동안 내게는 내 발소리가 들리지 않았다. 하지만 에드워드는 들었을 것이다. 그런데도 그는 뒤돌아보지 않았다. 부드러운 파도가 내 발끝에 부딪혔다. 물이 따뜻할 거라던 그의 말이 맞았다. 마치 목욕물만큼이나 따스했다. 나는 물로 걸어 들어갔다. 보이지 않는 바다 밑을 조심조심 디뎠지만, 사실 그렇게 조심할 필요도 없었다. 모래사장이 완만한 경사를 이루며 에드워드가 있는 곳까지 이어졌기 때문이다. 가볍게 물결치는 파도를 헤치고서 그의 곁으로 다가갔다. 그러고는 수면 위에 있는 그의 차가운 손 위에 가볍게 내 손을 겹쳤다.

"아름다워."

나는 달을 쳐다보았다.

"응, 좋아."

에드워드가 무덤덤하게 답했다. 그리고 그는 천천히 몸을 돌려 나를 바라보았다. 에드워드가 움직이자 그의 몸으로부터 잔물결의 파동이 퍼져 나와 내 몸에 부딪혔다. 그의 얼음 색 얼굴에서 눈이 은빛으로 빛났다. 에드워드가 손을 뒤집어 자기 손가락을 내 손가락 사이에 깍지 끼었다. 물이 따뜻했으므로, 그의 차가운 피부와 닿아도 내 몸엔 소름이 돋지 않았다.

"아름답다는 단어는 쓰지 않을 거야."

그렇게 말한 에드워드가 덧붙였다.

"너를 비교 대상으로 삼지는 않을 거라고."

조금 웃고서 나는 다른 손(더 이상은 떨리지 않았다)을 그의 심장에 댔다. 하얀색 위에 하얀색. 이번만은 우리도 서로 어울렸다. 따뜻한 내 손이 닿자 에드워드는 약간 몸을 떨었다. 이제 그의 호흡은 더 거칠어졌다.

"시도해보자고 약속했지."

그가 갑자기 긴장한 목소리로 속삭였다.

"만약…… 만약 내가 실수한다면, 만약 내가 널 다치게 한다면, 당장 말해줘."

나는 그의 눈을 바라보며 진지하게 고개를 끄덕였다. 그리고 파도 속으로 한 걸음 더 들어가 그의 가슴에 머리를 기댔다.

"무서워하지 마. 우린 하나잖아."

그렇게 중얼거린 나는, 갑자기 내 말 속에 들어 있는 진실에 압도당하고 말았다. 이 순간은 정말 너무도 완벽해서 도저히 의심할 수 없었다. 그의 팔이 나를 감쌌다. 그렇게 나는 그에게 안겨 있었다. 마치 여름과 겨울이 만난 것처럼. 내 몸의 모든 신경 말단부가 전선으로 변한 것처럼 느껴졌다.

"영원히."

그렇게 대답한 에드워드가 나를 이끌고 더 깊은 물속으로 들어갔다.


내 벗은 등을 햇볕이 뜨겁게 비추는 바람에 나는 잠에서 깼다. 늦은 아침, 아니 어쩌면 오후일지도 모르겠다. 시간을 빼고는 모든 것이 또렷했다. 일단 나는 내가 어디 있는지 알고 있다. 하얀 색의 커다란 침대가 있는 밝은 방. 열린 문 사이로 눈부신 햇빛이 들어오고 있었지만, 모기장이 막아주어서 그리 따갑지는 않았다.

나는 눈을 뜨지 않았다. 이 순간이 너무도 행복해서, 아무리 사소한 것이라도 바꾸고 싶지 않았기 때문이다. 파도소리, 우리 둘의 숨소리, 내 심장소리 외에는 아무 소리도 들리지 않았다…….

그렇게 작열하는 태양 속에서도 그저 안락하기만 했다. 에드워드의 차가운 피부는 더위를 완벽하게 막아주었다. 그의 팔이 나를 감싼 가운데 차가운 가슴 위에 누워 있으니 모든 게 편안하고 더없이 자연스럽게 느껴졌다. 지난밤엔 무엇 때문에 그렇게 공포에 질렸던 걸까. 나는 멍하니 곱씹어보았다. 이제 와 돌이켜보면 이렇게 어리석게 느껴지는걸.

에드워드의 손가락이 부드럽게 내 등뼈를 쓰다듬었다. 그는 내가 깼다는 걸 알고 있었다. 눈을 감은 채 그의 목에 팔을 감고서 나는 그의 품으로 파고들었다.

그는 아무 말도 하지 않았다. 에드워드의 손가락이 내 등 뒤에서 움직이고 있었지만, 마치 내 몸의 윤곽만을 더듬는 것처럼 그의 손가락은 내 피부에 거의 닿지 않았다.

이 순간을 그 무엇에도 방해받고 싶지 않았다. 이렇게 영원히 누워 있을 수 있다면 정말 행복할 텐데. 하지만 내 몸은, 마음과 좀 다른 생각을 하는 모양이었다. 배고픔을 알려오는 참을성 없는 내 위 때문에 나는 웃음을 터뜨렸다. 지난밤 일을 생각하니 배고픔조차 너무 지루한 것으로 느껴졌다. 엄청나게 높은 곳에 올라갔다가 다시 땅으로 추락하는 기분이랄까.

"뭐가 그렇게 재미있어?"

그가 여전히 내 등을 쓰다듬으며 물었다. 진지하고 또 허스키한 그 목소리를 듣자니 어젯밤의 기억들이 몰려왔고, 나는 얼굴부터 목까지 빨개지고 말았다. 그리고 그의 질문에 대답하듯 내 뱃속에서 꼬르륵 소리가 났다. 나는 다시 웃음을 터뜨렸다.

"내가 인간이란 사실을 그리 오래 잊고 지내지는 못하겠는걸."

한참동안 기다렸지만 그는 웃지 않았다. 천천히, 내 머릿속을 덮고 있던 여러 층의 기쁨이 한 꺼풀씩 벗겨져나가면서 나는 깨달았다. 내 빛나는 행복 외부에는 전혀 다른 분위기가 감돌고 있었다는 것을.

나는 눈을 떴다. 내 눈에 들어온 것은 창백한, 거의 은빛에 가까운 그의 목과 내 얼굴 위에 놓여 있는 그의 턱이었다. 에드워드의 턱은 긴장하고 있었다. 난 팔꿈치로 몸을 지탱한 채 그의 얼굴을 보았다.

에드워드는 우리 위쪽의 캐노피를 바라보고 있었다. 내가 갑자기 수심의 빛이 드리운 그의 얼굴을 관찰하는 동안 그는 내게 시선조차 주지 않았다. 그의 표정은, 내겐 쇼크였다. 정말로 온 몸을 관통하는 듯한 그런 충격.

"에드워드. 왜 그래? 무슨 일이야?"

이상하게도 목이 조금 메어왔다.

"꼭 물어봐야 해?"

그의 목소리는 딱딱하고 냉소적이었다. 평생 불안정한 상태로 살아온 탓인지, 처음에는 내가 뭘 잘못한 줄 알았다. 그래서 지금껏 일어난 일들을 하나하나 곱씹어 보았지만, 잘못한 일을 찾을 수 없었다. 그렇다면 내가 예상하는 것보다 훨씬 더 사소한 어떤 일 때문이리라. 우리는 서로 한 쌍을 이루는 퍼즐조각처럼 너무도 잘 맞았다. 그 사실이 내게 비밀스러운 만족감을 주었다. 다른 모든 면에서 그렇듯, 육체적으로도 너무 잘 어울렸다. 불과 얼음처럼, 서로를 파괴하지 않고는 함께할 수 없다는 것. 내가 그와 어울린다는 또 다른 증거.

에드워드가 이렇게 날카롭고 차가운 표정을 하고 있는 이유를 나는 알 수 없었다. 내가 뭔가 놓치고 있는 걸까?

그의 손가락이 걱정 때문에 주름이 잡힌 내 이마를 쓰다듬었다.

"무슨 생각해?"

그가 속삭였다.

"너 지금 화났잖아. 난 이해를 못하겠어. 혹시 내가 뭔가……."

나는 말을 마치지 못했다. 그의 눈빛이 차갑게 굳었다.

"얼마나 다친 거야, 벨라? 아무렇지 않은 척하지 마."

"다쳤다고?"

충격 때문에 내 목소리는 평소보다 컸다. 그가 입술을 굳게 다문 채 한 쪽 눈썹을 치켜 올렸다.

나는 시험 삼아 몸을 뻗어보고, 근육도 움직여보았다. 뻣뻣한 데도 없고 전혀 쓰리지도 않았다. 정말로. 다만 관절 하나하나가 제멋대로 움직이는 것 같아 기분이 좀 이상했다. 그래도 마치 해파리처럼 조금은 유연해진 듯 한 느낌이어서 나쁘지 않았다.

그러다 문득 화가 났다. 그런 비관적인 억측 때문에 이 완벽한 아침을 망쳐버리다니.

"대체 어쩌다 그런 결론을 내리게 된 거야? 이보다 더 기분 좋았던 적은 없었는데!"

그가 눈을 감고서 말했다.

"그만해."

"뭘 그만해?"

"난 괴물이야. 그렇지 않은 척은 이제 그만해 두라고."

"에드워드!"

내가 속삭였다. 진심으로 화가 났다. 그는 지금 내 아름다운 추억에 오 점을 남기며 어둠 속으로 밀어 넣고 있었으므로.

"다시는 그런 소리 하지 마."

그는 눈을 뜨지 않았다. 마치 내 모습을 보고 싶지 않은 것처럼.

"네 모습을 한번 봐, 벨라. 그러고 나서 내가 괴물이 아니라고 말해보란 말이야."

상처와 충격을 함께 받은 나는 아무 생각 없이 그가 시키는 대로 했다. 순간 숨이 막혀왔다. 대체 내게 무슨 일이 일어난 거지? 왜 보풀거리는 하 얀 눈이 내 몸에 온통 붙어 있는지 이해할 수 없었다. 머리를 흔들자 내 머 리카락에서 흰 빛의 폭포수가 쏟아져 내렸다.

나는 손가락으로 부드러운 하얀 눈송이를 집었다. 그건 깃털이었다.

"내가 왜 깃털에 덮여 있는 거지?"

여전히 영문을 알 수 없었다. 그가 초조하게 한숨쉬었다.

"내가 베개를 하나 물어뜯었어. 아니 두 개였나? 어쨌든 그게 중요한 게 아니잖아."

"베개를…… 물어뜯었다고? 왜?"

"이봐, 벨라."

이제 에드워드는 거의 화를 내고 있었다. 그가 내 손을 잡더니 팔을 확 잡아당겼다.

"이걸 봐."

이번엔 그가 하려는 말이 무엇인지 알아차릴 수 있었다. 깃털 아래, 창백한 내 피부에는 커다란 자줏빛 멍이 번지고 있었다. 나는 팔에서 어깨까지, 그리고 다시 갈비뼈까지 번져간 멍 자국을 보았다. 그러곤 오른손으로 왼쪽 팔뚝에 생긴 얼룩을 눌러보았다. 얼룩은 손으로 누를 때에는 사라졌다가 손을 떼면 다시 나타났다. 조금 욱신거리는 느낌이었다.

에드워드는 긴 손가락으로 한 번에 하나씩 멍 자국을 만져보았다. 그의 손길은 너무나 가벼워서 거의 느껴지지도 않았다.

"아."

내 입에서 그런 소리가 새어나왔다. 아팠었나? 내가 고통스러웠던가? 하지만 아무리 기억하려 해도 떠올릴 수가 없었다. 그가 나를 지나치게 꼭 안거나, 손을 너무 거칠게 잡았다거나…… 그런 순간들을 아무리 생각해 내려 해도 생각할 수 없었다. 그저 그가 날 더 꼭 안아주길 바랐던 것, 그리고 그가 꼭 안아주었을 때 기뻤던 것……. 전부 다 그런 기억뿐이었다.

"……미안해, 벨라."

내가 멍 자국을 바라보는 동안 그가 속삭였다.

"실은 알고 있었는데. 이러지 말았어야 했던 건데……. 말로 할 수 없을 만큼 너무 미안해."

그는 목구멍 깊은 곳에서 나오는 듯한 낮고 불쾌한 목소리로 그렇게 말하고, 팔로 얼굴을 가린 채 꼼짝도 하지 않았다.

나는 너무 놀라서 한참동안 가만히 앉아 있었다. 이제는 그가 무슨 생각을 하는지 알게 되었으므로, 그의 괴로움을 이해하려고 노력했다. 그러나 내가 느끼는 것과는 너무도 다른 감정이어서 받아들이기가 힘들었다.

충격이 서서히 사라져가자, 그 빈자리에는 아무것도 남지 않게 되었다. 그저 공허뿐. 내 마음은 텅 비어버렸다. 무슨 말을 해야 할지 알 수 없었다. 그에게 어떻게 설명해야 하는 걸까? 어떻게 해야 그도 지금의 나……, 아니 조금 전의 나만큼 행복해질까?

나는 그의 팔을 부드럽게 만졌다. 하지만 그는 꼼짝도 하지 않았다. 다시 나는 손가락으로 그의 주먹을 감싸고, 그의 얼굴에서 팔을 떼어내려고 했다. 하지만 차라리 조각상을 움직이려 하는 편이 더 나았을 것 같았다.

"에드워드."

그는 움직이지 않았다.

"에드워드?"

여전히 대답이 없었다. 아, 그래. 그럼 난 독백이라도 해야겠어.

"난 아무렇지 않아, 에드워드. 있잖아…… 나, 지금 정말 행복해. 너에게 말할 수 없을 만큼, 그 단어 하나로는 다 표현할 수 없을 만큼. 화내지 말아줘, 제발. 난 정말……."

"괜찮다는 말은 하지 마. 내가 제정신이길 바란다면 그 말은 하지 말아줘."

그의 목소리가 얼음처럼 차가웠다.

"하지만 정말 괜찮은걸."

내가 속삭였다.

"벨라. 제발."

그의 목소리는 신음에 가까웠다. 내가 응수했다.

"싫어. 너나 그런 말 하지 마, 에드워드."

이윽고 그가 얼굴을 가렸던 팔을 움직였고, 황금빛 눈이 조심스러운 빛을 띠고 나를 바라보았다.

"이 기분을 망치지 말아줘. 나.는.행.복.해."

나는 그렇게 힘주어 말했다.

"내가 벌써 다 망쳐버렸잖아."

그가 속삭였다.

"그만해."

내가 버럭 소리를 질렀다. 그가 이를 가는 것 같은 소리가 들렸다.

"으……!"

그렇게 신음하고서 나는 그에게 물었다.

"왜 내 마음은 읽지 못하는 거야? 생각을 전할 방법이 없으니 정말 불편하네."

그의 눈이 조금 커졌다. 지금까지 괴로워했던 것도 잠시 잊은 것 같았다.

"이상한데. 내가 네 마음을 읽지 못하는 걸 좋아했잖아."

"오늘은 아냐."

그가 나를 바라보았다.

"왜?"

어깨에서 통증이 느껴졌지만 무시하고서, 나는 두 손을 들어올렸다. 내 손바닥이 그의 가슴을 내리치자 날카롭게 찰싹하는 소리가 났다.

"네가 내 기분이 어떤지 안다면, 이런 불필요한 걱정은 하지 않을 테니까. 그러니까 5분전의 내 기분 말이야. 그땐 정말 완벽하게 행복했어.

모든 게 완전하고, 완벽했다고. 지금은…… 음, 살짝 짜증이 나."

"넌 나에게 화를 내야 해."

"그래, 너한테 화가 나. 이제 기분 좋아?"

에드워드가 한숨을 쉬었다.

"아니. 지금은 어떻게 해도 기분이 좋아질 것 같지 않아."

"아, 그래. 그게 바로 내가 화가 나는 이유야. 넌 내 흥분을 완전히 뭉개 버렸어, 에드워드."

내가 날카롭게 말했다. 그는 눈동자를 굴리더니 머리를 흔들었다.

나는 깊이 숨을 들이쉬었다. 이제는 멍든 부위가 좀 더 심하게 쑤셨지만 그렇게 심하지는 않았다. 아령 운동을 한 다음 날 같다고나 할까. 르네가 운동에 푹 빠졌을 때 함께 아령 운동을 한 적이 있었다. 한 손에 4.5킬로그램짜리 아령을 들고 런지(하체의 힘으로 앉았다 일어섰다 하는 운동: 편집자)를 65회 했다. 그리고 다음 날 난 걸을 수가 없었다. 하지만 지금은 그때의 반만큼도 아프지 않다.

나는 애써 짜증을 삼키고 부드러운 목소리를 내려 애썼다.

"쉽지 않을 거라고 예상했었잖아. 사실 이 정도는 당연하다고 생각했어. 음, 그래도 내가 상상했던 것보다는 훨씬 나은걸. 그리고 나 정말 아무렇지도 않아."

나는 손가락으로 팔을 쓰다듬었다.

"무슨 일이 벌어질지 우린 몰랐어. 하지만 멋지게 해냈잖아. 약간의 연습으로……."

갑자기 그가 너무 화난 표정이 되는 바람에 나는 말을 마치지 못했다.

"당연하다고? 이렇게 될 걸 예상했다는 거야, 벨라? 내가 널 다치게 할 줄 알았다고? 더 나빠질 수도 있었다고? 네가 겨우 무사히 빠져나올 수 있었다고 해서, 실험이 성공적이었다고 생각하는 거야? 뼈가 부러지지 않은 걸로 기뻐해야 하는 거냐고!"

나는 그가 마음에 있는 이야기를 전부 털어놓을 때까지 기다려주었다. 그러곤 그의 호흡이 정상으로 돌아갈 때까지 좀 더 기다렸다. 마침내 에드워드의 눈빛이 진정되고 나서, 나는 천천히 또렷하게 대답해주었다.

"무슨 일이 일어날지 난 정말 몰랐어. 그리고 얼마나…… 얼마나…… 멋지고 완벽할지도 예상하지 못했지."

내 목소리는 속삭임에 가까울 만큼 작아졌고, 그를 바라보던 시선은 내 팔로 향했다.

"그러니까, 넌 어땠는지 모르지만 나는 그랬어."

차가운 손가락이 내 턱을 들어올렸다.

"네가 걱정한 게 그거야? 내가 즐기지 못했을까 봐?"

그가 이를 악물고 물었다. 나는 아래만 바라보았다.

"내 느낌과 같지 않으리라는 건 알아. 넌 인간이 아니니까. 하지만 설명하려고 했어. 인간으로서 난, 이보다 더 좋은 순간은 상상조차 할 수 없었어."

에드워드는 한참 동안 아무 말이 없었고, 마침내 나는 고개를 들었다. 생각에 잠긴 그의 표정은 더 부드러워져 있었다.

"사과할 일이 더 늘어버린 것 같네."

에드워드가 얼굴을 찡그렸다.

"내 행동에 대해 네가 그렇게 오해할 줄은 몰랐어. 어젯밤이…… 내 생애 최고의 밤이 아니었다고 생각할 줄은. 그런 게 아냐. 만일 네가……."

내 입꼬리가 살짝 올라갔다.

"정말? 최고였다고?"

나는 작은 목소리로 물었다. 그가 두 손으로 내 얼굴을 감쌌다.

"너와 계약을 하고 나서, 칼라일한테 그 이야기를 했어. 칼라일은 벨라

네가 위험해질 거라고 경고했었지."

그의 얼굴에 그늘이 드리웠다.

"칼라일은 날 믿었어. 하지만 난 그럴 자격이 없는데."

나는 반박하려 했지만 그가 두 손가락으로 내 입을 막았다.

"그리고 칼라일에게 물어봤지. 나한테 무슨 일이 일어나게 될지를 말이야. 나로선 알 수가 없었거든. 난 뱀파이어잖아."

그는 차갑게 미소 지었다.

"칼라일이 그러더군. 무엇과도 비교할 수 없을 만큼 강력할 거라고. 칼라일은 육체적인 사랑을 가볍게 생각해선 안 된다고 했어. 우리의 성격이나 기질은 거의 변하지 않지만, 때로 아주 격렬한 감정을 경험하고 나면 그게 우릴 영원히 바꿔버릴 수도 있다는 거야. 하지만 칼라일은 그런 걱정은 하지 말라고 하더군. 넌 이미 날 완전히 바꿔놓았으니까."

이번에 그는 좀 더 진심어린 미소를 보여주었다.

"형들에게도 물어봤어. '그건' 그야말로 굉장한 즐거움을 준다고 하더군. 인간의 피를 마시는 것 다음이긴 하지만."

그의 이마에 주름이 잡혔다.

"하지만 난 이미 너의 피를 맛본 적이 있고, 이제는 그 누구의 피도 그보다 더 큰 기쁨을 주지는 못할 거야……. 난 형들이 틀렸다고는 생각하지 않아, 정말로. 그냥 우리가 서로 다르기 때문일 거야. 분명 그들이 말한 것 이상이었으니까."

"그 이상이지. 전부이기도 하고."

"그렇다고 해도 잘못이 바로잡히지는 않아. 아무리 네가 그렇게 느끼는 게 가능하다고 해도."

"무슨 뜻이야? 내가 거짓말이라도 한다는 거야? 대체 왜?"

"내 죄책감을 덜어주기 위해서. 벨라, 네 몸에 남은 증거들을 모른 체할 수는 없어. 게다가 난 네가 언제나 내 짐을 덜어주려 했다는 걸 기억해. 우리가 만난 이후, 내가 실수를 할 때마다 말이지."

나는 그의 턱을 잡고 고개를 앞으로 숙였다. 우리 둘의 얼굴이, 불과 몇 센티미터의 거리를 둔 채 서로 만났다.

"잘 들어, 에드워드 컬렌. 난 너 때문에 연극을 하고 있는 게 아냐, 알았어? 네가 징징거리기 전까지는 왜 내가 네 기분을 풀어줘야 하는지도 몰랐다고. 난 말이지, 살면서 이렇게 행복한 적이 없었어. 네가 나를 죽이고 싶은 마음보다는 사랑하는 마음이 더 크다고 했을 때에도, 처음으로 네가 잠든 나를 기다려줬을 때에도 이렇게까지 행복하진 않았어……. 발레교습소에서 네 목소리를 들었을 때도 그렇고—."

내가 떠돌이 뱀파이어의 손에서 구사일생으로 살아남은 기억을 떠올리며 그는 움찔했다. 하지만 나는 말을 멈추지 않았다.

"결혼식장에서 네가 목사님의 질문에 '네'라고 대답하고, 내가 그로 인해 널 영원히 가지게 되었을 때도 이만큼 행복하지는 않았어. 내 생애를 통틀어 가장 좋았던 순간들보다 더 행복했단 말이야. 그래서 그냥 기쁘기만 했는데……."

에드워드가 내 미간 사이에 잡힌 주름을 쓰다듬었다.

"그럼 지금은 내가 너를 불행하게 만드는 거군. 그러고 싶지 않은데."

"그럼 불행한 생각 같은 건 집어치워버려. 지금 잘못된 게 있다면 딱 하나, 그것뿐이니까."

그의 눈빛이 긴장으로 굳어졌다. 그리고 그는 곧 숨을 깊이 내쉬고 나서 고개를 끄덕였다.

"네 말이 맞아. 과거는 지나갔어. 내 힘으로는 바꿀 수 없지. 그러니 지금 이 순간 널 행복하게 해줄 일을 해야겠네."

나는 의심에 찬 눈으로 그를 쳐다보았고, 에드워드는 미소 지었다.

"날 행복하게 하는 일은 뭐든 할 거야?"

그와 동시에 내 배에서 꼬르륵 소리가 났다.

"배고프구나."

그렇게 말한 그는 깃털들을 헤치고서 재빨리 침대에서 빠져나갔다. 덕분에 잊고 있던 질문이 떠올랐다.

"근데 에스미의 베개는 왜 망가뜨린 거야?"

내가 자리에서 일어나자 머리에서 더 많은 깃털이 떨어졌다. 에드워드는 이미 헐렁한 카키색의 바지를 걸치고 문 옆에 서서 머리의 깃털을 털어내고 있었다.

"어젯밤엔 스스로를 컨트롤하기 힘들었어. 네가 아니라 베개인 게 다행이지."

그가 속삭이며 내 말에 답했다. 그러곤 깊이 숨을 들이쉬고 머리를 흔들었다. 마치 어두운 기억을 모두 떨쳐버리려는 듯이. 이제 그는 진심 같아 보이는 미소를 짓고 있었지만 진짜 미소를 보여주려면 좀 더 시간이 필요할 것이다.

조심스럽게 침대에서 빠져나온 나는 기지개를 켜면서 어느 부분이 아프고 쑤시는지를 찬찬히 살폈다. 그가 숨을 헐떡이는 소리가 들렸다. 그는 내게 등을 돌린 채 손마디가 하얘질 정도로 주먹을 꼭 쥐고 있었다.

"뭐야, 내가 그렇게 흉해?"

나는 가능한 한 가벼운 목소리로 물었다. 그가 숨을 멈추는 소리가 들렸다. 하지만 에드워드는 돌아서지 않았다. 아마도 표정을 숨기려는 것 같았다. 나는 내 모습이 어떤지 살펴보기 위해 욕실로 갔다.

문 뒤에 있는 전신거울에 벌거벗은 내 몸을 비춰보았다.

분명 내 모습이 꽤 심각해보이긴 했다. 한쪽 광대뼈에는 희미하게 멍이 들어 있었고 입술은 약간 부어 있었다. 그걸 빼면 얼굴은 괜찮아보였다.

하지만 얼굴을 제외한 나머지 부분은 온통 푸른색과 자주색으로 장식된 상태였다. 팔과 어깨에 생긴 멍이 가장 숨기기 어려울 것 같았다. 사실 그리 심하지는 않았다. 단지 내 피부가 너무 쉽게 멍드는 게 문제였다. 멍 자국이 눈에 띌 때쯤이 되면, 나는 이미 어쩌다 그게 생겼는지 잊어버리곤 했다. 물론 지금은 초기 단계이므로 내일쯤이면 멍이 더 심해질 거다. 그러면 상황은 더 나빠질 테고. 그러다 난 내 머리를 보고 신음했다.

"벨라?"

신음이 새어나가자마자 에드워드는 어느새 내 뒤에 서 있었다.

"이걸 어떻게 다 떼지?"

나는 닭이 둥지라도 튼 것 같은 내 머리를 가리켜 보이고, 머리카락에서 깃털을 떼어내기 시작했다.

"머리는 걱정하지 않아도 돼."

그가 중얼거렸다. 그리고 내 뒤에 서더니 깃털을 빠른 속도로 떼어내기 시작했다.

"어떻게 이걸 보고 안 웃을 수 있지? 정말 웃긴 꼴이잖아."

에드워드는 말없이 깃털만 뗐지만, 나는 듣지 않고도 대답을 알 수 있었다. 지금 이 상황에서 그를 웃게 만들 수 있다는 건 아무 것도 없다는 거겠지.

"소용없어. 머리를 감아야 할 것 같아."

1분 후 나는 한숨을 쉬며 그에게 말했다. 그리고 돌아서서 그의 차가운 허리에 팔을 감았다.

"도와줄 거지?"

"네게 먹일 만한 걸 좀 찾아보는 게 좋을 것 같은데."

그는 조용히 말하더니 부드럽게 내 팔을 풀었다. 에드워드가 재빨리 사라지는 모습을 보며 나는 한숨을 쉬었다. 아무래도 내 신혼여행은 이대로 끝나버린 것 같다. 목구멍으로 울분이 치밀어 올랐다.

내가 깃털을 거의 다 제거하고서 익숙하지 않은 하얀 면 드레스(가장 심한 보라색 멍 자국들을 가려주었다)를 입었을 때, 달걀과 베이컨과 체다 치즈 냄새가 풍겨왔다. 난 맨발로 냄새가 나는 곳으로 걸어갔다.

에드워드가 스테인리스 스토브 앞에 서서 조리대 위에 놓인 하늘색 접시에 오믈렛을 담고 있었다. 음식 냄새가 나를 괴롭혔다. 접시와 프라이팬까지도 먹을 수 있을 것 같았다. 내 위에서 요란한 소리가 났다.

"자."

에드워드가 말하고서 미소 띤 얼굴로 돌아섰다. 그는 타일을 붙인 작은 테이블에 접시를 내려놓았다. 나는 금속 의자에 앉아 뜨거운 달걀을 게걸스럽게 먹기 시작했다. 목구멍이 뜨거웠지만 신경 쓰지 않았다. 에드워드는 내 건너편으로 와서 자리에 앉았다.

"제대로 먹이지도 못했네."

그가 그렇게 말했으므로, 나는 달걀을 삼키고서 대답했다.

"내가 잠만 잤잖아. 그런데 이거 정말 맛있다. 음식도 안 먹으면서 이런 걸 다 할 줄 알다니."

"푸드 네트워크에서 봤지."

그는 내가 가장 좋아하는 미소를 지었다. 그 미소를 보니 행복했다. 그가 평상시의 모습을 좀 더 되찾은 것 같아 기뻤다.

"달걀은 어디서 났어?"

"청소하러 오는 사람들에게 부엌을 채워달라고 했지. 그런 일은 처음이었어. 그 사람들한테 깃털도 치워달라고 해야……"

그는 갑자기 내 머리를 바라보았고, 결국 말을 맺지 못했다. 그의 기분을 상하게 할 말은 하지 않으려고 나는 아무 대꾸도 하지 않았다.

에드워드는 넉넉하게 2인분을 만들었지만 내가 모두 먹어치웠다.

"고마워."

내가 그렇게 말하며 테이블 너머로 몸을 숙여 그에게 키스했다. 자연스럽게 내 키스를 받아주던 그는 갑자기 정색을 하더니 자리에서 일어났다. 나는 이를 갈았다. 내가 물어보려던 질문은 결국 비난이 되어버렸다.

"여기 있는 동안 다시는 내 몸에 손도 안 댈 생각인 거지?"

주저하던 그는 어색한 미소를 지으면서 내 뺨을 쓰다듬었다. 그의 손가락이 내 뺨을 너무나 부드럽게 쓰다듬어서 나는 그의 손바닥에 얼굴을 갖다대지 않을 수 없었다.

"내가 바라는 게 그게 아닌 건 알지?"

그는 한숨을 쉬더니 손을 내렸다.

"알아. 하지만 그럴 수밖에 없어."

그는 턱을 조금 들어올리며 잠시 침묵했다. 그러더니 단호하게 말했다.

"네가 변할 때까지는 너와 사랑을 나누지 않을 거야. 다시는 널 다치게 하지 않겠어."

# 6
# 방심

---

    이제 에스미 섬에서는 놀이가 가장 중요한 일과가 되어버렸다. 우리는 스노클링을 했다(좀 더 정확히 말하자면, 그가 산소 없이 자유자재로 잠수하는 동안 나 혼자만 스노클링을 했다). 또 작은 바위봉우리를 에워싸고 있는 정글을 탐험하기도 했다. 섬의 남쪽 끝에 사는 앵무새들을 찾아보았다. 바위로 뒤덮인 서쪽 해안에서 일몰을 감상했다. 수심이 깊지 않은 따뜻한 바다에서 돌고래와 함께 수영을 하기도 했다. 아니, 수영은 나만 했다. 에드워드가 바다에 들어가면 돌고래들은 마치 상어가 나타난 것처럼 사라져버렸기 때문이다.

    무슨 일이 벌어지고 있는지 나는 알고 있었다. 나를 바쁘게, 정신없게 해서 섹스에 대해서는 한마디도 못하게 하려는 속셈이겠지. 내가 대형 플라즈마 TV 아래에 있는 백만 장쯤 되는 DVD 가운데 한 장을 꺼내들고 자연스럽게 이야기를 풀어가려 할 때마다 그는 산호초, 수중동굴, 바다거북 따위의 유혹적인 말로 나를 집 밖으로 꾀어냈다. 우리는 하루 종일 돌아다녔다. 그래서 해질녘이 되면 나는 완전히 허기지고 지치기 일쑤였다.

매일 밤, 저녁을 먹기가 무섭게 나는 접시 위로 고개를 꾸벅였다. 내가 그렇게 식탁에서 졸면 에드워드는 나를 침대로 데려갔다. 게다가 에드워드는 한 사람이 먹기엔 너무 많은 양의 음식을 만들었다. 그러면 하루 종일 수영을 하고 산을 오르느라 허기가 진 나는 그걸 거의 전부 먹어치웠다. 그러면 피로한 데다 배까지 부른 탓에 거의 눈을 뜨고 있지 못하게 되곤 했다. 이게 그가 세운 계획의 전모다, 틀림없이.

그를 설득해보려 했지만 늘 지독한 피로가 방해가 됐다. 설명하고, 애원하고, 때로는 토라져보기도 했다. 하지만 소용없는 짓이었다. 제대로 시도해보기도 전에 곯아떨어졌기 때문이다. 그러면 너무나 생생한 꿈(대개는 악몽으로, 이 섬의 선명한 색깔 때문인지 더 생생하기만 했다)을 꾸고는 피곤한 상태로 잠에서 깨어나게 된다. 아무리 잠을 오래 잤어도 마찬가지였다.

우리가 섬에 온 지 일주일쯤 지났을 때, 나는 협상을 해보기로 했다. 전에도 우린 협상을 한 적이 있으니까.

이제 나는 푸른 방에서 자게 되었다. 청소하는 사람들은 내일까지는 오지 않기 때문에 하얀 방은 여전히 깃털로 덮여 있었다. 푸른 방은 더 작으며 침대도 적당한 크기다. 벽에는 티크 패널을 댔고 침구류는 모두 화려한 푸른색 실크로 되어 있었다.

잘 때는 앨리스가 챙겨준 란제리를 골라 입었다. 그것들은 앨리스가 챙겨준 빈약한 비키니에 비해 그렇게 야하지는 않았다. 내게 그런 란제리가 필요하게 되리란 걸 앨리스가 예지력을 통해 알았다면…… 생각만 해도 당황스러워서 온몸이 떨려온다.

처음에는 순수한 아이보리 색 새틴으로 시작했다. 몸을 많이 드러내는 게 오히려 역효과가 되는 건 아닐까 걱정되기도 했지만, 일단은 뭐든 시도해보기로 했다. 하지만 에드워드는 아무것도 알아차리지 못하는 것 같았다. 마치 내가 집에서 입는, 초라하고 낡은 트레이닝복을 걸치고 있는 것처럼.

이제 멍은 많이 좋아졌다. 어떤 건 노란색으로 변했고, 어떤 것들은 거의 사라졌다. 그래서 오늘밤에는 욕실에서 더 야한 란제리를 꺼내 입었다. 미처 표정관리를 하지 못한 그의 눈이 잠시 동안 커지는 것을 보고 나는 만족했다.

"무슨 생각해?"

내가 물었다. 그러고는 그가 내 모습을 모든 각도에서 볼 수 있도록 제자리에서 한 바퀴 돌았다.

에드워드는 헛기침을 했다.

"아름답다고 생각했어. 뭐, 항상 그렇지만."

"고마워."

내가 좀 심술궂게 대답했다.

너무 피곤했으므로 재빨리 부드러운 침대로 올라갔다. 그가 내게 팔을 두르고 가슴으로 끌어당겨 안았다. 하지만 이건 늘 하는 일일 뿐이다. 너무 더워서, 시원한 그의 몸과 가까이 있지 않으면 잠을 이룰 수 없었다.

"나랑 거래하자."

내가 잠에 취한 목소리로 말했다.

"너하곤 거래 안 해."

그가 대답했다.

"제안할 게 있는데 들어보지도 않을 거야?"

"그건 중요하지 않아."

나는 한숨을 쉬었다.

"젠장. 정말 간절히 원했던 건데…… 아, 할 수 없지."

그가 눈알을 굴렸다. 나는 그대로 눈을 감고 미끼를 물기만 기다렸다.

하품이 나왔다. 1분 만이야. 그 정도면 잠들지 않을 수 있다.

"좋아. 원하는 게 뭐야?"

나는 웃음을 참기 위해 잠시 이를 꽉 물었다. 그가 절대로 뿌리치지 못하는 한 가지가 있다면, 바로 '나에게 뭔가를 줄 수 있는 기회'일 거다.

"음, 생각해봤는데…… 다트머스에 간다는 이야기는 어디까지나 대외용이라는 건 알아. 하지만 대학을 한 학기쯤 다닌다고 해서 내가 죽지는 않겠지."

예전에, 내가 뱀파이어가 되는 시기를 어떻게든 늦추기 위해 에드워드가 꺼냈던 말을 나는 그대로 따라했다.

"찰리는 다트머스 이야기를 들으면 분명 좋아할 거야. 수재들을 따라잡지 못하면 나로선 창피하겠지만……. 사실 열여덟 살이든 열아홉 살이든 별 차이는 없지. 내년이 된다고 해서 잔주름이 확 느는 것도 아니고."

에드워드는 한동안 조용하다가, 이윽고 낮은 목소리로 말했다.

"기다려도 돼. 아니면 그냥 인간으로 남아도 되고."

그의 말이 무슨 뜻인지 가늠해보기 위해 나는 한동안 아무 말도 하지 않았다.

"나한테 왜 이러는 거야?"

갑자기 에드워드가 이를 악물고 말했다. 화가 난 것 같았다.

"이렇게까지 안 해도 충분히 힘들잖아."

그는 내 허벅지를 덮고 있는 레이스를 움켜쥐었다. 잠깐 동안 그가 내 란제리를 찢어버리려는 건 아닌가 생각했다. 하지만 그는 금세 손에서 힘을 뺐다.

"어쨌든 중요하지 않아. 난 너와 거래할 생각이 없으니까."

"대학에 가고 싶어."

"아니, 넌 가고 싶어 하지 않아. 게다가 다시 네 목숨을 위태롭게 할 만

큰 가치 있는 일도 못 되고."

"하지만 난 가고 싶어. 음, 내가 절실히 원하는 건 사실 대학이 아냐. 그냥 좀 더 인간으로 남아 있었으면 좋겠어."

그가 눈을 감고 코로 숨을 내쉬었다.

"날 미치게 할 생각이구나, 벨라. 이미 우린 이런 논쟁을 백만 번쯤 하지 않았어? 넌 항상 당장이라도 뱀파이어가 되고 싶다고 했고."

"그래, 하지만…… 음, 인간으로 남아 있어야 할 이유가 생겼어."

"그게 뭔데?"

"맞춰봐."

나는 베개에서 몸을 떼고 그에게 키스했다. 그도 내게 키스했다. 하지만 여전히 내가 이기고 있다는 기분은 들지 않았다. 에드워드는 내 감정이 상하지 않도록 조심하는 것 같았다. 완벽하게 자신을 절제하고 있었다. 잠시 후 그는 부드럽게 날 떼어내더니 가슴에 안아주었다.

"넌 너무나 인간적이야, 벨라. 호르몬의 지배를 받는 인간."

그가 소리 내어 웃었다.

"바로 그거야, 에드워드. 그래서 인간인 내가 좋은 거야. 아직은 그런 점을 포기하고 싶지 않아. 피를 갈망하는 뱀파이어가 되고 나면, 내 이런 모습을 되찾기 위해 한참 기다려야 하잖아. 그게 싫어."

나는 하품을 했고, 그가 미소 지었다.

"피곤하구나. 그만 자, 내 사랑."

그는 우리가 처음 만났을 때 나를 위해 작곡했던 자장가를 부르기 시작했다.

"왜 이렇게 피곤한지 모르겠어. 이게 네 계획의 일부는 아니겠지."

내가 냉소적으로 중얼거렸다. 그는 소리 내어 웃더니 다시 자장가를 부르기 시작했다.

"내가 피곤한 만큼 더 잘 잘 거라고 생각한 거잖아."

내가 그렇게 말했을 때 자장가 소리가 멈췄다.

"너 꼭 시체처럼 자더라. 여기 온 뒤에는 잠꼬대도 하지 않았어. 코를 골지 않았다면 난 네가 코마에 빠진 줄 알았을 거야."

코골이에 대한 조롱은 무시해주기로 했다. 난 코를 골지 않았으니까.

"몸부림치지 않았어? 이상하네. 악몽을 꾸면 침대를 헤집고 다니는데. 소리도 지르고 말이지."

"악몽을 꿔?"

"응, 아주 실감 나게. 그래서 더 피곤해. 악몽을 꾸고도 밤새도록 잠꼬대를 하지 않았다니 믿을 수 없는걸."

나는 그렇게 말하고 다시 하품을 했다.

"어떤 악몽인데?"

"매일 달라. 하지만 색깔이 비슷해."

"색깔?"

"너무 밝고 생생하거든. 대개 꿈을 꿀 땐 내가 누군지 알고 있잖아. 하지만 전혀 자고 있다는 자각이 없어. 그래서 더 무서운 거야."

그는 걱정스러운 목소리로 물었다.

"뭐가 널 무섭게 하는데?"

내가 조금 몸을 떨었다.

"대개는……."

나는 주저했다.

"대개는?"

그가 재촉했다. 되풀이되는 내 악몽에 나타나는 남자 아이에 대해서는 왠지 말하고 싶지 않았다. 그 공포 안에는, 뭔가 아주 사적인 부분이 포함되어 있는 것 같았으니까. 그래서 그에게 전부 이야기하는 대신 한 가지만 말하기로 했다. 나와 다른 이들을 두렵게 하기에 충분한 그 한 가지를.

"볼투리 가."

내가 속삭였다. 에드워드는 날 꼭 안아주었다.

"그들은 더 이상 우릴 괴롭히지 않을 거야. 넌 곧 불멸의 존재가 될 거고, 그럼 우리를 괴롭힐 이유가 사라지지."

그의 위로를 받으면서 나는 조금 죄책감을 느꼈다. 내 악몽은 사실, 그런 것과 좀 달랐기 때문이다. 걱정되는 건 나 자신이 아니라 그 남자아이였다.

내 첫 번째 꿈에 나타났던 남자애(내가 사랑하던 사람들의 시체 더미 위에 앉아 있던 핏빛 눈의 뱀파이어 아이 말이다)와는 다른 아이였다. 지난주에는 그 애의 꿈을 네 번이나 꾸었다. 아이는 인간이었다. 뺨은 빨갛고, 커다란 눈은 부드러운 초록색이었다. 그러나 뱀파이어 아이가 그랬듯, 그 애도 볼투리 가가 다가오자 공포에 절망으로 몸을 떨었다.

꿈속에서 나는, 누군지 모를 그 애를 지켜야만 했다. 다른 대안이 없었다. 동시에 나는 내가 실패하리라는 사실 또한 잘 알고 있었다. 에드워드는 내 얼굴에 떠오른 슬픔을 읽어낸 것 같았다.

"내가 도울 수 없을까?"

나는 고개를 흔들었다.

"그냥 꿈이잖아, 에드워드."

"노래 불러줄까? 나쁜 꿈을 쫓아버릴 수만 있다면 밤새도록 부를 수도 있어."

"그렇게 끔찍한 꿈은 아냐. 어떤 건 괜찮기도 해. 그냥 너무…… 선명해서. 물고기와 산호초가 있는 바다 밑. 꼭 현실 같다니까. 내가 꿈을 꾸고 있다는 사실조차 알 수가 없어. 어쩌면 이 섬이 문제인 걸까. 여기 있는 모든 것들이 정말 컬러풀하잖아."

"집에 가고 싶어?"

"아니. 아직은 아냐. 더 오래 머물러도 돼?"

"네가 원하는 만큼 있어도 돼, 벨라."

그가 약속했다.

"학기가 언제 시작하지? 전에는 신경을 안 써서 말이야."

한숨을 쉰 그는 다시 자장가를 부르기 시작한 것 같았다. 하지만 나는 잠이 들고 말았다.


시간이 흐른 후 충격 속에 잠에서 깼다. 꿈은 정말 생생하고 감각적이었다. 크게 숨을 헐떡이며 잠에서 깨어난 나는 어둠 때문에 잠시 혼란스러웠다. 조금 전만 해도 밝은 태양 아래 있었던 것 같은데.

"벨라……? 괜찮아?"

에드워드가 나를 꼭 안고 부드럽게 흔들었다.

"아."

나는 다시 숨을 헐떡였다. 꿈이구나. 진짜가 아니었어. 갑자기 눈물이 솟구치더니 뺨으로 흘러내렸다.

"벨라! 왜 그래?"

에드워드가 놀라 외쳤다. 그러고는 흥분이 어린 차가운 손가락으로 뜨거운 내 뺨을 닦아주었다. 그러나 그가 눈물을 닦자마자 또 다른 눈물방울이 흘러내렸다.

"꿈을 꿨어."

도저히 참을 수가 없어서 나는 나지막이 훌쩍였다. 바보처럼 솟아나는 눈물이 성가시게 느껴졌지만 막무가내로 덮쳐오는 슬픔을 도저히 억누를 수 없었다. 그 꿈이 현실이기를 나는 간절히 바랐다.

"괜찮아. 괜찮아. 내가 있잖아."

에드워드는 나를 앞뒤로 흔들었다. 달래기 위해서라고 보기엔 조금 빠른 속도로.

"또 악몽을 꾼 거야? 그건 현실이 아냐, 진짜가 아니라고."

"악몽 아냐. 좋은 꿈이었어."

나는 손등으로 눈을 문지르며 고개를 흔들었다. 목소리가 갈라져 나왔다.

"그럼 왜 울어?"

에드워드가 당황한 어조로 물었다.

"잠이 깨버렸잖아."

나는 그의 목을 팔로 감고 훌쩍였다. 그는 내 말에 한 번 웃었다. 걱정이 담긴, 긴장된 웃음소리였다.

"다 괜찮아, 벨라. 숨을 들이쉬어."

"정말 진짜 같았어. 진짜였으면 좋겠어."

나는 외쳤다.

"얘기해봐. 아마 도움이 될 거야."

그가 재촉했다.

"우리는 해변에 있었어……."

나는 말을 맺지 못한 채, 눈물 어린 눈으로 천사 같은 그의 모습을 보았다. 어둠 속에서 희미하게 보이는 그의 얼굴엔 걱정이 가득했다.

"그리고?"

그가 다시 재촉했다. 나는 눈을 깜박여 눈물을 떨어냈다.

"아, 에드워드……."

"말해줘, 벨라."

그가 애원했다. 고통을 담은 내 목소리 때문에 걱정스러웠는지 눈빛이 사납게 변해 있었다. 하지만 나는 말할 수 없었다. 그래서 그의 목에 다시 팔을 두르고, 내 입술로 그의 입술을 막아버렸다. 욕망 때문이 아니라, 정말로 필요해서였다. 고통에 가까울 만큼 격렬하게 나는 그가 필요했다. 하지만 그는 재빨리 나를 거부했다. 에드워드는 부드럽게 나를 밀어내더니 내 어깨를 잡았다.

"안 돼, 벨라."

그가 나를 바라보았다. 내가 또 제정신을 잃었을까 봐 걱정하는 것 같았다. 나는 풀이 죽어 그의 목에서 팔을 뗐다. 다시 눈물이 뺨을 타고 흘러내렸고 내 입에서는 훌쩍이는 소리가 터져 나왔다. 그가 당혹스러움과 고통을 담은 나를 바라보았다.

"미안해."

내가 중얼거렸다. 그러자 에드워드가 날 잡아당기더니 대리석 같은 가슴에 꼭 안아주었다.

"그럴 수 없어, 벨라. 난 그럴 수 없어."

그의 신음소리가 고통스럽게 들렸다.

"제발…… 제발. 에드워드?"

내 목소리는 그의 가슴에 가로막혀 작게 울려 나왔다. 내 눈물에 그의 마음이 움직였는지, 아니면 그가 이런 기습 공격에 미처 준비하지 못했던 탓인지, 혹은 그 역시 나만큼이나 참을 수 없어서였는지는 잘 모르겠다. 어쨌든 신음소리와 함께 굴복한 그는 입술로 내 입술을 찾았다.

그리고 우리의 사랑은 내 꿈이 끝난 그 지점에서 다시 시작되었다.


아침에 잠에서 깬 나는 가만히 누워 있었다. 고른 숨소리를 내려고 애쓰면서. 눈을 뜨는 게 두려웠기 때문이다.

난 에드워드의 가슴 위에 누운 채였다. 그는 미동도 없이 꼼짝하지 않았고, 팔로 나를 안지도 않았다. 나쁜 징조였다. 내가 잠이 깼다는 걸 알림으로써 그의 분노와 대면하는 게 두려웠다. 그 분노가 누굴 향한 것이든, 그건 중요하지 않다.

살짝 실눈을 떠 보았다. 에드워드는 팔베개를 한 채 어두운 천장을 올려다보고 있었다. 나는 그의 얼굴을 더 잘 보기 위해 팔꿈치를 짚고 몸을 들어올렸다. 그의 얼굴은 부드러웠지만 표정이 없었다.

"지금 나, 어느 정도로 곤경에 처한 거야?"

내가 작은 목소리로 물었다.

"엄청나게."

그는 고개를 돌리더니 나를 보고 능글맞게 웃었다. 나는 안도의 한숨을 내쉬었다.

"미안해. 그러려던 건 아니었는데……. 어젯밤엔 내가 왜 그랬는지 모르겠어."

내가 말했다. 이성을 잃은 채 날 덮쳐왔던 눈물이, 그 압도적인 슬픔이 다시 떠올라서 나는 머리를 흔들었다.

"너 무슨 꿈인지 말 안 해줬어."

"응. 하지만 힌트는 줬잖아."

내가 신경질적으로 웃었다.

"아, 그래. 재미있군."

그는 크게 뜬 눈을 깜박였다.

"아주 좋은 꿈이었어."

내가 중얼거렸다. 그가 아무 대답도 하지 않았으므로 나는 몇 초 후 이렇게 물어보았다.

"날 용서해주는 거야?"

"생각 중이야."

나는 일어나 내 몸을 살펴보았다. 적어도 깃털은 눈에 띄지 않았다. 하지만 몸을 움직이자 이상한 현기증이 느껴졌다. 나는 비틀거리다 베개에 등을 대고 누웠다.

"아……, 머리가 빙빙 돌아."

그의 팔이 나를 감쌌다.

"너 열두 시간이나 잤어."

"열두 시간?"

세상에. 나는 에드워드가 알아차리지 못하도록 재빠르게 내 몸을 다시 한번 살펴보았다. 일주일 전에 팔뚝에 생긴 멍들은 이제 노랗게 변해가고 있었다. 시험 삼아 기지개를 켜보았다. 역시 괜찮다. 사실 괜찮은 상황 이상이었다.

"검사 다 했어?"

나는 당황해서 고개를 끄덕였다.

"베개도 전부 무사한 것 같네."

"불행히도 네…… 음, 나이트가운은 무사하지 못해."

에드워드는 침대 발치를 향해 고개를 까딱해보였다. 실크 시트 위에 검은색 레이스 조각이 흩어져 있었다.

"저런. 마음에 들었었는데."

내가 말했다.

"나도."

"다른 피해는 없어?"

내가 머뭇거리며 물었다.

"에스미에게 새 침대를 사줘야 할 것 같아."

에드워드가 어깨 너머를 바라보았다. 내 시선도 그의 시선을 따라갔다. 침대의 헤드보드에서 떨어져 나온 게 분명한 거대한 나뭇조각이 눈에 들어와서, 나는 충격을 받았다.

"흠. 난 부서지는 소리 못 들었는데."

난 얼굴을 찡그렸다.

"넌 뭔가에 정신을 집중하면 다른 일에는 전혀 신경을 안 쓰더라."

"내가 좀 집중하긴 했지."

내 뺨이 진홍색으로 물들었다. 그가 뜨거운 내 뺨을 쓰다듬더니 한숨을 쉬고서 말했다.

"난 분명 저걸 그리워하게 될 거야."

나는 그의 얼굴을 바라보며, 내가 그렇게도 두려워했던 분노나 회한의 그림자를 찾아보려 했다. 그도 나를 바라보았다. 그의 표정은 평온했지만 의미를 읽어낼 수 없었다.

"무슨 생각해?"

그가 웃었다.

"뭐?"

내가 물었다.

"죄책감 느끼는 표정인데. 마치 죄라도 지은 것처럼 말이야."

"그래. 죄의식을 느껴."

내가 중얼거렸다.

"그래, 넌 의욕이 넘쳐나는 남편을 유혹했지. 중범죄는 아냐."

에드워드는 나를 놀리고 있는 것 같았다. 내 뺨이 더 달아올랐다.

"유혹했다는 말은 계획적이었다는 뜻으로 들리는데."

내가 그렇게 말하자 그는 인정했다.

"단어를 잘못 고른 것 같네."

"화나지 않았어?"

그가 슬픈 듯이 미소 지었다.

"화나지 않았어."

"왜?"

"음······."

그는 잠깐 말을 멈추었다.

"일단 널 다치게 하지 않았으니까. 이번엔 스스로를 통제하기가 더 쉬웠어."

그의 시선이 잠깐 부서진 침대로 향했다.

"아마 어떤 일이 벌어질지 지난번보다 더 잘 알고 있어서가 아니었을까."

내 얼굴에 희망의 미소가 번져갔다.

"내가 그랬잖아. 연습이 중요하다고."

그가 눈동자를 굴렸다. 그때 내 배에서 꼬르륵 소리가 났고 그가 웃음을 터뜨렸다.

"아침 식사 시간인가?"

그가 물었다.

"제발."

내가 침대에서 뛰어내리며 대답했다. 하지만 너무 갑자기 몸을 움직이는 바람에 술 취한 사람처럼 비틀거리고 말았다. 내가 서랍장으로 쓰러지려 하자 그가 나를 잡아주었다.

"괜찮아?"

"다음 생에서도 균형 감각이 이 모양이면 도로 물러달라고 할 거야."

오늘 아침은 내가 담당했다. 달걀프라이를 몇 개 했을 뿐이지만. 너무 배가 고파서 더 그럴 듯한 요리는 만들 수 없었다. 몇 분 후 나는 급히 달걀프라이를 접시에 담았다.

"언제부터 달걀프라이를 반숙으로 먹었어?"

"지금부터."

"지난주에 네가 달걀을 얼마나 먹어치웠는지 알아?"

그가 싱크대 아래에서 쓰레기통을 꺼냈다. 쓰레기통에는 푸른색 달걀 용기가 가득했다.

"이상해."

나는 뜨거운 달걀프라이를 한 입 베어 삼켰다.

"여기 오고 나서 입맛이 이상해졌어."

게다가 꿈도, 또 균형감각도 이상해졌지.

"하지만 난 여기가 좋아. 다트머스에 입학하려면 곧 여길 떠나야겠지? 와, 집도 구해야 하고 살림살이도 장만해야 하잖아."

에드워드가 내 옆으로 와 앉았다.

"이제는 대학에 다니고 싶은 척하지 않아도 돼. 원하던 걸 얻었잖아. 애초에 우리는 거래를 한 적이 없으니까, 아무 조건도 없는 셈이고."

내가 코웃음 쳤다.

"척한 거 아냐, 에드워드. 난 누구처럼 음모나 꾸미지는 않는다고. 벨라를 지치게 하려면 오늘은 뭘 해야 할까?"

나는 어설프게 그의 목소리를 흉내 냈다. 그는 창피한 줄도 모르고 웃었다.

"난 인간으로 좀 더 남아 있고 싶어. 아직 인간으로 충분히 살아보지 못했으니까."

내가 그의 드러난 가슴을 쓰다듬었다. 그가 미심쩍은 표정을 지었다.

"이것 때문이야?"

그의 손이 내 손을 잡고 천천히 아래로 움직여갔다. 그러다 자신의 배 부근에서 멈췄다.

"줄곧 섹스가 열쇠였다는 거지. 내가 왜 그 생각을 못 했을까? 미리 알아차렸다면 그렇게 논쟁할 필요도 없었을 텐데."

에드워드가 냉소적으로 중얼거렸다. 나는 웃었다.

"그래, 아마 그랬겠지."

"넌 너무 인간적이야."

그가 다시 말했다.

"알아."

그의 입술에 희미하게 미소가 비쳤다. 그가 물었다.

"우리 다트머스에 가는 거야, 정말로?"

"아마도 난 한 학기 만에 제적당하겠지."

"내가 가르쳐주면 되지. 넌 대학을 좋아하게 될 거야."

이제 그는 환한 미소를 짓고 있었다.

"아파트를 구하기엔 너무 늦은 거 아닐까?"

에드워드가 미안한 듯 얼굴을 찡그렸다.

"음, 거기 집이 한 채 있는데. 만약을 대비해 장만해뒀어."

"집을 샀다고?"

"부동산은 좋은 투자처거든."

난 한쪽 눈썹을 치켜 올렸다가 이내 포기하고 말았다.

"그럼 준비는 끝난 거네."

"'이전' 차를 좀 더 오래 빌릴 수 있는지 알아봐야겠는걸."

"그래, 내가 탱크에 깔리는 일은 없어야겠지."

그가 싱긋 웃었다.

"우리, 여기 얼마나 있을 수 있을까?"

내가 물었다.

"시간은 충분해. 원한다면 몇 주 더 있어도 돼. 그리고 찰리에게 인사하고 뉴햄프셔로 가는 거야. 크리스마스는 르네와 함께 보내고……."

그의 말을 듣고 있으니, 주위 사람들 누구에게도 고통을 주지 않는 더없이 행복한 미래가 그려지기 시작했다. 그 순간 거의 잊고 있던 제이콥의 서랍이 덜컹거리기 시작했고, 나는 생각을 조금 수정해야 했다. '주위 사람들 모두'가 아니라 '주위 사람들 거의 모두'로.

여전히 쉽지 않았다. 인간으로 사는 게 얼마나 멋진 일인지 알게 되고 나니, 계획 같은 건 모두 되는대로 내버려두고 싶은 심정이었다. 열여덟 아니면 열아홉, 열아홉 혹은 스물…… 그런 게 정말 중요할까? 일 년 안에 내가 그렇게 많이 바뀌지는 않을 것이다. 그리고 인간으로 에드워드와 함께 지내는 것은…… 그 선택은 매일 더 어려워졌다.

"몇 주 더 있자."

나는 그렇게 말하고서, 그걸로도 충분하지 않은 것 같아서 다시 덧붙였다.

"그래서 생각해봤는데…… 내가 전에 연습에 대해 이야기했던 거 기억나?"

그가 웃었다.

"좀 있다 이야기하자. 배가 오는 소리가 들리거든. 청소해줄 사람들이 오나 봐."

조금 있다 말하라고? 그 문제로 날 더 이상 괴롭히지 않겠다는 뜻이네. 나는 미소 지었다.

"일단 구스타보한테 하얀 방이 엉망이 된 이유부터 얘기해주고 나서 밖으로 나가자. 남쪽 정글에—"

"나가기 싫어. 오늘은 섬을 돌아다니고 싶지 않아. 집에서 영화나 볼래."

내 뿌루퉁한 목소리에 그는 웃음을 참으며 입술을 내밀었다.

"좋아, 마음대로 해. 난 문을 열어주러 갈 테니까, 네가 한 편 골라 봐."

"문 두드리는 소리 못 들었는데."

그는 고개를 갸웃하더니 귀를 기울였다. 0.5초 뒤에 희미하게 문을 두드리는 소리가 났다. 그가 미소 짓더니 복도 쪽으로 돌아섰다.

나는 커다란 TV 아래에 있는 선반을 훑으며 DVD의 제목을 살펴보았다. 어느 것부터 볼지 결정하기 힘들었다. 대여점보다 더 많은 DVD가 꽂혀 있었으니까.

그때 에드워드가 복도를 걸어오는 소리가 들렸다. 그는 낮고도 부드러운 목소리로 뭔가 말하고 있었다. 잘은 모르지만 완벽하고 유창한 포르투갈어였다. 이어 더 거친 목소리가 똑같은 언어로 대답하는 소리가 들렸다.

에드워드가 그들을 방으로 안내했다. 두 명의 브라질 사람은 피부도 아주 까맣고 키도 작았다. 에드워드 옆에 서 있어서 더 그렇게 보이는 것일 수도 있다. 한 명은 통통한 남자였고, 또 다른 한 명은 호리호리한 여자였다. 두 사람 모두 얼굴은 주름투성이였다. 에드워드는 자랑스러운 미소를 지으며 나를 가리켰다. 익숙지 않은 단어들 사이에서 내 이름이 들려왔다. 그들이 곧 깃털로 난장판이 된, 하얀 방에 들어서리라는 생각을 하니 얼굴이 달아올랐다. 키 작은 남자가 나를 보며 예의바르게 미소 지었다.

하지만 커피색 피부의 체구가 작은 여자는 미소 짓지 않았다. 대신 충격과 걱정, 공포가 뒤섞인 표정으로 나를 바라보았다. 내가 미처 뭔가를 하기도 전에 에드워드는 그들에게 '닭장'으로 따라오라고 손짓했고 그들은 가버렸다.

다시 나타났을 때 에드워드는 혼자였다. 그가 재빠르게 내 옆으로 다가오더니 팔로 나를 감쌌다.

"그 여자, 왜 그러는 거야?"

나는 그녀의 공포 어린 표정을 떠올리며 다급하게 속삭였다. 그는 침착하게 어깨를 으쓱였다.

"카우레한테는 티쿠나 인디언의 피가 섞여 있어. 그래서 보통의 다른 현대인들보다 더 미신을 많이 믿지. 아니, 더 깨어 있다고 해야 하는 건가? 그녀는 내 정체를 의심하고 있어. 사실 그 생각이 거의 옳다고 봐야지."

그는 걱정이라곤 전혀 하지 않는 것 같았다.

"여기도 나름의 전설이 있거든. 리비쇼맨의 전설이야. 리비쇼맨은, 아름다운 여자들의 피만 마신다더군."

그가 나를 곁눈질했다. 아름다운 여자들만? 음, 그거 마음에 드는 말인걸.

"그 여자는 공포에 질린 것 같던데."

내가 말했다.

"그래. 하지만 공포보다는 네 걱정이 더 크지."

"걱정한다고? 나를?"

"카우레는 내가 너를 여기에 데려온 이유가 뭔지 두려워하고 있어."

에드워드는 음울하게 킥킥거리더니 DVD가 꽂혀 있는 선반을 바라보았다.

"음, 볼 것 좀 골라보지 그래? 영화 보는 것도 너무 인간적인 일이긴 하지만 그 정도는 참아줄 수 있어."

"그래, 영화를 보고 있으면 그녀도 너를 인간이라고 생각할 거야."

나는 까치발을 하고 웃으면서 그의 목에 매달렸다. 그는 내가 키스할 수 있게 고개를 숙였다. 그러다 그는 자신이 고개를 숙이지 않아도 되도록 나를 안아 올렸다.

"영화."

나는 중얼거렸다. 그의 입술이 내 목을 더듬고 있었고, 내 손가락은 그의 청동색 머리카락을 부여잡고 있었다.

그때 숨을 헐떡이는 소리가 들려왔고 에드워드는 나를 재빨리 내려놓았다. 카우레가 공포에 질린 표정으로 복도에 꼼짝 않고 서 있었다. 그녀는 검은 머리에 깃털을 잔뜩 붙인 채, 팔에는 깃털이 든 자루를 들고 있었다. 그녀가 나를 쳐다보다가 황급히 눈을 돌렸다. 나는 얼굴을 붉히며 시선을 떨어뜨렸다. 그러자 그녀가 정신이 든 듯 무언가를 중얼거렸다. 모르는 언어이긴 했지만 사과의 말이 분명했다. 에드워드가 미소 지으며 상냥하게 대답했다. 그녀는 검은 눈동자를 굴리더니 복도를 걸어갔다.

"그녀가 무슨 생각을 하고 있는지 알 것 같아. 내가 생각하는 게 맞지?"

내가 중얼거렸다. 묘하게 뒤얽힌 내 말을 듣더니 그가 웃었다.

"맞아."

"자, 이거."

난 아무렇게나 팔을 뻗어 DVD를 꺼냈다.

"이걸 넣고 보는 척하자."

온통 웃는 얼굴과 화려한 드레스들로 가득한 오래된 뮤지컬 영화였다.

"진짜 신혼여행 분위기 나네."

에드워드가 말했다. 배우들이 신나는 노래에 맞춰 춤을 추는 동안 나는 에드워드의 품에 안긴 채 소파 위에 늘어져 있었다.

"우리 다시 하얀 방으로 옮기는 거야?"

내가 멍하니 물었다.

"몰라……. 사실 다른 방에 있는 침대의 헤드보드를 벌써 부숴버렸잖아. 수리할 수 없을 정도로. 한 곳만 정해놓고 부숴야 에스미가 우리를 다시 초대해주지 않을까."

내가 환하게 미소 지었다.

"더 부수려고?"

그는 내 표정을 보며 웃었다.

"네가 공격해오길 기다리느니 미리 계획을 세워두는 게 안전할 것 같아서."

"하긴 어차피 시간문제니까."

난 아무렇지 않게 맞장구를 쳤지만 내 맥박은 미친 듯이 뛰고 있었다.

"심장에 무슨 문제라도 있어?"

"아니. 난 말처럼 건강해."

내가 잠깐 말을 멈추었다.

"부서진 침실을 좀 둘러보는 게 어때?"

"우리만 남을 때까지 기다리는 게 예의 아닐까? 내가 가구를 쪼개도 넌 알아차리지 못하겠지만 저 사람들은 겁을 먹을 거야."

잠시 다른 방에 있는 사람들을 잊고 있었다.

"그렇네. 젠장."

구스타보와 카우레가 조용히 집 안을 돌아다니는 동안 난 초조하게 그들이 일을 끝내기를 기다리며 영화에 집중하려 했다. 그러다 슬슬 졸기 시작했고, 잠시 후(에드워드는 내가 하루의 반 정도를 졸았다고 하지만) 거친 목소리에 놀라 일어났다. 에드워드는 나를 여전히 안은 채로 몸을 일으키더니 유창한 포르투갈어로 구스타보의 말에 대답했다. 구스타보가 고개를 끄덕이더니 조용히 현관 쪽으로 걸어갔다.

"끝났어."

에드워드가 말했다.

"그럼 이제 우리만 남은 거야?"

"먼저 점심부터 먹는 게 어때?"

그가 말했다. 나는 이러지도 저러지도 못해 입술만 깨물었다. 정말 배가 고팠기 때문이다. 그가 미소 지으며 내 손을 잡더니 나를 부엌으로 데려갔다. 그는 내 표정에 대해 정말이지 속속들이 알고 있어서, 마음을 읽지 못하는 게 사실 별 의미가 없었다.

"배가 너무 불러."

마침내 뱃속이 꽉 찼을 때 내가 투덜거렸다.

"오후에는 돌고래랑 수영할래? 칼로리도 소모할 겸?"

그가 물었다.

"나중에. 칼로리를 소모할 다른 방법이 생각났어."

"뭔데?"

"음, 침대의 헤드보드가—."

난 말을 다 끝내지 못했다. 그가 나를 품에 낚아채고는 자신의 입술로 내 입술을 막은 다음 푸른 방으로 달려갔기 때문이다. 무시무시한 속도로.

# 7
# 예상치 못한 일

검은 무리가, 마치 수의 같은 안개를 뚫고 내게 다가왔다. 나는 그들의 짙은 루비 색 눈이 욕망으로 반짝이는 것을 보았다. 검은 무리는 사냥감을 노리고 있었다. 그들이 입술을 벌려 날카롭고 축축한 이빨을 드러냈다. 어떤 자는 울부짖고 있었고 어떤 자는 미소 짓고 있었다.

내 뒤에서 아이가 훌쩍였다. 하지만 난 고개를 돌려 아이를 바라볼 수 없었다. 그 애가 안전한지 확인하고 싶어 미칠 지경이었지만, 조금도 긴장을 늦춰서는 안 되는 상황이었다.

검은 무리는 유령처럼 다가왔다. 그들이 움직일 때마다 검은 옷이 조금씩 펄럭였다. 손끝에는 구부러진 뼈 색깔의 손톱이 달려 있었다. 그들이 뿔뿔이 흩어지더니 우리를 에워쌌다. 포위당하고 말았다. 우린 죽게 될 것이다.

그때 플래시 불빛이 터지듯이 장면이 바뀌었다. 그러나 상황은 그대로였다. 볼투리 가는 여전히 우리를 향해 다가오고 있었다. 우릴 죽이기 위해. 달라진 점이 있다면, 내가 그 장면을 다른 시각에서 바라보고 있었다는 것이다. 갑자기 내 안에서 어떤 갈망이 샘솟았다. 그들을 공격하고 싶다는 생각이. 내가 미소를 지으며 몸을 웅크리는 동안, 공포는 어느새 피를 보고 싶다는 갈망으로 바뀌었다. 내 이빨 사이에서 으르렁대는 소리가 흘러나왔다.

꿈 때문에 충격을 받은 나는 자리에서 벌떡 일어났다.

방 안은 깜깜했으며, 습하고 더웠다. 땀에 젖은 머리카락이 관자놀이에 달라붙었고 목에는 여전히 땀방울이 흐르고 있었다. 나는 따뜻한 침대 시트를 더듬었다. 시트는 비어 있었다.

"에드워드?"

바로 그때 손가락에 뭔가 부드럽고 납작하며 뻣뻣한 것이 잡혔다. 반으로 접혀 있는 쪽지였다. 난 쪽지를 들고, 더듬더듬 방을 가로질러 스위치가 있는 곳으로 갔다.

쪽지 바깥쪽에는 '컬렌 부인에게' 라고 쓰여 있었다.


떠나 있는 동안 네가 잠에서 깨지 않았으면 좋겠어. 내가 없는 걸 알아채지 못하도록. 하지만 만약 깨버렸다면, 금방 돌아올게. 본토로 사냥하러 가. 좀 더 잠을 청해 봐. 그러면 네가 다시 깨어났을 때 내가 곁에 있을 거야. 사랑해.


한숨을 쉬었다. 우리는 벌써 2주쯤 여기 있었다. 그러니 그가 나갔다 와야 한다는 걸 알았어야 했는데. 난 시간 같은 건 생각도 하지 않고 있었다. 여기서 우리는 가장 완벽한 상태로 표류하며, 시간 바깥에 존재하는 것 같았으니까.

나는 이마의 땀을 닦아냈다. 서랍장 위의 시계를 보니 겨우 한 시가 지나 있었다. 하지만 잠은 완전히 달아나버렸다. 후텁지근한 공기 탓에 다시 잠을 이루지도 못할 것 같았다. 게다가 불을 끄고 눈을 감으면 그 검은 형체들이 머릿속에 다시 떠오를 게 뻔했다.

나는 하릴없이 어두운 집 안을 배회하며 불이란 불은 모두 껐다. 에드워드가 없으니 집이 너무 크고 횅하게 느껴졌다. 낯설었다.

생각 끝에 나는 부엌으로 가서 뭘 좀 먹기로 했다.

난 냉장고를 뒤져서 프라이드치킨에 필요한 재료들을 찾아냈다. 팬에서 닭고기가 지글지글 익어가는 소리를 들으니 기분이 좋고 마음도 편했다. 그 소리가 침묵을 메워주는 동안은 두려움도 줄어들었다.

냄새가 너무 좋아서 나는 팬에 담긴 그대로 프라이드치킨을 먹었다. 그러다 혀까지 데었다. 다섯 입인가 여섯 입 째 고기를 베어 무니, 이제 충분히 식어 맛을 느낄 수 있었다. 씹는 속도가 점점 느려졌다. 그런데…… 맛이 좀 이상한 것 같은데? 나는 먹던 것을 살펴보았다. 익은 고기의 흰 빛을 띠긴 했지만, 완전히 익은 건지 의심스러워졌다. 그래서 시험 삼아 또 한 입 베어 물고 두 번 씹었다. 윽, 완전히 상했다. 나는 벌떡 일어나 고기를 싱크대에 뱉어버렸다. 갑자기 닭고기와 기름 냄새가 역겹게 느껴졌다. 나는 먹던 음식을 쓰레기통에 부어버리고 창문을 열어 환기를 했다. 밖은 시원한 바람이 불고 있었다. 바람이 피부에 닿는 느낌이 좋았다.

갑자기 피곤이 몰려왔지만 더운 방으로 돌아가고 싶지 않았다. 그래서 TV가 있는 방으로 들어가 창문들을 열고나서 그 아래 앉았다. 그리고 우리가 전날 보았던 영화를 틀고는 흥겨운 오프닝 노래를 들으며 잠에 빠져들었다.

다시 눈을 떴을 때는 태양이 떠오르고 있었다. 하지만 아직 잠을 깨울 만큼 강한 햇빛은 아니었다. 에드워드가 차고 시원한 팔로 나를 감싸더니 자기 품으로 끌어당겼다. 그와 동시에 배에 갑작스러운 아픔이 느껴졌다. 배를 주먹으로 한 대 맞은 것 같은 통증이었다.

"미안해. 내가 없으면 네가 얼마나 더울지를 생각하지 못했어. 여기서 나가기 전에 에어컨을 설치해야겠는데."

그렇게 말한 에드워드가 그 겨울같이 차가운 손으로 내 끈적이는 이마를 쓰다듬었다. 하지만 난 그의 말에 귀를 기울일 수가 없었다.

"잠깐만!"

나는 숨을 헐떡이며 그의 팔에서 빠져나오려 애썼다. 에드워드가 바로 팔을 풀었다.

"벨라?"

그대로 배를 움켜잡은 채 욕실로 질주했다. 그리고 나는 변기에 몸을 구부린 채 격렬하게 구토를 했다. 너무 끔찍하게 속이 뒤틀려서, 처음으로 그가 옆에 있다는 것조차 신경 쓸 수 없었다.

"벨라? 왜 그래?"

난 아직 대답할 수 있을 만큼 회복되지 못했다. 그가 걱정스럽게 날 끌어안더니 얼굴에 붙은 머리카락을 떼어주었다. 그리고 내가 제대로 숨을 쉴 수 있을 때까지 기다렸다.

"젠장, 썩은 닭고기 때문에."

내가 신음소리를 냈다.

"괜찮아?"

그가 긴장한 목소리로 물었다.

"괜찮아."

나는 숨을 헐떡였다.

"식중독이야. 굳이 이런 모습 볼 필요 없잖아. 그러니까 가봐."

"무슨 소리야, 벨라."

"가라고."

나는 다시 신음을 내뱉고 나서, 입을 헹구기 위해 몸을 일으켜 세웠다. 내가 가볍게 쳐내는 데도 그는 나를 잡아주었다. 입을 헹궈낸 후, 에드워드가 나를 침대로 데려가 조심스럽게 앉혔다.

"식중독?"

"응. 어젯밤에 닭고기를 먹었거든. 그런데 고기가 상해서 몇 입 먹고 버렸어."

내가 쉰 목소리로 말했다. 그는 차가운 손을 내 이마에 댔다. 기분이 좋았다.

"지금은 어때?"

나는 잠깐 동안 생각해보았다. 메스꺼움은 처음 몰려왔을 때처럼 갑자기 사라졌다. 다른 날 아침과 똑같았다.

"아주 멀쩡해. 조금 배도 고프고."

한 시간쯤 지난 후 그가 큰 유리잔에 물을 떠다주었다. 그러고는 달걀 프라이도 몇 개 해주었다. 한밤중에 일어나서 조금 피곤하긴 했지만 난 정말로 멀쩡했다. 그는 CNN채널을 틀었고─우리는 세상과 철저히 담을 쌓고 있었으므로, 제3차 세계대전이 일어나도 몰랐을 것이다─난 그의 허벅지를 베고 나른한 상태로 누워있었다.

그러다 뉴스가 지루해져서 몸을 돌려 그에게 키스하려 했다. 몸을 움직이자, 오늘 아침에 그랬던 것처럼 배에서 날카로운 통증이 느껴졌다. 나는 손으로 입을 막은 채 그에게서 비틀거리며 떨어져 나왔다. 이번에는 도저히 욕실까지 갈 수 없을 것 같아 싱크대로 달려갔다. 그가 다시 내 머리카락을 잡아주었다.

"리우데자네이루에 가서 진찰을 받아봐야겠어."

내가 입을 헹구는 동안 그가 걱정스럽게 말했다. 나는 고개를 흔들고 복도를 향해 주춤주춤 걸었다. 의사라니, 그럼 주사도 맞아야 하잖아.

"이를 닦으면 괜찮아질 거야."

이를 닦고 나서 가방을 뒤져 앨리스가 챙겨둔 구급약통을 찾았다. 구급

약통은 붕대와 진통제와 내가 찾고 있는 것―펩토비스몰(미국인들이 흔히 복용하는 위장약의 이름: 편집자)―로 가득했다. 이걸로 내 위장도 진정시키고 에드워드도 진정시킬 수 있겠지.

하지만 펩토비스몰을 집어 들려던 순간 다른 게 눈에 띄었다. 난 파란색의 작은 상자를 들어올리고 한참동안 바라보았다. 다른 것은 모두 잊어버린 채로. 그리고 머릿속으로 숫자를 셌다. 한 번, 두 번, 그리고 다시…….

그때 노크소리가 들려와 소스라치게 놀랐다. 들고 있던 작은 상자가 가방 속으로 떨어졌다.

"괜찮아? 또 메스꺼운 거야?"

에드워드가 문 밖에서 물었다.

"글쎄."

나는 기어들어가는 목소리로 대답했다.

"벨라? 들어가도 돼?"

걱정스러운 목소리였다.

"그……래."

그가 들어오더니 다리를 포갠 채 가방 옆에 꿇어앉은 내 모습과, 멍하니 한 곳을 노려보고 있는 내 표정을 살펴보았다. 에드워드가 내 옆에 앉더니 다시 한 번 내 이마를 만져보았다.

"왜 그래?"

"결혼식 하고 나서 며칠 지났지?"

내가 속삭였다.

"17일."

그가 반사적으로 대답했다. 나는 다시 세어보았다. 손가락을 들어보이며 그를 기다리게 한 후, 속으로 숫자를 헤아리기 시작했다. 전에는 날짜가 어긋난 적이 없었는데. 의식하지 못한 사이에 이렇게 시간이 훌쩍 지나 있었다니. 나는 세고. 또 다시 세어 보았다.

"벨라! 날 미치게 할 생각이야?"

에드워드가 다급한 목소리로 속삭였다. 말하지 않으려 했지만 소용없는 일이었다. 그래서 가방으로 손을 뻗었다. 나는 탐폰이 들어있는 파란색의 작은 상자를 찾아내, 그것을 조용히 들어올렸다. 그가 당황스러운 듯 나를 바라보았다.

"뭔데? PMS(생리전증후군) 탓이라고 둘러대고 그냥 넘어가려는 거야?"

"아니."

나는 간신히 감정을 억눌렀다.

"아니, 에드워드. 나…… 생리가 5일이나 늦어졌어."

그의 표정엔 변화가 없었다. 마치 아무 말도 듣지 못했다는 듯.

"식중독이 아닌 것 같아."

내가 덧붙였다. 그는 여전히 대답이 없었고, 조각상처럼 꼼짝도 하지 않았다.

"꿈."

나는 힘없이 말했다.

"하루 종일 잠만 자는 것도, 자꾸 눈물이 나는 것도, 그렇게 먹어댔던 것도. 아. 아. 아."

마치 내가 더 이상 보이지 않는 것처럼 에드워드의 눈빛이 흐릿해졌다. 반사적으로, 거의 무의식적으로 내 손이 배를 만졌다.

"아!"

나는 다시 새된 소리를 질렀다. 그러고는 에드워드의 손길에서 벗어나 비틀거리며 일어섰다. 나는 아직 잠자리에 들 때 입었던 짧은 실크 반바지와 캐미솔 차림이었다. 푸른빛의 옷을 걷고 배를 바라보았다.

"그럴 리 없어."

내가 중얼거렸다. 임신하거나 아이를 키워 본 경험은 없지만, 그래도 난 바보가 아니다. 임신하면 나타나는 증후들은 지금의 내 상태와는 다르다는 걸 영화와 TV를 통해 알고 있었다. 그냥 5일 늦었을 뿐이다. 만약 내가 임신했다면, 아직 그 사실을 알아차리지도 못했어야 맞다. 아침에 메스꺼움을 느끼지도 않았을 거고, 식습관이나 수면습관이 바뀌지도 않았을 것이다.

그리고 아랫배에 작은 혹이 튀어나오지도 않았으리라. 나는 내 몸을 앞뒤로 돌려가며 자세히 살펴보았다. 마치 빛에 제대로 비춰 보면 혹이 사라지기라도 할 것처럼. 손가락으로 혹을 만져보았더니 너무 딱딱해서 깜짝 놀랐다.

"그럴 리 없어."

내가 다시 중얼거렸다. 혹이 있든 없든, 생리가 있든 없든(나는 그동안 생리가 하루라도 늦은 적이 없었다) 임신했을 리는 없다. 내가 섹스를 해 본 유일한 존재는 뱀파이어이니까.

여전히 미동도 없이 바닥에 앉아 있는 뱀파이어.

그렇다면 뭔가 다른 설명이 필요했다. 뭔가가 잘못된 것이다. 임신의 증세와 비슷한 낯선 남아메리카의 질병이라든가…….

그때 머릿속에 떠오른 생각이 있었다. 벌써 한평생쯤은 전의 일로 느껴지는 그런 어느 날의 아침, 나는 인터넷을 검색하는 중이었다. 창문으로 흐릿하게 들어오는 햇빛을 받으면서, 낡고 시끄러운 컴퓨터 모니터를 들여다보며 '뱀파이어 A부터 Z까지'라는 사이트를 탐욕스럽게 뒤지고 있었다. 제이콥 블랙이 내 기분을 풀어주기 위해 퀼렛 부족의 전설(당시만 해도 제이콥은 이 전설을 믿지 않고 있었다)을 들려주며 에드워드가 뱀파이어라고 말한 지 채 24시간도 지나지 않았을 때의 일이었다. 나는 초조하게 메뉴들을 훑어보았다. 사이트에서는 전 세계의 뱀파이어 이야기를 소개하고 있었다. 필리핀의 다낙Danag, 유대인의 에스트리Estrie, 루마니아의 바라콜라치Varacolaci, 이탈리아의 스트레고니 베네피치Stregoni benefici(이들에 관한 전설은 내 시아버지가 예전에 볼투리 가와 함께 지낼 때의 일을 기초로 한 것이었지만 당시에는 그런 사실을 몰랐었다)……. 이야기가 허황되어질수록 내 집중력도 점점 떨어졌었다. 그래서 나중에 읽은 부분만 희미하게 기억하고 있다.

어쨌거나 그 이야기들은 영아사망률이나 불륜 등을 설명하기 위해 만들어낸 일종의 핑계 같았다. 아냐, 자기, 난 바람을 피우지 않았어! 섹시한 여자가 집을 나가는 걸 봤다고? 그렇다면 그 여자는 사악한 마녀야. 내가 죽지 않은 게 다행이지!(물론 이제 타냐 자매들 덕분에 그런 핑계 중 일부는 사실이 아닐까 의심하게 되었다) 여자들에게도 핑곗거리가 있었다. 당신이 2년 동안 항해하고 방금 집에 돌아왔는데 내가 어떻게 임신을 할 수 있냐고요? 그럼 내가 바람을 피웠다는 거예요? 다 인큐버스(여자의 꿈속에 들어가서 여자를 임신시킨다는 악마의 일종: 옮긴이) 때문이란 말이에요. 그는 뱀파이어 같은 신비한 힘으로 나를 매혹시켰어요…….

인큐버스에 대한 정의에도 뱀파이어 이야기가 등장한다. 불운한 희생자들을 임신하게 하는 능력. 나는 이내 머리를 흔들었다. 현기증이 났다. 하지만…….

그리고 나는 에스미와 로잘리를 생각했다. 뱀파이어는 아이를 가질 수 없다. 만일 그게 가능했다면 로잘리는 지금쯤 방법을 찾았을 것이다. 인큐버스 전설은 그저 전설일 뿐이다.

그 점을 제하고 본다면…… 음, 한 가지 차이가 있기는 하다. 로잘리는 인간에서 뱀파이어가 되던 그 당시의 상태에 멈춰버렸기 때문에 아이를 가질 수 없다. 로잘리의 몸은 항상 변치 않는 늘 같은 상태이기 때문이다. 반면 인간 여자들은 아이를 낳기 위해 변해야만 한다. 우선 매달 주기적으로 일어나는 변화가 있고, 그다음으로는 자라는 아이를 품기 위해 더 큰 변화가 일어나게 된다. 하지만 로잘리의 몸은 바뀔 수가 없었던 것이다.

하지만, 내 몸은 변할 수 있다. 그리고 실제로 변했다. 나는 내 배의 혹을 만져보았다. 어제까지만 해도 이런 건 없었는데.

그리고 인간 남자는, 음, 사춘기부터 죽을 때까지 거의 일정한 상태를 유지한다. 나는 어디선가 주워들은 사소한 뉴스를 떠올렸다. 찰리 채플린이 60대에 막내를 낳았다는 뉴스였다. 남자들에게는 가임기라든가, 출산 주기라는 게 없다.

파트너가 아이를 가질 수 없다면 뱀파이어 남자가 아이를 가질 수 있는지 없는지 어떻게 알 수 있었겠는가? 뱀파이어가 인간 여자를 임신시킬 수 있는지 시험해볼 필요가 있었을까? 아니 최소한 그럴 의지라도 있었을까?

나는 딱 한 가지밖에 생각할 수가 없었다.

내 한쪽 두뇌는 사실, 기억, 그리고 추측들을 면밀히 살피고 있었다. 하지만 근육을 움직이고 통제하는 다른 한쪽은 마비된 채 기능하지 못하는 상태였다. 에드워드에게 지금 무슨 일이 벌어지고 있는지 묻고 싶었지만 입술을 움직여 말할 수조차 없었다. 그가 주저앉아 있는 곳으로 돌아가 그를 보듬어주어야 하는데, 몸이 말을 듣지 않았다. 그저 손가락으로 조심스럽게 혹을 누르면서, 거울에 비쳐 보이는 충격에 빠진 내 눈만을 바라보았다.

그때 어젯밤의 생생한 악몽처럼 갑자기 장면이 바뀌었다. 실제로 바뀐 것은 아무것도 없지만 거울을 통해 바라보고 있는 모든 장면이 완전히 달라 보였던 것이다.

내 몸 안의 뭔가가 내 손을 살짝 차면서 모든 게 변했다.

동시에 에드워드의 휴대전화가 날카롭게 울렸다. 우리 둘 다 움직이지 않았다. 전화는 계속 울렸다. 나는 손가락으로 배를 누른 채 전화벨에 신경 쓰지 않으려 했다.

벨소리는 그치지 않았다. 난 에드워드가 전화를 받길 바랐다. 그래야 내게 잠깐이나마 여유가 생길 테니까. 생애 가장 절체절명의 순간일 지금.

따르릉! 따르릉! 따르릉!

그 소리 때문에 모든 것이 짜증스럽게 느껴졌다. 나는 에드워드 옆에 무릎을 꿇었다. 그리고 느껴지는 움직임 하나하나에 극도로 신경을 쏟으며 조심스럽게 움직였다. 나는 그의 주머니에서 휴대전화를 찾아냈다. 에드워드가 정신을 차리고 전화를 받길 바랐지만 그는 꼼짝하지 않았다.

내가 아는 번호였다. 그래서 그녀가 전화한 이유도 쉽게 추측할 수 있었다.

"안녕, 앨리스."

그렇게 말하는 내 목소리는 여전히 형편없이 들렸다. 나는 목소리를 가다듬었다.

"벨라? 벨라. 괜찮아?"

"응. 음……, 칼라일 있어?"

"응. 왜 그래?"

"나…… 100퍼센트는 아니지만…… 확실한 건…….."

"에드워드는 괜찮아?"

앨리스가 조심스럽게 물었다. 곧 그녀가 칼라일을 부르는 소리가 전화기를 통해 들려왔다. 그러고 나서 앨리스는 내가 미처 대답하기도 전에 또 다른 질문을 던졌다.

"칼라일은 왜?"

"아직 확실하지는 않아."

"벨라, 무슨 일이야? 내가 본 건…….."

"뭘 봤는데?"

아무 대답이 없었다.

"칼라일 바꿔줄게."

한참 후에야 앨리스가 말했다. 누군가 내 혈관에 주사기로 얼음물을 집어넣고 있는 것 같았다. 만일 앨리스가 내 팔에 안겨 있던 초록색 눈의 천사 같은 아이를 봤다면 내게 대답했어야 하리라. 그렇지 않을까?

칼라일이 전화를 받기를 기다리는 동안 내가 상상했던 이미지가 눈꺼풀 아래에서 춤을 췄다. 작고 아름다운 아기, 내가 꿈에서 본 남자 아이보다 더 아름다운 아이…… 작은 에드워드가 내 팔에 안겨 있었다.

"벨라, 칼라일이다. 무슨 일이니?"

"저는―."

어떻게 대답해야 할지 망설였다. 내 이야기를 들으면 칼라일이 웃을까? 나더러 미쳤다고 할까? 이것도 또 하나의 꿈일 뿐인 걸까.

"에드워드가 조금 걱정돼요……. 뱀파이어도 쇼크 상태가 되나요?"

"어디 다쳤니?"

칼라일의 목소리가 갑자기 다급해졌다.

"아니, 아니에요. 그냥…… 놀랐나 봐요."

나는 그를 안심시켰다.

"무슨 소린지 모르겠구나, 벨라."

"제 생각에…… 음, 제 생각에…… 아마…… 저……."

나는 심호흡을 하고 나서 겨우 말을 마쳤다.

"임신한 것 같아요."

내 말을 증명하려는 듯 또다시 뭔가가 내 배를 살짝 찼다. 나는 손으로 재빨리 배를 만졌다.

"마지막으로 생리를 한 게 언제였니?"

"결혼식 16일 전이요."

대답하기 전에 나는 머릿속으로 몇 번이나 숫자를 헤어보았다.

"기분은 어때?"

"이상해요."

내 목소리가 갈라졌다. 또다시 눈물이 뺨을 타고 흘러내렸다.

"제가 말도 안 되는 소릴 하고 있는 거죠? 너무 이른 것도 사실이고요. 아무래도 저 좀 미쳤나 봐요. 하지만 이상한 꿈을 꾸고, 하루 종일 먹고, 울고 토하고 그리고…… 그리고…… 이제는 뱃속에서 뭔가가 움직여요."

갑자기 에드워드가 고개를 들었다. 나는 겨우 안도의 한숨을 쉬었다. 에드워드는 전화기를 달라는 듯 손을 뻗었다. 그의 얼굴은 하얗게 굳어 있었다.

"음, 에드워드가 통화하고 싶은가 봐요."

"바꿔다오."

칼라일이 긴장한 목소리로 말했다. 에드워드가 말을 할 수 있을지는 확실하지 않았지만 일단 그의 손에 전화기를 쥐어주었다. 그가 귀에 전화기를 가져다 댔다.

"가능한 일이에요?"

그가 속삭였다. 그러고서 한참동안 멍하니 귀를 기울였다.

"벨라는요?"

그가 물었다. 그는 팔로 나를 감싸더니 꼭 끌어안았다. 그리고 한참 동안 귀를 기울이더니 이렇게 대답했다.

"네, 네, 알았어요."

그가 귀에서 전화기를 떼더니 '종료' 버튼을 눌렀다. 그러더니 곧바로 어디론가 전화를 걸기 시작했다.

"칼라일이 뭐래?"

난 참지 못하고 물었다. 에드워드가 힘없이 말했다.

"너, 임신한 것 같대."

그 말을 들으니 척추를 따라 전율이 느껴졌다. 내 안에 작은 생명이 꿈틀대고 있다니.

"어디다 전화하는 거야?"

전화기를 귀로 가져가는 그를 보며 내가 물었다.

"공항. 돌아가야겠어."


에드워드는 한 시간째 통화 중이었다. 돌아가기 위한 항공편을 알아보는 것 같았지만, 영어로 말하는 게 아니라서 확신할 수는 없었다. 어쩌면 싸우는 것 같기도 했다. 이를 악물고 말할 때가 많았기 때문이다.

그는 싸우면서 짐을 쌌다. 그리고 광포한 토네이도처럼 방 안을 돌아다녔다. 그러나 그가 지나가는 길에는 파괴가 아닌 질서가 남았다. 그는 보지도 않고 침대에 내 옷들을 던져놓았다. 이제 옷을 입어야 할 것 같았다. 내가 옷을 갈아입는 동안 그는 흥분한 제스처를 해가며 계속해서 싸워댔다.

나는 그에게서 뿜어져 나오는 폭력적인 에너지를 더 이상 견딜 수 없어 조용히 방을 나갔다. 그 광적인 집중력에 속이 메슥거렸다. 아침에 그런 것처럼 메슥거렸다는 뜻이 아니라 불편했다는 의미다. 어디 다른 곳에 가서 그의 기분이 진정되기를 기다리자. 그렇게 차가운, 그렇게 광적으로 집중한 상태의 에드워드와는 대화할 수 없었다. 솔직히 말하면 좀 무서웠다.

다시 부엌으로 들어갔다. 찬장에 프레첼 봉지가 있었다. 나는 정신없이 프레첼을 씹으면서 창 밖의 모래사장과 바위와 나무와 바다를 바라보았다. 모든 게 햇빛 속에서 반짝이고 있었다. 다시 '누군가' 나를 찼다.

"알아. 나도 가기 싫어."

내가 말했다. 나는 잠깐 동안 창 밖을 내다보았지만 뱃속에서는 아무 반응이 없었다.

"이해할 수가 없어. 뭐가 잘못된 거지?"

나는 속삭였다. 정말로 놀랍다. 심지어 경이롭다. 하지만 뭐가 잘못된 거지?

잘못된 건 아무 것도 없어.

왜 에드워드는 그렇게 화를 내는 거지? 대체 왜? 이런 막무가내식 결혼을 원한 건 바로 그였으면서.

난 이유가 뭔지 생각해내려 노력했다. 에드워드가 당장 집에 가고 싶어 하는 건 별로 이상한 일이 아니다. 그는 내 짐작이 옳은지 칼라일을 통해 확인해보고 싶을 것이다. 이 점에는 아무 의심이 없다. 어쩌면 혹이나 태동 같은 임신의 증후가 이렇게 빨리 나타나는 이유를 알고 싶은 건지도 모른다. 정상이 아니니까.

거기에 생각이 미치자 이해할 수 있을 것 같았다. 에드워드는 아기를 걱정하고 있는 게 분명해. 아직은 흥분할 때가 아닌 거야. 역시 나는 그보다 머리가 나쁘다. 나는 아름다운 아기의 이미지에 그저 감탄만 하고 있었으니까. 에드워드가 인간이었을 때와 똑같은 초록색 눈을 가진 작은 아이가 예쁜 모습으로 내 팔에 얌전히 안겨 있는 이미지. 아기가 나 말고 에드워드의 얼굴을 그대로 닮았으면 좋겠는데.

내 환상이 갑자기 필연이자 현실이 되다니 재미있지 않은가. 새로운 생명과 처음 접촉하고 나니 세상은 완전히 바뀌었다. 내게 없어서는 안 될 것이 전에는 하나뿐이었다면, 이제는 두 가지가 되었다. 그 둘 사이에 경계나 구분은 없다. 내 사랑이 둘로 쪼개진다는 의미가 아니다. 오히려 내 심장이 두 배로 커지는 것에 가까웠다. 그렇게 커진 공간은 이미 채워져 있었다. 이 놀라운 팽창 때문에 나는 현기증이 날 것 같았다.

전에는 로잘리의 고통을, 분노를 진심으로 이해하지 못했었다. 내가 엄마가 되리라는 상상을 해 본 적이 없으니까. 물론 원한 적도 없었다. 내게 아이들은 관심의 대상이 아니었다. 그저 끈적이는 배설물이나 만들어내는

155

시끄러운 존재였을 뿐. 아이들과는 별 관련이 없이 살아온 탓도 있을 것이다. 엄마가 나에게 형제를 만들어주는 꿈을 꿀 때마다, 그건 언제나 오빠였다. 내가 돌봐야 할 누군가가 아니라 나를 돌봐 줄 누군가.

하지만 이 아이는, 에드워드의 아이는 전혀 다르다.

나는 이 아이를 원한다. 마치 숨 쉴 공기를 갈망하는 것처럼. 이건 선택이 아니라, 필연이다.

혹시 나는 상상력이 형편없는 게 아닐까. 그래서 내가 결혼생활을 좋아하게 되리라는 걸 실제로 그렇게 되기 전까지 까맣게 몰랐던 건지도 모른다. 아이가 생길 때까지 내가 아이를 원했다는 사실을 몰랐던 것 역시 마찬가지다.

아이의 태동을 기다리며 손을 배에 갖다 대자 다시 뺨으로 눈물이 흘러내렸다.

"벨라?"

난 그의 목소리에 긴장하며 돌아섰다. 목소리는 너무 차가웠고 또 너무 조심스러웠다. 그의 얼굴도 목소리와 마찬가지로 공허하고 딱딱하기만 했다. 그가 내 눈물을 보았다.

"벨라! 아파?"

에드워드가 급히 다가와 손으로 내 얼굴을 감쌌다.

"아니, 아니ㅡ."

그는 나를 가슴에 끌어안았다.

"무서워하지 마. 16시간만 있으면 집에 도착할 거야. 너는 괜찮아. 집에 도착하면 칼라일이 준비하고 있을 거야. 우리가 해결해줄게. 괜찮아. 너는 괜찮을 거야."

"해결한다고? 무슨 소리야?"

그가 몸을 떼더니 내 눈을 들여다보았다.

"네가 다치기 전에 그걸 제거할 거야. 무서워하지 마. 절대로 그게 널 다치게 하도록 내버려두지 않아."

"그것?"

숨이 막혀왔다. 그는 재빨리 눈을 돌려 현관문을 바라보았다.

"젠장! 오늘 구스타보가 오는 걸 잊어버렸네. 처리하고 바로 올게."

그가 급히 방을 빠져나갔다. 나는 카운터를 잡고 간신히 몸을 지탱했다. 에드워드가, 내 작은 꼬마를 '그것'이라고 불렀다. 그리고 칼라일이 제거할 거라는 말도.

"안 돼."

나는 속삭였다. 내가 완전히 오해했던 거다. 그는 아기에게 전혀 관심이 없었다. 오히려 아기가 죽기를 원했다. 내 머릿속에 있던 아름다운 그림이 갑자기 음울하게 변했다. 내 예쁜 아기가 울고 있는데도, 내 팔은 너무 약해서 그 애를 보호할 힘이 없었다……

내가 무엇을 할 수 있을까? 그들을 설득할 수 있을까? 설득할 수 없다면? 앨리스의 침묵은 바로 이것 때문이었을까. 그 창백한 아이가 삶을 시작하기도 전에 에드워드와 칼라일이 그 애를 죽여 버리는 것?

"안 돼."

좀 더 강한 목소리로 나는 속삭였다. 그럴 수는 없다. 내가 용납하지 않을 테니까. 에드워드가 포르투갈어로 말하는 소리가 들렸다. 그는 다시 싸우고 있었다. 격노해 으르렁대는 그의 목소리가 점점 다가오고 있었다.

에드워드는 부엌으로 들어오더니 곧장 내게로 다가왔다. 그리고 내 뺨에서 눈물을 닦아낸 다음, 얇고 강인한 입술을 내 귓가에 댄 채 속삭였다.

"카우레가 저녁을 만들어 왔다면서 여기 두고 가야겠대."

이렇게 극도로 긴장한 상태가 아니었다면 아마 그는 눈동자를 굴렸을 것이다.

"핑계지. 내가 널 아직 죽이지 않았는지 확인하려는 거야."

끝에 가서 그의 목소리는 얼음처럼 차가워졌다.

카우레는 뚜껑을 덮은 접시를 들고서 긴장한 모습으로 나타났다. 내가 포르투갈어를 할 줄 알거나, 스페인어 실력이 초보만 면했더라도 좋았을 텐데. 그러면 감히 뱀파이어를 화나게 할 걸 감수하고 나를 살피러 온 그녀에게 고맙다는 인사라도 할 텐데.

카우레의 시선이 우리 둘 사이를 왔다 갔다 했다. 그녀는 내 안색과 촉촉해진 눈을 살폈다. 그러고는 내가 이해할 수 없는 말을 중얼거리면서 카운터에 접시를 내려놓았다.

에드워드가 날카로운 어조로 그녀에게 무언가 말했다. 그가 그렇게 무례한 어투로 말하는 것을 나는 처음 보았다. 카우레가 몸을 돌리자 그녀의 긴 치마가 펼쳐지며 음식 냄새가 풍겨왔다. 양파와 생선 냄새였다. 나는 입을 막고 싱크대로 달려갔다. 마구 구역질을 하고 있는데, 어느덧 에드워드의 손이 다가와 내 이마를 쓰다듬었다. 그의 목소리가 귓가에 들려왔고, 손이 잠시 사라지더니 냉장고 닫히는 소리가 났다. 고맙게도 그 소리와 함께 냄새는 사라졌고, 에드워드의 손이 다시 내 끈적이는 얼굴을 식혀주었다. 상황은 재빨리 종료되었다.

내가 수도꼭지에다 입을 헹구는 동안 그가 내 뺨을 어루만졌다. 내 자궁에서 망설이는 듯한 태동이 느껴졌다. 괜찮아. 우린 괜찮을 거야. 혹에게 나는 간절히 내 생각을 전했다. 에드워드가 나를 돌려세우더니 품에 안았다. 난 그의 어깨에 머리를 기댔다. 본능적으로 손을 배 위에 겹쳐 감싼 채로.

문득 숨을 헐떡이는 소리가 들려 고개를 들었다. 그 여자가 손을 반쯤 뻗은 채 문간에 서 있었다. 도와 줄 방법을 찾으려는 것 같았다. 입을 벌린 카우레가, 충격 때문에 커진 눈으로 내 손을 바라보고 있었다.

그때 에드워드도 숨을 헐떡이더니, 나를 자기 뒤로 잡아당겼다. 그러고 나서 고개를 돌려 여자를 바라보았다. 그의 팔은 마치 숨기기라도 하듯 내 몸을 감싸고 있었다.

갑자기 카우레가 에드워드를 향해 크고 맹렬한 소리를 질렀다. 의미를 이해하기 힘든 괴성들이 칼날처럼 부엌을 가로질러 날아왔다. 그녀는 에드워드에게 작은 주먹을 흔들어 보이고 앞으로 두 걸음 걸어 나왔다. 사납게 보이긴 해도, 그 눈에 깃든 것은 분명 공포였다.

에드워드도 그녀를 향해 걸어갔다. 그녀에게 무슨 일이 생길 것 같아 무서웠으므로 나는 에드워드의 팔을 잡았다. 격하게 말을 쏟아내는 카우레에 맞서 그도 입을 열었다. 목소리를 듣고 나는 깜짝 놀랐다. 조금 전만해도 그가 그녀에게 얼마나 날카롭게 굴었는지를 떠올리니 더 놀라웠다. 이제 그는 낮은 목소리로 애원하고 있었다. 뿐만 아니라 말소리나 발음도 전과는 좀 달랐다. 좀 더 구개음이 많고 뚝뚝 끊기는 말이었다. 그는 더 이상 포르투갈어를 하지 않는 것 같았다.

잠시 동안 카우레는 놀란 듯 에드워드를 바라보았다. 그러다 곧 눈을 가늘게 뜨고, 그와 똑같은 이질적인 언어로 긴 질문을 토해냈다.

그의 표정이 변했다. 슬프고, 또 심각하게. 에드워드가 고개를 한 번 끄덕이자 카우레는 재빨리 한 걸음 물러서서 십자성호를 그었다.

에드워드는 그녀를 향해 손을 뻗더니 다시 나를 가리키며 손짓을 했다. 그러고서 내 뺨에 손을 갖다 댔다. 돌아온 카우레의 대답은 화가 난 것 같았다. 그녀가 그를 비난하듯 손을 흔들고 나서 다시 손짓했다. 카우레가 동작을 멈추자 그는 아까처럼 나직하면서도 다급한 목소리로 애원했다.

표정이 확 변한 카우레가 믿지 못하겠다는 듯 에드워드를 바라보았다. 그녀의 시선은 계속 혼란에 빠진 내 얼굴을 흘긋대고 있었다. 에드워드가 말을 멈추자 그녀는 뭔가 깊이 생각하기 시작했다. 그러고 나서 우리 둘을 번갈아 보더니, 앞으로 한 걸음 걸어 나왔다. 거의 무의식적인 행동인 것 같았다.

그녀가 손을 자기 배에 대더니, 손짓으로 풍선 같은 형체를 만들었다. 나는 깜짝 놀랐다. 그녀가 아는 뱀파이어 전설 속에 이런 이야기도 포함되어 있는 걸까? 그녀는 지금 내 안에서 뭐가 자라고 있는지 알고 있을까.

다시 카우레가 몇 걸음 걸어 나와서는 몇 가지 짤막한 질문들을 했다. 에드워드는 딱딱한 어조로 그 질문들에 답했다. 이번에는 그가 한 가지, 무엇인지 모를 짧은 질문을 했다. 카우레는 머뭇거리더니 천천히 고개를 흔들었다. 에드워드가 다시 입을 열었을 때 그의 목소리가 너무 고뇌에 차 있어서, 나는 놀라지 않을 수 없었다. 그의 얼굴은 고통으로 일그러진 상태였다.

그러자 그녀가 천천히 앞으로 걸어 나오더니, 작은 손으로 배 위에 놓인 내 손을 잡았다. 카우레가 포르투갈어로 단어 하나를 말했다.

"모르테(죽음)."

그녀는 조용히 한숨을 쉬었다. 그러곤 돌아서서 부엌을 나갔다. 마치 이 잠깐의 대화로 확 늙어버리기라도 한 것처럼, 그녀의 어깨가 구부정했다.

그 정도의 스페인어라면 나도 알고 있다.

고통스러운 표정의 에드워드는 눈으로 그녀의 모습을 좇으며 꼼짝도 하지 않았다. 얼마 후 보트의 엔진 소리가 나더니 멀어져갔다. 에드워드는 움직이지 않았다. 그러다 내가 욕실로 걸어가자 그가 내 어깨를 잡았다.

"어디 가?"

그가 고통스러운 목소리로 속삭였다.

"양치하려고."

"카우레 말은 신경 쓰지 마. 그건 전설일 뿐이니까. 그저 재미삼아 만들어 낸 오래된 거짓말일 뿐이야."

"아무것도 못 알아들었는걸."

완전히 진실은 아니었지만 어쨌든 나는 그렇게 대답했다. 마치 전설 따위 믿지 않는다고 말하는 것처럼. 하지만 내 삶은 온통 전설에 의해 움직이고 있는데. 전설은, 모두 진실이었다.

"네 칫솔도 가방에 넣었는데. 갖다 줄게."

그는 나보다 먼저 욕실로 들어갔다.

"금방 출발할 거야?"

내가 소리쳤다.

"너만 준비되면 바로 갈 거야."

그는 내가 이를 다 닦기를 기다리며 조용히 침실을 서성였다. 양치질을 마친 나는 칫솔을 그에게 건넸다.

"요트에 가방을 실을게."

"에드워드―"

그가 돌아섰다.

"응?"

나는 몇 초간이라도 혼자 있을 방법을 생각해내려 애썼다.

"저…… 먹을 것도 좀 챙겨. 배가 또 고플까봐 그래."

"알았어."

그의 눈빛이 갑자기 부드러워졌다. 에드워드가 덧붙여 말했다.

"아무것도 걱정하지 마. 몇 시간이면 칼라일에게 갈 수 있어. 곧 끝날 거야."

목소리를 내면 의심을 사게 될까 봐, 나는 그저 고개만 끄덕였다. 그가 양손에 하나씩 가방을 들고 방을 나섰다.

나는 그가 조리대에 남겨두고 간 휴대전화를 재빨리 낚아챘다. 에드워드가 뭔가를 잊어버리는 일은 거의 없었다. 그런데 구스타보가 오는 걸 잊어버리고, 이젠 휴대전화까지 여기 두고 가다니. 평소 같으면 생각하기조차 힘든 일이었다. 스트레스를 너무 많이 받은 상태라 평상시의 침착함을 유지하지 못하는 것 같았다.

나는 전화기를 열고 저장된 전화번호를 뒤지기 시작했다. 들킬까봐 걱정했었는데, 다행히도 그는 휴대전화를 무음으로 설정해 두었다. 에드워드는 지금쯤 요트에 있을까? 아니면 벌써 돌아오고 있을까? 부엌에서 내가 속삭이는 소리를 그가 들을 수 있을까?

내가 원하던 전화번호를 찾아냈다. 전에는 단 한 번도 눌러본 적 없는 번호. 난 '통화' 버튼을 누르고는 행운이 따라주기를 기도했다.

"여보세요?"

황금 풍경(風磬) 같은 목소리가 들려왔다. 나는 속삭였다.

"로잘리? 벨라예요. 제발, 제발 날 좀 도와줘요."

# jacob

그러나 요즘은, 이성과 사랑이 그리 조화를 이루지 못한다.

윌리엄 셰익스피어, 〈한여름 밤의 꿈〉 3막 3장

# 서문

삶이란 별 볼일 없는 거야. 그렇게 살다가는 그냥 죽어버리지.
그러니 난 아마 엄청난 행운아일 거야.

# 8
# 싸움을 기다리다

---

"제길, 폴. 넌 집도 없냐?"

내 소파를 차지하고서, 내 텔레비전으로 지겨운 야구경기를 보고 있던 폴이 웃어댔다. 그러더니 그는, 아주 천천히 무릎 위에 놓인 가방에서 도리토스 스낵 한 봉지를 꺼내 입 안 가득 쑤셔 넣었다.

"그거 갖고서 그만 가는 게 좋을 거야."

바삭, 그가 과자를 씹으면서 대꾸했다.

"싫어. 너희 누나가 나 하고 싶은 대로 하라고 했거든."

나는 공격할 의도가 전혀 없는 것처럼 들리는 목소리를 내기 위해 무진 애를 썼다.

"레이첼이 지금 여기 있는 것도 아니잖아?"

소용없었다. 그는 내 의도를 눈치 채고는 과자봉지를 등 뒤에 쑤셔 넣었다. 폴이 쿠션을 내리치자 봉지에서 으깨지는 소리가 났고, 스낵은 조각조각 부서지고 말았다. 폴은 주먹 쥔 손을 얼굴에 대고 복서처럼 방어 자세를 취했다.

"덤벼, 꼬마야. 레이첼이 없어도 내가 이길 테니까."

내가 코웃음 쳤다.

"그래. 레이첼한테 달려가서 징징대진 않겠군."

폴은 웃으면서 손을 내리고 소파에 널브러졌다.

"난 여자에게 고자질 같은 건 안 해. 설령 운이 좋아서 네가 날 한 대 친다고 해도 그건 우리 둘 사이의 일이니까. 그 반대의 경우래도 마찬가지고. 알았어?"

나한테 도전하다니 용기가 가상하군. 나는 다 포기했다는 듯이 몸을 늘어뜨렸다.

"그래."

그의 눈이 다시 텔레비전으로 향했다. 그때 나는 돌진했다. 내 주먹에 맞아 그의 코가 부서지는 소리가 들렸다. 만족스러웠다. 폴이 날 잡으려 했지만 나는 춤추는 것처럼 피했다. 내가 왼손으로 엉망이 된 도리토스 봉지를 낚아챈 걸 그가 알아차리기 전에.

"코가 부러졌잖아, 멍청아."

"우리 둘의 일이라고. 알아들었어, 폴?"

나는 흩어진 과자부스러기를 치우러 갔다. 내가 돌아섰을 때 폴은 코가 비뚤게 붙지 않도록 코뼈를 맞추고 있었다. 피는 이미 멎어 있었다. 입술을 타고 턱까지 피가 흘러내렸던 상처는 이미 없어진 상태였다. 폴은 욕을 퍼붓다가, 곧 연골을 잡아당기며 움찔했다.

"넌 지겨운 놈이야, 제이콥. 차라리 리랑 노는 게 낫겠다."

"와우, 리가 좋아 죽을 것 같은데. 네가 자기랑 멋진 시간을 보내고 싶어 한다는 걸 알게 되면 말이야. 그녀의 마음 가득한 주름살들을 따뜻하게 덥혀 줄 수 있을지도 몰라."

"내가 한 말, 잊어줘라."

"아, 당연하지. 하지만 실수로 말하게 될지도 몰라."

"윽."

폴이 툴툴거리더니, 티셔츠 칼라에 남아 있는 피를 닦으면서 소파에 앉았다.

"넌 날렵해. 그건 인정하지."

그가 다시 경기에 집중하기 시작했다. 난 1초쯤 거기 서 있다가 외계인의 납치 행각에 대해 중얼거리며 내 방으로 갔다. 예전에는 언제든 폴에게 싸움을 걸 수 있었다. 때릴 필요까지도 없었다. 가벼운 모욕만으로도 효과가 있었으니까. 그는 쉽게 이성을 잃었다. 하지만 지금은 보다시피 내가 울부짖으며, 갈기갈기 찢고, 나무를 뿌리째 뽑아버리는 격렬한 싸움을 원할 때마다 외려 침착해지곤 했다.

우리 무리 중 또 다른 멤버가 각인되었다. 정말 끔찍하지 않은가? 이제는 열 명 중 네 명이다. 언제쯤 되어야 끝나게 될까. 바보 같은 전설에 따르면, 이런 일은 드물게 일어난다고 했는데. 아, 제발 좀! 절대로 벗어날 수 없는, 첫눈에 반하는 사랑이라니 정말 역겹다.

꼭 내 누나여야만 했을까? 그리고 꼭 폴이어야만 했을까?

여름학기가 끝나고 레이첼이 집에 돌아왔을 때(조기졸업을 하다니……. 따분한 공부벌레처럼 그게 무슨 짓이지?) 가장 큰 걱정은, 그녀에게 비밀을 지키기 어렵다는 거였다. 나는 집에서만큼은 전혀 비밀이 없었으니까. 그래서 엠브리나 콜린처럼 자기가 늑대인간이란 사실을 부모에게 털어놓을 수 없는 애들을 동정했었다. 엠브리의 엄마는 그냥, 엠브리가 일종의 반항기에 접어들었다고만 생각하고 있었다. 그는 늘 몰래 빠져나와야 했으므로, 항상 외출금지령을 받곤 했다. 매일 밤 엠브리의 엄마는 아들의 방을 살펴보지만 방은 비어 있다. 엄마가 소리를 지르면 엠브리는 그저 조용히 듣는다. 그러나 그 다음 날에도 똑같은 일이 반복된다. 우리는 엠브리에게 휴가라도 좀 주자고 샘에게 말했지만, 정작 엠브리는 상관 없다고 했다. 그 정도로 중요한 비밀이었다.

나는 비밀을 지킬 준비가 완벽하게 되어 있었다. 그때 레이첼이 집에 돌아왔고, 이틀 후 우연히 폴과 해변에서 마주쳤다. 바다빙 바다붐— 진정한 사랑! 자신의 반쪽을 발견하게 되면, 더 이상 비밀은 없어진다. 그게 늑대 인간들의 '각인' 이다.

그렇게 해서 레이첼은 모든 걸 알게 되었다. 그리고 언젠가 폴은 내 매부가 되겠지. 빌리는 별로 놀라지 않았다. 그리고 나보다 훨씬 잘 대처하고 있다. 요즘 아빠는 클리어워터네 집을 더 자주 찾곤 한다. 뭐가 좀 나아졌는지는 모르겠다. 폴이 아니라 리 얘기다.

문득 궁금해졌다. 총알이 관자놀이를 관통하면 내가 죽을지, 아니면 말썽만 커지게 될지.

침대로 몸을 던진다. 어젯밤 했던 순찰 때문에 피곤하다. 하지만 잠들지 못할 거다. 내 머리는 미쳐가고 있다. 생각들이 방향을 잃은 벌 떼처럼 내 두개골 안에서 서로 엉킨다. 시끄러워, 시끄럽다고! 놈들은 가끔 나를 쏘기도 한다. 벌이 아니라 호박벌인 모양이다. 벌들은 침을 쏘면 죽게 마련인데, 똑같은 생각들이 계속 날 찔러대니까.

날 미치게 하는 건 기다림이다. 거의 4주가 흘렀다. 지금쯤이면 당연히 연락해 올 거라고 생각했는데. 어떤 식으로 연락이 오게 될지 상상하면서 나는 밤을 지새운다.

이를테면, 찰리가 전화를 걸어 훌쩍인다. 벨라와 그 남편이 사고로 실종됐다고. 비행기 사고쯤이라고 할까? 그건 좀 . 그 거머리 같은 흡혈귀들이 그럴듯한 위장을 위해 무고한 사람들을 죽이는 것에 일말의 가책이라도 느끼지 않는 한. 하지만 놈들이 그럴 이유가 없지 않은가. 작은 비행기 정도면 괜찮으리라. 놈들은 아마 작은 비행기 정도는 갖고 있을 것이다.

어쩌면 그 살인자가 벨라를 흡혈귀로 만드는 데 실패하고 혼자 돌아오게 될지도 모른다. 자신의 욕망을 채우려다 그녀를 과자봉지처럼 으깨어 버리고 만 건 아닐까. 놈에게 벨라의 생명은 자신의 욕망보다 중요하지 않을 테니까.

슬픈 이야기가 되겠지. 벨라는 무시무시한 사고로 실종된다. 아니면 강도에게 피습당하거나, 저녁을 먹다 목이 막혀 죽을 수도 있을 것이다. 교통사고로 목숨을 잃었다고 할 수도 있다. 우리 엄마처럼. 아주 흔한, 늘 일어나는 일 아닌가.

놈이 그녀를 다시 데려올까? 찰리를 위해 여기 매장하겠다면서? 당연히 관 뚜껑을 닫은 채로 장례식을 치르겠지. 내 엄마의 관에도 못질이 되어 있었다.

내 손이 닿을 수 있는 이곳으로 놈이 돌아오기만을 바랄 뿐이다.

어쩌면 아무 이야기도 들을 수 없을지도 모른다. 찰리는 빌리에게 전화를 걸어, 혹시 컬렌 박사한테서 무슨 소식이라도 없는지 묻지 않을까. 컬렌 박사는 언젠가부터 병원에 나타나지 않을 테니까. 놈들의 집은 버려지고, 시시껄렁한 뉴스 프로그램에서 그 미스터리를 다루게 되겠지. 어쩌면 범죄 의혹이 제기될지도 모른다.

커다란 하얀 저택은 전소되고, 모두가 그 안에 갇히게 되리라. 그럴 듯한 위장을 위해서는 시체가 필요할 것이다. 몸집이 비슷한 여덟 명의 사람들……. 시신은 알아볼 수 없도록, 치과기록과 대조해 볼 수도 없을 만큼 타버린 상태일 거다.

어느 쪽이든 쉽지는 않다. 내게는 그렇다. 놈들을 찾는 일이 힘들긴 하겠지만, 나에겐 영원이란 시간이 있다. 건초더미를 하나하나 뒤져 바늘을 찾는 일이라 해도 못할 건 없다. 영원한 시간만 가지게 된다면.

지금 당장 건초더미를 산산이 흩어놓는 것도 상관없다. 그러면 최소한 할 일은 생기게 되겠지. 기회를 놓치고 싶지 않다. 만약 흡혈귀들의 계획이 내 생각과 같다면, 그들에게 도망갈 시간을 주게 되는 셈이니까.

우린 오늘밤에 쳐들어가서 그들 모두를 찾아내 죽여 버릴 수도 있다.

그 계획이 난 마음에 든다. 에드워드에 대해 너무 잘 알고 있으니까. 때문에 내가 그의 가족을 죽인다면 그를 없앨 기회도 함께 잡을 수 있으리라는 걸 안다. 놈은 복수를 위해 찾아오겠지. 그러면 내가 그를 상대해 줄 생각이다. 내 형제들의 도움도 필요 없다. 그냥 그와 나 둘만의 싸움이면 족하다. 더 나은 남자가 이기게 되겠지.

하지만 샘에게는 알려선 안 될 것 같다. 그는 그렇게 말하곤 했다. 우리는 조약을 깨지 않을 거야. 그들 쪽에서 먼저 깨도록 내버려둬. 컬렌 가가 뭔가 잘못을 했다는 증거가 없다는 것이다. 그래, 아직까지는 그렇겠지. '아직'이라는 단서가 꼭 필요하다. 그들은 결국 조약을 위반할 수밖에 없으니까. 벨라는 뱀파이어가 되어 돌아오든지, 그렇지 않으면 아예 돌아오지 못할 테니까. 어느 쪽이든 인간으로서의 삶을 영영 잃어버리고 만 것이다. 게임이 이미 끝났다는 뜻이다.

다른 방에서 폴이 노새처럼 고함을 질러댔다. 이젠 코미디 프로를 보고 있나 보다. 아니면 뭔가 웃긴 광고라도 나왔든지. 어쨌든 내 신경을 긁어댄다.

다시 한 번 그의 코를 부러뜨려 줄까 생각해 보았다. 하지만 내가 싸우고 싶은 상대는 폴이 아니다. 그게 진실인 것이다.

대신 다른 소리에 귀를 기울여보려 했다. 나무들 사이로 바람이 지나는 소리가 들린다. 인간의 귀로 듣는 바람소리는 좀 다르다. 한 번의 바람 속에는, 인간의 몸으로는 들을 수 없는 백만 개 이상의 목소리가 섞여 있다.

하지만 지금 이 귀로도 충분하다. 난 나무들을 지나쳐 도로 쪽에 귀를 기울인다. 커브를 도는 자동차 소리가 들려온다. 그 커브길만 돌면 해변을 볼 수 있다. 섬들, 바위들, 수평선까지 뻗은 푸른빛의 대양. 라푸시의 경찰들은 저 부근에 순찰차를 세워놓고 기다린다. 길 반대쪽에 서 있는 감속표지판을 여행자들은 늘 알아차리지 못한다.

해변의 기념품 가게 밖에서 목소리가 들려온다. 문이 열리고 닫힐 때마다 방울소리를 들을 수 있다. 현금등록기 앞에서 엠브리의 엄마가 영수증을 뽑는 소리가 난다.

파도가 해변의 바위를 할퀴고 지나는 소리도 들렸다. 차가운 바닷물이 순식간에 몰려들어와 길을 막을 때마다 아이들은 비명을 질러댔다. 엄마들이 옷을 적셔왔다고 아이들을 야단치는 소리가 들렸다. 그리고 그 안에 섞여 있는 친숙한 목소리……

나는 잔뜩 열중해 그 소리에 귀를 기울이다가, 폴의 바보 같은 웃음소리에 깜짝 놀라 침대에서 거의 떨어질 뻔했다.

"우리 집에서 나가."

내가 낮은 소리로 으르렁거렸다. 하지만 어차피 폴은 듣지 않을 테니, 내가 나가는 게 낫다. 나는 창문을 열고 뒷길로 나왔다. 이제 폴을 다시 보지 않아도 된다는 게 마음에 들었다. 보나 마나 난 또 폴을 때리게 될 테고, 레이첼은 지금까지 그랬듯 마구 화를 낼 것이다. 폴의 셔츠에 묻은 피를 보는 즉시 증거도 없이 날 비난하겠지. 물론 레이첼 생각이 옳다. 하지만 그래도.

주머니에 손을 찔러 넣고 해변을 향해 걸었다. 퍼스트비치 옆의 지저분한 공터를 지나쳤지만 아무도 나를 눈여겨보지 않았다. 여름에는 한 가지 좋은 점이 있다. 반바지 하나만 입고 다녀도 아무도 신경 쓰지 않는다는 것.

귀에 들려오는 친숙한 목소리를 따라가다가 나는 퀼을 발견했다. 그는 여행객으로 붐비지 않는 절벽 남쪽 끝에서 계속 경고의 말을 토해내고 있던 참이었다.

"조심해, 클레어. 이봐. 안 돼. 아! 착하다, 꼬마야. 내가 에밀리한테 혼났으면 좋겠어? 말 안 들으면 다시는 안 데리고 올 거야. 아, 응? 안돼……, 윽! 그게 재밌어? 하! 누가 웃으랬어?"

내가 다가갔을 때 퀼은 낄낄대며 아장아장 걷는 아기의 발목을 잡았다. 클레어는 손에 양동이를 들고 있었고 입고 있는 청바지는 물에 흠뻑 젖은 상태였다. 퀼의 티셔츠는 앞쪽이 크게 젖어있었다.

"꼬마 아가씨한테 5달러."

내가 말했다.

"아, 제이콥."

클레어는 비명을 지르더니 양동이를 퀼의 무릎에 던졌다.

"내려, 내려!"

퀼은 조심스럽게 클레어를 내려놓았고, 그 애는 내게 달려왔다. 클레어가 내 다리를 팔로 감싸 안았다.

"제이콥 아찌."

"안녕, 클레어."

클레어가 킥킥거렸다.

"퀼이 다 젖었어."

"나도 봤어. 엄마는 어디 있어?"

"갔어, 갔어, 갔어."

클레어가 노래를 불렀다.

"크웨어는 하루 종일 퀼이랑 놀았어. 크웨어는 집에 안 가."

클레어는 내 다리를 놓더니 퀼에게 달려갔다. 퀼이 클레어를 들어올려 어깨에 태웠다.

"누가 들으면 저 무시무시한 두 살배기를 때린 줄 알겠네."

"세 살이야."

퀼이 바로잡았다.

"넌 파티를 놓쳤어. 테마는 공주였지. 클레어가 나한테 왕관을 씌워줬지. 에밀리가 새 연극의 분장 연습을 해보자고 해서, 다들 나에게 메이크업을 해 줬고."

"못 봐서 유감인데."

"걱정 마. 에밀리가 사진을 찍어뒀으니까. 사실 꽤 근사해 보이던데."

"넌 참 쉬운 녀석이야."

퀼이 어깨를 으쓱였다.

"클레어는 재미있어 했어. 그게 중요하지."

나는 눈동자를 굴렸다. '각인' 된 사람들 옆에 있는 것은 괴롭다. 그들이 현재 어떤 관계건 간에(샘처럼 결혼을 하려는 단계이든, 아니면 퀼처럼 보모로 혹사당하는 단계이든) 그들이 뿜어내는 평화와 안정감은 내게 구토를 유발한다. 퀼의 어깨에 매달린 클레어가 꽥꽥거리며 땅을 가리켰다.

"이쁜 돌, 킬! 줘, 줘!"

"아가야, 어느 거? 빨간 거?"

"빨간 거 싫어!"

퀼은 무릎을 꿇었다. 클레어는 소리를 지르며 그의 머리카락을 말갈기처럼 잡아당겼다.

"파란 거?"

"아냐, 아냐, 아냐……."

작은 소녀는 새로운 놀이가 재미있는지 노래를 불렀다. 이상하게도 퀼 역시 클레어만큼 재미있어했다. 그의 얼굴에선 수많은 부모들이 으레 짓게 마련인 그런 표정(애가 대체 언제 낮잠을 잘까?)을 찾아볼 수 없었다. 그 어떤 부모라도 아이가 생각해낸 어리석고 유치한 게임을 진심으로 재미있어 하지는 않는다. 나는 퀼이 전혀 지겨워하지도 않으면서 한 시간 내

내 까꿍놀이를 하는 것도 본 적 있다.

하지만 나는 그를 놀릴 수 없다. 사실 난 그가 너무 부럽다.

클레어가 퀼의 현재 나이가 될 때까지 무려 14년간을 수도사처럼 보내야 한다는 게 끔찍하게 생각되긴 하지만(늑대인간들이 늙지 않는다는 점만은 다행이다), 퀼은 시간 같은 것은 전혀 개의치 않는 것 같았다.

"퀼, 너 데이트 생각해 본 적 있어?"

내가 물었다.

"응?"

"아냐, 아냐."

클레어가 소리를 질렀다.

"무슨 말인지 알잖아. 우리 또래의 '진짜 여자애' 하고 말이야. 베이비시터 노릇에서 해방되는 밤에."

퀼이 입을 벌린 채 나를 바라보았다.

"이쁜 돌! 이쁜 돌!"

퀼이 아무 반응이 없자 클레어는 소리를 질렀다. 그리고 작은 주먹으로 그의 머리를 때렸다.

"미안, 클레어. 이 자주색 돌은 어때, 예쁘지?"

"아냐. 자주 아냐."

그 애가 깔깔 웃었다.

"그럼 힌트를 줘, 제발."

클레어는 생각에 잠겼다.

"초록색."

조금 시간이 지나고 나서 그 애가 대답했다. 퀼은 돌을 하나하나 살펴보았다. 그리고 모양이 다른 초록색 돌을 네 개 집더니 클레어에게 내밀었다.

"여기 있어?"

"응!"

"어느 거?"

"전부!"

클레어가 두 손을 내밀자 퀼은 작은 돌을 그 안에 부어주었다. 그 애는 웃으며 그 돌로 그의 머리를 때렸다. 퀼은 잠시 아픈 척하더니 일어서서 주차장 쪽으로 걸었다. 아마 젖은 옷 때문에 클레어가 감기라도 걸릴까 봐 걱정하고 있는 것 같았다. 그는 편집증적이고 과보호적인 그런 보통의 엄마들보다 더 심했다.

"기분 나빴다면 미안해. 아까 그…… 여자친구 얘기 말이야."

내가 말했다.

"아냐, 괜찮아. 좀 놀라기는 했지만. 그런 생각을 해 본 적이 없거든."

퀼의 대답이었다.

"클레어도 이해할 거야. 그러니까 성인이 되고 나서 말이지. 자기가 기저귀를 차고 있는 동안 네가 네 인생을 살았다고 해서 화를 내지는 않을걸."

"알아. 분명히 그녀도 이해할 거야."

그는 더 이상 아무 말도 하지 않았다.

"하지만 넌 그러고 싶지 않잖아. 내 말이 맞지?"

내가 물었다.

"난 볼 수가 없어. 상상할 수 없어. 누구도 그런 식으로는 볼 수 없게 된 거야. 여자애들이 더 이상 눈에 들어오지 않아. 난 그들의 얼굴을 보지 않는다고."

그가 낮은 목소리로 말했다.

"그들의 얼굴에다 티아라와 화장을 더해보라고. 그럼 클레어와 경쟁할 수 있을 거야."

퀼은 웃더니 나를 향해 키스를 하듯이 쪽 소리를 냈다.

"이번 금요일에 시간 있어, 제이콥?"

"뭐……, 원한다면."

나는 얼굴을 찡그리고서 덧붙였다.

"그래, 괜찮을 거야."

그는 1초쯤 망설이다가 말했다.

"데이트할 생각은 없어?"

나는 한숨을 쉬었다. 내가 생각하고 있는 것들을 털어놓고 싶었다.

"제이콥, 이제 그만 정신 차리고 현실로 돌아와."

농담조가 아니었다. 퀼의 목소리에는 동정이 담겨 있었고, 그래서 더 나빴다.

"나도 여자애들을 안 봐, 퀼. 난 그들의 얼굴을 보지 않아."

퀼도 한숨을 쉬었다. 그때 파도소리 너머로, 먼 숲에서 울부짖는 소리가 들려왔다. 너무 낮아서 우리 둘만 들을 수 있는 소리였다.

"젠장, 샘이다."

퀼이 말했다. 그리고 손을 들어 클레어를 만졌다. 마치 그 애가 아직도 거기 있는지 확인하려는 것처럼.

"난 애 엄마가 어디 있는지 모르는데!"

"일단 내가 무슨 일인지 가보고, 네가 필요하면 알려줄게."

난 나무들 사이를 달려갔고 그들은 함께 멀어져갔다. 내가 문득 제안 했다.

"이봐, 클레어를 클리어워터네 맡기면 어때? 빌리와 수가 봐줄 거야. 그들은 우리 사정을 알잖아."

"좋아. 가봐, 제이콥!"

나는 달리고 또 달렸다. 잡초가 잔뜩 우거진 울타리를 따라가는 먼지 나는 길이 아니라 숲으로 향하는 지름길을 택했다. 유목(流木)을 뛰어넘고

찔레덤불을 지나 나는 계속 달렸다. 가시가 내 살갗을 파고들었지만 상관하지 않았다. 어차피 내가 숲으로 들어가기도 전에 아물어버릴 상처였다.

나는 가게 뒤로 달려가 고속도로를 가로질렀다. 누군가 경적을 울렸다. 일단 안전한 숲으로 다시 진입하고 나서, 큰 보폭으로 더 빨리 달렸다. 만약 공개된 장소였다면 모두 쳐다봤겠지. 보통 사람은 이렇게 달릴 수 없을 테니까. 때로 올림픽 경기에 출전하면 꽤 재미있겠다는 생각을 하곤 한다. 멋지지 않은가. 내가 쟁쟁한 스타플레이어들 옆을 순식간에 스치고 지나갈 때 그들의 얼굴에 떠오른 표정을 볼 수 있다면. 아마 나는 약물검사를 받아야 하겠지. 그리고 내 핏속에서는 스테로이드 대신 다른 게 발견될지도 모른다. 무언지 모를 끔찍하고 이상한 것이.

길도 집도 없는 진짜 숲에 들어서자마자 나는 멈춰 서서 반바지를 벗어버렸다. 재빠르고 능숙하게 반바지를 둘둘 말아서 가죽 끈으로 발목에 묶었다. 끈을 단단히 여미며 나는 변신을 시작했다. 불이 내 등뼈를 타고 내려가면서 팔과 다리에 경련이 일었다. 시간은 1초밖에 걸리지 않았다. 열이 온몸을 감싸고 고요한 빛이 명멸한 후, 나는 전혀 다른 존재로 변신했다. 난 거대한 앞발로 땅을 지탱하고 등을 길게 펴주었다.

이렇게 집중하기만 하면 변신하기는 정말 쉽다. 나를 괴롭히던 골칫거리도 더 이상 문제가 되지 않는다. 기분 때문에 방해받는 그런 때만 아니라면.

0.5초 동안 나는 결혼식장에서의 그 끔찍했던 순간을 곱씹었다. 정말이지 제정신이 아니어서, 몸을 제대로 움직일 수조차 없었다. 나는 그렇게 몸을 떨고 분노하면서도, 변신해 내 앞의 그 괴물을 죽일 수도 없었다. 미쳐버릴 만큼 놈을 죽이고 싶었는데…… 그녀가 다칠까 봐 두려웠다. 또내 친구들이 날 가로막기도 했었고. 마침내 내가 원하는 모습이 되었을 때 대장으로부터 명령이 떨어졌다. 알파의 명령. 그날 밤 그곳에 샘이 없고

엠브리와 퀼만 있었다면…… 그 살인자를 죽일 수 있었을까?

샘이 그런 법을 만든 게 싫다. 내게 아무 선택권도 주어지지 않았다는 것이, 복종해야만 한다는 느낌이 싫었다.

문득 누군가 내 생각을 듣고 있다는 걸 알았다. 나만이 아니었다.

항상 그렇게 네 생각에만 빠져 있군. 리가 생각했다.

그래. 적어도 위선은 없지. 내가 생각했다.

거기, 신사 분들. 샘이 우리에게 말했다.

우리는 조용해졌다. 나는 리가 신사 분들이라는 말에 움찔하는 것을 느꼈다. 항상 그렇듯 민감한 문제였다.

샘은 모르는 척했다. 퀼과 저레드는 어디 있지?

퀼은 클레어와 같이 있어. 클리어워터네 집에 클레어를 맡기고 올 거야.

좋아. 수가 돌봐주겠지.

저레드는 킴에게 갔어. 엠브리가 생각했다. 그는 우리 생각을 듣지 못해.

무리 속에서 낮게 불평하는 소리가 새어나왔다. 나도 그들과 함께 신음소리를 냈다. 저레드가 나타나면 분명히 킴에 대해 생각하겠지. 그들 사이에 있었던 일의 재방송을 보고 싶어 하는 사람은 우리 중 아무도 없다.

샘은 엉덩이를 대고 앉더니 공기 중에 또 한 번 울부짖는 소리를 토해냈다. 신호이자 명령이었다.

무리는 내가 있는 곳에서 동쪽으로 몇 킬로미터 떨어진 곳에 모여 있었다. 나는 우거진 수풀을 헤치고 그들에게로 갔다. 리, 엠브리, 폴도 그쪽으로 향하고 있었다. 리가 가까이 있다. 나는 멀지 않은 숲에서 곧 그녀의 발소리를 들을 수 있었다. 우리는 함께 달리는 대신 계속 평행선을 그리며 달렸다.

음, 그를 하루 종일 기다릴 수는 없어. 나중에라도 따라오겠지.

무슨 일이야, 대장? 폴이 궁금해 했다.

이야기 좀 하려고. 뭔가 일이 벌어졌어.

샘의 생각이 내 머릿속으로 흘러들어왔다. 샘뿐이 아니라 세스와 콜린, 브래디의 생각도. 새내기인 콜린과 브래디는 오늘 샘과 함께 순찰을 돌면서 샘의 생각을 모두 알게 되었을 것이다. 세스가 왜 벌써 거기 가 있는지, 어떻게 모든 걸 알고 있는지 이해가 되지 않았다. 세스 차례가 아니었는데.

세스, 네가 들은 이야기를 해봐.

난 좀 더 빨리 달렸고, 리도 속도를 냈다. 그녀는 뒤에 처지는 걸 싫어한다. 무리 중 가장 빠르다는 것이 그녀가 내세우는 유일한 장점이었다.

따라와 보시지, 멍청이. 리가 씩씩대더니 이번엔 진짜로 속도를 냈다. 나는 발톱으로 흙을 할퀴며 전속력으로 뛰었다.

샘은 으레 벌어지는 이런 소동에 맞장구쳐줄 기분이 아닌 것 같았다.

제이콥, 리, 그만해.

우리 중 누구도 속도를 늦추지 않았다.

샘은 으르렁거리다가 곧 포기했다.

세스?

찰리가 빌리를 찾아 여기저기 전화했었나 봐요. 그러다가 우리 집에 있던 빌리와 연결되었죠.

그래, 내가 찰리에게 너희 집에 전화하라고 했어. 폴이 덧붙였다.

세스가 찰리의 이름을 생각하는 순간 내 온몸은 충격에 휩싸였다. 이거였어. 그 긴 기다림이 이제야 끝난 거야. 난 더 빨리 달렸다. 폐가 갑자기 경직되는 게 느껴졌지만 애써 힘들게 숨을 몰아쉬었다.

어떤 이야기일까?

그래서 그가 흥분했던 거구나. 에드워드와 벨라가 지난주에 집에 왔다면…….

마음이 편해졌다.

그녀는 살아 있다. 적어도 완전히 죽지는 않았다.

전에는 그 두 사실이 서로 얼마나 다른 것인지 깨닫지 못했었다. 나는 그녀를 계속 죽은 사람으로 생각하고 있었다. 그리고 이제야 알았다. 나는 그가 그녀를 산 채로 데려올 거라고는 절대 믿지 않는다. 하지만 그건 중요하지 않을 수도 있다. 어차피 다음에 벌어질 일이 뭔지 알고 있으니까.

그래요, 형제들, 나쁜 소식이 있어요. 찰리 아저씨가 벨라와 통화를 했는데 뭔가 안 좋은 것 같더래요. 그녀가 아프다고 했나 봐요. 그러고는 칼라일이 전화를 받아서 벨라가 남아메리카에서 희귀병에 걸려왔다고 말했대요. 그러니 그녀를 격리해야 한다고요. 아저씨는 화가 많이 났어요. 찰리조차도 벨라를 만날 수 없으니까요. 아저씨는 병에 걸려도 상관없다고 했지만, 칼라일이 고집을 꺾지 않았다더군요. 아무도 안 된다면서요. 상태가 정말 심각하다고 설명하고서 칼라일은 찰리에게 최선을 다하겠다고 했대요. 찰리는 며칠째 속만 끓이다가 결국 빌리에게 전화를 했나 봐요. 오늘은 벨라의 상태가 더 심각하다는 거예요.

세스가 이야기를 마치자 침묵이 깊어졌다. 우리 모두 알고 있었다.

그래, 그녀는 '그 병' 으로 죽게 될 것이다. 찰리가 아는 한으로는 그렇겠지. 그들이 찰리 아저씨에게 시체를 보여줄까? 꼼짝 없이 창백하게 굳어버린, 숨도 쉬지 않는 하얀 시체를? 놈들이 찰리에게 그 차가운 살갗을 만져 보게 할까? 그러면 찰리는 시신이 얼마나 단단한지 알아차릴지도 모른다. 놈들은 벨라가 찰리나 다른 조문객들을 죽이지 않고 스스로를 통제할 수 있을 때까지 기다려야만 할 것이다. 그때까지 시간이 얼마나 걸릴까?

흡혈귀 놈들은 그녀를 매장할까? 그러면 그녀는 스스로 땅을 파고 나올까? 아니면 놈들이 꺼내줄까?

다른 사람들은 침묵한 채 내 생각들을 듣고 있었다. 지금 나는 그 누구보다도 많은 생각을 하고 있었다.

리와 나는 거의 동시에 공터에 도착했다. 그녀는 자기가 좀 더 빨랐다고 믿고 있긴 했지만. 내가 빠른 걸음으로 샘의 오른쪽으로 향하는 동안, 리는 자기 동생 옆에 앉았다. 폴은 내게 자리를 비켜주었다.

내가 이겼지. 리가 생각했다. 하지만 내겐 거의 들리지 않았다.

왜 나만 서 있는 것인지 이해할 수 없었다. 내 어깨 털은 참을 수 없는 초조함 때문에 곤두서 있었다.

대체 뭘 기다리는 거야? 내가 물었다.

아무도 말하지 않았지만, 나는 그들이 주저하고 있는 것을 느낄 수 있었다.

제발! 조약이 깨졌잖아!

증거가 없잖아. 벨라가 정말 아픈 걸 수도 있고…….

말이 된다고 생각해?

그래, 정황증거는 충분해. 하지만…… 제이콥. 샘이 주저하더니 천천히 생각을 내놓았다. 이게 정말 네가 원하는 거야? 이게 정말 옳은 일일까? 그녀 스스로 원했다는 걸 우리 모두가 알고 있잖아.

샘, 조약엔 희생자의 선택에 관한 조항은 없어!

정말 희생자라고 생각해? 과연 그녀를 희생자라고 부를 수 있을까?

그래! 제이콥. 그들은 적이 아니야. 세스가 생각했다.

입 다물어, 꼬마야! 네가 그 흡혈귀 놈을 영웅처럼 떠받드는 건 아는데, 그런다고 법이 바뀌지는 않아. 놈들은 적이야. 우리 영역을 침범했으니 쫓아내야 한다고. 네가 한때 에드워드 컬렌과 한편이 돼서 싸웠건 어쨌건 나와는 상관없는 일이야.

벨라가 그들과 함께 덤빈다면 어떻게 할 건데, 제이콥? 세스가 물었다.

그 여잔 더 이상 벨라가 아냐.

그럼 제이콥 형이 쓰러뜨릴 거야?

난 움찔했다.

그러지도 못할 거잖아. 그러니 뭐? 그럼 우리더러 하라고? 그런 후에 벨라를 쓰러뜨린 사람에게 평생 원한을 품으려고?

아냐…….

그래, 그렇겠지. 하지만 제이콥, 형은 지금 싸울 준비가 되어 있지 않아.

본능이 나를 압도했다. 나는 앞으로 몸을 기울이고서 건너편에 앉아 있는 모래 빛깔의 호리호리한 늑대에게 으르렁거렸다.

제이콥! 샘이 주의를 주었다. 세스, 잠깐 입 다물어.

세스가 커다란 머리를 끄덕였다.

젠장, 내가 뭘 놓친 거지? 퀼이 생각했다. 그는 우리가 모여 있는 곳을 향해 전속력으로 달려오고 있었다. 찰리의 전화에 대해서는 들었어…….

갈 준비를 하고 있어. 내가 말했다. 킴의 집에 들러서 저레드도 좀 물고 나오지 그랬어. 우리 전원이 필요해.

이리로 곧장 와, 퀼. 샘이 명령했다. 아직 아무것도 결정된 건 없어.

나는 으르렁거렸다.

제이콥, 나는 무리를 위해 최선의 선택을 해야만 해. 너희 모두를 보호할 방법을 찾아야 한다고. 조상들이 조약을 체결한 후 시대가 많이 바뀌었지. 나는…… 음, 컬렌 가가 우리에게 위협이 된다고는 생각하지 않아. 그리고 여기 오래 머물지 않으리란 것도 알고 있고. 자신들에 대한 이야기가 알려졌으니 이제 그들은 곧 사라질 거야. 그럼 우리도 정상적인 삶으로 돌아갈 수 있어.

정상?

우리가 그들에게 도전한다면 제이콥, 그들은 당연히 방어할 거야.

그래서, 무서워?

넌 형제를 잃어도 괜찮다는 거야? 그가 잠시 생각을 멈췄다가 뒤늦게 덧붙였다. 아니면 누이를?

죽는 건 무섭지 않아.

나도 알아, 제이콥. 내가 네 판단을 신뢰할 수 없는 이유도 그 때문이니까.

나는 그의 검은 눈을 들여다보았다. 조상들의 조약을 지킬 거야, 지키지 않을 거야?

내가 지켜야 하는 건 우리 무리야. 난 우리 무리에게 최선을 다하겠어.

겁쟁이.

그가 이빨을 드러냈다.

끝났어, 제이콥. 네 의견은 기각됐어. 머릿속으로 들려오는 샘의 목소리는 어느새 바뀌어 있었다. 우리 모두 복종하지 않을 수 없는 낯선 음색이었다. 알파의 목소리. 그는 둥글게 원을 그리고 앉아 있는 늑대들과 하나하나 시선을 마주쳤다.

도발이 없는 한 컬렌 가를 공격하지 않는다. 조약 속에 깃든 정신은 남아 있다. 그들은 우리에게 위험이 되지 않고, 포크스 주민들에게도 위협이 되지 않는다. 벨라 스완은 스스로 그런 선택을 했고, 우리는 그녀의 선택에 대해 우리의 동맹자들에게 책임을 묻지 않을 것이다.

맞아요, 맞아요. 세스가 열정적으로 생각했다.

조용히 하랬잖아, 세스.

윽. 미안해요, 샘.

제이콥, 어디 가는 거야?

나는 자리에서 일어나 그에게 등을 돌린 채 서쪽으로 향했다. 아버지에게 작별 인사를 해야지. 여기 남아 있을 이유가 없으니까.

아, 제이콥. 또 그러면 안 돼!

입 다물어, 세스. 몇몇의 목소리가 머릿속에 들려왔다.

우린 네가 떠나는 걸 원하지 않아. 샘이 말했다. 그의 생각은 전보다 부드러워져 있었다.

그럼 강제로 날 떠나지 못하게 해, 샘. 내 의지를 빼앗고 날 노예로 만들라고.

내가 그러지 않으리라는 걸 알잖아.

그럼 더 할 말이 없어.

난 다음 일은 생각하지 않으려 애쓰면서 그들에게서 달려 나왔다. 늑대로 지내온 긴 시간, 인간보다는 동물이 되려고 애썼던 순간들을 회상했다. 그때의 나는 그저 그 순간을 살 뿐이었다. 배가 고프면 먹고 피곤하면 자고 목이 마르면 마셨다. 그리고 달렸다. 달리기 위해 달렸다. 단순한 욕망, 그리고 단순한 욕망에 대한 단순한 해답. 고통은 쉽게 해결할 수 있는 모습으로 다가왔다. 배고픔의 고통. 발톱 아래 박힌 차가운 얼음이 주는 고통. 사나운 먹이를 사냥하다 발톱이 잘려나가는 고통. 각각의 고통은 각기 단순한 답을 지니고 있었다. 고통에서 벗어날 수 있는 단 하나의 정해진 행동, 그걸 하면 그뿐이었다.

인간일 때와는 다르다.

그러나 집이 가까워지자마자 나는 다시 인간으로 변했다. 혼자 생각해야 할 때이므로.

나는 집을 향해 달리면서 발목에 묶인 바지를 풀어 다시 입었다.

집에 도착해서 난 생각을 감추었다. 이제 샘도 나를 말리기엔 너무 늦었다. 이제 그는 내 생각을 들을 수 없으리라.

샘이 내린 결정은 더없이 명쾌했다. '무리는 컬렌 가를 공격하지 않는다.' 그래, 좋아.

개인행동을 해서는 안 된다는 말은 하지 않았으니까.

그래, 무리는 오늘 아무도 공격하지 않겠지.

하지만 나는 하겠어.

# 9

# 다가오는 재앙을 보지 못하다

---

정말로 아버지에게 작별 인사를 할 생각은 아니었다.

결국 샘에게 전화 한 통만 하면 게임은 끝날 테니까. 그들은 나를 가로막고 도로 밀어 넣을 테니까. 아마 나를 화나게 하거나 다치게 하려고 애쓰겠지. 그렇게 내가 어쩔 수 없이 늑대가 되게 한 다음 샘이 새로운 법을 정하겠지.

하지만 빌리는 이미 내가 어떤 상태인지 알고 나를 기다리고 있었다. 휠체어를 탄 그는 마당에서, 내가 숲에서 나오는 모습을 지켜보고 있었다. 그는 내가 어디로 향하는지를 지켜보았다. 나는 집을 지나 곧장 내가 지은 차고로 향했다.

"잠깐, 제이콥."

나는 멈춰 섰다. 나는 아버지를 바라보다가 다시 차고로 향했다.

"잠깐. 안으로 들어가게 도와다오."

나는 이를 갈았다. 하지만 몇 분간 그에게 거짓말을 하지 않으면 그가 샘에게 연락해 더 큰 말썽을 일으킬 것 같았다.

"언제부터 도움이 필요했어요?"

그는 요란하게 웃었다.

"팔이 아파서. 수의 집에서부터 혼자 휠체어를 밀고 왔거든."

"내리막이잖아요. 힘들지 않았을 텐데요."

내가 그를 위해 만든, 작은 경사로를 통해 휠체어를 거실로 밀고 갔다.

"설마. 난 시속 50킬로미터로 달려 왔다니까. 끝내주더라."

"그러다가 휠체어가 망가질 거예요.. 그러면 팔꿈치로 기어 다녀야 할 걸요."

"설마. 네가 나를 데리고 다녀야지."

"그럼 많이 못 돌아다닐 거예요."

빌리는 휠체어를 밀고 냉장고로 갔다.

"먹을 게 남았니?"

"모르겠어요. 폴이 하루 종일 있다 가서 아마 아무것도 안 남았을 거예요."

빌리가 한숨을 쉬었다.

"굶어 죽지 않으려면 음식을 숨겨야겠구나."

"레이첼더러 폴의 집에서 놀라고 하세요."

농담조였던 빌리의 말투가 바뀌었고 그의 눈이 부드러워졌다.

"레이첼은 몇 주만 있을 거잖아. 레이첼이 이곳에 그렇게 오래 머무르는 건 처음이잖아. 엄마가 돌아가셨을 때 네 누나들은 너보다 나이가 많았지. 아마 이 집에서 지내는 게 괴로울 거야."

"알아요."

레베카는 결혼한 후로는 집에 한 번도 오지 않았다. 뭐, 하와이에서 오는 항공료가 비싸다는, 좋은 핑곗거리가 있기는 했지만. 워싱턴 주는 가까워서 레이첼에게는 그런 핑곗거리가 없었다. 그녀는 연달아서 여름 학기에도 수업을 듣고 휴일에는 캠퍼스에 있는 카페에서 2교대로 일했다. 만일 폴이 없었다면 아마도 그녀는 금방 떠났을 것이다. 아마 그래서 빌리도 폴을 내쫓지 않겠지.

"음, 할 일이 있어요……."

난 뒷문으로 걸어갔다.

"잠깐, 제이콥. 무슨 일인지 말해주지 않을래? 아니면 샘에게 전화해서 물어봐야 하니?"

나는 등을 돌린 채 얼굴을 숨겼다.

"아무 일도 없었어요. 샘은 컬렌 가와 작별을 고했어요. 이제는 다들 흡혈귀의 팬이 됐지 뭐예요."

"제이콥……."

"얘기하고 싶지 않아요."

"떠날 거니, 아들아?"

내가 어떻게 대답할지 망설이는 동안 방 안은 조용했다.

"레이첼에게는 다시 방이 생길 거예요. 레이첼은 에어매트리스를 싫어하잖아요."

"그 애는 너를 잃으니 차라리 땅바닥에서 잘 게다. 나도 그렇고."

나는 코웃음을 쳤다.

"제이콥, 제발. 만일 네가…… 휴식이 필요하다면. 그럼 쉬렴. 하지만 저번처럼 너무 오래 걸리면 안 된다. 돌아와."

"아마. 아마 결혼식이 있을 때마다 잠깐씩 돌아오겠죠. 샘의 결혼식, 그 다음에는 레이첼의 결혼식에 깜짝 출현하겠죠. 저레드와 킴의 결혼식이 먼저일 수도 있고요. 슈트 같은 게 있어야겠네요."

"제이콥, 날 봐."

나는 천천히 고개를 돌렸다.

"뭐요?"

그는 한참동안 내 눈을 들여다보았다.

"어디로 갈 거니?"

"아직 정한 데는 없어요."

그는 머리를 갸우뚱하더니 눈을 가늘게 떴다.

"정말이야?"

우리는 서로를 노려보았다. 1초, 또 1초 시간이 흘렀다.

"제이콥."

그가 말했다. 그의 목소리는 긴장하고 있었다.

"제이콥, 그러지 마. 그럴 가치가 없어."

"무슨 소리인지 모르겠어요."

"벨라와 컬렌 가를 내버려둬. 샘이 옳아."

나는 잠깐 그를 노려보다가 성큼성큼 방을 가로질러 갔다. 그러고는 전화선을 뽑아 회색의 코드를 손바닥에 돌돌 말아 쥐었다.

"안녕, 아빠."

"제이콥, 기다려―."

그가 소리쳤지만 나는 단번에 문밖으로 달려 나왔다.

오토바이를 타면 달리는 것보다 빠르지는 않다. 하지만 더 조심할 수 있다는 게 장점이었다. 빌리가 휠체어를 밀며 가게로 내려와 샘에게 메시지를 전할 수 있는 누군가에게 전화를 걸 때까지 시간이 얼마나 걸릴까. 샘은 분명 아직까지 늑대의 모습으로 남아 있을 것이다. 문제는 폴이 언제든 우리 집에 올 수 있다는 점이다. 그리고 그는 1초면 변신해서 샘에게 고자질할 수 있으리라……. 뭐, 사실 별로 걱정되지는 않는다. 나는 최대한 속도를 냈다. 만일 그들이 나를 잡는다면 틈을 봐서 일을 처리할 것이다.

나는 오토바이에 시동을 걸고 진창길을 달려갔다. 집을 지나칠 때는 뒤를 돌아보지 않았다.

고속도로는 여행객들로 붐볐다. 자동차를 이리저리 피하면서 나는 계속 달렸다. 덕분에 이곳저곳에서 경적을 울리며 내게 손가락질을 해댔다. 곧 시속 110킬로미터의 속도로 101번 고속도로로 들어섰다. 먼지를 뒤집어 쓰지 않으려고 한동안 미니밴을 피해 차선으로 달렸다. 죽는 게 두려워서 가 아니라 속도가 느려질까 봐서다. 부러진 뼈는, 그게 아무리 큰 뼈라도 며칠 안에 완전히 붙는다. 나는 경험을 통해 그것을 알고 있었다.

고속도로가 좀 덜 붐비게 되자 오토바이의 속도를 시속 130킬로미터로 높였다. 좁은 차도로 들어설 때까지 브레이크는 건드리지도 않았다. 문득 내가 그 공터에 들어와 있다는 것을 알았다. 나를 잡으려고 샘이 이렇게 멀리까지는 오지 않을 것이다. 그러기에는 너무 늦었으니까.

여기까지 오고 나서야 처음으로 나는, 내가 정말 무엇을 하려는 건지 생각해보았다. 시속 30킬로미터로 속도를 줄이고 나서 나무 사이로 조심스럽게 오토바이를 몰았다.

내가 오토바이를 탔든 타지 않았든 그들은 내가 오는 소리를 들었을 것이다. 습격은 물 건너간 셈이다. 내 머릿속의 계획을 숨길 방법이 없었으므로. 에드워드는 내가 가까이 다가가자마자 내 생각을 읽을 것이다. 어쩌면 벌써 그렇게 할 수 있었을 수도 있다. 하지만 아직은 괜찮으리라 믿었다. 그에 대해 너무도 잘 알고 있으니까. 분명 놈은, 나와 단둘이 싸우고 싶어 할 것이다.

그러니 난 그 집으로 걸어 들어가서 혼자 힘으로 샘에게 던져줄 증거를 찾고, 에드워드에게 결투를 신청할 것이다. 문득 실소가 새어나왔다. 그 기생충 같은 흡혈귀 놈, 배우라도 된 양 온갖 폼은 다 잡겠지.

놈을 처리하고 나면 내가 쓰러지기 전에 나머지 흡혈귀들을 최대한 없애버릴 테다. 샘이 내가 죽었다는 소식을 들으면 분노할지 어떨지 궁금하다. 아마도 잘 죽었다고 하겠지. '영원한 친구'인 흡혈귀들을 기분 나쁘게 하고 싶지 않을 테니까.

길은 초원으로 이어졌고, 놈들의 냄새가 얼굴에 던져진 썩은 토마토처럼 내 코로 밀려들어왔다. 윽. 냄새나는 뱀파이어들. 위장이 뒤틀리기 시작했다. 내가 늑대일 때만큼은 악취가 심하지 않았지만, 지난번에 왔을 때 그랬듯 인간의 냄새로 희석된 상태가 아니었다면 아마 이 길을 지나기 힘들었을 것이다.

무슨 일이 일어날지는 예측할 수 없었지만, 거대한 하얀 저택 근처에는 살아 있는 것의 흔적이라곤 없었다. 하지만 그들은 내가 여기 있는 걸 이미 알고 있다.

나는 시동을 끄고 귀를 기울였다. 고요했다. 그리고 조금 후, 긴장과 분노로 가득한 속삭임이 커다란 이중문 저편에서 들려왔다. 누군가 집에 있다. 나는 그 목소리가 내 이름을 말하는 것을 듣고 미소 지었다. 놈들에게 조금이나마 스트레스를 줄 수 있다는 게 행복했다. 나는 한껏 공기(아마 집 안 공기는 이보다 훨씬 더 고약하겠지)를 들이마시고 단숨에 포치로 올라갔다. 내가 문을 두드리기도 전에 문이 열렸다. '그 의사'가 심각한 눈빛으로 서 있었다.

"왔니, 제이콥."

내가 예상했던 것보다 더 침착한 목소리였다.

"어떻게 지내니?"

나는 입으로 크게 숨을 들이쉬었다. 문을 통해 강렬한 악취가 흘러나왔다.

문을 열어준 게 칼라일이어서 사실 난 좀 실망했다. 에드워드가 엄니를 내민 채 나왔어야 했는데. 칼라일은 너무…… 그냥 너무 인간적이다. 아마 지난봄에 내가 다쳤을 때 왕진을 와줘서 그럴 것이다. 그래서인지 그의 얼굴을 보니, 가능하면 그까지 죽이려 했던 게 불편해졌다.

"벨라가 살아서 돌아왔다는 소식을 들었어요."

내가 말했다.

"어, 제이콥. 지금은 상황이 별로 좋지 않구나."

의사도 마음이 불편한 것 같았다. 하지만 내가 기대했던 것과는 다른 분위기였다.

"나중에 다시 오면 안 되겠니?"

나는 대답할 말을 찾지 못하고 그를 바라보았다. 지금 목숨을 걸고 싸우러 왔는데, 좀 더 편리한 시간으로 미루자는 건가?

그때 내 귀에 벨라의 목소리가 들려왔다. 거칠게 갈라져 있었다. 그걸 들은 순간 다른 생각은 일체 할 수 없었다.

"왜 안 돼? 제이콥에게도 비밀로 해야 돼? 왜 그래야 되는데?"

그녀는 누군가에게 그렇게 묻고 있었다. 내가 예상했던 것과는 다른 목소리였다. 봄에 나와 싸웠던 그 어린 뱀파이어들의 목소리를 떠올려보려 했다. 하지만 생각나는 거라곤 으르렁대는 소리뿐이었다. 아마도 어린 뱀파이어들은 나이 먹은 뱀파이어처럼 날카롭고 울리는 목소리를 갖지는 않았을 것이다. 어쩌면 그들 모두 아주 거친 목소리를 가지고 있을 수도 있다.

"들어와, 제이콥."

벨라가 더 크게 말했다. 칼라일의 눈이 긴장했다. 동시에 내 눈도 가늘어졌다. 벨라가 지금 갈증을 느끼는 중인지 궁금했다.

"실례합니다."

나는 칼라일을 지나쳤다. 본능을 애써 억제한 채 내 적들 중 한 명에게 등을 보여야 한다는 게 힘들었다. 불가능한 일까지는 아니었지만. 안전한 뱀파이어란 게 정말 세상에 있다면, 아마 지나치게 부드러운 지도자 같은 존재일 것이다.

싸움이 시작되면 난 칼라일에게서 멀리 떨어질 생각이었다. 굳이 그를 죽이지 않아도 죽여야 할 뱀파이어들이 많으니까.

등을 벽에 댄 채 나는 옆으로 걸어 집 안으로 들어갔다. 그리고 방 안을 훑어보았다. 낯설었다. 지난번에 왔을 때는 파티를 위해 세팅된 상태였다. 하지만 지금은 모든 게 그저 밝고 창백하게만 보였다. 하얀 소파 옆에 여섯 명의 뱀파이어가 무리지어 서 있었다.

모두가 여기 있었다. 그들 전원이. 하지만 내가 입을 벌린 채 얼어붙고 만 것은 그 때문이 아니었다.

에드워드 때문이다. 그의 얼굴에 떠오른 그 표정 때문에 나는 말을 잃었다.

놈의 화난 얼굴을 나는 본 일이 있다. 또 오만한 모습도, 고통스러워하는 모습도 본 적 있었다. 하지만 지금 그의 표정은 고뇌를 넘어서는 것이었다. 그 눈은 반쯤 미쳐있었다. 놈은 고개를 들어 나를 쳐다보지 않았다. 누군가 자기 몸에 불이라도 붙인 것 같은 표정으로 고개를 숙인 채 자기 옆에 있는 소파만 내려다보았다.

그가 괴로워하는 모습을 보고도 난 기뻐할 수가 없었다. 놈이 저렇게 된 이유는 단 한 가지밖에 생각할 수 없었으므로. 내 시선이 그의 시선을 따라갔다.

난 그녀의 향기를 맡았고, 동시에 그녀의 모습을 보았다.

그 따뜻하고 깨끗하고 인간적인 향기.

벨라는 소파의 팔걸이 뒤에 반쯤 숨어 있었다. 손으로 무릎을 감싼 채 그녀는 마치 태아 같은 자세로 몸을 웅크리고 있었다. 한동안은 그녀가 아직도 벨라……, 내가 사랑했던 그 벨라라는 생각밖에 할 수 없었다. 부드러운 피부는 여전히 엷은 복숭아 빛이었고, 그녀의 눈은 여전히 초콜릿색이었다. 내 심장이 이상하게 고장 난 계기판처럼 덜컥 내려앉았다. 혹시 이게 곧 깨어버릴 꿈은 아닐까.

그러다가 진짜 그녀의 모습을 보았다.

벨라의 눈 아래에, 진한 다크서클이 있었다. 얼굴이 너무 수척해져서 생긴 것 같았다. 더 살이 빠진 건가? 그리고 피부는 뭔가 팽팽하게 당겨진 느낌이었다. 그래서 광대뼈가 더 도드라져 보였다. 그녀는 머리카락을 아무렇게나 묶은 상태였고, 그 중 몇 가닥은 번들거리는 땀 때문에 이마와 목에 힘없이 붙어 있었다. 손가락이며 손목도 너무 약해 보여서 나는 겁이 났다.

그녀는 지금 아픈 거다. 그것도 심하게.

거짓말이 아니었어. 찰리가 빌리에게 한 이야기는 거짓말이 아니었던 거야. 내가 눈을 크게 뜨고 바라보는 동안 그녀의 피부는 엷은 초록색으로 바뀌었다.

로잘리라는 몹시 눈에 띄는 금발의 흡혈귀가 이상하게도 벨라를 보호하듯이 벨라에게 몸을 굽혔다. 그 바람에 내 시야는 가려졌다.

뭔가 이상하다. 난 거의 언제나라고 해도 좋을 정도로 벨라가 무엇을 느끼는지 알 수 있었다. 그녀의 생각은 그 정도로 분명했다. 때로는 이마에 생각이 전부 드러나 버리는 때도 있다. 그래서 그녀가 자세히 설명하지 않아도 지금 뭘 생각하는지 알 수 있었다. 나는 벨라가 로잘리를 좋아하지 않았다는 걸 안다. 벨라가 로잘리 이야기를 할 때 움직이는 입술 모양만 보고도 알 수 있었다. 벨라는 로잘리를 좋아하지 않을 뿐 아니라 무서워했다. 적어도 예전에는 그랬다.

이제 로잘리를 바라보는 벨라의 눈에는 두려움이 사라지고 없었다. 그녀의 표정은…… 미안함 같은 것을 담고 있었다. 그때 로잘리가 바닥에서 대야를 들어올리더니 벨라의 턱 아래에 갖다댔다. 그와 동시에 벨라는 요란하게 구토를 했다.

에드워드가 벨라 옆에 무릎을 꿇었다. 그의 눈은 너무도 고통스러워 보였다. 하지만 로잘리는 팔을 뻗어 그가 다가오지 못하게 했다. 이 상황은 대체 뭐지. 도무지 이해할 수 없었다.

마침내 고개를 든 벨라가 내게 희미한 미소를 보내고 속삭였다.

"미안해."

에드워드는 조용히 신음하고서 벨라의 무릎에 머리를 기댔다. 벨라가 한 손으로 그의 뺨을 쓰다듬었다. 마치 위로하듯이.

어느새 나는 벨라를 향해 걸어가고 있었다. 갑자기 로잘리가 내 앞을 가로막고 위협하는 소리를 냈다. 텔레비전에 나오는 사람 같다고 생각했다. 하지만 나는 그녀가 거기 있는 걸 전혀 개의치 않았다. 사실 실재하는 것 같지도 않았기 때문이다.

"로잘리, 그러지 마. 괜찮아요."

벨라가 속삭였다. 금발의 뱀파이어는 마지못해 내 앞에서 물러섰다. 그리고 나를 노려보면서 당장이라도 뛰어오를 듯이 벨라 옆에 웅크렸다. 그녀를 무시하기는 생각보다 쉬웠다.

"벨라, 왜 그래?"

내가 속삭였다. 어느덧 나는 무릎을 꿇고 소파 위로 몸을 숙이고 있었다. 맞은편에 벨라의…… 남편이 있었지만 그는 나를 알아보지 못하는 것 같았고, 나도 그를 거의 쳐다보지 않았다. 나는 팔을 뻗어 그녀의 한 손을 잡고 내 두 손으로 감쌌다. 손은 얼음처럼 차가웠다.

"괜찮아?"

바보 같은 질문이었다.

"날 보러 와줘서 정말 기뻐, 제이콥."

벨라는 내 말에 대한 대답 대신 이렇게 말했다. 에드워드는 벨라의 생각을 엿볼 수 없지만, 그 말 속에서 내가 모르는 다른 의미를 읽어낸 것 같았다. 그는 벨라가 덮고 있는 담요에 다시 힘든 신음을 토해냈고, 벨라는 그의 목을 쓰다듬었다.

"왜 그래, 벨라?"

나는 그녀의 차갑고 연약한 손가락을 단단히 감싼 채 다시 물었다. 벨라는 그 말에 대답하는 대신 뭔가를 찾는 듯한 애원과 경고가 담긴 눈빛으로 거실 안을 둘러보았다. 여섯 쌍의 눈이 걱정을 담은 채 그녀를 바라보았다. 마침내 벨라가 로잘리에게 고개를 돌렸다.

"일으켜줄래요, 로잘리?"

벨라가 부탁했다. 로잘리가 이를 악문 채 나를 노려보았다. 그녀는 내 목을 찢어버리고 싶은 것 같았다. 확신하지만 분명 그런 눈치였다.

"제발, 로잘리."

금발의 뱀파이어는 얼굴을 찡그렸지만 결국은 다시 벨라에게 몸을 숙였다. 벨라 옆의 에드워드는 꼼짝도 하지 않았다. 로잘리가 벨라의 겨드랑이에 조심스럽게 팔을 밀어 넣었다.

"안 돼. 일으키지 마……."

내가 속삭였다. 벨라가 너무 약해져 있는 것 같아서였다.

"네 질문에 대답해줄게."

그녀가 느닷없이 말했다. 그 말투는 평소의 그것과 비슷하게 들렸다. 로잘리가 벨라를 소파에서 일으켰다. 에드워드는 그 자리에서 꼼짝도 하지 않은 채 쿠션에 얼굴을 묻었다. 담요가 벨라의 발아래로 흘러내렸다.

벨라의 몸은 부어 있었다. 몸통이 기이하게 부풀어 오른 상태였다. 빛바랜 회색 트레이닝복은 어깨와 팔은 헐렁하고 몸통 부분만 팽팽하게 늘어나 있었다. 그리고 몸통을 제외한 나머지 부분은 정말 형편없이 말랐다. 마치 거대한 혹이 그녀를 빨아먹고 자라난 것 같았다. 이 기형적인 모습이 무엇을 의미하는지 조금 후에야 깨달을 수 있었다. 그녀가 부풀어오른 배에 마치 감싸 안 듯이 자기 손을 부드럽게 올려놓을 때까지 난 아무것도 몰랐다.

하지만 역시 믿을 수 없어. 내가 벨라를 마지막으로 본 게 불과 한 달 전이었다. 설령 임신했다고 해도 그 사이에 저 정도로 변해버릴 리가 없다.

그것만 뺀다면 벨라는 예전 그대로였다.

이런 모습, 보고 싶지 않다. 생각하기조차 싫었다. 벨라 안에 '그것'이 있다고 상상하는 것만으로도 끔찍한 일이었다. 그렇게도 혐오해온 무언가가 내가 사랑하는 사람 안에 뿌리를 내렸다니…… 정말이지 알고 싶지 않은 일이었다. 별안간 속이 뒤집혔고, 나는 애써 구토를 참았다.

하지만 상황은 그보다 더 나쁜 것 같았다. 훨씬 더 나쁘다. 그녀의 비틀린 몸, 얼굴 위로 툭툭 불거져 나온 뼈들. 이렇게 아파하고, 또 이렇게 심하게 변해버린 걸 보니 벨라 안의 '무언가'가 생명을 빨아먹으며 자라고 있다고밖에 생각할 수 없었다.

그건 괴물이다. 그 아빠가 그런 것처럼.

언젠가 그녀를 죽이고 말 거다.

내 생각을 엿들은 듯 에드워드의 머리가 움직였다. 잠깐 동안 우린 둘 다 무릎을 꿇고 있었다. 그러다 그가 일어서 나를 내려다보았다. 그의 눈은 검은색이었고 눈밑에는 진자주색의 다크서클이 있었다.

"나와, 제이콥."

그가 으르렁거렸다.

나도 일어섰다. 이제는 내가 그를 내려다보고 있었다. 여기까지 온 이유가 마침내 실현되려는 모양이었다.

"좋아, 붙어보자고."

나는 그의 도전에 응했다. 에드워드 옆에 있던 덩치 큰 뱀파이어 에밋이 앞으로 나섰고, 굶주린 눈빛을 한 재스퍼도 에밋 뒤에 서 있었다. 하지만 신경 쓰지 않았다. 이들이 나를 해치운다면 무리가 와서 싸움을 종결해 주겠지. 아니 어쩌면 그렇지 않을 수도 있다. 하지만 아무래도 상관없었다.

뒤에 서 있는 두 명이 아주 짧은 동안 내 눈에 들어왔다. 에스미와 앨리스. 체구가 작고 너무도 여성스러워 보였다. 음, 내가 저들을 어떻게 하기 전에 다른 놈들이 날 죽여주겠지. 여자들은 죽이고 싶지 않다. 그게 아무리 뱀파이어라도.

저 금발의 뱀파이어만큼은 예외지만.

"안 돼."

벨라가 숨을 헐떡였다. 그러고는 앞으로 비틀거리며 걸어 나오더니 에드워드의 팔을 잡았다. 로잘리가 그녀를 따라 움직였다. 마치 보이지 않는 사슬이 그 둘을 묶어놓은 것 같았다.

"난 제이콥에게 할 말이 있어, 벨라."

에드워드가 낮은 목소리로 말했다. 그녀에게만 하는 얘기였다. 그가 팔을 뻗어 벨라의 뺨을 쓰다듬었다. 그러자 거실이 온통 붉게 변했고 내 눈에서는 불길이 솟았다. 그녀를 저렇게 고통스럽게 만들고도 놈은 아직 그녀를 만질 수 있다.

"무리하지 마. 제발 쉬어. 몇 분만 이야기하고 올게."

놈이 애원했다. 벨라는 에드워드의 얼굴을 자세히 살펴보았다. 그러더니 고개를 끄덕이고서 소파 위에 축 늘어졌다. 로잘리가 그녀의 등에 쿠션을 대주었다. 벨라는 나와 시선을 마주치려 애를 썼다.

"싸우지 마. 그리고 다시 이리로 돌아와야 해."

벨라가 말했다. 나는 대답하지 않았다. 오늘은 아무것도 약속할 수 없으니까. 고개를 돌리고 나는 에드워드를 따라 현관문을 나왔다. 뒤죽박죽 헝클어진 목소리들이 내 머릿속에서 그렇게 말하고 있었다. 놈을 무리에서 떼어내는 일이 그리 어렵지는 않을 거라고.

에드워드는 계속 걸어갔다. 날 경계하는 기색도 없이 놈은 무방비상태로 등을 보이고 있었다. 하지만 내가 공격을 결심하는 그 순간 알아차릴 게 분명하다. 그러니 난 아주 순식간에 결정을 내려야만 했다.

"난 네 손에 죽을 준비가 안 됐어, 제이콥 블랙. 그러니 좀 참고 기다려."

집에서 멀리 떨어진 곳으로 재빨리 걸어가며 에드워드가 속삭였다. 무슨 뜻이야? 내가 자기 스케줄이라도 챙겨줘야 한다는 건가. 나는 낮게 으르렁댔다.

"참는 건 내 전공이 아니라서."

에드워드는 정원에 나 있는 길을 따라 수백 미터 쯤 걸었다. 나도 그의 뒤를 바짝 쫓았다. 몸이 몹시 뜨거웠고 손가락은 부들부들 떨렸다. 내 몸은 이미 완벽하게 균형을 잡고 있었다. 변신을 위한 만반의 준비를 끝낸 채로.

놈이 갑자기 멈추더니 내게로 돌아섰다. 그의 얼굴에 떠오른 표정은 다시 한 번 나를 얼어붙게 했다.

그 잠깐의 시간 동안 나는 내가 그저 어린애에 불과하다는 것을 깨달았다. 작은 소도시에서만 평생을 보낸, 그냥 아이. 그 순간 에드워드의 눈에 드러난 타는 듯한 고뇌를 이해하기 위해서는 훨씬 더 많이 살아보고 또 훨씬 많이 괴로워해봐야 할 것 같았다.

에드워드는 이마의 땀을 닦는 것처럼 손을 들어올렸지만, 그러는 대신 손가락으로 세차게 자신의 얼굴을 문질렀다. 그 화강암 같은 피부를 찢어버리기라도 하려는 양. 검은 눈은 초점을 잃은 채 타오르고 있었다. 지금 여기 없는 무엇인가를 보고 있는 것 같기도 했다. 이윽고 그가 뭔가 소리를 지르려는 듯 입을 벌렸지만 아무것도 소리가 되어 나오지 않았다. 화형당하는 사람이나 지을 만한 표정이었다.

잠깐 동안 나는 아무 말도 할 수 없었다. 그 얼굴은, 정말이지 너무 생생했다. 이 집 안에 드리운 그림자에서, 그녀의 눈에서, 그리고 그의 눈에서도 벨라의 관에 박힐 마지막 못을 볼 수 있었다.

"그게 벨라를 죽이고 있어, 그렇지? 그녀는 지금 죽어가는 거야."

그렇게 말하는 내 얼굴은 그의 얼굴을 그대로 닮아 있었다. 눈물이 흘러내리고 있다는 것만 뺀다면. 나는 어떻게도 할 수 없는 충격에 빠져 있었으므로 에드워드보다 쉽게 무너져 내렸다. 내 머리는 아직 상황을 이해하지 못하고 있었다. 그러기엔 모든 게 너무 빨랐다. 그에게는 지금까지 훨씬 더 긴 시간이 주어졌을 테니까. 대신 난 머릿속으로 이미 여러 번, 여러 가지 방식으로 그녀를 잃어보았다.

하지만 놈의 느낌과 나의 느낌은 서로 다를 수밖에 없을 것이다. 나는 그녀를 잃을 수 없었다. 왜냐하면, 내 것이 아니었으므로. 그리고 이 일 역시도 내 실수는 아니다.

"그래, 내 실수야."

에드워드가 무릎을 꿇었다. 내 앞에서 무너진 적……. 공격하기 쉬운 타깃이었다. 하지만 내 몸과 마음은 이미 눈처럼 차가워졌다. 타오르던 불은 꺼졌다.

"그래, 맞아. 그게 그녀를 죽이고 있어."

그가 땅바닥에 고개를 처박으며 신음했다. 마치 땅에 대고 고해성사라도 하는 것 같았다. 그 무기력한 모습에 짜증이 났다. 난 처형이 아니라 싸움을 원해. 그 끝도 없이 잘난척하는 놈은 어디로 가버린 거야?

"왜 칼라일은 아무것도 안 하고 있어? 의사잖아, 안 그래? 벨라에게서 그걸 떼어내야지."

내가 화를 냈다. 그가 나를 올려다보더니 피곤한 목소리로 대답했다. 마치 유치원생에게 같은 설명을 열 번째로 해야 하는 것처럼.

"그녀가 못하게 해."

그 말을 이해하는 데는 적어도 1분 이상의 시간이 걸렸다. 아, 그래. 정말 벨라는 달라진 게 없군. 괴물의 새끼를 위해 죽겠다고? 정말 벨라답잖아.

"너도 그녀를 잘 알잖아."

그렇게 속삭인 에드워드가 말을 이었다.

"얼마나 네가 빨리 알아들을 수 있을지는……. 난 몰랐어. 그래서 타이밍을 놓쳐버린 거야. 집으로 돌아오는 동안 그녀는 내게 아무 말도 하지 않았지. 사실 난 그녀가 겁에 질려있다고 생각했어. 그게 당연하니까. 내게 화가 나 있는 줄로만 알았어. 이런 일을 겪게 해서, 또 다시 그녀의 목숨을 위태롭게 해서. 그녀가 진짜로 무슨 생각을 했는지, 어떤 결심을 했는지는 전혀 몰랐던 거야. 공항에 내 가족이 마중 나온 걸 보기 전까지는, 벨라가 곧장 로잘리 품으로 달려가 안기는 걸 보기 전까지는 말이야. 그리고 그때 난 로잘리의 생각을 읽을 수 있었지. 그렇게 확인하고 나서야 알 수 있었어. 넌 아직 이해하지 못했군……."

그는 한숨과 신음이 반반 섞인 듯한 소리를 냈다.

"잠깐 있어 봐. 벨라라면 당연히 못하게 했겠지. 하지만 몸무게가 50킬로그램밖에 안 나가는 인간 소녀가 강해봤자 얼마나 강하다고? 너희 뱀파이어들은 원래 그렇게 멍청한가? 일단 꼼짝 못하게 한 다음 약으로 보내버리면 되잖아."

그렇게 말하는 내 목소리가 몹시 냉소적으로 들렸다.

"나도 그러고 싶어. 하지만 칼라일이……."

그가 중얼거렸다. 칼라일이 뭐? 그런 짓을 하기엔 너무 고매하다고?

"그런 게 아냐. 벨라의 보디가드 때문에 일이 복잡해지고 말았지."

아, 그래서였어. 이야기의 아귀가 그제야 조금씩 맞아 들어가기 시작했다. 그랬단 말이지, 그 금발머리가. 하지만 그런다고 해서 무슨 이득이 있다고? 그 아름다운 여왕은, 벨라가 끔찍하게 죽기를 바라는 걸까?

"아마 그걸 바라는 건 아닐 거야."

에드워드가 말했다.

"그럼 그 금발머리부터 떼어내. 너희 몸은 토막 나도 다시 붙잖아. 그 여잘 토막토막 썰어버리라고. 그다음에 벨라를 처리하면 되잖아."

"에밋과 에스미가 벨라의 선택을 지지하고 있어. 에밋은 절대로 우리말을 듣지 않을 거야……. 그리고 칼라일은 에스미 때문에 우릴 돕지 않을 거고……."

에드워드는 말꼬리를 늘어뜨렸고 그의 목소리도 점점 사라져갔다.

"넌 내게 벨라를 남겨두고 떠났어야 했어."

"그래."

깨달아봤자 이미 늦긴 했지만. 에드워드는 그 '생명을 빨아먹는 괴물'이 벨라를 쓰러뜨리기 전에 이런 일을 예상했어야 했다. 자기만의 지옥에 갇힌 듯한 에드워드가 나를 올려다보았다. 놈이 내 생각에 동의한다는 것을 알 수 있었다.

"우린 몰랐어. 꿈에서조차 생각해 본 적 없어. 전에는 벨라와 나 같은 커플이 없었거든. 인간이 뱀파이어의 아이를 가질 수 있다는 걸 우리가 어떻게 알았겠어."

그가 숨 쉬는 것처럼 조용하게 말했다.

"그러는 도중에 인간의 몸이 갈가리 찢겨버리고 말 테니까?"

"그래. 그들은 어딘가에 실존했었어. 그 가학적인 존재들, 인큐버스나 서큐버스 말이지. 그들은 실제로 존재해. 하지만 유혹은 곧 식인축제를 알리는 전주곡이었지. 아무도 살아남지 못했으니까."

그가 긴장된 목소리로 속삭이고서, 역겹다는 듯 고개를 흔들었다. 마치 자신은 다르다고 주장하는 것처럼.

"너희들을 그런 이름으로 부르는 줄은 몰랐는데."

내가 내뱉었다. 그는 천 살쯤 먹어 보이는 얼굴로 나를 올려다보았다.

"아무리 너라도, 나만큼 내가 믿지는 않을 거야, 제이콥 블랙."

천만에. 너무 화가 났으므로 나는, 말 대신 생각으로 그렇게 전했다.

"지금 날 죽여도 벨라를 구하지는 못해."

에드워드가 조용히 말했다.

"그럼 어쩌라는 건데?"

"제이콥, 날 위해 해줘야 할 일이 있어."

"내가 왜? 이 기생충 같은 놈아!"

그가 피로와 화가 뒤섞인 눈으로 나를 응시했다.

"그럼 벨라를 위해서는 어때?"

내가 이를 악물었다.

"벨라를 너한테서 떼어놓기 위해 난 무슨 짓이든 했어. 이젠 너무 늦었고."

"넌 벨라를 잘 알잖아, 제이콥. 내가 이해하지 못하는 방식으로 그녀와 연결되어 있지. 넌 벨라의 일부고, 그녀는 너의 일부야. 벨라는 내가 자길 과소평가하고 있다고 생각하지. 그래서 내 말을 안 듣는 거야. 그녀는 스스로 이 일을 감당할 수 있을 만큼 충분히 강하다고 생각하고 있어……."

잠시 목이 막혀오는 듯하더니 그는 이내 감정을 삼키고 말했다.

"네 말이라면 들을 거야."

"벨라가 대체 왜 내 말을 듣겠어?"

에드워드가 비틀거리며 일어섰다. 그의 눈은 전보다 더 타오르고 있었다. 진짜로 미쳐가고 있는 건 아닐까? 뱀파이어도 미칠 수 있을까?

"아마도. 모르겠어. 하지만 가능할 것 같아."

그가 내 생각에 그렇게 답해주었다. 그리고 고개를 흔들었다.

"벨라에게는 숨기려고 해. 스트레스는 그녀를 더 고통스럽게 할 테니까. 더 이상은 견디지 못할 거야. 그러니 난 침착해야만 해. 상황을 더 나쁘게 할 수는 없으니까. 하지만 지금은 그게 중요한 게 아냐. 그녀는 네 말을 들어야만 해!"

"너도 못하는 얘기를 내가 하라고? 도대체 무슨 말을 하길 바라는데? 바보 같다고, 멍청한 짓이라고? 그녀도 알고 있을 거야. 아니면 넌 죽고 말 거라고? 그것도 분명 이미 알고 있겠지."

"넌 그녀가 원하는 걸 줄 수 있어."

이해가 되지 않았다. 이 말도 정신병에서 나온 걸까?

"그녀를 살리기 위해서라면 아무래도 상관없어. 만약 아이를 갖고 싶어 하는 거라면 가지면 돼. 대여섯 명은 가질 수 있다고. 원하는 건 뭐든 하면 되는 거야."

그렇게 말하는 그는 갑자기 제정신이 돌아온 것처럼 보였다. 에드워드 가 잠깐 말을 멈추었다가 덧붙였다.

"필요하다면 늑대새끼를 가질 수도 있겠지."

그는 잠시 동안 내 눈을 들여다보았다. 간신히 이성의 끈을 붙잡고 있긴 했지만, 얼굴은 광포해 보였다. 그의 말을 듣고 있는 동안 내 얼굴도 점점 심하게 일그러졌다. 입은 충격으로 벌어진 상태였다.

"하지만 이럴 수는 없어! 내가 이렇게 무기력하게 서 있는 동안 그녀의 생명이 소진되다니. 그녀가 아파하면서 쇠약해지는 걸 지켜봐야 한다니. 그녀가 아파하는 걸 봐야 한다니."

내가 충격에서 채 회복되기도 전에 그가 씩씩거렸다. 그러다 명치를 가 격당한 것처럼 재빨리 숨을 들이쉬었다.

"벨라가 이성을 되찾게 도와줘, 제이콥. 그녀는 내 말은 듣지 않아. 게 다가 로잘리가 지키고 서서 광기에 부채질을 하고 있지. 그녀를 격려하고 또 보호해줘. 아니, 벨라가 아니라 '그걸' 보호해주는 거라고 해야겠지. 벨라의 생명은 로잘리에겐 아무것도 아냐."

목을 졸린 듯한 소리가 내 목에서 흘러나왔다. 놈은 지금 무슨 말을 하고 있는 거지? 벨라가 뭐 어쨌다고? 아기를 가져? 나와? 뭐? 어떻게? 그럼 그녀를 포기하겠다는 거야? 아니면 나눠 가져도 좋다는 뜻인가?

"어느 것이든. 그녀를 살릴 수만 있다면."

"지금까지 네가 한 말을 통틀어 가장 정신 나간 소리 같은데."

내가 중얼거렸다.

"그녀는 너를 사랑해."

"그래. 하지만 '충분히' 사랑하지는 않아."

"아이 때문에 죽으려고까지 하고 있어. 그보다 덜 극단적인 제안이라면 벨라는 뭐든 받아들일 거야."

"넌 그렇게 벨라를 몰라?"

"알아, 알아. 계속 설득해야겠지. 그래서 네가 필요한 거야. 넌 그녀를 잘 알잖아. 벨라가 이성을 되찾게 해줘."

하지만 난 그의 제안에 대해 생각하기조차 힘들었다. 너무 심하니까. 불가능해. 틀렸어. 역겹단 말이야. DVD라도 대여하는 양 주말 동안 벨라를 빌려와서 월요일 아침에 데려다 준다고? 끔찍한 이야기였다.

하지만 동시에, 솔깃한 이야기이기도 했다.

생각하기도, 또 상상하기도 싫었지만 자꾸만 이미지들이 떠올랐다. 우리 사이가 완전히 끝나버리기 전에 나는 벨라에 대해 여러 가지 환상들을 떠올려보곤 했었다. 그러다 모든 가능성이 사라지고 환상이 아픈 상처로만 남을 것이 분명해졌을 무렵, 나는 그 모두를 버렸다. 그러지 않고는 견딜 수 없었으므로. 그런데 지금은 스스로를 제어할 수가 없었다. 내게 안긴 벨라, 내 이름을 속삭여주는 벨라……

더 나쁜 건, 이 새로운 영상들이 맹세코 전에는 떠올려본 적 없는 것들이라는 점이다. 당연히 내가 품을 수도 없고 품어서도 안 되는 생각이라는 뜻이다. 아직은 그렇다. 에드워드가 아니었다면 내가 그런 상상으로 괴로

위하는 일은 없었을 것이다. 하지만 이제 머릿속에 자리 잡은 영상들은 절대로 죽일 수 없는 유독한 잡초처럼 나를 헤집어놓았다. 건강하게 반짝이는 벨라는, 지금의 모습과는 다를 것이다. 아니 다르면서도 같은 존재겠지. 그녀의 몸은 저렇게 뒤틀리지 않고 훨씬 더 자연스러운 방식으로 변하게 될 것이다. 내 아이를 품고서, 둥글게.

나는 머릿속의 해로운 잡초로부터 빠져나오려 했다.

"벨라가 이성을 되찾게 해달라고? 대체 넌 어떤 우주에 살고 있는 거야?"

"최소한 시도라도 해보자."

난 재빨리 고개를 흔들었다. 하지만 이미 내 머릿속에서 일어난 갈등을 알고 있는 그는, 대답을 무시한 채 가만히 기다리고 있었다.

"이 미친 소리가 대체 어디서 나온 건데? 맛이 가면 보통 이런 생각을 하나?"

"그녀의 계획이 뭔지 알고 나서, 오직 벨라를 살릴 수 있는 방법만 생각했어. 그녀가 정말로 하고 싶어할 만한 것. 하지만 네게 연락할 방법이 없었지. 내가 전화해도 넌 받지 않을 테니까. 네가 오늘 오지 않았다면 널 찾으러 갔을 거야. 하지만 벨라를 집에 두고 나오기가 힘들었어. 단 몇 분이라고 해도. 그녀의 상태가…… 너무 빨리 변하고 있어서. '그게' 점점…… 자라고 있어. 빠른 속도로. 지금은 그녀 곁에서 떠날 수 없어."

"그게…… 대체 뭔데?"

"아무도 모르지. 하지만 이미 그녀보다 강해져버린 건 틀림없어."

갑자기 나는 그런 영상을 볼 수 있었다. 괴물이 점점 부풀어 올라 결국 그녀의 몸뚱이를 찢어버리고 밖으로 나오는 모습을.

"막을 수 있게 해줘. 그런 일이 벌어지지 않도록 도와줘."

그가 속삭였다.

"어떻게? 종마가 되어 달라고?"

그렇게 말해도 그는 미동조차 하지 않았다. 오히려 내 말에 움찔한 건 내 쪽이었다.

"진짜 맛이 갔구나. 그런 말을 벨라가 들을 거라고 생각해?"

"시도해봐. 더 잃을 것도 없잖아. 별로 힘들지도 않을 텐데."

아니, 충분히 고통스러워. 난 이미 여러 번 거부당했다고.

"그녀를 살리기 위한 일인데 약간의 고통도 못 참아? 그게 그렇게 힘들어?"

"하지만 효과가 없을 거야."

"아마 그렇겠지. 그래도 혼란스럽게 만들 수는 있어. 아마 그녀의 결심은 흔들리게 되겠지. 난 바로 그런 순간이 필요한 거야."

"그러고는 이 제안 자체를 없었던 걸로 하자고? '농담이었어, 벨라' 라고 할 생각이야?"

"그녀가 아이를 원한다면 아이를 갖게 될 거야. 없었던 일로 할 생각 따위 난 없어."

내가 이런 생각을 하고 있다니, 스스로도 믿을 수 없었다. 벨라는 날 주먹으로 때리겠지. 내가 맞는 건 상관없지만, 그녀의 손이 또 부러질까 걱정이었다. 놈이 계속 떠들게 내버려둬선 안 되는 건데. 괜히 머릿속만 복잡해지잖아. 지금 놈을 그냥 죽여 버리는 게 나을지도 모른다.

"아니, 지금은 아냐."

그가 속삭였다.

"아직까지는 아냐. 그런 일이 일어난다면 그녀는 산산이 부서지고 말 거야. 절대로 회복할 수 없겠지. 너도 알고 있잖아. 서두를 필요는 없어. 벨라가 네 말을 듣지 않으면 그때 날 죽이면 되니까. 벨라의 심장이 멈추는 순간, 난 네게 죽여 달라고 애원할 테니까."

"오래 애원하진 않아도 될 거야."

그의 입가에 지친 듯한 미소가 희미하게 번졌다.

"그래. 꽤 믿음직한데."

"거래는 성립됐어."

그가 고개를 끄덕이더니 차가운 돌 같은 손을 내밀었다. 역겨움을 삼키고 나는 손을 내밀어 그의 손을 잡았다. 그러고는 손가락으로 돌 같은 그의 손을 꼭 쥔 채 한 번 흔들었다.

"거래한 거야."

그가 말했다.

## 10

# 왜 그냥 떠나버리지 못했을까?
# 맞아, 난 바보였지

분명 내가 모르는 뭔가가 있다. 지금 일어나는 일들이 현실이 아닌 것처럼 느껴졌다. 혹시 난 지금 고딕풍 시트콤 같은 데 출연하고 있는 게 아닐까. 그것도 아주 형편없는. 나는 졸업 파티에 함께 가자며 치어리더 부 주장을 따라다니는 전형적인 공부벌레 대신, 뱀파이어 부인에게 같이 아이를 만들자고 졸라대는 늑대인간 2인자가 되어 있었다. 젠장.

아니, 그런 짓은 하지 않을 거다. 말도 안 되는 일이니까. 놈이 한 말을 난 모두 잊어버릴 것이다.

그래도 그녀에게 말은 해야 한다. 어떻게든 내 얘길 들어보게 해야지.

아마 그녀는 싫다고 하겠지. 언제나 그랬듯이.

앞장서 집으로 걸어가는 동안 에드워드는 내 생각들에 굳이 대답하거나 설명하려 하지 않았다. 왜 날 거기까지 데려간 건지 궁금해졌다. 다른 뱀파이어들이 자기가 속삭이는 소리를 듣지 못하도록 충분히 거리를 확보하려 했던 걸까? 그래서였나?

그래, 그랬을 수도. 다시 집안으로 들어섰을 때 우리를 바라보는 다른 컬렌 가족들의 눈에는 의심과 혼란이 담겨 있었다. 하지만 혐오나 분노의 표정은 아니었다. 에드워드의 부탁에 대해 모르고 있는 게 확실했다.

어떻게 해야 할지 모르게 되어 버린 나는 문간에 선 채 주저했다. 밖에서 들어오는 약간의 공기로 환기를 하고 나자 한결 나아졌다.

에드워드는 어깨를 편 채 혼란 속으로 걸어 들어갔다. 벨라는 걱정이 담긴 눈으로 그를 바라보고, 다시 잠깐 나를 보았다. 그러다 그녀의 시선은 다시 에드워드로 향했다.

창백한 그녀의 얼굴은 거의 회색에 가까워졌고, 그래서 나는 '스트레스가 그녀를 더 고통스럽게 할 것'이라던 에드워드의 말이 무슨 뜻인지 알 수 있었다.

"우린 자리를 좀 비켜주죠. 제이콥과 벨라가 이야기할 수 있게요."

에드워드가 말했다. 억양에 전혀 변화가 없어서 꼭 로봇 같았다.

"그 전에 날 태워 죽이는 건 어때? 그리고 그 재를 넘어가라고."

로잘리가 화를 냈다. 그리고 여전히 벨라 주변을 지키면서 차가운 손을 벨라의 흙빛 뺨에 댔다. 에드워드는 그녀를 쳐다보지도 않았다.

"벨라, 제이콥이 너와 얘기하고 싶대. 제이콥과 둘만 있는 거 싫어?"

그렇게 말하는 그의 목소리는 여전히 공허했다.

"로잘리, 괜찮아. 제이콥은 우릴 해치지 않을 거야. 에드워드랑 같이 가 있어."

"뭔가 꿍꿍이가 있는 게 분명해."

금발머리가 경고했다.

"글쎄, 그렇지 않을걸."

벨라의 말이었다.

"칼라일과 내가 네 옆에 붙어 있으면 되잖아, 로잘리. 벨라가 두려워하는 건 어차피 우리들이니까."

에드워드가 말했다. 감정이 표백된 그의 목소리가 갈라지며 분노를 드러냈다.

"아냐."

벨라가 속삭였다. 그 순간 그녀의 눈이 반짝였고, 속눈썹은 촉촉해졌다.

"아냐, 에드워드. 나는……."

그가 조금 미소를 지으며 고개를 흔들었다. 보는 사람이 고통스러워지는 미소였다.

"그런 뜻이 아냐, 벨라. 난 괜찮아. 내 걱정은 하지 마."

구역질이 난다. 놈이 옳다. 벨라는 지금, 그의 마음을 다치게 했다고 자책하고 있었다. 하, 대단한 순교자 아닌가. 시대를 완전히 잘못 타고난 것 같다. 대의를 위해 사자 밥이 되길 자청하는 사람들이 있던 그런 시대에 살았어야 했는데.

"모두들. 제발 좀."

에드워드가 뻣뻣하게 손으로 문 쪽을 가리켰다. 그는 벨라 때문에 애써 냉정을 지키고 있긴 했지만, 사실 그 냉정은 너무도 허약한 것이었다. 밖에서 본 놈의 모습은 꼭 화형당하는 사람 같았다. 여기 있는 다른 이들도 아마 그런 모습을 본 적 있겠지. 내가 길을 비켜주자 그들은 조용히 문밖으로 나갔다. 재빠른 움직임이었다. 내 심장이 두 배로 빨리 뛰기 시작했다. 방 한가운데에서 주저하는 로잘리와 여전히 문 옆에서 기다리고 있는 에드워드를 제외하고는 이제 모두 방을 나갔다.

"로잘리. 나가줘요."

벨라가 조용히 말했다. 그러자 금발머리가 에드워드를 노려보더니 먼저 나가라는 신호를 보냈다. 그가 문밖으로 사라졌다. 이어 그녀도 내게 오랫동안 경고의 눈빛을 보낸 후 방을 나섰다.

우리만 남겨지고 나서 나는 벨라 옆으로 다가가 바닥에 앉았다. 그리고 그녀의 차가운 두 손을 잡고 조심스럽게 문질렀다.

"고마워, 제이콥. 기분 좋은걸."

"솔직히 말할게, 벨라. 넌 흉측해."

"알아. 못생겨 보이지."

그녀가 한숨을 쉬었다.

"늪에서 나온 괴물처럼 못생겼어."

내가 맞장구쳤다. 그녀는 웃었다.

"네가 여기 있으니까 좋다. 웃을 수도 있고. 이런 드라마 같은 일을 내가 얼마나 더 견딜 수 있을지 모르겠어."

내가 눈동자를 굴리니 그녀는 곧 덧붙였다.

"알아, 알아. 다 내 탓이지 뭐."

"그래. 무슨 생각해, 벨라? 진짜로 말이야."

"에드워드가 나 좀 야단치라고 안 해?"

"뭐, 그 비슷한 거지. 어째서 놈은 네가 내 말을 들을 거라고 믿고 있는 걸까? 넌 한 번도 내 말을 들은 적이 없는데."

그녀는 한숨을 쉬었다.

"내가 말했었잖아—."

내가 입을 열었다.

"제이콥, 그거 알아? '내가 말했었잖아' 라는 녀석에게는 동생이 있거든."

그렇게 내 말을 잘라버린 그녀가 다시 덧붙였다.

"바로 '닥쳐' 라는 애야."

"재밌네."

그녀가 내게 씩 웃어보였다. 피부 위로 뼈가 툭 튀어나와 있었다.

"내가 생각해낸 건 아냐. 〈심슨 가족〉 재방송에 나왔어."

"못 봤는데."

"재미있었는데."

우리는 잠시 동안 말이 없었다. 그녀의 손이 조금 따뜻해진 것 같았다.

"에드워드가 정말 나랑 이야기해보라고 했어?"

나는 고개를 끄덕였다.

"그래, 네가 정신을 좀 차리도록 말이지. 벨라, 시작하기도 전에 질 수밖에 없는 싸움도 있는 거야."

"왜 그의 부탁을 들어줬어?"

나는 대답하지 않았다. 스스로도 답을 잘 몰랐기 때문이다. 하지만 이것만은 알 수 있었다. 지금 그녀와 함께하는 1분 1초가, 훗날 내가 겪게 될 고통에 고스란히 더해지리라는 사실을. 제한된 양의 약만 공급받을 수 있는 마약중독자처럼 내게는 고통의 날이 시시각각 다가오고 있었다. 지금 주사를 많이 맞으면 맞을수록, 후에 약을 구할 수 없을 때 더 힘들어지겠지.

"잘될 거야. 난 그걸 믿어."

그녀가 잠시 침묵하다가 말했다. 그 말을 들으니 다시 얼굴이 확 달아올랐다.

"혹시 치매도 증상 중 하나야?"

느닷없이 내가 물었다. 그녀의 손을 감싸 쥐고 있던 내 손은 분노로 부들부들 떨렸지만, 벨라는 웃음을 터뜨렸다.

"그래, 그럴지도. 하지만 난 일이 쉽게 풀려나갈 거라고 말한 적은 없잖아, 제이콥. 내가 지금까지 여러 사건들을 겪으면서 만약 마법을 믿지 않았다면 어떻게 살아 있을 수 있겠어?"

벨라의 말이었다.

"마법?"

"너는 더 그렇겠지."

그녀가 그렇게 말하고 미소 지었다. 그녀는 한 손을 빼더니 내 뺨을 만졌다. 전보다는 따뜻해졌지만 내 피부에 닿으니 여전히 시원하게 느껴졌다. 하긴 대부분의 것들이 그렇기는 하다.

"넌 그 누구보다 마법이 일어나길 기다려야 하는 사람이잖아."

"무슨 소릴 하고 있는 거야?"

벨라는 여전히 미소 짓고 있었다.

"에드워드가 너희 부족의 각인현상에 대해 말한 적이 있어. 마치 〈한여름 밤의 꿈〉 같다고 했었지. 마법 같다고 말이야. 넌 네가 정말 찾는 사람을 만나게 될 거야, 제이콥. 그럼 이 모든 걸 이해하게 될 거고."

그녀가 그렇게 연약해 보이지만 않았다면 나는 소리를 질렀을 것이다. 대신 나는 그녀에게 으르렁거렸다.

"각인이 이 미친 짓을 설명해준다고 생각한다면……"

말을 고르기가 정말 힘들었다.

"내가 언젠가는 낯선 누군가에게 각인될 거고, 그게 이걸 정당화해줄 거라고 믿는 거야? 정말 그렇게 생각해?"

나는 손가락으로 그녀의 부풀어 오른 몸을 찔렀다.

"그럼 그때 다시 얘기해보기로 하자, 벨라! 내가 널 사랑하는 게 무슨 의미가 있는지, 그리고 네가 그를 사랑하는 게 무슨 의미가 있는지 말이야. 만약 네가 죽게 되면…… 그게 어떻게 정당해지지? 이 모든 고통에 정말 의미란 게 있는 거야? 내 고통, 너의 고통, 그리고 놈이 겪어야 하는 고통. 넌 놈도 죽게 만들 거야. 물론 나랑은 상관없는 일이지만."

내가 으르렁거렸다. 그녀가 움찔했지만 나는 그대로 말을 이어갔다.

"결국 네 일그러진 러브스토리의 목적은 뭔데? 어떤 의미라도 있다면 제발 좀 보여줘, 벨라. 난 도저히 모르겠으니까."

그녀는 한숨을 쉬었다.

"나도 아직 몰라, 제이콥. 하지만 그냥…… 느낄 뿐이야. 결국은 다 잘 될 거라고. 지금은 비록 잘 보이지 않지만 말이야. 그런 걸 믿음이라고 부를 수 있을지도 몰라."

"넌 그냥 아무것도 아닌 것 때문에 죽어가고 있는 거야, 벨라. 아무것도 아니라고."

그녀가 내 얼굴에서 손을 떼더니 자신의 부풀어 오른 배를 쓰다듬었다. 한마디 말도 없었지만 난 그녀가 뭘 생각하는지 알 수 있다. 벨라는 저걸 위해 죽어가고 있는 거다.

"난 죽지 않을 거야. 내 심장은 계속 뛸 거야. 난 그럴 만큼 충분히 강하니까."

그녀는 이를 악물고, 전에 했던 말을 되풀이하고 있었다.

"그건 허풍일 뿐이야, 벨라. 넌 초자연적인 존재들을 따라잡으려 하고 있잖아. 보통의 사람에겐 불가능한 일이야. 넌 그렇게 강하지 않아."

난 손으로 그녀의 얼굴을 감쌌다. 굳이 조심해야 한다고 의식할 필요도 없었다. 그녀는 당장이라도 부서질 것 같았으니까.

"할 수 있어. 난 할 수 있어."

그녀는 그렇게 중얼거렸다. 마치 『넌 할 수 있어 꼬마 기관차』(1930년대에 출간된 어린이 그림책의 고전: 편집자)라도 되는 것처럼.

"내 눈엔 그렇게 보이지 않는데. 그래서 네 계획이 뭔데? 설마 계획은 있겠지?"

그녀는 나와 눈을 마주치지 않은 채 고개를 끄덕였다.

"에스미가 절벽에서 뛰어내린 적이 있대. 그러니까, 인간이었을 때 말이야."

"그래서?"

"이미 거의 죽어가고 있었다고 했어. 그래서 사람들은 에스미를 응급실 대신 영안실로 데려갔대. 심장이 아직 뛰고 있었는데도 말이야. 그런데 칼라일이 그녀를 발견하게 된 거지……."

심장이 뛰는 한은 문제없다는 얘기를 그녀는 전에도 내비친 적이 있었다.

"그러니까 인간으로 살아남겠다는 계획은 아닌 거네."

내가 천천히 말했다.

"그럼. 난 바보가 아냐."

그녀가 다시 내 눈을 들여다보았다.

"이 문제에 대해서는 너도 할말이 있을 것 같은데."

"죽을 고비에서 뱀파이어가 되겠다는 거군."

내가 중얼거렸다.

"에스미에게 그 방법은 효과가 있었어. 그리고 에밋, 로잘리, 에드워드에게도. 그들 중 어느 누구도 살아남기 힘든 상태였지. 죽게 내버려두느냐, 아니면 뱀파이어로 만드느냐의 갈림길에서 칼라일은 그들을 변신시키게 된 거야. 결국 생명을 빼앗은 게 아니라 그들을 살려준 셈이지."

다시 나는 선량한 뱀파이어 의사에 대한 양심의 가책을 느꼈다. 애써 그 생각을 밀어내고서 난 애원하기 시작했다.

"내말 좀 들어봐, 벨라. 그러면 안 돼."

그녀가 살아있는 것, 그리고 더 이상 이 세상에 존재하지 않는 것— 그 둘의 차이가 그 얼마나 큰지 나는 다시 한번 깨달을 수 있었다. 전에 찰리에게 전화가 걸려 왔을 때 그랬던 것처럼. 난 그녀가 어떤 형태로든 살아있기를 원한다. 어떤 형태로든. 내가 숨을 들이쉬었다.

"너무 늦어버릴 때까지 기다리면 안 돼. 그런 방식은 안 되는 거야. 넌 살아야 돼. 알았어? 살아만 있으라고. 나를 위해, 그리고 놈을 위해."

내 목소리는 더 크고 더 건조해졌다.

"네가 죽으면 놈이 무슨 짓을 할지 알지? 전에도 한 번 봤잖아. 에드워드가 이탈리아까지 죽으러 가길 원하는 거야?"

그녀가 소파에서 몸을 웅크렸다. 사실 이번엔 이탈리아에 갈 필요가 없을 테지만, 나는 그 사실에 대해서는 말하지 않기로 했다. 나는 좀 더 부드러운 목소리를 내려고 애썼다.

"그 어린 뱀파이어들 때문에 내 몸이 엉망이 되었을 때 기억나? 네가 뭐라고 했었더라?"

그리고 난 기다렸지만 벨라는 대답하지 않았다. 그저 입술만 꼭 다물고 있었다.

"네가 그랬지. 칼라일의 말을 들으라고. 그리고 내가 어떻게 했었지? 그 뱀파이어 의사 말대로 했었잖아. 널 위해서."

내가 말했다.

"그게 옳은 일이니까 따른 거잖아."

"그래, 이유가 뭐든."

그녀는 한숨을 쉬었다.

"하지만 지금 이건 옳은 일이라고 할 수 없잖아."

그녀는 커다랗게 부풀어 오른 배를 바라보며 낮게 중얼거렸다.

"그를 죽게 하지 않을 거야."

난 다시 손을 흔들었다.

"와, 몰랐는걸. 씩씩한 남자 아이야? 파란 풍선을 가져올걸 그랬군."

벨라의 얼굴이 빨개졌다. 그 빛깔은 너무 아름다워서 나이프처럼 내 배를 찔러왔다. 톱니 모양의 날이 달린 녹슨 나이프. 또 다시 난 널 잃어버리고 말겠지.

"남자애인지는 몰라. 초음파검사도 소용이 없었거든. 아기 주위의 막이 마치 뱀파이어 피부처럼 너무 단단해서 말이야. 그래서 아기에 대해서는 아무것도 몰라. 하지만 그냥 머릿속에 아기 모습이 떠올라."

그녀는 조금 부끄러워했다.

"그렇담 그리 예쁜 모습은 아니겠는데, 벨라."

"보면 알겠지."

벨라가 의기양양하기까지 한 어조로 그렇게 말했다.

"너는 못 볼 거야."

내가 사납게 받아쳤다.

"넌 너무 비관적이야, 제이콥. 내가 괜찮을 수도 있는 거잖아."

그 말에 대답할 수가 없었다. 나는 고개를 숙인 채 천천히, 그리고 깊게 숨을 들이쉬면서 화를 가라앉혔다.

"제이콥 괜찮을 거야. 쉿, 괜찮아."

벨라가 내 머리를 두드리고 내 뺨을 쓰다듬었다. 나는 고개를 들지 않았다.

"아니. 괜찮지 않을 거야."

그녀가 내 뺨에서 축축한 뭔가를 닦아냈다.

"쉿."

"이게 다 무슨 짓이야, 벨라?"

나는 카펫을 바라보았다. 내 더러운 발이 옅은 색 카펫에 얼룩을 남겼다. 아무렴 어때.

"내 생각에 넌 그저 뱀파이어가 되고 싶은 것 같아. 그래서 이젠 놈까지 포기하려는 거야? 이해할 수가 없어. 언제부터 그렇게 엄마가 되고 싶었는데? 그렇게 아이가 갖고 싶었다면 왜 뱀파이어와 결혼한 거야?"

이제 내 말은, 놈이 내게 던졌던 제안을 향해 가까이 접근하고 있었다. 위험해. 여기서 화제를 전환할 수도 있겠지만 그러지 않았다. 벨라가 한숨을 쉬었다.

"그런 게 아냐. 아이 갖는 것엔 사실 관심 없었어. 생각도 안 해봤다고. 그리고 '그냥 아이'를 가진 게 아니야. 이 아이라는 게 중요하지."

"그 애는 살인자야, 벨라. 지금 네 모습을 좀 봐."

"아냐. 내 잘못이야. 내가 약해빠진 인간이기 때문이야. 하지만 이겨낼 수 있어, 제이콥, 난……."

"아, 그만 좀 해둬. 닥치라고, 벨라. 네 흡혈귀에겐 그렇게 말할 수 있을지 몰라도 날 속일 순 없을걸. 네가 감당할 수 없다는 건 너 스스로 더 잘 알고 있잖아."

벨라는 나를 노려보았다.

"아니, 몰라. 나도 사실 걱정이 돼."

"걱정된다고!"

나는 이를 악물고 그녀의 말을 따라 읊었다. 그때 그녀가 숨을 헐떡이더니 배를 움켜쥐었다. 스위치를 내리면 불이 꺼지듯 내 분노도 사라져버렸다.

"괜찮아. 아무것도 아냐."

벨라가 숨을 헐떡였다. 하지만 내 귀에는 그런 말들이 들리지 않았다. 그녀의 손이 트레이닝복을 옆으로 잡아당기는 바람에 감춰져 있던 피부가 드러났다. 그리고 난 공포에 질려 그저 그것을 바라보았다. 벨라의 배는 검자주색의 잉크가 번진 것처럼 울긋불긋했다. 그녀가 내 눈빛을 보더니 옷을 당겨 배를 가렸다.

"애가 튼튼해, 그래서 그런 것뿐이야."

벨라는 변명하듯 말했다. 그 반점들은 멍이었다.

구역질이 날 것 같았다. 이제야 아이가 벨라를 다치게 하고 있다는 에드워드의 말을 이해할 수 있었다. 동시에 내가 미쳐가는 것을 느꼈다.

"벨라."

내가 불렀다. 그녀는 내 목소리가 변한 것을 알아차렸다. 그리고 여전히 거칠게 숨을 몰아쉬며 혼란을 가득 담은 눈빛으로 고개를 들었다.

"벨라. 이러면 안 돼."

"제이콥……."

"내 얘기 들어 봐. 무작정 화부터 내지 말고, 응? 그냥 들어. 만약에……."

"만약에 뭐?"

"그렇게 극단적인 상황만은 아닐 수도 있어. 그럼 어떡할 거야? 전부를 갖든지, 아니면 아무것도 갖지 못하는 그런 거래가 아니라면? 착한 아이처럼 칼라일 말을 듣고 네 목숨을 구할 수 있다면 말이야."

"나는……."

"내 말 아직 안 끝났어. 그래서 네가 살아 있으면, 살아 있기만 하면 다시 시작할 수 있어. 이건 아니야. 다시 시작하자."

그녀가 얼굴을 찡그렸다. 그리고 한 손을 들더니 내 두 눈썹이 만나는 부분을 만졌다. 그녀는 내 말이 무슨 뜻인지 생각하면서 손가락으로 한동안 내 이마를 쓰다듬었다.

"모르겠어……. 무슨 뜻이야? 다시 시작하다니? 에드워드가 허락할까……? 그럼 뭐가 달라지지? 아기를 갖게 되면 어쨌든……."

"그래."

나는 그녀의 말을 잘랐다.

"놈의 애라면 모두 마찬가지겠지."

그녀의 피곤한 얼굴이 한층 더 혼란스러워졌다.

"뭐?"

하지만 나는 더 이상 말할 수 없었다. 어차피 의미 없을 테니까. 나는 절대 그녀를, 그녀 자신으로부터 구할 수 없을 것이다. 전에도 그랬던 것처럼. 그때 그녀가 눈을 깜박였고, 나는 이제야 내 말이 무슨 뜻인지 이해했다는 것을 알아차렸다.

"아. 으……. 제발, 제이콥. 이 아이를 죽이고 다른 사람의 아이를 가지라는 거야? 인공수정이라도 하라는 뜻이야? 내가 왜 모르는 사람의 아이를 가져야 해? 모르는 사람이라도 상관없다고? 아무 아기나 괜찮다고?"

이제 벨라는 거의 제정신이 아닌 것 같았다.

"그런 의미가 아냐. 모르는 사람이 아니라고."

나는 중얼거렸다. 그녀가 몸을 앞으로 숙였다.

"그게 무슨 뜻이야?"

"아무것도 아냐. 난 아무 말도 하지 않았어. 예전처럼 말이야."

"그런 생각을 대체 누가 해낸 거야?"

"그만두자. 잊어버려, 벨라."

그녀의 얼굴이 의심을 담고 찡그려졌다.

"그가 말한 거야?"

벨라가 그렇게 순식간에 모든 걸 알아차린 데 놀라서 난 잠시 주춤했다.

"아냐."

"그가 그랬지?"

"아니, 정말로 아냐. 놈은 인공수정 같은 것에 대해 얘기한 적 없어."

그러자 그녀가 표정을 누그러뜨리며 쿠션에 등을 기댔다. 지친 것 같았다. 가만히 옆쪽을 응시하며 벨라가 다시 입을 열었다. 나에게 하는 말이 아니었다.

"에드워드는 날 위해서라면 뭐라도 할 거야. 난 그를 너무 아프게 하고 있고……. 하지만 대체 무슨 생각을 하고 있는 거지? 내가 이 아기를…… 다른 사람의 아기와 바꿀 거라고……."

그녀가 손으로 배를 쓰다듬었다. 목소리가 희미하게 잦아들었고 눈은 촉촉해졌다.

"넌 놈을 아프게 해선 안 돼."

나는 속삭였다. 놈을 위해 이런 부탁을 해야 하다니, 목구멍이 독이라도 들이부은 양 화끈거렸다. 하지만 그녀를 살리기 위해서는 이 방법밖에 없다. 그래봤자 1000분의 1쯤의 확률이겠지만.

"넌 그를 다시 행복하게 해줄 수 있잖아, 벨라. 놈은 점점 더 제정신을 잃어가고 있는 것 같아. 솔직히 나도 그렇고."

이미 벨라는 내 말을 듣고 있는 것 같지 않았다. 그저 입술을 깨물며 엉망이 된 배 위에 손으로 작은 원만 그리고 있었다. 한동안 조용했다. 컬렌 가족들은 아주 멀리 가 있는 것 같았다. 어떻게든 벨라를 설득하려는 내 비참한 시도를 그들도 듣고 있을까.

"모르는 사람이 아니라고?"

벨라의 자문을 듣고 나는 움찔했다.

"에드워드가 정확히 뭐라고 한 거야?"

그녀가 낮은 목소리로 말했다.

"아무 말도. 그냥 네가 내 말은 들을 거라고 했어."

"그거 말고. 다시 시작하라는 그 얘기 말이야."

그녀의 눈이 내 눈을 응시했다. 난 이미, 너무 많은 것을 폭로한 뒤였다.

"아무것도 아냐."

그녀의 입이 조금 벌어졌다.

"와."

심장이 몇 번 뛸 시간 동안 우리 사이엔 침묵뿐이었다. 차마 그녀와 시선을 마주칠 수가 없어 다시 내 발을 내려다보았다.

"에드워드가 무슨 짓인가 하려는 거지?"

그녀가 속삭였다.

"내가 그랬잖아. 놈은 미쳐가고 있다고. 말 그대로야, 벨라."

"네가 곧이곧대로 말해주지 않는 게 놀라운데. 그냥 다 털어놓고 에드워드를 골탕 먹이는 게 어때?"

고개를 들자 벨라가 미소 짓고 있었다.

"그것도 생각해봤어."

나도 미소를 지으려 했지만 얼굴만 어색하게 일그러졌다. 벨라는 내 제안에 담긴 의미를 이해했다. 하지만 그녀에겐 재고의 가치조차 없는 일이었다. 그럴 거라는 건 이미 알고 있었다. 그런데도 마음이 아프다.

"너희들은 날 위해서라면 무슨 일이든 다 하는 것 같아. 이유를 모르겠어. 난 그럴 가치가 없는데."

그녀가 속삭였다.

"어떤 아이면 어때? 사실 차이도 없잖아. 안 그래?"

"아냐. 네가 이해할 수 있게 설명해주고 싶어. 난 이 애를 다치게 할 수 없어."

그녀가 한숨을 쉬고서 자기 배를 가리켰다.

"그건 총으로 너를 쏠 수 없는 것과 마찬가지지. 난 이 아일 사랑해."

"왜 항상 사랑해선 안 될 상대만 사랑하는 거야, 벨라?"

"난 그렇게 생각 안 해."

순간 목에 뭔가 걸린 것 같아 나는 목을 가다듬었다. 그리고 단호한 목소리로 말했다.

"아니, 내 말이 맞아."

난 자리에서 일어섰다.

"어디 가?"

"여기 있어봤자 도움도 안 되잖아."

그녀가 가느다란 팔을 뻗으며 애원했다.

"가지 마."

실은 중독이라도 된 사람처럼 여기 남아 있고 싶었다. 여기, 그녀의 곁에.

"난 여기 있을 사람이 아냐. 돌아가야 해."

"오늘은 왜 온 거야?"

여전히 힘없이 팔을 뻗은 채 그녀가 물었다.

"네가 정말 살아 있는지 보려고 왔어. 찰리는 네가 아프다고 했지만 믿을 수가 없어서."

그녀의 표정만 보아서는 내 말을 믿고 있는지 그렇지 않은지 알 수 없었다.

"다시 올 거지? 내가⋯⋯."

"이 주변을 기웃거리다가 네가 죽는 꼴을 보고 싶지는 않아."

그녀가 움찔했다.

"그래, 맞아. 네 말이 옳아. 넌 가야 돼."

나는 문으로 걸어갔다.

"안녕. 사랑해, 제이콥."

그녀가 뒤에서 속삭였다. 나는 그만 그대로 돌아설 뻔했다. 하마터면 무릎을 꿇고 애원할 뻔했다. 하지만 그녀를 포기해야 한다는 걸, 이제 완전히 '끊어야' 한다는 걸 안다. 그녀는 에드워드를 죽일 거고, 또 나까지 죽일 테니까. 내가 죽기 전에 난 그녀를 버려야 했다.

"그래, 그래."

나는 밖으로 나오면서 중얼거렸다.

뱀파이어들은 보이지 않았다. 공터에 홀로 서서 나는 오토바이에는 눈길도 주지 않았다. 이제는 오토바이도 충분히 빠르게 느껴지지 않을 것 같았다. 아빠 화를 내겠지. 또 샘도. 내가 변신하지 않은 것에 대해 무리는 어떻게 생각하고 있을까? 채 변신하기도 전에 컬렌 일가에게 당했다고 생각하고 있을까. 누가 보든 조금도 상관하지 않고 나는 옷을 벗었다. 그리고 달리기 시작했다. 중간 정도의 속도로 달렸다.

예상대로 무리는 날 기다리고 있었다.

**제이콥, 제이콥.** 안도한 여덟 개의 목소리가 하나로 합쳐졌다.

**돌아와.** 이제 알파의 목소리가 명령을 내렸다. 샘은 화가 나 있었다.

폴의 목소리가 점점 흐릿해졌다. 문득 빌리와 레이첼이 내 소식을 기다리고 있을 거라는 생각이 들었다. 폴은 내가 뱀파이어의 먹이가 되지 않았다는 반가운 소식을 전하기 위해 달려갔겠지. 내 이야기를 듣는 것도 포기하고서.

지금 돌아가는 중이라고 무리에게 굳이 말할 필요는 없었다. 내가 집으로 달려가는 동안 그들은 내 옆으로 스쳐가는 숲을 볼 수 있을 테니까. 지금 내가 제정신이 아니라는 말 역시 할 필요가 없겠지. 깨질 것 같은 이 머리를 그들도 느끼고 있을 테니까.

그 모든 끔찍한 장면들을 그들도 보았다. 벨라의 얼룩덜룩한 배, 날카롭던 목소리도. **애가 튼튼해. 그래서 그런 것뿐이야.** 화형이라도 당하는 것 같던 에드워드의 표정. 그녀가 아파하는 걸, 그녀의 생명이 꺼져가는 모습을 지켜봐야 하다니. 그 고통스러워하는 모습을 봐야만 하다니……. 벨라의 연약한 몸 위로 고개를 숙이고 있던 로잘리. **벨라의 생명은 로잘리에게는 아무것도 아냐.** 그리고 이번만은 그 누구도 아무 말 하지 못했다.

우리 무리의 충격은 내 머릿속에서 소리 없는 비명으로 울려 퍼졌다. 말 없는 경악으로.

**!!!!**

내가 목적지에 반쯤 도착할 때까지 아무도 충격에서 벗어나지 못했다. 그리고 곧 그들도 나를 맞기 위해 달리기 시작했다.

거의 밤이 되었다. 구름이 지는 해를 완전히 가렸다. 나는 고속도로를 가로질렀지만 아무도 나를 보지 못했다.

우리는 라푸시에서 16킬로미터쯤 떨어진 곳에서 만났다. 벌목꾼들이 남긴 공간이었다. 산의 두 돌출부 사이에 있는 곳으로 길에서 벗어나 있어 아무도 우리를 볼 수 없었다. 내가 무리를 발견했을 때 마침 폴도 도착해서, 우리는 전부 모였다.

내 머릿속에서 계속 떠들어대는 소리들 때문에 카오스 상태였다. 모두 동시에 소리를 질렀다. 샘이 목털을 곤두세운 채 끊임없이 으르렁대며 원 주위를 돌아 다녔다. 폴과 저레드는 귀를 머리 양쪽에 붙인 채 샘의 뒤를 그림자처럼 따르고 있었다. 다들 극도로 흥분한 모습으로 자리에서 일어서 낮게 으르렁댔다.

처음에 느낀 그들의 분노는 막연한 것이었고, 나는 내가 벌을 받을 거라고만 생각하고 있었다. 하지만 충격이 너무 심했으므로 아무래도 상관없었다. 규율을 지키지 않았으니 그들은 내게 어떤 벌이라도 줄 수 있으리라.

그때 초점 없이 뒤엉켜 있던 생각들이 함께 움직이기 시작했다.

어떻게 이럴 수 있지? 대체 무슨 얘기야? 어떻게 되는 건데?

안전하지 않아. 옳지 않아. 위험하다고.

부자연스러운 일이야. 정말 괴물 같군그래. 혐오스러워.

받아들일 수 없어.

무리는 이제 나와 누구 한 명을 제외하고는 모두 동시에 움직이고, 동시에 생각하고 있었다. 그게 누군지는 알 수 없었지만 어쨌든 그의 옆에 앉았다. 정신이 너무 멍해서 눈으로도, 마음으로도 그가 누군지 보고 인식할 수 없었다. 그동안에도 무리는 우리 주위를 돌고 있었다.

조약엔 이런 내용이 없었어.

모두 위험에 빠지고 말 거야.

난 소용돌이치는 목소리들을 이해하고, 생각들이 만들어내는 구불거리는 길을 어떻게든 좇으려 했지만 소용없었다. 그들의 생각 한가운데에는 내가 본 이미지들이 박혀 있었다. 그중에서도 최악의 것들만. 벨라의 멍, 에드워드의 끔찍한 표정.

그들도 두려워하고 있어.

하지만 그들은 아무 조치도 취하지 않을 거야.

벨라 스완을 보호해.

이 일이 우리한테까지 영향이 미치게 해선 안 돼.

한 사람의 목숨보다는 우리 가족, 그리고 주민들의 안전이 중요해.

그들이 그 애를 죽이지 않으면 우리가 해야 해.

부족을 지켜.

우리 가족을 지켜.

너무 늦기 전에 그 애를 죽여야 해.

이번에는 나의 또 다른 기억이, 에드워드의 목소리가 떠올랐다. '그건' 점점 자라고 있어. 빠른 속도로.

나는 정신을 차리고 한 사람 한 사람의 목소리에 귀를 기울였다.

시간이 없어. 저레드가 생각했다.

결국 싸우자는 얘기군. 좋지 않은 방법이야. 엠브리가 경고했다.

우린 준비가 되어 있어. 폴이 고집을 부렸다.

우리 쪽에서 기습해야 해. 샘이 생각했다.

그들을 분산시킨다면 한 명씩 무너뜨릴 수 있어. 그러면 우리가 이길 가능성이 높아. 이제 저레드는 작전을 짜고 있었다.

나는 고개를 흔들고 천천히 일어섰다. 여기 있으니 불안했다. 마치 늑대들이 빙글빙글 회전하며 현기증을 일으키는 것 같았다. 내 옆의 늑대도 일어섰다. 그의 어깨가 내 어깨를 받쳐준 덕분에 간신히 버틸 수 있었다.

기다려. 나는 생각했다.

그들은 잠깐 동안 멈췄다가 다시 움직이기 시작했다.

시간이 없어. 샘이 말했다.

대체 무슨 생각들을 하는 거지? 아까는 조약을 깬 것에 대해 그들에게 책임을 묻지 않겠다더니 이젠 조약에 위배되는 것도 아닌데 기습을 하겠다는 거야?

이건 조약에서도 언급되지 않았던 상황이야. 샘이 말했다. 하지만 주민 모두를 위험하게 할 게 분명해. 우린 컬렌 일가에서 어떤 괴물이 태어나게 될지 몰라. 하지만 그 괴물이 빠른 속도로 계속 더 강하게 자라고 있다는 건 알지. 아마 놈은 너무 어려서 조약 따위는 지키지 못할 거야. 우리가 싸웠던 어린 뱀파이어들 기억 나? 거칠고, 사납고, 이성이나 규제 같은 게 통하지 않았었지. 그런 놈이 컬렌 사람들의 보호를 받게 된다고 상상해봐.

아직 어떻게 될지 모르잖아. 내가 그의 말을 가로챘다.

아직 모르지. 샘도 동의했다. 하지만 그 미지의 녀석을 믿고 그저 운에 맡겨둘 순 없어. 컬렌 사람들이 위험하지 않다는 확신이 있어야만 그들을 살려둘 수 있다고. 이건…… 이 놈은 믿을 수가 없어.

그들도 우리처럼 놈을 반기지 않아.

샘이 내 머릿속에서 로잘리의 얼굴과 방어하듯 웅크린 자세를 끄집어내더니 모두에게 보여주었다.

놈이 뭔지는 모르겠지만, 이미 그놈을 위해 싸울 준비가 된 뱀파이어도 있어.

그냥 아기일 뿐이야, 제발.

아기인 것도 잠깐이겠지. 리가 속삭였다.

제이콥, 이건 심각한 문제야. 퀼이 말했다. 그냥 넘어갈 수 없어.

일을 괜히 크게 만들고 있는 거야. 위험에 빠진 사람은 벨라뿐이라고. 내가 반박했다.

다시 말하지만 그건 벨라의 선택이었어. 하지만 이번만큼은 그녀의 선택이 우리 모두를 위험하게 할 수도 있어. 샘의 말이었다.

난 그렇게 생각하지 않아.

위험을 자초해서는 안 돼. 흡혈귀가 우리 땅에서 사냥하도록 내버려두지는 않을 거야.

그럼 그때 떠나라고 하면 되잖아요. 여전히 날 지탱해주던 내 옆의 늑대가 말했다. 세스였다. 그래, 생각해보면 당연한 일이다.

다른 사람들은 위험 속에 내버려두고 말이지? 흡혈귀들이 어디서 사냥하든 상관없어. 우리 땅에만 들어오면 무조건 없애는 거야. 가능한 한 모두를 보호해야 해.

이건 미친 짓이야. 나는 말했다. 오늘 낮에만 해도 무리를 위험에 빠뜨릴까 봐 걱정했었잖아.

그때는 우리 가족이 위험에 빠진 걸 몰랐으니까.

말도 안 돼. 벨라를 죽이지 않고 어떻게 그놈을 죽이겠다는 거지?

아무 말이 없었다. 하지만 침묵에는 수많은 의미가 담겨 있었다.

나는 울부짖었다. 벨라도 사람이야! 그런데 그녀는 보호하지 않겠다는 거야?

어쨌든 지금 죽어가고 있잖아. 리가 생각했다. 우린 그 과정을 단축시켜줄 뿐이야.

그런 말을 하다니! 세스에게서 떨어져 나온 나는 이를 드러낸 채 그의 누나에게 다가갔다. 내가 리의 왼쪽 뒷다리를 잡으려는데 세스의 이빨이 내 옆구리로 파고들더니 나를 뒤로 끌어냈다.

나는 고통과 분노로 울부짖으며 그에게로 돌아섰다.

그만. 알파의 목소리가 명령을 내렸다.

다리가 당장이라도 꺾여 무릎을 꿇고 말 것 같았다. 나는 간신히 의지의 힘만으로 버티고 섰다.

그는 내게서 시선을 돌렸다. 제이콥에게 잔인하게 굴지 마, 리. 샘이 그녀에게 명령했다. 벨라의 희생이 너무 크지. 우리 모두 그건 인정해야 돼. 인간의 생명을 빼앗는 건 우리의 이상에도 어긋나는 일이야. 그런 규범에 예외를 만드는 건 서글픈 일이지. 우린 오늘밤 우리가 하려는 일을 애도하게 될 거야.

오늘밤이라고? 세스가 충격 받은 듯 말했다. 샘, 좀 더 의견을 들어봐야죠.

최소한 원로들과 이야기는 해봐야 할 거예요. 정말로 우리에게…….

지금은 너처럼 컬렌 일가에게 관용을 베풀 수가 없어. 토론할 시간이 없다고. 넌 시킨 대로 하면 돼, 세스.

세스가 앞발을 구부리더니 알파의 명령에 머리를 조아렸다.

무리가 전부 모여야 해. 제이콥, 넌 우리 중 가장 강력한 전사야. 그러니 오늘 밤 우리와 함께 싸워야 해. 네게 힘든 일이라는 건 알고 있어. 그러니 넌 그쪽 전사들에게만 집중하도록 해. 에밋과 재스퍼 말이지. 넌…… 다른 일에는 끼어들지 마. 퀼과 엠브리가 너와 함께 싸울 거야.

내 무릎이 떨렸다. 알파의 목소리가 내 의지력을 뒤흔드는 동안 난 온 힘을 다해 꼿꼿이 서 있었다.

폴, 저레드, 그리고 난 에드워드와 로잘리를 맡을 거야. 제이콥이 가져온 정보에 따르면 벨라를 지키는 건 그 둘일 것 같군. 칼라일과 앨리스도 근처에 있겠지. 아마 에스미도. 브래디, 콜린, 세스, 그리고 리가 그들을 상대할 거야. 그리고 누구든 가까이(우리 모두 그가 벨라의 이름을 얼버무리고 있다는 걸 알아차렸다) 접근하게 되면 그 괴물을 끝장내는 거다. 우리 목표는 그 괴물을 없애는 거야.

무리는 샘의 말에 동의하면서도 불안한 듯 웅성거렸다. 긴장으로 모두의 털은 곤두섰다. 그들이 서성이는 속도도 빨라졌고, 발톱이 소금기 있는 흙에 파고들면서 발소리는 더욱 날카로워졌다.

나와 세스만 움직이지 않았다. 이빨을 드러내고 귀를 머리에 붙인 채 태풍처럼 움직이는 무리들 사이에서 유일하게 고요한 우리는 태풍의 눈 같았다. 세스는 샘의 명령에 코가 바닥에 닿을 정도로 머리를 조아리고 있었다. 나는 다가오는 배신의 순간에 대해 세스가 느끼는 고통을 느낄 수 있었다. 그에게는 이 모든 게 배신이었으니까. 지난날 에드워드 옆에서 싸웠던 세스는 진심으로 뱀파이어와 친구가 되어 있었다.

그러나 세스는 저항할 수 없다. 그는 아무리 괴롭더라도 명령에 복종할 것이다. 다른 대안이 없었으니까.

그러면 내게는 어떤 대안이 있을까? 알파가 명령하면 무리는 따른다.

샘이 이렇게까지 자신의 권위를 밀어붙인 적은 없었다. 샘은 세스가 주인 앞의 노예처럼 자신에게 무릎 꿇는 것을 싫어했다. 아마 다른 대안이 있었다면 샘도 이러지 않았을 것이다. 이렇게 우리의 마음이 서로 연결되어 있을 때는 거짓말을 할 수도 없다. 그는 벨라와 그녀의 뱃속에 있는 괴물을 없애는 게 우리의 의무라고 진심으로 믿고 있는 거다. 그리고 낭비할 시간이 없다고, 그 때문에 죽어도 좋다고도 믿고 있었다.

에드워드를 자기가 직접 상대하려는 게 샘의 계획이었다. 상대의 생각을 읽는 놈의 능력을 샘은 두렵게 여기고 있었으니까. 그러니 다른 사람에게 그런 위험을 떠넘기지 않을 것이다.

샘은 두 번째로 위험한 적이 바로 재스퍼라고 생각했다. 그래서 내게 맡긴 것이다. 그는 무리 중 내가 싸움에 이길 확률이 가장 높다고 믿고 있었다. 한편 그는 가장 쉬운 타깃들을 어린 늑대들과 리의 몫으로 남겼다. 앨리스는 미래를 보는 능력이 없으면 아무 위험도 되지 않고, 에스미는 절대 전사라고 볼 수 없다. 칼라일은 조금 힘든 상대일 수 있지만 워낙 폭력을 싫어하므로 큰 문제는 되지 않을 것이다.

샘이 무리 모두의 생존 가능성을 높이기 위해 작전을 짜는 걸 보니 메스꺼워졌다. 세스보다 더. 모든 것이 혼란스러웠다. 오늘 오후 나는 놈들을 공격하려고 안달이 나 있었다. 하지만 세스가 옳았다. 난 싸울 준비가 되어 있지 않았다. 그저 미움으로 눈이 멀었던 것뿐이다. 눈을 뜨면 보게 될 것들이 두려워서 눈을 감고 있었을 뿐이다.

칼라일 컬렌. 내 눈을 가린 미움을 걷어내고 바라보면, 그를 죽이는 게 살인이라는 사실을 부인할 수 없었다. 칼라일은 선하다. 우리가 지켜주었던 인간들만큼 선하다. 아니, 더 선했다. 어쩌면 다른 뱀파이어들도 마찬가지겠지만 칼라일만큼은 아니었다. 난 그들에 대해서는 잘 모르니까. 칼라일은 우릴 공격하지 않을 것이다. 설령 자신의 목숨을 구하기 위해서라고 해도. 그러니 우린 그를 죽일 수 있으리라. 칼라일은 자신의 적인 우리가 죽는 걸 원하지 않을 테니까.

이건 아니다. 틀렸다.

벨라를 죽이는 게 꼭 나 자신을 죽이는 것 같아서, 그러니까 자살처럼 느껴져서만은 아니었다.

정신 차려, 제이콥. 부족이 먼저야. 샘이 그렇게 명령했다.

오늘은 내가 틀렸어, 샘.

아까 내가 생각해 낸 근거들이 잘못된 거지. 하지만 이제 우리에겐 임무가 생겼어.

난 마음을 다잡았다. 그렇지 않아.

샘이 으르렁거리더니 내 앞에 멈춰 섰다. 그는 내 눈을 들여다보면서 이빨 사이로 아주 깊이 으르렁대는 소리를 냈다.

그래. 샘이 알파의 권위가 담긴 엄한 목소리로 명령했다. 오늘밤에는 아무도 빠질 수 없어. 너, 제이콥은 우리와 함께 컬렌 일가와 싸울 거야. 그리고 퀼, 넌 엠브리와 힘을 합쳐서 재스퍼, 그리고 에밋을 상대해. 너에겐 부족을 보호할 의무가 있어. 그게 너의 존재 이유야. 넌 이 의무를 따르게 될 거다.

명령에 짓눌려 내 어깨는 구부정해졌다. 내 다리는 꺾여 들어갔고, 난 땅에 배를 대고 엎드렸다.

무리 중 누구도 알파에게 반항할 수는 없다.

# 11

# 가장 하기 싫은 일 두 가지

내가 여전히 땅에 엎드려 있는 동안 샘은 다른 무리들을 움직여 대형을 만들기 시작했다. 엠브리와 퀼은 내가 조금씩 회복되어가는 모습을 지켜보며 내 옆에 있었다.

일어서서 그들을 이끌어야 할 때라는 걸 느꼈다. 그 충동이, 그리고 책임감이 점점 커졌지만 난 바닥에서 일어설 수 없었다.

엠브리가 내 귀에 대고 낮게 낑낑거렸다. 그는 내가 다시 샘의 주의를 끌까 봐 머릿속으로 아무 말도 떠올리지 않았다. 내가 일어나길, 내가 이겨내고 털어버리길 바라는 그의 말없는 애원을 느낄 수 있었다.

무리 사이를 떠도는 공포감을 나는 느낄 수 있었다. 자신뿐 아니라 무리 전체에 대한 걱정이었다. 오늘밤 우리 모두가 살아남을 수 있으리라고는 믿을 수 없다. 우리가 잃게 되는 형제는 이 중 누구일까? 누구의 마음이 우리를 떠나게 될까? 아침이 밝으면 우리는 누구의 가족을 위로하게 될까.

그런 공포들이 떠오르면서 어느덧 내 마음은 무리의 마음과 하나가 되기 시작했다. 난 땅에서 일어나 털을 흔들었다. 엠브리와 퀼이 안도한 듯 가쁜 숨을 내쉬었다. 퀼은 코로 내 옆구리를 툭 쳤다.

그들의 마음은 우리가 해야 할 도전, 우리에게 맡겨진 임무로 가득 차 있었다. 다른 뱀파이어들과의 싸움을 앞두고 컬렌 일가와 함께 훈련했던 밤들을 우리는 떠올렸다. 에밋이 가장 강했지만 재스퍼가 더 큰 문제였다. 그는 마치 번개처럼 움직였다. 힘과 스피드와 공포가 하나로 응축된 존재였다. 대체 몇 세기에 걸쳐 쌓아온 경험일까? 다른 컬렌 일가가 모두 그에게 지시받을 정도면 알 만하다.

네가 측면을 공격하고 싶다면 내가 정면을 맡을게. 퀼이 말했다. 그는 누구보다 흥분하고 있었다. 퀼은 재스퍼를 보면서 그를 상대로 자신의 실력을 시험해보고 싶어 했었다. 그건 그에게 일종의 시합 같은 것이었다. 자신의 생명이 걸려 있다는 걸 알면서도 그는 그렇게 생각하고 있었다. 폴도 마찬가지고, 아직 한 번도 싸움을 해본 적 없는 콜린이며 브래디 같은 애들도 그랬다. 상황이 지금과 좀 달랐다면 세스도 똑같지 않았을까. 그 적들이 자기 친구만 아니었다면.

제이콥? 어떻게 하고 싶어? 퀼이 나를 찔렀다.

난 그냥 머리를 흔들었다. 무엇에도 집중할 수 없었다. 그저 명령을 따라야 한다는 충동 하나로, 꼭두각시처럼 내 모든 근육에 줄이 매달린 것 같았다. 한발을 앞으로 내딛고, 이제 다른 한 발을 내딛는다.

세스는 콜린과 브래디 뒤에 있었다. 그 팀은 리가 정면을 맡았다. 그녀는 세스를 무시한 채 다른 아이들과 작전을 짜고 있었다. 척 보기에도 세스를 이 싸움에서 빼고 싶어 하는 눈치였다. 리는 남동생에게 모성애를 느끼고 있었다. 그녀는 샘이 세스를 집에 보내주기를 바랐다. 하지만 세스는 그런 리의 생각을 마음에 새기지 않았다. 그 역시 꼭두각시처럼 줄에 매달려 있었으므로.

네가 더 이상 반항하지 않는다면……. 엠브리가 속삭였다.

그냥 우리 임무에나 집중해. 그 큰 녀석들 말이야. 우린 놈들을 쓰러뜨릴 수 있을 거야. 놈들을 잡는 거라고! 퀼은 이미 마음의 준비를 하고 있었다. 마치 중요한 시합을 앞두고 격려사라도 하는 것 같았다.

내 임무 외에 아무것도 생각하지 않는다……, 사실 쉬운 일이었다. 재스퍼와 에밋을 공격하는 장면을 떠올리는 건 힘들지 않았다. 전에도 비슷한 경험이 있기 때문이다. 난 그들을 오랫동안 적으로 생각했었다. 그런 그들을 다시 적으로 돌리는 건 어렵지 않다.

그들 역시 내가 지키려는 것을 지키고 있다는 사실을 잊어야만 한다. 내가 그들이 승리하기를 바라는 이유 역시 잊어야 했다…….

제이콥, 싸움에만 집중해. 엠브리가 경고했다.

내 몸을 잡아끄는 꼭두각시 줄에 맞서 나는 느릿느릿 발을 움직였다.

애써봤자 소용없어. 엠브리가 다시 속삭였다.

그가 옳다. 샘이 밀어붙인다면 난 결국 그가 원하는 대로 할 수밖에 없다. 그리고 지금 샘은 분명 그렇게 하고 있었다.

알파가 권위를 갖는 데는 그만한 이유가 있다. 우리만큼 강한 무리라고 해도 리더가 없으면 제대로 힘을 낼 수 없다. 우리는 더 큰 힘을 발휘하기 위해 함께 움직이고 함께 생각해야 했다. 그러기 위해서는 몸뿐 아니라 머리가 있어야만 한다.

하지만 샘이 틀렸다면 어쩌지? 우리에겐 어떤 방법도 없다. 아무도 그의 결정에 이의를 달 수 없으니까.

다만.

한 가지 예외가 있었다. 내가 애써 잊고 살려 했던 그것. 하지만 내 다리가 줄에 꽁꽁 묶여버리자 이제야 그런 예외가 있다는 점에 안도하게 되었다. 아니, 안도감 이상의 격렬한 기쁨이 느껴졌다.

아무도 알파의 결정에 이의를 달 수 없다. 단 하나, 나를 제외하고는.

내 스스로 획득한 능력은 없다. 하지만 내 안에는 타고난 무엇, 내가 그냥 방치해두었던 무엇인가가 있었다.

나는 단 한 번도 무리를 이끌고 싶었던 적이 없었다. 그건 지금도 마찬가지다. 내 어깨에 모두의 운명을 짊어지고 싶지 않았다. 또 그런 일에는 나보다 샘이 적격이었다.

하지만 오늘밤, 그는 틀렸다. 그리고 나는 그에게 무릎 꿇기 위해 이 세상에 태어난 게 아니다.

내가 타고난 권리를 받아들이자마자 내 몸을 꽁꽁 묶고 있던 줄들은 떨어져나갔다.

내 안에 자유와 함께, 낯설고 또 공허한 힘이 모여드는 것을 느낄 수 있었다. 알파의 힘은 무리로부터 나오지만, 지금 내게는 무리가 없으므로 공허한 힘일 수밖에 없다. 잠깐 동안 외로움이 나를 압도했다.

지금 내게는 동료가 없다.

그래도 나는 당당하게 샘에게 다가갔다. 샘은 폴, 그리고 저레드와 함께 작전을 짜고 있었다. 내가 다가오는 소리를 듣고 샘은 고개를 돌려 바라보더니 검은 눈을 가늘게 떴다.

안 돼. 내가 그에게 다시 말했다.

그는 충격을 받은 듯 날카롭게 짖어대며 반걸음쯤 뒤로 물러났다.

제이콥? 어떻게 된 거야?

난 당신을 따르지 않을 거야, 샘. 잘못된 명령을 따를 수는 없어.

그가 멍하니 나를 바라보았다. 넌…… 가족이 아니라 적을 선택하려는 거야?

놈들은—난 정신을 맑게 하려고 머리를 흔들었다—그들은 적이 아냐. 단한 번도 우리의 적이었던 적 없었어. 진심으로 그들을 없애야겠다고 생각하고 나니 그 사실을 깨닫게 됐지.

235

샘이 나를 향해 으르렁거렸다. 넌 놈들 때문에 그러는 게 아냐. 벨라 때문이잖아. 그녀는 절대로 네 여자가 될 수 없어. 널 선택하지 않았으니까. 그런데도 넌 그녀 때문에 네 인생을 망치고 있어!

듣고 싶지 않았지만 사실이었다. 나는 심호흡을 했다.

아마 그 말이 맞겠지. 하지만 당신은 벨라 때문에 우릴 죽이려 하고 있잖아. 오늘밤 우리 중 몇 명이 살아남든, 남은 자들은 늘 살인을 저질렀다는 죄책감을 안고 살아가야 할 거야.

우리는 가족을 지켜야 해!

당신이 무슨 결정을 했는지는 이미 알고 있어. 하지만 내겐 더 이상 안 통해.

제이콥! 넌 우리 부족에게 등을 돌릴 수 없어.

그는 다시 알파의 목소리를 내고 있었지만 이번에는 전혀 권위가 느껴지지 않았다. 그 목소리는 더 이상 내게 통하지 않았으므로. 샘은 이를 악물고 자신의 명령을 내게 관철시키려 했다.

나는 분노에 찬 그의 눈을 들여다보았다. 에프라임 블랙의 아들은 레비 울리의 아들을 추종하기 위해 태어나지 않았어.

이거였어, 제이콥 블랙? 그가 털을 곤두세우더니 이빨을 드러냈다. 폴과 저레드도 그의 옆에서 으르렁거리며 털을 곤두세웠다. 네가 나를 쓰러뜨린다 해도 무리는 널 따르지 않을 거야.

깜짝 놀란 나는 목에서 낑낑대는 소리를 내며 뒤로 물러섰다.

당신을 쓰러뜨려? 난 당신과 싸우지 않을 거야.

그럼 네 계획은 뭔데? 난 옆으로 가만히 비켜서서 네가 우리 부족을 대가로 뱀파이어 새끼를 지키는 꼴을 두고 보지는 않을 거야.

난 당신더러 옆으로 비켜서라고 한 적 없어.

네가 무리에게 너를 따르라는 명령을 내린다면—.

난 절대로 누구의 의지도 빼앗지 않을 거야.

그는 꼬리를 앞뒤로 흔들다가 내 말에 움찔했다. 샘이 앞으로 나오자 우리는 마주보고 선 자세가 되었다. 우리는 서로 몇 센티미터의 거리를 두고 이빨을 드러냈다. 이제야 내가 그보다 크다는 것을 알아차렸다.

알파는 둘일 수 없어. 무리는 나를 선택했어. 넌 오늘밤 무리를 갈라놓을 생각인가? 네 형제들을 배신하고서? 아니면 이 미친 짓을 끝내고 다시 무리로 돌아올 거야? 그의 말은 명령에 가까웠지만 내겐 효력이 미치지 않았다. 알파의 피는 내 혈관을 타고 진하게 흐르고 있었다.

왜 알파가 둘일 수 없는지 나 역시 알 수 있었다. 나의 권리를 지켜내야 한다는 본능이 몸 속 깊은 곳으로부터 솟구치는 것을 느낄 수 있었다.

나는 온 힘을 다해 그런 본능을 억제했다. 샘과 아무 의미도 없는 파괴적인 싸움을 벌이지는 않을 것이다. 이렇게 서로 맞서고는 있지만 여전히 그는 내 형제였다.

이 무리에 알파는 하나뿐이야. 난 거기 반기를 들겠다는 게 아냐. 그저 내 의지대로 움직이고 싶은 거지.

배신자가 되겠다는 거야, 제이콥?

난 움찔했다.

모르겠어, 샘. 하지만 난―.

내 목소리에서 알파의 권위가 느껴지자 샘은 뒷걸음질 쳤다. 내 목소리는 그의 목소리가 내게 느끼게 했던 것보다 더 큰 권위를 그에게 발휘하고 있었다. 나는 태어나면서부터 그를 이끌 운명이었기 때문이다.

난 당신과 컬렌 일가 사이에 서겠어. 무리가 죄 없는(뱀파이어에게 이 말을 쓰는 게 쉽지는 않았지만 그래도 사실이었다) 사람들을 죽인다면 그냥 보고만 있지는 않을 거야. 그런 형편없는 짓은 우리와 어울리지 않아. 우린 그보다는 훨씬 나은 사람들이니까. 무리를 옳은 방향으로 이끌어, 샘.

난 그에게 등을 돌렸고 울부짖는 소리들이 공기를 갈랐다.

발톱으로 흙을 파면서 나는 스스로 불러일으킨 소란으로부터 달아났다. 시간이 많지 않았다. 적어도 리라면 나를 따라잡을 수 있으리라. 난 그냥 스타트가 빨랐던 것뿐이었으니까.

울부짖는 소리가 점점 멀어져갔다. 밤의 고요를 찢어놓는 그 소리를 들으며 난 마음이 편해졌다. 무리는 아직 나를 따라오지 않았다.

그들이 전열을 정비하고 날 잡으러 오기 전에 컬렌 일가에게 경고해주어야 했다. 컬렌 사람들이 방어태세를 갖춘다면 샘도 이 계획을 다시 생각해볼 테니. 그러니 너무 늦기 전에. 나는 내 집을 뒤로 한 채 하얀 저택을 향해 달렸다. 여전히 내가 너무도 혐오하는 그 집을 향해. 내 집은 더 이상 나의 집이 아니었다. 내 스스로 등을 돌렸으니까.

처음 시작할 때만 해도 평소와 다를 것 없던 오늘이었다. 동틀 즈음 비가 오는 가운데 순찰을 마치고 집으로 돌아와 빌리, 레이첼과 아침을 먹고, 텔레비전을 보고, 폴과 싸우고…… 그런데 어떻게 한순간에 이렇게 완전히 달라져 버릴 수 있지? 모든 게 엉망이 되어버렸다. 어쩔 수 없이 알파가 되어야 했고, 형제들이 아닌 뱀파이어를 선택하는 바람에 동료들과도 멀어졌다. 그리고 이렇게 홀로 여기 와 있다니 어떻게 이럴 수 있을까.

내가 두려워하던 그 소리가 이제 어지럽게 떠오르는 생각들을 방해했다. 커다란 발들이 부드럽게 땅을 차며 나를 뒤쫓는 소리였다. 나는 검은 숲을 지나 앞으로 달려 나갔다. 에드워드가 내 생각을 읽을 수 있을 만큼만, 그 정도 거리만 다가가면 된다. 리는 혼자서는 나를 멈춰 세우지 못할 것이다.

그때 나는, 내 뒤를 따라오는 무리의 생각들이 어떤 감정을 담고 있는지 알아차렸다. 분노가 아니라 열광이었다. 그들은 그냥 뒤쫓는 게 아니라…… 따라오고 있었다.

발걸음이 흔들렸다. 나는 두 걸음쯤 비틀대다가 겨우 다시 균형을 찾았다.

기다려. 내 다리는 제이콥 형보다 짧단 말이야.

세스! 무슨 짓이야? 집에 가!

그는 대답하지 않았다. 그러나 난 세스가 내게 다가오는 동안 그의 흥분을 느낄 수 있었다. 세스가 내 눈을 바라보는 순간 나도 그의 눈을 통해 들여다볼 수 있었다. 그 비참했던, 내게 절망만을 안겨 주었던 그날 밤은 세스에게는 희망의 순간이었다.

어느새 나는 속도를 줄였다. 세스가 갑자기 나타나 내 옆에서 나란히 달리기 시작했다.

농담하는 거 아냐, 세스! 넌 여기 오면 안 돼. 당장 사라져.

호리호리한 황갈색 늑대는 코웃음을 쳤다. 이제야 따라잡았군, 제이콥. 난 형이 옳다고 생각해. 그리고 난 샘을 지지하지 않을 거야.

아니, 넌 샘을 따르게 될 거야. 그러니 네 털북숭이 엉덩이를 도로 라푸시로 끌고 가서 샘이 시키는 대로 하란 말이야.

안 그럴 거라니까.

가, 세스!

명령하는 거야, 제이콥?

그 질문에 나는 갑자기 움찔했다. 난 발톱으로 진흙탕에 고랑을 만들며 멈춰 섰다.

난 누구에게도 명령하지 않아. 그냥 네가 이미 알고 있는 사실을 말해준 것뿐이야.

그는 내 옆에 엉덩이를 붙이고 앉았다. 그럼 내가 아는 걸 말해줄게. 지금, 지독히 조용하지 않아?

난 눈을 깜박였다. 이어 신경질적으로 꼬리를 흔들다가 세스가 무슨 생각을 하는지 겨우 깨달았다. 어떤 의미에서는 전혀 조용하지 않았다. 멀리 서쪽에서는 울부짖는 소리가 여전히 요란하게 들려왔다.

그들은 사람으로 돌아가지 않았어. 세스가 말했다.

나도 알고 있었다. 지금은 적색경보 상태였다. 그러니 서로 마음을 연결해 사방을 경계해야만 했다. 하지만 난 다른 무리의 생각을 들을 수 없었고, 오직 세스의 생각만 알 수 있을 뿐이었다. 그 외에는 누구의 것도 들을 수 없었다.

내 생각에, 서로 다른 무리로 분리되고 나면 생각이 연결되지 않는 것 같아. 우리 조상들은 그런 걸 몰랐겠지. 굳이 무리를 나눌 이유가 없었으니까. 늑대 수 자체가 많지 않으니 반으로 나눌 수도 없었을 테고. 와, 정말 조용한데. 등골이 오싹할 정도야. 하지만 좋기도 해. 그렇지 않아? 에프라임과 퀼, 레비는 우리보다 편했겠어. 셋이 떠드는 건 훨씬 나을 테니까. 아니면 둘만 떠드는 것.

입 다물어, 세스.

네, 대장.

집어치워. 무리는 둘로 나뉘어선 안 돼. 무리가 있고, 그다음에 내가 있는 거야. 그게 전부야. 아직 늦지 않았으니까 집으로 돌아가.

무리가 이미 둘로 나뉘지 않았다면 어째서 우린 다른 사람들의 생각을 들을 수 없는 거지? 형이 샘에게 등을 돌린 게, 어쩌면 중요한 의미가 되는지도 몰라. 변화 말이야. 내가 형을 따라온 데도 중요한 의미가 있고 말이야.

그래, 네 말이 맞는 것 같다. 나도 인정했다. 하지만 다시 처음으로 돌이킬 수도 있는 거야.

그는 일어서더니 동쪽으로 빠르게 걸었다. 떠들 시간 없어. 당장 움직여야 한단 말이야. 샘이……

그 말이 맞다. 이렇게 떠들고 있을 시간이 우리에겐 없었다. 난 다시 달리기 시작했다. 하지만 그렇게 빨리 달리지는 않았다. 세스는 오른쪽에서 내 뒤를 따르고 있었다. 전통적인 2인자의 자리였다.

난 다른 데로 갈 수도 있어. 승진하고 싶어서 형을 따라온 게 아냐. 세스가 약간 코를 숙인 채 그렇게 생각했다.

네가 가고 싶은 곳으로 가. 달라질 건 없으니까.

따라오는 늑대는 없었지만 우리는 동시에 조금 더 속도를 냈다. 이제는 다른 걱정이 생겼다. 내가 무리의 생각을 들을 수 없다면 일은 더 힘들어질 것이다. 컬렌 일가에게 언제 어떻게 공격이 이루어질지 경고해 줄 수 없으니까.

순찰을 돌자. 세스가 제안했다.

무리가 우리에게 도전한다면 어떻게 하지? 우리 형제를 공격해야 하는 거야? 네 누나를? 그렇게 생각하며 내 눈은 굳어졌다.

아니. 경보를 울리고 후퇴하는 거지.

멋진 대답이야. 하지만 그다음엔? 난……

알아. 세스도 동의했다. 이제 그의 자신감은 좀 줄어든 것 같았다. 난 형제들과 싸울 수 없어. 하지만 그들도 우리를 공격하는 게 행복하지는 않을 거야. 형과 내가 그렇듯이. 그래서 그들은 그냥 거기 멈추어 있는 건지도 몰라. 게다가 이젠 수도 여덟 명밖에 안 돼.

나는 잠깐 고민한 후 겨우 적당한 대답을 찾아냈다. 그렇게…… 낙관적인 생각은 그만해 둬. 짜증나니까.

좋아, 그럼 내가 좌절하길 바라? 아니면 그냥 입을 다물길 바라는 거야?

입 다무는 거.

알았어.

정말? 그런 것 같지 않은데.

그제야 그는 조용해졌다. 그리고 우리는 길을 건너 컬렌 저택을 에워싸고 있는 숲으로 진입했다. 이제 에드워드가 우리의 생각을 들을 수 있는 걸까?

'싸우러 온 게 아냐' 같은 문장을 생각하고 있어야 할 것 같은데.

해봐.

에드워드? 세스가 시험 삼아 그 이름을 불렀다. 에드워드, 거기 있어요? 아, 이러니까 꼭 바보 같네.

내가 보기에도 바보 같아, 너.

에드워드가 우리 생각을 들을 수 있을까?

이제 그 집과는 채 2킬로미터도 떨어져 있지 않았다.

아마 그럴 거야. 이봐, 에드워드. 내 목소리가 들린다면 어서 공격에 대비해, 흡혈귀야. 너희한테 문제가 생겼단 말이다.

우리한테 문제가 생긴 거지. 세스가 바로잡았다.

나무들 사이를 헤치고 나가자 잔디밭이 나타났다. 집은 캄캄했지만 비어 있지는 않았다. 에드워드는 에밋과 재스퍼를 양옆에 거느린 채 포치에 서 있었다. 창백한 불빛 속에서 그들은 눈처럼 하얗게 보였다.

"제이콥? 세스? 무슨 일이야?"

난 속도를 늦추고 몇 걸음 물러났다. 늑대의 코에는 그들의 냄새가 너무 강하게 느껴졌으므로, 온몸이 불타는 것 같았다. 세스도 머뭇거리며 조용히 낑낑대다가 내 뒤로 물러섰다.

에드워드의 질문에 답하기 위해 나는, 샘과 맞서던 순간을 떠올린 후 그 이전의 일들도 차례로 회상했다. 세스 역시 내 생각의 빈틈을 채우며 또 다른 각도에서 상황을 보여주었다. '그 혐오스러운 짓'에 이르렀을 때 우리는 생각하기를 멈췄다. 에드워드가 미친 듯 이를 갈며 포치에서 뛰어 내려왔기 때문이다.

"그들이 벨라를 죽이려 한다고?"

에드워드가 으르렁거렸다. 우리 사이에 오간 대화의 첫 부분을 듣지 못한 에밋과 재스퍼는, 억양의 변화가 없는 그 질문을 그냥 평서문으로 받아들였다. 그들은 즉시 에드워드 옆에 서더니 이빨을 드러낸 채 우리에게 다가왔다.

저기, 이봐요. 세스가 뒤로 물러났다.

"음, 아니, 그들이 아냐! 다른 늑대들, 그들이 올 거야."

에밋과 재스퍼는 크게 놀랐다. 재스퍼가 우리를 계속 바라보는 동안 에밋은 에드워드에게로 시선을 돌렸다.

"문제가 뭐래?"

에밋이 물었다.

"우리와 같은 문제야."

에드워드가 불만을 담아 그렇게 말했다.

"하지만 그들에겐 다른 계획이 있는 모양이야. 다른 사람들을 데려와. 그리고 칼라일에게 전화하고. 그와 에스미에게 당장 돌아오라고 전해."

난 불안하게 끙끙거렸다. 이제 컬렌 일가는 서로 흩어져 있었다.

"그리 멀리 있지는 않아."

에드워드가 전처럼 생기 없는 목소리로 말했다.

한번 살펴봐야겠어요. 서쪽 경계선에 갔다 올게요. 세스가 말했다.

"위험하지 않겠어, 세스?"

에드워드가 물었다. 세스와 나는 시선을 교환했다.

그렇지는 않아. 우리는 함께 생각했다. 그리고 내가 이렇게 덧붙였다. 하지만 내가 가는 게 낫겠어. 만약……

나한테 덤비지는 않을 거야. 난 그들에게 그저 꼬마일 뿐이니까. 세스가 그렇게 지적했다.

넌 내게도 그저 어린애일 뿐이야, 꼬마야.

내가 갈게요. 제이콥은 컬렌 가족들과 의논을 해야 하니까.

그는 방향을 바꾸더니 어둠 속으로 달려갔다. 난 세스에게 그 무슨 명령이든 하고 싶지 않았기 때문에 그냥 가게 내버려두었다.

에드워드와 나는 어두운 잔디밭에서 마주보고 있었다. 에밋이 전화하는 소리가 들렸다. 재스퍼는 세스가 사라진 방향을 살피고 있었다. 앨리스가 포치에 나타나더니 한참동안 불안한 눈으로 나를 바라본 후 재스퍼 옆으로 갔다. 로잘리는 벨라와 함께 집 안에 있을 것이다. 여전히 한참 빗나간 위험으로부터 그녀를 지키면서.

"또 신세를 지게 됐네, 제이콥. 너에게 이런 일을 하게 해선 안 되는 건데."

에드워드가 속삭였다. 아까 그가 부탁했던 일을 생각해보았다. 벨라를 위해서라면 놈이 넘지 못할 선 같은 건 없었다. 그래, 넌 그렇지.

에드워드 역시 그 일을 생각하고는 고개를 끄덕였다.

"그래, 네 말이 맞는 것 같다."

나는 무겁게 한숨을 내쉬었다. 음, 이번에도 역시 널 위해 이러는 건 아냐.

"그래."

그가 중얼거렸다.

오늘은 아무 도움도 주지 못해서 미안해. 벨라는 내 말을 듣지 않을 거라고 했었잖아.

"알아. 사실 나도 그녀가 그럴 거라고 생각해본 적 없어. 하지만……."

뭐든 해봐야 했겠지. 알아. 그녀는 어때? 좀 좋아졌어?

그의 목소리와 눈빛이 공허해졌다.

"더 나빠졌어."

에드워드가 작은 소리로 대답했다. 난 그 말을 받아들이고 싶지 않았다. 그래서 앨리스가 말을 걸어준 게 기뻤다.

"제이콥, 인간으로 변하면 안 돼? 무슨 일인지 알고 싶어."

앨리스가 물었다. 내가 머리를 흔드는 것과 동시에 에드워드가 대답했다.

"세스와 연락해야 해."

"그럼 네가 무슨 일인지 설명해줄래?"

그가 간결하고 딱딱하게 설명했다.

"늑대들은 벨라가 말썽의 원인이 될 거라고 믿는다더군. 그러니까 그녀의 뱃속에 든…… '그게' 위험할 거라고 여기는 거지. 위험을 제거하는 게 자신들의 의무라고 생각하고 있다고 했어. 제이콥과 세스는 우리에게 경고해주려고 무리에서 떨어져 나온 거야. 나머지는 오늘 밤에 습격할 계획이라는군."

앨리스가 치를 떠는 듯한 소리를 내며 내게서 떨어졌다. 에밋과 재스퍼는 눈빛을 교환하더니 나무들 너머를 살펴보았다.

저쪽엔 아무도 없어. 서쪽은 아주 조용하고. 세스가 보고했다.

어쩌면 우회해서 올지도 몰라.

내가 원을 그리며 돌아봐야겠어.

"칼라일과 에스미는 돌아오는 중이야. 20분이면 돼, 친구들."

에밋의 말이었다.

"방어할 준비를 해야지."

재스퍼가 말했다. 에드워드가 고개를 끄덕였다.

"안으로 들어가자."

난 세스와 주변을 돌아보겠어. 내가 너무 멀리 가서 내 생각이 들리지 않으면 내가 짖는 소리를 잘 들어.

"알았어."

그들은 사방을 경계하며 집으로 들어갔다. 그들이 모두 들어가기 전에 나는 몸을 돌려 서쪽으로 달렸다.

아직 그렇게 많이 돌아보지는 못했어. 세스가 말했다.

내가 원의 반을 맡을게. 빨리 움직이자. 그들이 우리 몰래 숨어들면 안 되니까.

세스는 갑자기 속도를 내서 앞으로 달려가기 시작했다. 우리는 조용히 달렸고 시간은 계속 흘렀다. 나는 세스 주위에서 들려오는 소음에 귀를 기울이며 그가 내리는 판단들을 다시 확인해보았다.

저쪽! 뭔가가 아주 빨리 다가오고 있어! 15분가량의 침묵 끝에 세스가 내게 경고했다.

내가 갈게!

그냥 거기 있어. 무리가 아닌 것 같아. 소리가 달라.

세스—!

세스는 미풍을 타고 날아오는 향기를 감지했고, 나도 그의 생각을 통해 그걸 알 수 있었다.

뱀파이어다. 틀림없이 칼라일일 거야.

세스, 물러서. 다른 사람일지 몰라.

아뇨, 그들이야. 내가 아는 향기거든. 잠깐만! 사람으로 변해서 설명해줘야겠어.

세스, 기다려……!

하지만 그는 가버렸다. 나는 불안해하며 서쪽 경계선을 따라 달렸다. 이 끔찍한 밤, 내가 세스를 지켜주지 못한다면 그건 창피한 일이겠지. 내가 보고 있는 앞에서 그에게 무슨 일이 생긴다면? 리는 날 조각내서 개 먹이로 던져주겠지.

그 꼬마는 맡은 임무를 아주 간단히 해치웠다. 채 2분도 지나지 않아 내 머릿속에서 그가 다시 느껴졌기 때문이다.

칼라일과 에스미 맞아. 날 보고 놀라던걸! 지금쯤은 집 안으로 들어갔을 거야. 칼라일이 고맙다고 하더라.

칼라일은 좋은 사람이야.

응. 그게 바로 우리 선택이 옳은 이유 중 하나지.

나도 그러길 바라.

왜 그렇게 기분이 안 좋아, 제이콥? 샘은 오늘밤에는 오지 않을 거야. 그런 자살 행위를 할 리가 없다고.

난 한숨을 쉬었다. 어느 쪽이든 상관없었기 때문이다.

아, 형. 샘 때문에 그러는 게 아니구나?

내가 맡은 구역의 끝부분에 이르자 난 반대방향으로 돌아섰다. 세스가 마지막으로 돌아본 지점에서 그의 냄새가 났다. 우리는 한 치의 틈도 남기지 않고 순찰을 돌았다.

제이콥, 벨라가 죽을 거라고 생각하고 있구나. 세스가 속삭였다.

그래.

불쌍한 에드워드. 아마 미쳐버리고 말 거야.

그래, 진짜로 미쳐버리겠지.

에드워드라는 이름을 들으니 또 다른 기억들이 표면으로 부글부글 끓어올랐다. 내 기억들을 읽은 세스는 소스라치게 놀라 곧 울부짖기 시작했다.

아, 저런! 안 돼! 그건 안 되는 일이야! 정말 끔찍하다, 제이콥! 형도 알고 있잖아. 그를 죽이겠다고? 믿을 수가 없어. 대체 무슨 짓을 하는 거야? 싫다고 말했어야지.

입 다물어. 닥치란 말이야, 이 멍청아! 늑대들이 다가오는 줄 알겠어.

이런! 울부짖던 세스가 입을 다물었다.

난 방향을 바꿔 집 쪽으로 달리기 시작했다. 쓸데없는 짓 하지 마, 세스. 우선은 네가 내 몫까지 보초를 서고 있어.

세스는 분노로 씨근대고 있었지만 난 그냥 무시해버렸다.

이번 건 경보가 아니었어. 문제가 생긴 게 아냐. 미안, 세스가 어려서 잊어버린 모양이야. 아직 공격은 없어. 잘못된 경보였어. 나는 집으로 다가가면서 계속 그렇게 생각했다.

잔디밭으로 들어섰을 때 어두운 창밖을 내다보고 있는 에드워드가 보였다. 그가 내 메시지를 들었는지 확인하기 위해 난 그에게 다가갔다.

아무것도 없다고. 알아들었어?

그는 고개를 한 번 끄덕였다. 이렇게 일방적인 소통이 아니었다면 훨씬 편리했을 것이다. 하지만 사실 나는, 그의 머릿속에 들어갈 수 없다는 게 기뻤다.

그는 어깨 너머로 집 안을 바라보았고 나는 그의 온몸이 떨리는 것을 보았다. 에드워드가 나더러 가라는 듯 손짓을 하더니 내 쪽은 다시 보지도 않고 눈앞에서 사라졌다.

무슨 일이야?

나는 마치 대답을 얻을 수 있기라도 한 양 그렇게 물어보았다.

잔디밭에 조용히 앉아 귀를 기울였다. 귀를 쫑긋 세우고 있으니 몇 킬로미터 떨어진 숲 속에서 세스의 부드러운 발소리가 들려오는 것 같았다. 어두운 집안에서 나는 소리는 훨씬 더 잘 들렸다.

"공격 경보가 아니었어요. 세스가 무엇 때문엔가 당황했나 봐요. 그래서 우리가 듣고 있는 것도 잊어버린 모양이에요. 세스는 아직 너무 어리잖아요."

에드워드가 내가 말한 그대로 설명했다. 생기라곤 전혀 없는 목소리였다.

"걸작이군. 간신히 걸음마 뗀 애한테 요새를 지키게 하다니."

좀 더 깊은 목소리가 투덜댔다. 에밋일 것이다.

"오늘밤 그들은 우리에게 정말 대단한 일을 해주고 있는 거다, 에밋. 엄청난 희생을 치르면서 말이야."

칼라일이 말했다.

"네, 알아요. 그냥 부러워서 그래요. 나도 밖에 나가고 싶거든요."

"세스는 샘이 지금 공격할 거라고는 생각하지 않고 있어요. 우리가 이미 경고를 받은 데다 그들 무리 중 두 명이나 빠진 상태니까."

에드워드가 기계적으로 말했다.

"제이콥은 어떻게 생각하는데?"

칼라일이 물었다.

"그는 그렇게 낙관적이지 않네요."

그리고 아무도 말이 없었다. 뭔가가 조용히 똑똑 떨어지는 소리가 들렸다. 하지만 무슨 소리인지 알 수 없었다. 그들의 나지막한 숨소리를 들었다. 그리고 벨라의 숨소리도. 더 거칠고 힘겨운 소리였다. 또 심장소리도 들을 수 있었다. 갑자기 빨라지기도 하고 때로 끊기기도 하면서 벨라의 심장은 이상한 리듬으로 뛰고 있었다. 뭐랄까……, 너무 빨리 뛰는 것 같았다. 나는 내 심장박동에 맞춰 그녀의 심장박동을 측정해보았다. 하지만 그래도 되는지는 확신할 수 없었다. 나 역시 정상은 아닌 것 같았기 때문이다.

"벨라를 건드리지 마세요! 깨겠어요."

로잘리가 속삭였다. 누군가 한숨을 쉬었다.

"로잘리."

칼라일이 중얼거렸다.

"저한테 뭐라고 하지 마세요, 칼라일. 전에 우린 칼라일 마음대로 하게 내버려뒀었죠. 하지만 그 이상은 안 돼요."

로잘리와 벨라는 이제 서로를 우리라고 부르는 것 같았다. 마치 한 패가 된 것처럼.

나는 소리 없이 집 앞으로 다가갔다. 한 걸음씩 내디딜 때마다 조금씩 집과 가까워졌다. 어두운 창문은 어느 나른한 대기실에 틀어놓은 텔레비전 같았다. 그들에게서 오랫동안 눈을 떼는 건 불가능한 일이었다.

몇 분만 더, 몇 걸음만 더. 그렇게 다가가는 동안 내 털이 포치를 쓸었다.

창문을 통해 올려다보니 벽과 천장, 불 꺼진 샹들리에가 보였다. 난 키가 크니까 목만 조금 펴면……, 그리고 포치 끝에 한 발만 올려놓으면…….

커다란 거실을 엿보면서 나는 오늘 오후에 보았던 것과 비슷한 장면을 보게 될 거라고 생각했다. 그런데 거실의 모습이 너무 판이하게 달라져서 처음엔 혼란스러웠다. 잠시 동안은 내가 다른 방을 들여다보고 있는 줄만 알았다.

유리벽은 사라졌다. 이제는 금속으로 만들어진 벽 같았다. 그리고 가구는 모두 치워져 있었고, 벨라는 휑한 거실 한가운데 놓여 있는 작은 침대에 어색하게 웅크리고 있었다. 보통 침대가 아니었다. 병원에 있는 것처럼 난간이 달린 침대였다. 역시 병실에서 그러듯 모니터가 벨라의 몸에 연결되어 있었고, 여러 개의 튜브가 그녀의 살갗에 붙어 있었다. 모니터가 반짝였지만 소리는 나지 않았다. 뭔가가 똑똑 떨어지는 소리는 그녀의 팔에 연결된 정맥 주사기에서 나는 소리였다. 분명치는 않지만 흰색의 진한 액체가 그녀의 몸으로 주입되고 있는 것 같았다.

벨라는 불편하게 잠들어 있었다. 가끔 숨이 막혀 하는 것 같았다. 에드워드와 로잘리가 다가가 그녀 위로 몸을 숙였다. 벨라가 꿈틀대면서 흐느끼기 시작했다. 로잘리가 벨라의 이마를 쓰다듬었다. 에드워드의 몸이 굳었다. 내게 등을 보이고 있었지만, 나는 그래도 그의 표정을 생생히 볼 수 있었다. 에밋이 재빨리 에드워드를 끌어내고 손을 들어보였다.

"오늘밤은 안 돼, 에드워드. 다른 일이 있잖아."

에드워드는 그들에게서 몸을 돌렸다. 다시 화형이 시작된 것 같았다. 그는 마치 불에 타고 있는 사람처럼 보였다. 잠깐 동안 그의 눈이 내 눈과 마주쳤고, 난 바닥으로 내려와 네 발로 섰다.

세스와 합류하기 위해 나는 어두운 숲으로 달려갔다. 그렇게 그 모든 것으로부터 달아났다.

더 나빠졌어. 그래, 그녀는 더 나빠진 거다.

# 12
# 환영 받지 못하는 손님도 있다

거의 잠이 들려던 참이었다.

한 시간 전에 구름 뒤로 해가 떴고, 숲은 이제 검은색이 아닌 회색이 되었다. 한 시쯤 세스는 몸을 웅크린 채 잠들었고, 새벽이 되자 나는 교대를 하기 위해 그를 깨웠다. 밤새도록 달렸는데도 머릿속에 온갖 생각이 떠올라 잠들 수가 없었다. 하지만 세스의 규칙적인 발소리가 도움이 되었다. 하나, 둘—셋, 넷, 하나, 둘—셋, 넷—쿵, 쿵—쿵, 쿵. 세스가 컬렌 집안의 땅 주변을 원을 그리며 도는 동안 축축한 대지 위에 둔탁하게 발이 부딪히는 소리가 났다. 우리가 지나다닌 땅에는 이미 작은 길이 생겨났다. 세스는 머리를 텅 비운 상태였다. 그저 그가 숲을 스쳐가는 동안 초록색과 회색만이 흐릿하게 보일 뿐이었다. 평온했다. 덕분에 내 머릿속은 내가 직접 본 이미지들이 아닌 세스가 본 장면들로 채워졌다.

그때 세스의 날카로운 울음소리가 이른 아침의 고요를 갈랐다.

나는 땅에서 비틀거리며 일어섰다. 내 뒷발이 미처 준비하기도 전에 앞발은 벌써 전속력으로 달려 나가고 있었다. 세스가 얼어붙어 있는 그 곳으로 달려가는데, 우리 쪽으로 달려오는 발소리가 세스의 귀를 통해 들려왔다.

안녕, 친구들.

충격에 빠진 듯 세스가 이빨 사이로 낑낑대는 소리를 냈다. 그때 그로부터 감지된 새로운 생각 때문에 우린 둘 다 으르렁거렸다.

오, 이런! 가, 리! 세스가 투덜댔다.

세스 곁에 도착한 나는 멈춰 서서 머리를 뒤로 젖히고는 다시 울부짖을 준비를 했다. 이번에는 잔소리를 늘어놓을 차례였다.

조용히 해, 세스.

알았어. 윽! 윽! 윽! 세스는 낑낑거리면서 앞발로 땅을 긁어댔고 땅에는 깊게 홈이 팼다.

이제야 걸어오는 리의 모습을 볼 수 있었다. 그녀의 작은 회색 몸이 덤불을 헤치고 나왔다.

낑낑대지 마, 세스. 넌 아직 아기야.

난 귀를 머리에 바짝 붙인 채 그녀에게 으르렁댔다. 자동적으로 그녀는 한 걸음 물러섰다.

무슨 짓이야, 리?

그녀가 무겁게 한숨을 내쉬었다. 빤하잖아? 나도 이 시시한 배신자 무리에 끼려는 거지. 뱀파이어들을 지키는 개가 되려고. 리는 냉소적으로 웃었다.

이러지 마. 네 뒷다리를 물어뜯기 전에 돌아가.

날 잡을 수나 있어? 그녀는 씩 웃더니 몸을 웅크리고 달려 나갈 준비를 했다. 달리기 시합할래, 용감한 대장?

나는 심호흡을 하며 내 폐를 공기로 가득 채웠다. 옆구리가 부풀 정도로. 그러고는 내가 소리를 지르지 않을 수 있다는 확신이 들었을 때에야 다시 공기를 토해냈다.

세스, 가서 컬렌 가족에게 알려. 멍청한 네 누나가 온 것뿐이라고. 난 최대한 거친 단어를 생각해내려 했다. 내가 처리한다고.

멋진데! 세스는 기꺼이 내 말에 복종하며 집 쪽으로 사라졌다.

리는 어깨 털을 곤두세운 채 애처롭게 짖어대며 세스의 뒷모습을 지켜보았다. 쟤 혼자 뱀파이어들에게 보내는 거야?

너와 1분이라도 더 있느니 그들과 있는 게 나을걸.

입 닥쳐, 제이콥. 이런…… 미안해. 그러니까 내 말은, 닥치라고, 알파 폐하.

대체 여긴 왜 온 거야?

내 동생이 뱀파이어의 장난감이 되러 갔는데 편히 앉아 있을 줄 알았어?

세스는 네 보호를 원하지도, 필요로 하지도 않아. 이곳에 있는 누구도 널 원하지 않는다고.

우우, 아얏. 엄청나게 아픈걸. 하. 그녀가 짖었다. 누구든 날 원하는 사람이 있으면 알려 줄래? 그럼 여기서 사라져 줄 테니.

세스 때문에 이러는 거 아니지?

세스 때문 맞는데. 그냥, 거부 당하는 게 처음은 아니라는 뜻이었어. 거부당하든 말든 상관없다고.

나는 이를 갈면서 정신을 차리려 애썼다.

샘이 보냈어?

샘의 심부름으로 온 거라면 넌 내 생각을 들을 수 없겠지. 난 더 이상 그에게 충성하지 않아.

나는 주의 깊게 그 단어들 속에 숨은 생각에 귀를 기울였다. 이게 계략이라면 정신을 차리고 꿰뚫어보아야만 했다. 하지만 그런 건 없었다. 그녀의 말은 진실이었다. 어쩔 수 없이 털어놓는, 거의 자포자기에 가까운 진실.

이제는 내게 충성을 바친다고? 참도 그러겠군. 내가 냉소적으로 답했다.

어차피 선택할 수 있는 건 제한되어 있어. 난 내게 주어진 선택들을 활용하고 있는 것뿐이고. 사실 이런 상황이 싫은 건 너보다 내가 더해. 날 믿어.

그건 사실이 아니었다. 그녀의 마음에는 일종의 흥분 같은 게 깃들어 있었다. 그녀는 이 상황에 행복해하지는 않았지만, 한편으로 이상하게 들떠 있었다. 나는 그녀의 마음을 탐색하며 이해하려 애썼다.

그녀는 내가 자신의 마음을 훑는 동안 분노하고 또 초조해했다. 난 대개 리의 생각에는 귀를 기울이지 않았다. 전에는 그녀를 이해하려는 노력을 한 번도 한 적이 없었다.

그때 세스가 끼어들었고, 우리는 그가 에드워드에게 설명하는 장면을 머릿속으로 볼 수 있었다. 리가 걱정스러운 듯이 낑낑거렸다. 지난밤과 같은 창문에 나타난 에드워드는 아무런 반응도 보이지 않았다. 죽은 듯 공허한 얼굴이었다.

아, 정말 안 좋아 보이는데. 세스가 혼자 생각했다. 하지만 뱀파이어는 이 생각에도 아무 반응을 보이지 않았다. 그가 곧 집 안으로 사라졌다. 세스는 몸을 돌려 우리 쪽으로 돌아왔다. 리는 긴장을 조금 풀었다.

무슨 일이야? 설명 좀 해봐. 리가 말했다.

그럴 필요 없어. 넌 여기 있지 않을 테니까.

그래, 알파 씨. 난 누군가의 밑에 있어야 하기 때문에 널 선택한 거야. 나도 벗어나려고 하지 않았던 건 아냐. 하지만 그게 얼마나 소용없는 짓인지는 너도 알잖아.

리, 넌 나를 좋아하지 않아. 나도 너를 좋아하지 않고.

아, 그거 고맙네. 하지만 중요하지 않아. 난 세스 곁에 있을 거야.

넌 뱀파이어들을 좋아하지 않아. 바로 거기서 서로의 이해가 갈린다고 생각하지 않아?

너도 뱀파이어를 좋아하지 않잖아.

난 이 동맹을 지키기로 했어. 하지만 넌 아냐.

난 그들과 거리를 둘 거야. 세스처럼 여기서 순찰을 돌면 되겠지.

나더러 널 믿으라고?

리는 자신의 키를 내게 맞추기 위해 목을 죽 빼더니 발끝으로 서서 몸을 늘어뜨렸다. 그리고 나서 그녀가 내 눈을 들여다보았다. 난 내 무리를 배신하지는 않을 거야.

세스가 그랬던 것처럼 나도 머리를 뒤로 젖히고 울부짖고 싶었다. 여긴 네 무리가 아냐! 아니, 여기 무리는 없어. 난 혼자 떨어져 나온 것뿐이야. 너희 클리어워터 남매는 대체 왜 그러는 거야? 왜 날 혼자 두지 않는 건데?

세스는 이제 우리 뒤에서 슬프게 울었다. 내가 세스를 기분 나쁘게 한 것이다. 좋았어.

내가 도움이 되지 않았어, 제이콥?

넌 큰 골칫덩이는 아냐. 하지만 너와 리가 함께라면, 리를 보낼 수 있는 유일한 방법이 네가 집에 가는 거라면…… 음, 네가 사라지길 바란대도 날 원망하지는 않겠지?

윽, 리. 누나가 다 망치고 있잖아!

그래, 알아. 리가 세스에게 말했다. 그녀의 마음속에 있는 것은 무거운 절망이었다.

나는 그 두 단어 속에서 고통을 느꼈다. 내가 생각했던 것 이상의 고통이었다. 그 아픔을 나는 함께 느끼고 싶지 않았다. 분명 무리는 그녀에게 심하게 굴었다. 하지만 그건 모두 그녀의 머릿속을 장악한 끔찍한 비탄 때문이었다. 그 비통함 때문에 그녀의 머릿속을 들여다보는 것 자체가 악몽이었기 때문이다.

세스도 죄책감을 느꼈다. 제이콥…… 날 정말로 보내지는 않을 거지? 리는 그렇게 나쁜 사람이 아냐. 정말이야. 누나가 있으면 더 넓은 지역까지 순찰을 돌 수 있잖아. 그리고 샘의 무리는 일곱으로 줄게 되고, 샘도 수가 적으면 성급하게 공격하지 못할 거야. 좋은 일이잖아…….

내가 무리를 이끌고 싶어 하지 않는다는 건 너도 알잖아, 세스.

그럼 우릴 이끌지 않아도 돼. 리가 말했다.

내가 냉소했다. 멋진 얘기네. 당장 집으로 가.

제이콥. 세스가 생각했다. 난 이쪽 편이야. 난 뱀파이어들이 좋아. 컬렌 사람들 말이야. 내게 있어 그들은 인간이고, 난 그들을 지킬 거야. 그게 우리가 할 일이니까.

꼬마야, 넌 이쪽 편이 맞지만 네 누나는 아니란다. 그런데 네 누나는 내가 있는 곳이라면 어디든 갈 테니…….

갑자기 나는 말을 멈췄다. 뭔가를 보았기 때문이다. 리가 지금껏 생각하지 않으려 노력했던 무엇인가를.

리는 어디에도 가지 않을 것이다.

세스 때문인 줄 알았는데. 내가 심술궂게 생각했다.

리가 움찔했다. 물론 난 세스 때문에 여기 있는 거야.

그리고 샘과 떨어지기 위해서.

리가 이를 악물었다. 네게 설명할 의무는 없어. 명령을 받은 것도 아니니까. 난 네 무리에 속해, 제이콥. 자, 이제 끝.

난 으르렁거리며 그녀 곁에서 걸어 나왔다.

제기랄. 난 절대로 리를 쫓아내지 못할 것이다. 그녀가 나를 싫어하는 마음, 컬렌 일족을 혐오하는 마음, 지금 당장 그들을 죄다 죽이고 싶어 하는 마음, 하지만 그러는 대신 그들을 지켜야 하는 데 대한 분노……. 그중 어느 것도, 겨우 샘에게서 자유로워졌다는 마음과 비교할 것이 못되었기 때문이다.

리는 나를 좋아하지 않는다. 그러니 내가 아무리 그녀가 사라지길 바란다 해도 그녀에게는 별 상관없는 일이었다.

리는 샘을 사랑하고 있었다. 아직까지도. 그런데 샘은 리가 사라지길 바랐고, 그건 그녀가 참고 살아가기에는 너무 큰 고통이었다. 그런데 이제 겨우 대안이 생겼다. 그게 어떤 상황이라도 리는 받아들였을 것이다. 컬렌 사람들의 개가 될지라도.

아니, 그렇게까지 하게 될지는 모르겠는걸. 리는 최대한 거칠고 공격적인 말을 생각해내려 했지만 별 효과가 없는 것 같았다. 그 전에 일단 여러 번 자살시도를 하게 될 테니까.

저기 말이야, 리…….

아니, 너도 알잖아, 제이콥. 더 이상 싸우지 말자. 소용없는 짓이잖아. 방해하지 않을게, 응? 네가 시키는 대로 하겠어. 샘에게 돌아가라고만 하지 마. 샘에게 들러붙어서 불쌍한 전 여자 친구 노릇만 하지 않게 해줘. 내가 떠나길 원한다면, 넌 나를 없애야 할 거야. 그녀가 엉덩이를 대고 앉더니 내 눈을 똑바로 바라보았다.

난 잠깐 동안 분노로 울부짖었다. 샘이 나나 세스에게 한 짓에도 불구하고 이제는 그를 이해할 수 있을 것 같았다. 그가 무리에게 항상 명령을 내린 건 너무 당연한 일이었다. 명령 말고 다른 어떤 방법이 있었을까?

세스, 내가 네 누나를 죽이면 화낼 거야?

그는 잠깐 생각하는 척했다. 음…… 아마 그럴 거예요.

난 한숨을 쉬었다.

그래. 그러면 말이지, 내가 원하는 건 뭐든 하겠다는 분! 네가 아는 걸 좀 들려주는 건 어때? 어젯밤에 우리가 떠나고 나서 무슨 일이 있었어?

수도 없이 울부짖었지. 하지만 그건 들었을 테고. 너무 시끄러워서 한참 후에야 우리는 너희들의 생각을 더 이상 들을 수 없다는 걸 알았어. 샘은……. 리는 더 이상 말을 잇지 못했지만 우리는 머릿속 생각을 통해 볼 수 있었다. 그 장면을 보고 세스와 나는 움찔했다. 우리는 모든 계획을 재고해봐야 했어. 우선 샘은 오늘 아침에 원로들과 이야기를 해보기로 했지. 그리고 우리는 모여서 작전을 짜기로 했고. 지금 당장은 공격하지 않을 거야. 너랑 세스는 도망쳤고 뱀파이어들은 이미 경고를 받았으니, 이제 그들을 공격하는 건 자살 행위나 마찬가지거든. 그들이 어떻게 나올지는 몰라. 하지만 내가 흡혈귀라면 혼자 숲을 배회하지는 않겠어. 이제 곧 뱀파이어 사냥시즌이 올 테니.

오늘 아침에 모여서 무슨 이야기를 했는지는 말하지 않을 거야? 내가 물었다.

어젯밤에 조를 짜서 순찰을 돌 때 난 집에 보내달라고 했어. 무슨 일이 생겼는지 엄마에게 알려야 할 것 같아서.

젠장! 엄마한테 말한 거야? 세스가 으르렁거렸다.

세스, 남매간의 이야기는 나중에 해. 계속해봐, 리.

그렇게 사람으로 변하고 나서 생각해볼 틈이 생겼어. 음, 그래, 밤새도록 생각했지. 다른 사람들은 내가 자는 줄 알았을 거야. 하지만 무리가 둘로 나뉘고, 무리의 마음도 두 개로 나뉘고 보니 생각할 게 많았어. 내게는 세스의 안전, 그리고 어, 다른 이점들이 중요하게 여겨졌으니까. 얼마간이 될지는 몰라도 배신자가 되어야 하는 데다, 뱀파이어 냄새를 맡아야 하지만 말이야. 내가 어떤 결정을 했는지는 이미 알겠지. 엄마에게 쪽지를 남겨뒀어. 샘이 알게 되면 우리가 들을 수 있을 거라고 생각해.

리는 서쪽을 향해 귀를 쫑긋거렸다.

그렇겠군. 나도 동의했다.

그게 전부야. 이제 뭘 해야 하지? 리가 물었다.

그리고 그녀와 세스는 기대감이 가득한 표정으로 나를 바라보았다. 이런 건 정말 하고 싶지 않았는데.

지금은 그냥 감시만 해야겠지. 우리가 할 수 있는 건 그게 전부야. 낮잠이라도 자, 리.

너도 나만큼 못 잤잖아.

시키는 대로 한다며?

알았어. 아주 입이 닳겠네. 리가 투덜대더니 하품을 했다. 그래, 뭐든 상관 없어.

난 경계선을 살펴볼게, 제이콥. 조금도 피곤하지 않으니까. 세스는 집으로 쫓겨나지 않은 게 기쁜지 흥분해서 껑충거렸다.

그래, 그래. 난 컬렌 사람들에게 갔다 오겠어.

세스는 축축한 땅에 생긴 새 길을 따라 달렸다. 리는 생각에 잠긴 채 그의 뒷모습을 바라보았다.

자기 전에 한두 바퀴 돌아볼까……. 세스, 내가 널 몇 바퀴나 앞서는지 궁금하지 않아?

응!

낮게 킥킥거리는 소리를 내며 리는 세스를 따라 숲으로 들어갔다.

소용없다는 걸 알면서도 나는 으르렁거렸다. 평화와 고요는 이제 끝났다.

리는 애쓰고 있었다. 그녀 자신을 위해. 원을 그리며 달리는 동안 리는 최대한 흥분을 억누르려 했지만 그녀의 의기양양한 기분을 쉽게 알아차릴 수 있었다. "둘이면 좋은 짝, 세 사람 이상이면 남"이라는 속담에 대해 생각했다. 그 속담이 꼭 맞는 건 아니었다. 왜냐하면 내게는 한 명도 많았기 때문이다. 하지만 셋이어야 한다면 리 대신 누구를 버릴까? 생각나는 사람이 없었다.

폴은 어때? 그녀가 제안했다.

그럴 수도. 내가 말했다.

그녀는 웃었다. 너무 들뜨고 흥분한 상태라 화도 내지 못하는 것 같았다. 샘의 동정을 받지 않아도 된다는 흥분이 과연 얼마나 지속될까?

난 잔디밭에서 몇 미터 떨어진 지점에서 다시 인간으로 변했다. 여기서 이 모습으로 오래 있을 계획은 아니었다. 하지만 내 머릿속에 계속 리를 담아두는 것도 내키지 않았다. 너덜대는 바지를 입고서 나는 잔디밭을 가로질렀다.

내가 계단에 도착하기 전에 문이 열렸다. 에드워드 대신 칼라일이 맞이하는 바람에 나는 깜짝 놀랐다. 칼라일의 얼굴은 지치고 무기력해 보였다. 잠깐 동안 심장이 얼어붙었다. 나는 비틀거리며 멈춰 섰다. 말을 할 수 없었다.

"괜찮니, 제이콥?"

칼라일이 물었다.

"벨라는요?"

숨이 막혀왔다.

"벨라는…… 어젯밤이랑 똑같아. 나 때문에 놀랐니? 미안해. 에드워드가 그러더구나. 네가 인간의 모습으로 찾아올 거라고. 에드워드가 벨라 곁을 떠나지 않으려고 해서 내가 대신 맞으러 온 거야. 벨라는 깨어 있단다."

에드워드는 벨라와 함께 하는 시간을 한순간도 놓치고 싶지 않은 거다. 남은 시간이 얼마 없기 때문에. 칼라일이 그렇게 입 밖에 내어 말하진 않았지만 결국 마찬가지다.

마지막 순찰을 돌기 전에 잤으니까 잠을 못 잔 지 한참 되었다. 이제는 졸음을 느낄 수 있었다. 나는 앞으로 한 걸음 걸어 나와 포치 계단에 앉았다. 그러고는 난간에 기댔다. 칼라일이 속삭이듯 조용히 다가왔다. 그러고는 나랑 같은 계단에 앉아 반대쪽 난간에 몸을 기댔다.

"어젯밤엔 고맙다는 인사를 할 틈도 없었구나, 제이콥. 네가 보여준…… 연민에 대해 내가 얼마나 고마워하는지 모를 거야. 네가 이러는 이유가 벨라를 지키기 위해서라는 거 알아. 하지만 그 덕분에 나머지 우리 가족도 안전할 수 있었단다. 에드워드에게 들었어. 네가 어떤 일을 해 주었는지……."

"그 이야기는 하지 마세요."

난 중얼거렸다.

"네가 원한다면."

우리는 조용히 앉아 있었다. 집 안에서 다른 사람들의 소리가 들려왔다. 위층에서 에밋, 앨리스, 재스퍼가 작은 목소리로 심각하게 대화하는 중이었다. 에스미는 다른 방에서 음조에 잘 맞지 않는 노래를 흥얼거리고 있었다. 로잘리와 에드워드의 숨소리가 나란히 들려왔다. 그 둘의 숨소리는 서로 구분하기 힘들었지만, 힘겹게 헐떡이는 벨라의 숨결만은 알아들을 수 있었다. 또 그녀의 심장 소리도 들을 수 있었는데, 그건…… 고르지 않았다.

운명은 내가 하지 않겠다고 맹세했던 그 모든 일들을 24시간 안에 죄다 해치우게 하려는 모양이었다. 이곳에서 어슬렁거리며 그녀가 죽기를 기다리고 있다니. 더 이상은 듣고 싶지 않았다. 듣는 것보다는 말하는 게 나을 것 같았다.

"당신에게 있어 벨라는 가족인가요?"

"그래. 벨라는 이미 내 딸이란다. 사랑하는 딸."

"하지만 당신은 벨라가 죽게 내버려두고 있잖아요."

한동안 그가 말이 없었으므로 나는 고개를 들었다. 칼라일의 얼굴은 아주, 아주 피곤해 보였다. 그의 기분을 나는 알 수 있었다.

"네가 어떻게 생각하는지 알고 있어. 하지만 난 벨라의 의지를 무시할 수 없단다. 벨라 대신 결정을 내리고 그걸 강요하는 건 옳지 않으니까."

마침내 그가 그렇게 말했다. 나는 화를 내고 싶었지만 그럴 수가 없었다. 마치 그가, 내가 했던 말의 순서만 뒤섞어 그대로 내게 뱉어놓은 것 같아서였다. 전에는 나도 그렇게 생각했지만 지금은 다르다. 벨라가 죽어가고 있으니까. 지금도 샘에게 무릎을 꿇고, 내가 사랑하는 사람을 죽이는 일에 가담할 수밖에 없었던 그 때의 기분을 기억한다. 물론 두 상황이 완전히 똑같은 것은 아니었지만. 샘은 틀렸다. 그리고 벨라는 사랑해서는 안 될 것을 사랑했다.

"벨라가 살아날 가능성이 있을까요? 그러니까 뱀파이어가 되든 어떻든 말이에요. 벨라가 나한테…… 에스미에 대해 이야기해준 일이 있어요."

"가능성은 반반이란다. 난 뱀파이어의 독이 기적을 만드는 걸 봤단다. 하지만 독이 듣지 않는 경우도 있어. 지금은 벨라의 심장이 너무 혹사당하고 있어서 말이다. 만약 실패하게 되면…… 나도 어쩔 수 없단다."

그가 조용히 대답했다. 칼라일의 말을 강조하듯 벨라의 심장이 뛰다가 주춤거렸다.

어쩌면 지구가 거꾸로 돌아가고 있을지도 모르겠다. 그것만이 어제와는 정반대가 되어버린 이 상황을 설명해줄 수 있을 테니. 어떻게 내가 세상에서 가장 끔찍하다고 생각했던 그 일을 이젠 바라게 되었을까?

"놈이 벨라에게 무슨 짓을 하고 있는 거죠? 어젯밤에 그녀는 훨씬 더 안 좋아 보였어요. 봤어요……. 그 튜브 같은 것들 말이에요. 창문으로요."

내가 그에게 속삭였다.

"태아가 그녀의 몸과 맞지 않는 거다. 우선은 너무 강해. 하지만 벨라는 한동안은 견딜 수 있을 거야. 더 큰 문제는 태아 때문에 벨라가 필요한 영양분을 받아들이지 못한다는 거지. 지금 벨라의 몸은 어떤 형태의 영양분도 거부하고 있단다. 정맥주사를 놓아봤지만 흡수하지 못했어. 상태는 점점 더 나빠지고 있어. 지금 그녀는 굶어 죽어가고 있고, 난 그걸 멈출 수도 또 늦출 수도 없단다. 뱃속의 아이가 원하는 게 뭔지 모르겠어."

그의 지친 목소리는 끝에 가서 형편없이 갈라져 나왔다. 어제 그녀의 배에 퍼져 있던 검붉은 얼룩을 보았을 때와 같은 기분이었다. 화가 났고, 또 미칠 것 같기도 했다.

나는 몸이 떨리지 않도록 주먹을 꼭 쥐었다. 벨라를 아프게 하는 그놈이 싫다. 놈은 안에서 벨라를 때리는 것에 만족하지 않았다. 아니, 이젠 그녀를 굶겨 죽이고 있었다. 아니면 먹어치울 대상을 찾고 있는 건지도 모른다. 놈은 아직 다른 누군가를 죽일 수 있을 만큼 크지 않기 때문에 벨라의 생명을 빨아먹고 있는 것이다. 남김없이.

놈이 뭘 원하는지 난 정확히 말해줄 수 있다. 죽음과 피, 피와 죽음. 내 피부가 달아오르고 따끔거리기 시작했다. 어떻게든 진정하기 위해 정신을 집중하고 심호흡을 했다.

"그게 정확히 뭔지 알았으면 좋겠어. 태아가 아주 단단히 싸여 있어서 초음파로도 잡히지 않는구나. 양막에 주사를 찔러 넣을 수 있을지 모르겠어. 로잘리가 허락하지 않겠지만."

칼라일이 중얼거렸다.

"주사요? 그게 어떤 식으로 도움이 되는데요?"

내가 물었다.

"태아에 대해 더 많이 알수록 앞일을 정확하게 예측할 수 있을 테니까. 약간의 양수만 얻을 수 있다면, 염색체 숫자라도 안다면……."

"제 생각도 좀 해주셨으면 좋겠는데요, 선생님. 좀 쉽게 얘기해주세요."

그가 한 번 웃었다. 여전히 피곤한 웃음소리였다.

"좋아. 생물 시간에 어디까지 공부했지? 염색체에 대해선 배웠나?"

"아마도요. 우리의 염색체는 스물세 쌍이죠?"

"인간이라면 그렇지."

나는 눈을 깜박였다.

"당신은 염색체가 몇 갠데요?"

"스물다섯 쌍."

난 잠깐 동안 내 주먹을 보며 얼굴을 찡그렸다.

"그게 무슨 뜻이에요?"

"우리 종은 완전히 다르다는 뜻이지. 사자와 고양이의 관계보다 더 먼

관계라는 거야. 하지만 이 태아를 보니…… 음, 생각보다 우리는 유전적으로 가까운 모양이다. 벨라와 에드워드에게 경고해줬어야 하는데."

그가 슬프게 한숨 쉬었고, 나도 긴 한숨을 내뱉었다. 그런 것도 몰랐다니. 그 때문에 에드워드를 미워하는 건 쉬운 일이었다. 난 아직도 그가 미우니까. 하지만 칼라일에게는 그런 마음이 들지 않았다. 아마도 내게 칼라일을 질투하는 마음은 없어서일 것이다.

"염색체 수를 아는 게 도움이 될 거야. 태아가 인간에 가까운지 뱀파이어에 가까운지 알 수 있을 테니까. 무슨 일이 벌어질지 예측할 수 있다면……. 아니, 어쩌면 도움이 안 될지도 몰라. 그저 난 뭔가 연구할 것이, 할 일이 필요한 건지도 모르겠구나."

칼라일이 어깨를 으쓱해 보였다.

"내 염색체는 어떤지 궁금해요."

내가 입에서 나오는 대로 중얼거렸다. 과거의 언제인가처럼 나는, 올림픽의 도핑테스트를 생각하고 있었다. 그때도 DNA 스캔을 할까?

칼라일이 좀 머뭇대더니 기침을 했다.

"넌 스물네 쌍이었지, 제이콥."

난 눈썹을 치켜 올리고서 천천히 고개를 돌려 그를 바라보았다. 칼라일은 당황한 것 같았다.

"난…… 그냥 궁금해서. 6월에 너를 치료했을 때 검사해봤단다."

난 잠깐 동안 생각했다.

"화를 내야 할 텐데, 실은 상관없어요."

"미안하다. 물어봤어야 하는 건데."

"괜찮아요, 선생님. 해를 입히려던 건 아니잖아요."

"그래, 약속해. 너에게 나쁘게 할 마음은 없었다. 단지…… 너희 종이 흥미로워서. 여러 세기를 살다 보니 뱀파이어의 특성들이 내게는 너무 평범하게 느껴졌어. 네 가족과 인간의 차이점이 훨씬 더 흥미롭게 보이더구나. 거의 마법 같았지."

"비비디 바비디 부."

내가 중얼거렸다. 마법이라니 칼라일도 꼭 벨라 같군. 칼라일은 피곤한 듯이 웃었다.

그때 집 안에서 에드워드의 목소리가 들렸고 우리는 대화를 멈추고 귀를 기울였다.

"금방 올게, 벨라. 칼라일과 얘기 좀 해야겠어. 로잘리, 같이 가주겠어?"

에드워드의 목소리는 좀 달라진 것 같았다. 생명력이라곤 없던 목소리에 조금이나마 생기가 돌았다. 불꽃 같은 것. 엄밀히 말하면 희망이라기보다 희망을 갖고 싶은 열망에 가까운.

"무슨 일이야, 에드워드?"

벨라가 거친 목소리로 물었다.

"걱정하지 마. 잠깐이면 돼. 갈래, 로잘리?"

"에스미? 나대신 벨라 좀 봐주세요."

로잘리가 소리쳤다.

"그래."

에스미가 대답했다. 에스미가 계단을 내려오는 동안 가벼운 바람 소리가 들렸다.

칼라일이 몸을 틀어 문 쪽을 바라보았다. 에드워드가 먼저 밖으로 나오고 그 뒤를 로잘리가 따랐다. 그의 얼굴은, 목소리가 그랬듯 더 이상 죽어 있지 않았다. 에드워드는 뭔가에 잔뜩 집중하고 있는 것 같았다. 한편 로잘리는 미심쩍어하는 눈치였다. 에드워드가 문을 닫았다.

"칼라일."

그가 중얼거렸다.

"왜 그러니, 에드워드?"

"우리가 뭔가 실수하고 있는 것 같아요. 방금 제이콥과 대화하는 걸 들었어요. 그리고 칼라일이…… 태아가 원하는 것에 대해 이야기할 때 제이콥이 흥미로운 생각을 했거든요."

내가? 내가 무슨 생각을 했지? 놈에 대한 증오 말고 다른 게 있었던가? 하지만 그놈을 미워하는 건 나만이 아니었다. 에드워드도 '태아'라는 부드러운 표현을 사용하는 게 사실 힘겨워 보였다. 에드워드가 말을 이었다.

"그 생각을 못하고 있었어요. 우린 지금까지 벨라가 필요한 것만 주려고 했죠. 하지만 그녀의 몸은 마치 우리 몸처럼 반응했어요. 아무래도…… 태아에게 필요한 것부터 생각해야 할 것 같아요. 태아를 만족시켜주면 벨라를 돕는 것도 쉬워질 거예요."

"이해하기 힘들구나, 에드워드."

칼라일이 말했다.

"생각해보세요, 칼라일. 녀석이 인간보다 뱀파이어에 가깝다면, 뭘 원하고 또 뭘 먹지 않을까요? 제이콥은 그걸 알아낸 거예요."

또 나? 아까 내가 무슨 생각을 했었는지 기억해내기 위해 난 칼라일과의 대화를 떠올려보았다. 칼라일이 그 답을 생각해낸 것과 동시에 나도 기억을 떠올릴 수 있었다. 칼라일이 놀란 목소리로 물었다.

"태아가…… 갈증을 느낀다는 거냐?"

로잘리가 작게 으르렁대는 소리를 냈다. 이제 그녀는 더 이상 의심스러워하지 않았다. 그녀의 기분 나쁠 만큼 완벽한 얼굴은 환하게 빛났고, 눈은 흥분으로 커졌다.

"물론."

로잘리가 그렇게 중얼거리더니, 내 쪽은 쳐다보지 않고 이렇게 덧붙였다.

"칼라일, 벨라를 위해 Rh-O형의 피를 보관해두었잖아요."

"흠."

칼라일은 턱에 손을 대더니 생각에 잠겼다.

"난…… 그렇다면 가장 좋은 방법은 뭘까……."

로잘리가 고개를 흔들었다.

"생각할 시간 없어요. 하던 대로 해요."

"잠깐……, 잠깐! 벨라에게 피를 마시게 한다고요?"

내가 물었다.

"네가 생각해낸 거잖아, 개야."

로잘리가 여전히 나를 보지 않은 채 얼굴을 찡그렸다. 그녀의 말을 무시해버리고 나는 칼라일을 바라보았다. 에드워드의 얼굴에 깃들어 있던 희미한 희망의 흔적을 이제는 의사의 눈에서도 볼 수 있었다. 그는 입을 내민 채 생각에 잠겼다.

"그건……."

입을 열었지만 적당한 단어를 찾을 수 없었다.

"괴상한 짓이라고? 혐오스럽다고?"

에드워드가 말했다. 내가 시인했다.

"그래, 거의 맞췄어."

"하지만 그걸로 벨라가 나아진다면?"

그가 다시 속삭였고, 난 화가 나서 고개를 흔들었다.

"어떻게 할 건데? 벨라 목에 튜브라도 끼울 참이야?"

"벨라에게 물어볼 거야. 우선 칼라일과 이야기해보고 싶었어."

로잘리가 고개를 끄덕였다.

"아기에게 좋은 일이라면 벨라는 뭐든 할 거야. 튜브로 피를 넣는 것도."

아기라는 말을 할 때 로잘리의 목소리는 너무 달콤했다. 그때 깨달았다. 이 금발의 뱀파이어가, 생명을 빨아먹는 작은 괴물을 위해서라면 무엇이든 하리라는 것을. 이거였어? 그들 둘을 하나로 묶어주고 있던, 알 수 없는 뭔가는? 로잘리는 아이 때문에 이러는 거였어?

곁눈질을 하니 에드워드가 내 쪽은 쳐다보지도 않고 고개를 한 번 끄덕이는 게 보였다. 내 질문에 대한 대답이었다.

허. 얼음처럼 차가운 바비 인형이 모성애를 지녔을 줄은 몰랐는데. 벨라를 지키기 위해서라고? 아마 로잘리는 벨라의 목에 자기 손으로 직접 튜브를 끼워 넣을 것이다. 에드워드의 입매가 굳어지는 걸 보고 다시 내 생각이 옳다는 걸 알았다.

"떠들고 있을 시간 없어요. 칼라일, 무슨 생각하시는 거예요? 어서 해봐요."

로잘리가 재촉했다. 칼라일은 깊이 숨을 들이쉬더니 자리에서 일어섰다.

"벨라에게 물어보자."

금발의 뱀파이어가 새침하게 미소 지었다. 그녀는 벨라에게 결정권이 주어질 경우 자기 뜻대로 되리라는 걸 확신하고 있었다.

나는 계단에서 일어나 집 안으로 사라지는 그들을 따라갔다. 이유는 정확히 모르겠다. 그저 병적인 호기심 때문이었을 것이다, 아마도. 마치 공포영화 같았다. 사방이 괴물과 피뿐인 그런 공포영화. 어쩌면 점점 떨어져가던 마약 기운을 보충할 또 한 번의 기회를 거부할 수 없었을지도 모른다.

벨라는 병원 침대에 늘어져 있었고 그녀의 배는 시트 아래에 산처럼 솟아 있었다. 그녀는 무색의 투명한 밀랍 같았다. 숨을 쉬느라 가슴이 조금씩 오르내리는 것을 제외하면 거의 죽은 것처럼 보였다. 그때 벨라의 눈이 피곤하고 의심스러운 듯이 우리 넷을 좇았다.

다른 사람들은 재빨리 거실을 가로질러 이미 침대 곁에 서 있었다. 그 장면을 보고 있으니 소름이 돋았다. 나는 천천히 걸어갔다.

"무슨 일이에요?"

벨라가 꺼칠한 목소리로 속삭였다. 그리고 떨리고 있는 밀랍 같은 손을 들어올렸다. 마치 풍선 모양의 배를 보호하려는 것처럼.

"제이콥이 너를 도울 방법을 생각해냈어."

칼라일이 말했다. 난 좀 그냥 빼주지. 내가 제안한 건 아무것도 없다. 다 그녀의 흡혈귀 남편이 생각해낸 것일 뿐.

"그건…… 유쾌한 일은 아닐 거야. 하지만—."

"아기를 위해 좋은 일이야. 아기에게 영양을 공급할 더 좋은 방법을 찾아냈거든. 가정이긴 하지만."

로잘리가 끼어들었다. 벨라의 눈꺼풀이 떨렸다. 그러더니 그녀는 희미하게 소리 내어 웃었다.

"유쾌하지 않다고? 이런, 뭔가 엄청난 일인가 보네."

그렇게 속삭이고서 그녀는 자신의 팔에 매달려 있는 튜브를 보며 다시 깔깔댔다. 금발의 뱀파이어가 따라 웃었다.

벨라는 몇 시간밖에 살지 못할 사람 같았다. 분명 끔찍한 고통을 겪고 있을 텐데도 농담을 하는 모습이 정말 벨라다웠다. 모두의 긴장을 풀어주고 위로해주려는 거다.

에드워드는 로잘리 주위를 걸어 다녔다. 어떤 유머도 긴장된 그의 표정을 풀어주지 못했다. 난 그게 기뻤다. 그가 나보다 더 힘들어한다는 사실이 어느 정도는 위안이 되었다. 그가 벨라의 한 손을 잡았다. 여전히 벨라의 다른 손은 부풀어 오른 배를 감싸고 있었다.

"벨라, 너에게 괴상한 일을 부탁할 거야."

그는 내게 들려주었던 형용사를 그대로 사용했다.

"혐오스러운 일이야."

음, 적어도 그는 정직하게 말하고 있었다. 벨라가 얕고 불안한 숨을 밸으며 그렇게 물었다.

"얼마나 심한데?"

"태아가 너보다는 우리와 가까운 식성을 가진 것 같다. 지금 그 앤 갈증을 느끼는 것 같아."

칼라일이 대답했다. 벨라가 눈을 깜빡였다.

"아, 아."

"네 상태, 그러니까 너희 둘의 상태는 급격히 나빠지고 있어. 더 구미에 맞는 방법을 생각해낼 시간이 없단다. 이 가설을 검증해볼 가장 빠른 방법은……."

"마셔야겠네요."

그녀가 속삭이고서, 살짝 고개를 끄덕였다. 고개 한 번 끄덕이는 것조차 너무도 힘들어 보였다.

"할 수 있어요. 미래에 대비해서 한 번 해보죠, 뭐."

그녀는 에드워드를 보면서 창백한 입술에 살짝 미소를 떠올렸다. 그러나 에드워드는 미소 짓지 않았다. 로잘리가 참을성 없게 발끝으로 바닥을 두드리기 시작했다. 그 소리는 정말이지 짜증났다. 저 여잘 당장 벽으로 던져버린다면 그녀는 어떻게 나올까?

"그럼 누가 회색 곰을 잡아다줄 거야?"

벨라가 속삭였다. 칼라일과 에드워드는 재빨리 시선을 교환했다. 로잘리는 발동작을 멈췄다.

"왜?"

벨라가 물었다.

"그보다 더 효과적인 방법이 있어, 벨라."

칼라일이 말했다.

"태아가 피를 갈망한다면, 동물의 피를 원하는 게 아닐 거야."

에드워드가 설명했다.

"너에게는 별로 다른 점이 없을 거야, 벨라. 그러니까 거기에 대해선 생각하지 마."

로잘리가 용기를 주었다. 벨라의 눈이 커졌다. 그녀가 숨을 헐떡이더니 나를 향해 눈을 깜빡였다.

"누구?"

"난 여기 피를 주러 온 게 아냐, 벨라. 게다가 놈이 원하는 건 인간의 피라고. 그런데 난 거기 해당되지 않는……."

내가 투덜거렸다.

"우리한테 피가 있어."

내가 미처 말을 끝내기도 전에 로잘리가 말했다. 마치 내가 이곳에 없는 것처럼.

"너한테 필요할까 봐 준비해뒀어. 아무 걱정하지 마. 잘 될 거야. 느낌이 좋아, 벨라. 아기는 훨씬 좋아질 거야."

벨라의 손이 배를 쓰다듬었다.

"음. 내가 굶어 죽어가니까, 분명 아기도 그렇겠지."

벨라는 거의 들리지 않게 말했다. 또 농담을 하려는 것이다.

"해보자. 내가 처음으로 해보는 뱀파이어 짓이네."

## 13

# 비위가 좋아졌으니 잘된 건가?

칼라일과 로잘리는 순식간에 위층으로 올라갔다. 그들이 피를 데워야 할지 어떨지 논쟁하는 소리가 들려왔다. 윽. 이 저택 여기저기에 공포의 집에나 있을 만한 것들이 잔뜩 숨어 있는 건 아닌지 궁금해졌다. 피로 가득한 냉장고, 그럴싸하군. 또 뭐가 있을까. 고문실? 관이 즐비한 방?

에드워드는 벨라의 손을 잡고 있었다. 그의 얼굴에선 다시 생기가 사라지고 없었다. 조금 전에 가졌던 희미한 희망의 빛을 지켜낼 에너지조차 없는 것 같았다. 둘은 서로의 눈을 들여다보았지만 끈적대는 눈빛은 아니었다. 마치 눈으로 대화를 하고 있는 것 같았다. 그들을 보고 있으니 샘과 에밀리가 떠올랐다.

아니, 통속적인 끈끈함이 없어 더 지켜보기 힘들었다.

항상 이런 장면을 지켜보아야 했던 리도 마찬가지였겠지. 항상 샘의 생각을 들어야만 했던 리. 물론 우리 모두 그녀를 안타깝게 생각했다. 그걸 모를 만큼 잔인하지는 않다. 우리가 그녀를 비난한 이유는, 그녀의 태도 때문이었다. 모두에게 공격적이고, 남들 전부를 자신처럼 비참하게 만들려던 태도.

하지만 이젠 그녀를 비난하지 않을 것이다. 어떻게 이 비참함을 다른 사람들에게 전염시키지 않을 수 있을까? 이렇게도 비참한 마음을 다른 누군가에게 아주 조금이나마 떠넘기지 않고 어떻게 살 수 있을까? 나는 리와 한 무리고, 내 자유를 빼앗아갔다고 그녀를 비난할 수 없다. 나도 같은 짓을 할 테니까. 그것이 이 고통에서 탈출하기 위한 하나의 방법이라면, 나 역시 그렇게 하고 말 테니까.

로잘리는 눈 깜짝할 사이에 다시 1층으로 내려왔다. 그리고 강렬한 향기를 풍기며 날카로운 바람처럼 방안을 돌아다녔다. 로잘리가 부엌으로 들어갔고, 찬장 문이 열리는 소리가 났다.

"보이지 않게, 로잘리."

에드워드가 그렇게 중얼거리며 눈알을 굴렸다. 벨라는 호기심을 느끼는 것 같았지만, 에드워드는 그녀에게 고개를 흔들어보였다. 로잘리는 거실로 돌아왔다가 다시 사라졌다.

"이거 네 생각이었어?"

벨라가 속삭였다. 내가 들을 수 있도록 그녀는 힘겹게 목소리를 키웠다. 목소리는 거칠었다. 내 청력이 남다르다는 걸 잠시 잊어버린 것 같았다. 내가 보통의 인간들과 다르다는 걸 그녀가 잊고 있는 게 좋았다. 나는 벨라가 힘들어 하지 않도록 곁으로 다가갔다.

"나더러 뭐라고 하지 마. 네 뱀파이어가 제멋대로 내 머릿속에서 빼낸 거니까."

그녀는 살짝 미소 지었다.

"널 다시 못 볼 줄 알았어."

"나도 그럴 줄 알았어."

내가 말했다. 여기 서 있으니 기분이 이상했다. 뱀파이어들은 가구를 모두 치우고 거실을 병실처럼 꾸몄다. 그들에게는 힘든 일이 아니었을 것이다. 돌덩이에겐 서 있는 거나 앉아 있는 거나 별 차이가 없을 테니까. 뭐 나한테도 마찬가지였을 것이다. 너무 피곤한 상태만 아니었다면.

"에드워드한테 얘기 들었어. 미안해."

"괜찮아. 샘이 시켜대는 게 오죽 많았어야지. 어차피 언젠가 터질 일이었어."

나는 거짓말을 했다.

"세스에게도 미안해."

벨라가 속삭였다.

"걘 외려 좋아하고 있는걸."

"너희를 곤란하게 만들고 말았네."

나는 한번 웃었다. 웃는다기보다는 짖는 것 같았다. 벨라는 살짝 한숨을 쉬었다.

"뭐 새로운 소식 없지?"

"없어."

"가도 돼. 이런 모습 볼 필요 없잖아."

벨라가 간신히 그렇게 뱉어냈다. 그래, 가도 된다. 어쩌면 가는 게 더 좋을 수도 있으리라. 하지만 내가 지금 떠나면, 그녀 인생의 마지막 15분을 영원히 놓쳐버릴지도 모른다.

"갈 데가 없어."

나는 감정을 드러내지 않으려 애썼다.

"늑대가 되는 것도 내키지 않는단 말이야. 리가 끼어들어 버렸거든."

"리?"

벨라가 놀랐다.

"벨라에게 이야기 안 했어?"

내가 에드워드에게 물었다. 에드워드는 벨라의 얼굴에서 눈을 떼지 않은 채 어깨만 으쓱해 보였다. 지금 벌어지고 있는 더 중요한 사건들에 비하면, 그에게는 그다지 흥미로운 소식이 아니었던 모양이다. 하지만 벨라에게는 그렇지 않았다. 그녀에게는 나쁜 소식이 된 것 같았다.

"왜?"

그녀가 숨을 헐떡였다. 난 그 소설만큼이나 긴 이야기를 들려주고 싶지 않았다.

"세스를 감시하려고."

"하지만 리는 우리를 싫어하잖아."

그녀가 속삭였다. 우리라, 멋진데. 하지만 나는 그녀가 진심으로 걱정하고 있다는 걸 알 수 있었다.

"리는 아무도 귀찮게 하지 않을 거야."

나만 빼고 말이지.

"리는 이제 내 무리 안에 들어왔어."

그 말을 하면서 나는 얼굴을 찡그렸다. 그리고 다시 덧붙였다.

"그래서 내 지시를 따르게 됐지."

윽. 벨라는 믿지 않는 것 같았다.

"리가 무서운 거지? 하지만 너도 그 사이코패스 같은 금발머리랑 동지가 됐잖아."

위층에서 낮게 씩씩대는 소리가 났다. 좋았어, 그 여자가 내 말을 들었구나. 벨라는 내게 얼굴을 찡그려보였다.

"그러지 마. 로잘리가…… 알면 어떡해."

"그 여잔 네가 죽을 걸 알면서도 신경 안 써. 결국 그 돌연변이만 무사하면 된다는 거지."

나는 툴툴거렸다.

"바보 같은 말 좀 그만해, 제이콥."

그녀가 속삭였다. 벨라는 너무 허약해져서 화를 내지도 못했다. 나는 웃어보려 애썼다.

"나한테 그게 가능할 것 같아?"

잠깐 동안 참던 벨라는 결국 웃음을 터뜨렸다. 그녀의 창백한 입술 끝이 살짝 올라갔다.

그때 칼라일과 '그 사이코패스' 가 나타났다. 칼라일은 손에 흰색의 플라스틱 컵을 들고 있었다. 뚜껑과 빨대가 달려 있는 컵이었다. 아, '보이지 않게' 라고 했었지. 이제야 나는 그 뜻을 알아차렸다. 에드워드는 벨라가 자신이 무얼 마시는지 생각하지 않기를 바랐던 것이다. 컵 안에는 무엇이 들었는지 전혀 보이지 않았다. 하지만 나는 그 냄새를 맡을 수 있었다.

칼라일이 컵을 든 손을 반쯤 내밀고 머뭇거렸다. 그걸 본 벨라가 다시 겁에 질렸다.

"다른 방법도 있어."

칼라일이 조용히 말했다.

"아니에요. 해볼게요. 시간이 없잖아요……"

벨라가 속삭였다. 처음에는 벨라가 드디어 사태를 파악하고 자신을 걱정하게 된 줄로만 알았다. 그런데 그때 배를 감싸고 있던 그녀의 손이 약하게 떨렸다.

벨라가 손을 내밀더니 컵을 받았다. 그 손이 약간 떨려서 나는 컵 안의 액체가 출렁이는 소리를 들을 수 있었다. 벨라는 팔꿈치를 침대에 대고 몸을 일으키려 했지만 머리도 들지 못했다. 채 하루도 지나지 않았는데 이렇게 약해지다니, 내 등줄기를 따라 가벼운 열기가 느껴졌다.

로잘리가 갓난아기를 안듯이 한 팔로 벨라의 어깨를 감싸고 다른 팔로는 머리를 받쳐주었다. 저 금발머리에겐 모든 게 다 아기로 보이나보군.

"고마워."

벨라가 속삭이고서 우리를 훑어보았다. 아직 수줍음을 느낄 만큼 그녀는 의식이 또렷한 것 같았다. 그렇게 탈진해 있지만 않았다면 분명 얼굴을 붉혔을 것이다.

"저들은 신경 쓰지 마."

로잘리가 중얼거렸다. 그 말을 듣자 몹시 거북해졌다. 아까 벨라가 가라고 했을 때 갔어야 했는데. 난 여기 사람이 아니니까. 지금 몰래 빠져나갈까도 생각했지만 그러면 벨라가 더 힘들어할 것이다. 그리고 이 상황을 헤쳐 나가는 게 더 어려워질지도 모른다. 그녀는 내가 혐오를 견디지 못하고 나가버린 걸로 알 테니까. 사실 그 생각이 거의 사실에 가깝기는 했다.

"벨라, 우리가 좀 더 쉬운 방법을 찾아볼게."

에드워드가 컵 쪽으로 손을 뻗었다.

"코를 막아."

로잘리가 말했다. 그리고 에드워드의 손을 물어뜯기라도 할 것처럼 노려보았다. 그 여자가 진짜 그렇게 했으면 좋겠다. 그럼 에드워드가 당장 저 금발머리의 팔다리를 뜯어놓겠지. 난 정말로 그 꼴이 보고 싶은데.

"아냐, 그런 게 아냐. 그냥…… 음, 냄새가 좋은데."

벨라는 숨을 들이쉬고서 작은 목소리로 말했다. 난 침을 삼키고 역겨운 표정을 짓지 않으려 애썼다.

"좋아. 우리가 제대로 하고 있다는 뜻이니까. 마셔봐."

로잘리가 여전히 흥분한 채로 벨라에게 말했다. 그 금발 머리의 표정을 보니 당장 터치다운댄스를 춰대지 않는 게 놀라울 정도였다.

입술 사이에 빨대를 밀어 넣은 벨라는 눈을 감고 코를 찡그렸다. 벨라의 손이 떨릴 때마다 피가 출렁이는 소리가 들렸다. 그녀는 1초쯤 피를 찔끔 찔끔 마시더니 여전히 눈을 감은 채 조용히 신음소리를 냈다. 에드워드와 나는 동시에 앞으로 한 발 내디뎠다. 에드워드가 벨라의 얼굴을 만졌다. 나는 두 손을 등 뒤로 돌린 채 꼭 쥐었다.

"벨라……"

"괜찮아. 맛있어."

그녀가 속삭이고서 눈을 뜨고 그를 바라보았다. 그녀의 표정은…… 미안해 보였다. 애원하고 있다. 그리고 두려워하고 있었다. 내 뱃속에서 쓰고 신 위액이 당장이라도 쏟아져 나올 듯 일렁였다. 나는 이를 갈았다.

"좋아. 좋은 징조야."

금발 머리가 여전히 신나서 말했다. 에드워드는 손으로 벨라의 얼굴을 누른 채 손가락으로 그녀의 연약한 뼈들을 감싸고 있었다.

벨라가 한숨을 쉬더니 다시 빨대를 물었다. 이번에는 피를 정말 많이 빨아 들였다. 그렇게 약하던 벨라지만 이번만은 그렇지 않았다. 마치 어떤 본능이 시키는 것 같았다.

"속은 어때? 메슥거리지 않니?"

칼라일이 물었다. 벨라가 고개를 흔들었다.

"아뇨, 메스껍지 않아요. 잘했지, 응?"

그녀가 속삭였다. 로잘리가 밝게 미소 지었다.

"잘했어."

"그렇게 말하기는 조금 이른 것 같은데, 로잘리."

칼라일이 중얼거렸다. 벨라는 피를 또 한 모금 삼키더니 이번엔 에드워드를 바라보았다.

"이것 때문에 내 '기록'이 엉망이 되는 거 아냐? 아니면 내가 뱀파이어가 된 다음부터 셀 거야?"

그녀가 속삭였다.

"아무도 세지 않아, 벨라. 어차피 죽은 사람은 없으니까. 네 기록은 아직 깨끗해."

그가 생기 없이 미소 지었다. 도저히 못 알아들을 말들뿐이었다.

"나중에 설명해줄게."

에드워드가 말했다. 목소리가 너무 낮아서 마치 숨소리 같았다.

"뭘?"

벨라가 속삭였다.

"혼잣말이야."

그가 아무렇지 않게 거짓말을 했다. 에드워드의 계획이 성공해 벨라가 살아나게 된다면, 언젠가 벨라의 감각은 에드워드만큼 날카로워질 것이다. 그러면 에드워드도 이런 식으로 쉽게 넘어갈 수는 없겠지. 아마 정직해져야 할 것이다.

에드워드가 입술을 씰룩거리며 미소를 짓지 않으려 애썼다.

벨라는 우리 너머에 있는 창문으로 시선을 돌리고 몇 모금 더 빨아들였다. 아마도 우리가 여기 없다고 생각하려는 것 같았다. 아니면 나만 없다고 생각하든지. 나 말고는 어느 누구도 그녀가 하고 있는 일에 혐오감을 느끼지 않을 테니까. 오히려 그들은 당장이라도 그녀의 손에서 컵을 빼앗고 싶을 거다.

에드워드가 눈동자를 굴렸다. 이런, 어떻게 저런 놈이랑 살 수 있지? 그가 벨라의 생각을 들을 수 없는 게 정말 유감이다. 그렇기만 했다면 벨라도 에드워드에게 엄청나게 짜증이 났을 거고, 결국에는 질려버리고 말았을 텐데.

에드워드가 킥 소리를 내며 한 번 웃었다. 벨라의 눈이 즉시 그에게로 향했다. 에드워드의 얼굴이 즐거워 보이자 그녀는 희미하게 미소를 지었다.

"뭐가 재미있어?"

"제이콥."

그가 대답했다. 벨라는 지친 미소를 띠고 나를 보았다.

"제이콥이 웃기기는 하지."

그녀도 동의했다. 좋아, 난 이제 궁정의 어릿광대로군.

"짜잔."

내가 작게 북소리를 흉내 냈다. 벨라는 미소 지으면서 다시 한 모금 빨아들였다. 빨대로 공기가 빨려 들어가면서 요란한 소리가 났으므로 나는 움찔했다.

"다 마셨다."

그녀가 기쁜 듯 말했다. 목소리가 전보다 또렷해져 있었다. 거칠기는 했지만 아까처럼 속삭이는 소리는 아니었다.

"제가 이걸 토하지 않으면 내 몸에 달린 주삿바늘들을 모두 빼주실 거예요, 칼라일?"

"가능한 한 빨리 빼줄게. 솔직히 그 주삿바늘들은 효과도 없단다."

그가 약속했다. 로잘리는 벨라의 이마를 두드렸고, 그 둘은 희망에 찬 눈빛을 교환했다.

인간의 피가 즉시 효과를 나타냈다는 걸 누가 보더라도 알 수 있었다. 혈색이 돌아오면서 벨라의 밀랍 같던 뺨은 살짝 분홍빛을 띠었다. 이제 그녀에게 로잘리의 도움은 별로 필요할 것 같지 않았다. 호흡은 편안해졌고, 심장박동도 전보다 강해졌다.

모든 것에 가속도가 붙고 있었다. 에드워드의 눈에 깃들어 있던 희미한 희망의 흔적은 이제 현실이 되었다.

"더 마실래?"

로잘리가 재촉했다. 벨라가 어깨를 늘어뜨렸다. 에드워드가 로잘리를 노려보더니 벨라에게 말했다.

"당장은 더 마시지 않아도 돼."

"응, 알아. 그런데…… 더 마시고 싶어."

벨라가 시무룩하게 대답했다. 로잘리가 가늘고 날렵한 손가락으로 벨라의 길고 부드러운 머리카락을 쓰다듬었다.

"창피해하지 마, 벨라. 네 몸은 욕구를 느낄 수밖에 없어. 우리 모두 이해하고 있어."

처음에 그녀는 달래는 목소리로 말하다가 거칠게 이렇게 덧붙였다.

"이해하지 못하는 사람은 여기 있으면 안 되겠지."

당연히 내 얘기였다. 하지만 난 저 금발여자한테 지지는 않을 것이다. 벨라가 호전되어서 이렇게 기쁜데, 저런 말 정도에 화낼 것 같아? 내가 무슨 말이라도 할 것 같아?

칼라일이 벨라에게서 컵을 받았다.

"금방 올게."

칼라일이 없는 동안 벨라가 나를 바라보았다.

"제이콥, 안 좋아 보여."

벨라가 쉰 목소리로 말했다.

"누가 누구한테 뭐라는 거야."

"진짜야. 너 대체 언제 잔 거야?"

난 잠깐 생각해보았다.

"흠. 모르겠어."

"아, 제이콥. 이젠 네 몸까지 걱정해줘야 하는구나. 바보같이 굴지 마."

나는 이를 갈았다. 그녀는 스스로를 죽여 괴물을 살리려 하고 있다. 그러면서 나더러는 고작 며칠간 자지 않고 자신을 지켜보는 것조차 허락할 수 없다는 걸까.

"좀 쉬어. 위층에 침대가 있으니까. 아무데나 누워."

벨라가 말을 이었다. 하지만 로잘리의 표정을 보니 아무데나 누우면 안 될 것 같았다. 영원히 잠들지 않을 그녀에게 대체 왜 침대가 필요한 건지 궁금해졌다. 소도구가 욕심났던 걸까?

"고마워, 벨라. 하지만 난 땅에서 자는 게 좋아. 악취가 안 나는 곳에서. 너도 알잖아."

벨라가 얼굴을 찡그렸다.

"그래."

그때 칼라일이 돌아왔고 벨라는 딴 생각이라도 하는 것처럼 멍하니 손을 뻗어 피가 든 컵을 받았다. 그리고 넋이 나간 표정으로 피를 마시기 시작했다.

그녀는 정말 많이 나아진 것 같았다. 벨라가 튜브들에 걸리지 않도록 조심스럽게 몸을 일으키더니 자리에 앉았다. 로잘리는 벨라가 쓰러지면 잡아주기 위해 그녀 곁에 서 있었다. 하지만 도움은 필요 없었다. 얕은 숨과 깊은 숨을 번갈아 쉬면서 벨라는 두 번째 컵도 재빨리 비워버렸다.

"이제 어떠니?"

칼라일이 물었다.

"메스껍지 않아요. 배가 고파요……. 아니 배가 고픈 건지, 갈증이 나는 건지 모르겠어요."

"칼라일, 벨라 좀 보세요. 그녀의 몸이 원하고 있던 건, 바로 이거였어요. 그러니까 좀 더 마셔야 한다고요."

로잘리가 의기양양하게 중얼거렸다.

"벨라는 아직 인간이야, 로잘리. 그러니 그냥 음식도 필요하단다. 조금만 상태를 지켜보고 나서 뭔가 줘보도록 하자. 특별히 먹고 싶은 거 없니, 벨라?"

"달걀이요."

그녀는 곧바로 대답하고서, 에드워드와 눈빛과 미소를 교환했다. 그의 미소는 부서지기 쉬워보였지만 얼굴은 전보다 생기가 있었다. 나는 눈을 깜박였다. 정말 눈을 뜨고 있기가 힘들었다.

"제이콥, 좀 자야겠어. 벨라 말대로 원하는 곳 아무데서나 자도 돼. 넌 밖이 편하겠지만. 아무것도 걱정하지 마. 필요하면 깨워줄게."

에드워드가 조용히 말했다.

"그래, 그래."

나는 중얼중얼 대답했다. 이제 벨라는 몇 시간은 더 살 수 있을 것 같으니, 잠시 빠져도 되겠지. 어디 나무 밑에서라도 웅크리고 잠을 청하는 거다……. 이 냄새가 나지 않는 곳으로 가야지. 무슨 일이 생기면 흡혈귀가 깨워줄 거야. 그는 내게 빚이 있으니까.

"그래."

에드워드도 맞장구를 쳤다. 난 고개를 끄덕이고서 벨라의 손 위에 내 손을 올려놓았다. 얼음처럼 차가웠다.

"어서 좋아져야 해."

내가 말했다.

"고마워, 제이콥."

그녀는 손을 뒤집어 내 손을 꼭 잡았다. 가느다란 그녀의 결혼반지가 그녀의 뼈만 남은 손가락에 헐겁게 끼워져 있었다.

"벨라에게 담요 같은 거라도 줘."

나는 현관문을 향해 돌아서면서 중얼거렸다.

내가 문을 빠져나오기도 전에 두 개의 울음소리가 아침 공기를 갈랐다. 다급한 기색이 역력했다. 이번에는 착각이 아니었다.

"젠장."

나는 낮게 으르렁거리고 문을 뛰쳐나갔다. 그리고 포치에서 뛰어내리면서 공중에서 불길이 내 몸을 가르게 했다. 바지가 날카로운 소리를 내며 산산이 찢겼다. 젠장. 마지막 옷이었는데. 하긴 어쨌거나 상관없는 일이다. 나는 네 발로 착지한 후 서쪽으로 달려갔다.

무슨 일이야? 내가 머릿속으로 소리쳤다.

이쪽으로 오고 있어. 최소 셋 이상이야. 세스가 대답했다.

나눠서 오는 건가?

내가 지금 세스한테 달려가는 중이야. 거의 빛의 속도로. 리가 생각했다. 그녀가 엄청난 속력으로 달려가는 동안 폐로 공기가 급히 몰아치는 게 느껴졌다. 아직 다른 공격이 있을 기미는 없군.

세스, 덤비면 안 돼. 내가 갈 때까지 기다려.

그들이 속도를 늦췄어. 이런, 무슨 생각을 하는지 알 수 없으니 정말 불편하군. 내 생각에는……

뭔데?

그들, 이젠 멈춘 것 같아.

다른 사람들을 기다리는 거야?

쉿! 느껴져?

나도 신경을 곤두세우고 지금 그가 느끼는 감각에 열중했다. 공기 중에 희미한, 소리 없는 흔들림이 있었다.

누가 변신한 거야? 내가 물었다.

그런 것 같아. 세스가 맞장구 쳤다.

리는 세스가 기다리고 있는 작은 공터로 거의 날듯이 달려 들어갔다. 그녀는 경주용 자동차처럼 휙 돌면서 발톱으로 땅을 긁었다.

나 왔어.

그들이 오고 있어. 천천히. 걸어서. 세스가 초조하게 말했다.

거의 도착했어. 내가 그들에게 말했다. 나도 리처럼 최대한 속력을 냈다. 위험이 나 대신 세스와 리에게 가까이 닥쳐오고 있는 지금, 이렇게 서로 떨어져 있다는 게 끔찍했다. 내가 잘못한 거다. 그들과 함께, 그들이 있는 곳에 있었어야 했는데. 어떤 일이 다가오든.

아주 아빠가 다 되셨어. 리가 심술궂게 생각했다.

집중 좀 하지, 리?

전부 넷이다. 늑대가 셋, 사람이 하나. 세스가 생각했다. 그 애는 청력이 좋았다.

나는 작은 공터에 도착하자마자 즉시 그 지점으로 움직였다. 세스가 안도의 한숨을 쉬더니 몸을 펴고 내 오른쪽에 자리를 잡았다. 리는 내 왼쪽에 섰다. 세스만큼 흥분해 있는 것 같지는 않았다.

이제는 세스 밑이군. 리가 투덜댔다.

선착순이지. 게다가 누나는 전에도 3인자는 아니었잖아. 그 정도면 발전한 거지. 세스가 생각했다.

동생 밑에 있는 건 '발전'이 아냐.

쉿! 너희들이 어디 서든 상관없어, 난. 그러니까 입 다물고 준비해. 내가 그들에게 투덜거렸다.

그들은 몇 초 후에 나타났다. 세스가 생각한 대로, 걷고 있었다. 인간의 모습을 하고 있는 저레드가 맨 앞에서 손을 들어 보였다. 그 뒤에 폴과 퀼, 콜린이 네 발로 걷고 있었다. 자세를 보니 공격할 생각은 없는 듯했다. 그들은 귀를 쫑긋 세운 채 저레드의 뒤를 따르고 있었다. 경계하고 있는 상태긴 해도 평온해 보였다.

하지만…… 샘이 엠브리가 아닌 콜린을 보냈다는 게 이상했다. 나라면, 내가 적의 진영에 외교사절을 보낸다면 콜린 같은 어린애를 보내진 않았을 거다. 경험 있는 전사를 보냈겠지.

양동 작전인가? 리가 생각했다.

샘, 엠브리, 브래디가 따로 움직인다고? 아니, 그럴 리는 없다.

285

내가 살펴볼까? 난 2분 안에 돌아볼 수 있어.

컬렌 가족에게 경고해주고 오는 게 좋을까? 세스가 물었다.

우리를 서로 떨어뜨려 놓으려는 계획이라면 어쩔 거야? 내가 물었다. 컬렌 가족은 무슨 일이 벌어지는지 알고 있어. 이미 준비되어 있다고.

샘은 그렇게 바보가 아냐……. 리가 속삭였다. 나는 그녀의 마음속에 자라난 공포를 느꼈다. 그녀는 샘이 단 두 명의 동료와 함께 컬렌 가족을 공격하는 모습을 상상하고 있었다.

샘은 그러지 않을 거야. 리의 머릿속에 떠오른 장면에 약간의 구토증을 느끼면서 나는 그녀를 안심시켰다.

그동안 저레드와 나머지 늑대 셋은 우리를 바라보며 기다리고 있었다. 퀼과 폴, 콜린이 서로 대화하는 소리를 들을 수 없다는 게 이상하기만 했다. 또 그들의 표정은 공허해서 의미를 읽어낼 수 없었다. 저레드가 헛기침을 하더니 내게 고개를 끄덕였다.

"휴전이야, 제이콥. 우리는 대화를 하러 온 거야."

진짤까? 세스가 물었다.

**이해는 되지만…….**

그래. 리도 동의하고서 덧붙였다. 하지만…….

우리는 긴장을 풀지 않았다. 저레드가 얼굴을 찡그렸다.

"네 생각을 들을 수 없다면 이렇게 말로 하는 게 쉬울 것 같아서."

내가 그를 내려다보았다. 마음이 놓일 때까지는 인간으로 돌아가지 않을 것이다. 이 상황이 이해될 때까지는. 왜 콜린이지? 내가 가장 당황스러운 부분이 바로 그것이었다.

"좋아. 그럼 그냥 말할게. 제이콥, 우리는 네가 돌아왔으면 해."

저레드가 말했다. 퀼이 그 뒤에서 부드럽게 낑낑대는 소리를 냈다. 저레드와 같은 말을 하고 있는 거겠지.

"넌 가족을 둘로 찢어놓았어. 이래선 안 돼."

나도 그 말에 반대하는 건 아니지만, 그게 핵심은 아니다. 당시 나와 샘 사이에는 몇 가지 해결되지 않은 의견 차이가 있었으니까.

"네가 컬렌 가 사람들과 관련된 그 상황에 대해…… 강하게 느끼고 있다는 건 알아. 그게 문제가 됐다는 것도 알고. 하지만 과잉반응이야."

세스가 으르렁거렸다. 과잉반응? 우리의 동맹자들을 경고 없이 공격하는 건 어떻고?

세스, 포커페이스라는 말 몰라? 진정해.

미안해.

저레드가 세스를 흘깃 본 후 다시 나를 바라보았다.

"샘은 이 문제를 신중하게 처리하기로 했어. 그래서 흥분을 가라앉히고 원로들과 이야기를 해봤지. 원로들은 성급하게 행동하는 건 아무에게도 득이 되지 않는다는 결정을 내렸어."

해석하면 '그들'이 이미 기습 시기를 놓쳤다는 뜻이지. 리가 생각했다.

하나로 연결된 우리의 생각이 너무나도 명쾌해서 기이하게 느껴졌다. 저들은 이미 샘의 무리고, 우리에겐 '그들'이었다. 외부의 무엇, 다른 어떤 것. 다른 사람도 아닌 리가 그런 식으로 생각하다니 더욱 이상했다. 그녀가 '우리'의 일부가 되다니.

"빌리와 수는 벨라가 그…… 문젯거리를 떼어낼 때까지 기다려야 한다고 했어. 제이콥 네 생각처럼 말이지. 그녀를 죽이는 건 우리한테도 기분 좋은 일이 아냐."

세스에게 주의까지 주었으면서도 나 역시 작게 으르렁거렸다. 기분 좋은 일이 아니라고? 살인이? 고작 그 정도였단 말이지. 저레드가 다시 두 손을 들었다.

"진정해, 제이콥. 내 말 뜻 알잖아. 지켜보면서 우린 다시 생각해볼 거야. '그게' …… 문제가 되는지는 나중에 판단하기로 하자"

하, 헛소리! 리가 생각했다.

믿지 않는 거야? 내가 물었다.

난 그들이 무슨 생각을 하는지 알고 있어. 샘이 생각하고 있는 것 말이야. 그들은 벨라가 어쨌든 죽을 거라고 믿고 있지. 그러면 넌 미친 듯이 화를 내게 될 거고…….

결국 내가 앞장서서 공격할 거라는 뜻이군. 나는 두 귀를 머리에 바짝 붙였다. 리의 추측은 그럴듯하게 들렸다. 그리고 실제로 아주 가능성이 높은 일이기도 하다. '그게' 벨라를 죽인다면 나는 칼라일의 가족에게 느끼는 유대를 아주 쉽게 잊게 될 것이다. 그들은 다시 내게 적으로 보이겠지. 피를 빠는 흡혈귀의 모습으로만.

내가 잊지 않게 해줄게. 세스가 속삭였다.

너라면 그럴 거야, 고마워. 문제는 내가 네 말을 듣느냐 하는 거지.

"제이콥?"

저레드가 불렀다. 나는 한숨을 쉬었다.

리, 한 바퀴 돌아봐. 확실히 해둘 필요가 있겠어. 저레드와 이야기를 해볼게. 내가 사람이 되어도 괜찮을지 확인해봐.

잠깐, 제이콥. 그냥 내 앞에서 변해도 돼. 전에 어쩔 수 없이 내가 벗은 모습을 봤거든. 뭐 별거 아니던데. 그러니 걱정 마.

난 네 순결한 눈을 지켜주려는 게 아니라 우리 배후를 지키고 싶은 거야. 꺼져.

리는 비웃더니 숲으로 들어갔다. 그녀의 발톱이 흙으로 파고드는 소리를 들을 수 있었다.

알몸이 되어야 한다는 게 불편하긴 했지만, 어차피 무리 생활에서 피할 수 없는 부분이었다. 그리고 우리 모두 아무렇지 않게 여기기도 했었고. 그러다 리가 들어오면서 어색해졌다. 분노에 대한 리의 자제력은 보통 정도라고 할 수 있었다. 옷을 찢고 변신하는 데 걸리는 시간도 보통 수준이었다. 우리 모두는 그녀의 벗은 모습을 아주 희미하게만 볼 수 있었을 뿐이다. 결코 '별 게 아니어서'가 아니라, 변신 후 그녀가 우리의 그런 생각을 읽어내는 게 두려워서였다.

저레드와 다른 무리들은 지친 표정으로 그녀가 사라진 곳을 바라보았다.

"리는 어딜 가는 거야?"

저레드가 물었다. 난 대답하지 않고 눈을 감은 채 다시 정신을 모았다. 내 주위의 공기가 작은 파도를 그리며 진동하는 게 느껴졌다. 뒷다리로 선채 몸을 조금 세웠다. 그리고 나는 인간으로 변하는 동안 적절한 타이밍을 골라 완전히 몸을 일으켰다.

"헤이, 제이콥."

저레드가 인사를 건넸다.

"안녕, 저레드."

"대화에 응해줘서 고마워."

"응."

"우린 네가 돌아왔으면 해."

퀼이 다시 끙끙거렸다.

"그게 쉬울지 모르겠어, 저레드."

"돌아와."

그가 몸을 앞으로 조금 숙이면서 말했다. 거의 애원 같았다.

"우리가 해결할 수 있어. 넌 이곳 사람이 아니잖아. 세스와 리도 돌아오게 해."

나는 웃었다.

"그러게. 한 1시 정도부터는 그 둘에게 돌아가라고 애원하지 않은 것 같네."

세스가 내 뒤에서 코웃음 쳤다. 저레드는 내 말 뜻이 뭔지 고민하는 것 같았다. 그의 눈빛이 다시 신중해졌다.

"그럼 지금은?"

내가 잠깐 생각하는 동안 그는 대답을 기다리고 있었다.

"모르겠어. 하지만 이전으로 돌아갈 수 있으리라는 확신이 안 들어, 저레드. 어떻게 된 건진 몰라도…… 알파의 능력이라는 게 기분 내키는 대로 껐다 켰다 할 수 있는 게 아닌 것 같아. 이대로 영원히 갈 것 같단 말이야."

"넌 아직 우리랑 한 패야."

나는 눈썹을 치켜 올렸다.

"한 무리에 알파가 둘이 될 수는 없어, 저레드. 지난밤에도 봤잖아. 알파의 본능은 서로 부딪치게 마련이야."

"그럼 저 기생충들하고 평생 이러고 있겠다는 거야? 여기엔 네 집이 없어. 이제 옷도 없잖아. 계속 늑대로 있겠다고? 먹을 때도 늑대로 있는 거, 리가 싫어하는 거 알잖아."

그가 지적했다.

"리는 배가 고파지면 마음대로 하면 돼. 자기가 좋아서 온 거니까. 난 누구에게도 뭘 하라고 시키지는 않아."

저레드가 한숨을 쉬었다.

"샘은 네게 한 짓에 대해 미안해하고 있어."

난 고개를 끄덕였다.

"이젠 화도 안 나."

"그런데 왜?"

"그래도 난 돌아가지 않을 거야, 지금은. 우린 상황을 좀 더 두고 봐야 해. 당분간은 컬렌 사람들을 지켜봐야 한다고, 너희들이 생각하는 것과는 달리 문제는 벨라가 아냐. 우리는 보호받아야 할 사람들을 보호하고 있어.

그 안에는 컬렌 가족들도 포함되지."

확실히 포함된다. 적어도 몇몇 컬렌 사람들은. 세스가 내 말에 동의하듯 부드럽게 울었다. 저레드는 얼굴을 찡그렸다.

"그렇다면 너한테 더 이상 할 말이 없어."

"지금은 때가 아냐. 우린 상황을 지켜볼 거니까."

저레드는 세스에게로 고개를 돌렸다. 그는 이제 내게서 떨어져 세스에게 말을 걸기 시작했다.

"수 아줌마가 집에 돌아오라고 전해 달랬어. 아니 정확히는 사정해 달라고 했지. 너희 엄마, 괴로워하고 계셔. 혼자서. 어떻게 세스 너랑 리가 수 아줌마에게 이런 짓을 할 수 있지? 아버지가 돌아가시자마자 이렇게 엄마를 버리다니."

세스가 슬프게 낑낑거렸다.

"그만 해, 저레드."

내가 경고했다.

"그냥 세스에게 상황이 어떤지 알려주는 것뿐이야."

나는 내심 비웃지 않을 수 없었다. 수 아줌마는 누구보다 강한 사람이다. 그녀는 내 아빠보다, 그리고 나보다 강하다. 자식들을 돌아오게 할 수만 있다면 동정심이라도 이용할 만큼 강한 사람이다. 그러나 그런 말로 세스를 동요하게 하는 건 역시 공정하지 못하다.

"수 아줌마가 이 사실을 안 지 몇 시간이나 됐어? 아마 그 시간 동안 빌리, 올드 퀼, 그리고 샘하고 함께 있었겠지. 그런데도 지금 외로움 때문에 죽어가고 있다는 거지? 세스, 가고 싶으면 가도 돼."

세스가 코를 훌쩍였다. 그리고 1초쯤 지나서 그가 북쪽을 향해 귀를 쫑긋 세웠다. 리가 오는 게 분명했다. 젠장, 정말 빨랐다. 심장이 두 번 뛰는 사이에 그녀는 몇 미터 떨어진 덤불에 미끄러지듯 나타났다. 그러더니 그녀는 가까이 다가와 세스 앞에 섰다. 그녀는 고개를 든 채 내 쪽은 쳐다보지 않았다. 난 거기에 대해 고맙게 생각했다.

"리?"

저레드가 불렀다. 그녀는 이를 살짝 드러낸 채 저레드의 눈을 바라보았다. 저레드는 그녀가 느끼는 적대감을 보고도 별로 놀라지 않았다.

"리, 넌 여기 있고 싶지 않지?"

그녀는 저레드에게 으르렁거렸다. 리가 보고 있지 않은데도 나는 경고의 눈빛을 보냈다. 세스가 낑낑거리면서 어깨로 그녀를 밀었다.

"미안해. 주제넘게 나서서. 하지만 넌 흡혈귀들과 아무 관계도 없잖아."

저레드가 말했다. 리는 아주 천천히 자신의 동생을 응시하고 나서 다시 나를 보았다.

"세스를 감시하려는 거군."

저레드가 그렇게 말하고서 나를 본 후, 다시 그녀의 눈을 들여다보았다. 아마도 나처럼 리가 나를 바라본 이유를 궁금해 하는 것 같았다.

"하지만 제이콥이 지켜줄 거야. 세스한테 아무 일도 일어나지 않도록. 게다가 세스는 여기 있는 걸 무서워하지도 않잖아. 어쨌든, 제발 리. 우린 네가 돌아왔으면 해. 샘도 마찬가지고."

저레드가 얼굴을 찡그렸다. 리의 꼬리가 경련하듯 움직였다.

"샘이 사정해보라고 했어. 필요하다면 무릎이라도 꿇으라더군. 그는 네가 돌아오길 바라, 리ㅡ리. 네가 속해 있는 곳으로."

저레드는 샘이 예전에 리에게 붙여주었던 애칭으로 그녀를 불렀고, 리는 움찔했다. 저레드의 마지막 말을 듣자 그녀는 털을 곤두세운 채 이빨 사이로 길게 울부짖는 소리를 냈다. 굳이 머릿속을 들여다보지 않아도 리가 저레드에게 욕을 퍼붓고 있다는 걸 알 수 있었고, 그건 저레드도 마찬가지일 것이다. 그녀가 정확히 어떤 욕을 하는지도 알아들을 수 있을 정도였다. 나는 그녀가 울음을 멈출 때까지 기다렸다.

"위험하긴 하지만, 리에게 이렇게 말해주겠어. 원하는 곳이면 어디든 속할 수 있다고."

리는 으르렁거렸을 뿐이었다. 그러나 난 저레드를 노려보는 그녀를 보면서 그녀도 내 말에 동의하는 거라고 생각했다.

"이봐, 저레드, 우리는 아직 가족이지? 이런 불화, 곧 이겨낼 수 있을 거야. 하지만 그때까지는 너희 땅에서 나오지 마. 어쨌든 같은 마음이잖아. 가족과 싸우고 싶은 사람은 없으니까. 샘도 그럴 거야, 아냐?"

"물론이지. 우린 우리 땅에 있을 거야. 하지만 네가 속한 곳은 어디지, 제이콥? 뱀파이어들의 땅?"

저레드가 날카롭게 말했다.

"아니, 지금은 노숙자지. 하지만 걱정 마. 이 상태가 영원히 지속되지는 않을 테니까."

나는 숨을 들이쉬었다.

"남은 시간이 그렇게 많지…… 않잖아. 안 그래? 그때가 되면 컬렌 사람들은 떠날 거고 세스와 리는 집으로 돌아갈 거야."

리와 세스는 주둥이를 동시에 내 쪽으로 돌린 채 함께 끙끙거렸다.

"그럼 넌, 제이콥?"

"숲으로 돌아갈 거야. 라푸시 근처에는 있을 수 없어. 알파가 둘이면 문제가 생길 테니까. 게다가 난 그쪽으로 가본 적이 있잖아. 이런 말썽이 벌어지기 전에도."

"우리가 할 말이 있을 땐 어떻게 하지?"

저레드가 물었다.

"울어. 그리고 경계선을 지켜보고 있어. 우리가 갈 테니까. 그리고 샘더러 이렇게 많이 보내지 말라고 전해. 우린 싸울 생각이 없으니까."

저레드가 얼굴을 찡그리며 고개를 끄덕였다. 내가 샘에게 조건을 제시하는 게 싫은 것 같았다.

"또 보자, 제이콥. 아니면 말고."

그가 내키지 않는 듯 손을 흔들었다.

"잠깐, 저레드. 엠브리는 괜찮아?"

그의 얼굴에 놀라는 표정이 스쳐갔다.

"엠브리? 그럼, 잘 있지. 왜지?"

"왜 샘이 콜린을 보냈는지 궁금해서."

나는 과연 무슨 일이 벌어진 건지 탐색하며 그의 반응을 지켜보았다. 저레드는 무슨 뜻인지 이해했다는 기색이었지만, 내가 기대한 눈빛은 아니었다.

"이제 너와는 상관없는 일이잖아, 제이콥."

"그게 아냐. 그냥 궁금해서."

흘깃 보니 퀼이 몸을 움찔했다. 하지만 나는 모른 척했다. 퀼이 괴로워하는 게 싫었기 때문이다. 그는 엠브리라는 이름에 반응하고 있었다.

"샘에게 네…… 지시에 대해 알려줄게. 안녕, 제이콥."

나는 한숨을 쉬었다.

"그래. 안녕, 저레드. 저기, 우리 아빠한테 나는 괜찮다고 전해줄래? 미안하다고, 사랑한다고도 전해줘."

"그래."

"고마워."

"가자, 애들아."

저레드가 그렇게 말하고 돌아서더니, 변신하기 위해 우리가 보이지 않는 곳으로 향했다. 리 때문이었다. 폴과 콜린은 그의 뒤를 따랐지만 퀼은 주저했다. 그가 부드럽게 깽깽댔고, 난 퀼에게 한 발 다가갔다.

"그래, 나도 보고 싶었어."

퀼은 시무룩하게 머리를 숙인 채 다가왔다. 난 그의 어깨를 두드렸다.

"잘 될 거야."

그가 낑낑거렸다.

"엠브리에게 전해줘. 너희 둘을 양옆에 끼고 다닐 때가 그립다고."

그는 머리를 끄덕이더니 내 이마에 주둥이를 갖다 댔다. 리가 코웃음 쳤다. 퀼은 머리를 들었지만 리를 바라보지는 않았다. 대신 무리가 사라진 쪽을 어깨 너머로 돌아보았다.

"그래, 가봐."

내가 말했다. 퀼은 다시 깽깽대더니 무리를 쫓아갔다. 분명히 저레드는 참을성 있게 기다려주지 않을 것이다. 그가 가버리자마자 난 몸의 중심에서 열기를 끌어 모아 내 팔다리를 감싸게 했다. 열이 돌기 시작하자마자 나는 다시 네 발이 되었다.

둘이 사랑이라도 하는 줄 알았어. 리가 낄낄거렸다.

난 그녀의 말을 무시했다.

괜찮아? 내가 너희가 원치 않았던 얘기를 한 건 아니야? 뭔가 빠뜨린 건 없었어?

내가 그들에게 물었다. 그들의 생각을 정확히 듣지 못하는 상태였으므로, 진짜 하고 싶은 말을 제대로 전달해준 건지 걱정스러웠다. 그 어떤 말이라 해도 단지 추측만으로 떠들어대고 싶지는 않았으니까. 나는 저레드처럼 되고 싶지 않다.

잘했어, 제이콥. 세스가 용기를 주었다.

저레드를 한 대 쳐줬어야 했는데. 그랬으면 좋았을 텐데. 리가 생각했다.

엠브리가 왜 여기 오지 못했는지, 왜 허락을 못 받았는지 알 것 같아. 세스가 생각했다.

그 말을 난 이해할 수 없었다. 허락 받지 못하다니?

제이콥, 아까 퀼 봤지? 정말 마음이 아픈 것 같았어. 보나마나 엠브리는 더할 거야. 게다가 엠브리에겐 클레어 같은 각인의 상대도 없잖아. 퀼이라면 여기 왔다가 라푸시를 떠나버리는 일은 없겠지. 하지만 엠브리는 달라. 그래서 샘은 엠브리가 이탈할 수 있는 기회를 애초에 봉쇄했던 거야. 그는 우리 무리가 지금보다 저지는 걸 원하지 않으니까.

정말 그렇게 생각해? 엠브리가 컬렌 일가를 해치우고 싶어 하는 줄만 알았는데.

하지만 형이랑 제일 친한 친구잖아. 엠브리와 퀼은 제이콥 형과 싸우느니 같은 편이 되고 싶어 할 거야.

음, 샘이 그를 잘 데리고 있어서 기쁘네. 이 무리는 이미 클 만큼 컸어. 나는 한숨을 쉬었다.

좋아. 그럼 아직 우린 괜찮은 거군. 세스, 잠깐 망 좀 봐줄래? 리와 나는 잠을 자둬야겠어. 속임수는 없는 것 같지만 누가 알겠어? 그저 주의를 다른 데로 돌리려는 건지.

나는 원래 이렇게 의심이 많은 사람은 아니다. 하지만 샘의 모습을, 그 집념을 떠올려 보면 어쩔 수 없었다. 그는 자신이 느낀 위험을 철저히 파괴하는 데 온 정신을 집중할 것이다. 게다가 이젠 우리에게 거짓말을 할 수도 있게 되었다. 그가 그 점을 이용하려 할까?

문제없어! 내가 컬렌 사람들에게 설명해주길 바라는 거지? 그들은 아직도 좀 긴장해 있을 거야. 세스가 자신 있게 대답했다. 그는 너무 열정이 넘쳐서 할 수 있는 건 뭐든 하려고 한다.

알아. 어쨌든 나는 상황을 점검해보고 싶어.

그들은 뒤엉킨 내 머리에서 재빠르게 지나가는 이미지들을 보았다.

세스가 깜짝 놀라 낑낑거렸다. 윽.

리는 그 이미지들을 털어내려는 듯 머리를 앞뒤로 흔들었다. 이건 내가 평생 들어본 일을 통틀어 가장 끔찍하군, 우욱! 뭐라도 먹은 게 있었으면 다 토해버렸을 거야.

그들은 뱀파이어잖아. 그러니까 이해할 수 있어. 그리고 벨라한테 도움이 됐으면 된 거 아냐? 리의 반응이 좀 미안하게 느껴졌던지 세스는 잠시 후 그렇게 덧붙였다.

리와 나는 그를 바라보았다.

뭐?

세스가 아기였을 때, 엄마가 꽤 많이 떨어뜨렸지.

그래, 그때 머리를 다친 게 분명해.

또 잰 아기 침대의 난간도 많이 물어뜯었어.

그럼 납이 들어간 페인트 탓인가?

세스가 비아냥댔다. 재미도 있겠네. 둘 다 입 다물고 자는 게 어때?

# 14

# 뱀파이어에게 무례하게 대했다고
# 죄책감을 느끼면 일이 꼬인다

———◆———

컬렌 저택으로 다시 돌아갔지만, 아무도 날 맞지 않았다. 아직도 경계중인 건가? 괜찮은데. 나는 생각했다.

내 눈은 재빨리 익숙한 정경들 속에서 작은 변화를 알아차렸다. 포치의 가장 아래쪽 계단에 밝은 빛깔의 천 뭉치가 놓여 있었다. 난 뛰어올라가 살펴보았다. 뱀파이어의 냄새가 천에 진하게 배어 있었기 때문에, 숨을 참고 코로 천 뭉치를 밀었다.

누군가 옷을 내다놓은 것이다. 하! 내가 현관 밖으로 튀어나가면서 잠깐 생각했던 걸 에드워드가 읽은 모양이다. 음, 이것 참…… 멋진데. 그리고 무지 이상하기도 하고.

나는 이빨로 조심스럽게 옷 뭉치를 물어(윽, 냄새가 정말 심하다) 나무들 속에 옮겨다놓았다. 혹시 이게 그 금발 사이코패스의 장난이고, 안에 여자 옷만 잔뜩 들어있을 경우에 대비한 것이다. 내가 여름드레스를 손에 든 채 알몸으로 서 있는 꼴을 보면 그 여잔 분명 좋아하겠지. 돈을 걸어도 좋다.

나는 나무들 사이로 들어가 냄새나는 옷 뭉치를 내려놓고 인간의 모습으로 변했다. 그리고 나서 옷 뭉치를 풀어놓고서 냄새가 좀 빠지도록 나무에 던졌다. 남자 옷이었다. 길이가 좀 짧긴 해도 얼추 맞을 것 같았다. 분명 에밋 옷이겠지. 셔츠 소매는 말아 올렸지만 바지는 어떻게 할 수 없었다. 할 수 없지.

인정하지 않을 수 없었다. 잘 맞지 않는 냄새나는 옷이라도 입을 것이 생기니 기분이 좋아졌다. 필요할 때 집으로 돌아가 낡은 운동복바지를 집어올 수 없다는 게 불편했었으니까. 다시 집이 없어졌고, 돌아갈 장소도 없어져버렸다. 게다가 가진 것도 없다. 지금은 그리 심하게 괴롭지 않지만, 앞으로 곧 문제가 되겠지.

완전히 지쳤다. 난 그 멋진 중고 옷을 입고서 천천히 포치로 걸어갔지만, 문 앞에서 머뭇거렸다. 노크를 했었나? 아, 바보 같아. 내가 여기 있는 건 그들도 알잖아. 왜 아무도 나타나지 않는지 궁금했다. 나한테 들어오라고 하거나, 아니면 꺼지라고 해야 할 것 아냐. 무슨 말이든 해야지. 나는 어깨를 으쓱하고서 안으로 들어갔다.

더 많은 것이 바뀌었다. 지난 20분 사이, 거실은 거의 평상시와 같은 모습으로 돌아가 있었다. 커다란 평면 텔레비전이 켜져 있었다. 작은 볼륨으로 로맨틱 코미디가 흘러나오고 있었지만 아무도 보지 않는 것 같았다. 칼라일과 에스미는 강을 향해 난 뒤쪽 창문 옆에 서 있었다. 앨리스, 재스퍼, 에밋은 보이지 않았지만 위층에서 속삭이는 소리가 들렸다. 벨라는 이제 하나 남은 튜브를 매단 채 어제처럼 소파에 앉아 있었고, 소파 뒤에 매달린 링거 병도 보였다. 두툼한 퀼트이불에 감싸인 그녀는 마치 부리토(밀가루나 옥수수가루로 만든 전병에 야채며 고기를 싸서 먹는 멕시코 음식: 편집자)처럼 보였다. 로잘리는 벨라의 머리 옆에 다리를 꼰 채 앉아 있었다. 그리고 에드워드는 퀼트에 감싸인 벨라의 발을 무릎에 올려놓은 채 소파 반대쪽에 앉았다. 내가 들어가자 에드워드가 고개를 들었는데, 입가에 살짝 미소가 어려 있었다. 마치 뭔가가 그를 즐겁게 한 것처럼.

벨라는 내가 오는 소리를 듣지 못했다. 하지만 에드워드가 고개를 들자 같이 머리를 들었는데, 그녀 역시 미소를 지었다. 이제는 기운이 좀 났는지 얼굴이 환해 보였다. 그녀가 날 보고 그렇게 기뻐했던 게 언제였는지 기억도 나지 않았다.

벨라에게 그동안 무슨 일이 있었더라? 그래, 결혼했다! 그것도 아주 행복한 결혼을. 그녀와 뱀파이어 남편이 거의 제정신이 아니라 할 만큼 열렬한 사랑에 빠져 있다는 건 의심의 여지가 없는 일이었다. 게다가 임신까지 했지.

그런데 그녀는 왜 날 보고 그렇게 감격하는 것일까. 마치 내가 그 문으로 걸어 들어감으로써 자신의 괴로웠던 하루를 즐겁게 바꾸어주는 것처럼.

그녀가 이제 내게 신경 쓰지 않는다면…… 아니, 아예 내가 기웃거리지 않기를 바라고 있다면 멀리 떨어져 있는 게 훨씬 편할 것 같다.

에드워드도 내 생각에 동의하는 것 같았다. 최근 우리는 이상할 정도로 뜻이 잘 맞았다. 벨라가 나를 바라보는 동안 에드워드는 그녀의 표정을 읽으면서 얼굴을 찡그렸다.

"그들은 그냥 이야기를 하고 싶어 했어. 당장 공격할 것 같지는 않아."

내 목소리는 심한 피로 때문에 느리게 처졌다.

"그래, 거의 다 들었어."

에드워드가 대답했다. 그 말을 들으니 조금 정신이 돌아왔다. 5킬로미터나 떨어져 있었는데.

"어떻게?"

"네 소리는 특히 더 잘 들려. 이 능력에 있어선 친밀감이나 집중력 같은 요소가 중요하거든. 네가 인간일 땐 좀 더 잘 들리지. 그래서 네가 한 생각들을 대부분 알 수 있는 거야."

"아, 그래. 좋아. 똑같은 말을 또 하는 건 싫으니까."

사실 약간 짜증이 나긴 했지만 마땅한 이유가 없어서 그냥 털어버렸다.

"너 좀 자야겠어. 몇 초 내로 바닥에 쓰러질 것 같단 말이야. 그래서 좋을 게 없잖아."

벨라가 말했다. 그녀의 목소리가, 그리고 모습이 바로 얼마 전에 비해 너무 좋아진 상태여서 놀라지 않을 수 없었다. 나는 신선한 피의 냄새를 맡았고, 그녀의 손에 다시 그 컵이 들려 있는 것을 보았다. 벨라가 계속 살아 있으려면 피가 얼마나 필요할까? 결국 언젠가는 이웃집에 침입해야 하는 상황이 되는 건 아닐까.

난 현관문을 향해 가면서 몇 초나 걸리는지 세 보았다. 벨라를 위해서.

"미시시피 하나…… 미시시피 둘……."

"어디 홍수라도 났어, 멍청아?"

로잘리가 중얼거렸다.

"금발 머리를 어떻게 물에 빠뜨려 죽이는지 알아?"

난 멈추지도, 그녀를 돌아보지도 않은 채 그렇게 물었다. 그러고 나서 바로 답도 알려 주었다.

"수영장 바닥에 거울을 붙이면 되지."

내가 문을 닫으려 할 때 에드워드가 킥킥거렸다. 벨라의 상태가 나아지니 그의 기분도 좋아진 것 같았다.

"벌써 아는 얘기야."

로잘리가 내게 소리쳤다.

나는 터덜터덜 계단을 내려갔다. 나무들 속으로만 들어가면 다시 신선한 공기를 마실 수 있을 것이다. 집에서 좀 멀어지고 나면 옷을 다리에 묶어두는 대신 어딘가에 버릴 생각이었다. 그랬다가 나중에 필요할 때 다시 입어야지. 그래야 그 냄새를 맡지 않을 수 있을 테니. 나는 서툴게 새 셔츠의 단추를 풀면서 늑대인간들 사이에서 단추가 유행할 일은 절대로 없을 거라는 생각을 했다.

무거운 걸음으로 잔디밭을 가로지르는데 벨라와 에드워드의 목소리가 들렸다.

"어디 가?"

벨라가 물었다.

"제이콥에게 할 말이 있었는데 잊어버렸어."

"제이콥 좀 자게 놔둬. 얘기는 나중에 해도 되잖아."

그래, 제발. 제이콥은 자게 놔둬.

"잠깐이면 돼."

나는 천천히 돌아섰다. 에드워드는 이미 문 밖에 나와 있었다. 내게 다가오면서 그가 미안한 표정을 지었다.

"이런, 뭔데?"

"미안해."

그리고 그는, 자신의 생각을 어떻게 말로 바꿔야 하는지 모르겠다는 듯 잠시 주저했다. 이 '마음을 읽는 자'가 대체 무슨 생각을 하고 있는 거지?

"네가 샘의 사절들과 이야기하고 있을 때…… 칼라일, 에스미, 그리고 나머지 가족들에게 실시간으로 상황을 들려줬어. 그들도 걱정하고 있지."

그가 중얼거렸다.

"이봐, 우린 계속 보초를 설 거야. 너도 우리처럼 샘을 믿어선 안 돼. 계속 주의 깊게 지켜봐야 할 거야."

"아니, 아니야. 제이콥, 그게 아냐. 우리는 네 판단을 믿어. 오히려 에스미는 이 일로 너와 네 친구들이 힘들어할까 봐 걱정하고 있지. 그래서 너랑 따로 이야기해보라고 하더군."

그 말에 나는 경계를 풀었다.

"힘들다고?"

"특히 집에 못 가게 된 것 말이야. 에스미는 너희들이 그렇게…… 전부 다 잃어야 했다는 사실 때문에 괴로워하고 있어."

나는 냉소하지 않을 수 없었다. 다정함이 넘치는 뱀파이어라, 별 이상한 걸 다 보겠군.

"우리는 강해. 걱정하지 말라고 전해줘."

"에스미는 뭐든 해주고 싶다고 했어. 듣자니 리가 늑대 모습으로 음식을 먹는 걸 싫어하는 것 같던데?"

"그래서?"

내가 되물었다.

"음, 우리 집엔 인간을 위한 음식이 있어, 제이콥. 일종의 위장을 위해, 그리고 물론 벨라를 위해서. 리만 좋다면 우린 언제나 환영이야. 너희 모두."

"전해줄게."

"리는 우리를 싫어해."

"그래서?"

"네가 괜찮다면 말이지, 그녀가 우리 제안을 진지하게 생각해볼 수 있도록 잘 좀 전해줬으면 해서."

"노력해보지."

"그리고 옷 문제도 있는데."

나는 내가 입고 있는 옷을 내려다보았다.

"아, 그래. 고마워."

냄새가 지독하다고 말하는 건 예의가 아니겠지. 그가 살짝 미소 지었다.

"그런 거라면 쉽게 도와줄 수 있는데. 앨리스 때문에 우리는 같은 옷을 두 번 입지 않거든. 사실 우리에겐 자선단체에 보내야 할 새 옷이 쌓여 있어. 그런데 리가 에스미랑 사이즈가 비슷한 것 같아서……."

"흡혈귀가 버린 헌 옷이라 어떻게 생각할지 모르겠는걸. 리는 나처럼 실용적이지 못해서 말이야."

"네가 잘 이야기해줄 거라고 믿어. 다른 물건도 필요하면 이야기하고. 교통수단이든 아니면 다른 거든. 그리고 샤워도. 넌 밖에서 자는 걸 좋아하니까. 부탁이니까…… 너희가 노숙자라는 생각은 하지 마."

그는 부드럽게 말을 맺었다. 그 목소리에서 어떤 애정이 느껴졌다. 나는 졸린 눈을 깜빡이면서 잠깐 그를 바라보았다.

"진짜…… 음, 친절하네. 에스미에게 그러니까, 어, 생각해준 데 감사하고 있다고 전해줘. 하지만 우리가 있는 곳 근처에 강이 지나는 지점이 몇 군데 있으니까 거기서 깨끗이 씻으면 돼. 어쨌든 고맙다."

"그래도 전해줘. 우리가 제안한 거 말이야."

"그래, 그래."

"고마워."

그에게서 몸을 돌리는데 집 안으로부터 낮고 고통스러운 울음소리가 들려왔다. 나는 그대로 멈춰 섰다. 뒤를 돌아보니 이미 그는 없었다.

무슨 일이지?

나는 발을 질질 끌며 좀비처럼 그를 따라갔다. 사용하는 뇌세포 수는 거의 같은데……. 내게는 다른 대안이 없는 것 같았다. 뭔가 잘못됐다. 가서 무슨 일인지 확인해볼 생각이지만, 어차피 내가 할 수 있는 일은 아무것도 없을 것이다. 그러면 기분은 더 나빠지겠지.

어쩔 수 없는 일이었다.

나는 다시 집 안으로 들어갔다. 벨라가 튀어나온 배를 감싸고 웅크린 채 숨을 헐떡이고 있었다. 에드워드, 칼라일, 에스미가 각기 분주히 돌아다니는 동안 로잘리가 벨라를 부축했다. 순간 어른거리는 움직임이 내 눈에 잡했다. 앨리스가 손으로 관자놀이를 누른 채 계단 위에서 거실을 내려다보고 있었다. 이상한 광경이었다. 마치 그녀만은 거실로 내려오는 게 금지되어 있는 것 같았다.

"잠깐만요, 칼라일."

벨라가 숨을 헐떡였다.

"벨라. 뭔가 부러지는 소리가 들렸어. 살펴봐야 해."

의사가 걱정스럽게 말했다.

"분명…… 갈비뼈일 거예요. 아. 네. 바로 여기."

벨라가 숨을 헐떡였다. 그리고 만지지 않으려 조심하면서 자신의 왼쪽 옆구리 쪽을 가리켰다. 이제 놈은 그녀의 뼈까지 부러뜨리고 있었다.

"X레이를 찍어봐야겠구나. 분명 조각났을 거야. 뼛조각이 네 몸에 구멍을 내면 안 되잖아."

벨라는 숨을 깊게 들이쉬었다.

"네."

로잘리가 벨라를 조심스럽게 들어 올렸다. 에드워드가 한마디 하려 하자 로잘리가 그에게 이를 드러낸 채 으르댔다.

"내가 벌써 벨라를 잡고 있잖아."

이제 벨라는 더 튼튼해졌지만 그건 그놈도 마찬가지였다. 둘 중 하나를 굶겨죽이지 않는다면 다른 하나도 굶겨죽일 수 없고, 그건 치료에 있어서도 마찬가지였다. 어쩔 방법이 없다는 얘기다.

금발 머리는 벨라를 안고 재빨리 계단을 올라갔다. 칼라일과 에드워드도 그 뒤를 따랐다. 그들 중 어느 누구도 문간에 멍하니 서 있는 나를 알아차리지 못했다.

그럼 이 집엔 혈액은행과 X레이 촬영기까지 갖춰져 있는 건가? 둘 다그 의사가 들여왔겠지.

너무 피곤해서 난 그들을 따라갈 수가 없었다. 사실 꼼짝할 수조차 없었다. 나는 벽에 기댔다가 그대로 바닥으로 미끄러져 내렸다. 현관문이 여전히 열려 있었으므로 그쪽을 향해 코를 돌렸다. 고맙게도 문틈으로 신선한 바람이 불어 들어왔다. 나는 머리를 문설주에 기댄 채 귀를 기울였다.

위층에서 X레이 촬영기가 작동되는 소리가 들려왔다. 아니면 그냥 그렇게 생각한 탓인지도 모르지만. 그때 계단을 내려오는 가벼운 발소리가 들렸다. 그게 어느 뱀파이어인지 굳이 쳐다보지 않았다.

"베개 갖다 줄까?"

앨리스가 물었다.

"아니."

난 중얼거렸다. 이 뻔뻔스러운 환대는 대체 뭐야? 솔직히 무섭기까지 하다.

"불편해 보여."

그녀가 다시 말했다.

"그렇게 편하진 않아."

"그럼 옮겨보면 어때?"

"피곤해. 왜 다른 뱀파이어들과 함께 위층에 가지 않았어?"

"두통 때문에."

그녀가 대답했다. 나는 고개를 돌려 그녀를 바라보았다. 앨리스는 작았다. 내 한 쪽 팔 정도의 크기밖에 되지 않았다. 게다가 몸을 구부리고 있어서인지 더 작아 보였다. 자그마한 얼굴은 수척해보였다.

"뱀파이어도 두통이 있어?"

"보통 뱀파이어들은 없어."

나는 코웃음을 쳤다. 보통 뱀파이어라.

"어째서 벨라와 함께 있어주지 않는 거야?"

내가 비난조로 물었다. 전에는 머릿속이 다른 생각들로 꽉 차 있었던 탓에 자각하지 못하고 있던 사실이었다. 하지만 내가 여기 온 후로 앨리스가 벨라 옆에 있는 모습을 보지 못한 게 이상하게 여겨졌다. 앨리스만 벨라와 함께 있어줬다면 로잘리가 옆에 딱 붙어있지는 못했을 텐데.

"너희 둘은 이런 사이라고 생각했는데."

내가 손가락 두 개를 꼬아 보였다.

"말했잖아. 두통 때문이라고."

그녀는 마른 무릎을 가느다란 팔로 감싸고, 내게서 몇 미터 떨어진 타일 위에 웅크리고 앉았다.

"벨라 때문에 그래?"

"응."

난 얼굴을 찡그렸다. 수수께끼를 풀기에는 너무 피곤한 상태였다. 그래서 대신 신선한 공기가 들어오는 쪽으로 머리를 돌리고 눈을 감았다.

"사실 벨라 때문은 아냐. ……태아 때문이지."

그녀가 그렇게 정정했다. 아, 나처럼 느끼는 사람이 또 있었군. 나는 그녀의 생각을 쉽게 알아차릴 수 있었다. 앨리스도 에드워드처럼 '태아'라는 단어를 힘겹게 내뱉었기 때문이다.

"나, 볼 수가 없어."

나한테 말하는 것처럼 보였지만 실은 그녀 자신에게 하는 얘기였다. 그리고 앨리스 생각대로 난 이미 잠이 들어 있었다.

"난…… '그것'에 대해서 아무것도 볼 수가 없어. 마치 너를 보는 것처럼."

난 움찔하며 이를 갈았다. 괴물과 비교되는 게 마음에 들지 않았다.

"벨라 때문에 방해가 돼. 그녀가 그걸 에워싸고 있어서…… 흐릿하기만 해. 수신 상태가 안 좋은 텔레비전처럼, 화면에 나타난 흐릿한 사람들에게 초점을 맞추는 것처럼. 그녀를 보고 있으면 머리가 너무 아파. 그래서 몇 분 이상은 볼 수가 없어. ……태아는 벨라의 미래에서 아주 큰 부분을 차지하는 것 같아. 그녀가 처음 결정을 내리면서부터…… 그걸 원하기 시작하면서부터…… 벨라도 내 눈에 흐릿하게 보이기 시작했어. 난 정말 무서워."

그녀는 아주 잠깐 침묵했다가 이렇게 덧붙였다.

"네가 가까이 있으면 마음이 놓여. 물에 젖은 강아지 냄새가 나기는 하지만. 다 사라지거든. 마치 눈을 감은 것처럼. 그러면 두통도 곧 없어져."

"소인이 도움이 되었다니 기쁜데요."

나는 중얼거렸다.

"너와 '그것'의 공통점이 뭔지 궁금해……. 왜 너희들은 똑같이 내 눈에 안 보이는 걸까."

갑자기 내 몸의 중심에서 열기가 솟구쳤다. 나는 몸이 떨리는 것을 누르기 위해 주먹을 꽉 쥐었다.

"나는 생명을 빨아먹는 그놈과는 달라."

나는 이를 악물었다.

"음, 뭔가 있어."

그 말엔 대답하지 않았다. 열기도 이미 사라져버렸다. 정말이지 죽도록 피곤해서, 분노한 상태로 있을 수도 없었다.

"네 옆에 앉아 있어도 되지?"

그녀가 물었다.

"괜찮을 거야. 어차피 냄새는 나잖아."

"고마워. 이게 제일 나은 것 같아. 아스피린을 안 먹어도 되니까."

앨리스가 다시 대꾸했다.

"조용히 해줄래? 잠 좀 자게."

그러자 그녀는 대답도 하지 않고 즉시 조용해졌다. 나는 몇 초 만에 곯아떨어졌다.

꿈속에서 난 정말 목이 말랐다. 그리고 내 앞에는 커다란 컵이 있었다. 컵에 든 건 아주 차가운 물이었다. 물방울이 컵을 따라 흘러내리는 걸 볼 수 있었다. 난 컵을 들고 한 모금 마셨고, 곧 그게 물이 아니라는 걸 알아차렸다. 표백제였다. 내가 도로 뱉어 내자 사방으로 표백제가 흩어졌고, 내 코에서도 뿜어져 나왔다. 코가 타는 것 같았다. 꼭 불이 붙은 것 같은 느낌이었다…….

너무 아팠으므로 나는 곧 잠에서 깨어났고 내가 어디서 잠들었는지도 기억해냈다. 내 코는 집 안을 향하고 있지 않았는데도 냄새가 너무 강했다. 윽, 게다가 시끄럽기까지 했다. 누군가 크게 웃고 있었다. 익숙한 웃음소리였지만 이 냄새를 지닌 누군가의 웃음은 아니었다. 이곳에 속하지 않는 다른 누군가…….

나는 신음소리를 내며 눈을 떴다. 하늘은 음울한 회색이었다. 아직 낮이었지만 몇 시인지는 짐작하기 힘들었다. 해질 때가 되었는지 꽤 어두웠다.

"깰 때가 됐는데. 저 전기톱 같은 녀석, 꽤 피곤했나 보지."

금발 머리가 멀지 않은 곳에서 중얼거렸다. 난 몸을 굴려 일어나 앉았다. 그러면서 그 냄새가 어디서 나는지 관찰했다. 누군가 커다란 깃털 베개를 내 얼굴 밑에 받쳐놓았다. 아마도 친절을 베푼 거겠지. 나는 추측했다. 로잘리가 그런 게 아니라면 말이야.

얼굴을 냄새나는 깃털에서 떼어내자 다른 냄새도 났다. 베이컨과 시나몬 냄새 같은 게 뱀파이어의 냄새와 뒤섞여 있었다.

난 눈을 깜빡여 거실 안을 살펴보았다. 벨라가 소파 가운데 앉아 있고 링거 병이 사라졌다는 걸 제외하면 별로 달라진 건 없었다. 금발 머리는 벨라의 무릎에 기댄 채 그녀의 발밑에 앉아 있었다. 한심한 생각이긴 하지만 그들이 벨라를 아무렇지도 않게 만지는 걸 보면 아직도 한기가 느껴졌다. 에드워드는 벨라의 손을 잡은 채 옆에 앉아 있었다. 앨리스도 로잘리처럼 바닥에 앉아 있었다. 그녀의 얼굴은 이제 괴로워 보이지 않았고, 곧 그 이유를 알 수 있었다. 또 다른 진통제를 찾아냈던 것이다.

"아, 제이콥이 깼어요!"

세스가 소리를 질렀다. 그는 무릎에 음식이 잔뜩 든 접시를 올려놓은 채 벨라의 어깨에 팔을 두르고 옆에 앉아 있었다.

이건 또 뭐하자는 짓이야?

내가 일어서는데 에드워드가 대신 대답했다.

"널 찾으러 왔대. 그런데 에스미가 아침을 먹고 가라고 잡았지."

세스는 내 표정을 살피더니 서둘러 설명했다.

"응, 제이콥이 늑대로 변신하지 않기에 괜찮은지 보러 왔어. 리도 걱정했고. 난 제이콥이 그냥 인간 상태로 있는 것 같다고 설명했지만, 리 성격 어떤지 알잖아. 어쨌든 이렇게 먹을 것도 주고, 저기……."

그가 에드워드를 바라보며 덧붙였다.

"요리, 좀 하시네요."

"고마워."

에드워드가 중얼거렸다. 나는 악물었던 이를 풀어주기 위해 천천히 숨을 들이쉬었다. 그러면서도 세스의 팔에서 눈을 뗄 수 없었다.

"벨라가 감기에 걸렸어."

에드워드가 조용히 말했다. 그래, 어차피 나랑은 상관없는 일인걸. 벨라는 내 여자도 아니잖아.

에드워드의 말을 들은 세스가 내 얼굴을 보더니 갑자기 벨라에게서 팔을 떼고 음식을 먹기 시작했다. 이 상황에 어떻게든 적응하려 애쓰면서 나는 소파에서 몇 미터 떨어진 곳까지 걸어갔다.

"리가 순찰을 돌고 있어?"

내가 세스에게 물었다. 내 목소리는 아직 가시지 않은 졸음으로 뻑뻑
했다.

"응."

그가 음식을 씹으면서 말했다. 세스도 새 옷을 입고 있었다. 나보다 훨
씬 더 잘 맞았다.

"리가 잘 아니까 걱정 마. 무슨 일이 있으면 짖기로 했으니까. 우린 한
밤중에 교대했거든. 난 열두 시간이나 달렸지."

그의 목소리에는 자랑스러워하는 기색이 역력했다.

"한밤중? 잠깐, 지금 몇 시야?"

"동틀 녘."

그가 확인이라도 하는 양 창밖을 내다보았다. 이럴 수가! 오후에 잠들
어서 밤이 새도록 잤군. 실수였다.

"젠장. 미안해, 세스. 깨우지 그랬어."

"아니. 제이콥 형은 푹 자야 해. 대체 언제부터 못 쉰 거야? 샘 밑에서
마지막 순찰을 돌기 전날 밤? 40시간, 아니 50시간쯤 된 건가? 형은 기계
가 아니잖아. 게다가 아무 일도 없었고."

아무 일도? 난 재빨리 벨라를 보았다. 그녀의 혈색은 내가 기억하는 그
대로였다. 창백하긴 해도 분홍빛이 돌았다. 그녀의 입술도 다시 핑크빛이
되어 있었고, 머리카락은 심지어 더 윤기가 흘렀다. 벨라가 살피듯 나를
바라보더니 미소를 지었다.

"갈비뼈는 어때?"

내가 물었다.

"단단히 잘 싸매뒀지. 그래서 아픈 줄도 모르겠어."

나는 눈동자를 굴렸다. 에드워드가 이를 가는 소리가 들렸다. 그 역시 나처럼, 그녀가 아무렇지 않은 척하는 데 화가 난 것이다.

"아침은? Rh-O형으로 할래, 아니면 Rh+AB형으로 할래?"

내가 삐딱하게 물었다. 그녀가 내게 혀를 내밀었다. 다시 벨라다운 모습.

"오믈렛."

벨라가 말했다. 그러나 그녀의 눈은 아래로 향했고, 난 그녀와 에드워드의 다리 사이에 놓인 피가 든 컵을 보았다.

"아침 좀 먹어, 제이콥. 부엌에 뭐가 많던데. 뱃속이 텅 비었잖아."

세스가 말했다. 난 그의 무릎 위에 놓인 음식을 살펴보았다. 반쯤 남은 치즈 오믈렛과 4분의 1쯤 남은 원반 크기의 시나몬 롤이 보였다. 뱃속에서 꼬르륵 소리가 났지만 못 들은 척했다.

"리는 아침으로 뭘 먹을까?"

내가 세스에게 마치 화를 내듯 물었다.

"리에게 먼저 물어보고 먹는 거야. 누난 차에 치여 죽은 짐승을 먹는 게 낫겠다고 했지만. 사실 분명 리도 먹고 싶을걸. 이 시나몬 롤은……"

그가 자신을 변호했다. 무슨 말을 할지 몰라 쩔쩔매는 기색이 역력했다.

"그럼 난 리와 함께 사냥이나 해야겠군."

내가 그 집에서 나오기 위해 몸을 돌리자 세스가 한숨을 쉬었다.

"제이콥, 잠깐만."

칼라일이었다. 그래서 다른 사람이 불러 세웠을 때보다 좀 더 유순한 표정으로 돌아보았다.

"네?"

칼라일이 내게 다가왔고 그 사이에 에스미는 다른 방으로 걸어갔다. 그가 몇 미터 떨어진 곳에 멈춰 섰다. 두 사람이 대화를 나누기엔 좀 멀다 싶은 거리였다. 나는 그가 그렇게 공간을 내준 게 고마웠다.

"사냥에 대해 좀 얘기할 게 있어서. 그게 우리 가족에게는 중요한 문제라서 말이다. 우리의 예전 조약이 이젠 효력이 없다는 걸 알고 있단다. 그래서 네 조언을 듣고 싶어. 네가 정해둔 방어선 밖으로 나가게 되면, 샘이 우릴 공격할까? 난 우리 가족이 다치는 걸 원치 않아. 가족을 잃고 싶지 않구나. 네가 우리 입장이라면 어떻게 하겠니?"

그가 우울한 목소리로 말했다. 내게 이런 걸 묻다니, 좀 놀라웠다. 내가 흡혈귀의 입장 같은 걸 어떻게 안다는 거야? 하지만 난, 샘에 대해서라면 좀 알고 있다.

"위험하긴 해요."

다른 사람들의 시선은 무시하고 난 칼라일만 바라보았다.

"샘이 이성을 되찾긴 했지만, 여전히 속으로는 조약이 무효라고 생각할 거예요. 우리 부족이나 주민들이 진짜로 위험에 빠졌다고 생각하면 앞뒤 안 가릴 거고요. 무슨 뜻인지 아시겠죠. 하지만 그는 우선순위를 어디까지나 라푸시에 두고 있어요. 지금은 인원이 충분하지 않으니까, 사냥 팀을 제대로 꾸리려면 라푸시 사람들을 지켜줄 수 없게 되겠죠. 그러니까 아마 샘은 라푸시 근처에 있을 거예요."

칼라일이 생각에 잠긴 채 고개를 끄덕였다.

"만약에 대비해 다 함께 가세요. 그리고 낮에 가야 해요. 밤을 더 경계할 테니까. 옛날부터 전해오는 뱀파이어 얘기란 게 다 그렇잖아요. 당신은 빠르죠. 그러니까 사냥을 할 때 산맥을 넘어 아주 멀리 가세요. 샘이 라푸시에서 멀리 떨어진 그곳까지 누군가를 보내지는 않을 테니까요."

"벨라를 혼자 남겨두라고?"

칼라일이 물었다. 내가 비아냥댔다.

"우리는 뭐 허수아비예요?"

칼라일은 웃더니 다시 심각한 표정이 되었다.

"제이콥, 넌 네 형제들과 싸울 수 없어."

내 눈이 긴장으로 굳어졌다.

"쉬운 일이라고 말하지는 않겠어요. 하지만 그들이 정말 벨라를 죽이러 온다면, 내가 막을 거예요."

칼라일이 걱정스러운 듯 고개를 흔들었다.

"아니, 네가 맞설 수 없다는 얘기가 아니야. 그저 그게 잘못된 일이란 뜻이지. 내 양심이 허락하지 않을 것 같구나."

"선생님의 양심 문제가 아니잖아요. 내 양심의 문제지. 그리고 난 할 수 있어요."

"아니, 제이콥. 그런 일은 없게 할 거야."

그가 생각에 잠긴 것 같은 모습으로 얼굴을 찡그렸다. 그러다 잠시 후 결론이 났는지 이렇게 덧붙였다.

"한 번에 세 명씩 다녀올 거야. 그게 우리로서는 최선일 것 같다."

"글쎄요, 의사 선생님. 그렇게 두 팀으로 나누는 건 별로 좋은 전략이 아니에요."

"하지만 우리한테는 수적 열세를 상쇄할 수 있는 특별한 능력이 있잖니. 만약 에드워드와 함께 있다면 우리가 안전할 수 있는 반경도 좀 더 넓어질 거야."

우리는 에드워드를 바라보았다. 그리고 그의 표정을 본 칼라일은 재빨리 자신의 말을 번복했다.

"다른 방법도 있겠지."

칼라일의 말이었다. 분명 지금은 에드워드를 벨라에게서 떼어낼 만큼 절박한 육체적 욕구가 없는 것 같았다.

"앨리스, 어떤 길로 가면 안 되는지 보이니?"

"내 눈에서 사라지는 길들이죠. 쉬워요."

앨리스가 고개를 끄덕이더니 그렇게 대답했다. 칼라일의 첫 번째 계획을 듣고 잠시 굳어 있던 에드워드는 이제 마음을 놓은 것 같았다. 벨라가 슬픈 듯 앨리스를 바라보았다. 벨라의 미간에는 긴장할 때마다 생기는 작은 주름이 잡혀 있었다.

"좋아요. 해결됐네요. 그럼 난 가볼게요. 세스, 해질녘까지는 돌아와. 어디서 낮잠도 좀 자고. 알았지?"

내가 말했다. 세스가 벨라를 보며 머뭇거리더니 대답했다.

"응, 제이콥. 그런데…… 혹시 내가 필요해?"

"벨라는 담요를 덮으면 돼."

그렇게 말하는 내 목소리는 날카로웠다.

"난 괜찮아, 세스. 고마워."

벨라가 재빨리 말했다. 그때 에스미가 뚜껑을 덮은 커다란 접시를 들고 거실로 돌아왔다. 그리고 머뭇거리며 칼라일 뒤에 멈춰 서더니 짙은 금빛의 커다란 눈으로 나를 보았다. 에스미가 내 쪽으로 접시를 내밀고 부끄러운 듯이 한 걸음 다가왔다.

"제이콥."

그녀가 조용히 입을 열었다. 그녀의 목소리는 다른 뱀파이어들처럼 날카롭지 않았다.

"냄새 때문에…… 여기선 식욕이 안 생길 거라는 거 알아. 그래도 네가 이 음식을 가져가면 내 마음이 조금이나마 편해질 것 같구나. 넌 우리 때문에 집에 갈 수 없게 됐잖니. 제발 내 미안한 마음 좀 덜어줄래? 이거, 가져가서 먹어."

그녀가 내게 음식을 내밀었다. 부드러운 얼굴에 애원하는 듯한 표정이 어려 있었다. 이상하다. 기껏해야 이십 대 중반으로 보이는 외모인데 어떻게 그럴 수 있지? 게다가 얼굴도 너무 하얀데……. 그런데도 그녀의 표정을 보니 난, 엄마 생각이 났다.

젠장.

"으, 네, 네. 아마 리는 아직 배가 고플 거예요."

나는 그렇게 중얼거리고 팔을 죽 뻗어 한 손으로 음식을 받았다. 한동안 그 상태로 들고 있기만 했다. 나무 아래에 버려야지. 하지만 그녀가 기분 나빠하는 건 싫은데.

그때 에드워드가 생각났다.

**에스미한테는 말하지 마! 내가 먹었다고 생각하게.**

굳이 고개를 돌려 그의 대답을 확인하지는 않았다. 내 부탁을 들어주는 게 나을 테니까. 나한테는 빚도 있고.

"고마워, 제이콥."

에스미가 미소를 지었다. 도대체 어떻게 저 돌처럼 단단한 얼굴에 보조 개가 생길 수 있지?

"음, 감사합니다."

나는 말했다. 얼굴이 평소보다 더 달아올랐다.

뱀파이어와 어울리면 이런 게 문제다. 나는 어느새 그들에게 익숙해졌 고, 그렇게 그들은 내가 세상을 바라보는 방식까지 바꾸어버렸다. 혼란스 럽다. 그들이 친구처럼 느껴지기 시작했으니까.

"나중에 올 거지, 제이콥?"

내가 도망치려는데 벨라가 물었다.

"으, 몰라."

그녀는 웃지 않으려는 듯 입술을 앙다물었다.

"응? 나, 감기 걸렸을지 모르는데."

엉겁결에 코로 숨을 들이쉬고 나서, 뒤늦게 냄새 때문에 후회했다. 나는 움찔했다.

"아, 그래. 어쩌면."

"제이콥?"

에스미가 불렀다. 그녀가 다가오는 동안 나는 문 쪽으로 물러났다. 그러자 에스미가 나를 뒤따라 몇 걸음 걸어왔다.

"포치에 옷 바구니가 있거든. 리에게 주려고. 새로 세탁도 했고, 최대한 만지지 않으려고 조심했어. 리한테 전해줄래?"

그녀가 얼굴을 찡그렸다.

"네."

나는 재빨리 현관문으로 빠져 나왔다. 더 이상은 누구도 내 죄책감을 자극해 뭔가 시키지 못하도록.

# 15

# 똑딱 똑딱 똑딱

제이콥, 해질녘에는 내가 필요한 거 아니었어? 그런데 왜 리한테 자기 전에 날 깨우라고 하지 않은 거야?

너까지 올 필요 없었어. 난 아직 괜찮거든.

그는 이미 북쪽에서 반원을 그리며 돌고 있다. 아무것도?

그래. 아무것도.

정찰했어?

그는 내가 원이 아닌 다른 방향으로 돌아다녔다는 걸 알아차렸다. 그는 그 새로운 자국을 따라갔다.

그래. 부챗살 방향으로 달려봤어. 그냥 점검해보려고. 만약 컬렌 사람들이 사냥 여행을 떠나게 되면……

좋은 생각이네.

세스는 다시 우리가 보초를 서던 원으로 돌아왔다.

리보다는 세스와 달리는 게 훨씬 쉬웠다. 리도 애쓰고 있긴 하지만, 그녀의 생각에는 늘 모가 나 있었다. 그녀는 여기 있고 싶어 하지 않았다. 뱀파이어를 향한 내 마음이 점점 부드럽게 녹아가고 있는 걸 느끼고 싶어 하지 않았다. 세스가 뱀파이어들과 나누는 편안한 우정, 갈수록 끈끈해지는 그 우정을 그녀는 마음에 담고 싶어 하지 않았다.

재미있게도, 그녀에게 있어 가장 큰 문젯거리는 바로 나일 거라는 생각이 들었다. 샘의 무리에 있을 때 우린 항상 서로를 자극했었다. 하지만 이제 그녀에게는 내가 아닌, 컬렌 가족들과 벨라에 대한 적개심만 남아 있다. 그 이유가 궁금했다. 어쩌면 그녀를 밀어내지 않은 게 고마워서일지 모른다. 어쩌면 내가 그녀의 적개심에 대해 더 잘 알게 되어서인지도 모른다. 어느 쪽이든, 그녀와 함께 달리는 건 생각만큼 나쁘지 않았다.

물론 리 쪽에선 그렇지 않겠지만. 에스미가 보내준 음식과 옷은 지금쯤 한창 강물을 떠내려가고 있을 것이다. 내가 내 몫을 다 먹어치운 후에도 (음식에서 거부할 수 없을 만큼 좋은 냄새가 나서가 아니라 리에게 자기희생적인 참을성을 보여주기 위해서였다) 리는 음식을 먹지 않았다. 정오경에 잡은 작은 엘크(사슴의 일종: 편집자)는 그녀의 입맛에 맞지 않았다. 그 때문에 리의 기분은 나빠졌다. 날것으로 먹는 걸 싫어하기 때문이다.

*동쪽을 훑어봐야지? 그들이 숨어 있지 않은지 깊숙이 들어가 보자.* 세스가 제안했다.

*나도 그 생각을 했어.* 내가 동의했다. *하지만 그건 우리 모두 깨어 있을 때 하자. 경계를 늦추고 싶지는 않거든. 그래도 컬렌 사람들이 사냥을 떠나기 전엔 해치워야지. 늦지 않게 곧.*

*응.*

나는 생각에 잠겼다. 컬렌 가족은 인접지역에서 별 문제 없이 빠져나간다 해도 계속 이동해야 한다. 어쩌면 그들은 우리가 위험을 알렸을 때 바로 이곳을 떠났어야 했는지도 모른다. 다른 도피처를 준비해놓았어야 하는데. 북쪽으로 가면 그들의 친구가 있다고 들었다. 벨라를 데리고 도망가는 것. 그게 가장 확실한 해결책이었다.

내가 제안해야 하는 걸까. 하지만 그들이 과연 내 말을 들을까? 그리고 벨라가 사라지는 게 싫기도 했다. 그녀가 살아났는지, 아니면 그렇지 못했는지도 모른 채 지내고 싶지는 않았다.

아니, 이건 바보 같은 짓이다. 역시 그들에게 떠나라고 해야겠다. 여기 남아 있는 건 말이 안 된다. 그리고 벨라가 떠나는 쪽이 내게 좋을 것 같기도 했다. 덜 고통스러워지지는 않겠지만 최소한 건강엔 좋겠지.

하지만 말이 쉽지. 날 보고 그렇게 기뻐했던 벨라, 그리고 필사적으로 삶에 매달리던 벨라. 정말로 그녀가 사라진다면…….

아, 내가 에드워드에게 물어봤어. 세스가 생각했다.

뭘?

왜 아직 떠나지 않았냐고. 타냐의 땅이든 어디든, 샘이 따라갈 수 없는 먼 곳으로 왜 가지 않았냐고.

조금 전에 나는 컬렌 가족들에게 바로 그렇게 충고해주어야겠다고 결심했었다. 그게 최선이니까. 그러니 세스가 내 일을 빼앗아갔다고 화를 내서는 안 되는 거였다. 절대로 화를 내면 안 된다.

그러니까 뭐래? 때를 기다린대?

아니, 떠나지 않을 거래.

난 이걸 좋은 소식이라고 받아들여서는 안 된다.

왜? 그건 정말 멍청한 짓인데.

그렇지도 않아. 세스가 변호하듯 말했다. 칼라일은 오랜 시간과 공을 들여 의료 시설을 갖춰놨대. 벨라에게 필요한 장비들은 모두 있고, 의사자격증도 있으니 필요한 건 얼마든지 구할 수 있다는 거야. 그게 그들이 사냥을 떠나고 싶어 하는 이유기도 하더라고. 칼라일은 피가 더 필요할 거라고 생각해. 벨라를 위해 준비해둔 Rh-O형의 피가 떨어져가는 모양이더군. 머지않아 고갈될 거라고 걱정하고 있어. 그래서 피를 좀 더 사둘 모양이야. 어, 그런데 피를 살 수도 있다는 거 알고 있었어? 물론 의사들만 가능하지만.

아직 머리가 제대로 돌지 않는 것 같았다. 하지만 그래도 역시 멍청한 짓 같은데. 장비들이야 옮기면 되는 거잖아. 그리고 어딜 가서든 필요한 게 있으면 훔치면 될 거고. 불사의 존재에게 법 따위가 무슨 소용이냔 말이다.

에드워드는 벨라를 움직이는 게 위험하다고 생각하고 있어.

하지만 이젠 벨라 상태가 꽤 좋아졌잖아.

아주 좋아졌지. 세스도 동의했다. 그는 머릿속으로 두 영상을 서로 비교하고 있었다. 내 기억에 남아 있던 튜브를 주렁주렁 단 그녀의 모습과, 자신이 컬렌의 집을 나설 때 보았던 그녀의 모습을. 그녀는 세스에게 미소를 지으며 손을 흔들었다.

하지만 그녀는 많이 움직일 수 없어. 놈이 벨라를 죽도록 차고 있으니까.

난 목구멍으로 올라오는 신물을 삼켰다. 그래, 알아.

갈비뼈를 또 부러뜨렸던데. 그가 우울하게 말했다.

내 다리가 휘청거렸다. 나는 비틀거리며 한 걸음을 뗀 후에야 간신히 원래의 걸음걸이로 돌아올 수 있었다.

또 하나 부러졌어. 칼라일이 그렇게 말했어. 그리고 부러진 곳을 다시 싸매줬지. 그리고 로잘리는 인간 아기들도 엄마의 갈비뼈를 자주 부러뜨린다고 말했어. 에드워드는 로잘리의 머리를 뽑아버리고 싶어 하던걸.

진짜 그렇게 하지 않은 게 유감이다.

이제 세스는 내가 묻지 않아도 무슨 일이 있었는지 고스란히 알려주었다. 마치 보고라도 하는 것처럼. 내가 몹시 궁금해 한다는 걸 알고 있어서다.

오늘 벨라는 열이 올랐다 내렸다 했어. 미열이 있고 땀을 흘리는 데다 오한도 느끼더라고. 칼라일은 이유를 정확히 모르겠다고 하더군. 그냥 아픈 걸 수도 있고, 면역시스템에 이상이 생긴 걸지도 모른다고.

그래, 어쩌다 그런 거겠지.

그래도 벨라는 기분이 좋은 것 같았어. 찰리와 수다도 떨고, 웃고…….

찰리? 내가 잘못 들은 걸까? 벨라가 찰리와 이야기를 했다니, 대체 무슨 소리야?

이제 세스는 말을 더듬기 시작했다. 내가 갑자기 화를 낸 데 놀란 것이다.

찰리가 벨라와 통화하려고 매일 전화를 거나 봐. 벨라의 엄마도 가끔 전화를 하고. 이제 벨라는 목소리도 많이 나아졌잖아. 그래서 그녀가 찰리를 안심시키고 있어. 낫고 있는 중이라고.

낫는 중이라고? 대체 놈들은 무슨 생각을 하고 있는 거지? 괜히 그렇게 희망을 줬다가 벨라가 죽게 되면 찰리가 더 크게 상심할 게 빤하잖아. 마음의 준비를 하게 해야지. 대비하게 해야 한단 말이야. 벨라는 왜 찰리를 더 곤란하게 만드는 거야?

벨라가 죽지 않을 수도 있잖아. 세스는 조용히 그렇게 생각했다.

나는 흥분을 가라앉히려 애쓰면서 깊이 숨을 들이쉬었다. 세스, 벨라는 인간의 몸으론 이 일을 이겨낼 수 없어. 스스로도 그걸 알고 있고, 또 뱀파이어들도 알아. 만약 그녀가 죽지 않는다면 시체 연기를 해야 할걸. 그러든가, 아니면 사라지든가 해야지. 그러니 찰리가 미리 대비해서 어떻게든 좀 더 쉽게 받아들여야 할 거 아냐. 왜……?

벨라 생각인 것 같았어. 아무도 그렇게 말한 적은 없지만. 에드워드 얼굴을 보니까 에드워드는 제이콥 형과 같은 생각을 하는 것 같더라.

또 그 흡혈귀 놈이랑 뜻이 맞은 셈이군.

우리는 몇 분 동안 침묵한 채로 달렸다. 그러다 나는 남쪽을 살펴보기 위해 출발했다.

너무 멀리 가지 마.

왜?

벨라가 집에 들르랬어.

나는 이를 악물었다.

앨리스도 그랬고. 종탑의 뱀파이어 박쥐처럼 다락방에만 있어야 하는 게 지겹대. 세스가 콧소리를 내며 웃었다. 아까는 벨라의 체온을 안정시키려고 나랑 에드워드가 교대로 그녀 곁에 있었어. 차가운 것 다음엔 뜨거운 것, 뭐 그런 거지. 만약 형이 싫으면 내가 다시 가도 되는데…….

아냐. 알았어. 내가 단호하게 말했다.

그래. 세스는 더 이상 말하지 않았다. 그리고 텅 빈 숲에만 열심히 정신을 집중했다.

나는 뭔가 새로운 것이 있는지 살피면서 계속 남쪽으로 갔다. 그러자 거주지 표시가 나타났을 때 다시 몸을 돌렸다. 아직 시내와는 꽤 거리가 있었지만, 다시 늑대에 대한 소문이 돌까 봐 걱정되었기 때문이다. 우린 오랫동안 눈에 띄지 않게 얌전히 생활해왔다.

돌아오는 길에 바로 컬렌의 집으로 향했다. 어리석은 짓이라는 걸 알면서도 멈출 수가 없었다. 난 정말 마조히스트인지도 몰라.

제이콥 형한텐 아무 문제없어. 이 상황이 비정상적인 거지.

입 다물어, 세스, 제발.

알았어.

이번에는 집 앞에서 머뭇대지 않았다. 마치 우리 집인 양 나는 그냥 안으로 들어갔다. 이 방법으로 로잘리의 화를 돋워볼까 했는데 쓸데없는 짓이었다. 로잘리도, 벨라도 보이지 않았다. 난 내가 그들을 못 본 것이길 바라면서 정신없이 사방을 둘러보았다. 심장이 이상했다. 마치 몸속에서 뒤틀리고 있는 것 같았다.

"벨라는 괜찮아. 아니, 전과 같아. 이렇게 말하는 게 정확하겠지."

에드워드가 속삭였다. 에드워드는 손에 얼굴을 파묻은 채 소파에 앉아 있었다. 그는 그렇게 말하면서도 고개조차 들지 않았다. 에스미가 팔로 에드워드의 어깨를 꼭 감싼 채 그 옆에 앉아 있었다.

"왔니, 제이콥? 다시 와주다니 기쁘구나."

그녀가 말했다.

"나도."

앨리스가 한숨을 쉬며 말했다. 그녀가 얼굴을 찡그린 채 껑충거리며 계단을 내려왔으므로, 마치 난 약속에 늦은 듯한 기분이었다.

"으, 안녕."

내가 말했다. 이렇게 예의를 차리는 게 영 어색하게 느껴졌다.

"벨라는?"

"화장실. 벨라가 액체만 먹잖아. 게다가 임신하면 더 자주 가게 되나 봐."

앨리스가 말했다.

"아."

나는 그대로 어색하게 선 채 몸만 앞뒤로 흔들고 있었다.

"오, 이런! 역겨운 냄새가 나더라니."

로잘리가 투덜거렸다. 고개를 돌려보니 계단 뒤쪽에 그녀가 있었다. 로잘리는 벨라를 부드럽게 안은 채로 나를 향해 거친 비웃음을 날렸다. 벨라는 또 아까처럼, 크리스마스 날 아침의 아이를 닮은 환한 표정을 하고 있었다. 내가 그녀에게 최고의 선물이라도 가져온 것처럼.

정말 말도 안 되는 얘기 아닌가.

"제이콥. 왔구나."

벨라가 속삭였다.

"안녕, 벨라."

에스미와 에드워드가 일어섰다. 로잘리는 아주 조심스럽게 벨라를 소파에 눕혔다. 그런데도 벨라는 하얗게 질린 채 숨을 참았다. 아무리 아파도

소리를 내지 않겠다고 결심한 것 같았다. 그녀의 이마를 쓰다듬던 에드워드의 손이 곧 목으로 내려갔다. 그는 머리카락을 쓸어주는 척했지만 내게는 의사가 검사를 하는 모습으로밖에는 보이지 않았다.

"추워?"

그가 중얼거렸다.

"괜찮아."

"벨라. 칼라일이 말했잖아. 어떤 징후도 소홀히 해선 안 된다고. 그건 둘 모두한테 전혀 도움이 안 돼."

로잘리가 말했다.

"알았어. 조금 추워. 에드워드, 그 담요 좀 줄래?"

난 눈알을 굴렸다.

"그럼 나한텐 왜 오라고 한 거야?"

"하지만 방금 왔잖아. 그리고 하루 종일 뛰어다녔을 거 아냐. 잠깐만 쉬어. 내 몸은 금방 따듯해질 거야."

벨라가 말했다. 하지만 나는 그 말을 듣지 않았다. 그녀가 쉬라고 말하는 동안 난 소파 옆 바닥에 앉았다. 하지만 막상 어떻게 해야 할지 몰라 당황스러웠다. 벨라는 지금 너무 약해진 상태라, 난 그녀를 움직이는 게 두려웠다. 심지어 내 팔로 몸을 감싸는 것조차 두렵게 느껴졌다. 그래서 나는 조심스럽게 그녀의 옆구리 쪽으로 몸을 기울인 다음, 내 팔을 벨라의 팔에 닿게 늘어뜨린 채 손을 잡아주었다.

"고마워, 제이콥."

그렇게 말한 그녀의 몸이 한 번 떨리는 것이 느껴졌다.

"그래."

내가 말했다. 에드워드는 벨라를 바라보며 그녀의 발치에 있는 소파 팔걸이에 앉았다.

"로잘리, 제이콥에게 먹을 것 좀 갖다 줘."

앨리스가 말했다. 그녀는 지금 보이지 않게 소파 뒤에 조용히 앉아 있었다. 로잘리는 믿을 수 없다는 듯 앨리스의 목소리가 나는 쪽을 바라보았다.

"고마워, 앨리스. 하지만 금발 머리가 독을 뱉어놓은 음식은 먹고 싶지 않아. 내 몸은 그걸 소화시키지 못할 것 같거든."

"에스미도 있는데 로잘리가 그런 짓을 하겠어?"

"당연하지."

금발 머리가 설탕처럼 달콤한 목소리로 말했다. 그 목소리를 들으니 단번에 의심이 몰려왔다. 로잘리가 일어서서 가벼운 몸놀림으로 거실을 빠져나갔다. 에드워드는 한숨을 쉬었다.

"독을 넣으면 알려줄 거지?"

내가 물었다.

"그래."

에드워드가 약속했다. 왠지 믿음이 갔다.

부엌에서 여러 번 쾅쾅거리는 소리가 났다. 이상한 금속성의 소음도 함께 들려왔다. 에드워드는 다시 한숨을 쉬면서도 살짝 미소 지었다. 그때 로잘리가 나타나는 바람에 이것저것 생각해 볼 짬도 없었다. 그녀가 히죽거리며 내 옆에 은그릇을 내려놓았다.

"먹어, 멍청아."

그릇은 원래 커다란 믹싱보울이었던 것 같은데, 로잘리가 그걸 휘어서 거의 개밥그릇처럼 만들어놓았다. 나는 그녀의 날렵한 손재주에 감탄했다. 그리고 세세한 것에까지 신경을 쓴 점도 감탄스러웠다. 그녀는 그릇 옆에 파이도(Fido, '충직하다'는 뜻을 담고 있는 라틴어로, 미국에서 애완견에 흔히 붙여주는 이름: 편집자)라는 글자까지 새겨 넣었다. 멋들어진 손 글씨였다.

음식(스테이크에 커다란 구운 감자였다)이 꽤 맛있어보였으므로 난 그녀에게 인사를 했다.

"고마워, 금발 머리."

로잘리가 코웃음 쳤다.

"머리가 좋은 금발 머리를 뭐라고 부르는지 알아?"

난 이렇게 묻고는 바로 답을 알려줬다.

"골든리트리버야."

"나도 아는 얘기거든."

그녀는 더 이상 웃지 않았다.

"그럼 다음에 도전하지."

난 그렇게 말하고 음식을 먹기 시작했다. 그녀는 화난 표정으로 눈동자를 굴렸다. 그러더니 곧 안락의자에 앉아 텔레비전 채널을 이리저리 돌리기 시작했다. 너무 빨리 돌렸기 때문에 그녀가 정말 보고 싶은 걸 찾을 수나 있을지 궁금해졌다.

뱀파이어의 냄새가 공기 중에 가득 차 있는데도 음식은 맛있었다. 나는 그 냄새에 익숙해져가고 있었다. 젠장, 이런 걸 바란 게 아닌데, 사실은……

그릇을 핥아서 로잘리를 화나게 해볼까 하는 생각을 하며 나는 음식을 다 먹었다. 벨라의 차가운 손이 내 머리카락을 부드럽게 쓰다듬었다. 그녀가 내 뒷목으로 머리카락을 쓸어 넘겼다.

"깎아야겠지?"

"약간 덥수룩하네. 어쩌면……"

나는 그녀의 말을 잘랐다.

"내가 맞혀볼게. 여기 있는 누군가가 파리의 살롱에서 미용사로 일했지?"

그녀가 킥킥거렸다.

"비슷해."

"거절하겠어. 앞으로 몇 주간은 괜찮아."

그녀가 정말로 머리를 깎으라는 말을 하기 전에 나는 그렇게 말해버렸다. 그러면서 문득 그녀가 앞으로 몇 주나 괜찮을지 궁금해졌다. 어떤 식으로 물어야 할지 나는 잠시 고민했다.

"그러면…… 음, 날짜는 언제야? 그러니까 그 작은 괴물의 출산예정일 말이야."

그녀는 떠다니는 깃털처럼 가벼운 손놀림으로 내 뒷머리를 때렸지만 대답은 하지 않았다.

"심각하게 물어보는 거야. 내가 얼마나 여기 있어야 하는지 궁금해서 그래."

내가 말했다. 그러니까 네가 얼마나 여기 있을지 말이야. 난 머릿속으로 이렇게 덧붙이고서 고개를 돌려 그녀를 바라보았다. 그녀의 눈은 깊은 생각에 잠긴 듯 진지했다. 스트레스를 받으면 생기는 주름이 다시 그녀의 미간에 잡혀 있었다.

"몰라. 정확히는 몰라. 사람처럼 임신기간이 9개월은 아닐 거야. 초음파 검사도 할 수 없으니까 칼라일은 배의 크기를 보고 추정하더라. 보통 사람은 아기가 다 자라면 여기가 40센티미터쯤 된대."

그녀는 혼잣말을 하듯 그렇게 대답하고 나서, 튀어나온 배의 한가운데에 손을 댔다.

"매주 1센티미터씩 큰다고 들었어. 그런데 내 배는 오늘 아침에 30센티미터였고, 하루에 2센티미터나 혹은 그 이상 커지기도 해……."

벨라가 중얼거렸다. 2주 동안 자랄 게 하루 만에 자라다니, 시간은 날듯이 지나간다. 그녀의 삶도 재빨리 지나가고 있었다. 40센티미터가 되려면 며칠이나 남았을까? 4일? 잠깐 동안 고민하다 간신히 침을 삼켰다.

"괜찮아?"

그녀가 물었다. 목소리가 어떻게 나올지 몰라서 난 고개만 끄덕였다.

에드워드는 고개를 돌린 채 내 생각을 듣고 있었다. 하지만 난 유리벽에 비친 그의 표정을 보았다. 그는 또 다시 화형 당하는 남자의 얼굴로 돌아가 있었다.

데드라인이 정해지고 나니 재미있게도 내가 떠날지, 아니면 그녀를 떠나보낼지 고민하는 게 더 괴로웠다. 세스 덕분에 그들이 여기 남을 거라는 사실을 알게 된 게 기뻤다. 컬렌 일가가 언제 떠날지 궁금해 하면서 그 4일 중 하루, 이틀, 또는 사흘을 날려버렸다면 정말 괴로웠을 것이다.

재미있고도 이상한 일은 그뿐이 아니다. 이 상황이 곧 종료되리라는 걸 알면서도, 날 잡고 있는 그녀를 떨쳐내기가 더 힘들어졌다. 그녀의 점점 커져가는 배와 관계가 있는 것 같기도 했다. 배가 점점 더 부풀어 오를수록 그녀는 마치 중력 같은 힘을 얻는 것 같았다.

그런 끌림으로부터 어떻게든 스스로를 떼어내기 위해, 잠깐 거리를 두고 그녀를 바라보려 했다. 그런데 나는 그 어느 때보다 절실히 벨라를 필요로 하고 있었다. 단순히 내 상상만이 아니었다. 왜일까? 그녀가 죽어가고 있어서? 죽지 않는다 해도 결국은 내가 알지도, 이해하지도 못하는 존재로 변해버릴 거라는 사실(최상의 시나리오 아닌가?)을 잘 알고 있는데도 왜 난⋯⋯.

"괜찮아질 거야."

축축이 젖어 있는 내 광대뼈를 손가락으로 쓰다듬고서 벨라는 마치 노래하듯 중얼거렸다. 그 말이 아무 의미도 없다는 건 사실 중요하지 않았다. 아기들에게 들려주는 무의미한 자장가처럼 벨라는 그 말을 되풀이했다. 자장, 자장. 아가야.

"그래."

난 중얼거렸다. 그녀가 내 팔에 몸을 웅크린 채 머리를 내 어깨에 기댔다.

"와줄 줄 몰랐어. 세스는 네가 올 거라고 했고, 에드워드도 그랬어. 하지만 난 그들을 믿지 않았어."

"왜?"

내가 퉁명스럽게 물었다.

"넌 여기서는 행복하지 않잖아. 그런데도 이렇게 와줬지."

"네가 원했잖아."

"알아. 하지만 안 와도 괜찮았어. 여기 오길 바라는 건 정당하지 못해. 그러니 오지 않았어도 이해했을 거야."

잠깐 동안 조용했다. 에드워드는 머리를 똑바로 둔 채 로잘리가 채널을 계속 돌려대는 TV를 함께 보고 있었다. 로잘리는 600번 채널을 열심히 시청 중이었다. 하지만 얼마나 갈지는 의문이다.

"와줘서 고마워."

벨라가 속삭였다.

"뭐 좀 물어봐도 돼?"

내가 물었다.

"당연하잖아."

우리에게 전혀 신경 쓰지 않는 것 같은 에드워드였지만, 이미 그는 내가 뭘 물을지 알고 있었다. 그래서 그는 내게 장난을 치지 않았다.

"왜 내가 여기 오길 바라는 거야? 세스도 너를 따뜻하게 해줄 수 있고, 아마도 그 애가 더 편할 텐데. 세스는 유쾌한 꼬마잖아. 하지만 내가 걸어 들어올 때마다 넌, 마치 네가 세상에서 제일 좋아하는 사람이 나인 것처럼 미소 짓잖아."

"넌 내가 가장 좋아하는 사람 중 한 명이야."

"지겨워. 알면서 그래."

"그래. 미안해."

그녀가 한숨을 쉬었다. 에드워드는 창문을 내다보는 것처럼 다시 고개를 돌렸다. 창에 비친 그의 모습이 공허해보였다.

"네가 여기 있으면…… 완벽한 것 같아, 제이콥. 내 가족이 모두 모인 것 같아서 좋아."

그녀는 아주 잠깐 미소 짓고서 덧붙였다.

"하지만 네가 없으면 완전하지 않아."

"난 절대 네 가족이 될 수 없어, 벨라."

그래, 벨라의 가족이 될 수도 있었다. 그랬으면 행복했겠지. 하지만 그건 제대로 기회조차 갖지 못한 채 죽어버린 머나먼 미래였다.

"넌 항상 내 가족이었어."

그녀가 반박했다. 나는 이 가는 소리를 냈다.

"그건 말도 안 되는 대답이야."

"그럼 뭐라고 말해야 돼?"

"'제이콥, 난 네가 고통 받는 게 신나.' 라고 말하는 건 어때?"

그녀가 움찔하는 게 느껴졌다.

"그게 더 좋아?"

그녀가 속삭였다.

"최소한 그게 더 편해. 그럼 난 그 생각으로 버텨갈 수 있었을 거야. 참아낼 수 있었을 거라고."

나는 내 얼굴 가까이에 있는 그녀의 얼굴을 내려다보았다. 그녀는 눈을 감은 채 얼굴을 찡그리고 있었다.

"우린 궤도를 벗어났어, 제이콥. 균형을 잃어버렸어. 넌 내 삶의 일부야. 난 그걸 느낄 수 있어. 너도 느낄 수 있잖아."

그녀는 눈을 뜨지 않고 1초쯤 가만히 있었다. 마치 내가 그 말을 부인해주길 기다리는 것처럼. 내가 아무 말도 하지 않자 그녀는 다시 말을 이어 갔다.

"하지만 이런 식은 아냐. 우리가 뭔가 잘못했나봐. 아니, 내가 잘못한 거지. 난 뭔가 잘못을 저질렀고, 그래서 우린 궤도에서 벗어나 버렸 어……."

그녀의 목소리가 서서히 잦아들었고, 찡그려졌던 얼굴도 입가에 작은 주름만을 남긴 채 펴졌다. 난 그녀가 내 상처에 소금을 좀 더 뿌려주길 기다렸지만, 대신 부드럽게 코고는 소리만 목구멍을 통해 흘러나왔다.

"벨라는 지쳤어. 긴 하루였잖아. 힘든 하루였고. 실은 일찍 잠자리에 들었어야 하는데, 널 기다리더라고."

에드워드가 중얼거렸다. 나는 그를 보지 않았다.

"세스가 그러던데. 갈비뼈가 또 부러졌다고."

"맞아. 그래서 숨쉬기 힘들어하고 있어."

"아, 그래. 그거 잘됐네."

"벨라의 몸이 다시 뜨거워지면 알려줘."

"그래."

내 팔과 닿지 않은 그녀의 팔에는 여전히 소름이 돋아 있었다. 굳이 머리를 들고 담요를 찾을 필요도 없었다. 에드워드가 소파 팔걸이에 걸쳐져 있는 담요를 대신 벨라에게 덮어주었기 때문이다.

때로 마음을 읽는 건 시간을 절약해주었다. 예를 들어 찰리 일에 대해서도 난 비난의 말을 꺼낼 필요가 없었다. 에드워드는 내가 얼마나 화가 났는지 이미 듣고 있을 테니까.

"그래. 별로 좋은 생각이 아니었지."

그가 동의했다.

"그런데 왜?"

왜 벨라는 찰리에게 낫고 있다고 말한 거지? 분명 나중에 더 비참해지고 말 텐데.

"찰리가 걱정하는 게 싫어서."

"그래서 그렇게 하는 게 더 낫다는……."

"아니, 더 나아서가 아니야. 하지만 그녀를 슬프게 하는 일은 난 시키지 않을 거야. 무슨 일이 벌어지든, 찰리에게 낫고 있다고 말하면 그녀의 기분은 더 나아져. 그 뒤의 일은 나중에 내가 어떻게든 하면 돼."

하지만 이건 옳지 않다. 머지않아 벨라는 더 이상 찰리의 고통을 달래주지 못하게 될 텐데, 다른 사람에게 그 일을 떠넘기다니. 아무리 죽어간다 해도 그녀답지 않은 행동이었다. 내가 아는 벨라라면, 분명 다른 계획이 있을 것이다.

"벨라는 살 수 있다고 굳게 믿고 있어."

에드워드가 말했다.

"하지만 인간으로서는 아니지."

내가 말했다.

"그래, 인간은 아냐. 하지만 그녀는 어떤 모습으로든 찰리를 다시 보고 싶어 해."

아, 갈수록 가관이군.

"찰리를. 본다고."

결국 참지 못하고 나는 눈을 크게 뜬 채 그를 노려보았다.

"나중에…… 벨라가 하얗게 번쩍이는 얼굴에 핏빛 눈을 하고서 찰리를 본다고? 난 너희들 흡혈귀가 아니라 잘은 모르겠지만, 만약 찰리가 그녀의 첫 번째 먹이가 된다면?"

에드워드가 한숨을 쉬었다.

"최소 1년 정도는 찰리 곁에 갈 수 없다는 거, 벨라도 알고 있어. 하지만 그 정도의 시간은 벌 수 있을 거라고 믿는 거지. 찰리에게 지구 반대편에 있는 특수한 병원에 간다고 말하는 거야. 전화 통화는 계속하면서……."

"제정신이 아니군."

"그래."

"찰리는 바보가 아냐. 벨라가 그를 죽이지 않는다 해도 반드시 뭔가 달라졌다는 걸 알아차릴 거야."

"그녀도 그걸 기대하고 있어."

난 설명을 기다리면서 계속 그를 바라보았다.

"당연히 그녀는 나이를 먹지 않겠지. 그러니 벨라가 달라진 모습으로 나타난 이유를 꾸며대고, 그 변명을 한때는 찰리가 받아들인다 해도 결국 오래가지 않을 거야."

그가 희미하게 미소 짓더니 덧붙였다.

"예전에 너도 벨라에게 네가 늑대인간이라는 걸 말해주려고 했잖아? 그런데 그녀는 무슨 생각을 한 줄 알아?"

난 한쪽 손으로 주먹을 쥐었다.

"벨라가 말한 거야?"

"그래, 그녀가 자신의…… 생각을 설명해줬어. 찰리에게 진실을 말해줄 수는 없지. 너무 위험할 테니까. 하지만 그는 똑똑하고 실용적인 사람이야. 벨라는 그가 뭔가 스스로를 납득시킬 수 있는 가설을 만들어낼 거라고 믿고 있더군. 그리고 그가 생각해낸 설명은 현실과는 다를 거라는 거야."

에드워드가 냉소했다.

"결국 우리는 뱀파이어의 규칙을 고수하지 못하게 될 거야. 처음에 벨라가 그랬던 것처럼 그는 우리에 대해 잘못된 생각들을 품을 테고, 우린 그걸 안고 가야 해. 그녀는 찰리를…… 때때로 만날 생각을 하고 있어."

"완전히 미쳤군."

난 다시 말했다.

"그래."

에드워드 다시 동의했다. 단지 행복하게 해주겠다는 이유로 죄다 그녀에게 맡겨 두다니, 약해빠진 놈 같으니. 이런 계획이 잘될 리 없잖아.

보아하니 그는, 정말로 벨라가 살아나 자신의 말도 안 되는 계획을 실현할 수 있으리라고 믿는 것 같지는 않았다. 그저 그녀를 달래서 잠깐이라도 행복하게 만들려는 것뿐.

앞으로 나흘.

"어떤 일이 벌어지든 내가 해결할 거야. 지금은 그녀를 힘들게 하지 않겠어, 절대로."

그가 속삭였다. 그리고 자신의 표정을 볼 수 없도록 고개를 숙이더니 돌려버렸다.

"나흘이라고 했나?"

내가 물었다. 그는 고개를 들지 않았다.

"아마도."

"그 다음에는?"

"무슨 뜻이야?"

난 벨라가 했던 말을 생각했다. 강한 무언가…… 그러니까 뱀파이어의 피부 비슷한 것에 단단히 감싸인 '그것'에 대해. 그건 어떻게 움직일까? 어떻게 나오게 될까?

"우리가 좀 조사해봤는데, 이빨을 사용해서 자궁에서 빠져나올 거야."

그가 속삭였다. 분노를 삼키기 위해 나는 잠깐 침묵하지 않을 수 없었다.

"조사?"

무기력한 목소리로 내가 물었다.

"그게 재스퍼와 에밋이 여기 없는 이유야. 칼라일은 지금 조사를 하고 있거든. 그 생명체의 행동을 예측하는 데 도움이 될 만한 단서를 찾기 위해 오래된 이야기와 신화를 연구하고 있지."

이야기라고? 신화가 있다면 그럼······.

"이런 일이 전에도 있었냐고? 아마도. 아주 개략적이긴 하지만. 신화란 건 원래 공포와 상상의 산물이기 쉽잖아. 하지만 그래도······."

에드워드가 내 질문을 예상하고 이렇게 대답했다. 그러다 그는 머뭇거렸다.

"너희 종족의 전설은 결국 사실이었잖아? 아마 이것도 사실일 거야. 하지만 지역별로 변형되고······."

"어떻게 찾았어······?"

"남미에 갔을 때 만난 여자가 있어. 그녀는 자랄 때 자기 부족에서 전해 내려오는 이야기들을 들었다고 해. 그 중에 이런 생명체에 대한 경고도 포함되어 있었다는 거야. 알잖아, 그런 옛날이야기들."

"어떤 경고인데?"

내가 속삭였다.

"가능한 한 빨리 없애야 한대. 너무 힘이 세지기 전에."

샘의 생각과 같군. 그가 옳았던 걸까?

"사실 그들의 전설에 따르면 우리도 마찬가지긴 해. 우리도 없애야 한다더군. 영혼이 없는 살인자들이라면서."

2전 2승이군. 에드워드가 짧게 소리내어 웃었다.

"전설 속에서 그······ 엄마들은 어떻게 되는데?"

에드워드의 얼굴에 고통의 빛이 어렸다. 나는 그 표정에 움찔하면서도, 결국 그가 대답하지 않으리라는 사실을 깨달았다. 과연 그걸 입에 올릴 수나 있을까. 대신 대답해준 것은 로잘리였다. 벨라가 잠든 후로 너무 조용했으므로 난 그녀가 있다는 것조차 잊고 있었다. 로잘리가 목 깊은 곳으로부터 울려 나오는 냉소적인 목소리로 말했다.

"물론 생존자는 없어."

그녀가 말했다. '생존자는 없다'고? 게다가 저 퉁명스럽고 차가운 말투는 뭐지?

"사악한 영혼을 쫓겠다며 얼굴에 나무늘보 침 같은 걸 바른 채로, 세균이 득실대는 습지에 주술사와 함께 들어가 아이를 낳는데 문제가 안 생길 리 없지. 정상적인 출산조차 망쳐버리기 일쑤였으니까. 하지만 이 경우는 달라. 그들이 절대로 가질 수 없었던 것들을 이 아이는 갖고 있으니까. 아이에게 뭐가 필요한지 알고 욕구를 채워주려 애쓰는 도우미들, 뱀파이어의 특성을 완벽하게 이해하고 있는 의사, 안전한 출산을 도울 치밀한 계획들이 있어. 게다가 어떤 문제든 해결할 수 있는 무시무시한 독도 있지. 이아기는 괜찮을 거야. 만약 전설 속의 엄마들에게도 그런 게 있었다면 살아남았겠지. 애당초 그들이 존재했었다면 말이야. 사실 실제로 있었던 일인지도 난 잘 모르겠지만."

그녀가 거드름을 피우며 말했다. 아기, 아기. 그것만 중요하겠지. 벨라의 생명은 이 여자한텐 아무것도 아닌 거야. 손쉽게 무시해버릴 수 있는 그런 하찮은 것일 뿐.

에드워드의 얼굴이 눈처럼 하얘졌다. 그가 두 손을 갈고리처럼 웅크렸다. 로잘리는 의자에서 몸을 비틀어 에드워드에게 등을 돌렸다. 정말 인정머리 없고 냉담한 모습으로. 그러자 에드워드가 몸을 앞으로 굽힌 자세를 취했다.

내가 할게. 나는 마음속으로 그렇게 제안했다. 에드워드는 한쪽 눈썹을 치켜 올린 채 가만히 있었다.

나는 조용히 내 '개밥그릇'을 바닥에서 들어올렸다. 그리고 빠르게, 또힘 있게 손목을 돌려 밥그릇을 로잘리의 뒤통수에다 던졌다. 고막을 찢을 듯한 요란한 소리가 나더니, 납작해진 개밥그릇이 거실을 가로질러 두툼한 계단 기둥에 부딪혔다. 기둥 위쪽에 붙어 있던 둥근 장식물이 떨어져나갔다.

벨라가 몸을 움직였지만 잠에서 깨지는 않았다.

"멍청한 금발 머리."

나는 중얼거렸다. 로잘리가 천천히 고개를 돌렸다. 그녀의 눈은 이글이글 타오르고 있었다.

"네가. 내. 머리카락에. 음식을. 묻히다니."

좋았어!

웃음이 터져 나왔다. 난 벨라에게서 몸을 떼어내고 마구 몸을 흔들면서 웃었다. 나중에는 눈물까지 흘러내릴 지경이었다. 소파 뒤에서 앨리스가 신나게 웃는 소리가 들렸다.

로잘리가 왜 덤벼들지 않는지 궁금했다. 잔뜩 기대하고 있었는데. 그때 내 웃음소리에 벨라가 잠을 깼다. 그 엄청난 소음 속에서도 잘만 자더니.

"뭐가 그렇게 재미있어?"

그녀가 중얼거렸다.

"내가 저 여자 머리카락에 음식을 발라줬거든."

나는 다시 마구 웃어댔다.

"잊지 않겠어, 강아지."

로잘리가 씩씩거렸다.

"어이, 금발! 아직 기억이 남아 있는 걸 보니 너무 약하게 맞았나 봐. 귀에 바람만 들어간 거 아냐?"

나는 그렇게 받아쳤다.

"제대로 된 농담 좀 배워오지?"

로잘리가 다시 사납게 외쳤다.

"제이콥. 로잘리를 내버려……."

벨라는 말을 채 마치지 못하고 거칠게 숨을 들이쉬었다. 그와 동시에 에드워드가 내 위쪽으로 몸을 숙이더니 담요를 걷었다. 그녀의 등이 활처럼 휘어졌다. 경련을 일으킨 것 같았다.

"제이콥, 그냥…… 기지개를 켠 거야."

그녀가 숨을 헐떡였다. 허옇게 핏기가 사라진 입술로 그녀는 비명을 참으려는 듯 이를 악물었다. 에드워드가 두 손으로 그녀의 얼굴을 감쌌다. 그리고 긴장이 가득한 목소리로 작게 불렀다.

"칼라일?"

"여기 있다."

의사가 대답했다. 나는 그가 들어오는 소리를 듣지 못했다.

"괜찮아요. 이제 다…… 지나간 것 같아. 불쌍한 아기가 좁은가 봐요. 이제 정말 커졌네요."

벨라는 여전히 얕고, 또 힘들게 숨을 쉬었다. 자신의 몸을 찢어놓는 그놈을 그렇게 사랑스럽다는 듯 입에 올리다니, 이해하기 힘들었다. 로잘리의 냉담함을 지켜본 뒤라 더 그랬다. 벨라에게도 뭔가 던질 수 있으면 좋을 텐데. 그녀는 내 기분을 알아차리지 못한 것 같았다.

"이 애는 너를 생각나게 해, 제이콥."

여전히 숨을 헐떡이면서, 그녀가 애정 어린 말투로 말했다.

"비교하지 말아줘."

난 이를 악물었다.

"너처럼 빨리 자라는 거 말이야."

그녀가 덧붙였다. 내 말에 기분이 나쁜 것 같았다. 좋았어.

"넌 정말 빨리 자랐잖아. 꼭 1분 단위로 키가 크는 것 같았어. 그런데 애도 그런 것 같아. 정말 빨리 자라거든."

하고 싶은 말은 많았지만 혀를 깨물며 참았다. 너무 세게 물어서 입 안에 피 맛이 돌았다. 물론 상처는 내가 침을 삼키기기도 전에 치유될 것이다. 벨라도 그래야 하는데. 나처럼 강해지고, 또 빨리 낫고……. 그녀는 좀 더 편하게 숨 쉴 수 있게 되자 소파에 등을 기댄 채 축 늘어졌다.

"흠."

칼라일이 중얼거렸다. 나는 고개를 들었다. 그가 나를 바라보고 있었다.

"무슨?"

내가 물었다. 에드워드는 칼라일의 생각을 알고는 머리를 갸우뚱했다.

"내가 태아의 유전적인 구성을 궁금해 했었잖니, 제이콥. 그러니까, 염색체에 대해서 말이야."

"그게 뭐요?"

"음, 너와의 유사점들을 고려해보면……."

"유사점들이요?"

나는 '들'이라는 말이 붙은 것도 알아차리지 못한 채 으르렁거렸다.

"빨리 성장하는 것도 그렇고, 앨리스의 능력이 통하지 않는 것도 그렇고."

나는 멍한 표정이 되었다. 그 점을 잊고 있었다.

"음, 어쩌면 답을 찾은 것 같기도 하구나. 만일 그 유사점들이 유전자에서 나오는 거라면……."

"24쌍의 염색체."

에드워드가 작은 소리로 중얼거렸다.

"하지만 아직 모르는 일이잖아요."

"그래. 하지만 재미있는 가설이지."

칼라일이 달래듯 그렇게 답했다.

"네. 흥미진진하네요."

내가 그렇게 비꼬자, 다시 벨라가 작게 코고는 소리를 내며 효과음을 더

해주었다. 그들은 그 화제에 집중하기 시작하더니 유전자와 관련된 깊은 대화를 나누었다. 내가 알아들을 수 있는 단어라곤 조사나 접속사 같은 것뿐이었다. 참, 당연히 내 이름도. 앨리스도 가끔 끼어들어 지저귀는 새 같은 목소리로 한두 마디 거들었다.

그들은 나에 대해 이야기하고 있었지만 난 굳이 그들의 대화를 이해하려 애쓰지 않았다. 대신 머릿속으로 다른 생각들, 다른 사실들을 꿰어 맞추고 있었다.

첫 번째 사실, 벨라는 그 괴물이 뱀파이어의 피부만큼 단단한 무언가로 보호받고 있다고 했다. 그건 너무 단단해서 초음파로 탐지할 수 없고 바늘로도 뚫을 수 없다. 두 번째 사실, 로잘리는 아이를 안전하게 출산하게 할 계획이 있다고 했다. 세 번째 사실, 에드워드는 신화 속에서 이런 괴물들이 엄마를 이빨로 물어뜯고 밖으로 나온다고 했다.

몸이 떨려왔다.

그리고 구역질나지만 그럼에도 이해할 수 있었던 네 번째 사실. 뱀파이어의 피부만큼 단단한 것을 뚫을 수 있는 건 많지 않다. 신화에 따르면, 그 반쪽짜리 괴물의 이빨은 그만큼이나 강했다고 한다. 내 이빨도 마찬가지다.

그리고 뱀파이어의 이빨 역시 그렇다.

이 명백한 사실들을 모른 체할 수 있다면, 그럴 수만 있었다면 얼마나 좋을까. 나는 그렇게 바랐지만 소용없는 일이었다. 왜냐하면 로잘리가 그 놈을 '안전하게' 꺼내기 위해 어떤 계획을 세웠는지 난 정확하게 알았기 때문이다.

# 16

# 너무 많은 정보는 경계하라

———◆———

나는 해가 뜨기 한참 전에 출발했다. 그 전에는 소파 옆에 기대어 불편하게 잠을 청했다. 벨라의 얼굴이 달아오르자 에드워드가 날 깨우더니, 내 자리에 대신 들어가 그녀의 몸을 식혀주었다. 나는 기지개를 켰다. 이제 몇 가지 일을 해치워도 될 만큼 충분히 쉰 것 같았다.

"고마워. 그 루트에 문제가 없다고 확인되면 오늘 출발할 거야."

에드워드가 내 계획을 엿보더니 조용히 말했다.

"알려줄게."

동물로 돌아갈 수 있는 게 기뻤다. 오랫동안 가만히 앉아 있었더니 몸이 너무 뻣뻣했다. 나는 사지를 쭉 펴고 근육을 풀어주었다.

**안녕, 제이콥.** 리가 인사했다.

**응, 일어났네. 세스는 잠든 지 얼마나 됐어?**

**나 아직 안 자는데. 거의 잠들 뻔했지만. 뭐가 필요한데?** 세스가 졸린 듯 그렇게 생각했다.

**1시간만 더 보초를 서줄래?**

그래, 문제없어. 세스가 곧바로 일어서더니 몸을 털었다.

더 멀리 나가보자. 세스는 보초를 서고, 내가 리에게 말했다.

응. 세스는 가볍게 달리기 시작했다.

또 뱀파이어 심부름이군. 리가 투덜거렸다.

불만 있어?

당연히 없지. 난 그 사랑스러운 흡혈귀들을 섬기는 게 좋아 죽을 지경이니까.

그래. 그럼 우리가 얼마나 빠른지 볼까?

좋아. 그런 거야 당연히 내 전문이지.

리는 방어선 서쪽 끝에 있었다. 그녀는 컬렌 저택 근처를 지나는 대신 우회해서 나와의 합류 지점으로 달려오는 중이었다. 조금만 늑장을 부리면 그녀가 날 따라잡으리라는 걸 알았기 때문에, 난 전속력으로 동쪽을 향해 달렸다.

코는 땅 쪽으로 둬야 해, 리. 이건 경주가 아니라 정찰이잖아.

동시에 할 수 있어 난. 그리고 널 이길 수도 있고.

알고 있어.

내가 그렇게 인정하자 그녀가 웃었다.

우리는 동쪽의 산맥을 관통하는 구불구불한 길로 들어갔다. 익숙한 루트였다. 1년 전 컬렌 사람들이 떠났을 때 우리는 이곳에 사는 사람들의 안전을 위해 여기까지 순찰을 돌곤 했다. 그러다가 컬렌 가족이 돌아오자 다시 이곳에서 물러나왔다. 조약에 의하면 이곳은 그들의 땅이었기 때문이다.

하지만 이제 샘에게는 그 사실이 아무 의미도 없을 것이다. 조약은 이미 효력이 없어졌으니까. 지금은 샘이 자신의 병력을 얼마나, 어디까지 보낼 것인지가 문제였다. 샘이 숲을 돌아다니며 사냥하는 컬렌 일가를 찾아다 닐까? 저레드의 말은 진실이었을까, 아니면 서로 생각을 읽을 수 없다는 점을 이용한 거짓말이었을까?

우리는 점점 더 산맥 깊숙이 들어갔지만 무리가 지나간 자취는 보이지 않았다. 사방에 뱀파이어의 흔적이 희미하게 남아 있었지만 이미 난 거기 익숙해진 상태였다. 하루 종일 그 냄새를 맡고 있었으니까.

비교적 최근에 만들어진 것 같은 자취가 있고, 거기서 냄새가 짙게 배어 나왔다. 에드워드를 제외한 그들 모두가 이곳에 왔다 갔다. 당시 에드워드가 아이를 가진 채 죽어가는 신부를 집으로 데려왔기 때문에 흔적을 없애는 것을 잊어버린 게 틀림없다. 나는 이를 갈았다. 어쨌거나 나와는 상관없는 일이다.

나를 앞지를 수도 있었겠지만 리는 그러지 않았다. 난 달리기 경주보다는 냄새에 더 정신이 팔려 있었다. 리는 속력을 과시하는 대신 그저 내 오른쪽에서 나란히 달렸다.

상당히 멀리 왔는데. 그녀가 말했다.

그래. 샘이 혼자 고립된 뱀파이어를 노리고 있다면, 지금쯤은 그의 흔적이 발견됐겠지.

그가 라푸시에 들어박혀 있다고 보는 게 더 이치에 맞을걸. 우리 때문에 뱀파이어 편이 세 명 늘어난 셈이야. 그러니 샘은 기습하지 못할 거야. 리가 대답했다.

미리 조심해두자는 거야.

우리의 소중한 기생충들이 위험에 빠지지 않도록 말이지.

그래. 난 그녀의 비웃음을 무시하고서 그 말에 동의했다.

넌 정말 달라졌어, 제이콥. 180도 달라졌다고.

너도 내가 예전에 알고 사랑했던 리는 아냐.

맞아. 이젠 폴보다 덜 짜증나지?

놀랍게도…… 정말로 그래.

아, 달콤한 성공이군.

축하해.

우리는 다시 조용히 달렸다. 이제는 방향을 틀어 돌아가야 했지만 둘 다 그러고 싶지 않았다. 이렇게 달리고 있는 게 좋았다. 근육을 서서히 풀어 주면서 울퉁불퉁한 지형을 훑는 게 기분 좋게 느껴졌다. 사실 급할 것도 없었기 때문에, 돌아오는 길에는 사냥을 해야겠다는 생각도 했다. 리는 정말로 배고파했다.

냠냠. 그녀가 불쾌한 듯 그렇게 생각했다.

나는 쏘아붙였다. 네 머릿속엔 그 생각밖에 없지? 늑대들은 원래 그렇게 먹는 거야. 자연스러운 일인걸. 또 맛도 괜찮고. 네가 인간의 시각에서만 보지 않는다면…….

연설은 집어치워, 제이콥. 사냥은 할 거야. 그렇다고 꼭 좋아해야 하는 건 아니잖아.

그래, 그래. 나는 순순히 동의했다. 그녀가 자신을 더 힘들게 하든 말든 나랑은 상관없는 일이니까. 몇 분 동안 그녀는 침묵했고 난 돌아가야겠다는 생각을 하고 있었다.

고마워. 갑자기 리의 말투가 달라졌다.

뭐가?

나를 여기 있게 해줘서. 머물 수 있게 해줘서. 이렇게까지 잘해주지 않아도 되는데.

어, 난 괜찮아. 진심이야. 내가 처음 생각했던 것만큼 네가 여기 있는 게 신경 쓰이지는 않았어.

그녀는 코웃음 치긴 했지만 즐거운 것 같았다. 대단한 칭찬이네!

꼭 기억해 둬.

그래, 근데 너도 기억해 둘 게 있거든. 그녀는 잠시 침묵했다. 너는 좋은 알파야. 샘과는 다른 너만의 방식으로. 넌 훌륭한 대장이야.

나는 놀라서 멍해지고 말았다. 조금 후에야 간신히 정신을 차릴 수 있었다.

어, 고마워. 그 말을 기억해 둘 자신은 좀 없지만······. 대체 어떻게 그런 생각을 하게 된 거야?

그녀는 당장 대답하지는 않았다. 그래서 나는 리의 무언의 생각을 따라갔다. 그녀는 미래에 대해 떠올리고 있었다. 그날 아침 내가 저레드에게 했던 이야기, 때가 되면 곧 숲으로 돌아가겠다고 했던 그 말을. 컬렌 가 사람들이 사라지고 나면 리와 세스를 무리로 돌려보내겠다고 약속했던 것을.

난 네 곁에 있고 싶어. 그녀가 말했다.

충격이 내 다리를 관통하더니 관절을 꽁꽁 묶어버렸다. 리는 나를 지나쳤다가 다시 멈춰섰다. 그리고 천천히 내가 얼어붙어 있는 곳으로 걸어왔다.

힘들게 하지 않을게, 약속해. 항상 널 따라다니지는 않을 거야. 원하는 데면 넌 어디든 갈 수 있고, 나도 내가 가고 싶은 곳으로 갈 거야. 그냥 우리 둘 다 늑대일 때만 날 참아주면 돼. 그리고 정리가 되면 곧 떠날 계획이니까······ 그렇게 자주는 아닐 거야. 그렇게 말한 그녀는 긴 회색 꼬리를 초조하게 흔들며 내 앞에서 왔다 갔다 했다.

무슨 말을 해야 할지 알 수 없었다.

네 무리에 속하고 나서, 지난 몇 년간보다 행복했어.

나도 남아 있고 싶어. 난 이 팀이 좋아. 세스가 조용히 생각했다. 그가 경계를 서면서 우리의 생각을 듣고 있는 줄은 몰랐다.

난 애써 생각들을 끌어 모으려 노력했다. 그들에게 믿음을 주기 위해. 이봐! 세스, 이 무리는 오래가지 않아. 지금 우리에겐 목표가 있지만······ 그 일이 끝나면 난 그냥 늑대로 지낼 거야. 세스, 너에겐 목표가 필요해. 넌 좋은 아이야. 언제나 상황을 개선하려고 노력하지. 지금 넌 라푸시를 떠날 수 없어. 고등학교도 졸업해야 하고, 너만의 삶을 살아야 하잖아. 또 수 아줌마도 돌봐드려야지. 난 네 미래를 망치지는 않을 거야.

하지만…….

제이콥이 옳아. 리도 말했다.

내 말에 동의하는 거야?

당연하지. 하지만 네 말이 나한테까지 적용된다는 뜻은 아냐. 난 어쨌든 떠날 거니까. 그리고 라푸시와 떨어진 곳에서 일자리를 구할 거야. 전문대학에서 강의도 들을 거고, 요가와 명상으로 내 성격도 다스릴 거야……. 그리고 내 정신적인 웰빙을 위해 이 무리에 남을 거야. 제이콥, 넌 이해할 수 있잖아? 난 널 귀찮게 하지 않고, 넌 날 귀찮게 하지 않고. 그렇게 모두가 행복해지는 거야.

난 돌아서서 천천히 서쪽을 향해 달리기 시작했다.

그렇게 간단한 문제가 아냐. 생각할 시간을 좀 줘.

그래, 천천히 생각해봐.

돌아올 때는 시간이 훨씬 더 오래 걸렸다. 나는 속도를 내지 않았다. 나무에 머리를 부딪치지 않으려고 애써 정신을 집중했다. 세스가 내 머릿속에서 투덜대고 있었지만 무시할 수 있었다. 그도 내 말이 옳다는 걸 알고 있었으니까. 세스는 엄마를 버리지 못할 것이다. 그리고 라푸시로 돌아가 부족을 지키게 되리라.

하지만 리는 그러지 않을 것이다. 그래서 두려웠다.

우리 둘만의 무리라고? 물리적인 거리와는 상관없이 나는 도저히…… 친밀해진 우리 둘을 상상할 수 없었다. 그녀가 정말 심사숙고한 끝에 내린 결론인지, 아니면 그저 자유로워지고 싶은 건지 궁금해졌다. 내가 그런 생각을 곱씹는 동안 리는 아무 말도 하지 않았다. 우리 둘만 있어도 편안하다는 걸 증명하려는 것 같았다.

해가 떠오르면서 구름을 밝게 비추었다. 우리는 한 무리의 검은꼬리사슴과 마주쳤고, 리는 속으로 한숨을 쉬었지만 머뭇거리지는 않았다. 그녀는 깔끔하게, 매우 효율적으로 사슴들에게 돌진했다. 그 모습은 우아하기까지 했다. 가장 큰 수사슴이 위험을 완전히 알아차리기도 전에 리는 그놈을 잡아버렸다.

나도 지고 싶지 않아서 두 번째로 큰 암사슴을 덮쳤다. 그리고 재빨리 사슴의 목을 이빨로 물어 불필요한 고통을 느끼지 않게 했다. 나는 리가 혐오감과 배고픔 사이에서 갈등하는 걸 느낄 수 있었다. 때문에 내 안의 늑대가 머릿속을 장악하게 해서, 그녀의 마음을 편안하게 해주려 했다. 꽤 오랫동안 나는 늑대의 모습으로만 살았다. 그래서 어떻게 해야 더 완벽하게 늑대가 될 수 있는지, 늑대처럼 보고 생각할 수 있는지 알고 있었다. 나는 내 마음 속의 실용적인 본능을 불러들이고, 그녀도 그것을 느끼게 했다. 리는 잠깐 머뭇거리더니 나를 향해 마음의 손을 뻗어, 나처럼 늑대의 눈으로 보려 했다. 그건 아주 기묘한 느낌이었다. 함께 생각하려 노력하자, 우리의 마음은 그 어느 때보다 끈끈하게 연결되었다.

놀랍게도 이 시도는 도움이 되었다. 그녀는 털과 가죽으로 덮인 사냥감의 어깨에 이빨을 박더니 두툼한 살덩어리를 떼어냈다. 인간의 마음으로 고민하는 대신 리는 늑대의 자아가 이끄는 대로 본능적으로 반응했다. 아무 생각 없이 멍한, 무념의 상태. 덕분에 그녀는 동요하지 않고 음식을 먹을 수 있었다.

이런 상태는 내게도 편안했다. 이렇게 하는 방법을 내가 잊지 않고 있었던 게 기쁘게 여겨졌다. 곧 이런 상태가 내 삶이 될 테니까.

리도 그 삶의 일부가 될까? 일주일 전이었다면 생각하는 것만으로도 두렵기만 했을 일이었다. 견디기 힘들었을 것이다. 하지만 이젠 그녀를 더 잘 알게 되었다. 끊이지 않던 고통에서 해방된 그녀는, 더 이상 예전의 그 늑대가 아니었다. 예전의 그 비참했던 소녀와는 전혀 다른 존재였다.

우리는 둘 다 배가 부를 때까지 먹었다.

고마워. 나중에 젖은 잔디에 주둥이와 발을 닦으면서 그녀가 말했다. 나는 굳이 닦지 않았다. 어차피 이슬비가 내리기 시작했고 돌아가는 길에 강도 헤엄쳐 건너야 하니까. 그러면 깨끗해지겠지.

그렇게 나쁘지 않았어, 네 식으로 생각하는 것도.

과찬인걸.

우리가 도착하자 세스가 느릿느릿 나타났다. 나는 그에게 잠을 자라고 했다. 리와 나는 이제 순찰을 돌 것이다. 세스의 정신은 몇 초 만에 무의식으로 빠져들었다.

흡혈귀들에게 갈 거야? 리가 물었다.

아마도.

거기 가는 것도 힘들지만 가지 않는 것도 힘들지. 어떤 건지 나도 알아.

리, 넌 미래에 대해, 네가 정말 하고 싶은 것에 대해 좀 더 생각해보고 싶을 거야. 하지만 내 머릿속은 네가 함께 하기에 그리 좋은 곳이 못 돼. 너까지 나랑 같이 고통을 겪어야 하잖아.

그녀는 잠시 고민하다 대답해주었다. 와, 슬슬 걱정되려고 하는데. 하지만 솔직히 말하면, 네 고통과 공존하는 게 나 자신의 고통과 마주하는 것보다는 더 쉬울 거야.

퍽이나.

네게는 좋지 않을 거야, 제이콥. 나도 이해해. 어쩌면 네가 지금 생각하는 것 이상으로 더 나쁘겠지. 난 벨라를 좋아하지 않아. 하지만…… 그녀는 너의 샘이야. 그녀는 네가 원한 모든 것이면서 네가 가질 수 없는 모든 것이겠지.

나는 대답할 수 없었다.

네가 더 심한 경우라는 것도 알아. 최소한 샘은 더 행복하니까. 살아서 잘 지내고 있으니까. 나는 그가 행복하기를 바랄 수 있을 만큼 그를 사랑해. 샘이 살아서, 최고의 것들을 누리길 원해. 하지만 그걸 옆에서 지켜보고 싶진 않아. 리가 한숨을 쉬었다.

굳이 우리가 이런 이야기를 해야 해?

응. 나 때문에 상황이 더 나빠지지는 않으리란 걸 네가 알았으면 하니까. 어쩌면 내가 도움이 될 수도 있어. 나, 태어날 때부터 동정심도 없는 못된 애는 아니었어. 괜찮은 여자였지, 너도 알잖아.

난 기억력이 그리 좋지 않아서.

우리는 한 번 웃었다.

그렇다면 유감이군, 제이콥. 네가 고통을 겪어야 하는 거, 유감스럽게 생각해. 그리고 모든 게 나아지기는커녕 점점 더 나빠지는 것도.

고마워, 리.

그녀는 점점 나빠지는 상황들, 내 머릿속의 검은 그림들에 대해 생각했다. 난 그녀를 무시하려 했지만 잘 되지 않았다. 그녀는 어느 정도 거리를 두고 꽤 객관적으로 그 상황들을 바라보았고, 그것은 내게도 도움이 되었다. 몇 년이 지나면 나 역시 그런 식으로 바라볼 수 있게 될 것이다.

그녀는 뱀파이어 곁을 지켜야만 하는 짜증스러운 생활 속에서 나름의 재미를 찾아냈다. 내가 로잘리를 놀려대는 걸 리는 좋아했다. 속으로 깔깔대며 내가 써먹을 수 있는 금발머리에 대한 농담을 훑어보기도 했다. 그러다 그녀는 심각해졌다. 리의 생각은 한참동안 로잘리의 얼굴에 머물렀고, 그게 날 혼란스럽게 했다.

뭐가 이상한지 알아? 그녀가 물었다.

사실 지금으로선 안 이상한 게 별로 없잖아. 근데 그게 무슨 뜻이야?

네가 그렇게 싫어하는 저 금발의 뱀파이어. 난 그녀의 입장을 이해할 수 있어.

잠깐 동안 그녀가 질 나쁜 농담을 하는 거라고 생각했다. 그러다 진심인 것을 깨닫자 통제하기 힘든 분노가 솟구쳤다. 지금 떨어져서 순찰을 도는 중이라 다행이었다. 만약 그녀가 가까이에 있었다면 물어뜯어버렸을지도 모를 테니.

잠깐. 설명해줄게.

듣고 싶지 않아. 갈 거야.

잠깐 기다려! 이봐, 제이콥! 그녀가 그렇게 애원했지만 난 마음을 진정시키고 다시 사람으로 변할 준비를 했다.

리, 내가 너와 더 오래 함께하고 싶어지도록 믿음을 주고 싶다면 이래선 안 되잖아.

하, 너 오버하고 있는 거야. 내가 무슨 말을 하려는지도 모르잖아.

그래, 무슨 말을 하려는 건데?

유전적인 종착점에 대해 말하는 거야, 제이콥. 그렇게 말하는 그녀는 갑자기 고통에 무감각한 예전의 리가 되어 있었다.

그녀의 잔인한 말투에 나는 당황했다. 사실 내가 그렇게 분노부터 터뜨릴 줄은 스스로도 몰랐었다.

난 이해가 안 돼.

만약 내가 다른 남자들과 다르다면 이해하겠지. 멍청한 다른 남자들처럼 내 '여성성'(그녀는 냉혹하고 냉소적으로 그 단어를 생각했다)에 겁을 집어먹고 도망치지 않는다면, 그 의미에 대해 좀 더 관심을 갖게 될 거야.

아.

사실이었다. 우리 중 누구도 그런 것들에 대해 그녀와 생각을 공유하고 싶어 하지 않았다. 누군들 그랬겠는가? 무리에 합류한 처음 한 달 동안 리가 겪었던 공포를 난 기억하고 있다. 그리고 내가 다른 사람들처럼 겁내며 도망쳤던 것 역시 기억한다. 리는, 아이를 가질 수 없게 되었다. 뭔가 종교적인 기적이라도 일어나지 않는 한은 그럴 수 없다.. 샘과 헤어진 후 리는 어떤 남자와도 어울리지 않았다. 그리고 몇 주가 지났을 때 그녀는 자신의 몸이 더 이상 정상적인 패턴을 따르지 않는다는 걸 알게 되었다. 그때의 그 공포……. 지금은 과연 나아졌을지 어떨지 잘 모르겠다. 늑대 인간이 되었기 때문의 그녀의 몸이 변하게 된 걸까? 아니면 애초에 몸에 이상이 있었기 때문에 늑대인간이 된 걸까. 역사상 유일한 여자 늑대인간. 어쩌면 그녀에게 여성성이 부족했던 걸까?

그 심한 좌절감과 맞닥뜨리고 싶어 하는 사람은 우리 중 아무도 없었다. 분명 우리는 공감해주지 못할 것 같았으니까.

샘은 우리가 각인된 상대라고 생각해. 너도 그 이유를 알 거야. 이제 리는 좀 더 차분하게 생각하고 있었다.

그래, 혈통을 이어가기 위해서겠지.

맞아. 새로운 늑대인간들을 낳기 위해서. 종족의 생존, 유전적 우수성……. 너와 결합해 늑대 유전자를 물려줄 수 있는 최적의 상대에게 너 역시 끌리게 될 거야.

그녀는 이야기를 어디로 끌고 가려는 걸까. 난 잠자코 기다렸다.

내가 그런 사람이었다면 샘은 내게 끌렸겠지.

리가 느끼는 거대한 고통에 짓눌려 나는 비틀거렸다.

하지만 그렇지 않았어. 내겐 뭔가 잘못된 게 있었지. 나 역시 우수한 혈통이지만, 정작 그 유전자를 물려줄 능력이 없었던 거야. 그래서 결국 아무짝에도 쓸모없는 변종이 되었지. 여자 늑대인간이란 거 말이야. 난 유전적 종착점이야. 나, 그리고 그냥 끝인 거야. 우리 둘 다 그걸 알고 있잖아.

우리라고 하지 마. 난 아니니까. 그건 샘의 이론일 뿐이야. 각인현상이 일어나는 이유는 사실 아무도 몰라. 빌리는 다른 원인을 생각하고 있고. 내가 그렇게 반박했다.

알아, 알아. 빌리는 더 강한 늑대를 만들기 위해 각인되는 거라고 생각하지. 너와 샘이 엄청나게 크기 때문일 거야. 우리 조상들보다 크잖아. 하지만 어느 쪽이든 나와는 상관없는 일이 되어버렸지. 나는……, 난 이제 생리를 하지 않으니까. 스무 살밖에 안 되었는데 폐경이라니.

아, 정말 이런 대화는 하고 싶지 않았는데. 내가 다시 말했다. 하지만 모르는 거야, 리. 잠시 시간이 멈춘 걸 수도 있어. 더 이상 늑대로 변신하지 않고 다시 나이 먹기 시작한다면, 어…… 괜찮아질 거야.

그래, 나도 그렇게 생각하려 했어. 하지만 어쩔 수 없었지. 내 혈통은 우수한데도, 아무도 내게 각인되지 않았잖아. 너도 알잖아.

거기까지 생각하고 나서 그녀는 아주 신중하게 덧붙였다.

네가 없었다면 알파의 자격에 가장 맞아떨어지는 사람은 세스였을 거야. 최소한 혈통이라도. 물론 아무도 나를…….

이번엔 내가 물었다. 넌 정말 누군가에게 각인되거나 네가 각인하기를 원해? 보통 사람처럼 연애를 하고 사랑에 빠지는 게 잘못이야, 리? 각인현상은 네게서 그 결정권을 빼앗아갈 뿐이야.

샘, 저레드, 퀼……, 모두 상관없는 것 같던데.

그들 중 누구도 자기 마음조차 자기 뜻대로 하지 못하잖아.

넌 '각인'을 원하지 않아?

젠장, 원하지 않아.

그녀를 사랑하고 있어서겠지. 네가 각인하고 나면 그 사랑도 사라질 거야. 더 이상 그녀 때문에 아파하지 않아도 되는 거야.

샘에 대한 감정을 잊고 싶어?

그녀는 잠깐 생각에 잠겼다가 이렇게 대답했다. 그런 것 같아.

나는 한숨을 쉬었다. 적어도 그녀는 나보다는 나았다.

하지만 원점으로 돌아가면 제이콥, 난 그 금발의 뱀파이어가 왜 그렇게 차가운지 이해할 수 있어. 비유적인 의미에서는 그래. 지금 그녀는 몰입하고 있어. 간절히 원하고, 또 탐내고 있는 거야. 사람들은 항상 자기가 가질 수 없는 걸 가장 절실하게 원하잖아.

너도 로잘리처럼 할 거란 뜻이야? 누군가를 죽이려 들겠다고? 지금 그 여자가 그렇게 하고 있잖아. 아무도 벨라의 죽음을 막을 수 없게 하잖아. 너도 아기를 얻기 위해서 그런 짓을 하겠다는 거야? 언제부터 그렇게 애 낳는 데 관심이 많았는데?

그저 내가 갖지 못하는 것을 원할 뿐이야, 제이콥. 아마 내게 문제가 없었다면 그런 생각은 하지 않았겠지.

그래서, 그러니까 죽일 거야? 난 그녀가 내 질문에서 빠져 나가지 못하도록 이렇게 물었다.

로잘리가 바라는 건 그게 아냐. 그녀는 대리만족을 느끼는 것 같아. 그리고…… 벨라가 내게 도와달라고 했다면…….

그녀는 잠시 생각에 잠겼다가 결론을 말했다.

난 그녀를 그리 좋아하지 않지만, 그래도 그 흡혈귀처럼 했을 거야.

내 이빨 사이에서 크게 울부짖는 소리가 흘러나왔다.

입장이 바뀌었다면 나도, 벨라가 나 대신 아기를 낳아주길 바랐을 거야. 로잘리 역시 그래서겠지. 우리 둘 다 그녀를 통해 대신 경험하는 거야.

너도 그들만큼이나 나쁘군.

뭔가를 절대로 가질 수 없다는 걸 알게 됐을 때 재미있는 점이 바로 그거야. 더 필사적으로 원하게 된다는 것.

그리고…… 이게 내 한계야. 거기까지. 대화는 끝났어.

좋아.

그녀가 대화를 끝내는 데 동의한 걸로는 부족했다. 난 그보다 확실한 종료를 원하니까. 완전한 끝을.

옷을 숨겨둔 곳에서 1.5킬로미터쯤 떨어진 지점에 도착했을 때 난 다시 사람으로 변해 걷기 시작했다. 이미 방금 전의 대화에 대해서는 생각하지 않고 있었다. 생각할 만한 게 없어서가 아니라 도저히 견딜 수 없었기 때문이다. 난 그런 식으로 생각하려 한 적이 없었다. 하지만 리가 내 머릿속에 자기 생각과 감정을 솔직하게 털어놓고 나니 더 이상 피할 수 없어졌다.

그래, 이번 일이 끝나면 다시는 그녀와 함께 달리지 않을 거야. 그녀는 라푸시에서는 불행해질 수도 있다. 내가 영원히 떠나버리기 전에 딱 한 번, 처음이자 마지막으로 알파로서의 명령을 내리는 것쯤은 허락되지 않을까.

아주 이른 시간에 나는 그 집에 도착했다. 벨라는 아마 자고 있을 것이다. 원래는 슬쩍 집 안으로 머리를 들이밀고서 무슨 일이 벌어지는지 살펴본 다음, 사냥을 떠나도 괜찮다는 것만 알려줄 생각이었다. 그리고 나서는 부드러운 잔디밭을 찾아 잠이나 자려고 했었다. 리가 잠들 때까지는 늑대가 되지 않을 결심이었으니까.

그런데 집 안은 온통 나직한 중얼거림으로 가득 차 있었다. 아마도 벨라는 자지 않는 것 같았다. 위층에서 기계소리가 들려왔다. X레이인가? 멋진데. 곧 닥쳐올 4일 동안의 카운트다운이 그 소리와 함께 시작되는 것 같았다.

앨리스가 현관문을 열어주었다. 그리고 고개를 끄덕이더니 인사했다.

"안녕, 늑대."

"안녕, 꼬마. 위층에 무슨 일이라도 있어?"

거실은 비었고, 속삭이는 소리는 위층으로부터 흘러나오고 있었다. 앨리스가 작고 뾰족한 어깨를 으쓱거렸다.

"아마 뼈가 또 부러졌나 봐."

앨리스는 아무렇지 않게 말하려고 했지만 난 그녀의 눈에서 불꽃이 이는 것을 보았다. 화가 난 건 나와 에드워드만이 아니었다. 앨리스도 벨라를 사랑하고 있었다.

"또 갈비뼈야?"

내가 거칠게 물었다.

"아니. 이번엔 골반 뼈."

새로운 사건이 벌어질 때마다 매번 충격을 받다니, 내 꼴이 우습게 느껴졌다. 대체 언제쯤이 되어야 놀라지 않게 될까?

앨리스가 덜덜 떨리는 내 손을 보고 있었다. 그때 위층에서 로잘리의 목소리가 들려왔다.

"봐요, 부러지는 소리 안 났다고 했잖아. 넌 귀 검사나 좀 받아 보지, 에드워드?"

아무 대답도 없었다. 앨리스는 얼굴을 찡그렸다.

"에드워드는 결국 로잘리를 조각조각 찢어놓고 말 거야. 어떻게 로잘리는 그걸 모를 수 있지? 아니면 에밋이 막아줄 거라고 생각하는 걸까."

"내가 에밋을 맡으면 돼. 넌 에드워드를 도와줘."

내가 그렇게 말하자 앨리스는 희미하게 미소 지었다.

그때 그들이 줄지어 계단을 내려왔다. 이번에는 에드워드가 벨라를 안고 있었다. 그녀는 두 손으로 피가 든 컵을 들고 있었고 얼굴은 창백했다. 그는 자신의 몸이 벨라에게 부딪치거나 세게 닿지 않도록 극도로 조심하고 있었지만, 그래도 그녀는 몹시 아파했다.

"제이콥."

그녀가 고통 속에 미소 지었다. 난 아무 말도 하지 않고 그녀를 바라보았다. 에드워드가 벨라를 조심스럽게 소파에 내려놓더니 바닥에 앉았다. 왜 그녀를 위층에 두지 않았는지 잠깐 의아했지만 벨라가 고집을 부렸을 거라는 생각이 들었다. 저 병실 같은 곳에서 빠져나와 모든 게 정상인 것처럼 행동하고 싶었을 것이다. 그리고 에드워드는 농담을 하며 그녀를 즐겁게 해주고 있었다. 자연스럽게.

마지막으로 칼라일이 근심으로 얼굴을 찡그린 채 천천히 계단을 내려왔다. 찡그린 얼굴 때문에 그는 의사라는 직업에 어울릴 만큼 나이가 들어보였다.

"칼라일, 시애틀까지 반쯤 갔다 와 봤어요. 무리의 흔적은 없더군요. 출발해도 될 것 같아요."

"고맙다, 제이콥. 타이밍이 좋구나. 필요한 게 많거든."

그의 검은 눈동자가 잠깐 동안 벨라가 꼭 쥐고 있는 컵으로 향했다.

"세 명 이상 가는 게 안전할 거예요. 샘은 라푸시에 집중하기는 할 테지만."

칼라일은 동의하듯 고개를 끄덕였다. 그가 순순히 내 충고를 받아들이는 게 놀라웠다.

"그래, 네가 그렇게 생각한다면. 앨리스, 에스미, 재스퍼, 그리고 내가 먼저 가야겠구나. 그다음에는 앨리스가 에밋과 로잘리와……."

"안 돼요. 에밋은 지금 가야 해요."

로잘리가 화가 나서 씨근거렸다.

"너도 사냥을 해야지."

칼라일이 부드럽게 말했다. 하지만 그 온화한 목소리도 그녀를 누그러뜨리지는 못했다.

"난 에드워드가 갈 때 가겠어요."

그녀가 으르렁거리면서 에드워드 쪽으로 고개를 돌리더니 머리카락을 뒤로 넘겼다. 칼라일이 한숨을 쉬었다.

재스퍼와 에밋이 순식간에 계단을 내려왔고, 동시에 앨리스가 뒤쪽의 유리문으로 다가가더니 그들과 합류했다. 에스미는 앨리스 곁으로 갔다.

칼라일이 내 팔에 손을 올려놓았다. 차가운 느낌이 그리 좋지 않았지만 팔을 빼지는 않았다. 나는 반쯤은 놀라서, 그리고 반쯤은 그의 기분을 나쁘게 하지 않으려고 그대로 가만히 있었다.

"고맙다."

그가 다시 말하더니 다른 네 명과 함께 문을 빠져나갔다. 내 눈은 잔디밭을 가로지르는 그들의 모습을 뒤쫓았다. 하지만 미처 숨을 들이쉬기도 전에 그들은 사라졌다. 내가 생각했던 것보다 훨씬 더 다급했던 모양이다.

잠깐 동안 아무 소리도 나지 않았다. 나는 누군가 나를 노려보는 걸 느꼈고, 보지 않아도 그게 누구인지 알 수 있었다. 실은 이제부터 여길 나가서 낮잠이나 잘 생각이었다. 하지만 로잘리의 아침을 망쳐놓을 절호의 기회를 놓치기 싫었다.

그래서 나는 로잘리 옆의 안락의자로 다가가 자리를 잡고 몸을 죽 폈다. 머리는 벨라 쪽으로 두고, 내 왼쪽 발은 로잘리의 얼굴로 향하도록.

"우, 누가 개를 풀어놨네."

그녀가 코를 찡그리며 중얼거렸다.

"이런 거 들어봤어, 사이코? 금발 머리의 뇌세포들이 어떻게 죽게?"

로잘리는 아무 말도 하지 않았다.

"응? 이 얘기 알아, 몰라?"

내가 물었다. 그녀는 텔레비전을 보며 내 말에는 대꾸하지 않았다.

"로잘리가 이 조크 알아?"

내가 에드워드에게 물었다. 긴장한 그의 얼굴에는 웃음기가 없었다. 그는 벨라에게서 눈을 떼지 않았지만, 내 질문에는 대답해주었다.

"아니."

"좋았어. 그럼 분명 재밌어하겠군. 있지, 흡혈귀야. 금발 머리의 뇌세포는 혼자 죽어. 하나뿐이거든."

여전히 로잘리는 나를 쳐다보지 않았다.

"그래도 내가 너보다 백배는 우등해, 역겨운 짐승아. 그 사실을 잊지 마."

"아름다운 여왕님, 언젠가는 너도 나한테 겁만 주는 게 지겨워지는 때가 오겠지. 그날을 기대할게."

"그만해, 제이콥."

벨라가 말했다. 고개를 숙이자 그녀가 나를 노려보고 있었다. 어제의 좋은 분위기는 오래전에 사라진 것 같았다. 벨라를 괴롭힐 생각은 아니었는데.

"그만 갈까?"

내가 물었다. 그리고 그녀가 정말로 내게 질렸기를 바라기도 전에, 아니 그걸 두려워하기도 전에 벨라가 얼굴을 폈다. 가겠다는 말을 듣고 정말로 놀란 것 같았다.

"안 돼! 당연히 안 되지."

나는 한숨을 쉬었고, 에드워드 역시 조용히 한숨지었다. 그는 벨라가 날 잊기를 바라고 있었다. 하지만 에드워드는 벨라를 불행하게 만들 일은 그 어떤 것도 하지 않겠다고 결심했다. 참 안 된 일이다.

"피곤해 보여."

벨라가 말했다.

"죽도록 두들겨 맞은 것처럼 피곤해."

나는 그렇게 인정했다.

"죽도록 때려주고 싶네."

로잘리가 벨라의 귀에 들리지 않을 만큼 낮게 중얼거렸다. 나는 의자로 더 깊숙이 파고들었다. 아, 편하다. 내 맨발이 로잘리와 더 가까워졌고 그녀는 뻣뻣하게 굳었다. 몇 분 후 벨라는 로잘리에게 피를 더 갖다 달라고 했다. 로잘리가 바람을 일으키며 위층으로 달려갔다. 정말 조용했다. 난 낮잠이나 자는 게 낫겠다고 생각했다.

그때 에드워드가 당황한 목소리로 말했다.

"뭐라고 말했어?"

이상한 일이었다. 아무도 입을 열지 않았고, 에드워드의 청력은 나만큼이나 좋기 때문이다. 그 역시 그걸 알고 있을 텐데.

"나?"

잠시 후 그녀는 그렇게 되묻고 나서 곧 부인했다.

"난 아무 말도 안 했어."

그가 몸을 일으키고서 무릎을 꿇더니, 그녀의 몸 위로 고개를 숙였다. 이제 그의 얼굴에는 또 다른 긴장의 표정이 나타나 있었다. 에드워드의 검은 눈이 그녀의 얼굴을 향하고 있었다.

"지금 무슨 생각했어?"

그녀는 멍하니 그를 바라보았다.

"아무 생각도 안 했어. 무슨 일인데?"

"1분 전에 무슨 생각했어?"

그가 물었다.

"저…… 에스미 섬. 그리고 깃털."

전혀 알아들을 수 없는 말을 하고 그녀는 얼굴을 붉혔다. 보아하니 내가 모르는 편이 나을 것 같았다.

"그게 아닌데."

그가 속삭였다.

"그럼 어떤 거? 에드워드, 무슨 일이야?"

에드워드의 표정이 다시 바뀌었다. 그리고 그가 보여준 다음 행동은 내 입을 떡 벌어지게 할 만한 것이었다. 내 뒤에서 숨을 헐떡이는 소리가 들렸다. 어느새 돌아온 로잘리가 나만큼이나 어리둥절해하고 있었다. 에드워드는 그녀의 거대하고 둥근 배에 두 손을 아주 살짝 갖다 댔다.

"태…… 그러니까, 아기가 네 목소리를 좋아해."

그가 침을 삼키고서 그렇게 말했다. 아주 잠깐 동안 사방이 고요했다. 나는 눈도 깜빡일 수 없었다. 그때였다.

"세상에, 넌 그의 목소리를 들을 수 있는 거야?"

벨라가 소리쳤다. 그리고 다음 순간 그녀는 움찔했다. 에드워드의 손이 벨라의 배 한가운데로 움직이더니 놈이 발길질해대던 부위를 부드럽게 쓰다듬었다.

"쉿, 너 때문에 그 애가 깜짝 놀랐어."

그가 중얼거렸다. 크게 확대된 벨라의 눈은 경외감으로 가득 차 있었다. 그녀가 배 옆쪽을 살짝 두드렸다.

"미안해, 아가야."

에드워드는 배 쪽으로 고개를 숙이더니 열심히 귀를 기울였다.

"그는 지금 무슨 생각을 하고 있어?"

벨라가 열렬하게 물었다.

"그, 아니면 그녀는……."

그는 그렇게 말하다가 잠시 멈추더니 고개를 들어 그녀의 눈을 바라보았다. 그의 눈에도 비슷한 경외심이 가득했다. 좀 더 조심스럽고, 어딘가 못마땅한 기색이 어려 있는 경외.

"그는 지금 행복해."

에드워드가 믿을 수 없다는 목소리로 말했다. 벨라는 숨을 죽였다. 그녀의 눈에 어려 있는 열정적인 사랑, 그리고 헌신을 외면하는 건 불가능한 일이었다. 눈에서 굵은 눈물방울이 솟아나, 그녀의 뺨과 미소 띤 입술을 따라 흘러내렸다.

그녀를 바라보는 그의 얼굴에는 이미 공포도, 분노도, 고통도…… 그리고 그동안 그가 보여주었던 그 어떤 표정도 없었다. 이제 에드워드는 벨라와 함께 경이로워하고 있었다.

"물론 넌 행복하단다. 예쁜 아가야, 넌 행복해."

눈물이 빰을 따라 흘러내리는 동안 벨라는 배를 쓰다듬으며 이렇게 나직하게 흥얼거렸다.

"넌 안전하고 따뜻해. 사랑받고 있어. 너무 사랑해, 꼬마 에드워드. 넌 정말 행복하단다."

"지금 그 앨 뭐라고 부른 거야?"

에드워드가 신기한 듯 물었다. 그녀가 다시 얼굴을 붉혔다.

"내가 이름을 하나 붙였어. 하지만 넌 원하지 않을 것 같아서……."

"에드워드?"

"네 아버지의 이름도 에드워드였다면서."

"그래, 무슨……?"

그가 잠시 말을 멈췄다가 이렇게 덧붙였다.

"흠."

"왜?"

"그가 내 목소리도 좋아해."

이제 그녀의 목소리는 의기양양해져 있었다.

"당연하지. 네 목소리는 우주에서 가장 아름답잖아. 어느 누가 안 좋아할 수 있겠어?"

"다른 이름도 있어? 남자애가 아니고 여자애면 어떡해?"

소파 뒤쪽에서 나타난 로잘리가 벨라에게 몸을 숙이며 그렇게 물었다. 벨라처럼 그녀의 표정 역시 경이와 자부심으로 가득했다. 벨라가 손등으로 촉촉해진 눈가를 닦았다.

"르네와 에스미를 가지고서 몇 가지 구상했어. 생각해봤는데…… 르네즈미 어때?"

"르네즈미?"

"르네즈미. 너무 이상해?"

"아니, 난 좋아. 아름다워. 그리고 굉장히 어울려."

로잘리가 그녀를 안심시켰다. 각기 금발과 적갈색을 띤 둘의 머리는 이제 서로 맞닿아 있었다.

"그래도 에드워드가 될 거야."

에드워드는 허공을 바라보고 있었다. 둘 사이에 오가는 대화를 듣고 있는 그의 얼굴이 공허했다.

"왜 그래? 지금 아기가 무슨 생각을 하고 있어?"

벨라가 물었다. 그녀의 얼굴에서 곧 홍조가 사라졌다. 처음에 그는 대답하지 않았다. 그러다가 에드워드는 귀를 부드럽게 그녀의 배에 갖다댔다. 그 모습을 보며 우리는 충격에 빠져 숨을 헐떡였다.

"그 앤 너를 사랑해. 널 절대적으로 숭배해."

에드워드가 멍한 목소리로 속삭였다.

그 순간 나는, 내가 혼자라는 걸 알았다. 철저히 난 혼자였다. 저 역겨운 뱀파이어에게 내가 얼마나 의지하고 있었는지 깨닫게 된 순간, 스스로를 걷어차고 싶어졌다. 흡혈귀를 믿을 수 있다고 생각했다니 난 얼마나 멍청했나. 결국은 배신할 수밖에 없는 놈이었는데.

나와 같은 처지였기 때문에, 난 놈을 믿었다. 놈이 나보다 더 고통스러워했기 때문에 의지했었다. 그리고 무엇보다 벨라를 죽이려는 혐오스러운 괴물을 나보다 더 미워한다는 이유로 믿었고 의지했다.

그래서 난 그를 신뢰하고 있었던 것이다.

하지만 이제 그들은 눈에 보이지 않는 이 새로운 괴물에게로 가까이 몸을 숙인 채, 행복한 가족처럼 눈을 빛내고 있었다. 그리고 나만이 철저하게 혼자였다. 증오와 고통만을 간직한 채로. 고통이 너무 커서 꼭 고문을 당하는 것 같았다. 면도날 위를 천천히 걷는 기분이었다. 이 아픔에서 해

방될 수만 있다면 웃으면서 죽을 수도 있을 것 같았다.

내 몸이 뜨겁게 달아오르면서 얼어붙은 근육이 녹아내렸다. 난 자리에서 일어섰다. 그들 셋이 갑자기 머리를 들었고, 난 다시 내 머릿속에 침입해 온 에드워드의 얼굴에 내가 겪고 있는 고통이 고스란히 드러나는 것을 보았다.

"아."

그는 목이 메었다. 내가 지금 뭘 하고 있는지 스스로도 알 수 없었다. 난 거기 못 박힌 듯 선 채로 몸을 떨며, 내가 생각해낼 수 있는 첫 번째 탈출구로 도망칠 준비만 하고 있었다.

에드워드가 급히 작은 테이블로 가더니 서랍에서 뭔가를 꺼냈다. 그는 그것을 내게 던졌고 나는 반사적으로 잡았다.

"가, 제이콥. 여기서 나가."

그의 말투는 거칠지 않았다. 오히려 마치 구명대를 내밀 듯 그렇게 말했다. 에드워드는 내가 그토록 바라던 탈출구를 찾을 수 있게 도와주었다.

내 손에 쥐어진 것은 자동차 열쇠였다.

## 17

# 머리가 필요해? 심장이 필요해?
# 가져가, 내가 가진 모든 것을

━━━━◆━━━━

컬렌 저택의 차고로 달려가는 동안 계획을 세웠다. 내 두 번째 계획은 돌아오는 길에 그 흡혈귀 놈의 차를 부수는 거였다. 그래서 리모컨을 누른 후 잠시 당황하고 말았다. 소리를 내며 불을 깜박인 차가, 놈의 익숙한 볼보가 아니라 다른 차였기 때문이다. 길게 늘어선 군침 도는 자동차들 사이에서도 특히 눈에 띄는 차.

이 녀석, 지금 나한테 애스턴 마틴 뱅퀴시의 열쇠를 준 거야? 진심이야, 아니면 잘못 준 거야?

어쨌든 더 이상 생각하지 않기로 했다. 내 계획을 바꿔야 하는지도 고민하지 않았다. 그냥 매끄러운 가죽시트에 올라 앉아, 강철 운전대 아래 무릎을 구겨 넣고 시동을 걸었다. 다른 날 같으면 모터가 그르렁대는 소리에 투덜댔겠지만, 오늘은 그저 차를 달리게 하는 데만 정신을 집중했다.

난 시트 릴리스 레버를 찾아낸 다음 운전석을 뒤로 밀고 발로 페달을 세게 눌렀다. 차가 앞으로 달려 나갔을 때는 거의 하늘로 날아오르는 느낌이었다.

구불거리는 드라이브웨이를 빠져나가는 데 불과 몇 초밖에 걸리지 않았다. 이 차는 내 손이 아니라 생각에 바로 반응하는 것 같다. 초록색 터널을 지나 고속도로에 들어섰을 때 양치류들 사이로 불안하게 엿보는 리의 회색 얼굴을 얼핏 보았다.

아주 잠깐 동안 그녀가 무슨 생각을 하는지 궁금해 하다가 곧 나와는 상관없는 일이라고 생각했다.

나는 남쪽으로 차를 돌렸다. 오늘은 배든, 자동차든, 내 발을 액셀러레이터에서 떼게 만들 그 어떤 것이든 참아줄 수 없었기 때문이다.

지루한 길 위에서, 난 정말 운이 좋았다. 만일 운이 좋다는 게 뻥 뚫린 고속도로로 들어선 후 단 한 명의 경찰도 만나지 않고 제한속도 50킬로미터를 훌쩍 넘긴 시속 320킬로미터로 달릴 수 있는 걸 의미한다면 말이다. 정말 실망이야. 자동차 번호판이 카메라에 잡혀 놈이 조사를 받게 만들거나, 하다못해 약간의 추격전이 벌어져도 괜찮을 텐데. 뭐 돈으로 해결하겠지만 그래도 좀 귀찮아지겠지.

나무 사이로 움직이는 짙은 갈색 털을 언뜻 보고서 내가 감시 받고 있다는 걸 알았다. 갈색 털은 포크스 남부에서 내 차와 몇 킬로미터 정도 나란히 달렸다. 퀼 같았다. 1초 후쯤 자취도 없이 사라진 걸 보면 그도 나를 본 게 분명했다. 그가 왜 날 따라왔는지 궁금해하다가 나는, 어쨌든 상관없는 일이라고 스스로에게 상기시켰다.

긴 U자 모양의 고속도로를 달리면서 나는 근처에서 가장 큰 도시로 향했다. 이게 내 첫 번째 계획이다.

여전히 면도날 위에 앉아 있는 것 같았기 때문에 그 시간이 영원처럼 느껴졌지만, 북쪽으로 차를 몰아 타코마인지 아니면 시애틀인지 모호한 지역으로 들어서는 데는 채 두 시간도 걸리지 않았다. 속도를 줄였다. 아무 죄도 없는 구경꾼들을 죽일 생각은 없었으니까.

사실 어리석은 계획이었다. 제대로 될 리가 없다. 하지만 고통을 떨쳐버릴 방법을 찾기 위해 머릿속 생각들을 마구 뒤져대는데, 리가 했던 말이 떠올랐다.

네가 '각인'을 하면 지금 느끼는 사랑은 사라질 거야. 더 이상 그녀 때문에 아파하지 않아도 되는 거야.

어쩌면 자유 의지를 빼앗기는 게 세상에서 가장 비참한 일이 아닐지도 모른다. 가장 비참한 건 바로, 지금 느끼는 이 기분이다.

하지만 난 이미 라푸시, 마카레즈, 포크스의 여자애들은 모두 본 적이 있다. 아무래도 지역을 좀 더 넓혀야 할 것 같았다.

어떻게 해야 군중들 속에서 무작정 소울메이트를 찾아낼 수 있을까? 음, 일단은 먼저 군중이 있어야겠지. 그래서 나는 이리저리 차를 몰고 다니면서 그럴 듯한 장소를 찾았다. 내 또래 소녀들을 찾기에 가장 적합한 장소일 쇼핑몰을 두어 개쯤 지났지만 멈춰 설 수 없었다. 하루 종일 쇼핑몰에서 빈둥대는 여자애한테 '각인' 하고 싶은 거야?

북쪽으로 계속 달리니 사람이 점점 더 늘어났다. 나는 결국 아이들, 가족, 스케이트보드와 자전거, 연, 그리고 소풍 나온 사람들로 가득한 커다란 공원을 찾아냈다. 날씨가 아주 좋다는 걸 이제야 알아차렸다. 빛나는 태양, 뭐 그런 기타 등등. 사람들은 바깥으로 나와서 파란 하늘을 즐기고 있었다.

혹시라도 딱지를 떼지 않을까 하는 기대를 품고 장애인 주차구역 두 칸에 차를 주차시킨 다음 나도 사람들 속으로 섞여 들어갔다.

한 몇 시간쯤 여기저기 걸어 다닌 것 같았다. 해가 반대편으로 자리를 옮길 만큼 긴 시간이 흘렀다. 내 근처를 지나는 여자애들의 얼굴을 하나하나 훑어보며 누가 예쁘고, 누가 푸른 눈이고, 누가 치열 교정기를 꼈으며 또 누가 화장을 진하게 했는지 알아차릴 수 있었다. 스스로 노력했다는 확신을 갖기 위해, 그들 각각의 얼굴에서 어떻게든 흥미를 끄는 무언가를 찾아내려 애썼다. 예를 들면 이런 거다. 이 여자앤 정말 코가 오똑하고, 저 앤 머리카락이 눈을 가리지 않도록 걷어 올려야 할 것 같고, 또 저기 저 애는 얼굴의 다른 부위도 입술만큼 완벽하다면 립스틱 광고에 출연해도 될 것 같고……

때로는 그들 역시 나를 바라보았다. 어떤 여자애들은 겁에 질려 이런 생각을 하는 것 같았다. 날 쳐다보는 이 커다란 괴물은 대체 누구야? 가끔은 그들이 흥미를 느끼고 있다는 생각도 들었지만, 그냥 내가 제정신이 아니라 그런 건지도 모른다.

어차피 아무 의미도 없었으니까. 공원에서, 아니 이 도시에서 가장 섹시한 소녀(그런 콘테스트를 한 건 아니지만 말이다)와 눈이 마주치고 그녀가 관심의 눈길을 보냈을 때조차 아무것도 느끼지 못했다. 그저 이 고통에서 탈출하려는 필사적인 노력뿐이었다.

시간이 더 흐르자 내 눈에는 온통 벨라만 보이기 시작했다. 이 앤 머리가 벨라와 같은 색이군. 저 여자앤 벨라처럼 미간에 작은 주름이 잡혔어. 무얼 걱정하고 있는 것일까……

결국 난 포기하고 말았다. 시간과 장소를 제대로 골랐고, 게다가 이렇게 필사적으로 원하고 있으니 반드시 소울메이트와 마주칠 거라고 믿었던 내가 어리석었다.

어쨌든 여기서 '그녀'를 찾는다는 건 말이 안 되는 얘기였다. 만약 샘의 생각이 옳다면 내 유전적 파트너를 찾을 수 있는 최적의 장소는 라푸시여야 했다. 하지만 거기 있는 누구도 내가 찾는 상대는 아니었다. 하지만 만약 빌리가 옳다면, 누가 알겠는가? 도대체 어떻게 해야 더 강한 늑대를 만들 수 있는 거지?

주차장으로 돌아간 나는 보닛에 기대어 앉아 열쇠를 만지작거렸다. 아마 나도 리 같은 존재일지 모른다. 다음 세대로 이어져서는 안 되는 유전적 종착점. 어쩌면 내 삶은 한낱 거대하고 잔인한 농담 같은 것이고, 거기서 빠져나갈 방법은 없을지 모른다.

"저기, 괜찮아? 이봐, 너. 그거 훔친 차구나."

그 목소리가 내게 말을 걸고 있다는 걸 알아차리는 데 1초쯤 걸렸다. 그리고 다시 1초가 지난 후에야 난 머리를 들었다.

친숙한 느낌을 주는 소녀가 걱정이 담긴 표정으로 나를 보고 있었다. 왜 그녀가 익숙하게 느껴졌는지 곧 깨달을 수 있었다. 붉은 빛이 도는 금발, 하얀 피부, 뺨과 코에 흩어져 있는 금빛 주근깨, 시나몬 빛깔의 눈동자.

"차를 훔쳐서 후회하고 있는 거라면, 자수해."

그녀가 웃자 턱에 보조개가 생겼다.

"훔친 게 아니라 빌린 거야."

내가 날카롭게 말했다. 마치 울고 있었던 양 목소리가 끔찍하게 들려서 당황스러웠다.

"그래. 그건 법정에서 이야기해."

나는 얼굴을 찡그렸다.

"뭘 원하는 거야?"

"아니, 장난친 거야. 그냥…… 네가 너무 힘들어보여서. 아, 나는 리지야."

그녀는 손을 내밀었지만, 내가 계속 쳐다보고만 있으니 다시 내렸다.

"어쨌든…… 뭐, 내가 도와줄 수 있을까 싶어서. 보니까 누군가를 찾는 것 같던데."

그녀가 어색하게 그렇게 말하고서 공원 쪽을 가리키더니 어깨를 으쓱해 보였다.

"응."

그녀는 내 다음 말을 기다리고 있었다. 난 한숨을 쉬었다.

"도움은 필요 없어. 그녀는 여기 없으니까."

"아, 미안해."

"나도."

내가 중얼거렸다. 그리고 그 소녀를 다시 바라보았다. 리지라고 했지. 예뻤다. 게다가 미친놈처럼 보이는 이방인을 도와주려 들 만큼 친절하기도 했다. 왜 그녀일 수는 없는 걸까? 왜 이렇게 모든 게 지독히도 복잡해야만 하는 걸까. 착한 소녀, 예쁘고 재미있기까지 한. 왜 안 되는 거지?

"정말 아름다워, 이 차. 이런 차를 더 이상 만들지 않는다니 너무하다니까. 애스턴 마틴 빈티지도 멋지지만 뱅퀴시에는 뭔가 특별한 게 있어……."

거기다 차에 대해서도 잘 아는 착한 여자애라, 와. 나는 각인의 비밀이 밝혀지기를 빌며 소녀의 얼굴을 더 열심히 바라보았다. 이봐, 제이콥. 어서 각인하란 말이야.

"어떻게 운전해?"

그녀가 물었다.

"얘기해줘도 믿지 못할 텐데."

내가 대답했다. 조금이나마 호의적인 반응을 이끌어낸 게 기뻤던지 그녀는 보조개를 하나 만들며 미소 지었다. 나도 마지못해 미소를 보냈다.

하지만 그녀의 미소는 내 몸을 위아래로 긁어대는 날카롭고 예리한 칼날을 어떻게도 해주지 못했다. 아무리 원해도 내 삶은, 그런 식으로 이어지지는 않을 것이다.

나는 리보다 더 건강하지 못하다. 보통 사람과는 사랑에 빠질 수도 없을 것이다. 내가 다른 누군가 때문에 슬퍼하는 동안은. 어쩌면 10년 정도 흘

러, 벨라의 심장이 죽은 지 오래일 그때쯤. 내 슬픔이 지나가고 나면. 그날
이 오면 리지에게 차에 타라는 말도 건네고, 함께 자동차의 브랜드며 모델
에 대해 얘기도 나누고, 그렇게 그녀에 대해 알아가면서 결국 좋아한다는
것을 깨닫게 될지도 모른다. 하지만 지금은 아니었다.

마법은 나를 구해주지 않는다. 남자답게 고통을 받아들일 때였다. 견뎌
야만 한다.

리지는 기다리고 있었다. 아마 내가 차에 태워주길 바라는 것 같았다.
어쩌면 아닐 수도 있지만. 그녀가 다시 미소 지었다.

"괜찮아진 것 같아서 기뻐."

"그래, 네 덕분이야."

그녀는 내가 차에 오르는 모습을 여전히 걱정스러운 듯 지켜보았다. 어
쩌면 내가 차를 운전해 그대로 절벽으로 돌진할 것처럼 보였을지도 모른
다. 그게 늑대인간에게도 효과가 있는 행동이었다면, 정말로 그랬을지도.
그녀가 손을 한 번 흔들고 눈으로 내 차를 좇았다.

처음에는 좀 더 말짱한 정신으로 차를 몰았다. 서두르지 않았다. 지금
가고 있는 곳으로 돌아가고 싶지 않았기 때문이다. 그 집으로, 그 숲으로
돌아간다. 내가 도망쳐 나온 고통으로 돌아간다. 그리고 그 고통과 함께,
난 철저히 혼자로 돌아간다.

이건 뭐 멜로드라마 같잖아. 사실 난 완전히 혼자는 아니었지만 그것도
달가운 일은 아니었다. 리와 세스까지 나 때문에 힘들어질 테니. 그래도
세스가 오랫동안 힘들어하지 않아도 된다는 건 다행이었다. 그 애가 무슨
잘못이 있어서 억지로 마음의 평화를 빼앗겨야 하지. 리도 마찬가지긴 하
지만 최소한 그녀는 이해하고 있다. 그녀에게 이 고통은 전혀 새로운 것이
아니었으니까.

리가 내게 무엇을 바라고 있는지 생각해내고 나니 한숨이 나왔다. 그녀

는 결국 자신이 바라는 일을 이루고 말 테니까. 여전히 리에게 화가 나기는 하지만, 내가 그녀의 삶을 좀 더 쉽게 만들어줄 수 있다는 사실을 모른 척할 수는 없었다. 그리고 그녀를 더 잘 알게 되었기 때문에 하는 말이지만, 만약 우리의 입장이 서로 바뀌었다면 그녀 역시 내게 그렇게 해주었을 것이다.

리를 동료로, 친구로 둔다는 건 흥미롭고 또 이상한 일이다. 우리는 서로를 많이 귀찮게 할 것이다. 거기엔 의심의 여지가 없다. 그녀는 날 내버려두지 않겠지만, 그것도 그리 나쁘진 않을 것 같다. 어쩌면 내게는 때때로 엉덩이를 걷어 차줄 사람이 필요할 테니까. 결국 그녀는 내가 지금 겪는 일들을 이해해줄 유일한 친구였다.

오늘 아침의 사냥에 대해 생각하고, 그 한순간 동안 우리의 마음이 서로 얼마나 가까웠는지 떠올렸다. 나쁘지 않았다. 그저 색달랐을 뿐. 조금 두렵고 또 약간 어색했다. 하지만 이상하게도, 기쁘게 느껴지기도 했다.

결국 난 완전히 혼자여서는 안 되는 것이다.

그리고 리는 다가올 몇 달간을 나와 함께 견뎌줄 수 있을 만큼 강인했다. 앞으로의 몇 달, 그리고 몇 년. 그 생각은 날 피곤하게 했다. 마치 지금부터 헤엄쳐 건너야 할 대양을 바라보는 것처럼. 그 광대한 바다를 건넌후에야 나는 비로소 다시 쉴 수 있을 것이다.

그렇게 기나긴 세월이 다가오고 있었고, 그 세월이 시작되기 전까지, 내가 대양으로 뛰어들기 전까지 아주 적은 시간만이 남아 있었다. 3일하고 반나절. 그런데 난 여기서 그 얼마 남지 않은 시간을 낭비하고 있다.

다시 속도를 냈다.

포크스를 향해 달리는 동안 나는 길 양편에서 보초처럼 따라오던 샘과 저레드를 보았다. 두꺼운 나뭇가지 사이에 숨어 있긴 했지만 그들일 거라고 추측할 수 있었다. 나는 둘을 지나치면서 고개를 끄덕였다. 그들이 내

여행에 대해 어떻게 생각하고 있을지조차 궁금하지 않았다.

드라이브웨이를 달리면서 나는 리와 세스에게도 고개를 끄덕였다. 날은 어두워지고 있었고, 만의 이쪽 지역에는 구름이 짙게 드리웠다. 그들의 눈이 자동차 불빛에 반짝이는 것을 보았다. 나중에 설명해줘야지. 그럴 시간은 얼마든지 있으니까.

차고에서 나를 기다리는 에드워드를 보고 깜짝 놀라지 않을 수 없었다. 요 며칠간은 그가 벨라와 떨어져 있는 모습을 보지 못했는데. 얼굴을 보니 벨라에게 나쁜 일이 일어난 것은 아니라는 걸 알 수 있었다. 사실 그는 전보다 평화로워 보였다. 그 평화가 어디서 온 것인지 떠올리고 나니 이내 배가 단단하게 굳어졌다.

딴 생각에 빠져서 차를 박살내는 걸 잊어먹다니 실수였다. 할 수 없지. 하지만 난 이 차를 도저히 부수지 못했을 것이다. 아마 놈도 그걸 알았을 거고, 그래서 이 차를 빌려주었으리라.

"몇 가지 할 말이 있어, 제이콥."

내가 엔진을 끄자마자 놈이 말했다. 나는 깊게 숨을 들이쉬고는 잠깐 동안 참았다. 그리고 천천히 차에서 나와 그에게 열쇠를 던졌다.

"차, 빌려줘서 고마워. 원하는 게 뭔데?"

내가 퉁명스럽게 말했다. 분명 빌린 건 갚아줘야 하니까.

"우선…… 동료들에게 명령하는 걸 네가 싫어한다는 건 알아. 하지만……"

그가 그런 말을 하리라고는 꿈에도 생각하지 못했기 때문에 깜짝 놀라 눈을 깜박였다.

"뭐?"

"네가 리를 통제할 수 없거나 그럴 생각이 없다면 내가……"

"리? 대체 무슨 일이야?"

내가 그의 말을 끊고 이를 악문 채 물었다. 에드워드의 얼굴이 굳었다.

"네가 그렇게 갑자기 가버린 이유를 알아내려고 그녀가 왔었어. 난 설명하려고 했지. 잘 될 줄 알았어."

"리가 무슨 짓을 했는데?"

"사람으로 변해서는……."

"정말?"

다시 나는 그의 말을 끊었다. 이번엔 충격 때문이었다. 도저히 이해할 수가 없었다. 리가, 적의 소굴에서 보호막을 걷어버렸다고?

"리는…… 벨라와 이야기하고 싶어 했어."

"벨라와?"

순간 에드워드는 발끈하는 것 같았다.

"다시는 벨라를 그런 일로 힘들게 하지 않을 거야. 리가 자신의 행동을 정당하다고 생각하든 말든 상관없어. 난 리를 다치게 하지는 않았어. 물론 앞으로도 그럴 거야. 하지만 이런 일이 또다시 벌어진다면 그때는 집밖으로 던져버리겠어. 난 그녀를 강 너머로……."

"잠깐! 리가 뭐라고 했는데?"

도저히 믿기 힘들었다. 에드워드가 숨을 들이쉬며 마음을 가라앉혔다.

"리는 괜히 거칠게 굴었어. 벨라가 너를 놓지 못하는 이유는 모르겠지만, 적어도 널 아프게 하려고 그러는 건 아냐. 벨라는 너에게 곁에 있어달라고 한 게 너와 나 모두를 힘들게 한다는 걸 알고 괴로워하더군. 리는 그런 말을 해선 안 되는 거였어. 벨라는 계속 울었어……."

"잠깐, 리가 나 때문에 벨라한테 화를 냈다는 거야?"

그는 고개를 한 번 끄덕였다.

"아주 열렬하게 네 편을 들던데."

하아.

"난 리에게 그러라고 시킨 적 없어."

"알아."

난 눈동자를 굴렸다. 물론 알고 있겠지. 그는 모든 걸 알고 있으니까. 하지만 리가 그럴 줄이야. 이런 얘기를 누가 믿겠냔 말이다. 리가 인간의 모습으로 흡혈귀들의 소굴로 걸어 들어와서는 날 위해 싸우다니.

"리를 단속하겠다는 약속은 할 수 없어. 난 그러지 않을 거니까. 하지만 얘기는 해 두겠어. 됐지? 다시 이런 일은 없을 거라고 생각해. 리는 뭐든 참는 사람이 아니야. 그래서 오늘 터뜨린 모양이야."

"그렇겠지."

"어쨌든 나도 벨라와 얘기를 해봐야겠어. 그녀가 괴로워할 필요는 없으니까. 결국 내가 문제인 거잖아."

"내가 얘기했어."

"당연히 그러시겠지. 벨라는 괜찮아?"

"자는 중이야. 로즈가 같이 있지."

이젠 그 사이코를 '로즈' 따위의 애칭으로 부르는군. 놈은 이제 완전히 악의 세력으로 넘어갔다. 그는 내 생각을 무시하고서 질문에 좀 더 자세히 대답해주었다.

"어떤 면으론 더 좋아졌어. 리가 남기고 간 훈계와 비난 때문에 얻게 된 죄책감만 뺀다면."

더 좋아졌다……. 하기야 그 괴물의 목소리를 들었으니 이제 에드워드도 모든 게 사랑스럽게만 보이겠지. 일이 아주 멋지게 돌아가는군.

"그것만은 아냐. 내가 아이의 생각을 알 수 있어서 하는 얘긴데, 그 앤 두뇌가 상당히 발달해 있어. 그래서 어느 정도 우릴 이해하고 있지."

그가 중얼거렸다. 내 입이 벌어졌다.

"진담이야?"

"그래. 이제 그는, 무엇이 벨라를 다치게 하는지 희미하게 아는 것 같아. 그래서 가능하면 그런 행동은 하지 않으려 하지. 그는…… 벨라를 사랑해. 벌써부터 말이야."

나는 에드워드를 바라보았다. 눈이 튀어나오려 했다. 이게 결정적인 요인이었군. 괴물은 벨라를 향한 사랑을 그에게 확인시켜 주었고, 그래서 에드워드는 변한 것이다. 놈은, 벨라를 사랑하는 거라면 미워할 수가 없었다. 아마 그래서 나도 미워할 수 없는 거겠지. 물론 경우가 서로 다르기는 하지만. 난 그녀를 죽이고 있지는 않으니까.

에드워드는 이 모든 생각을 듣지 못한 것처럼 말을 이어갔다.

"그 앤 우리가 생각한 것 이상으로 성장한 것 같아. 칼라일이 돌아오면……."

"아직 돌아오지 않았어?"

내가 급히 끼어들었다. 그리고 길을 감시하고 있던 샘과 저레드를 떠올렸다. 그들은 무슨 일이 벌어지고 있는지 궁금했던 걸까.

"앨리스와 재스퍼는 왔어. 칼라일은 자신이 구한 피를 보내왔지. 하지만 바라던 만큼은 못 구했던 것 같아. 벨라의 식욕이 점점 좋아지고 있어서, 그 정도의 양은 금방 떨어질 것 같거든. 그래서 칼라일은 다른 데서 피를 구하고 있는 모양이야. 지금 당장은 필요 없을 것 같지만…… 만약에 대비해서 말이지."

"왜 필요가 없어? 만약 더 원한다면?"

에드워드는 내 반응을 유심히 살피고 있었다.

"칼라일이 돌아오자마자 출산을 도와달라고 할 거야."

"뭐라고?"

"아기는, 거칠게 움직이지 않으려고 애쓰는 것 같아. 하지만 어려운 일이지. 이미 너무 커졌으니까. 벌써 칼라일의 예상 이상으로 발달해 버렸어. 기다리는 건 거의 미친 짓이지. 벨라는 이제 너무 약해져서 지체할 수가 없어."

나는 간신히 버티고 섰다. 처음엔 '그놈'에 대한 에드워드의 미움에 의지했었고, 지금은 그 4일, 나흘간이라는 시간에 의존하고 있었다. 지나치게 믿고 있었던 거다.

끝없는 슬픔의 대양이 내 앞에 펼쳐졌다. 나는 숨을 헐떡였다.

에드워드는 기다리고 있었다. 그를 바라보면서 안정을 되찾으려 하는 동안, 나는 에드워드의 얼굴에서 또 다른 변화를 발견해냈다.

"벨라가 해낼 거라고 생각하는군."

내가 속삭였다.

"그래. 그것도 너에게 하고 싶은 말이었어."

아무 대답도 할 수 없었다. 잠시 후 그가 말을 이었다.

"그래. 지금처럼 아기가 준비가 될 때까지 기다리는 건 정말 위험한 짓이야. 어느 순간이 되고 나면 이미 늦었을 수도 있어. 하지만 우리가 미리 대비한다면, 재빨리 움직인다면 잘 안 될 이유도 없잖아. 아이의 마음을 알 수 있다는 게 정말 도움이 되더군. 고맙게도 벨라, 그리고 로잘리도 내 생각에 동의해줬어. 아이를 위해 안전한 방법이라는 믿음을 둘에게 주었으니까, 이제 장애물은 없는 셈이야."

"칼라일은 언제 돌아올까?"

내가 속삭였다. 아직도 숨을 제대로 쉴 수 없었다.

"내일 정오쯤."

무릎이 꺾였다. 쓰러지지 않도록 나는 차를 붙잡아야 했다. 에드워드가 잡아주려는 듯이 팔을 내밀었지만 곧 손을 그냥 내렸다.

"유감이야. 널 힘들게 하는 게 괴로워. 넌 날 미워하지만 난 그렇지 않으니까. 난 널…… 형제처럼 생각하고 있어. 최소한 전우로 생각해. 널 너

377

무 힘들게 해서 미안해. 하지만 벨라는 살아날 거야."

그가 속삭였다. 그렇게 말하는 에드워드의 목소리는 사나웠고, 심지어 난폭하게 들리기까지 했다.

"네게는 그게 중요하다는 걸 알아."

그래, 어쩌면 그 말이 맞겠지. 말하기가 힘들었다. 머리만 빙빙 돌았다.

"이미 충분히 힘들 텐데, 지금 이런 말까지 하고 싶지는 않았어. 하지만 시간이 없어서. 너한테 부탁할 게 있어. 필요하다면 애원이라도 하겠어."

"이제 나한텐 남은 게 없어."

숨이 막혀 왔다. 그는 내 어깨를 잡으려는 듯 다시 손을 들었다. 하지만 곧 손을 떨어뜨리고 한숨을 쉬었다.

"네가 얼마나 많은 것을 주었는지 알아. 하지만 이걸 해줄 수 있는 건 너야. 너뿐이야. 진정한 알파인 제이콥에게 부탁하는 거야. 에프라임의 계승자에게 말이야."

그가 조용히 말했다. 나는 대답할 수가 없었다.

"우리가 에프라임과 맺었던 조약에 예외를 허락해줬으면 좋겠어. 그녀를 살릴 수 있게 해줘. 그냥 살려낼 수도 있겠지만, 너와의 신뢰를 깨고 싶지 않아서 그래. 우리가 한 말을 번복하려는 게 아냐. 그렇게 경솔하게 행동하지는 않을 거야. 그저 너에게 이해를 구하고 싶은 거야, 제이콥. 우리가 이러는 이유, 넌 정확하게 알고 있잖아. 이 상황이 종료되고 난 후에도 우리의 동맹관계가 유지되었으면 해."

애써 침을 삼켰다. 샘, 그건 샘한테 이야기해야지. 내가 생각했다.

"아니. 샘의 권위는 사라졌어. 이제 권한은 너에게 있지. 네가 샘으로부터 그 권위를 빼앗아오지는 않겠지만, 지금 내가 요청하는 것을 승인해줄 권리가 있는 사람은 너뿐이야. 너 말고는 없어."

내가 결정할 수 있는 게 아냐.

"그렇지 않아, 제이콥. 너도 알잖아. 네 말이 우리를 유죄로도, 또 무죄로도 만들 수 있어. 너만이 해줄 수 있는 일이야."

아무 생각도 안 나. 난 모르겠어.

"시간이 많지 않아."

그가 집 쪽을 바라보았다. 그래, 이젠 시간이 없다. 며칠은 어느새 몇 시간으로 줄어 있었다.

모르겠어. 생각해볼게. 잠깐 들어가 봐도 되지?

"그래."

난 집을 향해 걷기 시작했고, 그가 내 뒤를 따랐다. 뱀파이어와 나란히 어둠 속을 걷고 있는데도 어찌나 자연스러운지 기분이 이상했다. 그저 누군가의 옆에서 걷고 있다는 느낌뿐이었다. 음…… 그러니까, 지독한 냄새가 나는 누군가.

드넓은 잔디밭 끝의 수풀 속에서 뭔가 움직이더니 낮게 낑낑대는 소리가 났다. 세스가 양치류들을 헤치고 우리에게 달려왔다.

"어이, 꼬마."

내가 중얼거렸다. 그가 머리를 숙였고, 난 세스의 어깨를 두드렸다.

"다 괜찮아. 나중에 이야기해줄게. 갑자기 너희들 곁을 떠났던 거 미안하게 생각해."

괜찮다는 건 거짓말이었다. 그가 미소를 지었다.

"누나한테도 이제 그만하라고 해. 알았지? 그 정도면 됐으니까."

세스가 고개를 한 번 끄덕였다. 난 그의 어깨를 밀었다.

"그만 일해야지. 조금 있다 교대해줄게."

세스는 내게 몸을 붙였다가 다시 몸을 떼고는 나무들 속으로 달려갔다.

"내가 들여다본 마음들을 전부 통틀어 가장 순수하고, 가장 성실하고, 가장 친절한 마음을 가졌어. 세스와 생각을 나누게 된 거, 행운인 줄 알아."

"나도 알고 있어."

나는 툴툴거렸다.

다시 집 쪽으로 걸어가던 우리는 누군가 빨대로 액체를 빨아올리는 소리를 듣고 고개를 들었다. 에드워드는 곧바로 서두르기 시작했다. 재빨리 포치 계단을 올라가더니 그는 사라져버렸다.

"벨라, 내 사랑, 네가 자는 줄 알았어. 미안해. 꼼짝하지 말았어야 했는데."

그의 목소리가 들렸다.

"괜찮아. 목이 말라서 잠이 깼어. 칼라일이 더 많이 마련해줘서 다행이야. 아기도 내 몸 밖으로 나오고 나면 그게 필요할 테니까."

"그래. 맞는 말이야."

"그 애가 뭔가 다른 걸 원하지는 않을까?"

그녀가 생각에 잠겼다.

"앞으로 알게 되겠지."

난 문으로 들어갔다.

앨리스가 "드디어 왔네."라고 인사하자 벨라의 눈이 나를 향했다. 마음을 흔드는, 저항할 수 없는 미소가 잠깐 동안 그녀의 얼굴에 떠올랐다. 이윽고 미소가 희미해지더니 그녀가 고개를 숙였다. 그리고 울음을 참듯 입술을 오므렸다. 멍청한 리의 입을 한 대 갈겨주고 싶었다.

"안녕, 벨라. 괜찮아?"

내가 조용히 물었다.

"괜찮아."

그녀가 대답했다.

"오늘은 중요한 날이잖아? 새로운 일들이 잔뜩 벌어질 텐데."

"넌 그러지 않아도 돼, 제이콥."

"무슨 소린지 모르겠는데."

난 그녀의 머리 쪽으로 다가가 소파의 팔걸이에 앉았다. 에드워드는 이미 바닥에 앉아 있었다. 그녀가 책망하는 눈빛으로 나를 보았다.

"너무 미……."

그녀가 입을 열었다. 난 엄지와 검지로 그녀의 입술을 잡았다.

"제이콥."

그녀가 내 손을 밀어내면서 웅얼거렸다. 너무 힘이 없어서 정말 밀어내기나 한 건지 알 수 없었다. 난 고개를 흔들었다.

"바보 같은 말할 거면 그냥 하지 마."

"좋아, 말하지 않을게."

그녀가 웅얼거렸다. 나는 손을 치웠다.

"미안!"

그녀가 재빨리 말하더니 씩 웃었다. 나는 눈동자를 굴리고서 그녀에게 미소 지었다. 그녀의 눈 속에는 내가 공원에서 찾아 헤맸던 그 모든 것이 들어 있었다.

내일 그녀는 다른 사람이 되어 있겠지. 하지만 제발 살아 있기를. 그게 중요하겠지? 그녀는 그때도 같은 눈으로 나를 볼 것이다. 똑같은 입술로 미소 지을 것이다. 그리고 그녀는 여전히, 어느 누구보다 나를 더 잘 이해해주리라. 내 머릿속에 온전히 들어와 본 사람을 제외한다면.

리는 흥미로운 동료가 될지도 모른다. 어쩌면 진정한 친구, 내 편이 되어줄 누군가가 될 수도 있다. 하지만 그녀는 벨라와 같은 의미의 베스트 프렌드는 아니었다. 내가 벨라에게 느끼는 감정은 이루어질 수 없는 사랑이 전부가 아니다. 우리에게는 뼛속 깊이 박혀 있는 또 다른 유대감이 있었다.

내일이면 그녀는 내 적이 되겠지. 아니면 동맹이 되든가. 그녀가 적이 될지, 동맹이 될지 그 선택은 내게 달려 있었다. 나는 한숨을 쉬었다.

좋아! 내가 줄 수 있는 마지막 것을 주기로, 에드워드의 부탁을 들어주기로 결심하고 난 그렇게 생각했다. 좋아. 그녀를 구해. 에프라임의 계승자로서 허가할게. 이건 조약을 어기는 일이 아니야. 누구든 비난하려면 대신 날 비난해야 할 거야. 내가 옳았어. 이 일에 동의할 수 있는 내 권리만큼은 그 누구도 부인하지 못해.

"고마워."

에드워드는 벨라가 들을 수 없게 나지막이 속삭였다. 하지만 그 말이 어찌나 절절했던지, 다른 뱀파이어들까지 일제히 고개를 돌려 그를 바라보았다.

"그래서…… 넌 오늘 어땠어?"

벨라는 평소처럼 굴려고 애쓰는 것 같았다.

"좋았어. 드라이브했거든. 공원에서 놀기도 하고."

"좋았겠네."

"그럼."

갑자기 벨라가 얼굴을 찡그렸다.

"로잘리?"

금발 머리가 키득대며 웃더니 되물었다.

"또야?"

"한 시간 동안 8리터는 마신 거 같아."

벨라가 설명했다. 에드워드와 나는 로잘리가 벨라를 소파에서 들어 올려 화장실로 데려갈 수 있도록 자리를 비켜주었다.

"걸어도 돼? 다리가 너무 뻣뻣해서 그래."

벨라는 물었다.

"괜찮겠어?"

에드워드가 되물었다.

"넘어지면 로잘리가 잡아줄 거야. 이젠 내 발도 안 보여서 까딱하면 넘어진다니까."

로잘리가 벨라를 조심스럽게 일으켜 세우더니 벨라의 어깨에 손을 댔다. 벨라가 앞으로 팔을 뻗더니 조금 움찔했다.

"좋았어. 윽, 근데 나 말이야, 너무 거대해졌어."

벨라가 한숨을 쉬었다. 그 말대로 그녀는 정말 거대해 보였다. 배는 마치 대륙 같았다.

"하루만 참으면 돼."

그녀가 배를 두드렸다. 갑자기 찌르는 듯한 고통이 내 몸을 관통했지만 애써 얼굴에는 드러내지 않았다. 하루만, 하루만 더 숨기면 되는 거야.

"됐다. 앗, 잠깐. 어떡해!"

벨라가 소파에 내려놓은 컵이 옆으로 쓰러지면서 검붉은 피가 하얀 천을 적셨다. 자기보다 훨씬 빠른 사람이 셋이나 있는데도, 벨라는 몸을 굽혀 컵을 잡으려 했다.

그때 그녀의 몸 한가운데에서 작지만 정말 이상한 소리가 들렸다.

"아."

그녀가 숨을 헐떡였다. 그 순간 그녀는 축 늘어지더니 바닥으로 쓰러졌다. 동시에 로잘리가 팔을 뻗어 벨라가 바닥에 부딪히지 않도록 잡았다. 에드워드도 엉망이 된 소파는 잊어버린 채 벨라에게 팔을 뻗었다.

"벨라?"

그가 불렀다. 에드워드의 눈은 초점을 잃었고, 극심한 공포가 그의 얼굴을 뒤덮었다.

0.5초 뒤, 벨라가 비명을 질렀다.

단순한 비명이 아니라, 섬뜩한 고통의 절규였다. 그 무시무시한 소리는 뭔가 콸콸 흘러나오는 소리에 가려 더 이상 들리지 않았고, 벨라의 눈동자가 돌아갔다. 벨라는 로잘리의 품에서 몸을 활처럼 뒤틀더니 분수처럼 피를 토해내기 시작했다.

## 18

# 어떤 말로 표현할 수 있겠어?

---

빨갛게 물든 벨라의 몸이 마치 전기 충격이라도 받은 듯 경련을 일으키며 로잘리의 품에서 뒤틀렸다. 그러는 동안에도 그녀의 얼굴엔 표정이 없었다. 이미 의식이 없는 것이다. 대신 벨라를 움직이는 건 그녀의 몸 한가운데에서 나오는 거친 움직임이었다. 그녀가 몸부림치는 내내 끊어지고 부러지는 소리가 경련에 맞춰 흘러나왔다.

로잘리와 에드워드는 아주 잠깐 동안 얼어붙어 있다가 움직이기 시작했다. 벨라를 안아든 건 로잘리였다. 그리고 에드워드와 로잘리는 단어 하나하나를 알아들을 수 없을 만큼 재빠르게 소리를 질러대면서 계단으로 달려갔다.

나도 그들을 따라 달렸다.

"모르핀!"

에드워드가 로잘리에게 소리쳤다.

"앨리스, 칼라일에게 전화해!"

로잘리가 비명을 질렀다. 내가 그들을 따라 들어간 방은 마치 도서관 한

385

가운데 설치된 응급실 같았다. 하얗고 몹시 밝은 불이 밝혀져 있었다. 벨라는 그 환한 불빛을 받으며 테이블 위에 누워있었다. 스포트라이트를 받은 그녀의 피부는 유령 같았고, 몸은 모래사장 위의 물고기처럼 퍼덕였다. 에드워드가 벨라의 팔에 주사기를 꽂는 동안 로잘리는 벨라의 몸이 움직이지 않도록 고정하고 옷을 잡아 찢었다.

그녀가 벗은 모습을 난 얼마나 많이 상상했었나. 하지만 정작 이제는 볼수가 없다. 내 머릿속에 이런 기억을 담게 되는 게 두려웠다.

"무슨 일이야, 에드워드?"

"아기가 숨을 못 쉬고 있어."

"태반이 이탈했나 봐!"

어느새 벨라의 의식은 돌아와 있었다. 둘이 주고받는 말을 들은 그녀는 내 고막이 찢어질 정도로 비명을 질러댔다.

"아기를 꺼내! 그 애가 지금 숨을 쉴 수 없다면서! 당장 꺼내란 말이야!"

그녀가 소리를 질렀다. 그러면서 눈 속의 혈관들이 터진 것 같았다. 벨라의 눈에 붉은 반점들이 점점이 생겨났다.

"모르핀……!"

에드워드가 으르렁거렸다.

"안 돼! 당장……!"

또다시 피를 울컥 토하면서 그녀는 말을 끝까지 잇지 못했다. 에드워드는 벨라의 머리를 들고, 그녀가 다시 숨을 쉴 수 있도록 필사적으로 입 안을 닦아냈다.

앨리스가 방 안으로 달려와 작은 푸른색 이어폰을 로잘리에게 끼워주었다. 그리고 나서 앨리스는 황금빛 눈을 크게 뜨더니 다시 방을 나갔다. 그 사이에 로잘리는 전화기를 들고 미친 듯 떠들어대고 있었다.

밝은 불빛 아래에서 보니 벨라의 피부는 하얗다기보다는 검붉었다. 마구 경련하는 거대한 배를 덮고 있는 피부 밑에서 심홍색이 배어나왔다. 로잘리가 메스를 잡았다.

"마취기운이 돌 때까지 기다려!"

에드워드가 소리 질렀다.

"시간이 없어. 아기가 죽어가고 있다고."

로잘리가 으르렁댔다. 그녀의 손이 벨라의 배로 움직였고, 메스로 피부를 찌르자 선홍색 피가 뿜어 나왔다. 벨라는 꿈틀했지만 비명을 지르지는 않았다. 그녀는 여전히 숨을 쉬지 못하고 있었다.

그때 로잘리는 통제력을 잃고 말았다. 나는 그녀의 표정이 변하는 것을, 내내 갈증에 시달리던 그녀가 이를 살짝 드러내며 검은 눈을 반짝이는 것을 보았다.

"안 돼, 로잘리!"

에드워드가 절규했다. 하지만 그의 손은 벨라가 숨을 쉴 수 있도록 그녀의 몸을 받치고 있었기 때문에 꼼짝할 수 없는 상태였다.

나는 늑대로 변하지도 않은 채 곧바로 테이블 너머 로잘리에게 몸을 날렸다. 내가 그녀의 돌덩이 같은 몸을 때리며 문 쪽으로 끌어내는 동안, 로잘리가 들고 있던 메스가 내 왼팔을 깊숙이 찔렀다. 난 오른손바닥으로 그녀의 얼굴을 강하게 짓누르면서 턱을 고정하고 기도를 막으려 했다.

로잘리의 얼굴을 움켜쥐고서 몸을 높이 들어올린 후 난 그녀의 복부를 걷어찼다. 마치 콘크리트를 차는 느낌이었다. 로잘리가 문틀로 날아갔고, 그 충격으로 한쪽 틀이 휘어졌다. 귀에 꽂혀있던 이어폰이 조각조각 부서졌다. 그때 앨리스가 나타나더니 로잘리의 목을 잡고 복도로 끌고 갔다.

내가 이길 수 있었던 건 실은 순전히 저 금발머리 뱀파이어 덕이다. 그녀는 애초부터 싸울 마음이 없었다. 우리가 이기기를 원했던 것이다. 그래서 내가 자신을 그렇게 마구 때리도록 내버려두었다. 벨라를 구하기 위해서. 그리고…… 그놈을 구하기 위해서. 나는 팔에서 메스를 뽑았다.

"앨리스, 로잘리를 데려가! 재스퍼에게 데려다주고 꼼짝 못하게 지켜! 제이콥, 나 좀 도와줘."

에드워드가 소리쳤다. 난 다시 수술대로 돌아왔고, 그래서 앨리스가 로잘리를 처리하는 걸 보지 못했다. 벨라는 파랗게 변해가고 있었다. 크게 벌어진 그녀의 동공은 한곳만 노려보았다.

"심폐소생술, 할 줄 알아?"

에드워드가 다급하게 내게 물어왔다.

"응!"

나는 재빨리 그의 얼굴을 보면서 그도 로잘리처럼 변하는 건 아닌지 관찰했다. 하지만 그가 몰두하고 있는 건 오직 한 가지뿐이었다.

"벨라가 숨을 쉬게 도와줘! 내가 그를 끌어내야겠……!"

그녀의 몸속에서 또다시 뭔가 부서지는 소리가 났다. 이번에는 소리가 너무 컸으므로 우리 둘 다 쇼크로 얼어붙었다. 그녀가 비명을 지르길 기다렸지만 비명은 없었다. 고통으로 잔뜩 웅크려 있던 벨라의 다리는 이제 부자연스러운 모습으로 축 늘어져 있었다.

"척추야."

에드워드는 공포로 숨이 막힌 것 같았다.

"놈을 꺼내! 벨라는 지금 아무것도 느끼지 못해."

그렇게 소리 지르며 나는 그에게 메스를 던졌다. 그리고 벨라의 머리 위로 몸을 숙였다. 그녀의 입안에 이물질은 없는 것 같았으므로, 그대로 내 입을 벨라의 입에 대고 공기를 한껏 불어 넣었다. 경련하던 몸이 팽창하는 게 느껴졌다. 기도는 막히지 않았어.

그녀의 입술에서 피 맛이 났다. 나는 벨라의 심장이 불규칙하게 뛰는 소리를 들었다. 그래, 계속해. 심장이 뛰게 하란 말이야. 몸 안에 다시 공기를 불어넣으며, 나는 마음속으로 그녀에게 말을 걸었다. 약속했잖아. 살아 있어. 심장이 계속 뛰게 해.

부드럽게 질척이는 소리를 내며 메스가 그녀의 배를 갈랐다. 더 많은 피가 바닥으로 흘러내렸다. 그리고 다음에 들려온 소리는 날 공포에 떨게 했다. 상상조차 해보지 못한 끔찍한 소리, 금속이 찢기는 것 같은 소리였다. 그 소리를 들으니 몇 달 전에 공터에서 벌어진 그 전투가 생각났다. 어린 뱀파이어들의 몸을 갈기갈기 찢을 때 나던 바로 그 소리였다. 흘깃 보니 에드워드는 벨라의 배에 얼굴을 묻고 있었다. 뱀파이어의 이빨……. 뱀파이어의 피부를 뚫을 수 있는 가장 확실한 무기.

계속해서 벨라에게 공기를 불어넣어주면서 나는 몸을 마구 떨었다. 그녀가 기침을 하더니 눈을 깜박였다. 초점이 없는 동공이 움직였다.

"나 여기 있어, 벨라! 내 목소리 들려? 떠나면 안 돼. 날 두고 가버리면 안 돼! 심장이 계속 뛰게 해야 한다고!"

내가 소리쳤다. 그녀의 눈이 움직이더니 나를, 아니면 그를 찾았다. 하지만 아무것도 볼 수 없는 것 같았다. 나는 그녀의 눈을 계속 응시하며 시선을 떼지 않았다.

그때, 내가 잡고 있던 벨라의 몸이 일순 고요해진 걸 느꼈다. 하지만 호흡은 조금씩 회복됐고, 심장도 아직 뛰고 있었다. 나는 드디어 끝났다는 걸 알았다. 그녀 안에서 뛰던 또 하나의 심장 고동은 이제 사라졌다. 놈이 밖으로 나온 것이다.

그런 거였어.

에드워드가 속삭였다.

"르네즈미."

벨라는 틀렸다. 아기는, 벨라의 예상과는 달리 남자아이가 아니었다. 하지만 놀라울 것도 없는 일이다. 언제 그녀가 틀리지 않았던 적이 있었나?

난 빨간 반점으로 얼룩진 벨라의 눈에서 시선을 떼지 않았지만, 그녀가 힘없이 두 손을 드는 걸 감지할 수 있었다.

"나도……. 아기를 이리 줘."

그녀가 쉰 목소리로 띄엄띄엄 속삭였다. 벨라가 원하는 거라면 에드워드는 뭐든 해준다는 사실을 미리 알았어야 하는 건데. 그게 아무리 어리석은 짓이라고 해도 말이다. 설마 이런 상황에서까지 그가 벨라의 말을 들어주리라고는 상상조차 하지 못했다. 그래서 난 에드워드를 미처 제지할 수 없었다.

뭔가 따뜻한 것이 내 팔에 닿았다. 그때 정신을 차리고 바라보았어야 했다. 내 체온보다 더 따뜻한 게 있을 리 없으니까. 그래도 나는 벨라의 얼굴에서 눈을 뗄 수 없었다. 그녀가 눈을 깜박이더니 시선을 집중했다. 이제야 뭔가 볼 수 있는 것 같았다. 그녀가 낯선 자장가를 희미하게 흥얼거렸다.

"르네즈…… 미. 너무…… 아름다워."

그때 그녀가 고통스럽게 숨을 헐떡였다. 나는 아이를 보려 했지만 너무 늦어버렸다. 에드워드가 힘없이 늘어진 벨라의 팔에서 그 따뜻한 핏덩이를 빼앗아갔기 때문이다. 흘깃 보니 온통 피로 새빨갰다. 벨라의 입에서 쏟아져 나온 피. 그 생명체의 온 몸을 뒤덮고 있는 피. 그리고 그녀의 왼쪽 가슴에 생긴, 초승달 두 개가 겹친 모양의 잇자국에서 새로이 흘러나오고 있는 피, 피.

"안 돼, 르네즈미."

마치 괴물 전용의 에티켓이라도 가르치듯 에드워드가 속삭였다. 난 그도, '그것'도 보지 않았다. 그저 벨라의 눈이 돌아가는 동안 그녀만 바라보았다.

둔탁하게 그르렁대는 소리를 낸 것을 마지막으로, 그녀의 심장은 멈췄다. 심장이 반 박동 정도 뛰지 않았다. 난 그녀의 가슴에 손을 대고 눌렀다. 그리고 리듬을 일정하게 유지하기 위해 머릿속으로 숫자를 셌다. 하나, 둘, 셋, 넷.

아주 잠깐 쉬었다가 다시 나는 그녀에게 공기를 불어넣었다. 이젠 앞이 보이지 않았다. 눈물에 젖어 흐릿한 시야 때문이었다. 대신 방 안에서 나는 소리들에 극도로 예민해져 있었다. 바삐 움직이는 내 손 아래에서 그녀의 심장이 내키지 않는 듯 꿀럭꿀럭 움직이는 소리, 내 심장이 쿵쾅대는 소리, 그리고 너무 빠르고 또 가볍게 뛰고 있는 또 하나의 심장박동까지. 그 소리에 대해서는 생각조차 하기 싫었다.

나는 벨라의 목구멍으로 더 많은 공기를 밀어 넣었다.

"뭘 기다리는 거야?"

내가 숨을 헐떡이며 다시 그녀의 심장을 압박했다. 하나. 둘. 셋. 넷.

"아기를 받아."

에드워드가 급하게 말했다.

"창문으로 던져버려."

하나. 둘. 셋. 넷. 그때 문간에서 낮은 목소리가 들려왔다.

"나한테 줘."

에드워드와 나는 동시에 으르렁거렸다.

하나. 둘. 셋. 넷.

"이젠 괜찮아. 아기를 이리 줘, 에드워드. 내가 돌볼게. 벨라가……."

로잘리가 그렇게 약속했다. 에드워드가 아기를 넘겨주는 동안 난 다시 벨라에게 공기를 불어넣었다. 빠르게 쿵쿵대던 고동소리가 사라져갔다.

"손 치워, 제이콥."

난 벨라의 심장을 계속 압박하면서 그녀의 하얀 눈자위에서 눈을 들었다. 에드워드가 은색의 주사기를 들고 있었다. 강철로 만든 것 같았다.

"그건 뭐야?"

그의 돌 같은 손이 내 손을 밀어냈다. 그 바람에 내 새끼손가락이 부러지는 소리가 조그맣게 들려왔다. 그와 동시에 에드워드는 바늘을 그녀의 심장 속으로 곧장 찔러 넣었다.

"내 독."

에드워드가 대답하며 주사기의 피스톤을 밀어 넣었다. 그러자 마구 때려 충격을 주기라도 한 양 그녀의 심장이 요동쳤다.

"계속해."

그가 명령했다. 목소리는 차갑고 무감각하게 들렸다. 마치 기계 같았다.

부러진 손가락이 나아가면서 통증이 느껴졌지만, 난 다시 그녀의 심장을 압박했다. 피가 응고되고 있는지 아까보다 더 힘들었다. 굳어진 피는 이제 더 느리게 흐르고 있었다. 나는 피를 그녀의 동맥으로 밀어 넣으면서 그가 무얼 하는지 지켜보았다.

보기에는 마치 키스를 하고 있는 것 같았다. 그의 입술이 그녀의 목, 손목, 팔꿈치 안쪽의 주름을 더듬었다. 하지만 에드워드의 이빨이 물어뜯을 때마다 피부가 찢기는 소리가 되풀이해서 났다. 그는 그녀의 몸 여기저기로 독을 밀어 넣고 있었다. 피가 흐르는 상처를 창백한 혀가 핥는 것을 보고도 나는 미처 역겨움이나 분노를 느끼지 못했다. 그가 지금 정말 무엇을 하고 있는지 알았기 때문이다. 그의 혀가 그녀의 피부에서 독을 닦아내면 상처는 다시 붙었다. 그렇게 그는 독과 피가 그녀의 몸 밖으로 흘러나오지 않게 했다.

나는 그녀의 입 속으로 공기를 더 불어넣었지만 아무 반응이 없었다. 이미 생명이 빠져나간 가슴만이 부풀어 올랐다. 어떻게든 살리고 싶었으므로 나는 숫자를 세면서 그녀의 심장에 계속 압박을 가했고, 에드워드 역시 열심히 자기 임무를 다했다. 우린 할 수 있는 전부를 했다.

하지만 아무 소용없었다. 남은 건 그와 나, 그저 그렇게 둘 뿐이었다.

시체를 살리려 애쓰는 꼴이었다.

우리 둘 모두가 사랑했던 소녀가 남긴 것은 단지 그뿐이었다. 여기저기 부러지고 피가 말라붙어 엉망이 된, 차가운 시신. 우리는 벨라를 살려낼 수 없다.

너무 늦었다는 걸 깨달았다. 난 그녀가 죽었다는 걸 안다. 그토록 끈질 겼던 끌림이 사라진 것을 느끼자, 비로소 그녀가 여기 없다는 걸 알았다. 더 이상 여기 있어야 할 이유를 느낄 수 없었다. 그녀는 이미 사라지고 말 았으니까. 이 시체는 더 이상 날 매혹하지 않았다. 그녀 옆에 있을 때면 어 쩔 수 없이 늘 느껴야 했던 무분별한 욕구도 사라졌다.

아니, '옮겨갔다'고 하는 게 더 나은 표현일지도 모른다. 이제 난 그런 끌림을 반대방향으로부터 느끼고 있었다. 계단 아래, 이 문 밖에서. 이곳 을 나가 다시는 돌아오고 싶지 않다는 갈망.

"그럼, 가."

단호하게 말을 자른 그가 내 손을 치워내고 내 자리에 대신 섰다. 이번 엔 손가락 세 개가 부러진 것 같았다. 하지만 그런 고통 따위엔 신경도 쓰 이지 않았다. 나는 무감각하게 손가락을 곧게 폈다.

그는 그녀의 죽어버린 심장을 나보다 더 빠른 속도로 계속해서 눌렀다.

"죽지 않았어. 곧 괜찮아질 거야."

그가 으르렁거렸다. 하지만 정말 나에게 얘기하고 있는 건지 확신할 수 가 없었다. 난 그를 시체 곁에 남겨둔 채 돌아서서 천천히 문으로 걸어갔 다. 아주 천천히. 이보다 빨리는 도저히 움직일 수 없었기 때문이다.

바로 이거였다. 고통의 바다. 사나운 바다 건너편에 있을 해안은 너무도 멀어서 보이지 않고, 상상하기조차 힘들었다. 다시 목표를 잃어버리고 나 니 텅 빈 느낌이었다. 벨라를 구하는 것만이 내가 지금껏 투쟁해 온 단 하 나의 목표였다. 하지만 실패했다. 절대로 그녀를 구할 수 없으리라. 벨라는 괴물의 새끼에게 온몸이 찢기며 스스로를 희생했다. 그리고 나는 싸움에서 졌다. 모두 끝난 것이다.

계단을 내려오다가 나는 내 뒤에서 들려오는 소리에 몸을 떨었다. 죽은 심장을 억지로 뛰게 하는 소리.

내 머리에 표백제를 들이붓고 불을 붙이고 싶었다. 벨라의 마지막 순간이 남긴 이미지들을 태워 없애고 싶었다. 그것만 없앨 수 있다면 뇌가 형편없이 망가진대도 참을 수 있을 것 같았다. 비명을 지르던 모습, 피 흘리는 모습, 그 괴물이 그녀의 몸을 헤치고 나오는 내내 들려오던 그 끔찍한 부서지는 소리, 물어뜯는 소리······.

한 번에 계단을 10개씩 뛰어 내린 후 문으로 질주해 어서 이곳을 벗어나고 싶었다. 하지만 발은 철근처럼 무거웠고, 그 어느 때보다 심한 피로감을 느꼈다. 나는 절름발이 노인처럼 발을 끌며 계단을 내려갔다.

계단 끝에서 잠시 쉬면서 문을 빠져 나갈 힘을 모았다.

로잘리가 등을 돌린 채 하얀 소파 끝에 앉아있었다. 그녀는 담요에 싸인 무언가를 품에 안고서 다정하게 어르는 중이었다. 로잘리는 내가 멈춰 서는 소리를 듣고도 모른체하고서 엄마 노릇에 몰두하고 있었다. 멋대로 도둑질한 엄마 역할에 잔뜩 도취해서는. 아마 저 여잔 지금 행복하겠지. 원하는 걸 가지게 됐고, 벨라는 그녀에게서 저 애를 빼앗지 못할 테니까. 이 독살스러운 금발 여자가 꿈꿔 온 게 바로 이것이었을까.

로잘리는 손에 짙은 색의 뭔가를 잡고 있었고, 탐욕스럽게 뭔가 빨아대는 소리가 그녀가 안고 있는 작은 살인자로부터 흘러나왔다. 공기 중에는 피의 냄새가 감돌았다. 인간의 피. 로잘리는 지금 그 애에게 그걸 먹이고 있는 것이다. 물론 놈이 원하는 건 피겠지. 자기 엄마의 사지를 찢고 잔인하게 학살한 괴물이 그 외에 다른 어떤 것을 원할까. 사실 괴물은, 벨라의 피를 마신 거나 다름없다. 정말로 그럴지도.

작은 암살자가 피를 빨아대는 소리를 듣자 다시 힘이 생겼다. 힘, 증오, 그리고 강한 열기……. 붉은 불길이 내 머릿속을 휩쓸었지만 아무것도 지워지지 않았다. 내 머릿속의 이미지는 날 움직이는 연료가 되었다. 지옥을 건설하고도 결코 소진되지 않는 연료. 머리부터 발끝까지 온몸이 떨려왔지만, 난 굳이 그 떨림을 제어하려 하지 않았다.

로잘리는 이미 그놈에게 완전히 빠져서 내게는 신경 쓰지 않고 있었다. 그러니 내가 달려들어도 제지할 수 있을 만큼 빠르게 움직이지 못할 것이다.

샘이 옳았다. 놈은 돌연변이다. 그놈의 존재 자체가 자연의 섭리를 거부하고, 자연에 맞서는 일이다. 영혼 없는 불길한 악마. 놈은 존재할 권리가 없다.

놈은, 파괴되어야 한다.

아까의 끌림은 문 밖으로 이어지는 게 아니었다. 이제 나는 다시 끌림을 느낄 수 있었다. 나를 부추기고 강하게 잡아당기는 끌림. 놈을 끝장내고 혐오스러운 세상을 정화하라고 부추기는 목소리를 들을 수 있었다.

괴물이 죽으면 로잘리는 날 죽이려 할 거고, 나도 같이 싸우게 될 것이다. 다른 자들이 도우러 오기 전에 그 여잘 제거할 수 있을지 잘 모르겠다. 가능할 수도 있고, 혹은 아닐 수도 있겠지. 어느 쪽이든 별 상관없었다.

그게 어느 무리가 됐든 늑대들이 내 복수를 할지, 아니면 컬렌 일족의 심판이 정당했다는 결론을 내릴지 역시 상관없는 일이었다. 그 어느 것도 지금의 내겐 중요하지 않았다. 관심 있는 것은 오로지 나 자신의 정의였다. 그리고 나의 복수. 벨라를 죽인 놈을 단 1분도 더 살려둘 수는 없었다.

벨라가 살아남는다면 날 미워하게 되겠지. 그녀 역시 나를 죽이고 싶어 할 거다.

하지만 신경 쓰지 않는다. 어차피 그녀도, 자신이 내게 한 짓에는 관심이 없었다. 그리고는 스스로를 짐승처럼 도살당하게 했다. 바로 내 눈 앞에서. 그런데 왜 내가 그녀의 감정에 관심을 기울여야 하나.

그때 에드워드가 나타났다. 하지만 너무 바빠서, 그러니까 그녀가 죽지 않았다는 미친 소리를 늘어놓으며 시체를 소생시키는 데 몰두해 있어서 내 계획에 귀를 기울이지 못하는 것 같았다.

그래서 내가 로잘리, 재스퍼, 앨리스와의 1대 3 싸움에서 승리하지 않는다면(돈을 건 내기 같은 건 아니지만), 그와의 약속을 지킬 기회는 없어질 것이다. 하지만 설령 내가 이긴다 해도 에드워드까지 죽일 생각은 없었다. 내겐 그만큼의 동정심은 없다. 그가 자신이 저지른 짓에서 도피할 수 있도록 왜 내가 도와야 하지? 그가 아무것도 없이, 전부를 잃은 채 살아가게 하는 게 더 공정한 일 아닐까. 그게 더 만족스럽지 않겠어?

그 모습을 상상하면서 나는, 나를 가득 채운 증오만큼이나 크게 웃음 지을 뻔했다. 벨라도 없고, 살인귀인 자식도 사라진다. 거기 더해 내가 해치운 다른 가족들도 그는 그리워해야 할 것이다. 물론 내가 갈기갈기 찢긴 뱀파이어의 몸 조각을 태워버리지 않는다면, 에드워드가 다시 붙일 수 있을지도 모른다.

그렇다면 그 괴물도 다시 붙일 수 있을까? 그럴 수는 없을 것이다. 괴물의 반은 벨라에게서 왔으니까, 인간의 약점을 물려받았을 것이다. 나는 작게 들려오는 괴물의 심장 소리를 들으며 그 사실을 깨달았다.

저 괴물의 심장은 뛰고 있다. 그녀의 심장은 이제 뛰지 않는데.

이런 결정들을 내리는 데는 1초 이상이 걸리지 않았다. 점점 더 몸이 심하게 떨려왔다. 나는 금발의 뱀파이어에게 덤벼들어, 살인자를 그녀의 팔에서 이빨로 떼놓기 위해 몸을 웅크렸다. 로잘리는 이제 비어버린 금속 병을 옆에 내려놓고, 괴물을 들어올려 뺨에 자기 얼굴을 비비면서 다시 어르고 있었다.

완벽해. 기습하기에는 더할 나위 없이 완벽한 기회였다. 몸을 앞으로 숙이고서 나는, 몸 안의 열기가 나를 변화시키는 것을 느끼기 시작했다. 그 사이에도 작은 살인자를 향한 끌림은 커져만 갔다. 그 어느 때보다 강한 충동이었다. 그 인력이 어찌나 강한지, 복종하지 않으면 날 부숴버릴 것만 같았던 알파의 명령을 연상시켰다.

하지만 이번만큼은 자발적으로 복종하고 싶었다.

살인자는 로잘리의 어깨 너머로 날 바라보았다. 그 시선은 갓 태어난 생명체의 것이라기엔 지나치게 또렷했다.

따뜻한 갈색 눈. 밀크초콜릿 빛깔의 눈. 벨라와 정확히 같은 색이었다.

떨리던 내 몸이 멈췄다. 그리고 열기가 그 어느 때보다 강하게 날 감쌌지만, 그전과는 다른 뜨거움이었다. 타오르지 않는 불꽃.

그건, 빛이었다.

반은 뱀파이어고 반은 인간인 아기의 작고 도자기 같은 얼굴을 바라보는 동안, 내 안의 모든 것이 무너져 내렸다. 내 삶과 나를 연결하고 있던 모든 줄이, 몇 번의 재빠른 칼질에 조각났다. 풍선을 묶은 줄이 잘린 것처럼. 싹둑, 싹둑, 싹둑. 저 위층에 죽어 있는 소녀에 대한 사랑, 내 아버지에 대한 애정, 새로운 무리에 대한 충성심, 적들에 대한 증오, 내 집, 내 이름, 자아…… 내가 가진, 나를 이루고 있는 모든 것이 이 순간 내게서 떨어져 나가 공중으로 떠올랐다.

하지만 그래도 나는 표류하지 않았다. 새로운 줄이 날 묶어주었기 때문이다.

하나가 아니라 백만 개의 줄이었다. 줄이 아니라 강철 케이블이었다. 백만 개의 강철 케이블이 단 하나의 것, 우주의 중심에 단단히 나를 묶었다.

이제야 알 수 있었다. 어떻게 우주가 이 하나의 점을 중심으로 돌아가는지. 전에는 결코 알지 못했던 우주의 조화를 이제는 너무도 똑똑히 느낄 수 있었다.

　지구의 중력은 더 이상 날, 내가 서 있는 자리에 묶어두지 못했다.

　이제 날 이곳에 붙잡아두는 것은 금발머리 뱀파이어의 품에 안겨 있는
아기였다.

　르네즈미.


　위층에서 새로운 소리가 들려왔다. 끝없이 연속되는 시간 속에서, 날 움
직이게 하는 단 하나의 소리.

　미친 듯한 두근거림. 질주하는 박동······.

　이제 바뀌어버린 심장.

# bella

애정이란. 적이 모두 제거된 후에야 누릴 수 있는 사치품이다.
그때까지 당신이 사랑하는 사람은 용기를 고갈시키고
판단력을 타락시키는 인질일 뿐이다.

올슨 스콧 카드 『제국』

# 서문




이건 더 이상 악몽이 아니었다. 검은 무리가 발로 차가운 안개를 휘저으며 우리에게 다가왔다.

공포 속에서 나는 생각했다. 우린 죽게 될 거야. 내가 지켜야 할 소중한 아이가 미치도록 보고 싶었지만, 지금은 그런 생각조차 주의력을 흩뜨리는 방해물일 뿐이다. 그럴 틈이 없으니까.

그들은 유령처럼 다가왔다. 움직일 때마다 입고 있는 검은 옷이 조금씩 펄럭였다. 그들의 손끝에는 구부러진 뼈 색깔의 손톱이 달려 있었다. 이윽고 뿔뿔이 흩어진 그들이 우리를 에워쌌다. 수적으로 우리는 열세였다. 다 끝난 것이다.

그때 플래시 불빛이 터지듯 장면이 바뀌었다. 하지만 달라진 건 없었다. 볼투리 가는 여전히 계속 다가오고 있었다. 우리를 죽이기 위해. 달라진 건 내가 그 장면을 이제 다른 방식으로 바라보고 있다는 것이었다. 갑자기 내게는 어떤 새로운 욕망이 생겼다. 그들을 공격하고 싶다는 욕망. 내가 미소를 지으며 몸을 웅크리는 동안 공포는 피를 보고 싶다는 갈망으로 바뀌었다. 내 이빨 사이에서 으르렁거리는 소리가 흘러나왔다.

## 19

# 불에 타다

---

이 고통이 난 당황스러웠다.

정확히 그렇게 말할 수 있을 것 같다. 나는 당황했다. 무슨 일이 벌어지는지 이해할 수 없고, 의미도 알 수 없었기 때문이다.

내 몸은 그 고통을 거부하려 했고, 나는 계속 어둠 속으로 빨려 들어갔다. 어둠이 고통스러운 몇 초, 심지어 몇 분을 지워버리는 바람에 현실을 파악하기가 더 힘들었다.

나는 현실과 비현실을 구분해보려 노력했다.

우선 비현실은 검정색. 그리 많이 아프지 않다.

현실은 빨간색이었다. 그리고 그 느낌은…… 톱으로 몸이 반 잘리는 것 같기도 하고, 버스에 치이는 것 같기도 했으며, 권투선수에게 얻어맞는 것 같기도 했다. 황소들에게 짓밟히거나, 염산에 온 몸을 담근 것도 같았다. 혹은 그 모든 것이 합쳐진 느낌이었다.

현실은, 고통 때문에 움직일 수 없게 된 내 몸이 비틀리고 경련하는 걸 그저 느끼고만 있는 것이다.

또 현실은, 이 고통보다 훨씬 중요한 무언가가 있음을 알면서도 그게 뭔지 기억하지 못하는 것이기도 했다.

나의 현실은 그렇게도 빨리 흘러갔다.

한순간 모든 게 제자리를 찾은 것 같았다. 날 둘러싼 사랑하는 사람들, 미소. 내가 원하던 모든 것을 가질 수도 있을 것 같은 기분이었다. 그럴 리가 없는데도.

그때, 뭔가가 잘못되었다. 아주 사소한 무엇인가가.

나는 컵이 기울어지며 검붉은 피가 쏟아져 흰 소파를 적시는 광경을 보았다. 반사적으로 그쪽으로 몸을 숙였다. 다른 이들의 손이 더 빨리 움직이는 것을 보면서도 내 몸은 계속 앞으로 뻗어져 나갔다.

그때 내 안에서 뭔가가 반대 방향으로 움직였다.

찢어지고, 부러졌다. 그리고 지독한 통증.

어둠이 덮쳤다가 다음 순간 고통의 파도가 몰려왔다. 숨을 쉴 수 없었다. 전에 물에 빠져 죽을 뻔한 적이 있었지만 그때와도 달랐다. 목구멍이 불에 타는 듯 뜨거웠다.

산산이 부서지고, 물어뜯기고, 얇게 저며진 나의 조각들.

더 깊은 어둠.

고통이 다시 찾아오고, 이번에는 비명을 지르는 목소리들이 들려왔다.

"태반이 이탈했나 봐!"

칼보다 날카로운 뭔가가 날 찢어발기는 것 같았다. 다른 고통들이 그렇게 심했는데도, 그 말 만큼은 똑똑히 알아들을 수 있었다. 태반이 이탈했다고? 그 의미를 나는 이해한다. 내 아기가 안에서 죽어가고 있다는 의미였다.

"아기를 꺼내! 그 애가 지금 숨을 쉴 수 없다면서! 당장 꺼내란 말이야!"

나는 에드워드에게 소리를 질렀다.

"모르핀……!"

그는 진통제가 내 몸 안에 퍼질 때까지 기다리려 했다.

"안 돼! 당장……!"

그러고는 숨이 막혀 말을 끝낼 수 없었다. 새로 찾아온 고통이 차가운 칼끝으로 내 배를 찔러대는 동안, 불빛은 온통 반점들로 덮였다. 뭔가 잘못된 것 같았다. 반사적으로 나는 내 자궁, 내 아기, 작은 에드워드 제이콥을 지키려 했다. 하지만 힘이 너무 약했다. 폐가 아파왔고, 산소는 소진된 상태였다.

이제는 차라리 고통에 매달린 채 의식의 끈을 붙잡고 있었는데, 고통이 다시 희미해졌다. 내 아기, 내 아기가 죽어가고 있어…….

시간이 얼마나 지났을까? 몇 초, 아니면 몇 분? 고통은 사라졌다. 무감각 상태였다. 아무것도 느낄 수 없고, 볼 수도 없었다. 하지만 소리를 들을 수는 있었다. 어느덧 폐로 공기가 들어와 있었다. 공기 방울들이 거칠게 내 목구멍을 들락거렸다.

"나 여기 있어, 벨라! 내 목소리 들려? 떠나면 안 돼. 날 두고 가버리면 안 돼! 심장이 계속 뛰게 해야 한다고!"

제이콥? 제이콥이 아직 여기 있다. 나를 살리기 위해 안간힘을 쓰고 있었다.

물론 나 역시 그의 말에 대답하고 싶었다. 내 심장을 계속 뛰게 하고 싶었다. 이미 둘에게 그렇게 약속하지 않았던가.

내 심장의 고동을 느끼기 위해 심장을 찾으려 했지만, 그대로 몸 안에서 길을 잃고 말았다. 당연히 있어야 할 것들을 제자리에서 찾을 수가 없었다. 이번엔 눈을 깜박이면서 내 눈이 어디 있는지 찾아보려 했다. 그러다 불빛을 보았다. 내가 찾아 헤매던 게 불빛은 아니었지만, 그래도 아무것도 없는 것보다는 나았다.

내가 초점을 맞추려고 애쓰는 동안 에드워드가 속삭였다.

"르네즈미."

르네즈미?

내가 상상 속에 그리던 하얗고 완벽한 아들이 아니란 말야? 잠깐 동안 나는 충격에 빠졌다. 그러다 곧 온기가 밀려들었다.

르네즈미.

입술을 움직이고 싶었다. 내 입 안의 공기 방울을 속삭임으로 바꾸고 싶었다. 이미 감각이 사라져 버린 손을 뻗으려 애썼다.

"나도……. 아기를 이리 줘."

불빛이 춤을 추더니 에드워드의 크리스털 같은 손에 부딪혀 흩어졌다. 그 광채가 붉은 빛으로, 그의 피부를 뒤덮고 있는 피로 물들었다. 그리고 그의 손에는 더 빨간 무언가가 들려 있었다. 피에 흠뻑 젖은 채 버둥대는 작은 생명체가. 마치 내가 그 애를 안고 있는 것처럼 에드워드는 내 팔에 그 따뜻한 몸을 대주었다. 아기의 젖은 피부는 뜨거웠다. 제이콥의 체온만큼이나 뜨거웠다.

내 눈은 초점을 되찾았다. 갑자기 모든 게 분명히 보이기 시작했다.

르네즈미는 울지 않았지만, 놀란 듯 빠른 호흡을 뱉고 있었다. 아기가 눈을 떴다. 뭔가에 충격을 받은 표정이라 좀 웃기기도 했다. 완벽하게 둥근 작은 머리는 피 묻은 곱슬머리로 덮여 있었다. 아기의 홍채는 익숙한, 하지만 신비로운 초콜릿색이었다. 피에 젖은 아기의 피부는 크림 빛이 감도는 상아색이었고, 빰을 비롯한 모든 부분이 붉게 물들어 있었다.

아기의 작은 얼굴이 너무나 완벽해서 정신을 차리기 힘들었다. 심지어 자신의 아빠보다도 더 아름다웠다. 내 눈을 믿을 수 없었다. 이럴 수가.

"르네즈…… 미. 너무…… 아름다워."

나는 속삭였다.

그 완벽한 얼굴이 갑자기 미소를 지었다. 환하고 침착한 미소였다. 연한 분홍빛 입술 뒤에는 눈 같은 우윳빛의 이빨이 모두 나 있었다. 고개를 숙인 아기가 내 가슴으로 가까이 파고들었다. 아기의 피부는 따뜻하고 부드러웠지만, 내 피부처럼 말랑하지 않았다.

그때 다시 고통이 찾아왔다. 단 한 번의 불쾌한 일격. 내가 숨을 헐떡였다.

그리고, 아기는 가버렸다. 천사의 얼굴을 한 내 아기는 어디에도 없었다. 이제 난 그녀를 볼 수도, 느낄 수도 없었다.

마구 소리치고 싶었다. 안 돼! 아기를 내게 돌려줘!

하지만 이미 힘이 너무 약했다. 한참 동안 팔이 텅 빈 고무호스처럼 느껴지다가, 나중에는 그마저도 감각이 없었다. 내 팔을 느낄 수 없다. 내가 존재하는지도 알 수 없었다.

어둠이 전보다 세차게 내 눈으로 밀려들었다. 두터운 눈가리개처럼, 빈틈없고 재빠르게. 그것은 눈뿐이 아니라 내 전신, 그리고 정신까지 뒤덮고서 묵직한 무게로 짓눌렀다.

그것을 밀어내는 건 정말 피곤한 일이었다. 그냥 굴복하는 게 더 쉬울 것 같았다. 어둠이 나를 짓누르고, 짓누르고, 또 짓눌러 아무 고통도, 피곤도, 걱정도, 공포도 없는 곳으로 보내주도록.

나 혼자였다면 오래 버티지 못했을 것이다. 난 그냥 보통 인간에 불과하니까. 그걸 알면서도 너무 오랫동안 초자연적인 존재들을 따라잡으려 했던 것이다. 제이콥이 말한 그대로다.

하지만 이제 살아남는 건 나 혼자만의 문제가 아니다.

내가 지금 가장 쉬운 일을 선택하고, 어둠 속으로 빨려들어 사라지고 만다면 그들은 큰 상처를 받게 되리라.

에드워드. 에드워드. 내 생명과 그의 생명은 하나의 줄로 꼬여 있었다.

하나를 자르는 건 곧 둘을 자르는 것이다. 그가 사라진다면 나는 살 수 없고, 그 역시 나 없이는 살아갈 수 없다는 걸 안다. 에드워드가 없는 세상은 무의미할 뿐이었다. 그러니 그는 존재해야만 한다.

제이콥……. 몇 번이나 작별인사를 하고서도 내가 필요로 할 때마다 돌아와 준 사람. 제이콥. 범죄라고 해도 좋을 만큼 여러 번 내가 상처 준 사람. 또 그를 아프게 해야 하는 것일까. 그것도 이렇게 최악의 방법으로. 제이콥은 그 모든 일을 떠안은 채 내 곁에 있어 주었다. 이제 그가 내게 바라는 것은, 그를 위해 내가 여기 머무르는 것이다.

하지만 이곳은 너무 어두워서 그들의 얼굴을 볼 수 없었다. 그 무엇도 현실 같지 않았다. 그래서 포기하지 않기가 힘들었다.

나는 거의 반사적으로 계속 어둠을 밀어냈다. 하지만 그것을 들어낼 수는 없었다. 그저 저항만 할 뿐. 어둠이 나를 완전히 짓누르지 못하게 할 뿐. 나는 아틀라스가 아니었고 어둠은 거의 한 행성의 무게만큼 무거웠다. 내겐 그것을 어깨에 질 힘이 없다. 그러니 할 수 있는 일이라고는 어둠에 완전히 지워지지 않으려 버티는 것뿐이었다.

실은 내 삶 전체가 그랬던 것 같다. 나는 내가 어쩔 수 없는 일들을 해결할 만큼, 또는 적들을 공격하거나 무찌를 수 있을 만큼 강하지 않았다. 고통을 피할 만큼도 강하지 못했다. 늘 지극히 인간적이고 또 나약했기 때문에, 내가 할 수 있는 일은 그저 나아가는 것뿐이었다. 참아내는 것, 살아남는 것.

지금까지는 그걸로 충분했다. 오늘도 그럴 거라고 믿는다. 도움의 손길이 찾아올 때까지 난 견디고 버틸 것이다.

에드워드가 최선을 다하리라는 걸 안다. 그는 절대로 포기하지 않을 거고, 나도 마찬가지다. 그렇게 난 무(無)라는 어둠을 조금씩 밀어냈다.

비록 이것만으로는 충분하지 않을지라도, 이게 내가 내린 결단이다. 시간이 흐르고 어둠이 조금씩 짙어지면서 내겐 힘을 줄 무언가가 필요해졌다.

하지만 에드워드의 얼굴조차 떠올릴 수 없었다. 제이콥의 얼굴도, 앨리스의 얼굴도, 로잘리의 얼굴도, 그리고 찰리, 르네, 칼라일, 에스미의 얼굴도……. 아무것도. 그래서 나는 두려웠다. 이미 너무 늦어버린 건 아닐까.

나는 자꾸 어딘가로 미끄러져 들어가고 있었고, 잡을 건 아무것도 없었다.

안 돼. 나는 살아남아야만 해. 에드워드가 내게 의지하고 있는데. 제이콥도. 그리고 찰리 앨리스 로잘리 칼라일 르네 에스미…….

르네즈미.

바로 그때, 여전히 아무것도 보이지는 않았지만 갑자기 뭔가가 느껴졌다. 환각지(팔다리가 절단된 후에도 계속 존재하는 것처럼 느끼고 지각하는 현상: 편집자)처럼 다시 내 팔이 느껴지는 것 같았다. 그리고 팔에는 작고, 단단하고, 아주 따뜻한 뭔가가 매달려 있었다.

내 아기. 내 작은 장난꾸러기.

결국 난 해냈다. 모든 역경에 맞서 르네즈미를 살려낼 만큼, 그 애가 나 없이도 살 수 있을 때까지 지켜낼 만큼 강했던 것이다.

환각지에서 느껴지는 열기가 너무도 생생했다. 난 열기가 느껴지는 부분 어딘가를 움켜잡았다. 정확히 내 심장이 있어야 할 자리였다. 따스했던 내 딸의 기억에 매달린 채, 나는 어둠과 얼마든지 더 싸울 수 있었다.

심장 옆에서 느껴지던 따뜻함이 점점 더 생생해졌다. 그리고 점점 더 따뜻해졌다. 더 뜨거워졌다. 그 열기가 너무나 생생해서 도저히 내 상상이라고 믿기는 힘들었다.

더 뜨거워졌다.

이젠 참기 힘들 정도가 되었다. 너무 뜨겁다. 너무, 너무, 너무 뜨거웠다.

뜨거운 헤어 컬링기구를 움켜잡은 것처럼 나는, 내 팔에서 타는 듯한 열기를 털어버리려 했다. 그러나 팔에는 아무것도 없었다. 내 팔은 몸 옆에 꼼짝 않고 놓여 있었다. 그 열기는 내 몸 안에서 나오는 것이었다.

불길은 점점 더 커졌다. 계속 뜨거워지면서 최고점에 이르렀다가, 다시 뜨거워졌다. 전에 느꼈던 모든 고통을 압도할 때까지.

내 가슴에서 타오르는 불길 뒤로 이제 심장박동이 느껴졌다. 절대로 원하지 않았던 그 순간에, 난 심장을 다시 찾았다. 팔을 들어 가슴을 파헤친 후 그것을 뜯어내고 싶었다. 이 고통을 없앨 수만 있다면 그 어떤 짓이라도 할 수 있을 것 같았다. 하지만 내 팔을 감지할 수 없었고, 이미 사라져 버린 손가락을 움직일 수도 없었다.

제임스는 발로 내 다리를 짓밟았다. 하지만 그건 아무것도 아니었다. 깃털 침대에서 쉬는 일에나 비교할 수 있을까. 그런 일은 백 번이라도 견딜 수 있다. 백 번을 짓밟히고서도 감사할 수 있을 것 같았다.

아기는 내 갈비뼈를 걷어차 부러뜨리고, 조금씩 내 몸을 뚫고 밖으로 나왔다. 하지만 그것 역시 아무것도 아니었다. 마치 시원한 수영장에 떠 있는 것과 같았다. 그러니 천 번이라도 참아낼 수 있다. 그렇게 견디고 나서도 난 감사할 수 있으리라.

불길은 더 뜨겁게 타올랐고, 난 비명을 지르고 싶었다. 이 고통 속에서 1초라도 더 사느니 차라리 나를 죽여 달라고 애원하고 싶었다. 그러나 입술을 움직일 수 없었다. 여전히 뭔가가 무겁게 짓누르고 있었다.

난 나를 짓누르는 게 어둠이 아니라는 걸 깨달았다. 그건 내 몸이었다. 너무도 무거웠다. 내 심장에서 조금씩 빠져나와 어깨와 배에 끔찍한 고통을 퍼뜨리고, 목구멍까지 끓어오르며 내 얼굴을 핥아대는 불꽃 속에 날 가두고 있는 건 바로 내 몸이었다.

왜 움직일 수 없지? 왜 소리를 지를 수 없지? 이런 이야기는 들은 적 없었는데.

견딜 수 없을 정도로 내 정신은 맑았고, 극심한 고통 때문에 더 감각이 날카로워졌다. 그런 질문들을 생각해내자마자 난 바로 답을 알 수 있었다.

모르핀.

모르핀.

내가 에드워드, 그리고 칼라일과 함께 이야기를 나눈 게 백만 번쯤 죽기 전에 있었던 일처럼 희미했다. 에드워드와 칼라일은 진통제를 충분히 투여하는 게 뱀파이어의 독을 견디는 데 도움이 되기를 바랐다. 칼라일은 에밋에게도 이런 시도를 해본 적이 있었지만, 독이 약보다 먼저 타올라 그의 혈관들을 봉해버렸다. 약 기운이 퍼질 만한 시간이 없었던 것이다.

에드워드가 내 마음을 읽을 수 없도록 부드러운 얼굴로 고개를 끄덕이며 난 행운에 감사했다. 전에도 몸 안에 모르핀과 독이 함께 들어온 적이 있었으므로 난 진실을 알고 있었다. 독이 혈관을 태우기 시작하면, 약은 아무 소용이 없다. 그러나 그 사실을 이야기할 수는 없었다. 그러면 에드워드는 내가 뱀파이어가 되는 걸 절대로 원하지 않을 테니까.

그래도 모르핀이 이런 효과를 낼 줄은 몰랐다. 나를 꼼짝 못하게 하고 입에 재갈을 물릴 줄은. 퍼져가는 독기로 활활 타오르는 동안 온몸을 마비시켜놓을 줄은.

난 그들이 겪은 이야기를 전부 알고 있었다. 칼라일은 자신의 몸이 타오르는 동안에도 아주 조용히 있어서 다른 사람들에게 발각되지 않았다고 했다. 또 로잘리는 비명을 지르는 게 전혀 고통을 덜어주지 않았다고 했다. 그때 난, 내가 칼라일과 같기를 바랐다. 그리고 로잘리의 말을 믿고 입을 다물고 있기를. 내가 비명을 지르면 에드워드는 몹시 괴로워할 테니까.

이제 무시무시한 농담처럼 내 바람이 이루어졌다.

소리를 지를 수 없다면 어떻게 죽여 달라는 말을 하지?

내가 바라는 건 죽음뿐이었다. 태어나지 않았으면 하는 것뿐이었다. 생이란 게 이 고통을 견딜 만한 가치가 있을까? 심장을 한 번 더 뛰게 하기 위해 이 고통을 견뎌야 할까?

날 죽게 해줘, 죽게 해줘, 죽게 해줘.

그리고 끝없이 계속되는 이 순간 여기 있는 것은, 타는 듯한 고통과 죽여 달라고 애원하는 소리 없는 비명뿐이었다. 그 외에는 아무것도 없었다. 심지어 시간조차도. 그저 시작도, 끝도 없이 무한한 고통의 순간만이 이어졌다.

유일한 변화라고는 갑자기, 정말 믿을 수 없게도 고통이 두 배가 되었다는 것이다. 모르핀이 투여되기 전에 이미 마비되었던 하체에도 갑자기 불이 붙었다. 불길이, 그 타오르는 손가락으로 끊겨 있던 회로를 다시 연결해놓은 것이다.

몇 초일까⋯⋯. 아니 며칠일 수도, 몇 주일 수도, 또는 몇 년일 수도 있다. 시간이 다시 의미를 갖기 시작했다.

세 가지 변화가 함께 일어났다. 각각의 변화는 서로 연결되어 있어서 어느 것이 먼저 일어났는지 알 수 없었다. 시간이 다시 시작되었고, 모르핀 기운이 사라졌고, 나는 더 강해졌다.

점점 더 내 몸을 자유롭게 움직일 수 있었고, 그게 바로 시간이 지나고 있다는 첫 번째 표시였다. 이제 발가락을 꿈틀대고 주먹을 쥘 수도 있었지만 난 꼼짝하지 않았다.

불길은 단 1도도 내려가지 않았다. 사실 난 그 불길을 견뎌내는 새로운 능력, 내 혈관을 핥아대는 불꽃의 혓바닥들을 하나하나 인지할 수 있는 새로운 민감성을 터득하기 시작했다. 이제 얼마든지 생각할 수 있었다.

나는 왜 소리를 질러서는 안 되는지, 그리고 왜 이런 참기 힘든 고통을 견뎌야 하는지 상기했다. 비록 지금 확실히 보이지는 않지만 이런 고통을 견딜 만한 가치가 있게 해주는 무언가가 있음을 기억했다.

덕분에 내 몸을 짓누르던 묵직함이 사라졌을 때에도 계속 아무 비명도, 몸부림도 없이 버틸 수 있었다. 겉으로 보기에 내겐 아무 변화가 없었을지 모른다. 그러나 다른 사람에게 상처를 주지 않기 위해 비명과 몸부림이 몸 밖으로 새어나가지 못하도록 사투를 벌이는 것은, 말뚝에 묶여 불에 타다가 이제는 그 불길에서 빠져나오지 않으려고 말뚝에 매달리는 것과 비교할 만했다.

산 채로 타들어가는 동안 꼼짝하지 않고 버틸 힘이 내겐 있었다.

귀는 점점 더 잘 들렸다. 그래서 나는 미친 듯이 두근대는 심장박동을 느끼며 시간을 쟀다.

난 내 이빨 사이로 새어나오는 얕은 호흡을 셀 수 있었다.

그리고 내 옆 어딘가에서 느껴지는 낮고 안정된 호흡도 헤아릴 수 있었다. 아주 느린 호흡이라서 집중하기가 훨씬 쉬웠다. 이제 대부분의 시간이 지나갔다는 의미였다. 시계추보다 안정된 그 호흡은 나를 고통의 끝으로 데려가고 있었다.

난 그렇게 점점 더 강해지고 있었고 의식도 점점 또렷해졌다. 새로운 소음이 들려왔을 때 나는 귀를 기울였다.

가벼운 발소리가 나더니 열려 있는 문 옆에서 공기가 움직이는 소리가 들렸다. 이윽고 그 발소리가 가까워졌고, 누군가 내 손목을 눌렀다. 그 손가락들이 전혀 시원하게 느껴지지 않았다. 불길은 차가움을 감지할 수 있는 감각조차 모두 앗아가 버린 것 같았다.

"아직 아무 변화도 없어?"

"네."

뜨거운 내 피부에 몹시 가벼운 손길과 숨결이 닿았다.

"모르핀 냄새는 남아 있지 않은데."

"알아요."

"벨라? 내 말 들려?"

지금 입을 벌리면 나는 자제력을 잃고 말 것이다. 비명을 지르고 몸부림을 치며 뒹굴게 될지도 모른다. 내가 눈을 뜨면, 그리고 손가락 하나라도 움직이게 되면 곧 자제력을 잃게 될 것 같았다.

"벨라? 벨라, 내 사랑? 눈 뜰 수 있어? 내 손, 잡을 수 있겠어?"

내 손가락에 그의 손길이 느껴졌다. 에드워드가 부르는데 아무 대답도 하지 않기란 퍽 힘들었지만, 그래도 나는 꼼짝하지 않았다. 지금 그의 목소리에 담긴 고통은 내가 입을 열었을 때 느끼게 될 고통에 비하면 아무것도 아니었다. 지금 에드워드는 내가 고통받을까 봐 두려워하고 있었으니까.

"혹시…… 칼라일, 어쩌면 내가 너무 늦은 게 아닐까요."

그는 목이 메었다. '늦었다'는 말에서 그의 목소리가 갈라졌고, 잠시 내 결심은 흔들렸다.

"벨라의 심장 소리를 들어봐, 에드워드. 에밋의 심장보다도 튼튼하잖아. 난 이렇게 힘찬 소리는 들어보지 못했어. 아마 그녀는 완벽해질 거다."

그래, 조용히 있길 잘했어. 칼라일이 그에게 확신을 줄 테니까. 괜히 에드워드까지 고통 받을 필요는 없어.

"그리고 척추……. 벨라의 척추는요?"

"상처는 에스미 때보다 심하지 않아. 에스미 때 그랬던 것처럼 독이 벨라를 치유해줄 거야."

"하지만 너무 꼼짝도 안 하잖아요. 내가 뭔가 실수한 게 분명해요."

"그렇지 않아. 넌 제대로 했을 거다, 에드워드. 넌 내가 할 수 있는 모든 걸 대신해줬어. 아니 그 이상을 했지. 나라면 그런 끈기와 믿음을 갖지 못했을 테니까. 벨라를 구하는데 필요한 건 바로 그 믿음이었단다. 자책하지 마라. 곧 괜찮아질 거야."

그가 절망이 묻어나는 목소리로 속삭였다.

"그녀는 분명 심한 고통을 겪고 있을 거예요."

"그건 모르지. 모르핀을 충분히 주사했잖니. 우린 아직 그 효과에 대해 모르고."

내 팔꿈치에 희미한 손길이 느껴지더니 또 다른 속삭임이 들려왔다.

"벨라, 사랑해. 벨라, 미안해."

정말로 그 말에 대답하고 싶었지만, 그를 더 고통스럽게 할 수는 없었다. 내가 잠자코 버틸 힘이 있는 동안은 그럴 수 없다.

그동안에도 사나운 불길은 나를 계속 태우고 있었다. 그러나 이제 머릿속에는 생각할 공간이 많아졌다. 고통을 위해 남겨둔 여전히 무한해 보이는 공간과 더불어, 그들의 대화를 곱씹어볼 공간, 어떤 일이 벌어졌었는지 기억할 공간, 미래를 예측해 볼 공간들도 서서히 생겨났다.

거기 더해, 온갖 일을 걱정할 공간도.

내 아기는 어디 있지? 왜 여기 없는 거지? 왜 아무도 그 애에 대해 얘기하지 않는 거야?

"아뇨. 전 여기 있겠어요. 그들이 해결할 거고요."

에드워드가 칼라일의 생각에 대답했다.

"흥미로운 상황이구나. 살아오면서 겪을 수 있는 일은 전부 겪었다고 생각했었는데."

칼라일이 말했다.

"나중에 제가 처리할게요. 우리가 해결할 수 있어요."

무언가가, 타는 듯한 내 손바닥을 가볍게 눌렀다.

"유혈사태가 생기지 않게 막을 수 있을 거야. 우리 다섯 명 선에서 말이다."

에드워드가 한숨을 쉬었다.

"어느 쪽 편을 들어야 할지 모르겠어요. 실은 두 쪽 다 혼내주고 싶은데. 아……, 물론 나중에요."

"벨라는 어떻게 생각할 것 같니? 그녀라면 누구 편을 들까?"

칼라일이 생각에 잠겨 말했다. 억지로 내는 듯한 낮은 웃음소리가 들려
왔다.

"아마 날 깜짝 놀라게 할 결정을 내릴 거예요, 분명히. 벨라는 항상 그
랬거든요."

칼라일의 발소리가 다시 사라졌고, 실망스럽게도 더 이상의 설명은 없
었다. 좀 약이 올랐다. 대체 무슨 비밀 대화를 나눈 거지?

나는 다시 에드워드의 숨소리를 세며 시간을 쟀다. 그가 1만 943번째로
숨을 쉬었을 때 다른 발소리가 방 안으로 들어왔다. 더 가볍고, 더 경쾌한
소리였다.

내가 발소리의 미세한 차이까지 구분할 수 있게 된 게 이상하게 느껴졌
다. 어제까지만 해도 불가능한 일이었는데.

"얼마나 더 있어야 해?"

에드워드가 물었다.

"그리 오래 걸리지 않을 거야. 얼마나 잘 보이게 됐는지 볼까? 이젠 훨
씬 더 그녀를 잘 볼 수 있는 걸."

앨리스가 그렇게 말하고 한숨을 쉬었다.

"아직도 기분이 안 좋은 거야?"

"그래, 굳이 상기시켜 줘서 정말 고마워. 만약 본성이 약점이 된다면 바
로잡아야겠지. 나한테 가장 잘 보이는 건 역시 뱀파이어야. 왜냐면 나 자
신이 뱀파이어니까. 그리고 인간도 그럭저럭 볼 수 있지. 예전에 인간이었
으니까. 하지만 이 이상한 혼혈들은 전혀 볼 수가 없어. 난 그런 변종이었
던 적이 없으니까. 흥."

그녀가 툴툴거렸다.

"집중해, 앨리스."

"그래. 이젠 벨라가 훨씬 잘 보이네."

긴 침묵이 이어지더니 에드워드의 한숨 소리가 들렸다. 전과는 다른, 행복한 기색이 묻어나는 한숨 소리였다.

"그녀는 괜찮아질 거야."

그가 속삭였다.

"당연하지."

"앨리스, 이틀 전에는 그렇게 낙관적이지 않았잖아."

"그땐 안보였었거든. 하지만 이젠 눈을 가리고 있던 게 전부 사라졌어."

"내게도 보여줘. 얼마나 더 있어야 하는지……, 대충이라도."

앨리스가 한숨을 쉬었다.

"왜 그렇게 참을성이 없어? 좋아. 잠깐만……."

조용한 숨소리만 들렸다.

"고마워, 앨리스."

그의 목소리가 더 밝아졌다. 얼마나? 나도 듣게 좀 크게 말하지. 궁금한 게 그렇게 많았던 거야? 난 몇 초나 더 불에 타야 하지? 1만 초? 2만 초? 하루, 그러니까 8만 6400초? 아니면 그 이상?

"그녀는 아마 눈부실 거야."

에드워드가 조용히 말했다.

"이미 그렇잖아. 무슨 뜻인지 알지? 벨라를 봐."

앨리스가 그렇게 말하며 코웃음을 쳤다. 에드워드는 대답하지 않았지만 앨리스의 말은 내게 희망을 주었다. 사실 내가 연탄 같을까 봐 걱정했는데 그렇지는 않은 것 같았다. 지금쯤이면 까맣게 타버린 뼈가 되어 있을 것 같았다. 사실 내 몸의 모든 세포는 파괴되어 재가 되었다.

앨리스가 방을 나가는 기척이 들렸다. 그녀가 움직일 때 천이 마찰하는 소리가 났다. 천장에 매달린 전등은 윙하는 소리를 냈다. 집 밖에서 조용히 부는 희미한 바람 소리도 들렸다. 나는 모든 것을 들을 수 있었다.

아래층에서는 누군가 야구경기를 보고 있었다. 마리너스가 2점 앞선 상황이었다.

"내 차례야."

로잘리가 누군가에게 날카롭게 말했고, 이어 낮게 으르렁거리는 소리가 났다.

"이봐, 좀."

에밋이 주의를 줬다. 그러자 누군가 씩씩거렸다. 난 좀 더 귀를 기울였지만 야구중계 외에는 들리지 않았다. 야구는 내가 고통을 잊게 해줄 만큼 흥미로운 대상은 아니다. 그래서 난 다시 에드워드의 숨소리에 귀를 기울이며 1초, 또 1초 세어가기 시작했다.

2만 1917.5초 후에 내 몸에 변화가 생겼다.

좋은 소식은 손끝과 발끝으로 고통이 빠져나가기 시작했다는 것이다. 천천히 사라지긴 했지만 분명 새로운 변화였다. 틀림없다. 이제 고통은 물러나고 있었다…….

나쁜 소식도 있었다. 내 목구멍을 태우는 불길이 변했기 때문이다. 타오르기만 하는 게 아니라 이제는 미칠 듯한 갈증까지 느껴졌다. 뼈처럼 바짝 말라 있다. 정말 심하게 목이 말랐다. 타오르는 불길, 그리고 타오르는 갈증…….

또 한 가지 나쁜 소식은 내 심장을 태우는 불길이 더 뜨거워졌다는 것이다. 이런 일이 정말 가능하긴 한 건가? 이미 빨리 뛰고 있던 심장은 한층 더 빠르게 뛰었다. 불길이 그 속도를 미친 듯이 높여놓았다.

"칼라일."

에드워드가 불렀다. 그의 목소리는 낮지만 또렷했다. 칼라일이 집 안에 있거나 집 근처에 있다면 그 소리를 들었을 것이다.

불길이 손바닥에서 물러나면서 고통이 사라지고 시원한 느낌이 들기 시작했다. 하지만 불길은 이제 심장으로 후퇴한 것 같았다. 내 심장이 태양처럼 타오르며, 성난 듯 요동치기 시작했다.

칼라일이 방으로 들어왔다. 옆에는 앨리스도 함께 있었다. 그들의 발소리는 서로 너무 달라서 칼라일이 앨리스보다 오른쪽으로 한 발자국 더 나와 있다는 것도 알 수 있었다.

"들어보세요."

에드워드가 말했다. 방 안에서 가장 크게 들려오는 소리는, 그 불길의 리듬에 맞춰 뛰는 내 광적인 심장 소리뿐이었다.

"아. 거의 끝났구나."

칼라일이 말했다. 그의 말에 안도하면서도 심장에서 느껴지는 고통이 걱정되었다. 이제 내 손목은 자유로웠고 발목도 그랬다. 그곳에서 불길은 완전히 사라져 있었다.

"잠깐. 다른 사람들에게 알릴게. 로잘리를……?"

앨리스가 말했다.

"그래, 아기는 안 돼."

뭐? 안 돼, 안 돼! '아기는 안 된다'는 게 무슨 뜻이지? 대체 그는 무슨 생각을 하고 있는 거야?

내 손가락이 실룩거렸다. 너무 화가 난 탓에 완벽하게 유지해왔던 정적을 흐트러뜨리고 말았다. 그러자 그들 모두가 숨을 멈췄고, 방 안에는 착암기만큼이나 요란하게 뛰는 내 심장 소리 외에는 아무 소리도 나지 않았다. 누군가의 손이 내 손가락을 꼭 잡았다.

"벨라? 벨라, 내 사랑?"

내가 비명을 지르지 않고 대답할 수 있을까? 나는 잠깐 생각했다. 그 순간 불길이 팔꿈치와 무릎에서 빠져나갔지만, 여전히 내 가슴을 헤집고 있었다.

"다들 오라고 할게."

앨리스가 다급하게 말했다. 그녀가 달려가면서 바람소리가 났다.

그리고……, 아!

내 심장이 헬리콥터 날개처럼 날기 시작했다. 그 소리는 하나의 음표로 이루어져 있는 것 같았다. 불길은 내 가슴의 중심에서 타오르면서, 몸에 남아 있던 불꽃의 마지막 찌꺼기까지 빨아들여 가장 뜨거운 불꽃으로 활활 타오르게 했다. 그 고통은 내 정신을 혼미하게 했고, 나를 말뚝에 묶어두었던 강철 같은 사슬을 끊어버렸다. 불길이 내 심장을 잡고 나를 끌어올린 것처럼 등이 활처럼 휘었다. 그러다 몸통이 쿵 소리를 내며 다시 테이블에 놓였지만 몸의 다른 부분은 꼼짝도 하지 않았다.

내 안에서는 전투가 벌어졌다. 심장은 공격해오는 불길에 맞서 전속력으로 달렸다. 그리고 양쪽 다 패배했다. 이제 운이 다한 불길은 모든 것을 집어삼키고 있었다. 심장은 마지막 고동을 향해 질주했다.

사그라진 불길이 하나 남은 인간의 신체기관을 엄청난 화염으로 에워쌌다. 공허한 쿵, 소리가 났다. 다시 심장이 두 번 주춤거리고 나서, 한 번 더 쾅하고 내려앉았다.

그리고 아무 소리도 없었다. 숨소리도 없었다. 심지어 내 숨소리도.

잠깐 동안은 고통이 사라졌다는 것 외에는 아무 생각도 떠오르지 않았다.

그때 나는 눈을 뜨고, 경이에 찬 시선으로 위를 올려다보았다.

## 20
# 새로운 것들

---

모든 것이 너무나 뚜렷했다.

선명하고, 또 명확했다.

위에 있는 불빛은 여전히 눈부시게 밝았지만 나는 전구 안의 반짝이는 필라멘트까지 또렷이 볼 수 있었다. 하얀 빛 속에서 무지개색깔을 하나하나 구분할 수 있었고, 그 빛의 스펙트럼 끝에서는 뭐라고 이름붙일 수 없는 여덟 번째 색깔도 보았다.

그 빛 뒤로 어두운 천장의 나뭇결 하나하나가 눈에 들어왔다. 또 빛 앞으로는 공기 중의 먼지 하나하나를 볼 수 있었다. 빛이 닿은 면과 어두운 면, 모든 명암이 선명히 구별되어 보였다. 먼지들은 천상의 춤을 추며 작은 행성처럼 날고 있었다.

나는 충격을 받아 숨을 들이쉬었다. 먼지가 너무나 아름다워 보였기 때문이다. 공기가 목으로 들어오면서 먼지들이 회오리치기 시작했다. 그런데, 뭔가 이상하다. 곰곰이 생각해보다가 숨을 쉬는 행위가 내게 있어 무엇도 충족시켜주지 못한다는 사실을 깨달았다. 이제는 공기가 필요 없었으니까. 내 폐는 공기를 기다리지 않았고, 밀려들어온 공기에 전과 다르게 반응했다.

필요하지는 않았지만 그래도 공기가 좋았다. 난 방 안을 맛볼 수도 있었다. 열린 문으로 들어온 좀 더 시원한 공기와, 방 안에 정체되어 있던 공기가 뒤섞인 사랑스러운 먼지를 맛보았다. 실크의 그윽한 움직임을 맛보았다. 뭔가 따뜻하고, 몹시 탐나는…… 촉촉할 것 같지만 실은 그렇지 않은 어떤 것의 흔적도 맛볼 수 있었다. 비록 자극적인 염소와 암모니아가 섞여 있긴 했지만. 그 냄새를 맡자 나는 목이 말라 왔다. 마치 뱀파이어의 독이 그렇듯. 그리고 무엇보다, 내게 가장 강력하고 또 가까운 것이었던 벌꿀과 라일락과 태양의 냄새를 맛볼 수 있었다.

다시 숨을 쉬면서 나는 다른 사람들의 소리도 들었다. 그들의 숨결에는 벌꿀과 라일락, 햇빛과는 약간 다른 냄새가 섞여 있어서 새로운 맛을 느낄 수 있었다. 계피, 히아신스, 배, 바닷물, 발효시킨 빵, 소나무, 바닐라, 가죽, 사과, 곰팡이, 라벤더, 초콜릿…… 나는 머릿속으로 수십 가지의 비유를 생각해보았지만 어느 것도 정확하게 들어맞지 않았다. 어쨌든 달콤하고 기분 좋은 냄새였다.

아래층에서는 텔레비전 소리가 꺼지더니 누군가가 움직이는 소리가 들렸다. 로잘리일까? 희미하게 쿵쿵대는 소리에 맞춰 화난 듯 소리를 질러대는 음성도 들렸다. 랩 음악인가? 잠깐 동안 어리둥절해하는데 곧 그 소리가 희미해졌다. 마치 창을 연 차가 지나간 것처럼.

놀랍게도, 정말 그럴 수도 있겠다는 사실을 깨달았다. 멀리 고속도로에서 들려오는 소리까지 들을 수 있는 건가?

불현듯 누군가 내 손을 가볍게 움켜쥐었다. 전에 고통을 숨기기 위해 그랬듯, 내 몸은 다시 미동도 없이 굳어졌다. 이번엔 놀라서였다. 전혀 예상하지 못한 접촉이었다. 내게 와 닿은 피부는 완벽하게 부드러웠지만 차갑지는 않았다.

너무 놀라 잠깐 얼어붙었던 내 몸은, 익숙하지 않은 접촉에 충격적인 방식으로 반응했다. 목구멍으로 공기가 치밀고, 악문 잇새로는 벌 떼가 윙윙대는 것 같은 낮고 위협적인 소리가 새어나왔다. 그 소리가 미처 다 나오기도 전에 내 몸의 근육들이 단단히 뭉치더니 그 알 수 없는 존재를 떨쳐냈다. 그리고 재빨리 등으로 한 바퀴 굴렀다. 그러면서 나는 방안이 알아볼 수 없을 정도로 흐릿하게 보일 거라고 생각했다. 너무 빨리 움직였기 때문이다. 하지만 그렇지 않았다. 내 눈은 그러는 동안에도 먼지 한 알, 벽에 댄 나무 패널의 무늬 하나, 풀려나온 실올 한 가닥 놓치지 않았다.

어느새 나는 등을 벽에 대고 웅크린 채 방어 자세를 취하고 있었고(한 16분의 1초 정도 걸린 것 같다), 곧바로 뭐가 날 놀라게 했는지 알아차렸다. 그리고 내가 과잉반응을 했다는 것도.

아, 그래. 에드워드가 더는 차갑게 느껴지지 않겠지. 당연하잖아. 이제 우리의 체온은 같으니까. 나는 8분의 1초쯤 그 자세 그대로 있으면서 내 앞에 펼쳐진 장면에 적응했다.

에드워드는 내 화형대이기도 했던 수술대를 가로질러 몸을 숙이고, 간절한 표정으로 나를 향해 팔을 뻗고 있었다.

물론 나에게 있어 에드워드의 얼굴만큼 중요한 건 없다. 하지만 주변시(周邊視, 시야의 주변부에 대한 시력: 편집자)는 만약에 대비해 다른 것들도 놓치지 않았다. 방어 본능이 발동하면서 나는 거의 자동적으로 위험신호들을 찾았다.

나의 뱀파이어 가족은 조심스럽게 문 옆의 벽에 기댄 모습이었다. 에밋과 재스퍼는 앞쪽으로 나와 있었다. 마치 다가올 위험에 대비하는 것처럼. 그 '위험'이 무엇인지 찾느라 나는 콧구멍을 벌름거렸다. 하지만 이곳에 어울리지 않는 냄새는 찾을 수 없었다. 뭔가 맛있는(하지만 화학물질 때

문에 망쳐진) 냄새가 희미하게 풍겨 와 내 목을 간질였다. 따끔하고 화끈
거렸다.

앨리스가 환한 미소를 지으며 재스퍼 옆에서 얼굴을 내밀었다. 그녀의
이빨에 부딪힌 빛이 다시 여덟 빛깔의 무지개를 만들었다.

그 미소가 날 안심시켰고, 흩어져있던 조각들을 이어 붙여주었다. 재스
퍼와 에밋은 다른 가족들을 위험에서 보호하기 위해 앞에 나와 있는 것 같
았다. 그리고 내가 바로 그 위험이라는 사실을 처음에는 깨닫지 못했었다.

그러나 이 모두가 부수적인 것에 불과했다. 내 감각과 마음을 온통 사로
잡은 것은 에드워드의 얼굴이었으니까.

이전에는 단 한 번도 제대로 본 적이 없었다.

그 동안 몇 번이나 에드워드의 얼굴을 보며 그 아름다움에 경이를 느꼈
던가. 내 인생의 몇 시간, 며칠, 몇 주 동안 그 완벽한 존재를 꿈꾸었던가.
난 그의 얼굴을 내 얼굴보다 더 잘 안다고 생각했었다. 흠 없이 완전한 그
의 얼굴만이 내 세계에서 단 하나의 확실한 실체라고 믿었다.

하지만 이전의 나는 눈이 먼 거나 마찬가지였다.

나는 처음으로 그의 얼굴을 보았다. 인간의 약점이 사라진 눈으로. 그리
고 곧 숨을 헐떡이며 할 말을 생각해내려 애썼다. 하지만 적당한 단어를
찾을 수 없었다. 훨씬 더 나은 표현이 필요했다.

한편으로 나는, 이곳에 나 외에 다른 위험은 없다는 것을 확인하고 웅크
린 몸을 폈다. 수술대에서 내려온 지 막 1초가 지났을 때였다.

나는 내 몸이 움직이는 방식에 잠깐 마음을 빼앗겼다. 일어서야겠다는
생각을 하자마자 나는 이미 일어서 있었다. 그렇게 하기까지 조금도 시간
이 걸리지 않았다. 너무 찰나의 일이라, 전혀 움직이지 않은 것 같기까지
했다.

난 다시 꼼짝하지 않고 에드워드의 얼굴을 바라보았다.

그는 여전히 팔을 뻗은 채 천천히 테이블을 돌아 다가왔다. 그가 한 발자국을 내딛는 데는 0.5초쯤이 걸렸고, 발걸음은 바위 위를 흐르는 강물처럼 유연해보였다.

내 새로운 눈으로 나는 그 우아한 움직임을 열심히 바라보았다.

"벨라?"

그가 나직한 목소리로 조용히 나를 불렀다. 목소리 속에 긴장이 배어 있었다. 벨벳 같은 목소리에 흘려 나는 바로 대답하지 못했다. 그것은 가장 완벽한 심포니, 하나의 악기로 구성된 심포니였다. 또한 사람의 몸에서 창조될 수 있는 가장 완벽한 악기이기도 했다.

"벨라, 내 사랑? 미안해. 많이 혼란스러우리란 거 알아. 하지만 괜찮아. 다 괜찮아."

다 괜찮다고? 내 기억은 과거로, 인간으로서의 마지막 한 시간으로 되돌아갔다. 이미 그 기억은 흐릿해져서, 마치 두꺼운 검은색 베일 너머로 바라보는 것 같았다. 왜냐하면 내 인간으로서의 시야는 반쯤 죽은 상태였기 때문이다. 그래서 모든 것이 그만큼 흐릿했다.

다 괜찮다면…… 르네즈미도 괜찮다는 걸까? 그 앤 어디 있지? 로잘리와 함께 있을까? 내 아기의 얼굴을 기억해내려 했지만, 인간일 때의 기억을 통해 되돌아보려 하니 짜증스럽고 힘겹기만 했다. 르네즈미의 얼굴은 어둠에 가려져 있었고, 또 주변의 빛은 너무 흐릿해서……. 다만 그저 아름다웠던 것만은 기억해낼 수 있었다.

제이콥은 어떻게 됐을까? 괜찮은 걸까? 오랫동안 힘들어만 했던 내 베스트프렌드는 지금 날 미워하고 있을까? 그는 샘의 무리로 돌아갔을까? 세스와 리도?

컬렌 가는 이제 안전한 건가. 혹시 내가 뱀파이어로 변한 것 때문에 늑대인간과의 전쟁이 본격적으로 시작된 건 아닐까. 에드워드가 했던 "괜찮다"는 말을 이 모두에 적용해도 되는 걸까? 아니면 그저 날 안심시키려고 했던 건가.

또 찰리는 어떻게 해야 하는 거지? 대체 뭐라고 말해야 하나. 내가 뱀파이어로 변하는 동안 아빠 분명 전화를 했을 것이다. 그때 뭐라고 말했을까? 지금 아빠는 내게 무슨 일이 일어났다고 생각하고 있을까.

무엇부터 먼저 물어보아야 할지 잠시 고민하고 있는데, 머뭇거리며 팔을 뻗은 에드워드가 손끝으로 내 뺨을 쓰다듬었다. 새틴처럼 매끈하고, 깃털처럼 부드럽고, 이제는 내 체온과도 딱 맞았다.

그의 손길은 내 피부 아래, 얼굴뼈에까지 전해졌다. 싸하고 짜릿했다. 그 느낌은 뼈를 뒤흔들고 나서 척추로 옮겨갔고, 내 뱃속까지 전율시켰다.

전율은 곧 따스한 온기와 갈망으로 피어났다. 동시에 이런 생각이 들었다. 잠깐, 이상하잖아. 이런 건 더 이상 없어야 하지 않나? 뱀파이어가 되면 이런 느낌은 모두 포기해야 하는 거 아니었어?

나는 갓 태어난 뱀파이어다. 내 목구멍에서 느껴지는 바짝 마른 느낌과 타는 듯한 아픔이 그 증거였다. 그리고 난 뱀파이어가 되면 어떤 일들이 뒤따르게 되는지 알고 있었다. 인간의 감정, 예를 들어 갈망 같은 건 처음엔 느낄 수 없고 나중에나 되찾을 수 있을 거라고 생각했다. 남는 건 그저 갈증뿐이어야 했다. 원래 그런 거래였으니까. 나는 이미 대가를 치르는 데 동의했었다.

하지만 에드워드의 손이 새틴에 싸인 강철처럼 내 얼굴을 감싸자, 내 말라버린 혈관을 따라 강렬한 욕망이 분출했다. 나는 전율을 느꼈다. 머리끝부터 발끝까지.

에드워드는 완벽한 한쪽 눈썹을 치켜 올린 채 내 말을 기다리고 있었다. 나는 팔로 그를 안았다.

이번에도 역시 움직인 것 같지가 않았다. 그저 조각처럼 고요히 서 있었던 것 같은데, 그는 이미 내 팔에 안겨 있었다.

따뜻하다. 아니 최소한 내게는 그렇게 느껴졌다. 둔한 인간의 감각으로는 감지할 수 없었던 달콤하고 맛있는 향기도 함께 느꼈다. 하지만 이것은, 에드워드다. 100퍼센트 에드워드. 나는 그의 부드러운 가슴에 내 얼굴을 댔다.

그러자 그가 불편한 듯 체중을 옮기며 내 포옹으로부터 빠져나갔다. 거부하는 걸까. 나는 놀라움과 두려움을 감추지 못하고 그의 얼굴을 올려다보았다.

"음…… 조심해, 벨라. 아얏."

일이 어떻게 된 건지 깨닫자마자 나는 급히 팔을 빼서 등 뒤로 감췄다.

난 이제, 너무 강해진 거구나.

"이런."

내가 중얼거렸다. 그가 미소 지었다. 만약 내 심장이 아직도 뛰고 있었다면 지금 이 미소로 멈춰버리고 말았을 거다.

"겁내지 마, 내 사랑. 넌 얼마 동안 나보다 조금 더 강할 뿐이라고."

그가 손을 들더니, 공포로 벌어진 내 입술을 쓰다듬었다. 내가 눈썹을 치켜 올렸다. 머리로는 이해하고 있다. 하지만 지금 이 일이, 벌어지고 있는 모든 비현실적인 일들 가운데서도 가장 비현실적으로 느껴졌다. 내가 에드워드보다 강하다니. 그가 '아얏'이란 말을 하게 하다니.

에드워드의 손이 다시 내 뺨을 쓰다듬었고, 꼼짝 없이 굳어 있던 내 몸에 또 다른 욕망이 솟구치면서 곧 고민도 사라져버렸다. 전보다도 훨씬 더 강한 감정이어서, 한 가지 생각을 계속 이어나가기가 힘들었다. 머릿속에는 분명 여분의 공간이 있었지만, 각각의 새롭고 생생한 감각들이 나를 압도했다. 전에 에드워드는 그의 종족, 아니 우리 종족이 쉽게 주의가 산만해진다고 말한 적이 있었다. 내가 지금 듣고 있는, 크리스털처럼 맑고 음악과 같은 목소리에 비교한다면 그때 내가 들었던 목소리는 흐릿한 그림자에 불과한 것 같았다. 나는 그 이유를 알 것 같았다.

정신을 집중하려 노력했다. 할 말이 있었으니까. 가장 중요한 말.

실제로는 알아볼 수 없을 정도로 조심스럽게, 정말 조심스럽게 오른팔을 등 뒤에서 빼고서 나는 손을 들어 그의 뺨을 쓰다듬었다. 그러면서 진주빛깔이 도는 내 손이나 부드러운 그의 피부, 손끝에서 느껴지는 찌릿한 자극에 정신을 팔지 않으려 노력했다.

그의 눈을 들여다보며, 처음으로 내 입에서 나오는 목소리를 들었다.

"사랑해."

말을 하는 게 아니라 노래하는 것 같았다. 종소리처럼 울리며 내 목소리가 희미해졌다. 대답 대신 그는 미소를 지었고, 나는 인간이었을 때보다 더 매혹되었다. 이제 난 그의 미소를 '진짜로' 볼 수 있게 되었으니까.

"내가 너를 사랑하는 만큼."

그가 그렇게 대답했다. 그리고 내 얼굴을 감싸더니 내게로 얼굴을 숙였다. 아주 느리게 움직였으므로 나는 조심해야 한다는 사실을 잊지 않을 수 있었다. 에드워드가 내게 키스했다. 처음에는 속삭임처럼 부드럽게, 그 다음에는 더욱 강렬하게. 난 그를 부드럽게 대해야 한다는 사실을 잊지 않으려 애썼다. 하지만 감각들이 맹공을 당하고 있는 상황이라 도저히 논리적이고 일관성 있는 사고를 하기 힘들었다.

그가 단 한 번도 내게 키스한 적이 없었던 것 같았다. 마치 이게 우리의 첫 번째 키스인 것 같았다. 전에는 그가 '이렇게' 키스한 적 없었으니까.

그래서 죄책감 비슷한 것을 느꼈다. 나는 지금 계약을 위반하고 있는 게 분명하다. 이러면 안 되는 걸 텐데.

내겐 산소가 필요 없지만, 호흡은 뱀파이어의 독이 주입되어 온몸이 불타고 있을 때만큼이나 빨라졌다. 하지만 이번의 불길은, 그때와는 전혀 다른 것이었다.

누군가 헛기침을 했다. 에밋이다. 그 깊은 목소리를 나는 즉시 알아들을 수 있었다. 장난스러운 동시에 좀 언짢아하는 것 같은 소리. 여기 우리만 있지 않다는 걸 잊고 있었다. 문득 내가 상당히 보기 민망할 자세로 에드워드의 몸을 휘감고 있다는 사실을 깨달았다. 당황해서 나는 곧바로 자세를 바꾸었다.

에드워드는 소리 내어 웃으며, 내 허리에 단단히 팔을 감은 채 나와 보조를 맞추었다. 그의 얼굴은 환하게 빛나고 있었다. 하얀 불꽃이 다이아몬드 같은 그의 피부 아래에서 타오르는 것 같았다.

마음을 가라앉혀보려고 필요하지도 않은 심호흡을 했다. 지금의 키스는…… 정말 달랐다. 전혀 다르다. 이 또렷하고 강렬한 느낌을 인간일 때의 흐릿한 기억들과 비교하면서 난 그의 표정을 살폈다. 에드워드는 좀 의기양양해 하는 것 같았다.

"넌 내게 이러지는 않았잖아."

나는 눈을 가늘게 뜨고 그렇게 비난했다. 목소리는 여전히 노래하는 것 같았다. 그가 환하게 웃었다. 모두 끝났다는 안도감이 담긴 미소였다. 공포, 고통, 불확실성, 기다림……. 이제 그 모든 것은 지난 일이 되었다.

"그때는 그럴 수밖에 없었지. 이젠 내가 다치지 않게 네가 조심할 차례야."

나에게 그렇게 상기시켜주며 그는 다시 웃었다. 나는 그 말에 담긴 뜻을 생각하며 얼굴을 찡그렸다. 그러자 이젠 다들 웃음을 터뜨렸다.

칼라일이 에밋 옆으로 걸어 나와 빠르게 이쪽으로 다가왔다. 살짝 경계하고 있는 것 같았다. 재스퍼도 그의 뒤를 바짝 따랐다. 이제 보니 나는 칼라일의 얼굴 역시 한 번도 제대로 본 적이 없었다. 마치 태양을 바라볼 때처럼 갑자기 눈을 깜박이고 싶다는 충동이 일었다.

"어떠니, 벨라?"

칼라일이 물었다. 난 64분의 1초 동안 대답을 생각했다.

"그냥 당황스러워요. 너무……."

그렇게 말하는 내 목소리에서 다시 종소리가 들렸고, 난 말끝을 흐렸다.

"그래. 많이 혼란스러울 거야."

난 재빨리 고개를 끄덕이고서 덧붙였다.

"하지만 그래도 나 같아요. 그러니까, 내가 아니라는 생각은 안 든다고요. 이런 걸 기대하진 않았었는데요."

에드워드의 팔이 가볍게 내 허리를 감쌌다. 그가 내게 속삭였다.

"내가 그렇다고 했었잖아."

"넌 정말 스스로를 잘 통제하는구나. 기대 이상이야. 마음의 준비를 할 시간도 별로 없었는데 말이다."

그렇게 말한 칼라일은 잠깐 생각에 잠겼다. 나는 감정의 기복이 심하고, 한 가지에 집중하기 어렵다는 사실을 기억해내고 이렇게 속삭였다.

"꼭 그런 건 아니에요."

그는 진지하게 고개를 끄덕이더니 보석을 박은 듯한 눈을 호기심으로 반짝였다.

"이번에는 모르핀을 잘 쓴 것 같구나. 뭐가 기억나는지 말해주겠니?"

나는 주저했다. 에드워드가 내 뺨을 쓰다듬며 내 피부에 열정적인 속삭임을 들려주고 있었기 때문이었다.

"모든 게…… 아주 희미해요. 아기가 숨을 쉬지 못했던 건 기억하는데……."

그 기억을 떠올리자 나는 곧바로 겁에 질려 에드워드를 바라보았다.

"르네즈미는 건강하게 잘 있어. 그다음에는 뭐가 기억나?"

아이의 이름을 입에 올릴 때 그는 눈을 반짝였다. 전에 보지 못했던 모습이었다. 그는 흥분을 애써 억누르며 르네즈미라는 이름을 발음했다. 아주 경건하게. 신앙심이 깊은 사람들이 신에 대해 이야기할 때처럼.

나는 포커페이스를 잃지 않았다. 하지만 내가 거짓말을 능숙하게 했던 적은 없었다.

"기억이 잘 안 나요. 너무 어두웠죠. 그리고 나서…… 눈을 떴더니 뭐든 볼 수 있었어요. 모든 것을요."

"놀랍군."

칼라일이 눈을 빛내며 속삭였다. 좀 억울하다는 생각이 들었다. 나는 언제나 그랬듯 뺨이 달아오르기를 기다렸다. 그러다 문득 다시는 뺨에 홍조를 띄우는 일이 없으리라는 사실을 깨달았다. 그 덕에 에드워드는 진실을 모른 채 지나갈 수 있을지도 모른다.

물론 칼라일에겐 진실을 알려줘야 할 것이다. 언젠가는. 만일 그가 또 다른 뱀파이어를 만들어야 하는 날이 온다면. 하지만 그 가능성은 아주 희박해서, 나는 거짓말을 했다는 죄책감을 조금 덜 수 있었다.

"기억을 더듬어 보렴. 생각나는 건 모두 이야기해줬으면 좋겠구나."

칼라일이 흥분한 듯 힘주어 말했고 난 얼굴을 찡그렸다. 거짓말을 계속하긴 싫었다. 탄로 날 수도 있으니까. 게다가 그 순간을 기억하고 싶지도 않았다. 인간일 때의 다른 기억과는 달리 그 순간의 기억만은 너무도 명확해서 모든 것을 생생히 기억해낼 수 있었다.

"아, 미안해, 벨라. 갈증 때문에 아주 힘들겠구나. 그 이야기는 나중에 해도 돼."

칼라일이 곧바로 사과했다. 이 말을 들을 때까지는 사실 견딜 수 없을 만큼 갈증을 느끼진 않았다. 내 머릿속에는 공간이 아주 많았으니까. 내 뇌 각각의 부분은 마치 반사작용처럼, 목구멍이 타는 듯한 느낌을 감지하고 있었다. 인간일 때 내 뇌가 숨을 쉬거나, 눈을 깜박이는 행위에 대해 그랬던 것처럼.

하지만 칼라일의 말을 들으니 이제 그 타는 듯한 느낌에 온 생각이 집중되었다. 갑자기 이 바싹 마른 통증이 내가 생각할 수 있는 전부가 되었다. 그리고 생각을 하면 할수록 통증은 더 심해졌다. 나는 한 손으로 목을 감쌌다. 그렇게 하면 이 불꽃을 끌 수 있다는 듯이. 손에 닿은 목 부분의 피부가 낯설었다. 돌처럼 단단했지만 너무 매끈해서 부드럽게 느껴졌다.

에드워드가 내 다른 쪽 손을 잡더니 부드럽게 잡아당겼다.

"사냥 가자, 벨라."

나는 눈을 크게 떴다. 고통스러운 갈증은 물러나고 대신 충격이 밀려왔다. 내가? 사냥을 간다고? 에드워드와? 하지만…… 어떻게? 어떻게 해야 할지 도무지 갈피를 잡을 수 없었다. 그는 내 표정에서 경계하는 빛을 찾아내고는 격려하듯 미소를 지었다.

"아주 쉬워, 나의 벨라. 본능적인 거지. 걱정 마. 어떻게 하는지 내가 보여줄게."

내가 그래도 움직이지 않자 에드워드는 심술궂은 미소를 짓더니 눈썹을 치켜 올렸다.

"너, 내가 사냥하는 모습을 보고 싶어 했었잖아."

문득 인간이었을 때 우리가 나눴던 대화가 희미하게 떠올라 난 잠깐 웃음을 터뜨렸다(동시에 나는 종소리처럼 울려 퍼지는 내 웃음소리를 경이롭게 듣고 있었다). 머릿속으로 에드워드를 처음 만났을 때의 일들을 재빨리 훑어보았다. 그때야말로 내 삶의 진정한 시작이었지. 당시의 일을 잊지 않도록 꼭 기억해내려 했지만, 이렇게 떠올리기 힘들 줄은 몰랐다. 마치 탁한 물속을 들여다보는 것 같았다. 로잘리의 이야기를 듣고, 한 가지 깨달은 것이 있다. 인간일 때의 기억을 충분히 되새기기만 한다면, 오랜 시간이 흘러도 절대로 잊지 않으리라는 사실 말이다. 난 에드워드와 보낸 시간이라면 단 1분도 잊고 싶지 않았다. 우리 앞에 영원이란 시간이 펼쳐진 지금도. 그러니 한번 보고들은 것은 결코 잊어버릴 일 없는 내 뱀파이어의 기억 속에 인간이었을 때의 기억을 확실히 새겨둘 생각이다.

"갈 거지?"

에드워드가 물었다. 그는 여전히 목을 잡고 있는 내 손을 잡으려는 듯 손을 들어올렸다. 그의 손가락이 부드럽게 내 목을 쓰다듬었다.

"네가 괴로워하는 거 싫어."

그가 작은 목소리로 이렇게 덧붙였다. 예전 같으면 들을 수 없는 소리였을 것이다.

"난 괜찮아. 잠깐. 먼저."

아직 남아 있는 인간일 때의 습관에 따라 나는 이렇게 말했다. 그렇게 많지는 않지만, 묻고 싶은 것들을 하나도 물어보지 못했다. 지금 내겐 통증보다 더 중요한 것들이 있었다. 칼라일이 대답했다.

"응?"

"그 애가 보고 싶어요. 르네즈미."

이상하게도 그 이름을 부르기가 쉽지 않았다. '내 딸'이라는 단어를 떠올리기는 더 힘들었고. 그 모두가 아득하게만 느껴졌다. 3일 전의 일들을 떠올리던 나는 에드워드에게서 손을 빼낸 다음 내 배를 만져보았다.

평평하다. 텅 비어 있었다. 내 피부를 덮고 있는 연한 색깔의 실크를 움켜쥐다가 난 다시 패닉상태가 되었다. 마음 한구석으로는 이런 생각도 들었다. 분명 이 옷, 앨리스가 입혀 놓은 걸 거야.

이제 내 안에는 아무것도 남아 있지 않았다. 내 안에서 아기를 꺼내던 때의, 그 유혈 낭자한 모습이 희미하게 떠오르긴 했지만 이미 그것을 증명해 줄 물질적인 증거는 찾기 힘들었다. 내가 아는 거라곤 오직, 뱃속에 있던 작은 장난꾸러기를 내가 정말 사랑했다는 것이다. 내 몸 밖으로 나온 그 애는 마치 상상 속의 존재 같았다. 희미해져가는 꿈⋯⋯. 반은 악몽 같은.

나는 잠시 동안 혼란에 빠져 있다가, 에드워드와 칼라일이 신중하게 시선을 나누는 것을 보았다. 나는 물었다.

"뭐야?"

"벨라. 별로 좋은 생각 같지 않아. 알다시피 그 애의 반은 인간이잖아. 심장이 뛰고, 피가 혈관을 돌고 있는. 그러니까 네 갈증을 통제할 수 있을 때까지는⋯⋯. 너도 그 애를 위험에 빠뜨리고 싶지는 않지?"

에드워드가 달래듯 말했다. 나는 얼굴을 찡그렸다. 물론 그러고 싶지 않지.

난 스스로를 통제할 수 없을까? 그럴 것 같다. 쉽게 집중력을 흐트러뜨릴까? 그것도 맞는 것 같다. 하지만 내가⋯⋯ 위험한 존재가 될까? 그 애에게? 내 딸에게?

그 대답이 '노'라고는 확신할 수 없었다. 그러니 나는 참아야 했다. 너무도 어려운 일이 될 게 분명하다. 왜냐하면 다시 만날 때까지 내게 그 애는 현실이 아닐 테니까. 희미해져가는 꿈속의⋯⋯ 이방인.

"그 애는 어디 있어?"

열심히 귀를 기울이다가 난 내 발아래에서 심장이 뛰는 소리를 들었다. 한 사람 이상의 숨소리도 들렸다. 마치 그들도 이쪽을 향해 한껏 귀를 기울이고 있는 듯한, 조용한 숨소리였다. 또 빠르고 불규칙하게 뭔가 쿵쿵대는 소리도 들렸다. 정체를 알 수 없는 소리.

그 심장소리가 너무 촉촉하고 또 매력적이었으므로, 내 입가에는 침이 흐르기 시작했다. 그 애를⋯⋯ 내 '낯선' 아기를 만나기 전에 난 사냥하는 법부터 배워야 할 것 같다.

"로잘리랑 같이 있어?"

"응."

에드워드가 짤막하게 대답했고, 난 지금 그가 뭔가 짜증스러운 일에 대해 생각하고 있다는 걸 알았다. 그와 로잘리 사이의 불화는 이제 지난 일이 됐다고 생각했는데, 뭔가 또 대립하고 있는 걸까. 미처 물어보기도 전에 그가 납작해진 내 배를 향해 손을 뻗더니 내 손을 잡아당겼다.

"잠깐. 제이콥은? 찰리는? 무슨 일이 있었는지 이야기해줘. 내가 얼마 동안이나…… 의식이 없었던 거야?"

정신을 가다듬으려 애쓰며 나는 그렇게 물었다. 에드워드는 내가 마지막 문장을 말하면서 머뭇대는 걸 알아차리지 못한 것 같았다. 대신 그는 칼라일과 다시 조심스러운 눈빛을 교환했다.

"무슨 일이에요?"

내가 속삭였다.

"아니, '문제'는 없단다. 그리 변한 건 없어. 네가 의식이 없었던 건 이틀뿐이란다. 모든 게 아주 빨리 진행됐지. 에드워드가 잘해준 덕분이야. 정말이지 혁신적이었다고 할까. 독을 심장에 바로 주사한 건 에드워드의 생각이었거든."

칼라일의 말이었다. '문제'라는 단어를 지나치게 강조하는 것 같아서 미심쩍게 느껴졌다. 칼라일은 아들을 향해 자랑스러운 듯 미소 짓더니 곧 이어 한숨을 쉬었다.

"제이콥이 아직 여기 있어. 찰리는 아직 네가 아프다고 생각하고. 지금 그는 네가 애틀랜타의 질병통제예방센터에서 검사를 받는 중이라고 믿고 있단다. 우리가 찰리에게 잘못된 전화번호를 알려줬으니, 아마 헛고생만 했을 테지. 지금 에스미와 통화 중이란다."

"내가 통화해야 하는데……"

나는 그렇게 중얼대다가 문득 내 목소리를 듣고 뭐가 문제인지 깨달았다. 찰리는 이 목소리를 알아듣지 못하리라. 이 목소리로는 아빠에게 믿음을 줄 수 없을 것이다. 그때 칼라일이 앞서 했던 말이 떠올랐다.

"잠깐만요! 제이콥이 아직 여기 있다고요?"

에드워드와 칼라일이 다시 시선을 교환했다.

"벨라, 할 이야기가 많긴 하지만 우선 네 문제부터 해결해야지. 지금은 고통스러울 테니까……."

에드워드가 재빨리 말했다. 그 말을 듣자 목구멍의 화끈거림을 다시 의식하게 되었고, 난 발작적으로 침을 삼켰다.

"하지만 제이콥이……."

"설명할 시간은 많아, 내 사랑."

그가 부드럽게 말했다.

그 말은 맞아. 나는 대답을 듣기 위해 좀 더 기다릴 수 있다. 타는 듯한 갈증이 격렬한 고통으로 시시각각 바뀌며 정신을 흩트리지만 않는다면 대화에 집중하기도 훨씬 쉬울 것이다.

"좋아."

"잠깐, 잠깐, 잠깐."

앨리스가 문간에서 지저귀듯 말했다. 그리고 춤을 추는 것처럼 방을 가로질러왔다. 정말 우아했다. 에드워드와 칼라일을 봤을 때도 그랬지만, 처음으로 그녀의 얼굴을 확인하고 나는 거의 충격을 받기까지 했다. 믿을 수 없을 만큼 사랑스러웠기 때문이다.

"첫 번째 기회는 나한테 주기로 했잖아! 그러다 너희 둘이 거울 비슷한 거라도 지나치게 되면 어떻게 해?"

"앨리스……."

에드워드가 가로막았다.

"1초면 돼."

그 말과 함께 앨리스는 방에서 튀어나갔다. 에드워드가 한숨을 쉬었다.

나는 물었다.

"앨리스 말이야, 지금 무슨 소리 하는 거야?"

하지만 앨리스는 이미 돌아와 있었다. 그녀는 로잘리의 방에 있던 금빛 테두리가 달린 거울을 가져왔다. 거울의 높이는 앨리스 키의 두 배쯤이었고, 너비는 그녀 몸의 거의 몇 배는 되었다. 칼라일을 따라 들어왔던 재스퍼는 그때까지 꼼짝 않고 조용히 있었으므로 나는 그가 있다는 것도 잊고 있었다. 그런데 이제 그는 앨리스 주변에서 다시 움직이고 있었고, 눈은 내 표정을 뚫어지게 응시했다. 이곳에 있는 위험은 바로 나일 테니까.

그는 나를, 내 주변의 분위기를 계속 감시하고 있었으므로 내가 처음으로 그의 얼굴을 자세히 들여다보았을 때 느꼈던 충격도 알아차렸을 것이다. 남부에서 어린 뱀파이어 군대와 지냈던 그의 예전 삶이 남긴 상처들은, 눈먼 인간의 눈에는 거의 보이지 않았었다. 그저 밝은 불빛 아래서만 살짝 도드라져 보여 존재를 알 수 있는 정도였다.

그런데 이제 와 다시 보니, 그 상처들이야말로 재스퍼의 가장 두드러진 특징이었다. 엉망이 된 목과 턱에서 도저히 눈을 떼기 힘들었다. 아무리 뱀파이어라도, 그렇게나 목을 물어 뜯기고서 살아남을 수 있을까. 그런 게 가능할까.

본능적으로 나는 긴장하며 방어태세를 취했다. 재스퍼를 본 뱀파이어라면 누구라도 같은 반응을 보였을 것이다. 그 상처들은 마치…… 불이 환히 켜진 광고판 같았다. 위험해! 상처들은 제각기 그렇게 소리치고 있었다. 대체 얼마나 많은 뱀파이어들이 재스퍼를 죽이려 했을까? 수백? 수천? 그러다 죽어간 숫자와 정확히 일치할 것이다.

내가 그렇게 판단을 내리고 경계하고 있다는 것을 알아차리고 쓴웃음을 지었다.

"에드워드는 결혼 전에 네게 거울을 보여주지 않았다고 날 나무랐지.

다신 욕먹지 않을 거야."

앨리스가 그런 말을 하며 자신의 무서운 연인에게서 내 관심을 돌려놓았다.

"욕을 먹어?"

에드워드가 미심쩍은 듯 한쪽 눈썹을 치켜 올리며 되물었다.

"어쩌면 내가 좀 과장한 걸 수도 있고."

그녀는 멍하니 중얼거리면서 거울을 내 앞으로 돌려놓았다.

"어쩌면 순전히 네 관음증을 만족시키려고 그러는 걸 수도 있고."

에드워드가 받아쳤다. 앨리스가 그에게 윙크했다. 하지만 두 사람의 대화에는 그리 많이 신경이 쓰이지 않았다. 내가 더 큰 관심을 쏟고 있었던 건 바로 거울 속의 인물이었다.

내 첫 번째 반응은 생각지도 않은 즐거움이었다. 거울 속의 낯선 생명체는 분명 앨리스나 에스미만큼 아름다웠다. 그저 가만히 서 있었을 뿐인데도 흐르는 듯 유려했고, 완벽한 얼굴은 마치 달처럼 창백해서 색이 짙고 숱이 풍부한 머리카락과 대비를 이뤘다. 팔다리는 부드럽고 강했으며, 피부는 진주처럼 섬세하게 반짝였다.

그리고 두 번째 반응은 공포였다.

대체 이 여자는 누구지? 첫눈에도 이 부드럽고 완벽한 얼굴 어디에서나 자신의 얼굴을 찾을 수 없었다. 그리고 눈! 미리 예상했던 일이긴 하지만, 그래도 거울 속 여자의 눈은 내게 공포와 전율을 안겨주었다.

내가 살펴보고 반응하는 동안에도 그녀의 얼굴은, 내 안에서 일어나는 소란을 전혀 드러내지 않은 채 여신의 조각상처럼 완벽하게 평정을 지키고 있었다. 그때 거울 속의 도톰한 입술이 움직였다.

"눈은? 얼마나 걸려?"

내 눈이라고 말하기 싫었으므로 나는 그렇게만 표현했다.

"몇 달 안에 색이 진해질 거야. 인간의 피보다 동물의 피를 마시는 게 더 그 색을 빨리 없애줄 거야. 처음에는 호박색이 됐다가, 다시 황금빛으로 바뀌게 되지."

에드워드가 위로하듯 부드럽게 말했다. 그럼 내 눈이 앞으로 몇 달 동안이나 사악한 붉은 불꽃처럼 타오를 거란 뜻이야?

"몇 달씩이나?"

내 목소리가 더 높아졌다. 거울 속에서 타오르는 선홍색(전에 보았던 그 어떤 것보다 선명했다)의 눈 위로 완벽한 눈썹이 치켜 올라갔다.

내가 갑자기 불안해하자 재스퍼가 한 걸음 앞으로 나왔다. 그는 어린 뱀파이어들에 대해 아주 잘 알고 있다. 내가 이런 감정을 느낀다는 건, 뭔가 일을 저지를 전조일까?

아무도 내 질문에 대답하지 않았다. 나는 에드워드와 앨리스에게로 시선을 돌렸다. 재스퍼의 불안에 반응한 듯 그들의 눈빛은 약간 초점을 잃고 있었다. 생각을 읽고, 바로 앞의 미래를 내다보기 위해서. 난 다시 쓸데없이 심호흡을 했다.

"아니, 난 괜찮아. 그냥…… 받아들여야 할 게 많네."

나는 그렇게 태연한 척 대답했다. 내 시선은 다시 거울 속의 낯선 사람에게로 향하고 있었다. 재스퍼가 눈썹을 찌푸리자 그의 왼쪽 눈 위에 있는 두 개의 상처가 도드라져 보였다.

"모르겠어."

에드워드가 중얼거렸다. 거울 속의 여자가 얼굴을 찡그렸다.

"질문이 뭐였어? 뭐에 대답한 건데?"

내가 묻자 에드워드는 씩 웃었다.

"재스퍼는 네가 어떻게 그럴 수 있는지 궁금하대."

"뭘?"

"감정을 조절하는 것 말이야, 벨라. 갓 태어난 뱀파이어가 이렇게 할 수 있는 건 단 한 번도 못 봤어. 그렇게 감정을 조절하고 자제하는 것 말이야. 넌 방금 전에 동요했었지만 우리가 걱정하는 걸 알고 곧 자제력을 되찾았어. 난 널 도울 준비를 하고 있었지만, 네겐 도움이 필요 없었지."

재스퍼가 대답했다.

"그게 잘못된 거야?"

내가 물었다. 그리고 얼어붙은 듯 가만히 재스퍼의 판결을 기다렸다.

"아니."

그러나 그의 목소리는 자신 없게 들렸다. 에드워드는 마치 내 몸을 녹여 주려는 듯 내 팔을 쓰다듬었다.

"사실 정말 인상적이야, 벨라. 하지만 아직은 도저히 이해가 안 돼. 그리고 자제력을 발휘할 수 있는 상태가 얼마나 갈지도 모르겠고."

난 몇 분의 1초 동안 생각에 잠겼다. 그건 어느 순간이 되면 내가 덤벼들리라는 뜻인가? 나는 괴물로 변하게 될까?

그런 일이 닥치리라는 느낌은 들지 않았다……. 하지만 어쩌면 그런 걸 미리 예측할 방법은 없을지도 모른다.

"어떻게 생각해?"

앨리스가 거울을 가리키며 약간 초조하게 물었다.

"모르겠어."

내가 느끼고 있는 두려움이 얼마나 큰지 인정하기 싫었으므로 나는 애매하게 대답했다. 그리고 무서운 눈을 한 그 아름다운 여인을 바라보며, 나의 파편들을 찾았다. 있었다. 입술이었다. 눈부시게 아름다운 그 여인의 윗입술은 살짝 균형에서 벗어나 있었다. 이 익숙한 작은 결함을 찾아내고 나자 조금 안도했다. 아마 내 나머지 부분들 역시 그 자리에 남아 있으리라.

내가 시험 삼아 손을 들자 거울 속의 여인도 손을 들어 자신의 얼굴을 만졌다. 선홍색 눈이 나를 조심스럽게 바라보았다. 에드워드가 한숨을 쉬었다. 나는 한쪽 눈썹을 치켜 올린 채 그녀에게서 눈을 돌려 그를 바라보았다.

"실망했어?"

내가 물었다. 목소리는 종소리를 닮았고, 침착했다. 그가 웃었다.

"그래."

그가 인정했다. 그 충격으로 내 얼굴을 덮고있던 침착한 가면이 벗겨졌고, 마음에 상처를 입었다. 앨리스가 으르렁거렸다. 재스퍼는 내가 달려들기를 기다리며 다시 몸을 앞으로 숙였다. 그러나 에드워드는 그들을 무시해버리고서, 얼어붙은 내 몸을 단단히 감싼 후 내 뺨에 입술을 댔다.

"이제 나와 더 비슷해졌으니까, 네 마음을 들을 수 있기를 바랐거든. 그런데 여전히 네 머릿속에서 어떤 일이 벌어지는지 알 수 없어서 실망이야."

그가 중얼거렸다. 그러자 금세 기분이 나아졌다.

"아, 그래. 아무래도 내 머리는 좀 정상이 아닌 것 같아. 그래도 최소한, 예쁘기는 하네."

나는 가볍게 대꾸했다. 내 생각이 여전히 나 혼자만의 것이라는 데 마음이 놓였다. 상황에 적응되어 가면서 그와 농담을 하거나 이성적으로 생각하기가 훨씬 쉬워졌다. 나답게 굴 수 있게 된 것이다. 에드워드가 내 귓가에 투덜거렸다.

"벨라, 넌 단순히 예쁘기만 했던 적은 없잖아."

그리고 그는 내게서 얼굴을 떼고 갑자기 한숨을 쉬었다.

"알았어, 알았어."

에드워드는 누군가에게 그렇게 대답하고 있었다. 내가 물었다.

"뭐야?"

"넌 재스퍼를 점점 더 초조하게 만들고 있어. 네가 사냥을 가야 그도 좀 마음을 놓을 거야."

나는 재스퍼의 근심어린 표정을 보고 고개를 끄덕였다. 사실 여기서 난동을 부리고 싶지는 않았다. 가족보다는 나무에 에워싸여 있는 게 낫겠지.

"좋아. 사냥 가자."

불안과 기대로 뱃속이 떨려왔다. 나는 몸에서 에드워드의 팔을 떼어낸 다음 그의 한 손을 잡았다. 그리고 거울 속의 낯설고 아름다운 여인에게서 등을 돌렸다.

# 21

# 첫 번째 사냥

"창문?"

나는 2층에서 아래를 내려다보았다. 높은 곳을 무서워한 적은 없었다. 하지만 이렇게 구석구석 또렷하게 볼 수 있게 되니, 위에서 보는 경치가 그렇게 매력적이지는 않았다. 아래 있는 바위는 상상했던 것보다 훨씬 더 날카로워 보였다.

에드워드가 미소 지었다.

"여기가 가장 편리한 출입구야. 무서우면 내가 안아줄 수도 있어."

"우린 영원히 살잖아. 그런데 뒷문까지 걸어갈 시간이 없어?"

그가 약간 얼굴을 찡그렸다.

"르네즈미와 제이콥이 아래층에 있어서……."

"아."

맞아. 이제 난 괴물이 됐지. 그러니 날 도발해 거칠게 만들지도 모르는 냄새들은 피해야 한다. 내가 특별히 사랑하는 사람들도, 아니면 모르는 사람들이라고 해도.

"르네즈미는…… 제이콥이랑 있어도…… 괜찮아?"

내가 그렇게 속삭였다. 아까 들은 심장소리가 제이콥의 것일지도 모른다는 사실을 뒤늦게 깨달았다. 나는 다시 열심히 귀를 기울였지만 이젠 하나의 안정된 심장소리밖에 들리지 않았다.

"제이콥은 그 앨 싫어했잖아."

에드워드가 이상하게 입술을 비죽거렸다.

"믿어도 돼. 르네즈미는 정말 안전해. 난 제이콥이 무슨 생각을 하고 있는지 정확하게 알고 있으니까."

"그렇겠지."

나는 중얼거리며 다시 땅바닥을 바라보았다.

"망설이는 거야?"

그가 물었다.

"조금. 어떻게 해야 하지……?"

내 가족들이 뒤에서 조용히 지켜보고 있었다. 대개는 조용하게. 에밋은 이미 한 번 작은 소리로 킥킥거렸다. 내가 한 번이라도 실수를 하면 그는 바닥을 구르며 웃어댈 것이다. 그다음에는 세상에서 가장 어설픈 뱀파이어라며 떠들어댈 거고…….

게다가 이 옷(내가 정신이 없을 때 앨리스가 입혀놓은 게 분명하다)은 사냥이나 점프에는 적합하지 않았다. 몸에 딱 붙는 연청색 드레스? 대체 그녀는 무슨 생각으로 이런 옷을 고른 걸까. 나중에 칵테일파티라도 있나?

"내가 하는걸 봐."

에드워드가 말하고서, 아무렇지도 않게 높은 창문 밖으로 걸음을 뗐다. 나는 그가 충격을 흡수하기 위해 무릎을 얼마나 구부렸는지 각도를 분석하면서 주의 깊게 바라보았다. 에드워드가 착지하는 소리가 아주 작게 들려왔다. 문이 부드럽게 닫히거나, 책이 가볍게 책상 위에 놓일 때와 비슷한 정도로 약하게 쿵 소리가 났다.

별로 어려워 보이지 않는걸.

난 이를 악물고 정신을 집중한 다음 허공으로 발을 뻗던 그의 모습을 그대로 따라했다. 하! 지면이 아주 천천히 내게 다가왔고, 그래서 발의 위치를 잡기는 어렵지 않았다. 그런데 대체 앨리스는 나한테 무슨 신발을 신겨 놓은 거야? 스틸레토 힐? 좀 정신이 나갔었던 거 아냐? 아무튼 다행히 내 바보스러운 하이힐은 조금의 어려움도 없이 정확하게 착지했다. 평평한 땅에 한 발을 내딛는 것과 다르지 않았다.

가느다란 굽이 부러질까 봐, 발의 아치 부분으로 충격을 흡수했다. 나도 에드워드만큼이나 조용히 착지한 것 같았다. 나는 그에게 미소 지었다.

"좋아. 쉬운데."

그도 미소를 보냈다.

"벨라?"

"응?"

"아주 우아했어. 뱀파이어로서도 말이야."

난 잠깐 동안 그 말을 생각하다가 곧 밝게 미소 지었다. 그저 인사치레로 한 말이었다면 에밋이 웃음을 터뜨렸을 것이다. 하지만 아무도 웃지 않은 걸 보면 그의 말은 분명 진실일 것이다. 내 평생을 통틀어…… 아니, 음, '내가 존재한 이래' 누군가로부터 우아하다는 말을 들은 건 처음이었다.

"고마워."

내가 답례했다. 그리고 은색의 새틴 구두를 한 짝씩 벗어서 열린 창문으로 던져 넣었다. 조금 세게 던진 것 같기는 하지만 누군가 신발이 패널에 흠집을 내기 전에 잡았다. 앨리스가 투덜거렸다.

"벨라의 패션 감각은 균형 감각만큼 나아지지가 않는군."

에드워드가 내 손을 잡고(그의 피부에서 느껴지는 부드러움과 기분 좋은 온기에 나는 또다시 놀랐다) 뒤뜰을 지나 강가로 향했다. 나는 힘들이지 않고 그를 따라갔다. 몸으로 하는 모든 일들이 몹시 간단해 보였다.

"수영할 거야?"

강가에 멈춰 섰을 때 나는 그렇게 물었다.

"예쁜 드레스를 망치고 싶은가 봐? 그게 아냐. 우린 점프할 거야."

나는 입술을 비죽거린 채 생각에 잠겼다. 강의 너비는 45미터쯤 되었다.

"너 먼저."

내가 말했다. 그는 내 뺨을 만지더니 재빨리 두 걸음 뒤로 물러섰다. 그리고 다시 두 걸음 달려 나오더니, 강둑에 박혀 있는 평평한 바위 위에서 날아올랐다. 에드워드가 강 위에 아치를 그리는 동안 나는 그 화려한 동작을 자세히 살펴보았다. 그는 한 바퀴 공중제비를 돌더니 강 건너편의 우거진 숲 속으로 사라졌다.

"잘난 척은."

내가 중얼대자 그의 보이지 않는 웃음소리가 들려왔다. 만약에 대비해서 나는 다섯 걸음 뒤로 간 다음 심호흡을 했다.

갑자기 다시 걱정이 되기 시작했다. 떨어지거나 다칠까 봐서가 아니었다. 숲이 망가지는 게 더 큰 걱정이었다. 서서히 나타나기는 했지만 이젠 스스로도 느낄 수 있었다. 내 팔다리를 진동시키고 있는 거칠고 거대한 힘을. 강 아래로 터널을 파거나 암반을 곧장 기어가는 것도 그리 힘들지 않으리라는 확신이 들었다. 내 주위의 모든 것들―나무들, 관목들, 바위들……. 그리고 우리 집―이 너무나 약해 보였다.

강 건너편의 나무들에 에스미가 각별한 애정을 품고 있지 않기를 빌며 나는 성큼성큼 발을 옮겼다. 그러다 급히 제자리에 멈춰 섰다. 새틴 드레스의 허벅지 부위가 15센티미터쯤 찢어졌기 때문이다. 앨리스!

사실 앨리스는 옷이란 한 번 입고 나면 버리는 것, 다시 말해 1회용품이라고 생각했다. 그러니까 옷이 찢어져도 별로 상관하지 않으리라. 나는 몸을 숙이고 찢어지지 않은 오른쪽 옷단을 조심스럽게 잡았다. 그리고는 아주 살짝 힘을 주어 허벅지까지 찢었다. 이어 반대편도 여기에 맞추어 조금 더 찢었다.

훨씬 나아졌는걸.

집에서 숨죽인 웃음소리가 들려왔고 누군가 이빨을 가는 소리도 들렸다. 웃음소리는 위층과 아래층에서 들려왔고 난 아래층에서 들려오는 거칠고 묵직한, 뚜렷이 구별되는 웃음소리를 쉽게 알아들을 수 있었다.

제이콥도 보고 있었던 거야? 그가 대체 무슨 생각을 하고 있는지, 아직까지 여기서 무얼 하고 있는 건지 나로선 상상도 할 수 없었다. 내가 좀 더 안정되고, 또 시간이 그의 마음에 새겨진 깊은 상처를 치유한 후에야 우리는 만날 수 있을 거라 생각했었는데. 물론 그가 나를 용서해줬을 때 얘기지만⋯⋯.

또 동요하게 될까봐 나는 돌아서서 그를 보지 않았다. 통제하기 힘들 만큼 강한 감정을 느끼는 건 역시 좋지 않겠지. 재스퍼가 느끼는 두려움이 나를 초조하게 했다. 다른 문제들과 부딪히기 전에 사냥부터 해야 할 것 같았다. 그래서 일단 다른 것에 대해서는 모두 잊고 집중하려 했다.

"벨라! 한 번 더 시범 보여줄까?"

에드워드가 숲에서 나를 불렀다. 그의 목소리가 가까워지고 있었다. 하지만 이미 나는 모든 걸 완벽하게 기억하고 있었고, 에밋에게 웃음거리가 되고 싶지도 않았다. 어차피 몸으로 하는 일이다. 그러니 본능을 따르면 된다. 심호흡을 하고서 나는 강을 향해 달려갔다.

옷이 거치적거리지 않으니 한 달음에 강 언저리에 도착할 수 있었다. 84분의 1초 만에. 그것도 긴 시간이었다. 내 눈과 정신은 재빨리 움직였고, 때문에 한 걸음으로도 충분했다. 오른발을 평평한 바위에 올려놓은 뒤 적

445

당한 압력을 주어 내 몸을 허공에 띄웠다. 방향에 신경 쓰느라 힘은 제대로 조절하지 못했다. 그래도 물에 빠지진 않았다. 너비 45미터는 너무 쉬운 거리였으니까.

강을 건너는 건 이상하고, 아찔하며, 흥분되는 경험이었지만 너무 금방 끝나버렸다. 아직 채 1초도 지나지 않았는데 나는 강 건너편에 와 있었다.

빽빽한 나무들이 방해가 될 거라고 생각했지만 오히려 도움이 되었다. 숲 속으로 날아간 나는 땅으로 떨어지면서 한 손을 뻗어 나뭇가지를 잡았다. 그리고 거기에 매달려 가볍게 회전하면서, 지상에서 4.5미터 높이에 매달린 넓적한 가문비나무 가지로 내려섰다.

정말 멋진 순간이었다.

나는 기분 좋게 웃었고, 에드워드가 날 찾아오는 소리를 들었다. 나는 그보다 두 배나 멀리 뛴 것이다. 내가 서 있는 나무에 도착한 에드워드는 눈을 크게 떴다. 나는 재빨리 그의 옆으로 뛰어내렸다. 이번에도 소리가 나지 않게 발의 아치 부분으로 착지했다.

"괜찮았어?"

내가 물었다. 흥분으로 호흡이 가빠왔다.

"아주 좋았어."

그가 만족스럽게 미소 지었다. 그 침착한 말투는 놀란 눈빛과는 어울리지 않았다.

"또 해봐도 돼?"

"집중해, 벨라. 우린 사냥하러 온 거야."

"아, 맞다. 사냥."

나는 고개를 끄덕였다.

"따라와……, 따라올 수 있다면."

갑자기 그가 놀리는 것 같은 표정으로 씩 웃더니 달리기 시작했다. 에드워드는 나보다 빨랐다. 어떻게 그런 속도로 다리를 움직일 수 있는지 도저히 짐작도 안 갔고, 이해할 수도 없었다. 하지만 나는 그보다 강하다. 내 한 걸음은 에드워드의 세 걸음과 맞먹었다. 그래서 난 그의 뒤가 아니라 옆에서, 살아 있는 초록색 그물망 사이를 날 수 있었다. 나는 전율을 느끼며 조용히 웃었다. 웃음은 내 속도를 떨어뜨리지도, 내 집중력을 흩뜨리지도 않았다.

에드워드가 그렇게 무시무시한 속도로 달리면서도 나무와 부딪히지 않는 이유를 마침내 이해할 수 있었다. 내게는 항상 미스터리였던 부분이다. 바로 속도와 시력 사이의 균형 덕분이었다. 우거진 비취색의 미로를 위로, 아래로, 또 그 사이로 빠르게 지나치는 동안에도……, 그러니까 주위의 모든 것이 흐릿한 초록색의 줄무늬로 보일 만큼 빠르게 지나가는 동안에도 나는 스쳐가는 모든 나뭇가지에 매달린 작은 잎사귀 하나하나를 정확하게 볼 수 있었다.

내가 일으킨 바람으로 머리카락과 찢어진 드레스가 펄럭였다. 피부에 닿는 바람이 따스하게 느껴졌다. 이상한 소리지만 정말 그랬다. 거친 숲 바닥이 내 맨발에 벨벳처럼 부드럽게 와 닿는 것이나, 살갗을 때리는 나뭇가지들이 포근한 깃털처럼 느껴지듯이.

숲은 내가 알고 있던 것보다 더 생기가 넘쳤다. 내 주위의 나뭇잎에는, 전에는 존재하리라 짐작조차 못했던 작은 생명들이 가득했다. 우리가 지나간 후 그 작은 생명들은 고요해졌고, 공포로 가쁜 숨을 몰아쉬었다. 동물들은 우리의 냄새에 인간들보다 현명하게 반응했다. 예전의 나 역시도 이들과는 다르게 반응했었다.

나는 숨이 차기를 기다렸지만 호흡은 전혀 거칠어지지 않았다. 근육이 타는 듯한 느낌도 나타나지 않았다. 오히려 적응하기 시작하자 힘이 더 적게 들었다. 내 보폭이 커지자 이젠 에드워드가 나를 따라잡으려 애쓰고 있었다. 나는 그가 뒤로 처지는 소리를 들으며 다시 의기양양하게 웃었다. 발이 바닥에 닿는 횟수가 줄어들자 이제는 달리는 게 아니라 나는 기분이었다.

"벨라."

그가 무미건조한 투로 나를 불렀다. 그의 목소리는 차분하고 나른했다. 다른 어떤 소리도 들리지 않았다. 그는 이미 멈춰 있었다. 나는 잠깐 반항해볼까 생각했다. 그러나 이내 한숨을 쉬고 몸을 돌려 그의 곁으로 가볍게 뛰어갔다.

"이 나라에 있을 거야? 아니면 오늘 오후엔 캐나다에 가 있을 생각이야?"

그가 유쾌하게 물었다.

"여기가 좋아."

나는 말보다는 매혹적으로 움직이는 그의 입술에 더 집중하고 있었다. 전과 비교할 수 없이 잘 보이게 된 내 새로운 눈에는 모든 것이 신선하게만 비쳤다.

"뭘 사냥하는 거야?"

"엘크. 처음이니까 쉬운 놈으로 생각해봤어……."

'쉬운'이라는 말에 내가 눈을 가늘게 뜨자 그는 말꼬리를 흐렸다. 하지만 난 논쟁할 생각이 없었다. 너무 목이 말랐으니까. 목구멍의 건조한 열기를 떠올리자마자 다른 생각은 조금도 할 수 없게 되었다. 게다가 점점 더 심해지고 있었다. 내 입 안은 데스밸리에서 보내는 6월의 오후 4시처럼 건조하고 뜨거웠다.

"어디?"

나는 초조하게 나무들 사이를 쳐다보았다. 갈증에만 생각을 집중하고 있었기 때문에 이제는 갈증이 더 즐거운 생각들까지 물들이고 있었다. 달리기, 에드워드의 입술, 키스, 그리고…… 타는 듯한 갈증.

"1분만 가만있어 봐."

그가 내 어깨에 손을 가볍게 올렸다. 절박하던 갈증도 그 손길에 잠깐 물러났다.

"이제 눈 감아."

그가 중얼거렸다. 내가 눈을 감자 에드워드가 내 뺨을 쓰다듬었다. 내 호흡이 빨라지는 것을 느끼며 잠깐 동안 얼굴이 빨개지기를 기다렸다. 하지만 이제 그럴 일은 없겠지.

"들어 봐. 뭐가 들려?"

에드워드가 말했다. 대답은, 모든 것이라고 말할 수 있을 것 같다. 그의 완벽한 목소리, 숨결, 입술이 움직이는 소리, 나무 꼭대기에서 깃털을 정리하는 새들의 속삭임, 새의 팔딱이는 심장고동, 스치는 단풍나무 잎사귀, 개미들이 근처 나무껍질을 향해 길게 행진해 가는 소리. 하지만 그는 뭔가 특별한 소리가 들리는지 묻고 있었으므로, 나는 좀 더 멀리까지 귀를 기울였다. 그러면서 날 에워싸고 있는 작은 생명들의 기척과는 다른 소리를 찾아보았다. 우리 주변에는 탁 트인 공간이 있었고(잔디를 스치는 바람 소리가 달랐기 때문에 알 수 있었다), 바닥이 돌로 덮인 작은 개울도 있었다. 그리고 거기서 물소리와 함께 들리는 건…… 혀로 물을 핥는 소리, 묵직한 심장이 쿵쿵 뛰며 걸쭉한 피를 펌프질하는 요란한 소리.

바짝 마른 내 목구멍이 달라붙어 버리는 것 같았다.

"개울 옆에, 북동쪽으로?"

난 여전히 눈을 감은 채 물었다.

"그래."

그가 만족스러운 듯한 목소리로 답하고, 다시 내게 물었다.

"이제…… 다시 바람이 불기를 기다렸다가…… 무슨 냄새가 나?"

대부분은 그의 냄새였다. 벌꿀과 라일락과 햇빛이 섞인 에드워드의 향기. 그리고는 또…… 부패물과 이끼에서 풍겨오는 진하고 거친 냄새, 상록수에서 나는 송진 냄새, 나무뿌리 아래에 웅크리고 있는 작은 설치류의 따스하고 고소한 냄새. 그리고 좀 더 멀리에서는 깨끗한 물의 냄새가 났다. 갈증을 느끼고 있는데도, 물 냄새에는 놀라울 만큼 끌리지 않았다. 개울 쪽에 초점을 맞춰 보니 혀로 할짝대며 핥는 소리, 쿵쿵대는 심장소리와 함께 냄새가 풍겼다. 또 다른 따뜻한 냄새도 있었다. 진하고 짜릿하고, 다른 놈들보다 강한 체취. 하지만 개울만큼이나 끌리지 않는 냄새였다. 나는 코를 찡그렸다. 에드워드가 키득거렸다.

"알아. 익숙해지려면 시간이 걸리지."

"셋이야?"

내가 물었다.

"다섯. 뒤쪽에 두 마리가 더 있어."

"이제 뭘 해야 돼?"

그의 목소리에 미소가 배어 있었다.

"뭘 하고 싶은데?"

나는 눈을 감은 채 귀를 기울이고 냄새를 맡으며 생각에 잠겼다. 또다시 타는 것 같은 갈증이 내 의식 속으로 파고들자, 그 따뜻하고 짜릿한 냄새가 그리 불쾌하게 느껴지지 않았다. 적어도 바짝 마른 내 입을 촉촉하게 적셔줄 테니까. 나는 번쩍 눈을 떴다.

"생각은 하지 마. 본능을 좇아."

그가 내 얼굴에서 손을 떼더니 한 발자국 물러섰다. 나는 개울이 흐르는 좁은 초원으로 이어지는 경사면을 소리 없이 내려갔다. 그리고 내 움직임은 거의 의식하지 않은 채 그 냄새만 따라갔다. 양치류로 에워싸인 숲의 가장자리에서 잠시 머뭇대는 동안도 내 몸은 자세를 낮춘 채 자연스럽게 앞으로 움직이고 있었다. 개울 가장자리에서 가지 뻗친 뿔을 머리에 단 열두어 마리의 커다란 수사슴을 보았다. 동쪽으로 방향을 튼 채 느긋하게 숲으로 향하는, 다른 네 마리의 그림자 드리워진 모습도 보였다.

나는 목표물의 냄새, 덥수룩한 목에 있는 온점(온기가 가장 강하게 고동치는 지점: 편집자)에 주의를 집중했다. 우리 사이의 거리는 두 세 번의 도약이면 닿을 수 있는 27미터 정도밖에 되지 않았다. 나는 몸을 긴장시키며 첫 번째 도약을 준비했다.

뛸 준비를 하는데 바람의 방향이 바뀌었다. 이제 바람은 남쪽에서, 더 세게 불어왔다. 나는 멈춰 서서 생각하는 대신 숲에서 뛰쳐나와 당초의 계획과 직각을 이루는 방향으로 돌진했다. 그리고 겁먹은 그 놈을 숲으로 몰아넣다가, 갑자기 새로운 목표물을 쫓아 달리기 시작했다. 너무 매력적인 향기여서 거부할 수가 없었다. 충동적인 행동이었다.

그 냄새가 나를 완전히 지배했다. 오직 갈증과, 그 갈증을 없애 줄 냄새에만 집중한 채 나는 그것을 쫓았다. 갈증이 심해지면서 너무나 고통스러웠다. 다른 모든 생각들이 엉망으로 뒤엉키자, 내 혈관에서 뱀파이어의 독이 타오르던 때가 떠올랐다.

지금 내 관심을 돌릴 수 있는 것은 더 강력한 본능, 불을 꺼야 한다는 욕구보다 더 기본적인 본능……. 즉 나를 위험으로부터 보호해야 한다는 본능뿐이었다. 자기 보존.

갑자기 내가 쫓기고 있다는 사실을 알았다. 그 저항할 수 없는 냄새에 대한 욕망과, 돌아서서 내 사냥감을 지키고 싶다는 충동이 서로 싸웠다. 가슴에서 부글거리는 소리가 나더니 입술이 저절로 벌어지며, 경고하듯 이빨이 드러났다. 내 배후를 지켜야 한다는 경계심과 이 갈증을 해소하고 싶다는 욕구가 서로 마찰을 일으키면서 어느새 걸음이 느려졌다.

그때 추적자가 속도를 높이는 기척이 났고, 결국 방어본능이 앞섰다. 내가 몸을 돌리는 동안 점점 더 큰 소리가 목으로부터 흘러나왔다.

내 스스로 뱉어낸 흉포한 울음소리에 놀란 나는 제자리에 멈춰 섰다. 그 소리는 나를 불안하게 했지만, 동시에 잠깐 동안 내 머리를 식혀주었다. 갈증으로 인한 몽롱함이 사라졌다. 물론 갈증만큼은 계속되었지만.

바람의 방향이 바뀌면서 촉촉한 흙냄새와 점점 다가오는 비 냄새가 코로 들어왔다. 덕분에 나를 사로잡고 있던 그 냄새로부터 자유로워질 수 있었다. 인간만이 지닐 수 있는, 너무나 맛있는 냄새로부터.

에드워드는 몇 미터 떨어진 곳에서 나를 포옹하려는 것처럼, 혹은 말리려는 것처럼 팔을 들어 올린 채로 머뭇거렸다. 내가 겁에 질려 얼어붙어 있는 동안 그는 정신을 집중하고서 경계를 놓지 않았다.

내가 그를 공격하려 했다는 걸 깨달았다. 나는 방어하기 위해 웅크리고 있던 몸을 거칠게 폈다. 그리고 숨을 멈추고 다시 정신을 집중했다. 남쪽에서부터 밀려오는 그 강력한 냄새가 두려웠다. 내가 이성을 되찾은 걸 보더니, 그는 들었던 팔을 내리고 한 걸음 다가왔다.

"여기서 빠져나가야겠어."

나는 이를 악물고 말했다. 그의 얼굴에는 충격 받은 표정이 고스란히 드러나 있었다.

"갈 수 있겠어?"

그 말이 무슨 뜻인지 물어볼 시간은 없었다. 맑은 정신으로 생각할 수 있는 것도 잠시뿐일 테니. 내가 그것에 대해 생각하지 않는, 아주 잠깐.

감각을 상실한 것 같은 불편한 느낌은, 마치 산소가 부족할 때와도 비슷했다. 어쨌든 나는 그것에만 신경을 집중하고 전속력으로 북쪽을 향해 달리기 시작했다. 유일한 목표는 그 냄새가 나지 않는 곳으로 달려가는 것이었다. 혹시 마음이 바뀌더라도 절대 찾을 수 없도록…….

다시 누군가 날 뒤쫓고 있다는 걸 느꼈다. 하지만 이번에 나는 제정신이었다. 그래서 숨을 쉬고 싶은 본능, 그리고 공기의 맛으로 추적자가 에드워드인지 확인하고 싶다는 본능과 싸워야 했다. 오래 싸울 필요는 없었다. 내가 숲 속에 나 있는 직선로를 그 어느 때보다 빠르게, 마치 혜성처럼 달리고 있었음에도 에드워드가 순식간에 나를 따라잡았기 때문이다.

뭔가 새롭게 깨달은 것이 있었으므로, 나는 발에 뿌리가 내린 듯 멈춰 섰다. 이 정도면 안전하리라는 확신이 들긴 했지만 만약에 대비해 숨은 쉬지 않았다.

내가 갑자기 멈춰서는 바람에 깜짝 놀란 그가 나를 스쳐 지나갔다. 그러다 곧 몸을 돌려 내 옆으로 다가왔다. 에드워드는 내 어깨에 손을 올리더니 내 눈을 들여다보았다. 여전히 그의 얼굴 가득 드리워있는 것은 충격이었다.

"어떻게 그럴 수 있었어?"

그가 물었다.

"좀 전에 내가 널 지나쳐갔었지?"

질문을 무시하고 나는 이렇게 물었다. 그때는 내가 잘 해내고 있다고 생각했었는데!

입을 열자 곧 공기를 맛볼 수 있었다. 내 갈증을 부채질하던 그 거부할 수 없는 향기와 전혀 섞이지 않은 공기였다. 나는 조심스럽게 숨을 들이쉬었다. 그는 딴 데 정신을 팔지 않으려는 듯 어깨를 으쓱이더니 고개를 흔들었다.

"어떻게 그럴 수 있었어?"

"거기서 빠져나온 거 말이야? 숨을 안 쉬었지."

"대체 어떻게 사냥을 멈출 수 있었던 거야?"

"네가 내 뒤로 다가왔을 때…… 정말 미안해."

"왜 나한테 사과하는 거야? 경솔했던 건 난데. 인간들이 다니는 길과는 멀리 떨어져 있어서 아무도 없을 줄 알았어. 그래도 먼저 살펴봤어야 했는데! 그런 멍청한 실수를 하다니. 넌 사과할 필요 없어."

"하지만 난 너에게 으르렁거렸어!"

내가 감히, 그런 짓을 하다니. 나는 여전히 소름이 끼쳤다.

"물론 그랬지. 그건 아주 자연스러운 일이었어. 하지만 난 도저히 이해할 수가 없어. 네가 어떻게 그냥 돌아설 수 있었는지."

"그럼 달리 뭘 할 수 있었겠어? 내가 아는 사람일지도 모르잖아."

내가 그렇게 대답했다. 그가 보이는 태도 때문에 난 몹시 당황했다. 대체 에드워드는 무슨 일이 벌어졌기를 바라는 거야?

그때 그가 갑자기 머리를 뒤로 젖히고 발작적으로 웃음을 터뜨리는 바람에 나는 깜짝 놀라고 말았다. 그의 웃음소리가 숲 속에서 메아리를 만들어냈다.

"왜 웃는 거야?"

그는 즉시 웃음을 멈추고 다시 조심스러운 태도로 돌아갔다.

참자. 나는 그렇게 생각했다. 내 기분의 변화를 계속 주시해야만 한다. 지금 난 뱀파이어라기보다 꼭 어린 늑대인간 같았다.

"널 보고 웃은 건 아니었어, 벨라. 그냥 충격을 받아서 그런 거야. 그리고 너무 놀랐기 때문에 충격을 받은 거고."

"왜?"

"이런 일들을 넌, 해낼 수 없어야 해. 그렇게…… 이성적이어선 안 된다고. 네가 지금처럼 고요하고 침착하게 나와 이야기하는 건 도저히 불가능한 일이란 뜻이야. 그리고 무엇보다 인간의 피 냄새가 날 땐 사냥을 그만두지 못하는 게 정상이야. 그건 성숙한 뱀파이어에게도 힘든 일이니까. 그래서 사냥할 장소를 고를 때는 혹시 그런 유혹이 없는지 항상 조심해야 하지. 벨라, 넌 변신한 지 며칠 된 뱀파이어가 아니라 몇 십 년 된 뱀파이어 같아."

"아."

하지만 난 힘들어질 거라는 걸 알고 있다. 이렇게 경계하는 이유도 바로 그 때문이다. 어려운 일이라는 잘 걸 알고 있으니까. 에드워드가 손으로 내 얼굴을 감쌌다. 그의 눈은 경이의 빛으로 가득했다.

"이 한순간만이라도 네 마음을 볼 수 있다면, 난 무엇이든 내놓을 텐데."

너무도 강력한 감정. 갈증에는 대비하고 있었지만, 이런 것엔 전혀 준비가 되어 있지 않았다. 그가 날 만지는 느낌이 전과 같지 않으리라곤 생각했었다. 그 예상은 틀리지 않았다. 전보다 훨씬 더, 강력했다.

나는 손을 뻗어 그의 얼굴선을 훑어갔다. 내 손가락이 그의 입술에 머물렀다.

"오랫동안 이런 감정을 느끼지 못할 거라 생각했었어. 하지만 난 여전히 널 원해."

지금 일어나고 있는 일을 확신할 수 없었으므로 난 말끝을 흐릴 수밖에 없었다. 그가 충격을 받은 듯 눈을 깜박였다.

"어떻게 그런 것에 집중할 수 있지? 참을 수 없이 갈증을 느끼지 않아?"

물론 지금은 그렇다. 그가 다시 일깨워주었으니까! 나는 참으려 노력해 보았다. 눈을 감고 한숨을 쉬었다. 전에는 이렇게 하는 게 정신을 집중하는 데 도움이 되었었으니까. 그리고 사방으로 주의를 기울였다. 이번에는 그 금단의 맛있는 냄새가 덮쳐올 것에 대비해 긴장을 늦추지 않았다.

나는 갈증을 완전히 쫓아줄 그것의 냄새와 소리를 찾아, 살아있는 녹색의 그물망 속으로 점점 더 멀리 귀를 기울였다. 그러는 동안 에드워드는 손을 떨어뜨린 채 숨조차 쉬지 않았다. 마침내 다른 무언가의 흔적, 동쪽으로 이어지는 희미한 흔적을 찾아냈다……

나는 눈을 떴다. 하지만 눈보다 좀 더 날카로운 감각에 의지하고서 조용히 동쪽으로 달렸다. 경사가 심한 언덕이 나타났고, 나는 지표 가까이에서 몸을 숙인 채 달리다가 나무들 사이로 들어갔다. 에드워드가 함께 있다는 것을 소리가 아닌 감각으로 느낄 수 있었다. 그는 조용히 나무들 사이를 움직이면서 내가 앞장서게 했다.

더 높이 올라가자 초목도 줄어들었다. 사냥감의 흔적을 쫓는 동안 송진 냄새가 점점 더 강해졌다. 엘크의 냄새보다 날카롭고, 더 매력적이면서도 따뜻한 냄새가 났다. 몇 초 후 나는 거대한 발이 소리 죽여 걷는 소리를 들을 수 있었다. 발굽이 땅을 울릴 때 내는 자박자박 소리보다 훨씬 더 섬세한 소리였다. 이제 그 소리는 위쪽에서 들려왔다. 땅이 아닌 나뭇가지 사이에서. 거의 반사적으로 나는 높이 솟은 전나무 가지로 올라가서 유리한 자리를 차지했다.

이제 부드럽게 발을 움직이는 소리가 아래쪽에서 좀 더 은밀하게 들려왔다. 그 진한 냄새는 아주 가까이에서 풍겨왔다. 내 눈은 그 소리와 이어진 움직임에 집중했다. 황갈색의 거대한 쿠거가 넓적한 전나무 가지를 따라 살금살금 움직이고 있었다. 놈은 내가 숨어 있는 나뭇가지의 왼쪽 아래 부분에 있었다. 굉장히 큰 쿠거였다. 내 몸의 네 배는 될 것 같았다. 놈은 열심히 아래쪽을 보고 있었고, 나처럼 사냥할 준비를 하고 있었다. 나는 내 사냥감 바로 옆에서 더 작은 무언가의 냄새를 맡을 수 있었다. 쿠거는 뛰어오를 준비를 하면서 때때로 꼬리를 흔들었다.

나는 가볍게 공기를 가르고 뛰어내려 쿠거가 서 있는 가지 위에 착지했다. 놈이 나무가 흔들리는 것을 느끼고 몸을 돌리더니 소리를 질러대기 시작했다. 놀라서 저항하는 소리였다. 놈이 분노로 눈을 빛내며 나뭇가지를 긁어댔다. 나는 갈증으로 반쯤 정신이 나간 상태여서, 놈의 송곳니와 발톱을 무시한 채 달려들었다. 우리는 함께 바닥으로 떨어졌다.

별로 싸울 것도 없었다.

마구 할퀴어대는 쿠거의 구부러진 발톱은 내 피부에는 그저 애무하는 손길에 지나지 않았다. 또 이빨은 내 어깨나 목에 아무 힘도 미치지 못했다. 무게조차 아무것도 아니었다. 내 이빨은 정확하게 놈의 목을 찾았고, 쿠거는 본능적으로 저항했지만 내 힘에 비하면 불쌍할 만큼 약할 뿐이었다. 내 턱이 그놈의 목에서 열이 집중되는 지점을 정확하게 찾아 조였다.

조금도 힘들지 않았다. 마치 버터를 무는 것처럼. 내 이빨은 강철의 칼날 같았다. 그것은 쿠거의 털과 지방, 힘줄까지 아무렇지 않게 꿰뚫어버렸다.

맛은 별로 좋지 않았지만 그 피는 뜨겁고 촉촉했다. 서둘러 피를 마시는 동안 견딜 수 없던 갈증이 사그라들었다. 쿠거의 저항은 점점 더 약해졌고 비명소리도 콸콸대는 소리와 함께 잦아들었다. 피의 온기가 내 온몸으로 퍼져가면서 손끝과 발끝이 따뜻해졌다.

쿠거는 내가 숨통을 끊어주기 전에 죽어버렸다. 그 피가 말라버리자 다시 갈증이 느껴졌고, 나는 혐오감을 느끼며 쿠거의 사체를 밀어냈다. 어떻게 아직도 갈증을 느낄 수 있지?

난 단번에 몸을 일으켜 세웠다. 문득 꼴이 엉망이 되었다는 걸 깨달았다. 나는 팔등으로 얼굴을 닦고 옷매무새를 정리했다. 내 피부에는 쓸모없던 그 짐승의 발톱이, 얇은 새틴 드레스에는 제 역할을 한 것 같았다.

"흠."

에드워드가 말했다. 난 고개를 들어 그를 보았다. 그는 나무둥치에 기대 생각에 잠긴 표정으로 나를 보고 있었다.

"더 잘할 수 있었는데."

내 몸은 먼지범벅이었고, 머리카락은 뭉친 데다 피 묻은 옷은 누더기가 되어 있었다. 에드워드는 사냥에서 돌아올 때 이런 모습이 아니었는데.

"완벽했어. 음……, 지켜보는 게 생각보다 더 힘들더라고."

그가 말했다. 무슨 뜻으로 하는 말인지 알 수 없어서 나는 한쪽 눈썹을 치켜 올렸다.

"네가 쿠거와 싸우는 게 조마조마해서 말이야. 지켜보는 내내 불안해 죽을뻔했다니까."

그가 설명했다.

"바보."

"알아. 습관이란 건 쉽게 고치기 힘든 법이지. 그런데 지금 네 옷, 마음에 드는데?"

내가 얼굴을 붉힐 수 있었다면 이미 오래전에 붉혔으리라. 나는 주제를 바꿨다.

"왜 아직도 목이 마른 거지?"

"네가 어려서 그래."

나는 한숨을 쉬었다.

"근처에 다른 쿠거는 없는 것 같은데."

"사슴은 많잖아."

내가 얼굴을 찡그렸다.

"냄새가 별론데."

"초식동물이라서 그래. 육식동물이 사람의 냄새와 좀 더 비슷하지."

그가 설명했다.

"사람하고 그렇게 비슷하지는 않아."

나는 굳이 상기하지 않으려 애쓰며 그렇게 부인했다.

"아까 그곳으로 돌아가도 돼. 누구든 남자라면 네 손에 죽는 걸 싫다고 하지는 않을 거야. 널 보자마자 자기가 이미 죽어서 천국에 왔다고 생각할 테니까."

그가 진지하게 말했다. 하지만 눈은 장난기로 가득했다. 그러고서 그는 다시 엉망이 된 내 드레스를 훑어보았다. 내가 눈동자를 굴리며 비아냥댔다.

"냄새나는 초식동물이나 사냥하러 가자."

우리는 집으로 돌아오는 길에 검은꼬리사슴 떼를 발견했다. 난 이미 사냥하는 방법을 익혔으므로 이번에는 에드워드도 함께 사냥했다. 나는 쿠거를 잡을 때만큼이나 어설프게 커다란 수사슴을 잡았다. 내가 미처 한 마리를 끝내기도 전에 그는 머리카락 하나 흩뜨리지 않고, 하얀 셔츠에 피한 방울 묻히지 않고서 두 마리를 해치웠다. 우리는 겁에 질려 흩어진 사슴 떼를 쫓았다. 이번에 나는 사슴을 잡는 대신 그가 어떻게 그렇게 깔끔하게 사냥할 수 있는지 주의 깊게 살펴보았다.

예전에는 에드워드가 사냥을 떠나고 나면 혼자 남겨지는 게 싫으면서도 약간은 안도감을 느끼곤 했었다. 이런 장면을 보게 된다면 두려워질 테니까. 소름이 끼칠 테니까. 사냥하는 모습을 보고 나면 그가 정말 뱀파이어로 느껴지게 될 테니까.

지금 뱀파이어의 눈으로 보는 이 장면과는 아주 달랐으리라. 하지만 내가 인간의 눈으로 이 장면을 보았다 해도, 그 아름다움만은 놓치지 않았을 것 같다. 에드워드가 사냥하는 모습을 지켜보는 건 정말 관능적인 경험이었다. 그의 부드러운 도약은 뱀의 유연한 공격을 닮았다. 손은 너무 단단하고 강해서 도저히 피할 수 없었다. 반짝이는 이빨을 드러낸 채 우아하게 벌어진 도톰한 입술은 그야말로 완벽했다. 찬란했다. 에드워드는 내 것이다. 그 무엇도 그를 내게서 떼어놓을 수는 없다. 나를 그에게서 떼어놓기에는, 내가 너무 강하니까.

에드워드는 아주 빨랐다. 그가 내게로 돌아서더니 만족스러운 표정을 짓고 있는 나를 호기심 어린 눈으로 바라보았다.

"이제 갈증은 안 나?"

그가 물었다. 나는 어깨를 으쓱해 보였다.

"너 때문에 집중이 안 되는걸. 나보다 훨씬 잘 하네."

"수백 년간 연습했으니까."

그가 미소 지었다. 이제 그의 눈은 벌꿀과 황금이 섞인 너무도 사랑스러운 빛깔이었다.

"100년이지."

내가 바로잡아주었다. 그가 웃었다.

"오늘은 이 정도면 된 거야? 아니면 계속할까?"

"된 것 같아."

배가 너무 불러서 출렁대는 것 같았다. 어느 정도의 피를 섭취해야 내 몸에 적당한지는 알 수 없었다. 하지만 목에서 느껴지는 열기는 아주 잠깐 약해진 것뿐이었다. 이 삶에서 갈증은 불가피한 부분이라는 것을 나는 다시 한 번 깨달았다.

하지만 그럴 만한 가치가 있다.

나는 자신감을 느끼게 되었다. 안전하다는 느낌은 착각일지 몰라도, 오늘 아무도 죽이지 않았다는 사실에 기분이 좋았다. 낯선 인간에게 손을 대지 않았다면 내가 사랑하는 늑대인간과 반(半)뱀파이어는 당연히 지켜낼 수 있지 않을까.

"르네즈미가 보고 싶어."

내가 말했다. 갈증을 없애고…… 아니 길들이고 나니, 잊고 있던 고민이 다시 떠올랐다. 난 내 딸이란 이름의 이방인과 3일전 내가 사랑했던 아이 사이의 괴리를 없애야 한다. 여전히 내 안에 그 애가 없다는 것이 이상하고 괴이하게 느껴졌다. 갑자기 나는 공허함과 불안감을 느꼈다.

그는 내게 손을 내밀었고 난 그 손을 잡았다. 손은 이전보다 더 따뜻하게 느껴졌다. 그의 뺨이 살짝 붉어진 것 같았고 눈에 깃들어 있던 그늘도 사라졌다. 그의 뺨을 쓰다듬지 않고는 견딜 수 없었다. 그리고 또다시.

반짝이는 그의 황금빛 눈동자를 들여다보면서 나는 그의 대답을 기다리고 있었다는 사실마저 잊었다.

나는 발돋움을 한 채 그의 몸에 내 팔을 감으면서 조심해야 한다는 사실을 잊지 않았다. 인간의 피 냄새를 외면하는 것만큼이나 어려운 일이었지만, 그래도 부드럽게. 에드워드는 거침없이 움직였다. 그의 팔이 내 허리를 감싸더니 나를 자신에게로 끌어당겼다. 내 입술에 세게 부딪혀오는 그의 입술은 그저 너무도 부드러울 뿐이었다. 내 입술은 더 이상 그의 접촉에 따라 모양이 바뀌지 않고 제 모양을 유지했다.

전처럼 그의 피부, 입술, 손의 감촉은 내 부드럽고 단단한 피부를 지나 내 뼈에까지 전해졌다. 내 몸의 중심으로. 내가 예전보다 더 그를 사랑할 수 있으리라고는 꿈에도 생각한 일 없다. 하지만 지금 생각해보면 예전의 내 마음은 이렇게 큰 사랑을 담을 수 없었다. 예전의 내 심장은 그 사랑을 견딜 수 있을 만큼 강하지 않았으니까.

어쩌면 내 안에 원래 있던 부분이 새로운 삶과 더불어 더욱 강해진 것일지도 모른다. 칼라일의 연민과 에스미의 헌신이 그렇듯. 나는 에드워드, 앨리스, 재스퍼처럼 흥미롭거나 특별한 일을 할 수 없을지도 모른다. 그저 역사상 가장 크고 깊은 사랑으로 에드워드를 사랑하는 게 전부일지도.

하지만 그것만으로도 나는 살 수 있다.

그 사랑의 어떤 부분들(예를 들면 그의 머리카락에 내 손가락을 넣거나 그의 가슴을 쓰다듬는 것)은 이미 익숙한 것들이었지만, 다른 면은 전혀 새로운 것들이었다. 그는, 새로웠다. 내게 그렇게 대담하고 힘차게 키스하는 에드워드의 모습은 완전히 새로운 경험이었다. 나도 그의 격렬함에 함께 호응했고, 갑자기 우리는 바닥으로 쓰러졌다.

"이런. 쓰러뜨릴 생각은 아니었는데. 괜찮아?"

내가 그렇게 말하자 밑에 깔려 있던 그는 웃었다. 그리고 손으로 내 얼굴을 쓰다듬었다.

"괜찮은 것보다 조금 더 좋아."

그러다 그의 표정은 곧 혼란스러워졌다.

"르네즈미?"

이 순간 내가 가장 원하는 것이 무엇인지 확인하려는 듯 그가 물었다. 하지만 내겐 원하는 것이 너무 많았기 때문에, 그 질문에 대답하기란 정말 어려웠다.

나는 귀가를 늦춰도 상관없으리라는 사실을 깨달았다. 사실 난 내 피부에 닿는 그의 피부 외에는 그 무엇도 생각하기 힘들었다. 내 드레스는 이제 잔뜩 찢겨나가 별로 남아 있지 않았다. 하지만 르네즈미가 태어나기 전후의 기억이 점점 더 꿈 같아지는 게 걱정스러웠다. 점점 더 비현실적으로 느껴졌다. 그 애에 대한 모든 기억은 인간의 기억이었으니까. 내 기억은 몹시 부자연스럽게 느껴졌고, 꼭 가짜 같았다. 이 눈으로 보지 않고 이 손으로 만지지 않은 것은 그 무엇도 현실 같지 않다. 1분 1분 지날수록 그 작은 이방인은 내게서 점점 멀어져갔다.

"르네즈미."

내가 슬프게 말했다. 그리고 그를 잡아당기면서 튀어 오르듯이 일어섰다.

# 22

# 약속한 것

&#9670;

르네즈미에 대해 생각하다보니 어느덧, 낯설고 새롭고 넓으며 동시에 쉽게 산만해지는 내 마음 중심에 그 아이가 자리 잡았다. 물어볼 게 정말 많았다.

"그 애에 대해 이야기해줘."

내가 그렇게 말하자 에드워드가 내 손을 잡았다. 서로 손을 잡았지만 우리의 속도는 느려지지 않았다.

"이 세상의 그 무엇과도 닮지 않았어."

그가 말했다. 목소리에는 다시 종교에 가까운 신앙심이 깃들어 있었다. 나는 심한 질투를 느꼈다. 그는 그녀를 알지만 나는 모른다. 이건 불공평해.

"그 애는 널 얼마나 닮았어? 또 나는 얼마나 닮았어? 예전의 나 말이야."

"거의 반반인 것 같아."

"따뜻한 피가 흘렀어. 그 애 말이야."

내가 회상했다.

"그래, 그 애는 심장이 뛰고 있지. 인간보다 좀 속도가 빠르긴 하지만 말이야. 체온은 조금 높아. 그리고 잠도 자."

그러곤 에드워드는 덧붙였다.

"신생아로선 정말 운 좋은 일 아니야? 잠을 자지 않아도 되는, 세상에
단 하나뿐인 부모잖아. 그런데도 우리 아이는 늘 밤새도록 잠을 자지."

그가 킥킥거렸다. 그가 우리 아이라고 할 때의 그 말투가 좋았다. 그 애
를 더 현실적인 존재로 만들어주는 것 같아서였다.

"눈 색깔은 정확히 너와 같아. 그러니 결국 잃어버리지 않은 셈이지. 정
말 아름다워."

그가 미소 지었다.

"그럼 뱀파이어랑 닮은 점은?"

내가 물었다.

"피부는 우리처럼 단단한 것 같아. 아무도 시험해볼 생각을 하진 않겠
지만."

조금 충격을 받았으므로 나는 눈을 깜빡였다.

"아무도 그런 짓은 안 할 거야. 당연하잖아. 그 애가 먹는 건…… 음, 피
를 좋아하지. 칼라일이 계속 설득해서 유아용 유동식을 먹이려 하지만, 참
아내질 못하더라고. 사실 그 애를 탓할 수는 없어. 불쾌한 냄새가 나는걸.
심지어 인간의 음식도 말이야."

그는 그렇게 나를 안심시켰다. 나는 멍하니 입을 벌리고 그를 바라보았
다. 이야기를 듣자니 마치 그들이 서로 대화를 나누기라도 한 것 같았기
때문이다.

"설득한다고?"

"그 애는 똑똑해. 믿어지지 않을 만큼. 게다가 놀라운 속도로 성장하고
있고. 아직 말은 못하지만 그래도 아주 능숙하게 의사소통을 하지."

"아직. 말은. 못한다고."

내가 그 의미를 받아들이고 이해할 수 있도록 에드워드는 좀 속도를 늦추었다.

"능숙하게 의사소통을 한다니 무슨 뜻이야?"

내가 물었다.

"네가…… 직접 보는 게 더 쉬울 거야. 설명하기 어렵거든."

직접 보아야만 현실로 받아들일 수 있는 것들이 많다. 나는 잠시 고민해 보았다. 하지만 스스로 어느 정도 마음의 준비가 되어 있는지 확신하기 힘들었다. 그래서 화제를 바꾸었다.

"제이콥은 왜 아직까지 여기 있는 거야? 어떻게 이 상황을 견딜 수 있는 거지? 대체 왜? 왜 제이콥이 계속 고통 받아야 해?"

나는 물었다. 종소리 같은 내 목소리는 조금 떨려 나왔다.

"제이콥은 고통 받지 않아. 솔직히 말해 난 정말 고통을 주고 싶지만."

에드워드가 이를 악물었다. 그 말투가 내겐 너무 이상하게 들렸다.

"에드워드."

나는 그를 잡아 세우고(내가 그에게 이렇게 할 수 있다니 놀랍지 않은가. 한순간 나는 전율을 느꼈을 정도였다) 화를 냈다.

"어떻게 그런 식으로 말할 수 있어? 제이콥은 우릴 지키려고 모든 걸 포기했는데. 그가 나 때문에 겪은 일들은……!"

나는 부끄럽고 미안한 기억들을 흐릿하게 떠올리며 움찔 굳어졌다. 그때 내가 왜 그렇게 그를 필요로 했는지 이상하기만 했다. 그가 가까이 없을 때마다 느껴졌던 결핍감은 이제 사라졌다. 어쩌면 그건 그냥 인간 특유의 나약함 때문이었을까.

"어떻게 그렇게 말할 수 있냐고? 너도 곧 알게 될 걸. 직접 설명할 기회를 주겠다고 제이콥에게 약속하긴 했어. 하지만 너라고 해서 그 일을 나와 다르게 받아들일까? 물론 난 네 생각을 잘못 읽어낼 때가 많았지만 말이야. 그렇지?"

에드워드는 그렇게 중얼거리고서, 입술을 오므린 채 날 바라보았다. 내가 되물었다.

"뭘 설명해?"

에드워드는 고개를 저었다. 그리고 잠시 이를 갈더니 말했다.

"놈과 약속을 했어. 내가 아직도 빚진 게 남아있는지는 잘 모르겠지만……"

"에드워드, 난 모르겠어."

이제 머릿속을 채운 것은 좌절감과 분노였다. 에드워드가 내 뺨을 쓰다듬었고, 잔뜩 굳었던 내 얼굴은 그 손길에 반응하여 겨우 풀어졌다. 그가 부드럽게 미소 지었다.

"네가 속으론 더 힘들어한다는 거 알아. 기억하고 있으니까."

"이렇게 혼란스러운 기분 싫어."

"알아. 그러니까 집에 가서 네 눈으로 직접 봐."

집으로 가자는 말을 하면서 그는 찢어진 내 드레스를 훑어보았다. 그러고는 얼굴을 찡그렸다.

"흠."

아주 잠깐 생각한 후에 그가 흰 셔츠의 단추를 풀더니 내가 입을 수 있게 펼쳐 들었다.

"그렇게 심해?"

그가 싱긋 웃었다. 난 소매에 팔을 집어넣고 재빨리 단추를 잠가서 누더기가 된 드레스를 가렸다. 상의를 벗은 그의 모습은 언제나 그렇듯 내 마음을 사로잡았다.

"나, 너랑 경주할 거야. 이번에는 일부러 져주면 안 돼!"

나는 그에게 경고했다. 에드워드가 내 손을 놓더니 싱긋 웃었다.

"준비……!"

예전에 살던 집보다 새 집을 찾아가는 게 훨씬 간단했다. 우리의 냄새가 진하게 남아 있어 전속력으로 달리면서도 쉽고 정확하게 길을 찾을 수 있었다.

강가에 도착할 때까지는 에드워드가 나를 앞질렀다. 난 이겨야겠다고 결심하고 모든 걸 운에 맡겼다. 그러고 나서 에드워드보다 먼저, 있는 힘껏 뛰어올랐다.

"하!"

내 발이 풀밭에 먼저 닿았으므로 나는 기뻤다. 그가 착지하는 소리에 귀를 기울이다가 난 전혀 예상하지 못한 소리를 들었다. 아주 가까운 곳에서 크게 들려오는 소리. 쿵쿵거리는 심장소리였다. 그와 동시에 에드워드도 내 팔뚝을 꼭 잡은 채 곁에 가까이 와 섰다.

"숨 쉬지 마."

그가 급히 내게 주의를 주었다. 나는 호흡을 멈추고 허둥대지 않으려 애썼다. 그리고 눈동자만 움직이면서 본능에 의지해 소리가 나는 곳을 찾았다.

숲과 컬렌 가의 잔디밭이 만나는 지점에 제이콥이 서 있었다. 그는 팔짱을 낀 채 입을 꽉 다물고 있었다. 뒤쪽에 있는 나무들에 가려 보이지는 않았지만, 두 개의 더 큰 심장소리와 양치류가 거대한 발에 밟히는 희미한 소리도 함께 들렸다.

"조심해, 제이콥. 그리 좋은 방법은 아닌 것 같다."

에드워드가 경고했다. 숲에서 메아리쳐온 그의 목소리에는 불안이 담겨 있었다.

"그럼 벨라를 바로 아기 곁으로 데려가자는 거야? 일단 나한테 어떻게 하는지부터 보는 게 안전할 것 같은데. 난 다쳐도 금방 낫잖아."

제이콥이 그렇게 에드워드의 말을 잘랐다. 시험해 보자는 건가? 내가 정말 르네즈미를 죽이지 않을지 보려고, 제이콥을 먼저 상대하게 하겠다는 뜻인가. 갑자기 속이 쑤셔왔다. 위장이 아니라 마음이. 이건 에드워드 생각이었을까.

나는 걱정스럽게 에드워드의 얼굴을 바라보았다. 잠깐 생각에 잠겼던 에드워드의 표정이 불안 아닌 다른 것으로 바뀌었다. 그가 어깨를 으쓱하더니 적대감을 담아 말했다.

"네 목을 노릴 거야."

이번에는 나무 뒤에서 화난 듯 으르렁대는 소리가 들려왔다. 저건 리야. 나는 확신할 수 있었다.

에드워드가 왜 저러는 거지? 그동안 겪은 일도 있는데, 제이콥을 좀 좋아해주면 안되는 걸까. 내 베스트프렌드인데. 이젠 에드워드도 제이콥의 친구라고 생각했었는데……. 어쩌면 내 어리석은 착각에 불과했던 건지도 모른다.

그건 그렇고, 제이콥은 지금 뭘 하는 거지? 왜 스스로 실험대상이 되어 르네즈미를 보호하려 하는 걸까. 대체 왜 그가? 도저히 이해하기 힘들었다. 마치 우리 둘 사이에 우정이 남아 있는 것처럼…….

제이콥과 시선을 마주치면서 나는, 우정이 정말로 살아남았을지도 모른다고 생각했다. 그는 여전히 내 베스트프렌드로 보였으니까. 하지만 변한건 나지 그가 아니다. 지금 그에게 나는 어떻게 보일까?

그때 제이콥이 친숙한 미소, 동지의 미소를 지었고 난 우리의 우정이 변하지 않은 것을 알았다. 그의 집에 있는 허름한 차고에서 스스럼없이 어울리며 시간을 보내던 때와 전혀 달라지지 않았다. 편안하고, 평범한 우정. 뱀파이어가 되기 전 나는 그를 그렇게 간절히 원했었지만, 이제 그런 마음은 깨끗이 사라지고 없었다. 나는 다시 실감할 수 있었다. 그는 그냥 친구일 뿐이었다.

하지만 그래도 여전히 그가 뭘 하고 있는지 이해할 수가 없었다. 그냥 너무 이타적이라서, 내가 순식간에 이성을 잃고 영원히 후회 속에 살아갈 잘못을 저지르지 않도록 날 지켜주려는 것일까. 자기 목숨까지 걸고서? 그건 현재의 내 모습을 참아주거나 친구로 남아주는 것과는 전혀 다른 얘기였다. 제이콥은 내가 아는 사람을 통틀어 가장 좋은 사람이긴 하지만, 그래도 이건 지나친 일 같았다.

그가 활짝 미소를 짓더니 살짝 어깨를 으쓱였다.

"말해줘야겠네, 벨라. 너 기형아 같아."

나는 예전으로 돌아가 싱긋 웃었다. 그래. 이게 내가 알고 있는 제이콥이지. 에드워드가 으르렁거렸다.

"조심해, 잡종 개야."

뒤쪽에서 바람이 불어왔고, 나는 재빨리 안전한 공기로 폐를 채웠다. 그래야 말을 할 수 있었기 때문이다.

"아니, 제이콥 말이 맞아. 눈 진짜 끝내주지?"

"완전 소름끼쳐. 하지만 내가 생각했던 것만큼 심하지는 않군."

"세상에! 그런 엄청난 칭찬을 다 해주고. 정말 고마워."

그가 눈동자를 굴렸다.

"내 말뜻 알잖아. 넌 여전히 너로 보여……, 대충은 말이야. 모습은 그렇게……. 어쨌든 넌 벨라야. 여전히 네가 여기 존재한다고 느끼게 될 줄은 몰랐어."

그가 다시 내게 미소 지었다. 그 얼굴에 비통함이나 분노의 흔적은 없었다. 이어 제이콥은 키득거리며 덧붙였다.

"어쨌든 그 눈엔 나도 금방 적응될 거야."

"그럴까?"

나는 당황해서 그렇게 되물었다. 우리가 여전히 친구라는 사실이 기쁘기는 했지만, 그렇다고 해서 함께 많은 시간을 보내게 될 것 같지는 않았기 때문이다. 미소가 사라지더니 그의 얼굴에 정말 이상한 표정이 스쳐갔다. 뭐라고 할까……, 죄책감? 그때 그가 에드워드에게로 시선을 옮기더니 이렇게 말했다.

"고마워. 약속했든 안 했든, 네가 비밀을 지켜줄 줄은 몰랐어. 넌 늘 벨라가 원하는 거라면 뭐든 들어주잖아."

그가 말했다.

"벨라가 화가 나서 네 머릴 날려버렸으면 좋겠군."

에드워드가 대꾸했다. 제이콥이 코웃음 쳤다.

"무슨 일이야? 무슨 비밀이 있는 건데?"

나는 의심스러웠다.

"나중에 설명할게."

제이콥이 겸연쩍어했다. 원래는 그럴 계획이 없었던 것처럼. 그리고 그는 주제를 바꿨다.

"우선 시작해보자."

그렇게 말하고서 제이콥은 앞으로 걸어 나오며 도전적인 미소를 지었다. 그의 뒤쪽에서 항의하듯 낑낑거리는 소리가 났고, 곧 리의 회색 몸이 나무들 사이로 나타났다. 좀 더 키가 크고 털이 모래빛인 세스도 그녀 뒤에 있었다.

"다들 진정해. 끼어들지 말고."

제이콥이 말했다. 나는 그들이 말을 듣지 않고 천천히 그의 뒤를 따라오는 게 기뻤다. 이제 바람은 멈췄고, 그의 냄새가 내게 오지 못하도록 막아줄 장벽은 없었다. 그가 다가오면서 공기로 전해지는 제이콥의 체온을 느낄 수 있었다. 거기 반응하듯 내 목구멍이 화끈거렸다.

"자, 벨라. 맘껏 날뛰어봐."

리가 위협하는 소리를 냈다. 나는 숨을 쉬고 싶지 않았다. 아무리 제이콥 스스로 제안했다 해도, 그가 이런 위험을 무릅쓰는 건 정당하지 않으니까. 하지만 나로서도 어쩔 수 없었다. 내가 르네즈미를 해치지 않으리라는 걸 확인할 수 있는 방법이 이것 말고 또 뭐가 있을까.

"꾸물대다 나 늙겠다, 벨라. 아, 물론 진짜 늙는다는 건 아냐. 너도 알겠지. 자, 숨 쉬어."

제이콥이 비아냥거렸다.

"나 좀 잡아줘."

나는 그렇게 말하며 제이콥의 가슴으로 움찔거리며 다가섰다. 그의 손이 내 팔을 꽉 잡았다. 나는 차라리 이대로 온몸이 굳어버리길 바라며 근육을 긴장시켰다. 적어도 아까 사냥할 때만큼은 할 수 있으리라는 생각이 들었다. 그러다 최악의 상황이 닥치면 숨을 멈추고 달아나야 할 것이다. 나는 마음의 준비를 하고, 초조하게 코로 숨을 약간 들이쉬었다.

그러자 조금 고통스럽긴 했지만, 이미 내 목구멍은 계속 불타고 있는 상태였다. 하지만 제이콥에게서 나는 냄새는 오히려 쿠거보다도 인간의 그것과 멀었다. 그의 피에서는 동물의 냄새가 느껴졌다. 심장에서 들려오는 크고 촉촉한 소리는 매력적이었지만, 거기 실려오는 냄새 때문에 나는 코를 찡그리지 않을 수 없었다. 난 한 번 더 숨을 쉬고서 긴장을 풀었다.

"음. 이제 다들 왜 그러는지 알겠는걸. 제이콥 너, 냄새 나."

에드워드가 웃음을 터뜨렸다. 그리고 내 어깨에서 손을 내리더니 허리를 감쌌다. 세스도 에드워드와 함께 소리 내어 웃어댔다. 리는 몇 걸음 물러났지만 세스는 좀 더 가까이 다가왔다. 그때 나는 또 다른 관객이 이 장면을 지켜보고 있는 걸 알아차렸다. 에밋의 낮고 또렷한 웃음소리가 유리벽 뒤로부터 들려왔던 것이다.

"누가 할 소리!"

제이콥이 과장되게 코를 막으며 말했다. 에드워드가 나를 안을 때에도, 심지어 에드워드가 차분하게 내 귀에다 '사랑해'라고 속삭일 때에도 제이콥은 전혀 얼굴을 찡그리지 않았다. 그저 계속 미소만 짓고 있었다. 덕분에 나는 우리 사이가 예전과는 달리 문제없이 잘 돌아갈 수 있으리라는 희망을 품었다. 이제 우리는 서로에게 생리적인 역겨움을 느끼고 있으니, 사랑하는 사이가 될 수도 없다. 어쩌면 이젠 정말 진정한 친구가 될 수 있을지도. 우리에게 필요했던 건 바로 그런 것인지도 모른다.

"좋아, 통과했지? 이제 그 대단한 비밀이 뭔지 이야기할 거지?"

내가 그렇게 말하자 제이콥은 초조한 표정을 지었다.

"네가 지금 걱정할 필요는 없는 일인데……."

에밋이 낄낄대는 소리가 다시 들려왔다. 기대감이 담긴 웃음이었다. 에밋의 웃음소리와 함께 다른 소리들이 들려오지만 않았다면, 난 계속 제이콥을 추궁했을 것이다. 일곱 명이 숨을 쉬고 있었지만 그 중 단 하나의 심장만이 새의 날개처럼 빠르고 가볍게 파닥였다.

난 완전히 거기 정신이 팔렸다. 저 얇은 유리벽 건너편에 내 딸이 있다. 하지만 나는 그애의 모습을 볼 수 없었고, 대신 거울 같은 창에 반사된 내 모습만 보였다. 제이콥과 비교하니 아주 이상해 보였다. 너무 하얗고, 너무 고요한 모습. 하지만 에드워드와 비교하니 더 없이 정상으로 보이기도 했다.

"르네즈미."

나는 속삭였다. 그리고는 극심한 스트레스로 꼼짝없이 얼어붙었다. 르네즈미에게서 동물의 냄새는 나지 않을 것이다. 그러니 난 그녀를 위험에 빠뜨리게 될까?

"가서 보자. 넌 잘 해낼 거야."

에드워드가 중얼거렸다.

"도와줄 거지?"

내가 입술을 움직이지 않고 속삭였다.

"당연하잖아."

"그리고 만약에 대비해, 에밋과 재스퍼도 있고?"

"우리가 도와줄게, 벨라. 걱정 마, 이미 준비는 되어 있어. 누구도 르네즈미를 위험 속에 방치하지 않을 거야. 르네즈미가 그 작은 손가락으로 우리 모두를 꼼짝 못하게 하는 걸 보면 아마 넌 깜짝 놀랄걸. 무슨 일이 있어도 그 앤 안전해."

내 딸을 보고 싶다는 열망, 왜 그 애 얘기를 할 때마다 에드워드가 숭배하는 듯한 목소리가 되는지 알고 싶다는 욕망이 얼어붙어 있던 나를 움직였다. 나는 앞으로 한 걸음 내디뎠다.

그 순간 제이콥이 걱정스러운 표정으로 내 앞을 막아섰다.

"확신해, 흡혈귀? 난 싫어. 아무래도 벨라는 좀 더 기다리는 게……."

그렇게 말하는 그의 목소리는 거의 애원에 가까웠다. 제이콥이 에드워드에게 그런 식으로 얘기하는 건 처음 들어보았다.

"네가 하자는 대로 시험도 해봤잖아, 제이콥."

제이콥 생각이었던 거야?

"하지만……."

제이콥이 다시 입을 열었다.

"하지만 아무 일도 없었지. 벨라는 우리 딸을 봐야 해. 비켜."

에드워드가 화를 내며 제이콥의 말을 잘라버렸다. 흥분이 어린 기이한 눈빛으로 나를 보던 제이콥은 몸을 돌리더니 앞장서서 집으로 달려갔다. 거의 질주하듯이.

에드워드가 으르렁거렸다. 나는 그들이 대립하는 이유를 이해할 수 없었고, 사실 거기 관심을 쏟을 여유도 없었다. 그저 기억 속에 몽환처럼 남아 있는 내 아이만 생각하며, 그 애의 얼굴을 기억해내려 애썼다.

"갈까?"

에드워드가 다시 부드러운 목소리로 말했다. 나는 초조하게 고개를 끄덕였다. 그가 내 손을 꼭 잡더니 집으로 향하기 시작했다.

다른 이들은 미소를 지으며 늘어선 채 나를 기다리고 있었다. 나를 환영하는 동시에 방어하기 위해서였다. 로잘리는 현관문 근처에 있는 다른 사람들보다 몇 걸음 뒤에 서 있었다. 제이콥이 혼자인 그녀 곁으로 다가가 앞에 섰다. 그렇게 붙어 있어도 그들 사이에는 어떤 친밀감도 없었다. 그저 둘 다 서로 가까이 있다는 사실에 진저리만 치는 것 같았다.

로잘리의 품에 있던 아주 작은 누군가가 몸을 돌리더니 제이콥 너머로 이쪽을 바라보았다. 그 애는 당장 내 관심과 생각 모두를 사로잡아버리고 말았다. 내가 처음 눈을 뜬 이후로 본 그 무엇도, 이 애만큼 날 강하게 끌어당기진 못했다.

"내가 이틀간만 의식이 없었던 거 맞아?"

믿을 수 없어 숨이 막혀왔다. 로잘리의 품에 안겨 있는 아이는 생후 몇 주, 아니 최소 몇 달은 된 것 같았다. 그 애는 내 희미한 기억 속에 남아 있는 아기보다 두 배는 컸다. 게다가 내게로 몸을 뻗으면서도 자기 몸을 잘 가누었다. 어깨까지 오는 곱슬곱슬한 머리카락은 반짝이는 브론즈 빛이었다. 아이의 초콜릿브라운색 눈이 흥미로운 듯 나를 관찰했다. 그런데 그 모습이, 전혀 아이 같지 않았다. 그 애가 한 손을 들더니 내 쪽으로 뻗었다가 다시 로잘리의 목에 댔다.

아이의 얼굴이 그때처럼 아름답고 완벽하지 않았다면 도저히 같은 아이란 걸 믿지 못했을 것이다. 내 아이.

아이의 윤곽은 에드워드를 닮았고, 눈과 뺨의 빛깔은 나를 닮았다. 그리고 머리숱이 많고 곱슬곱슬한 것은 찰리를, 머리 색깔은 에드워드를 닮은 듯했다. 이 애는 우리 애가 틀림없었다. 믿기 힘들지만 사실이었다.

정말 놀라운 아이. 내 눈으로 보고서도 여전히 현실 같지 않았고, 오히려 더욱 공상 속의 인물처럼 느껴졌다. 로잘리가 자신의 목을 잡고 있는 손을 두드리며 이렇게 속삭였다.

"그래, 엄마야."

르네즈미의 눈이 내 눈을 바라보았다. 그리고 그때처럼 미소 지었다. 고통스런 출산 후에 내게 몇 초 동안 보여주었던 바로 그 미소를. 작고 완벽한 하얀 이빨을 반짝이면서.

나는 비틀거리며 안으로 들어서, 주저하면서 한 걸음 뗐다.

그러자 모두가 아주 빠르게 움직였다. 에밋과 재스퍼는 내 앞에서 서로 어깨를 나란히 한 채 주먹을 쥐고 있었다. 에드워드는 뒤에서 내 팔을 꼭 잡고 있었다. 심지어 칼라일과 에스미도 에밋과 재스퍼 옆으로 붙었고, 로잘리는 르네즈미를 꼭 안고서 문 쪽으로 물러섰다. 제이콥 역시 로잘리와 르네즈미 앞에서 방어 자세를 취하고 있었다. 제자리에 그대로 있는 건 앨리스 뿐이었다.

"벨라를 좀 믿어 봐요. 아무 짓도 하지 않았잖아요. 벨라 너도 더 가까이서 보고 싶잖아."

앨리스가 그렇게 말하며 다른 가족들을 다그쳤다. 그 말이 옳다고 생각했다. 나는 자신을 통제할 수 있다. 어떤 일에든 준비가 되어 있었다. 숲에서 인간의 냄새를 맡았을 때도 그 끈질긴 유혹을 난 물리쳤다. 그에 비한다면 이곳에서 나는 냄새는 정말 아무것도 아니었다. 르네즈미의 향기는 가장 향기로운 향수와 가장 맛있는 음식 사이에서 완벽하게 균형을 잡고 있었다. 인간의 냄새가 지나치지 않도록 뱀파이어의 냄새가 균형을 잡아주었다.

잘 할 수 있어. 난 확신했다.

"난 괜찮아."

그렇게 말하며 내 팔을 잡고 있는 에드워드의 손을 두드렸다. 그리고 잠시 머뭇대다가 이렇게 덧붙였다.

"그래도 옆에 있어줘. 만약에 대비해서."

긴장으로 굳어진 재스퍼의 눈이 나를 응시했다. 그는 지금의 내 기분을 가늠하고 있었고, 나는 안정을 유지하려 노력했다. 에드워드는 재스퍼가 나에 대해 어떻게 평가하는지 읽어내고 내 팔을 놓아주었다. 하지만 정작 재스퍼는 그리 날 믿는 것 같지가 않았다.

내 목소리를 들은 너무나 똘똘한 그 애는, 로잘리의 품에서 버둥대며 내게로 몸을 뻗었다. 표정이 조급해 보였다.

"재스퍼, 에밋! 지나가게 해줘. 벨라는 이제 아무런 문제없어."

"에드워드, 위험은……."

"극히 적어. 이 얘기 좀 들어봐, 재스퍼. 벨라와 사냥을 나갔다가 등산객들의 냄새를 맡게 됐어. 예상치 못했던 실수였지."

칼라일이 큰 충격을 받은 듯 숨을 들이쉬는 소리가 들렸다. 에스미는 동정과 걱정이 뒤엉킨 표정이 되었다. 재스퍼가 눈을 크게 뜨더니 조금 고개를 끄덕였다. 마치 에드워드의 말이 그가 생각하고 있던 어떤 질문에 대한 답이 된 것처럼. 제이콥은 혐오스러운 듯이 입술을 오므렸고, 에밋은 어깨를 으쓱해보였다. 로잘리는 자신의 품에서 버둥대는 아기를 돌보느라 에밋만큼도 관심이 없는 것 같았다.

앨리스의 표정을 보니 그녀는 놀라지 않은 것 같았다. 대신 내가 빌려입은 셔츠를 가늘게 뜬 눈으로 바라보며, 아까 입고 나간 옷의 운명을 걱정하는 것 같았다.

"에드워드! 어떻게 그렇게 무책임할 수 있지?"

칼라일은 애써 감정을 억누르는 것 같았다.

"알아요, 칼라일, 알아요. 제가 바보짓을 했죠. 벨라가 사냥을 하기 전에 꼭 확인했어야 하는 건데."

"에드워드."

나는 중얼거렸다. 그들은 날 바라보며 당황스러운 빛을 숨기지 않았다. 내 눈이 더 선명한 붉은빛을 띠고 있는지 살피는 것 같았다.

"칼라일이 비난하는 건 당연한 거야, 벨라. 난 엄청난 실수를 저지르고 말았으니까. 내가 아는 뱀파이어 중 네가 가장 강하기는 하지만, 그 사실만으로는 내 잘못이 덮이지 않아."

에드워드가 웃으며 말했다. 앨리스가 눈동자를 굴렸다.

"아주 그럴싸한 농담이네, 에드워드."

"농담하는 거 아냐. 벨라가 어떻게 그럴 수 있었는지 재스퍼에게 설명하던 참이었어. 다들 성급하게 결론으로 건너뛰는 게 내 잘못은 아니잖아?"

"잠깐! 벨라가 인간을 사냥하지 않았다는 거야?"

재스퍼가 숨을 헐떡였다.

"사냥을 시작하긴 했지. 그리고 완전히 몰입했었어."

에드워드가 대답했다. 분명 즐기고 있는 것 같았다. 나는 이를 갈았다.

"그래서 어떻게 됐어?"

칼라일이 끼어들었다. 그의 눈이 갑자기 환해졌고, 얼굴에는 놀란 듯한 미소가 피어났다. 그것을 보니 내가 뱀파이어로 변할 때의 일을 그가 자세히 알고 싶어 했던 게 떠올랐다. 그는 새로운 지식을 얻는 일에 전율을 느끼는 것 같았다. 에드워드가 기운차게 그에게로 몸을 숙였다.

"전 막으려 했고, 벨라는 처음에는 방어했어요. 하지만 내가 뒤쫓는 걸 알고 제정신을 차리더니 즉시 사냥을 그만두더라고요. 난 이런 경우는 단 한번도 본 적이 없어요. 벨라는 무슨 일이 벌어지고 있는지 곧바로 파악했고…… 숨을 멈추고 달아났어요."

"와……, 그게 정말이야?"

에밋이 혀를 내둘렀다.

"에드워드가 정확하게 얘기하지 않은 것 같아요. 난 그에게 으르렁거리기도 했는데 그 부분을 빼먹었거든요."

내가 당황해서 덧붙였다.

"두어 대 때려준 건 아니고?"

에밋이 열성적으로 물었다.

"아니! 그럴 리가 없잖아."

"아니라고? 정말 아냐? 진짜로 공격하지 않았단 말이야?"

"에밋!"

내가 소리쳤다.

"아까워라. 여기서 에드워드를 속일 수 있는 사람은 너뿐이잖아. 네 머리 속만은 읽지 못하니까. 게다가 완벽한 핑곗거리도 있었고."

에밋이 투덜대더니 한숨을 한 번 쉬고서 덧붙였다.

"에드워드에게 그런 능력이 없으면 어떻게 되는지 꼭 한 번 보고 싶었는데."

나는 그를 차갑게 노려보았다.

"그런 일은 절대로 없을 거야."

재스퍼의 찡그린 얼굴이 눈에 들어왔다. 전보다 더 혼란스러워하는 것 같았다. 에드워드는 주먹으로 가볍게 재스퍼의 어깨를 치며 물었다.

"무슨 뜻인지 알겠어?"

"이런 일은 자연스럽지 않아."

재스퍼가 중얼거렸다.

"벨라는 너에게 반항할 수도 있었어. 뱀파이어가 된 지 고작 몇 시간밖에 안 됐잖아! 아, 우리가 같이 갔어야 하는데."

에스미가 손을 심장부근에 대고 누르며 그렇게 꾸짖었다. 에드워드의 이야기는 거의 끝났기 때문에 이제 내 관심은 다른 데로 쏠려 있었다. 나는 옆에 있는 눈부신 아이를 바라보았고, 그 애도 나를 보았다. 그리고 내가 누구인지 정확히 아는 것처럼 작은 손을 뻗었다. 자동적으로 나도 손을 들어 그 애를 똑같이 따라했다.

"에드워드, 응?"

에드워드를 더 잘 보기 위해 나는 재스퍼 옆으로 목을 내밀었다. 재스퍼는 이를 악물며 움직이지 않았다.

"재스퍼, 이번만큼은 네가 보아온 그 어떤 경우와도 달라. 날 믿어."

앨리스가 조용히 말했다. 잠깐 동안 그들의 시선이 마주쳤고 재스퍼는 고개를 끄덕였다. 내 앞에서 물러서긴 했지만 그는 여전히 한 손을 내 어깨에 올린 채, 앞으로 나가는 나를 따라 천천히 움직였다.

한 걸음 한 걸음 딛기 직전마다 나는 자신의 기분, 목에서 느껴지는 화끈거림, 다른 사람들의 위치 등을 분석했다. 또 내가 얼마나 강한지, 그들이 어느 정도로 나를 견제할 수 있을지도 가늠해 보았다. 몹시 느린 과정이었다.

그때 로잘리에게 안겨서 점점 더 화가 나는 표정으로 버둥대던 아이가 큰 소리로 울음을 터뜨렸다. 모두들 전에는 아이의 목소리를 들어본 적 없는 것처럼 반응했다. 마치 나처럼 말이다.

그들은 제자리에 얼어붙어 있는 나만을 남겨둔 채 순식간에 아이 주위로 몰려들었다. 르네즈미의 울음소리가 내 안에 파고들더니 나를 꼼짝 못하게 했다. 내 눈은 곧 눈물이라도 쏟을 듯 따끔거렸다. 모두가 그 애를 쓰다듬으며 달랬다. 나를 제외한 모두가.

"왜 그래? 아픈 거야? 무슨 일이야?"

그 중 가장 큰 건 제이콥의 목소리였다. 그는 걱정을 가득 담아, 다른 사람들보다 크게 떠들고 있었다. 나는 제이콥이 르네즈미에게 손을 내미는 것을 충격 속에 지켜보았다. 이어 로잘리가 싸우지도 않고 순순히 제이콥에게 그 애를 넘겨주었을 때는 거의 공포에 질려버렸다.

"아니, 애는 괜찮아."

로잘리가 그를 안심시켰다. 로잘리가 제이콥을 안심시켜?

르네즈미는 기꺼이 제이콥에게 가더니 그의 뺨을 작은 손으로 누르고는 다시 내게로 몸을 뻗으며 버둥대기 시작했다.

"봤어? 르네즈미가 원하는 건 벨라뿐이야."

로잘리가 그에게 말했다.

"그 애가 나를 원한다고?"

내가 속삭였다. 나와 닮은 르네즈미의 눈이 초조하게 날 바라보았다. 에드워드가 내 옆으로 달려왔다. 그리고 손을 가볍게 내 팔에 올리더니 나를 앞으로 밀었다.

"르네즈미는 거의 사흘 동안 널 기다렸어."

그가 전했다. 이제 우리는 르네즈미에게서 몇 미터밖에 떨어져 있지 않았다. 그 애에게서부터 나오는 열기가 느껴졌다. 아니면 지금 떨고 있는 건 제이콥인지도 모르겠다. 내가 다가가는 동안 그의 손이 떨리는 게 보였다. 분명 불안을 느끼고 있는데도, 그의 얼굴은 그 어느 때보다 평온했다.

"제이콥, 난 괜찮아."

내가 말했다. 떨리는 그의 팔에 안겨 있는 르네즈미를 보고 있으니 공포가 솟아났지만, 애써 그런 기분을 억눌렀다. 그는 굳어진 눈으로 얼굴을 찡그렸다. 내게 안겨 있는 르네즈미를 생각하는 것만으로도 공포스럽다는 듯이.

르네즈미는 작은 손으로 자꾸만 주먹을 쥐더니 훌쩍이며 몸을 뻗댔다. 그 애가 내 쪽으로 손을 뻗어 자꾸만 허공을 움켜쥐는 동안 그 애의 울음소리, 익숙한 눈동자, 나보다 더 우리의 재회를 바라는 모습……, 그 모두가 가장 자연스러운 패턴으로 엮였다. 갑자기 그 애는 완벽한 현실이 되었고, 내가 그 애를 알고 있는 것 역시 당연한 일이 되어 있었다. 때문에 마지막 한 걸음을 떼며 팔을 뻗어 아이를 안아들기란 너무 쉬웠다.

제이콥은 긴 팔로 내게 아기를 안겨주고서도 옆을 떠나지 않았다. 우리의 피부가 닿자 그가 몸을 조금 떨었다. 그의 피부는 전에도 나보다 훨씬 따뜻했는데 이제는 타오르는 불꽃 같았다. 그의 체온은 르네즈미의 체온과 거의 같았다. 기껏해야 1, 2도 차이밖에 나지 않을 것이다.

르네즈미는 내 피부가 차갑다는 걸 느끼지 못하는 것 같았다. 아니면 벌써 익숙해졌든가. 그 애가 고개를 들더니 작은 정사각형의 이빨과 두 개의 보조개를 드러내며 다시 미소 지었다. 그러고 나서 아주 천천히 내 얼굴로 손을 뻗었다. 그 순간 내 몸을 잡고 있던 손들이 일제히 긴장하며 내가 다음에 취할 행동에 대비하는 것 같았다. 하지만 난 그 손들을 거의 알아차리지도 못했다.

내 마음을 가득 채운 기묘하고 신기한 이미지가 놀랍고 또 두려웠으므로 나는 숨을 헐떡였다. 뭔가 머릿속에 남은 강렬한 기억 같으면서도, 완전히 낯설었다. 마음속으로 떠올린 이미지인데도 실제 눈을 통해 보는 것 같았다. 그 이미지 너머로 뭔가 기대에 차 있는 것 같은 르네즈미의 표정을 바라보면서 나는 필사적으로 평정을 지키려 노력했다. 지금 무슨 일이 일어나는지 이해하려 했다.

이미지는 충격적이고 낯선데다가 조금 이상했다. 그 영상 속에서 나는, 예전의 내 얼굴을 간신히 알아볼 수 있었다. 다른 사람의 시선으로 내 얼굴을 보는 동안 나도 내 얼굴을 보고 있었던 것이다. 어딘가에 비친 내 모습을 보는 것과는 달랐다.

내 기억 속의 얼굴은 비틀리고 일그러진 데다 땀과 피로 덮여 있었다. 그럼에도 불구하고 내 얼굴은 사랑스러운 미소를 짓고 있었다. 내 갈색 눈이 깊게 빛났다. 그 이미지가 커지면서 내 얼굴이 점점 다가와 더 이상 보이지 않게 되더니 사라져버렸다.

르네즈미가 내 뺨에서 손을 뗐다. 그 애는 활짝 미소를 지었고 다시 보조개가 패었다.

거실에는 심장소리 외에는 아무 소리도 들리지 않았다. 제이콥과 로잘리를 제외하고는 누구도 숨조차 쉬지 않았다. 침묵은 계속되었다. 그들은 마치 내가 무슨 말이라도 해주길 기다리는 것 같았다.

"그게…… 뭐지?"

난 간신히 내뱉었다.

"뭘 봤어?"

로잘리가 제이콥(이 순간 그는 이 자리에 어울리지 않는 방해꾼 같았다)의 옆에서 고개를 내밀더니 궁금한 듯이 물었다.

"르네즈미가 뭘 보여줬어?"

"르네즈미가 보여준 거라고?"

내가 속삭였다.

"설명하기 어렵다고 했었지, 아까. 하지만 어쨌든 능숙하게 의사소통을 한다고."

에드워드가 내 귀에 속삭였다.

"뭐였는데?"

제이콥이 물었다. 난 빠르게 몇 번 눈을 깜박였다.

"음. 나를 봤어. 내 생각엔 나인 것 같아. 하지만 끔찍한 모습이었어."

"르네즈미가 너에 대해 갖고 있는 유일한 기억이지."

에드워드가 설명했다. 르네즈미가 떠올린 이미지를 에드워드도 본 것이 분명했다. 그 기억을 애써 털어내려는 듯 그의 몸은 굳어졌다. 목소리는 거칠어져 있었다.

"르네즈미는 자신이 그런 일을 할 수 있다는 것, 그리고 네가 누구인지 알고 있다는 걸 알려주려 한 거야."

"하지만 어떻게 그런 일을 하는 거지?"

르네즈미는 내 놀란 눈에는 관심이 없는 것 같았다. 그 애는 살짝 미소를 지은 채 내 머리채를 잡아당겼다.

"그럼 어떻게 난 다른 이들의 생각을 들을 것 같아? 앨리스는 어떻게 해서 미래를 보지? 르네즈미에게는 특별한 능력이 있는 거야."

에드워드가 그렇게 말하고서 어깨를 으쓱했다.

"참 흥미로운 일이지? 르네즈미는 너와 정확히 반대되는 능력을 가진 것 같아."

칼라일이 에드워드에게 말했다.

"흥미롭죠. 전……."

에드워드가 동의했다. 난 그들이 사색에 빠져드는 것을 알았지만 상관하지 않았다. 그저 세상에서 가장 아름다운 얼굴만 바라보았다. 내 팔에 안긴 뜨거운 아이의 몸은 어둠이 거의 승리하려던 그 순간, 매달릴 끈이라곤 없던 절박한 순간을 떠올리게 했다. 내가 르네즈미에 대해 생각하고, 절대로 놓아버릴 수 없는 무언가를 찾아냈던 그 순간을.

"나도 너를 기억해."

내가 조용히 말했다. 그리고 자연스럽게 몸을 숙여 그 애의 이마에 입을 맞추었다. 그 애에게서는 정말 멋진 향기가 났다. 그 향기 때문에 목구멍이 화끈거렸지만 그런 건 쉽게 무시할 수 있었다. 무엇도 이 순간의 기쁨을 앗아갈 수는 없었기 때문이다. 르네즈미는 현실이다. 그리고 난 이 애를 알고 있다. 처음부터 내가 지키려 했던 바로 그 아이였다. 나의 작은 장난꾸러기. 내 안에 있었고 날 사랑했던 아이. 반은 완벽하고 사랑스러운 에드워드의 모습이었고, 나머지 반은 나였다. 그리고 나와 닮은 면들이 놀랍게도 부정적인 요소가 아니라 긍정적인 요소들이 되었다. 나는 처음부터 끝까지 옳았다. 그 애를 위해 싸울 가치는 충분했던 것이다.

"벨라는 괜찮아."

앨리스가 그렇게 중얼거린 상대는 재스퍼인 것 같았다. 난 그들이 여전히 날 믿지 못하고 주위를 서성대는 것을 느꼈다.

"오늘 하루는 이 정도면 되지 않아?"

제이콥이 물었다. 그의 목소리는 스트레스로 조금 높아져 있었다.

"그래, 벨라는 잘했어. 하지만 안심하지는 말자고."

짜증이 났으므로 나는 그를 노려보았다. 재스퍼는 불안한 듯 내 옆을 서성였다. 다들 너무 가까이에 붙어 있어서 작은 움직임도 아주 크게 느껴졌다.

"왜 그래, 제이콥?"

내가 물었다. 내가 르네즈미를 살짝 잡아당기자 그 애를 잡고 있던 제이콥도 가까이 끌려왔다. 제이콥은 내게 붙어 섰고, 르네즈미는 우리 둘의 가슴을 만졌다. 에드워드가 그를 향해 위협하는 듯한 소리를 냈다.

"너를 이해해. 그렇다고 널 밖으로 내던지지 않을 거라는 착각은 하지 마, 제이콥. 벨라는 정말 잘하고 있어. 그녀의 기분을 망쳐놓지 말란 얘기야."

"내가 에드워드와 함께 널 내던져주지, 잡종 개야. 너 내 배를 걷어찼었지."

로잘리가 흥분한 목소리로 외쳤다. 분명히 그들의 관계는 더 나빠졌으면 나빠졌지 좋아지지는 않은 것 같았다.

난 제이콥의 불안하고 반쯤 화가 난 듯한 표정을 바라보았다. 그의 눈은 르네즈미의 얼굴에 고정되어 있었다. 다들 서로 촘촘히 붙어 있었기 때문에 그 순간 제이콥은 적어도 여섯 명의 뱀파이어와 접촉해야만 했다. 그런데도 전혀 괴로워하지 않는 것 같았다.

그는 정말 나를 막기 위해, 날 지키려고 이 모든 일을 감수하는 것일까?

내가 제이콥이 그토록 증오하던 뱀파이어가 되는 동안 무슨 일이 일어난 걸까? 대체 무슨 일이 일어났기에 내가 뱀파이어가 될 수밖에 없는 이유를 제공했던 르네즈미에게 그가 저렇게 부드러워진 걸까?

제이콥이 내 딸을 바라보는 걸 지켜보면서 떠오른 생각이 있었다. 그는 그 애를 마치…… 마치 눈이 멀었던 사람이 처음으로 태양을 보는 것 같은 시선으로 바라보고 있었다.

"안 돼!"

숨이 막혀왔다. 재스퍼는 이를 악물었고, 에드워드의 팔이 보아뱀처럼 내 가슴을 감쌌다. 동시에 제이콥은 내 팔에서 르네즈미를 빼갔지만 난 굳이 잡지 않았다. 여기 있는 모두가 기다렸던 순간이 다가오는 것을 느꼈기 때문이다.

"로잘리. 르네즈미를 데려가."

나는 이를 악물고 아주 천천히, 그리고 정확하게 말했다. 로잘리는 손을 내밀었고 제이콥은 즉시 내 딸을 넘겨주었다. 로잘리와 르네즈미가 내게서 물러섰다.

"에드워드, 널 다치게 하고 싶지 않아. 그러니까 날 놔줘."

그는 주저했다.

"르네즈미 앞에 가 있어."

내가 말했다. 에드워드가 잠깐 생각해보더니 나를 놓아주었다. 나는 사냥을 할 때처럼 몸을 웅크리고서 제이콥을 향해 천천히 두 걸음 다가갔다.

"네가 어떻게……."

내가 그에게 으르렁거렸다. 그는 손바닥을 위로 향한 채 뒤로 물러서면서 설명하려 했다.

"나도 어쩔 수 없다는 거 알잖아."

"이 멍청한 잡종 개야! 어떻게 그럴 수 있어? 내 아기한테!"

내가 몰아대자 그는 현관문으로 물러섰다.

"내 의지로 한 일이 아니야, 벨라."

"난 내 딸을 기껏 한 번 안아봤는데, 네가 그 애에게…… 그 멍청한 늑대의 권리를 주장해? 이 아인 내 거야."

"나눌 수 있어."

그가 뒷걸음질 쳐 잔디밭을 가로지르면서 애원하듯 말했다.

"판돈을 올려."

뒤쪽에서 에밋의 목소리가 들렸다. 내기를 하는 게 누구누구인지 살짝 궁금해졌지만, 거기에 관심을 쏟을 여유는 없었다. 너무 화가 나 있었기 때문이다.

"어떻게 감히 내 아기한테 '각인' 을 해? 미친 거 아냐?"

"원해서 그런 게 아니었어!"

제이콥이 나무들 사이로 물러났다. 그 순간 그는 더 이상 혼자가 아니게 되었다. 거대한 늑대 두 마리가 다시 나타나더니 제이콥 양 옆에 섰다. 리가 으르렁거렸다. 그에 맞서 무시무시한 소리가 내 이빨 사이에서도 흘러 나왔다. 나는 그것을 듣고 잠시 당황했지만 그래도 계속 앞으로 나아갔다.

"벨라, 잠깐만 내 말 좀 들어줘! 응?"

제이콥이 애원하더니 급히 덧붙였다.

"리, 물러서."

리는 나를 향해 입술을 비죽거리며 그 자리에서 움직이지 않았다.

"내가 왜 네 말을 들어줘야 하지?"

내가 위협하는 소리를 냈다. 머릿속을 채운 건 오직 분노뿐이었고, 분노가 다른 모든 것을 덮어버렸다.

"네가 그렇게 말했으니까. 기억해? 우리가, 서로의 삶의 일부라고 했잖아, 그렇지? 우린 가족이라고도 했어. 넌 너와 내가 가족이어야 한다고 했잖아. 그래서…… 이제 결국 그렇게 된 거야. 네가 원했던 일이라고."

나는 그를 사납게 노려보았다. 그 말들에 대해선 나도 희미하게 기억하고 있다. 그러나 내가 새로 얻은 민첩한 두뇌는 그 교활한 허튼소리를 두 걸음은 앞서 꿰뚫어보았다.

"우리 가족이 되겠다는 건 내 사위가 되겠다는 소리잖아!"

내가 소리 질렀다. 종소리 같은 내 목소리는 두 옥타브쯤 치솟으며 음악처럼 울려나왔다. 에밋이 웃어대기 시작했다.

"벨라를 말려, 에드워드. 제이콥이 다치면 벨라도 괴로울 거야."

에스미가 중얼거렸다. 하지만 뒤에서 누군가 쫓아 나오는 기색은 없었다.

"안 돼! 어떻게 그런 식으로 생각할 수 있어? 제발, 그녀는 아직 아기야."

제이콥이 재빨리 그렇게 내뱉었다.

"내가 하고 싶은 말이 바로 그거야!"

나는 고함을 질렀다.

"내가 그녀를…… 그런 식으로 생각하지 않는다는 거 알잖아! 만약 그런 생각을 했다면 에드워드가 날 살려뒀겠어? 내가 바라는 건 그냥 그녀가 안전하고 행복한 거야. 그게 그렇게 나빠? 네가 바라는 거랑 그렇게 달라?"

제이콥이 소리쳤다. 나는 으르렁대기만 했다. 말이 나오지 않았기 때문이다.

"놀랍죠?"

에드워드가 중얼거리는 소리가 들렸다.

"아직 한 번도 제이콥의 목으로 뛰어들지 않았어."

놀란 칼라일도 그렇게 응수했다.

"좋아, 네가 이겼어."

에밋이 탐탁찮은 투로 그렇게 말했다.

"그 애한테서 떨어져."

나는 제이콥에게 씩씩거렸다.

"그럴 수 없어!"

제이콥은 거부했다. 나는 이를 악물었다.

"노력해봐. 지금부터."

"불가능한 일이야. 사흘 전을 생각해 봐. 내가 옆에 있어주길 넌 그렇게 원했었잖아, 기억해? 우리가 서로 떨어져 있는 게 얼마나 힘들었는지. 이젠 그런 느낌이 다 사라졌지?"

무슨 말이 하고 싶은지 알 수 없었으므로 난 그를 노려보기만 했다.

"그녀 때문이었어. 처음부터 우리는 함께 있어야 했던 거야. 심지어 그때부터."

제이콥이 말했다. 분명 난 기억하고 있었고, 실은 이해하기도 했다. 이것으로 그가 했던 바보짓이 설명될 수 있어 일면 안도감도 느꼈다. 하지만 그래서 더 화가 났다. 이런 말로 넘어갈 수 있을 거라고 생각했나? 그렇게 설명하면 내가 좋다고 할 줄 알았어?

"기회가 있을 때 도망쳐."

내가 위협했다.

"저기, 벨라! 네시도 나를 좋아해."

제이콥이 그렇게 우겼다. 나는 그 자리에 얼어붙었다. 호흡마저 멈춰버렸다. 모두들 불안에 떨고 있는지, 내 뒤에서는 아무 소리도 들리지 않았다.

"뭐…… 라고 부른 거야, 내 딸을?"

제이콥은 한 걸음 뒤로 물러서면서 당황한 표정을 지었다.

"음……. 네가 생각해낸 이름은 좀 어렵고, 게다가……."

그가 어물어물 대답했다.

"내 딸에게 네스 호의 괴물 이름을 붙여준 거야?"

내가 비명을 질렀다. 그리고 난 그의 목을 향해 돌진했다.

## 23
# 지나간 기억들

—◆—

"미안해, 세스. 내가 그냥 옆에 있었어야 했는데."

에드워드는 여전히 사과하고 있었지만, 불필요한 일이었다. 어쨌든 에드워드는 전혀 이성을 잃었던 적이 없으니까. 에드워드는 제이콥의 머리를 물어뜯으려 하지 않았고, 제이콥 역시 스스로를 보호하기 위해 변신할 생각조차 없는 것 같았다. 그저 에드워드는 우리 사이로 뛰어들다가 사고로 세스의 어깨와 쇄골을 부러뜨린 것뿐이다. '베스트프렌드'를 죽일 생각은 전혀 없었다는 뜻이다. 문제의 베스트프렌드가 벌 받을 짓을 하지 않은 건 아니지만, 그렇다고 내 행동이 정당화될 수는 없다. 그러니 역시 사과할 사람은 내가 아닐까? 나는 다시 용서를 구하려 했다.

"세스, 미⋯⋯."

"괜찮아요, 벨라. 난 정말 괜찮아요."

세스가 이 말을 하는 동시에 에드워드도 이렇게 말했다.

"벨라, 내 사랑. 아무도 널 욕하지 않아. 넌 잘하고 있으니까."

그들은 내가 아무 말도 하지 못하게 했다. 에드워드가 미소를 참고 있는 것 같아서 더 껄끄러웠다. 사실 제이콥에게 그렇게까지 할 필요는 없었던 건데도 에드워드는 왠지 만족스러워하고 있는 것 같았다. 어쩌면, 갓 태어난 뱀파이어라는 훌륭한 핑계만 있었다면 그 역시 자신을 짜증나게 하는 제이콥에게 뭔가 응징을 해 주고 싶었던 게 아닐까.

내 몸에서 분노를 완전히 지워내려 했지만 쉽지 않았다. 그 애를 나로부터, 흥분한 신생 뱀파이어로부터 지키려고 제이콥이 르네즈미 곁에 있다는 생각만 하면…….

칼라일이 팔에 부목을 대자 세스가 움찔했다.

"미안, 미안!"

제대로 사과할 기회를 잡을 수 없을 것 같았으므로 난 이렇게 중얼거렸다.

"그러지 말아요, 벨라."

세스가 다치지 않은 손으로 내 무릎을 두드렸다. 에드워드도 반대쪽에서 내 팔을 문질렀다. 세스가 칼라일의 치료를 받는 동안 난 그 옆에 앉아 있었다. 그런데도 세스는 거부감을 느끼는 것 같지 않았다.

"30분 후면 멀쩡해질 거예요."

그는 여전히 내 무릎을 두드렸다. 차갑고 단단한 내 피부를 전혀 개의치 않는 듯이.

"누구라도 그랬을 거예요, 제이콥이랑 네……."

그는 중간에서 말을 끊더니 재빨리 화제를 바꿨다.

"그래도 날 물지는 않았잖아요. 그랬다면 정말 끔찍했을 텐데."

난 두 손에 얼굴을 파묻고 몸을 떨었다. 현실적으로 얼마든지 가능한 일이었다. 정말로 쉽게 벌어질 수 있는 일. 늑대인간들은 뱀파이어의 독에 인간처럼 반응하지 않는다고 그들이 방금 이야기해주었다. 그건 그들에게는 그저 독일 뿐이었다.

"난 나빠."

"아냐. 내가……."

에드워드가 입을 열었다. 나는 한숨을 쉬며 가로막았다.

"그만해."

에드워드가 항상 이런 식으로 모든 책임을 떠안는 게 나는 늘 싫었다.

"다행히도 네…… 르네즈미에게는 독이 없어요. 그 애는 항상 제이콥을 물거든요."

잠시 동안의 어색한 침묵이 흐른 후 세스가 말했다. 나는 얼굴에서 손을 뗐다.

"그래?"

"응. 제이콥과 로잘리가 먹을 걸 빨리 갖다 주지 않으면. 로잘리는 아주 재미있어 하지."

나는 충격을 받아 그를 바라보았다. 그 말에 조금 즐거워하면서 약간의 죄책감도 느꼈다. 물론 르네즈미가 독이 없다는 걸 난 알고 있었다. 그 애가 처음으로 문 사람은 나니까. 하지만 최근의 일들을 전부 잊어버린 척하느라 그 사실을 이야기하지 않았다.

"자, 세스."

칼라일이 자리에서 일어나더니 뒤로 물러섰다.

"내가 할 수 있는 건 다 했어. 몇 시간은 움직이지 마. 인간도 이렇게 금방 치료가 되면 얼마나 좋을까."

칼라일이 소리 내어 웃더니 세스의 검은 머리카락을 잠깐 만졌다.

"꼼짝하지 말고 있어."

그는 그런 말을 남기고 위층으로 사라졌다. 곧이어 사무실 문이 닫히는 소리가 났다. 내가 그 방에 있었다는 증거들은 이제 모두 치워졌을까?

"잠깐 동안만 가만히 앉아 있으면 될 거예요."

칼라일이 가버린 후 세스가 이렇게 말하더니, 크게 하품을 했다. 세스는 어깨가 비틀리지 않도록 조심스럽게 소파 등받이에 머리를 기대고 눈을 감았다. 몇 초 후 그의 입이 스르르 벌어졌다.

나는 그 평화로운 얼굴을 보며 잠깐 얼굴을 찡그렸다. 제이콥처럼 세스도 언제든 자고 싶을 때 잘 수 있는 능력을 지닌 것 같았다. 한동안은 그에게 사과할 틈이 없으리라는 사실을 깨닫고 난 자리에서 일어섰다. 소파는 조금도 흔들리지 않았다. 몸으로 하는 일은 뭐가 됐든 이제 쉽기만 한데 나머지는…….

에드워드가 나를 따라 뒤쪽 창문으로 오더니 내 손을 잡았다.

리는 강을 따라 걷다가 가끔 멈춰 서서 우리 집을 바라보았다. 그녀가 자신의 동생을 찾고 있는지, 아니면 나를 찾고 있는지 알아보기는 쉬웠다. 눈빛에 걱정스러움과 잔인함이 계속 교차했기 때문이다.

제이콥과 로잘리는 집 앞 계단에 앉아 누가 르네즈미를 먹일 차례인지를 두고 조용히 다투고 있었다. 그런데도 내가 분노를 100퍼센트 벗어던지기 전에는 아기 근처에 올 수 없다는 데 의견 일치를 보았다. 에드워드는 그들의 결정에 반대했지만 난 그냥 받아들였다. 나 역시 확실한 걸 원하니까. 그들의 100퍼센트와 나의 100퍼센트가 전혀 다르다는 게 걱정되기는 하지만.

둘이 말다툼하는 소리, 세스가 느리게 숨쉬는 소리, 그리고 리가 숨을 헐떡이는 소리를 제외하고는 몹시 조용했다. 에밋, 앨리스, 에스미는 사냥을 갔다. 재스퍼는 나를 감시하기 위해 남았다. 그는 방해가 되지 않도록 계단 기둥 뒤에 조용히 서 있었다.

이 잠시간의 평화를 틈타 내겐 할 일이 있었다. 칼라일이 세스의 팔에 부목을 대주는 동안 에드워드와 세스가 내게 했던 말을 곱씹어보기로 한 것이다. 내가 뱀파이어가 되는 동안 많은 일이 일어났고, 지금이야말로 그 일들을 정리해볼 기회였다.

중요한 일 한 가지. 샘 무리와의 불화가 끝났다는 것이다. 다들 마음껏, 안전하게 오갈 수 있는 것도 그 덕분이었다. 전보다 더 강력한 휴전이다. 아니면 보는 시각에 따라서는 구속력이 더 강해졌다고도 할 수 있을 것이다. 구속력이 강해졌다는 건 이런 의미다. 무리의 법 가운데 가장 절대적인 것은, 어떤 늑대도 다른 늑대가 '각인'한 대상을 죽일 수 없다는 것이다. 그 아픔을 전 무리가 공유해야 하는 그들로서는 너무 큰 고통이 될 테니까. 고의든 사고든 그런 잘못은 용서받을 수 없다. 이런 불행한 일에 연루된 늑대는 죽을 때까지 싸우게 된다. 다른 대안이 없다. 세스의 말에 따르면 예전에 그런 일이 한 번 있었다고 했다. 어디까지나 사고였지만. 고의로 형제를 파멸시키려 하는 늑대는 없을 테니까.

제이콥이 르네즈미에게 느끼는 감정 때문에 그 애는 손댈 수 없는 존재가 되었다. 난 이 사실에 분노보다는 위안을 느끼려 했지만 쉽지 않았다. 내 마음에는 공간이 많아서, 두 가지 감정을 동시에 강렬하게 느낄 수 있었다.

내가 변신한 것에 관해서도 샘은 분노를 표시할 수 없었다. 왜냐하면 제이콥이 정통성 있는 알파로서 그 일을 허락했기 때문이다. 제이콥에게 화를 내고 싶은데, 그에게 빚을 지고 있다는 사실을 거듭 확인해야 한다는 게 난 괴로웠다.

감정을 다스리기 위해 나는 생각의 방향을 바꿨다. 또 다른 흥미로운 현상에 대해 생각하기 시작했다. 서로 나뉜 두 늑대 무리는 생각을 공유할 수 없지만, 제이콥과 샘…… 즉 알파들끼리는 늑대의 모습으로도 대화할 수 있다는 사실을 알아냈다. 물론 전과 같은 형태는 아니었다. 두 집단으로 나뉘기 전처럼 모든 생각을 고스란히 다 들을 수 있지는 않으니까. 세스의 표현에 따르면 '크게 말하는 것'과 비슷하다고 할 수 있다. 샘과 제이콥은 서로가 들려주고 싶어 하는 생각만 들을 수 있다. 그들은 다시 서로 대화를 하다가, 멀리서도 의사소통을 할 수 있다는 사실을 알아냈다.

제이콥이 르네즈미에 대해 설명하기 위해, 세스와 리의 반대를 무릅쓰고 혼자 샘을 찾아가면서 비로소 이런 사실들이 확인되었다. 제이콥이 르네즈미와 처음 만난 이래, 그 애 곁을 떠난 건 오직 그때뿐이었다.

상황이 완전히 바뀌었다는 걸 안 샘은 칼라일과 이야기를 나누기 위해, 제이콥과 함께 이곳으로 찾아왔다. 그들은 인간의 모습으로 대화했고(에드워드가 내 곁을 한시도 떠나지 않았으므로 통역할 사람이 없었기 때문이었다) 조약은 다시 효력을 갖게 되었다. 그러나 예전만큼 우호적인 관계는 아니었다. 그렇다 해도 어쨌든, 한 가지 큰 걱정은 내려놓게 되었다.

하지만 분노한 늑대 무리만큼 위험하진 않다 해도 그만큼 절박한 걱정거리가 또 하나 있었다.

찰리.

아빠는 오늘 아침 일찍 에스미와 통화를 하고도 두 번이나 더 전화를 걸었다. 바로 몇 분 전 칼라일이 세스를 치료하는 동안에도. 하지만 칼라일과 에드워드는 그냥 전화벨이 울리도록 내버려두었다.

아빠에게 뭐라고 말하는 게 좋을까? 다른 컬렌 가족들의 생각이 옳은 걸까? 정말로 내가 죽었다고 말하는 게 제일 좋은…… 가장 친절한 방법일까? 엄마 아빠가 통곡하는 동안 내가 꼼짝 않고 관에 누워 있을 수 있을까.

옳지 않은 일이다. 하지만 찰리와 르네가 종족의 비밀을 지키려 혈안이 된 볼투리 가의 표적이 되게 해서는 안 된다.

사실 나에겐 꿍꿍이가 한 가지 있었다. 내가 준비가 되고 나면 찰리 앞에 나타나서, 아빠가 스스로 엉뚱한 상상을 하게 하는 거다. 그러면 뱀파이어의 규칙은 깨뜨리지 않는 셈이다. 내가 살아서 행복한 모습을 보는 게 아빠에게도 더 좋지 않을까. 비록 지금의 내 모습이 낯설고, 이상하고, 또 두렵게 느껴지더라도. 특히 눈은 더 그렇다. 지금 당장은 너무 무서워 보이겠지. 얼마나 시간이 흘러야 나는 아빠를 만나기에 충분한 자제력과 눈색깔을 갖게 되는 걸까.

"왜 그래, 벨라? 너한테 화난 사람은 아무도 없어."

내 신경이 점점 더 곤두서는 것을 알아차린 재스퍼가 조용히 그렇게 말했다. 하지만 그 말과는 달리 강가에서는 낮게 으르렁대는 소리가 들려왔다. 재스퍼는 무시하고 말을 이었다.

"사실은 놀라울 뿐이야. 음, 우린 정말 깜짝 놀랐지. 그렇게 빨리 적응하다니 어떻게 놀라지 않을 수 있겠어. 잘했어. 우리가 예상했던 것보다 더 잘 해냈지."

그가 말하는 동안 거실은 아주 조용해졌다. 세스의 숨소리는 이제 낮게 코 고는 소리로 바뀌어 있었다. 평화로운 분위기가 한층 더해졌지만, 그렇다고 내 불안이 사라지지는 않았다.

"찰리에 대해 생각하고 있었어."

집 앞에서 말다툼하던 소리가 멈췄다.

"아."

재스퍼가 짧게 중얼거렸다.

"우린 떠나야겠지? 잠깐 동안이라도 말이야. 애틀랜타 같은 데 있는 척하면서."

내가 그렇게 말했다. 에드워드가 내 얼굴을 바라보는 게 느껴졌지만 내 시선은 재스퍼를 향했다. 그는 내 말에 진지하게 대답해줄 사람이었다.

"그래. 네 아버지를 보호할 수 있는 유일한 방법이니까."

나는 잠깐 생각했다.

"난 아빠가 정말 그리울 거야. 이곳 사람들 모두가 보고 싶을 거야."

제이콥. 무심결에 나는 그 이름을 생각했다. 비록 열정은 사라지고 줄어들었지만(사실 난 거기에 엄청난 안도감을 느끼고 있었다), 제이콥은 여전히 내 친구다. 진짜 나를 알고 또 받아준 사람. 괴물이 되어버린 지금까지도.

내가 공격하기 전에 제이콥이 애원하며 했던 말이 떠올랐다. 우리가, 서로의 삶의 일부라고 했잖아, 그렇지? 우린 가족이라고도 했었어. 넌 너와 내가 가족이어야 한다고 했잖아. 그래서…… 이제 결국 그렇게 된 거야. 네가 원했던 일이라고.

아니, 내가 원한 건 그런 게 아니었던 것 같아. 꼭 그랬던 건 아니야. 나는 인간일 때의 모호하고 흐릿한 기억으로 더 깊숙이 들어갔다. 그 중에서도 가장 곱씹기 힘든 기억 속으로. 에드워드가 곁에 없었던, 너무나 깜깜했기 때문에 그냥 내 머릿속에 묻어두려 했던 그 때로. 정확히 말로 표현할 수는 없다. 하지만 제이콥이 내 동생이어서, 아무런 혼란이나 고통 없이 서로 사랑할 수 있기를 바랐던 것만은 기억할 수 있었다. 가족……. 하지만 난 그 등식 속에 딸을 포함시킨 일은 없다.

그리고 그로부터 조금 지난 후의 일도 기억했다. 그때 난 제이콥에게 또 한 번 이별을 고하고, 그가 누구를 만나게 될지…… 내가 망쳐버린 그의 삶을 누가 바로잡아줄지 궁금해 했었다. 그리고 어떤 여자를 만나든 아마 그에게는 부족할 거라고 말했었다.

나는 코웃음을 쳤고, 에드워드가 궁금한 듯 한쪽 눈썹을 치켜 올렸다. 난 그에게 고개를 흔들어보였다.

내가 친구들을 그리워하게 되리라는 것 말고도 큰 문제가 또 있었다. 샘, 저레드, 퀼은 그들이 각인한 대상인 에밀리, 킴, 클레어를 보지 않고 지나간 날이 하루라도 있을까? 제이콥은 어떨까. 르네즈미와 떨어지면, 고통스럽게 될까.

내 안엔 아직 분노가 남아 있었으므로, 르네즈미가 그와 떨어지게 되는 게 기뻤다. 하지만 제이콥이 고통 받는다는 생각에 기뻐한 건 아니었다.

아직 내 것도 아닌 르네즈미가 어떻게 제이콥의 것이 될 수 있단 말인가. 나는 대체 어떻게 해야 하지?

현관에서 들려오는 기척 때문에 내 생각의 흐름은 끊겼다. 나는 그들이 올라오는 소리를 들었고, 곧 그들은 현관문으로 들어왔다. 그와 동시에 칼라일이 손에 뭔가 이상한 물건을 잔뜩 들고서 계단을 내려왔다. 줄자, 체중계 같은 것들이었다. 재스퍼가 내 옆으로 뛰어왔다. 마치 내가 알아차리지 못한 어떤 신호를 읽은 것처럼. 이제 리도 창밖에 앉아 익숙하고 재미없는 뭔가가 시작되기를 기다리는 표정으로 창문을 넘겨다보고 있었다.

"6시군."

에드워드가 말했다.

"그런데?"

내가 로잘리, 제이콥, 르네즈미를 바라보며 물었다. 그들은 문간에 서 있었고 르네즈미는 로잘리에게 안겨 있었다. 로잘리는 뭔가 경계하는 것 같았고, 제이콥은 걱정하는 것처럼 보였다. 르네즈미는 언제나처럼 아름다웠지만 조급해하는 것 같았다.

"네시…… 아니 르네즈미의 키를 재볼 시간이야."

칼라일이 설명했다.

"아, 매일이요?"

"하루에 네 번."

칼라일은 멍하니 그렇게 말하면서 다른 사람들에게 소파로 오라고 손짓했다. 르네즈미가 한숨을 쉰 것 같았다.

"네 번이나요? 매일? 왜요?"

"여전히 너무 빨리 자라고 있어."

에드워드가 내게 중얼거렸다. 나직한 목소리에 긴장이 어려 있었다. 그는 내 손을 꼭 잡고, 다른 팔로는 내 허리를 감쌌다. 마치 뭔가 의지할 게 필요한 것처럼.

난 르네즈미의 표정을 읽느라 그 애에게서 눈을 뗄 수 없었다. 아이는 완벽했고, 아주 건강해보였다. 피부는 조명을 받은 설화석고(대리석의 하나로, 조각이나 공예용으로 쓰인다: 편집자)처럼 빛났다. 뺨은 그와 대조를 이루는 장미꽃잎 색깔이었다. 그렇게 찬란한 아름다움에 뭔가 잘못된 게 있을 리 없다. 그 애에게…… 엄마인 나보다 더 위험한 무언가가 있을 리는 없다. 아니, 혹시 그럴 수도 있는 걸까.

내가 낳은 아이와, 한 시간 전에 재회한 아이는 아주 분명한 차이가 있었다. 반면 한 시간 전의 르네즈미와 현재의 르네즈미 사이에는 미묘한 차이가 있다. 인간의 눈으로는 절대로 알아내지 못할 것이다. 하지만 분명 달라진 건 있었다.

일단 키가 좀 더 자라 있었다. 그리고 그 애의 몸은 좀 더 늘씬해졌다. 얼굴은 완전한 원이 아니라 살짝 타원형이었다. 고수머리는 이제 어깨 아래로 16분의 1인치쯤 내려와 있었다. 칼라일이 줄자로 키와 머리 둘레를 재는 동안 르네즈미는 로잘리의 품에서 몸을 뺐다. 그는 굳이 기록하지는 않았다. 어떤 것도 잊지 않는 놀라운 기억력을 가졌으니까.

에드워드의 팔이 나를 감싸고 있는 동안 제이콥은 팔짱을 끼고 있었다. 짙은 눈썹이 움푹 들어간 그의 눈 위에서 한 일(一)자를 그리고 있었다.

르네즈미는 몇 주 만에 하나의 세포에서 정상 크기의 아기로 성숙했다. 그리고 이젠 태어난 지 단 며칠 만에 갓난아기가 아니라 유아가 되어가고 있었다. 만약 이런 성장 속도가 유지된다면…….

내 영민한 '뱀파이어의 두뇌'는 수학에도 매우 능한 것 같았다.

"어떻게 하지?"

내가 겁에 질려 속삭였다. 에드워드가 내게 두른 팔에 힘을 주었다. 내가 무엇에 대해 묻는지 그는 정확히 알고 있었다.

"모르겠어."

"느려지고 있어."

제이콥이 이를 악물고 내뱉었다.

"며칠 더 지켜봐야 할 것 같아. 지금은 아무것도 장담할 수가 없어."

"어제는 2인치나 컸어요. 오늘은 좀 덜 자랐지만."

"내가 정확하게 쟀다면 32분의 1인치 정도."

칼라일이 조용히 말했다.

"정확하게 해주세요. 선생님."

제이콥이 위협하듯 말했다. 로잘리가 긴장했다.

"최선을 다할게. 알잖니."

칼라일이 그를 안심시켰다. 제이콥이 한숨을 쉬었다.

"내가 부탁할 수 있는 게 그것뿐이라서."

제이콥이 내가 할 말을 훔쳐가서는, 그나마 제대로 전달하지도 못하는 것 같아 짜증이 났다. 르네즈미도 기분이 나쁜 것 같았다. 아이는 버둥대 더니 로잘리에게 급히 손을 내밀었다. 로잘리는 르네즈미가 자신의 얼굴을 만질 수 있도록 고개를 숙였다. 잠시 후 로잘리가 한숨을 쉬었다.

"그 애가 원하는 게 뭐야?"

제이콥은 다시 내가 할 말을 빼앗아갔다.

"당연히 벨라지."

로잘리의 말을 들으니 내 마음은 좀 더 따뜻해졌다. 그때 로잘리가 나를 바라보았다.

"어때?"

"걱정돼."

내가 그렇게 말하자 에드워드는 팔에 힘을 주었다.

"우리 모두 그렇지. 하지만 내가 묻는 건 그게 아냐."

"내 기분, 잘 컨트롤할 수 있어."

내가 그렇게 약속했다. 지금 갈증은 그리 급한 문제가 아니었다. 게다가 르네즈미에게서 좋은 냄새가 나기는 해도, 내 식욕을 자극하는 냄새는 아니었다.

로잘리가 내게 르네즈미를 내밀자 제이콥은 입술을 깨물면서도 로잘리를 말리지는 않았다. 재스퍼와 에드워드는 주위를 서성였지만 우리를 그냥 내버려두었다. 나는 로잘리가 얼마나 긴장하고 있는지 알 수 있었고, 재스퍼가 이 방 안의 공기를 어떻게 느낄지도 궁금했다. 아니면 그는 나에게만 온통 집중하느라 다른 사람들까지 신경 쓸 여유가 없는 걸까.

내가 팔을 내밀자 르네즈미는 눈부신 미소를 지으며 팔을 뻗었다. 르네즈미가 내 팔 안에 너무 딱 맞게 쏙 들어왔으므로, 마치 내 팔이 그 애에 맞춰 만들어진 것 같다는 생각을 했다. 그 애가 뜨거운 작은 손을 내 뺨에 댔다.

마음의 준비를 하고는 있었지만 르네즈미의 머릿속에 영상이 펼쳐졌을 때 나는 숨을 쉴 수 없었다. 너무 밝고 다채롭고 또렷했으므로.

그 애는 내가 제이콥을 잔디밭으로 몰아간 것도, 세스가 우리 사이에 뛰어든 것도 기억하고 있었다. 아주 분명하게 르네즈미는 그 장면을 목격했다. 시위를 당긴 활에서 화살이 날 듯 사냥감을 향해 뛰어오르는 우아한 포식자의 모습은 나 같지가 않았다. 그냥 다른 사람 같았다. 덕분에 제이콥이 손을 든 채 무방비상태로 서 있는 걸 보면서도 죄책감이 좀 덜할 수 있었다. 그는 손조차 떨지 않고 있었다.

르네즈미의 생각을 들여다보며 에드워드가 킥킥거렸다. 그러다 세스의 뼈가 부러지는 소리가 들렸으므로 우린 둘 다 움찔하고 말았다.

르네즈미는 환한 미소를 지었다. 그 후 이어진 소란 속에서도 그 애의 눈은 제이콥을 떠나지 않았다. 아이가 제이콥을 바라보는 동안 나는, 그 애의 기억이 어떤 특징을 갖는지 깨달았다. 구체적으로 말하자면 보호하려는 욕구보다 소유욕이 더 강했다. 그 애는 내가 뛰어오를 때 세스가 그 앞을 막아섰던 걸 기뻐하고 있었다. 르네즈미는 제이콥이 다치는 걸 원하지 않았다. 그는 그 애의 것이었으니까.

"오, 이런! 세상에."

나는 투덜댔다.

"제이콥이 우리보다 맛이 좋아서 그런 거야."

에드워드도 기분이 나쁜지 굳어진 목소리로 애써 날 달랬다.

"그녀도 나를 좋아한다고 했잖아."

제이콥이 맞은편에서 르네즈미를 바라보며 장난스럽게 말했다. 하지만 농담치곤 냉담하게 들렸다. 그는 아직도 긴장으로 눈썹을 찡그리고 있었기 때문이다.

르네즈미는 조급해하며, 집중하라는 듯 내 얼굴을 두드렸다. 또 다른 기억. 로잘리가 부드럽게 그녀의 곱슬머리를 빗질해주고 있었다. 기분 좋은 느낌이었다. 그리고 줄자를 든 칼라일도 보였다. 르네즈미는 몸을 펴고 가만히 있어야 한다는 걸 스스로 알고 있었다. 하지만 별로 재미있지는 않았던 모양이다.

"네가 보지 못한 걸 전부 다 알려주려나 봐."

에드워드가 내 귀에 대고 속삭였다. 그녀가 다음 영상을 보여주자마자 난 코를 찡그렸다. 이상한 금속 컵(아주 단단해서 쉽게 물어뜯을 수 없었다)에서 나는 냄새 때문에 내 목구멍이 화끈거렸다. 아얏.

그때 르네즈미가 내 품에서 빠져나갔고, 누군가 내 팔을 등 뒤로 잡아당겼다. 나는 재스퍼에게 반항하지 않고 그저 에드워드의 겁에 질린 얼굴만 쳐다보았다.

"내가 뭘 어쨌는데?"

에드워드는 내 뒤의 재스퍼를 바라보더니 다시 나를 보았다.

"하지만 벨라는 갈증에 대해 생각하고 있었어. 인간의 피 맛을 떠올리고 있었다고."

이마를 찡그리며 에드워드가 말했다. 재스퍼가 내 팔을 더 세게 당겼다. 고통스럽기는커녕 그리 불편하지도 않았다. 인간이었다면 얘기가 달랐겠지만. 그래도 기분이 나쁘기는 마찬가지였다. 나는 충분히 그의 손을 뿌리칠 수 있었지만 그러지 않았다.

"그래. 그런데?"

내가 되물었다. 에드워드가 조금 더 얼굴을 찡그리더니 곧 인상을 폈다. 그리고 한 번 웃었다.

"아무 일도 아닌 것 같네. 이번엔 내가 오버했어. 재스퍼, 벨라를 놔줘."

나를 잡고 있던 손이 사라졌다. 자유로워지자마자 나는 르네즈미에게 팔을 뻗었다. 에드워드는 주저하지 않고 내게 그 애를 넘겨주었다.

"이런 거, 이해할 수 없어. 참아낼 수도 없고."

재스퍼의 말이었다. 뒷문으로 나가는 그의 모습을 나는 놀라서 지켜보았다. 리는 재스퍼가 지나가도록 널찍이 공간을 내주었고, 그는 강으로 걸어가더니 한 번에 강을 건넜다.

르네즈미가 내 목을 만지자 조금 전의 장면이 재생되었다. 난 그 애가 무얼 궁금해 하는지 느낄 수 있었다. 나와 같은 궁금증이었다.

난 이미 그 애의 능력에 놀라는 단계는 넘어섰다. 그저 아주 자연스러운 부분으로 느껴졌다. 이젠 나 역시 초자연적인 존재가 되었기 때문에 또 다시 의심할 이유가 없었던 것이다.

하지만 재스퍼는 왜 그러는 걸까.

"돌아올 거야. 인생관을 바로잡기 위해 잠깐 혼자만의 시간이 필요한 거야."

에드워드가 말했다. 나에게 한 말인지 르네즈미에게 한 말인지 알 수 없었다. 그가 입술 한 끝으로 좀 위협적으로 보이는 미소를 지었다.

내가 인간이었을 때의 기억 중에는 이런 것도 있다. 에드워드가 그렇게 말했었다. 내가 뱀파이어가 되어 힘겨운 적응기를 보내고 나면, 재스퍼도 자기 자신에 대해 좀 더 긍정적인 시각을 갖게 될 거라고. 내가 뱀파이어가 된 첫해에 사람을 몇 명이나 죽일지 토론을 벌이다 나온 이야기였다.

"나한테 화가 난 거야?"

내가 조용히 묻자 에드워드의 눈이 커졌다.

"아니. 그럴 이유가 없잖아."

"그럼 왜 그러는 건데?"

"재스퍼는 네가 아니라, 자신 때문에 혼란스러운 거야. 말하자면……스스로 했던 예언 때문이지."

"어째서?"

칼라일이 나보다 먼저 물었다.

"재스퍼는 궁금해 하고 있었어요. 갓 태어난 뱀파이어들의 광기가 우리가 생각했던 만큼 다스리기 힘든 건지, 아니면 올바른 관점과 태도만 갖는다면 벨라처럼 잘 극복해낼 수 있는 것인지요. 지금도 마찬가지고요. 재스퍼는 그런 광기가 아주 자연스럽고 또 불가피한 거라고 믿기 때문에 힘들어하고 있어요. 차라리 기대가 더 컸더라면 감당하기도 쉬웠겠죠. 벨라, 너 때문에 그의 믿음은 뿌리째 흔들리고 있는 거야."

"하지만 그런 생각은 부당한 거야. 사람은 다 각기 다르니까. 누구나 자신만의 어려움을 갖고 있는 법이지. 그러니 정말로 벨라는 자연스럽지 않은 건지도……. 이게 바로 그녀의 능력인지도 모르지."

칼라일이 말했다. 나는 놀라서 꼼짝도 하지 않았다. 르네즈미가 내 기분을 알아차리고 나를 만졌다. 그 애는 마지막 순간을 떠올리며 이유를 궁금해 하는 것 같았다.

"재미있는 이론이에요. 일리도 있고요."

에드워드가 말했다. 나는 조금 실망했다. 뭐? 뭔가를 꿰뚫어보는 능력도 아니고, 눈에서 번개를 쏘아대는 무시무시한 공격력도 아니라고? 전혀 도움이 안 되는데다 멋있지도 않잖아. 그렇게 생각하다 문득, 내 초능력이 '특출한 자제력'일지도 모른다는 게 어떤 의미인지 알아차렸다.

우선 내게는 능력이 있다. 비록 그게 하찮은 것이라고 해도.

그리고 무엇보다 에드워드의 말이 옳다면 내가 갖고 있던 가장 큰 두려움을 극복할 수 있다. 내가 보통의 신생 뱀파이어들과 다르다면, 그건 곧 미친 살인기계는 아니라는 뜻이다. 첫날부터 내가 다른 컬렌 가족들과 무난히 조화를 이룰 수 있었다면? 굳이 좀더 '성숙해질 때까지' 1년 정도 숨어 있을 필요가 없다면? 칼라일이 그랬듯 나도 단 한 사람도 죽이지 않는다면? 지금 당장 좋은 뱀파이어가 될 수 있다면……?

나는 찰리를 만날 수 있다.

그러나 현실이 희망 속으로 스며들자마자 난 한숨을 쉬었다. 어쨌든 지금은 아빠를 볼 수 없어. 눈, 목소리, 달라져버린 얼굴은 어떻게 하고? 대체 무슨 말을 해야 하지? 아니 애초에 얘기를 시작해볼 수나 있을까. 잠시 일을 뒤로 미룰 핑계가 생겼다는 사실에 나는 남몰래 기뻐했다. 찰리를 내 새로운 삶 속으로 데려오고 싶은 마음만큼이나, 그와의 첫 만남이 두려웠다. 내 달라진 얼굴과 피부를 보면 찰리의 눈은 튀어나올지도 모른다. 아빠가 두려워하는 걸 느끼는 것, 머릿속에서 어떤 암울한 설명들을 만들어낼지 궁금해 하는 것……. 그 모두가 난 두려웠다.

너무 겁이 나서 내 눈이 보기 괜찮아질 때까지 일 년 정도는 기다릴 수 있을 것 같았다. 불멸의 존재가 되고 나면 겁도 사라질 줄 알았는데.

"자제력을 능력으로 갖는다거나, 그 비슷한 경우를 보신 적 있어요? 이게 특별한 능력이라고 생각하세요, 아니면 철저한 준비 덕분이라고 생각하세요?"

에드워드가 그렇게 묻자 칼라일이 어깨를 으쓱했다.

"시오반과 조금 비슷한 것 같아. 그녀는 그걸 능력이라고 부르지는 않지만."

"시오반이라면 칼라일의 친구, 그 아일랜드에 있는 뱀파이어를 말하는 거죠? 그녀에게 특별한 재능이 있는 줄은 몰랐어요. 능력은 매기에게만 있는 줄 알았는데."

로잘리가 말했다.

"그래, 시오반도 그렇게 생각하지. 하지만 그녀가 목표를 정하면 거의…… 이루어진단다. 그녀는 자기가 계획을 잘 세운 덕분이라고 하지만, 내 생각엔 그게 다가 아닌 것 같아. 그녀가 매기를 처음 받아들일 때도 그랬어. 리엄은 자신들의 구역을 지키려 고집했지만 시오반은 매기를 일원으로 받아들이고 싶어했단다. 그리고 그녀의 바람은 이루어졌지."

에드워드, 칼라일, 로잘리는 의자에 앉아 대화를 계속했다. 제이콥은 지루한 듯 세스 옆에 앉아 있었다. 눈꺼풀이 처지는 걸 보면 잠깐씩 조는 것 같았다.

나는 귀를 기울이고 있었지만 내 주의력은 분산된 상태였다. 르네즈미는 여전히 자신의 하루에 대해 들려주고 있었다. 나는 그 애를 안고 창문 옆에 서 있었다. 아이를 흔들어주면서 나는 그 애의 눈을, 그 애는 내 눈을 서로 들여다보았다.

그러다가 다른 뱀파이어들 역시 굳이 앉아 있을 필요가 없겠다는 사실을 깨달았다. 서 있는 게 너무나 편했으니까. 침대 위에서 기지개를 켜는 것에 비교할 수 있을 정도로. 만약 일주일간 움직이지 않고 서 있는다 해도, 마지막 7일째 되는 날이나 첫날이나 마찬가지일 것이다.

그들은 그저 습관 때문에 앉아 있는 것이다. 사람들은, 체중을 다른 쪽 다리에 옮겨 싣지도 않고 몇 시간씩 꼼짝 않고 있는 누군가를 본다면 당연히 이상하게 생각한다. 심지어 지금도 로잘리는 손가락으로 머리를 쓸어 올리는 중이었고, 칼라일은 다리를 꼬고 있다. 그들은 지나치게 뱀파이어처럼 보이는 일이 없도록, 끊임없이 작은 동작들을 반복하고 있었다.

나는 체중을 내 왼쪽 다리로 옮겼다. 좀 바보스럽게 느껴졌다.

어쩌면 그들은 내게 아기와 단둘이 있을 시간을 주려는 건지도 모른다. 안전한 때에 한해서라도.

르네즈미는 그날 일어났던 일을 1분 단위로 이야기했다. 그렇게 소소한 이야기들을 들으면서 나는 그 애도 나만큼이나 자신의 모든 걸 내게 알려주고 싶어 한다는 느낌을 받았다. 내가 모르는 일들이 있다는 게 그 애를 초조하게 하는 것 같았다. 이를테면 제이콥이 르네즈미를 안고 있을 때 참새들이 깡충거리며 다가왔던 일이 그렇다. 그들은 참새가 다가오는 동안 거대한 솔송나무 옆에서 꼼짝도 하지 않았다. 참새들은 절대로 로잘리에게는 다가가지 않았다. 아니면 칼라일이 그 애의 컵에 정말 역겨운 흰색의 액체(유아용 유동식이었다)를 담아주었던 일도 그렇다. 액체에서는 시큼한 냄새가 났다. 또 에드워드가 그 애에게 불러주었던 아름답고 완벽한 노래가 그랬다. 르네즈미는 그 노래를 내게 두 번이나 들려주었다. 놀랍게도 그런 기억 속에는 항상 내가 등장했다. 엉망이 된 모습으로 미동조차 하지 않는 내가. 나는 그 참혹했던 시간들을 떠올리며 소스라쳤다. 무시무시했던 불길…….

거의 한 시간 후, 다른 사람들은 여전히 대화에 푹 빠져 있었고 세스와 제이콥은 소파에서 사이좋게 코를 골았다. 르네즈미의 이야기가 느려지기 시작했다. 이야기들은 서로 경계가 모호해지고 초점이 빗나가더니 곧 결론에 이르렀다. 그리고 르네즈미의 눈꺼풀이 파르르 떨리더니, 그 애는 곧 눈을 감았다. 나는 깜짝 놀라 에드워드를 부르려 했다. 아기에게 뭔가 문제가 생긴 게 아닐까? 르네즈미는 도톰한 입술을 동그랗게 벌리고 하품을 하더니 다시 눈을 뜨지 않았다.

내 얼굴에서 손을 내린 채 그 애가 잠에 빠져들었다. 아이의 눈꺼풀은 해가 뜨기 전의 엷은 구름을 닮은 라벤더 색이었다. 호기심을 느낀 나는 깨지 않도록 조심스럽게 그 애의 손을 들어 내 피부에 갖다 댔다. 처음에는 아무것도 보이지 않았지만, 몇 분 뒤에는 나비들이 펄럭이듯 그 애의 생각에서 다채로운 빛깔들이 흩어져 나왔다.

나는 아이의 꿈을 지켜보았다. 매혹당하지 않을 수 없었다. 감촉은 없고, 그저 색깔과 형체, 그리고 얼굴들뿐이었다. 그 애의 무의식적인 생각 속에 내 얼굴(무시무시한 인간의 얼굴과 찬란한 불멸의 얼굴 모두)이 자주 나타난다는 게 몹시 기뻤다. 에드워드와 로잘리보다 더 자주 보였고, 제이콥과 비슷한 빈도로 나타났다. 나는 그것 때문에 속상해하지 않으려 애썼다.

에드워드가 잠자는 내 모습을 지켜보며, 어떻게 내 잠꼬대만으로 지루한 밤을 지새울 수 있었는지 처음으로 이해할 수 있었다. 이대로 르네즈미가 꾸는 꿈을 영원히 지켜볼 수도 있을 것 같았다.

"드디어 왔군."

에드워드가 뭔가 확연히 달라진 말투로 그렇게 말하며 창밖으로 시선을 돌렸다. 밖은 밤이었고, 자줏빛의 깊은 어둠이 드리워 있었지만 그래도 멀리까지 볼 수 있었다. 모든 것이 그저 색깔만 갈아입었을 뿐, 어둠 속에는 아무것도 숨어 있지 않았다.

앨리스가 반대편 강가에 모습을 보이자 리는 얼굴을 찡그리고서 자리에서 일어나 슬금슬금 관목 숲으로 들어갔다. 앨리스는 두 발끝이 손에 닿는 자세로 곡예사처럼 나뭇가지에 매달려 앞뒤로 몸을 흔들었다. 그러더니 곧 수평으로 회전하며 강 위로 몸을 날렸다. 에스미는 그보다는 평범하게 강을 뛰어넘었고, 에밋은 뒤쪽 창문까지 물을 튀기며 강으로 곧장 돌진했다. 놀랍게도 재스퍼가 뒤를 따르고 있었다. 그의 도약은 절제되고 심지어 치밀해보였다.

앨리스의 얼굴을 가득 채운 미소는 희미했지만, 이상하게 낯익었다. 갑자기 모두가 내게 미소 짓고 있었다. 에스미는 달콤하게, 에밋은 생기 넘치게, 로잘리는 약간 거만하게, 칼라일은 다정하게, 에드워드는 뭔가 기대에 찬 듯한 모습으로.

앨리스가 다른 사람들보다 먼저 거실로 뛰어 들어오더니 도저히 참을 수 없다는 듯 팔을 내밀었다. 그녀의 손바닥에는 지나치게 큰 분홍색 새틴 리본을 맨 평범한 청동 열쇠가 놓여 있었다.

앨리스는 그 열쇠를 내게 내밀었고 나는 르네즈미를 오른팔로 단단히 잡고서 왼팔을 뻗었다. 그러자 그녀가 내 손에 열쇠를 떨어뜨렸다.

"생일 축하해."

앨리스가 소리쳤다. 나는 눈동자를 굴렸다.

"실제 태어난 날부터 날짜를 세는 게 어딨어? 첫 번째 생일은 1년이 지나야지."

내가 그녀에게 상기시켜 주었다. 이제 그녀는 의기양양한 미소를 짓고 있었다.

"우린 네 뱀파이어 생일을 축하하는 게 아냐, 아직은. 오늘은 9월 13일이야, 벨라. 열아홉 번째 생일 축하해."

## 24

# 뜻밖의 선물

---

"안 돼. 용납 못해!"

나는 마구 고개를 저은 후, 의기양양한 미소를 짓고 있는 내 열일곱 살 짜리 남편을 노려보았다.

"절대 싫어. 무효야. 이건 세면 안 돼. 난 3일 전부터 나이를 먹지 않는 단 말이야. 그러니까 영원히 열여덟 살이라고!"

"어쨌든 우리는 축하할 거야. 그러니까 참아."

앨리스가 어깨를 으쓱이며 재빨리 내 항의를 묵살해 버렸다. 나는 한숨을 쉬었다. 앨리스와 말다툼을 하는 건 소용없는 짓이라는 걸 아니까. 내게서 항복의 눈빛을 본 앨리스가 환한 미소를 지었다.

"선물을 열어볼 준비는 됐어?"

앨리스가 재잘거렸다.

"선물 '들' 이겠지."

그렇게 덧붙이며 에드워드가 주머니에서 또 다른 열쇠(조금 덜 요란한 푸른색 리본을 맨, 긴 은색의 열쇠였다)를 꺼냈다. 나는 눈동자를 굴리지

않으려고 애썼다. 그 열쇠가 뭔지는 금세 알아차릴 수 있었다. 바로 '이후
차'의 열쇠였다. 내가 지금 흥분해야 하는 거야? 뱀파이어로 바뀌었다고
갑자기 스포츠카에 관심이 생기는 건 아니잖아.

"내 것부터."

에드워드의 대답을 미리 내다본 앨리스가 혀를 내밀었다.

"내 게 더 가깝잖아."

"하지만 지금 입고 있는 옷 좀 봐. 난 정말 하루 종일 괴로웠다고. 그러
니까 이게 우선이야."

앨리스의 말은 거의 신음에 가까웠다. 이 열쇠가 새 옷과 어떤 관계가
있는지 고민하면서 나는 눈썹을 찡그렸다. 옷이 가득 들어 있는 트렁크라
도 주는 거야?

"좋아. 한 판 하자. 가위, 바위, 보."

앨리스가 말했다. 재스퍼가 소리 내어 웃었고 에드워드는 한숨을 쉬었다.

"그냥 누가 이길지 얘기해주는 건 어때?"

에드워드가 심술궂게 말했다. 앨리스가 환하게 미소 지었다.

"내가 이기지. 좋았어."

"내가 아침까지 기다리는 게 낫겠어."

에드워드가 내게 미소를 짓더니 제이콥과 세스쪽으로 고갯짓을 했다.
그들은 이대로 날이 새도록 잠을 잘 것 같았다. 이번엔 또 며칠이나 밤을
새운 건지 문득 궁금해졌다.

"선물을 공개할 때 제이콥이 있으면 더 재미있을 거야, 그렇지 않아? 제
대로 흥분해줄 누군가가 있어야지?"

나는 미소 지었다. 에드워드는 나에 대해 너무 잘 알고 있었다.

"좋아. 벨라, 네시, 아니 르네즈미를 로잘리에게 넘겨줘."

앨리스가 말했다.

"그 애는 어디서 자?"

앨리스가 어깨를 으쓱였다.

"로잘리나 제이콥, 아니면 에스미의 품에서. 알 만하지? 그 앤 태어나서 지금까지 바닥에 누워본 적이 없어. 아마 역사상 가장 응석받이인 혼혈 뱀파이어가 될걸."

로잘리가 르네즈미를 능숙하게 받아 안는 동안 에드워드가 킥킥거렸다.

"또 천연의 아름다움을 고스란히 갖고 있는 유일한 혼혈 뱀파이어이기도 하지. 종에 딱 한 명뿐인."

그렇게 말하고서 로잘리는 내게 씩 웃었다. 우리 사이에 새로 생겨난 동료애가 여전히 그녀의 미소에 깃들어 있는 걸 보고 나는 기뻤다. 실은 르네즈미의 생명이 나와 더 이상 연결되어 있지 않을 때도 그 애정이 지속될지를 확신할 수 없었다. 하지만 우리는 같은 편이 되어 오랫동안 싸웠으므로 언제까지나 친구로 남을 것이다. 우리의 입장이 서로 바뀌었다 해도, 나 역시 그녀와 같은 선택을 했을 테니. 덕분에 내가 한 다른 선택들에 대한 로잘리의 반감도 씻겨나간 것 같았다.

앨리스가 리본으로 장식한 열쇠를 내 손에 밀어 넣더니, 내 팔꿈치를 잡고 날 뒷문으로 데려갔다.

"가자, 가자."

그녀가 노래하듯 그렇게 말했다.

"밖으로 가야 돼?"

"뭐, 그렇다고 할 수 있지. 선물이 마음에 들었으면 좋겠어. 우리 모두가 준비한 거야. 특히 에스미가 애를 많이 썼지."

앨리스가 나를 앞으로 밀었다. 로잘리가 덧붙였다.

"아무도 같이 안 갈 거야. 혼자서 즐길 기회를 줄 거거든. 우리한텐 나중에 이야기해주면 돼."

로잘리가 말했다. 그제야 나는 아무도 움직이지 않고 있는 것을 알아차렸다. 에밋이 웃음을 터뜨렸다. 그 웃음이 왠지 나를 부끄럽게 했다.

난 이전의 내 습성(이를테면 깜짝 놀라게 하는 일을 좋아하지 않는 것과, 선물을 좋아하지 않는 것)이 여전히 남아 있음을 깨달았다. 원래의 내 모습이 지금의 새로운 몸에 깃들어 있다는 걸 깨닫고 나는 놀라면서 동시에 안도감을 느꼈다. 예전의 내가 그대로 남아 있으리라고는 생각조차 못 했었는데. 내가 활짝 미소 지었다.

앨리스가 내 팔꿈치를 당겼고 나는 여전히 미소를 감추지 못한 채 자줏빛 어둠 속으로 걸어 들어갔다. 우리 곁에는 에드워드뿐이었다.

"내가 좋아하는 게 있는데."

앨리스가 만족스러운 듯 말했다. 그러곤 내 팔을 놓고서 유연하게 두 걸음 도약하더니 강을 뛰어넘었다.

"어서 와, 벨라."

그녀가 강 건너편에서 소리쳤다. 에드워드와 나는 동시에 뛰어올랐다. 오늘 오후만큼이나 즐겁게 느껴졌다. 밤이 모든 걸 새롭고 선명한 색으로 바꾸어놓아서인지 조금 더 즐거운 것 같기도 했다.

앨리스는 우리를 이끌고 북쪽으로 향했다. 그녀에게 눈을 고정시킨 채 우거진 수풀을 헤치고 나가는 것보다는 향기와 소리를 따라가는 쪽이 더 편했다. 갑자기 그녀가 돌아서더니 내게로 달려왔다.

"공격하지는 마."

그녀가 그렇게 말하고 갑자기 내게 덤벼들었다. 앨리스는 내 등으로 기어올라 손으로 내 얼굴을 감쌌다.

"뭐 하는 거야?"

내가 꿈틀거리며 물었다. 힘으로 떼어버리고 싶었지만 애써 참았다.

"네가 보면 안 되거든. 확실히 해야 해."

"나라면 이런 쇼 필요 없을 것 같은데."

에드워드가 끼어들었다.

"넌 그냥 속아줄 거잖아. 자, 벨라의 손을 잡고 앞으로 끌어줘."

"앨리스, 나는……."

"괜찮아, 벨라. 내 식으로 하는 거야."

에드워드의 손가락이 내 손가락 사이로 파고드는 게 느껴졌다.

"몇 초만 참아, 벨라. 그럼 앨리스가 귀찮게 굴 다른 사람을 찾으러 갈 거야."

그가 날 앞으로 잡아당겼고 나는 순순히 따라갔다. 나무와 부딪힐까 봐 두렵지는 않았다. 어차피 부러지는 건 나무일 테니까.

"에드워드, 좀 더 감사하는 태도를 보이라고. 이건 벨라뿐 아니라 널 위한 것이기도 하잖아."

앨리스가 잔소리했다.

"맞는 말이야. 다시 한 번 고맙다, 앨리스."

"그래, 그래. 좋아. 아! 거기서 멈춰. 벨라가 조금만 오른쪽으로 방향을 틀게 해. 그래, 그렇게. 좋아. 준비됐어?"

앨리스의 목소리가 갑자기 흥분으로 커졌다.

"준비됐어."

이곳에서는 뭔가 새로운 냄새가 났다. 흥미와 호기심이 자라나는 것을 느꼈다. 숲 깊숙한 곳에서 나는 냄새는 아니었다. 인동덩굴. 연기. 장미. 톱밥? 그리고 금속성의 무언가. 깊은 땅속을 파헤쳤을 때와 비슷한 진한 냄새가 났다. 나는 그 미지의 것을 향해 몸을 숙였다.

앨리스가 내 눈을 가리고 있던 손을 풀고 내 등에서 내려왔다. 나는 보랏빛 어둠 속을 응시했다. 숲 속의 작은 공터에는 돌로 지은 자그마한 집이 있었다. 집은 별빛 속에서 연보랏빛과 회색을 띠고 있었다.

그곳과 너무 잘 어울리는 집이어서, 마치 바위에서 자연적으로 자라난 것 같았다. 창살처럼 한쪽 벽을 타고 오른 인동덩굴이 두툼한 나무 지붕널까지 뻗어 있었다. 깊숙이 파인 어두운 창문 아래에는 손수건만 한 정원이 있고, 거기에 늦여름 장미가 피어 있었다. 납작한 돌을 깐 작은 길이 어둠 속에서 자줏빛으로 빛났고, 그 길은 독특한 아치형의 나무문으로 이어졌다.

나는 너무 놀라 열쇠를 꼭 쥐었다.

"무슨 생각해?"

앨리스가 부드러운 목소리로 물었다. 동화처럼 고요한 이 풍경에 어울리는 목소리였다. 난 입을 벌렸지만 아무 말도 나오지 않았다.

"에스미는 한동안 우리만의 장소가 있는 게 좋겠다고 생각했어. 하지만 우리가 멀리 가는 건 원하지 않았지. 원래 에스미는 리모델링하는 걸 좋아하거든. 여긴 적어도 100년간은 버려져 있었어."

에드워드가 중얼거렸다. 난 물고기처럼 입을 벌린 채 바라보기만 했다.

"마음에 안 들어? 네가 원한다면 바꿔줄게. 에밋은 집을 더 넓히고 2층도 올리고 기둥도 더 세우고 탑도 짓자고 했었지. 하지만 에스미는 네가 원래 모습을 가장 좋아할 거라고 했어. 그 생각이 틀렸다면 우리가 바꿔줄게. 오래 걸리지는 않……."

앨리스가 살짝 고개를 숙였다. 그녀의 목소리는 점점 더 높아지고 빨라졌다.

"쉿."

나는 간신히 입 밖으로 소리를 내어 그녀의 말을 잘랐다. 앨리스는 입을 다물었다. 그러고도 몇 초 만에야 정신을 차릴 수 있었다.

"나한테 집을 주는 거야? 생일선물로?"

내가 속삭였다.

"우리에게 주는 거지. 그리고 여긴 그냥 오두막이야. 집이라면 더 넓어야지."

에드워드가 말했다.

"내 집을 깎아내리지 마."

내가 속삭였다. 앨리스가 밝게 미소 지었다.

"이 집이 좋구나?"

나는 고개를 흔들었다.

"그럼, 사랑해?"

내가 고개를 끄덕였다.

"빨리 에스미에게 말해주고 싶어 죽겠는걸."

"왜 에스미는 함께 오지 않은 거야?"

대답하기 곤란한 듯 앨리스의 미소가 조금 희미해졌다.

"아, 알잖아……. 다들 네가 선물을 주면 어떻게 나올지 알고 있어서 말이지. 어쩔 수 없이 맘에 들어 하는 척할까 봐."

"하지만 이곳을 사랑하지 않을 리 없잖아. 어떻게 그럴 수 있겠어?"

"다들 좋아하겠다! 어쨌든 벌써 옷장도 꽉 채워놨어. 현명하게 사용하도록. 그리고…… 내 용건은 이게 다야."

그렇게 말한 그녀가 내 팔을 가볍게 두드렸다.

"안 들어가려고?"

내가 물으니 앨리스는 뒤로 몇 미터 물러났다.

"길은 에드워드도 잘 아니까. 나중에 들를게. 옷이 안 맞으면 전화해. 아, 재스퍼가 사냥하고 싶대. 나중에 보자."

이어 그녀는 내게 수상한 눈빛을 보내더니 미소를 지었다. 그리고 세상에서 가장 우아한 총알처럼 나무들 속으로 사라졌다.

"이상하네. 내가 그렇게 심하게 굴었어? 다들 여기까지 오려고 들지 않을 정도였다니 미안한걸. 앨리스에게 고맙다는 말도 못했어. 우리 돌아가서 에스미한테……."

앨리스가 날아가는 소리가 완전히 사라지고서 내가 그렇게 말했다.

"벨라, 바보처럼 굴지 마. 아무도 네가 그렇게 철이 없다고 생각하지 않아."

"그럼 왜……."

"다들 우리 둘만의 시간을 주려는 거야. 앨리스는 그걸 교묘하게 돌려 말한 거고."

"아."

내 새 집은 이제 더 이상 보이지 않았다. 다른 곳이라도 좋을 것 같았다. 내 눈엔 나무도, 돌도, 별도 보이지 않았다. 에드워드뿐이었다.

"그들이 뭘 해줬는지 보여줄게."

그가 내 손을 잡아당겼다. 에드워드는 아드레날린이 섞인 피처럼 내 몸에 전류가 흐른다는 사실을 잊어버린 걸까? 나는 다시 한 번 평정을 잃고서 내 몸이 반응하기를 기다렸다. 더 이상 내 몸이 예전과 같은 방식으로 반응하는 건 불가능한 일인데도. 이제 내 심장은 마구 달려와 우릴 치려는 증기기관차처럼 요란하게 두근거릴 수 없다. 또 선홍색으로 뺨이 달아오를 수도 없다.

사실 난 벌써 기진맥진해 있어야 정상이다. 오늘은 내 생애에서 가장 긴 하루였으니까.

그러다 불현듯 오늘이 언제까지고 끝나지 않으리라는 사실을 깨닫고 난 크게 웃어버렸다.

"왜 웃는지 말해줄래?"

에드워드가 작고 둥근 문으로 앞장서 걸으며 물었다.

"별로 재밌는 얘기는 아냐. 이런 생각을 해 봤어. 오늘은 영원의 첫날이 자 마지막 날이라고. 내 머릿속에 이해할 공간이 넓어졌는데도 여전히 이해하기 힘든걸."

나는 그렇게 말하고 다시 웃었고, 그 역시 소리 내어 따라 웃었다. 에드워드가 손잡이로 손을 뻗고 잠시 나를 기다렸다. 나는 구멍에 열쇠를 꽂고 돌렸다.

"벨라, 너무 자연스럽게 받아들이는 거 아냐? 너한텐 이 모든 게 정말 이상하게 받아들여져야 할 텐데. 아, 정말이지 네 생각을 들을 수 있으면 좋을 텐데."

그가 몸을 숙이더니 재빨리 나를 들어올렸다. 너무 빨랐으므로 나는 그 낌새조차 느끼지 못했다. 그래도 정말 멋졌다.

"에드워드!"

"집 안에 데려다주는 것도 내 일이야. 하지만 진짜 궁금하단 말이지. 지금 무슨 생각을 하는지 말해줘."

그는 그렇게 말하고 문을 열었다. 문은 삐걱대는 소리도 없이 매끄럽게 열렸다. 우린 돌로 지은 작은 거실로 들어섰다.

"모든 것! 모든 생각이 동시에 떠올라. 너도 알잖아. 좋은 일, 걱정스러운 일, 새로운 일들. 어떻게 머릿속에 계속 최상급 형용사가 떠오를 수 있는 걸까? 지금은 에스미가 예술가라는 생각을 하고 있어. 정말 너무 완벽해!"

내가 그렇게 외쳤다. 오두막은 동화 속에 나오는 장소 같았다. 매끈하고 납작한 돌이 깔린 바닥은 멋지게 만들어진 퀼트처럼 보였다. 낮은 천장에는 들보가 드러나 있어서, 제이콥처럼 키가 큰 사람은 분명 머리를 부딪칠 것 같았다. 벽의 어떤 부분은 온색의 나무로, 또 어떤 부분은 갖가지 돌로 짜 맞춘 모자이크로 되어 있었다. 구석에 있는 벌집 모양의 벽난로에는 아직 남아있던 불씨가 천천히 타오르고 있었다. 바닷물에 떠내려 온 나무가 타면서, 불꽃은 소금기 때문에 푸른색과 초록색을 띠었다.

집 안은 다양한 양식의 가구들로 채워져 있었다. 가구 하나하나는 서로 어울리지 않는 듯하면서도 조화를 이루고 있었다. 어떤 의자는 중세풍이었고, 벽난로 옆의 나지막한 오토만의자는 좀 더 최근 것이었으며, 반대쪽 창가에 있는 책이 가득 꽂힌 책장은 이탈리아 영화를 생각나게 했다. 각각의 가구는 거대한 3차원의 퍼즐처럼 서로 맞물려 있었다. 벽에는 낯익은 그림도 몇 점 걸려 있었다. 컬렌 가에 걸려 있던 그림들 중 내가 좋아하는 것들이었다. 분명 값을 매길 수 없는 진품일 테지만 이 집의 다른 모든 것들이 그렇듯이 이곳과 너무나 잘 어울렸다.

마법이란 게 있다면, 아마 지금 이 곳에 있으리라. 사과를 든 백설공주가 집 안으로 걸어들어 오고, 유니콘이 정원에 멈춰 서서 장미덤불을 뜯어 먹을 것만 같았다.

에드워드는 항상 자신이 공포물의 주인공이라고 믿고 있었다. 하지만 난 그 생각이 완전히 틀렸다는 걸 알고 있었다. 그가 속한 곳은 바로 여기니까. 동화 속 세계 말이다. 그리고 이제 나도 그와 함께 동화 속에 있었다.

좋은 기회였다. 에드워드는 아직 날 내려놓지 않고 있었고, 넋이 나갈 듯한 그의 아름다운 얼굴이 내게서 불과 몇 센티미터 떨어진 곳에 있었다. 게다가 이런 말까지 들었다.

"에스미가 방을 하나 더 만들어줘서 다행이지. 아무도 네시, 아니 르네즈미 생각은 안 하더라니까."

에드워드의 말이 조금 불쾌하게 여겨졌으므로 나는 얼굴을 찡그리고 불만의 소리를 질렀다.

"너까지!"

"미안해, 내 사랑. 항상 그들의 생각을 듣고 있다 보니 어쩔 수 없더라고. 옮아버린 것 같아."

나는 한숨을 쉬었다. 내 아기, 바다괴물. 이미 어쩔 수 없는 일인지도 모른다. 그래도 포기 안 할 거야.

"죽도록 보고 싶지? 네 옷장 말이야. 만약 아니라 해도 앨리스에겐 그렇다고 해둘게. 그래야 기분 좋아할 테니까."

"나, 겁먹어야 하는 거야?"

"엄청나게."

아치형의 천장 아래에는 돌을 깐 좁은 복도가 이어져 있었다. 그는 나를 안고 그 복도를 걸어갔다. 우리만의 작은 성 같았다.

"저건 르네즈미의 방일 거야. 저 방까지는 손볼 시간이 별로 없었지. 화난 늑대인간들 때문에……"

연한 색깔의 나무 바닥이 깔린 빈방을 고갯짓으로 가리키며 에드워드가 한 말이었다. 나는 조용히 웃었다. 일주일 전만 해도 죄다 악몽 같기만 했는데, 이렇게 빨리 제자리를 찾다니. 빌어먹을 제이콥. 그가 모든 걸 이렇게 완벽하게 돌려놓았다.

"여기가 우리 방이야. 에스미는 여길 살짝 에스미 섬처럼 꾸며놨더군. 우리가 거기에 정들었을 거라고 생각했나 봐."

캐노피에서 바닥까지 얇은 천이 늘어져 있는 커다란 흰 침대가 있었다. 연한 빛깔의 나무 바닥은 르네즈미의 방과 맞춘 것으로, 오염되지 않은 해변의 그것과 정확히 같은 색이었다. 숨이 막힐 만큼 멋졌다. 벽은 밝은 대낮 같은 흰색, 그리고 하늘색으로 칠해져 있었고 뒤쪽 벽은 작은 비밀의 정원과 이어지는 거대한 유리문이었다. 이 비밀 정원에는 덩굴장미와 작고 둥근 연못이 있었다. 거울처럼 매끈한 연못은 반짝이는 돌로 에워싸여 있었다. 우리를 위한 작고 고요한 바다였다.

"아."

내가 할 수 있는 말이라곤 그것뿐이었다.

"알아."

519

그가 속삭였다. 나는 잠깐 동안 거기 서서 지난 일들을 돌이켰다. 희끄무레한 인간의 기억이 내 머릿속을 가득 채웠다. 그가 환하게 미소 지으며 웃음을 터뜨렸다.

"옷장은 저쪽 더블도어로 들어가면 있어. 미리 경고해 두겠는데, 이 방보다 커."

나는 그 문을 쳐다보지도 않았다. 또다시 세상에는 에드워드밖에 없었다. 내 몸을 감싼 그의 팔, 얼굴에 와 닿는 부드러운 그의 숨결, 내게서 불과 몇 센티미터 거리에 있는 그의 입술. 내가 갓 태어난 뱀파이어든 아니든, 지금은 그 무엇도 내 관심을 앗아갈 수 없다.

"앨리스한텐 곧장 옷을 보러 갔다고 하지, 뭐. 그리고 거기서 몇 시간 동안 계속 옷을 입어봤다고 하는 거야. 거짓말을 하는 거지."

내가 손가락으로 그의 머리카락을 움켜잡았다. 내 얼굴이 그의 얼굴로 다가갔다. 그도 즉시 나와 같은 기분에 사로잡혔다. 어쩌면 이미 그런 기분이면서도 신사답게 내가 생일선물을 음미할 시간을 준 것인지도 모른다. 에드워드가 내 얼굴을 자신에게로 거칠게 잡아당겼다. 그의 입에서 나직한 신음소리가 새어나왔다. 그것을 듣자마자 내 몸에는 전류가 흘렀고, 거의 발작 직전의 상태가 되었다. 서로 가까이 다가서는 과정이 참을 수 없이 느리게 느껴졌다.

내 손에 천이 뜯겨나가는 소리가 들렸다. 기뻤다. 내 옷이 이미 엉망이 된 상태라는 게. 그의 옷을 처리하는 것도 너무 더디게 느껴졌다. 저 예쁜 하얀 침대를 방치하는 게 좀 죄스럽긴 했지만, 너무 멀어서 도저히 침대까지 갈 수 없었다.

두 번째 허니문은 첫 번째와는 달랐다.

섬에서의 나날은 내 인간으로서의 삶을 요약한 것이었다. 그 삶의 결정판. 나는 좀 더 오랫동안 그와 시간을 보내기 위해 인간으로서의 삶을 연장하려 했었다. 육체적으로 다시는 그때와 같은 느낌을 가질 수 없을 테니까.

변신 후가 오히려 더 좋으리라는 생각은 하지 못했다. 뱀파이어로서 하루를 보내고 난 뒤에도. 이제 나는 비로소 그를 제대로 평가할 수 있다. 그의 완벽한 얼굴과 훤칠한 몸이 그려내는 아름다운 선, 각도, 면들을 새로 얻은 강력한 눈으로 감상할 수 있었으니까.

그의 손길에 내 피부는 너무도 민감하게 반응했다.

우리의 몸이 모래 색깔의 마룻바닥에서 우아하게 엉키는 동안 그는 전과 완전히 다른 새로운 사람이 되어 있었다. 이젠 조심할 필요도, 참을 필요도 없으니까. 물론 두려워할 이유도 없다. 마침내 우리는 '함께' 사랑할 수 있게 되었다. 둘 다 적극적으로, 동등하게.

키스뿐 아니라 모든 스킨십이 예전보다 많아졌다. 에드워드는 그렇게나 많이 참아왔다. 당시로선 어쩔 수 없는 일이긴 했지만, 나는 정말 믿을 수 없을 만큼 많은 것을 놓쳤던 것이다.

내가 그보다 강하다는 걸 잊지 않으려 노력했지만 쉽지 않았다. 온몸의 감각이 곤두서, 매초마다 백만 군데가 넘는 서로 다른 곳에서 찌릿한 자극을 느꼈다. 그러니 자연히 한 가지에 정신을 집중하기 어려웠다. 내가 만약 그를 아프게 해도 그는 아무 말도 하지 않을 것이다.

내 머릿속 아주 작은 부분이, 문득 흥미로운 수수께끼 하나를 떠올렸다. 이제 나는 절대로 피곤해질 일이 없고, 당연히 에드워드도 마찬가지다. 우리는 숨을 쉴 필요도, 휴식을 취할 필요도, 화장실에 갈 필요도 없다. 보통의 인간에게 있는 욕구들이 우리에겐 없기 때문이다. 에드워드, 세상에서 가장 완벽하고 아름다운 몸을 지닌 그의 모든 것은 바로 내 것이다. 내 스스로 "오늘은 이만하면 됐어."라고 말할 날이 과연 오기는 할까? 불가능하다. 항상 난 더 많이 원하게 될 테니까. 게다가 우리의 하루는 언제까지고 끝나지 않는다. 이런 상황에서 어떻게 사랑하기를 멈출 수 있을까?

질문의 답을 나는 알 수 없었지만, 그래도 조금도 짜증스럽지 않았다.

하늘이 밝아오고 있었다. 바깥의 작은 태양은 검정색에서 회색으로 바뀌었고, 종달새가 아주 가까이에서 지저귀고 있었다. 어쩌면 장미덩굴 사이에 둥지가 있을지도 모른다.

"그때가 그리워?"

종달새의 노래가 멈췄을 때 내가 물었다. 우리 사이의 대화는 드문드문 이어지고 있었다.

"뭐가?"

그가 중얼거렸다.

"전부 다. 온기, 부드러운 피부, 맛있는 냄새…… 내게 있어선 달라진 게 없지만 너는 그렇지 않잖아. 그래서 슬픈지 궁금해."

그가 작고 부드럽게 웃었다.

"지금 나보다 덜 '슬픈' 사람을 찾아내긴 힘들걸. 아마 없을 거야. 장담해. 하루 동안 원하는 걸 모두 갖게 되고, 게다가 생각지도 못한 선물까지 덤으로 받은 사람이 세상에 어디 흔하겠어."

"질문을 피하는 거야?"

그의 손이 내 얼굴을 감쌌다.

"넌 따뜻해."

그가 말했다. 어떤 의미에서는 사실이었다. 내게도 그의 손은 따뜻했으니까. 불꽃처럼 뜨거운 제이콥의 피부를 만지는 것과는 달랐지만, 그보다 더 편안하고 자연스러웠다. 그의 손가락이 천천히 내 얼굴을 쓰다듬더니 턱과 목을 거쳐 허리까지 내려갔다.

"너는 부드러워."

내 살갗에 닿은 에드워드의 손가락이 마치 새틴 같아서, 난 그 말을 이해할 수 있었다.

"그리고 향기도……, 음, 아니. 그립지 않아. 지난 번 사냥 갔을 때 맡았던 등산객들의 냄새, 기억나?"

"기억하지 않으려고 애쓰고 있어."

"그럼, 거기다 키스한다고 상상해봐."

열기구의 줄을 잡아당긴 것처럼 내 목구멍이 불꽃에 휩싸였다.

"아."

"정확히 그런 느낌이야. 그러니까 대답은 '노'야. 난 그저 순수하게 기쁘기만 하거든. 아무것도 잃은 게 없으니까. 지금 나보다 더 많은 걸 가진 사람은 없을 거야."

한 가지를 빠뜨렸다는 걸 그에게 알려주려 했지만 갑자기 내 입술이 바빠졌다.

해가 뜨면서 작은 연못이 진주 빛으로 바뀌었을 때 또 다른 질문이 떠올랐다.

"이게 얼마나 지속될까? 그러니까…… 칼라일과 에스미, 에밋과 로잘리, 앨리스와 재스퍼는 하루 종일 둘이서 방 안에만 있지는 않잖아. 항상 옷을 다 갖춰 입은 상태로 다른 사람들과 자리를 함께 하지. 이런…… 갈망도 시간이 가면 약해지는 거야?"

무슨 말인지 정확히 알려주기 위해 난 그에게로 더 가까이 다가갔다.

"확실히 말하긴 어려워. 경우에 따라 다르거든. 젊은 뱀파이어들은 지나치게 갈증에만 사로잡혀 있어서 다른 것으로 신경을 돌리지 못하는 경우가 대부분이지. 너한테는 해당사항이 없는 것 같지만. 보통 뱀파이어들은 첫해를 보내고 나면 다른 욕구에 눈을 뜨게 돼. 갈증이든, 아니면 다른 욕구든 약해지거나 사라지는 건 아냐. 하지만 그저 균형을 유지하고 우선

순위를 정하는 법을 배우고, 어떻게 컨트롤해야 할지 알아가는 거지……."

"얼마나 걸려?"

그는 코를 약간 찡그리며 미소 지었다.

"로잘리와 에밋이 최악이었어. 10년이 지나고 나서야 그들이 있는 곳 8킬로미터 반경 안에 들어가 봤다니. 심지어 칼라일과 에스미까지 힘들어했어. 그래서 결국 그 행복한 커플을 쫓아내고 말았지. 에스미는 그들에게도 집을 지어주었어. 이곳보다는 화려한 집이었지. 에스미는 로잘리가 어떤 걸 좋아하는지 알거든. 네가 좋아하는 게 뭔지도 알고."

"그래서 10년 후에는? 모두 정상이 되는 거야? 지금의 둘처럼?"

사실 난 로잘리와 에밋이라고 해도 우리 둘보다는 못할 거라고 확신하고 있었다. 하지만 "우린 10년보다 더 길 거야."라고 말하면 역시 거만해 보이겠지. 에드워드가 다시 미소 지었다.

"음, 정상이란 게 뭘 뜻하는지 모르겠어. 넌 우리 가족이 상당히 인간적인 모습으로 살아가는 걸 봤지. 하지만 그래도 밤에는 잤잖아."

그가 내게 윙크했다.

"이제는 자지 않아도 되니까 엄청나게 많은 시간이 남는 셈이지. 그러니까 네…… 흥미도 아주 쉽게 균형을 잡을 거야. 내가 우리 가족 중에서 가장 뛰어난 음악가가 된 것도, 칼라일을 제외하고 내가 가장 많은 책을 읽은 것도, 여러 과학 분야를 공부하게 된 것도, 대부분의 언어에 능통한 것도 그래서지……. 에밋은 내가 마음을 읽기 때문에 그렇게 모든 걸 아는 척하는 거라고 생각하지만 사실은 시간이 많아서 그런 거야."

우리는 함께 소리 내어 웃었다. 서로의 몸을 단단히 밀착시킨 채 웃어대는 건 퍽 흥분되는 경험이었다. 그래서 우리의 대화는 빨리 마무리되었다.

25

# 호의

잠시 후 에드워드가 내게 가장 중요한 일을 일깨워주었다. 단 한마디로.

"르네즈미……."

나는 한숨을 쉬었다. 곧 그 애가 잠에서 깨어나겠지. 거의 아침 일곱 시가 다되었을 것이다. 르네즈미는 깨서 나를 찾을까? 갑자기 공황에 가까운 무엇인가가 내 몸을 얼어붙게 했다. 오늘 그 애는 어떤 모습일까. 에드워드는 내가 긴장으로 거의 제정신을 잃었다는 걸 알아차렸다.

"괜찮아, 내 사랑. 2초면 옷을 입고 집에 갈 수 있으니까."

자리에서 일어나 그를 바라보다가(다이아몬드 같은 그의 몸이 산란된 빛에 희미하게 반짝였다) 르네즈미가 있는 서쪽을 바라보고, 다시 그에게로 시선을 돌렸다 또 그 애 쪽을 응시하는 내 모습은 만화 같았을 것이다. 고개를 좌우로 1초에 여섯 번은 족히 움직였으니까. 에드워드는 미소 지었지만 의지가 강한 남자답게 웃지는 않았다.

"균형이 중요하다니까. 넌 지금도 잘 하고 있어. 조금만 더 있으면 모든 일을 더 장기적인 시각으로 보게 될 거야."

"그리고 앞으로 우리에겐, 영원한 밤이 남아 있겠지?"

그가 활짝 웃었다.

"이런 상황만 아니었다면 네가 옷을 입게 내버려두지는 않았을 텐데."

그것만으로도 낮 시간을 충분히 견딜 수 있을 것이다. 나는 앞으로 이 엄청나고 지독한 욕망을 컨트롤하고 균형을 잡으면서 좋은…….  '엄마'라는 단어를 떠올리기가 어려웠다. 르네즈미는 너무도 현실적인 동시에 내 삶에서 가장 중요한 존재였지만, 내가 엄마라는 것만큼은 여전히 믿기지 않았다. 자신이 엄마라는 사실에 익숙해질 아홉 달의 시간을 거치지 못한 사람이라면 누구나 그럴 것이다. 게다가 한 시간 단위로 바뀌는 아이라면 더욱더.

르네즈미의 삶이 너무 빨리 흘러가고 있다는 생각을 하자 다시 긴장되었다. 때문에 화려하게 조각된 옷 방의 문 앞에서 앨리스가 어떤 일을 벌여놓았을지 미리 상상해볼 여유도 없었다. 나는 아무거나 처음 손에 잡히는 옷을 입어야겠다고 생각하고 그냥 문을 열고 들어갔다. 그게 생각만큼 쉽지 않으리란 걸 알았어야 했는데.

"어느 게 내 거야?"

나는 혀를 찼다. 에드워드에게 들은 대로, 그 방은 침실보다 컸다. 아니 이 집의 나머지 부분을 모두 합친 것보다 더 크다. 일부러 크기를 재볼 필요도 없었다. 나는 앨리스가 에스미를 설득해 전체적인 조화와 비례 따위는 무시한 채 이런 기형적인 벽장을 집어넣는 장면을 떠올렸다. 그리고 어떻게 앨리스가 자기 뜻을 이뤘는지 궁금해졌다.

모든 것이 손 한 번 대지 않은 흰색 옷 가방에 싸여 끝없는 줄을 이루고 있었다.

"이 선반을 제외하고는 모두 네 것으로 알고 있는데."

그가 문 왼쪽 벽을 따라 뻗어 있는 막대를 만지며 대답했다.

"이게 전부 다?"

그가 어깨를 으쓱였다.

"앨리스!"

우리는 함께 부르짖었다. 그는 설명 대신, 나는 감탄사 대신 그녀의 이름을 부른 셈이다.

"좋아."

나는 중얼거리고는 가장 가까이에 있는 가방을 열었다. 그리고 그 안에서 바닥까지 끌리는 베이비핑크색 가운을 발견하고 낮게 으르렁거렸다. 정상적인 옷을 찾으려면 하루 종일 걸리겠지!

"도와줄게."

에드워드가 말했다. 그리고 주의 깊게 냄새를 맡더니 어떤 냄새를 쫓아 기다란 벽장 뒤쪽으로 갔다. 이어 그는 다시 한 번 냄새를 맡고 서랍을 열었다. 의기양양한 미소를 지으며 그가 물 빠진 청바지를 내밀었다. 난 가벼운 걸음으로 그의 곁에 다가갔다.

"어떻게 한 거야?"

"데님에서도 고유의 냄새가 나지. 다른 모든 것들처럼 말이야. 그럼 다음은…… 스트레치코튼?"

그는 냄새를 따라 선반으로 가더니 흰색의 긴소매 셔츠를 찾아 던져주었다.

"고마워."

나는 열렬히 감사를 표하며 섬유의 냄새를 맡고는, 기억에 새겨두었다. 그래야 앞으로도 이 소란스러운 집에서 옷을 찾을 수 있을 테니까.

그의 옷을 찾는 데는 몇 초밖에 걸리지 않았다. 에드워드는 옷을 벗은 모습이 가장 아름답고, 그다음으로는 카키색과 베이지색의 풀오버를 입은 모습이 아름다웠다. 우리는 비밀 정원을 지나 가볍게 돌 벽을 뛰어넘은 다음 전속력으로 숲을 통과했다. 에드워드와 나는 잡았던 손을 놓고 집까지 경주를 했다. 이번에는 그가 나를 이겼다.

르네즈미는 깨어 있었다. 바닥에 앉아 우그러진 은그릇을 가지고 노는 그 애 옆을 로잘리와 에밋이 서성이고 있었다. 그 애는 오른손에 망가진 숟가락을 들고 있다가 창문으로 내 모습을 보자마자 바닥(나무라 패인 자국이 남고 말았다)에 숟가락을 내던지고 급하게 내 쪽을 가리켰다. 그 애를 지켜보던 사람들은 웃음을 터뜨렸다. 앨리스, 재스퍼, 에스미, 칼라일이 소파에 앉아 마치 재미있는 영화라도 보듯이 그 애를 지켜보았다.

나는 그들이 웃음을 터뜨리기도 전에 문으로 들어가 거실을 가로지른 다음 그 애를 바닥에서 안아 올렸다. 우리는 서로를 보며 환하게 웃었다.

그렇게 많이는 아니지만 그 애는 또 달라져 있었다. 몸이 좀 더 길어지면서 신체 비율도 아기에서 아이로 바뀌는 중이었다. 머리카락 역시 4분의 1인치쯤 길었고, 고수머리는 그 애가 움직일 때마다 스프링처럼 가볍게 튀어 올랐다. 집으로 돌아오는 길에 나는 이보다 더 나쁜 상황을 상상하며 불안해했었다. 이미 지나치게 겁을 집어먹었던 탓에 이런 작은 변화들은 오히려 안도감을 주었다. 아직 칼라일이 줄자와 체중계로 측정하지는 않았지만, 어제보다는 성장 속도가 느려진 것 같았다.

르네즈미가 내 뺨을 두드렸다. 나는 움찔했다. 아이는 다시 배고파하고 있었다.

"르네즈미가 언제 일어났어?"

내가 묻는 동안 에드워드가 부엌 쪽으로 사라졌다. 그도 나만큼이나 또렷하게 르네즈미의 생각을 보았을 테니 분명 아이에게 아침을 가져다줄 것이다. 문득 궁금해졌다. 만일 그가 르네즈미의 마음을 아는 유일한 사람이었다면 아이의 아주 사소한 생각들까지 알아차릴 수 있었을까? 그에겐 다른 사람의 생각을 듣는 것과 마찬가지였을 것 같았다.

"몇 분밖에 안 됐어. 전화하려고 했는데. 너에 대해 묻더라고. 아니 너를 찾았다는 게 맞겠네. 에스미가 꼬마 괴물을 즐겁게 해주려고 두 번째로 아끼는 은그릇을 희생했지."

로잘리가 그렇게 말하고 너무나 애정이 가득한 표정으로 르네즈미에게 미소 지었다. 때문에 꼬마 괴물이라는 말에 아무런 거부감도 느껴지지 않았다.

"우린 너희들을…… 어, 방해하고 싶지 않았어."

로잘리가 웃지 않으려는 듯 입술을 깨물고 시선을 피했다. 내 등 뒤에서 에밋이 조용히 웃었다. 그러자 집이 덩달아 진동하는 게 느껴졌다.

난 당당하게 턱을 치켜들고, 르네즈미에게 말했다.

"우린 네 방을 당장 꾸며줄 거야. 너도 그 오두막이 마음에 들걸."

이어 나는 에스미를 올려다보았다.

"고마워요, 에스미. 뭐라 표현할 수 없을 정도로. 정말 완벽해요."

에스미가 뭐라고 대답하기도 전에 에밋이 다시 웃음을 터뜨렸다. 이번에는 소리 없는 웃음이 아니었다.

"그래, 집은 아직 멀쩡해? 지금쯤이면 무너졌을 줄 알았는데. 대체 어젯밤엔 뭘 한 거야? 국채에 대해 토론이라도 했나?"

에밋이 낄낄 웃었다. 나는 이를 갈면서도 어제 내가 화를 낸 것이 어떤 불상사로 이어졌는지 떠올렸다. 물론 에밋은 세스처럼 무르지는 않겠지만……. 세스를 생각하다 보니 궁금해진 게 있었다.

"늑대들은 어딜 간 거야?"

난 유리벽을 내다보았지만 리의 흔적은 보이지 않았다.

"제이콥은 오늘 아침 일찍 나갔어. 세스도 따라갔고."

로잘리가 이마를 살짝 찡그리면서 말했다.

"무슨 일인데 그렇게 허둥댄 거지?"

부엌에서 르네즈미의 컵을 들고 오던 에드워드가 물었다. 로잘리의 기억에는 내가 그녀의 표정에서 읽어낸 것보다 더 많은 것들이 숨어 있음이 분명해 보였다.

나는 숨을 멈추고서 르네즈미를 로잘리에게 넘겨주었다. 내가 정말 엄청난 자제력의 소유자인지 어떤지는 모르겠지만, 그래도 도저히 르네즈미에게 피를 먹일 수는 없었다. 아직은.

"몰라. 관심도 없고. 놈은 네시가 자는 걸 저능아처럼 입을 벌리고 쳐다보다가 갑자기 벌떡 일어서서 나가버렸어. 뭐 어쨌든 난 알아차리긴 했지만. 놈이 없어져서 기분이 좋군. 여기 있을수록 냄새만 더 심해지잖아."

로잘리는 툴툴댔지만 그러면서도 에드워드의 질문에 좀 더 자세히 대답해주었다.

"로잘리."

에드워드가 부드럽게 꾸짖었다. 로잘리가 머리카락을 넘겼다.

"별건 아니지, 뭐. 우린 여기 오래 있을 것도 아니니까."

"뉴햄프셔로 가서 자리를 잡았어야 했는데. 벨라는 벌써 다트머스에 등록했잖아. 조금만 더 있으면 학교에도 다닐 수 있을 것 같은데. 넌 줄줄이 A학점을 받을 거야. 공부 말고 뭐 밤에 따로 할 일도 없잖아?"

에밋의 말이었다. 아까 했던 대화의 연장인 것 같았다. 이윽고 그가 짓궂은 미소를 띄운 채 나를 바라보았다. 로잘리가 키득거렸다. 화내지 말자, 화내지 말자. 나는 속으로 이 말을 되풀이했다. 침착할 수 있는 스스로가 자랑스러웠다.

그래서 난 에드워드가 화를 참지 못하는 걸 보고 놀라지 않을 수 없었다. 그는 으르렁거렸고(그 소리는 몹시 갑작스럽고 또 충격적이었다), 그의 얼굴에는 폭풍을 불러오는 구름처럼 가장 어두운 분노가 몰려왔다. 우리가 미처 뭐라고 말할 틈도 없이 앨리스가 일어섰다.

"제이콥은 지금 뭘 하고 있는 거야? 그 늑대 놈, 뭘 하고 있기에 내 하루가 보이지 않게 되어버린 거지? 아무것도 안 보이잖아! 아니, 근데 넌 꼴이 왜 이 모양이야? 아무래도 내가 직접 옷장에 갔다 와야겠는데?"

앨리스는 그렇게 말하며 고문당하는 듯한 표정으로 나를 보았다. 때문에 나는 잠시 동안 제이콥에게 감사했다. 대체 무슨 짓을 한 건지는 몰라도. 그때 에드워드가 주먹을 쥐더니 으르렁거렸다.

"제이콥이 찰리한테 말했어. 찰리가 자길 따라올 거라고 생각하고 있군. 여기로 오는 거야. 오늘."

앨리스가 특유의 고상하고 노래하는 듯한 목소리로 비명을 질러대더니 뒷문으로 사라졌다.

"찰리한테…… 말했다고? 그래도 아빠 이해 못했겠지? 어떻게 이해하겠어?"

숨을 쉴 수 없었다. 찰리는 나에 대해 알아선 안 된다. 뱀파이어에 대해서도! 이럴 순 없어! 이 일을 알게 된다면 찰리는 볼투리 가의 살생부에 이름을 올리게 될 거고, 컬렌 일가마저도 아빠를 구할 수 없을 것이다.

"안 돼!"

나는 절규했다. 에드워드가 이를 악물었다.

"제이콥이 돌아오고 있어."

동쪽에는 비가 내리고 있는 것 같았다. 문으로 들어온 제이콥이 젖은 머리카락을 개처럼 터는 바람에 작은 물방울이 튀면서 하얀 카펫과 소파에 작은 회색 얼룩들이 생겼다. 반짝이는 그의 이빨이 붉은 입술과 대조되었다. 그는 잔뜩 흥분해 눈을 반짝였다. 우리 아빠 인생을 망쳐놓으니 아주 신이 나는 모양이지?

"다들 안녕."

그가 웃으며 인사했다. 아무 소리도 나지 않았다. 리와 세스는 인간의 모습으로 그의 뒤를 따라왔다. 방 안의 긴장된 분위기를 느끼고는 그들은 손을 떨었다.

"로잘리."

나는 팔을 내밀었다. 아무 말 없이 로잘리가 르네즈미를 건네줬다. 난 아이를 내 멈춰버린 심장에 가져다 댔다. 마치 내 경솔한 행동을 막아줄 부적인 것처럼 꼭 안았다. 제이콥을 죽여버리겠다는 결심이 분노보다는 이성에 근거한 것이라는 확신이 생길 때까지 난 르네즈미를 안고 있을 것이다. 그 애는 미동도 없이, 꼼짝도 하지 않은 채 보고 들었다. 르네즈미는 얼마나 이해할 수 있을까?

"찰리가 곧 올 거야. 미리 알려주는 거야. 앨리스가 네게 선글라스나 뭐 그런 걸 가져다줄 줄 알았는데?"

제이콥이 나를 보고 아무렇지도 않게 말했다.

"주제넘게 구는 데도 한계가 있어. 너. 대체. 무슨. 짓을. 한. 거야?"

내가 잇새로 그렇게 내뱉었다. 제이콥의 미소는 조금 희미해졌지만, 여전히 너무 흥분해 있어서 진지하게 대답할 수 없는 것 같았다.

"오늘 아침에, 금발이랑 에밋이 계속 이사 가는 이야기를 하는 바람에 잠에서 깼어. 내가 떠나게 내버려둘 것 같아? 제일 큰 문제는 찰리잖아, 맞지? 음, 그러니 이제는 문제가 해결된 거야."

"무슨 짓을 했는지 알기나 해? 네가 찰리를 어떤 위험 속으로 몰아넣었는지 아냔 말이야!"

그가 코웃음 쳤다.

"난 그를 위험에 빠뜨리지 않았어. 너 말고 다른 위험이 뭐가 있다고. 하지만 넌 엄청난 자제력을 얻었잖아, 안 그래? 마음을 읽는 능력보다야 못하지만. 별로 흥분되지도 않고 말이야."

그때 에드워드가 움직였다. 그가 거실을 가로지르더니 제이콥의 얼굴에 자신의 얼굴을 들이밀었다. 에드워드는 제이콥보다 머리 반은 작았지만, 제이콥은 자기보다 큰 상대가 덤벼든 것처럼 몸을 뒤로 뺐다. 그만큼 에드워드의 분노는 강렬했다.

"그건 그냥 이론이지, 이 멍청한 놈아. 굳이 찰리한테 테스트까지 해봐야겠어? 아무리 벨라가 버틸 수 있다고 해도, 육체적으로 얼마나 큰 고통을 겪어야 하는지 알아? 또 감정적인 고통은? 이제 넌 벨라가 어떻게 되든 관심도 없는 모양이군."

에드워드는 으르렁거리며 그 마지막 말을 내뱉었다. 르네즈미가 불안한 듯 손가락을 내 뺨에 댔고, 불안은 그 애가 보여주는 이미지들을 온통 물들이고 있었다.

에드워드의 말은 결국 이상할 만큼 들떠 있던 제이콥의 기분을 가라앉혔다. 얼굴을 찡그리고 힘없이 입을 벌린 그가 되물었다.

"벨라가 고통스럽다고?"

"넌 벨라의 목구멍에 아주 뜨거운 쇠도장을 밀어 넣은 거야!"

나는 그 냄새, 순수한 인간의 피에서 나던 냄새를 기억하고 움찔했다.

"몰랐어."

제이콥이 속삭였다.

"그럼 먼저 물어봤어야지."

에드워드가 이를 악물고 으르렁거렸다.

"날 말렸을 거잖아."

"당연히 말려야지……!"

"내가 문제가 아냐. 찰리가 문제라고, 제이콥. 어떻게 아빠 위험에 빠뜨릴 수 있어? 이제 아빠도 죽든지 아니면 뱀파이어가 될 수밖에 없다는 거 알고 있어?"

내가 끼어들었다. 르네즈미를 안고 나는 고요하고 침착하게 서 있었다.

내가 더 이상 흘릴 수 없는 눈물을 대신 머금은 것처럼 목소리가 떨려 나왔다. 제이콥은 에드워드의 비난에는 여전히 괴로워하면서도 내 말에는 걱정하지 않는 것 같았다.

"진정해, 벨라. 네가 그에게 말해줄 생각이 없는 이야기는 나도 하지 않았어."

"하지만 그가 오고 있잖아!"

"그래, 바로 그거야. 찰리가 스스로 엉뚱한 생각을 하게 만드는 게 네 계획 아니었어? 그래서 난 엉뚱한 정보를 흘리고 온 거야."

내 손가락이 르네즈미에게서 떨어졌다. 나는 손가락을 구부렸다.

"똑바로 말해, 제이콥. 난 이런 건 참을 수 없어."

"네 이야긴 하지 않았어, 벨라. 정말이야. 나에 대해서만 얘기했지. 아니 보여줬다고 하는 게 더 맞겠군."

"제이콥은 찰리 앞에서 변신을 했어."

에드워드가 이를 가는 소리를 냈다. 내가 속삭였다.

"뭐? 뭘 했다고?"

"찰리는 용감해. 너만큼이나. 기절하지도, 토하지도 않더라고. 나, 감동받았잖아. 내가 옷을 벗기 시작했을 때 그의 표정을 봤어야 하는데. 정말 최고였어."

제이콥이 깔깔거렸다.

"너 진짜 저능아 아니니? 너 때문에 찰리는 심장마비를 일으킬 수도 있었어."

"찰리는 괜찮아. 강한 사람이니까. 1분만 생각해보면 너도 내가 어떤 호의를 베풀었는지 알게 될 걸."

"너한텐 딱 30초 주겠어, 제이콥. 르네즈미를 로잘리에게 넘겨주고 네 머리를 날려버리기 전에 낱낱이 털어놓는 게 좋을걸. 이번엔 세스도 날 막지 못할 거야."

내 목소리는 단호하고 냉혹했다.

"이런, 벨라. 너 이렇게 유치하진 않았잖아. 뱀파이어가 되면 다 그래?"

"26초."

제이콥이 눈동자를 굴리더니 가까이 있는 의자에 털썩 주저앉았다. 단출한 그의 무리가 양 옆에 와 섰다. 리는 살짝 이를 드러낸 채 나를 보고 있었다.

"오늘 아침에 찰리 집에 가서 문을 두드리고, 그에게 잠깐 함께 걷자고 했어. 처음에 찰리는 어리둥절해하더군. 하지만 네 이야기라고, 벨라가 돌아왔다고 하니까 숲까지 날 따라왔어. 난 그에게 이제 벨라는 아프지 않고, 상황이 좀 이상하긴 하지만 그래도 괜찮다고 말해줬지. 찰리는 당장에라도 널 만나려 들었지만 내가 그 전에 보여줄 게 있다고 했어. 그리고 늘 대로 변신한 거지."

제이콥이 어깨를 으쓱해 보였다. 바이스를 죄듯 나는 이빨을 앙다물었다.

"다 털어놓으라고 했지, 괴물아."

"30초밖에 없다며. 알았어, 알았어."

내 표정을 보고 그도 알아차린 것 같았다. 장난할 기분이 아니라는 걸.

"보자, 그러니까…… 난 다시 사람으로 변신하고 옷을 입었어. 보니까 찰리도 다시 숨을 쉴 수 있게 된 것 같더라고. 그래서 이렇게 얘기해줬지. '찰리, 우리가 사는 세상은 당신이 생각하는 것과는 달라요. 좋은 소식은 아무것도 변하지 않았다는 거죠. 당신이 지금 그런 사실을 알게 되었다는 것만 빼면 말예요. 삶은 지금처럼 계속될 거예요. 이런 걸 믿지 않는 척해도 상관없어요.' 그로부터 1분쯤 지난 후에 찰리는 냉정을 되찾더군. 그리고 너한테 무슨 일이 있는 건지, 진짜로 희귀병에 걸렸는지 내게 물어봤지. 난 좀 아프긴 했지만 이젠 괜찮아졌다고 대답했어. 회복되는 과정에서 네가 좀 변했다고도 말해줬고. 찰리는 '변했다'는 게 무슨 뜻인지 알고 싶어 했지. 그래서 난 네가 르네보다는 에스미처럼 보인다고 설명했어."

내가 공포에 질린 눈으로 바라보자 에드워드가 위협적인 소리를 냈다. 상황이 위험하게 흘러가고 있었다.

"몇 분 후에 찰리가 아주 조용히 묻더라고. 너도 동물로 변하냐고. 그래서 난, 벨라도 사실 그렇게 멋지게 되길 바라긴 했다고 대답했지."

제이콥이 킥킥거렸다. 로잘리가 넌더리를 냈다.

"난 늑대인간에 대해 좀 더 이야기를 해주려고 했는데, 찰리가 내 말을 자르더니 자세히 알고 싶지 않다고 했어. 그러고는 에드워드와 결혼할 때 네가 이 상황을 알고 있었냐고 물었지. 그래서 난 대답했어. '그럼요, 벨라는 몇 년 전부터 알고 있었어요. 포크스에 처음 왔을 때부터요.' 별로 안 좋아하는 눈치던데. 그래서 그가 화가 풀릴 때까지 충분히 소리를 지르게 됐어. 찰리는 좀 진정하고 나더니 두 가지를 원한다고 했어. 일단 널 보고 싶다더군. 그래서 내가 먼저 가서 이야기해두겠다고 했지."

나는 깊이 숨을 들이쉬었다.

"다른 한 가지는 뭔데?"

제이콥이 미소를 지었다.

"너도 마음에 들 거야. 가능하면 이 일에 대해 듣고 싶지 않다는 거야. 그가 반드시 알아야 하는 게 아니라면 말하지 마. 꼭 알아야 하는 것만 이야기하라고."

제이콥이 돌아온 후 처음으로 안도감을 느꼈다.

"그건 할 수 있어."

"그래야 해. 찰리는 아무 일도 없었던 척하고 싶어 하거든."

제이콥이 의기양양한 미소를 지었다. 내게 슬슬 고마운 마음이 생기려는 걸 알아차린 게 분명했다.

"르네즈미에 대해서는 뭐라고 했어?"

고마워하는 모습은 보이기 싫었으므로 난 일부러 싸늘한 목소리로 말했다. 아직 고마워하기에는 이르다. 여전히 남은 문제가 많으니까. 제이콥 덕분에 찰리가 내 바람보다 더 긍정적인 반응을 보여준다 해도…….

"아, 그래. 너와 에드워드가 아이를 하나 맡아 키우게 됐다고 이야기해 줬어. 고아라서 너희가 후견인이 됐다고 말이야. 브루스 웨인과 딕 그레이 슨처럼."

제이콥이 에드워드를 흘깃 보더니 비아냥댔다.

"거짓말을 해도 상관없을 것 같아서. 원래 그게 룰이었잖아. 안 그래?"

에드워드는 아무 반응도 보이지 않았고 제이콥은 이야기를 계속했다.

"찰리는 충격도 받지 않았어. 하지만 너희가 아이를 입양할 거냐고 묻던데. '딸로 삼아? 그럼 난 할아버지가 되는 건가?'라고 했어. 난 그렇다고 대답해줬지. '축하해요, 할아버지.'라고. 그게 다야. 찰리는 그제서야 좀 웃더군."

다시 내 눈이 따끔거렸지만 이번에는 공포나 걱정 때문이 아니었다. 찰리가 할아버지가 된다는 소리에 미소를 지었다고? 찰리와 르네즈미는 정말 만나게 될까?

"하지만 르네즈미는 너무 빨리 변하고 있잖아."

내가 속삭였다.

"찰리에게 그녀는 우리 모두를 합친 것보다 더 특별하다고 얘기해줬어."

제이콥이 부드러운 목소리로 말했다. 그리고 일어서서 내게 다가왔다. 그는 자신을 따르려는 리와 세스를 제지했다. 르네즈미는 그에게 팔을 뻗었지만 난 내 딸을 더 단단히 끌어안았다.

"그에게 이렇게 말해줬어. '절 믿으셔도 돼요. 아저씬 이 일에 대해 알고 싶지 않을 거예요. 하지만 좀 이상한 면들만 눈감아준다면 오히려 멋진 일이라고요. 그 앤 세상에서 가장 놀라운 아이거든요.' 그리고 그가 이 일에 잘 대처하기만 한다면 너희도 이 곳에 머물면서, 그녀에 대해 알아갈 기회를 줄 거라고 했지. 하지만 그렇지 못하면……, 너흰 떠나야만 할 거라고. 찰리는 자신에게 너무 많은 걸 알려주지만 않는다면 괜찮을 거라고 했어."

제이콥이 어색한 미소를 짓고서 나를 바라보았다.

"고맙다는 말은 하지 않을 거야. 네가 찰리를 엄청난 위험에 빠뜨렸다는 사실엔 변함이 없으니까."

내가 말했다.

"널 힘들게 한 거 미안해. 그럴 줄은 몰랐어. 벨라, 이제 우리의 상황이 서로 달라지긴 했지만 너는 언제나 나의 베스트프렌드야. 난 항상 널 사랑할 거야. 하지만 이젠 '제대로' 사랑해야겠지. 드디어 균형을 잡게 된 거야. 우리 둘 다 생명보다 소중한 사람이 생겼잖아."

그는 아주 제이콥다운 미소를 지었다.

"우린 아직 친구지?"

난 버티려고 했지만 미소를 지을 수밖에 없었다. 비록 아주 작은 미소였지만.

그가 손을 뻗었다. 이건 제안이다. 난 심호흡을 한 후 르네즈미를 한 팔에 안았다. 그리고 왼손으로 그의 손을 잡았다. 그는 차가운 내 피부에 닿고도 움찔하지 않았다.

"오늘밤 내가 찰리를 죽이지 않는다면, 널 용서해줄지 고민해볼게."

"오늘밤 네가 찰리를 죽이지 않으면 내게 빚을 지는 거야."

나는 눈동자를 굴렸다. 제이콥은 다른 손을 르네즈미에게로 뻗었다. 이번에는 부탁이었다.

"내가 안아도 돼?"

"내가 계속 이렇게 안고 있어야 널 못 죽일걸, 제이콥. 넌 나중에 안아."

그는 한숨을 쉬었지만 고집을 부리지는 않았다. 현명하군.

그때 앨리스가 급히 문으로 들어왔다. 그녀는 손에 뭔가를 잔뜩 든 상태였고 얼굴은 분노로 가득 차 있었다.

"너, 너, 그리고 너. 잠깐 저 구석에 좀 가 있어. 미래를 봐야겠어. 벨라, 아기는 제이콥에게 맡기는 게 좋겠다. 어쨌든 손에 뭘 들고 있으면 불편하니까."

그녀가 늑대인간들을 노려보며 날카롭게 말했다. 제이콥이 의기양양하게 웃었다.

갑자기 내가 저지르려는 엄청난 짓이 상기되어 희석되지 않은 공포가 밀려왔다. 난 극히 평범한 인간인 아버지를 기니피그삼아, 내 믿을 수 없는 자제력을 걸고 도박을 벌이려 하고 있었다. 에드워드의 말이 다시 내 귓가에 메아리쳤다. 아무리 벨라가 버틸 수 있다고 해도, 육체적으로 얼마나 큰 고통을 겪어야 하는지 알아? 또 감정적인 고통은?

만약 이 일이 실패했을 때의 고통을 도저히 상상조차 할 수 없었다. 어느새 난 숨을 헐떡이고 있었다.

"받아."

나는 속삭이며 르네즈미를 제이콥의 팔에 안겨주었다. 근심으로 이마를 찌푸린 제이콥이 고개를 끄덕였다. 그리고 늑대인간들을 불러 거실 구석으로 갔다. 세스와 제이콥은 곧바로 바닥에 쭈그리고 앉았지만 리는 입술을 오므린 채 머리를 흔들었다.

"난 가도 돼?"

그녀가 투덜댔다. 전날 내게 으르렁거릴 때와 마찬가지로 더러운 티셔츠와 면 반바지를 걸친 리는, 인간의 모습으로 있는 게 편하지 않은 것 같았다. 그녀의 손은 여전히 떨리고 있었다.

"당연하지."

제이콥이 말했다.

"찰리와 마주치지 않게 동쪽에 있어."

앨리스가 덧붙였다. 리는 앨리스를 쳐다보지 않았다. 그녀는 뒷문으로 나가더니 늑대가 되기 위해 수풀 속으로 걸어갔다. 에드워드가 내 옆으로 오더니 내 뺨을 쓰다듬었다.

"할 수 있어, 넌. 내가 장담해. 도와줄게. 우리 모두가 도와줄게."

난 얼굴에 공포를 가득 담고 에드워드의 눈을 보았다. 내가 뭔가 해서는 안 될 짓을 하려 하면, 그는 날 막을 수 있을까? 에드워드는 그만큼 강할까?

"너를 믿지 않았다면 오늘 이곳을 떠났을 거야. 지금 당장이라도. 하지만 넌 할 수 있어. 찰리를 네 인생으로 데려오게 된다면, 넌 더 행복해질 거야."

난 숨을 고르려 노력했다. 앨리스가 손을 내밀었다. 그녀의 손바닥 위엔 작고 하얀 상자가 놓여 있었다.

"이걸 하고 나면 눈이 좀 불편할 거야. 아프진 않지만 눈에 뭔가 낀 것 같을 테니까. 귀찮기도 할 거고. 네 옛날 눈 색깔과는 맞지 않지만, 그래도 선홍색보단 낫겠지. 어때?"

그녀는 허공에 콘택트렌즈 상자를 던졌고 나는 그 상자를 잡았다.

"언제……."

"신혼여행 떠나기 전에. 미래를 대비해둔 거지."

나는 고개를 끄덕이며 상자를 열었다. 전에 렌즈를 끼어본 적이 없었지만, 그렇게 어렵지는 않았다. 나는 갈색의 작은 렌즈를 꺼내 오목한 면을 내 눈으로 밀어 넣었다. 눈을 깜박이자 얇은 막이 시야를 가렸다. 눈을 덮고 있는 렌즈의 미세한 결까지 볼 수 있었다. 내 눈은 렌즈 표면에 긁힌 미세한 자국이며 뒤틀린 부분들에 초점을 맞추었다.

"무슨 말인지 알겠어."

다른 한 쪽 눈에도 렌즈를 끼면서 내가 중얼거렸다. 이번에는 눈을 깜빡이지 않으려 애썼다. 눈은 자동적으로 갑자기 침입한 이물질을 밀어내려 애썼다.

"어때?"

내가 물으니 에드워드는 미소를 지었다.

"당연히 근사하지."

"그래, 그래. 벨라는 항상 멋지지."

앨리스가 참지 못하고 에드워드의 말을 자르더니 이어 덧붙였다.

"어쨌든 빨간 것보다는 낫겠지. 이게 내가 추천하는 최고의 색깔이야. 흐린 갈색. 그래도 네 원래 눈 색깔이 훨씬 예뻤었지. 뱀파이어의 독 때문에 몇 시간이면 렌즈가 녹아버릴 거야. 그러니까 넌 화장실에 간다는 핑계를 대고 계속 렌즈를 갈아 줘야 해. 괜찮은 생각이지? 어차피 인간이라면 화장실에 가야 할 테니까."

앨리스는 머리를 흔들더니 에스미에게 말했다.

"에스미, 난 화장실에 렌즈를 갖다놓고 올게요. 그 동안 벨라한테 인간처럼 행동하는 요령 좀 알려주세요."

"시간이 얼마나 남았어?"

"5분 후면 도착할 거예요. 그러니까 간략하게요."

에스미가 한 번 고개를 끄덕이더니 내 손을 잡았다.

"중요한 건 너무 미동도 없이 앉아 있거나 지나치게 빨리 움직이면 안 된다는 거야."

에스미가 조언했다.

"찰리가 앉아 있을 땐 너도 앉아 있어. 인간은 서 있는 걸 좋아하지 않으니까."

에밋이 끼어들었다.

"30초마다 다른 곳을 봐야 해. 인간은 한 가지 사물을 오랫동안 쳐다보지 않거든."

재스퍼도 거들었다.

"5분 정도 다리를 꼬았다가, 다음 5분 동안은 발목을 꼬는 거야."

로잘리가 덧붙였다. 나는 조언을 들으며 고개를 끄덕였다. 난 어제 그들이 하는 행동을 관찰하기도 했으니, 아마 흉내 낼 수 있을 것이다.

"그리고 최소한 1분에 세 번은 눈을 깜박여야 하고."

그렇게 말한 에밋은 얼굴을 찡그려 보이고, 리모컨이 놓여 있는 작은 탁자로 갔다. TV를 켜니 대학 풋볼 경기를 방영하고 있었다. 그가 고개를 끄덕였다.

"손도 움직여. 머리카락을 넘기거나 어딜 긁거나 하는 거지."

재스퍼의 말이었다.

"내가 부탁한 건 에스미였는데. 벨라 주눅 들겠다."

자리로 돌아온 앨리스가 투덜거렸다.

"아냐, 전부 알아들었어. 앉아서, 두리번거리고, 눈을 깜박이고, 산만해지라는 거지."

내가 말했다.

"그래, 맞아."

에스미가 대답하고서 내 어깨를 감싸주었다. 재스퍼가 얼굴을 찡그렸다.

"가능한 한 숨은 쉬지 마. 하지만 숨을 쉬는 것처럼 어깨는 조금씩 움직여줘."

난 한 번 숨을 들이쉬고서 다시 고개를 끄덕였다. 에드워드도 내 다른 한쪽 어깨를 안아주었다.

"할 수 있어."

그가 내 귀에 격려의 말을 속삭였다.

"앞으로 2분. 소파에 앉아 있는 게 좋겠어. 넌 지금 아픈 걸로 되어 있잖아. 처음엔 움직이는 모습을 보이지 않는 게 좋아."

앨리스가 그렇게 말하고 날 소파로 끌고 갔다. 나는 가능한 한 팔다리를 어설프게 움직이며 천천히 걸었다. 하지만 앨리스가 눈을 굴리는 것을 보고, 내 연기가 서툴렀다는 걸 알아차렸다.

"제이콥, 르네즈미 좀 데려와 줘."

내가 말했지만 제이콥은 얼굴을 찡그린 채 움직이지 않았다. 앨리스가 머리를 흔들었다.

"벨라. 그러면 내가 미래를 볼 수 없게 돼."

"하지만 르네즈미가 있어야 해. 그 애가 날 진정시켜줄 거야."

그렇게 말하는 내 목소리는 당장이라도 공황을 일으킬 것 같았다.

"좋아. 르네즈미를 안고 최대한 꼼짝 말고 있어 봐. 미래를 보도록 노력해 볼 테니까."

앨리스는 투덜대며 그렇게 말하고 나서, 지친 듯 한숨을 쉬었다. 마치 휴일에 출근해서 잔업을 하라는 명령이라도 받은 것처럼. 제이콥도 한숨을 쉬고는 르네즈미를 내게 데려다주었다. 그리고 앨리스의 눈에 보이지 않게 재빨리 뒤로 물러났다.

에드워드가 내 옆에 앉아 나와 르네즈미를 감싸 안았다. 그는 앞으로 몸을 숙이더니 아주 심각하게 르네즈미의 눈을 들여다보았다.

"르네즈미, 아주 특별한 사람이 너와 엄마를 보러 올 거야."

에드워드의 목소리는 진지했다. 그 애가 말을 알아듣기를 바라는 것처럼. 정말 알아듣는 건가? 그를 바라보는 르네즈미의 눈빛이 맑고 진지했다.

"하지만 그는 우리와 달라. 제이콥하고도 다르지. 그래서 아주 조심해야 해. 넌 그에게 우리에게 하는 방식으로 이야기를 들려주면 안 돼."

르네즈미가 그의 얼굴을 만졌다.

"맞아. 그리고 그를 만나면 넌 갈증을 느끼게 될 거야. 하지만 그래도 절대 물면 안 돼. 그는 제이콥처럼 빨리 낫지 않거든."

에드워드가 말했다.

"르네즈미가 알아들을까?"

내가 속삭였다.

"알아들었어. 너 조심할 거지, 르네즈미? 우릴 도와줄 거지?"

르네즈미가 다시 그를 만졌다.

"아냐, 제이콥은 물어도 돼. 괜찮아."

제이콥이 킥킥거렸다.

"넌 그만 가야겠다, 제이콥."

에드워드가 제이콥이 있는 쪽을 바라보며 차갑게 말했다. 에드워드는 아직 제이콥을 용서하지 않았다. 무슨 일이 벌어지든 내가 괴로워하리라는 사실을 알고 있으니까. 하지만 오늘밤 내가 직면할 최악의 상황이 타는 듯한 갈증뿐이라면, 얼마든지 달게 받아들이겠다.

"찰리한테 나도 여기 있을 거라고 했는데. 정신적인 지주로."

제이콥의 말이었다.

"정신적인 지주? 찰리에게는 우리 중 네가 가장 혐오스러운 괴물일 텐데."

에드워드가 비웃었다.

"혐오스러운?"

제이콥이 발끈하더니 혼자 조용히 웃었다.

자동차가 고속도로를 빠져나와, 조용하고 축축한 컬렌 가의 드라이브웨이로 들어서는 소리가 들렸다. 호흡이 다시 멈춰버렸다. 심장이 미친 듯 두근거려야 할 텐데, 몸이 예전처럼 반응하지 않으니 더 초조했다.

"잘했어, 벨라."

재스퍼가 칭찬했다. 에드워드는 내 어깨를 감싼 팔에 힘을 주었다.

"날 믿어?"

내가 물었다.

"그럼. 넌 뭐든 할 수 있어."

그가 미소 지으며 내게 입을 맞췄다. 좀 더 정확히 말하면 입술만 닿았다 떨어지는 가벼운 키스가 아니었다. 내 몸은 뱀파이어답게 거칠게 반응했고, 다시 한 번 경계심이 사라져버렸다. 에드워드의 입술은 내게 있어 신경계에 중독성 강한 약물을 주사한 것과 같은 효과를 발휘하곤 하니까. 곧바로 나는 좀 더 원하게 되었고, 지금 아이를 안고 있다는 사실을 잊지 않기 위해 최대한 정신을 집중해야 했다. 재스퍼는 내 기분이 바뀌었다는 걸 알아차렸다.

"어, 에드워드, 지금은 벨라의 주의를 흐트러뜨리면 안 돼. 집중해야 한다고."

에드워드가 몸을 뗐다.

"이런."

나는 웃었다. 그건 예전에, 처음으로 키스했을 때 내가 했던 말이었으니까.

"나중에."

내가 말했다. 기대감으로 가슴이 부풀어 올랐다.

"집중해, 벨라."

재스퍼가 다그쳤다.

"응."

나는 설레는 기분을 애써 밀어냈다. 지금 중요한 건 찰리다. 찰리를 안전하게 지키는 것. 그런 후에는 밤새도록…….

"벨라."

"미안해, 재스퍼."

에밋이 웃었다. 찰리의 차가 다가오고 있었다. 가볍게 떠들던 시간이 지나가고, 모두가 꼼짝하지 않았다. 나는 다리를 꼬고 눈을 깜박여보았다.

차가 집 앞에 멈춰 서더니 몇 초 동안 엔진소리가 들려왔다. 찰리도 나만큼 긴장하고 있을까? 곧이어 엔진이 멈추고 자동차문을 닫는 소리가 들렸다. 잔디 위를 걷는 소리가 세 번, 나무계단을 쿵쿵거리며 오르는 소리가 여덟 번 들렸다. 포치를 걸어오는 발소리, 네 번. 그리고는 침묵이었다. 찰리가 심호흡을 두 번 했다.

똑, 똑, 똑.

나는 마지막으로 숨을 들이쉬었다. 르네즈미가 내 머리카락에 얼굴을 숨기며 품으로 파고들었다. 칼라일이 문을 열어주었다. 텔레비전의 채널이 바뀌듯, 그의 긴장한 표정은 반가운 표정으로 변했다.

"안녕하세요, 찰리."

그가 말했다. 딱 필요한 정도로만 당황한 모습이었다. 사실 우린 애틀랜타의 질병통제예방센터에 있는 걸로 되어 있으니까. 이제 찰리는 자기가 속았다는 걸 알게 되었으니까.

"칼라일, 벨라는요?"

찰리가 딱딱하게 대답했다.

"여기 있어요, 아빠."

윽! 이 목소리가 아닌데. 게다가 채워놓았던 공기도 조금 써버렸다. 나는 재빨리 공기를 채웠다. 다행히도 찰리의 냄새가 아직 거실까지 침투하지는 않았다.

찰리의 멍한 표정을 보니, 내 목소리가 얼마나 낯선지 알 수 있었다. 날보는 그의 눈이 커져 있었다.

나는 아빠의 얼굴을 스쳐가는 감정들을 읽었다.

충격. 불신. 고통. 상실. 공포. 분노. 의심. 그리고 더 큰 고통.

나는 입술을 깨물었다. 그러자 기묘한 느낌이 들었다. 입술이 더 단단해져도 새로운 이는 인간이었을 때보다 더 날카롭게 느껴졌기 때문이다.

"벨라니?"

그가 속삭였다.

"네. 안녕하세요, 아빠."

그렇게 말하고 난 풍경소리 같은 목소리에 스스로 움찔했다. 아빠는 심호흡을 하며 냉정을 지켰다.

"오셨어요, 찰리. 어떻게 지내세요?"

제이콥이 구석에서 인사했다. 찰리가 제이콥을 한 번 노려보더니 아까의 기억을 떠올리며 몸서리쳤다. 아빠는 곧 내게로 시선을 돌렸다. 천천히 거실을 가로질러온 찰리는, 이제 몇 미터 떨어진 곳까지 다가왔다. 그리고 비난하는 눈빛으로 에드워드를 보다 다시 나를 바라보았다. 아빠의 심장 소리와 체온이 함께 느껴졌다.

"벨라 맞아?"

그가 다시 물었다. 나는 목소리가 울리지 않도록 낮게 말했다.

"진짜 나예요."

그가 입을 꼭 다물었다.

"미안해요, 아빠."

내가 말했다.

"괜찮니?"

그가 물었다.

"진짜로, 정말로 괜찮아요. 아주 건강한걸요."

내가 대답했다. 이제 산소가 필요한 시점이 되었다.

"제이콥이 말해줬어. 불가피한…… 선택이었다고. 넌 죽어가고 있었다고."

그는 전혀 믿지 않는 것처럼 말하고 있었다. 나는 르네즈미에게서 느껴지는 따스한 무게감에 정신을 집중하고 에드워드에게 몸을 기댄 다음, 마음을 굳게 먹고 심호흡을 했다.

찰리의 냄새는, 한 움큼의 불꽃 같았다. 냄새가 곧장 내 목구멍을 강타했다. 고통 그 이상이었다. 참기 힘든 욕망이 격렬하게 나를 찔러댔다. 찰리는 내가 상상할 수 있는 그 어떤 것보다 맛있는 냄새를 풍겼다. 사냥 나갔다 만났던 낯선 등산객들만큼 매력적이고, 그보다 두 배는 유혹적이었다. 게다가 지금 그는 바로 몇 미터 떨어진 곳에서 군침 도는 열기와 습기를 뿜어내고 있었다.

하지만 난 지금 사냥을 하는 게 아니다. 그리고 여기 이 사람은, 내 아버지다.

에드워드는 동정 어린 손길로 내 어깨를 꼭 잡았고, 제이콥은 거실 건너편에서 미안한 눈빛을 보냈다. 나는 마음을 가라앉힌 다음, 갈증이 가져다주는 고통과 갈망을 잊으려 노력했다. 찰리가 내 대답을 기다리고 있었다.

"제이콥 얘기가 사실이에요."

"너희 중 하나가 만들어낸 얘기겠지."

찰리가 화를 냈다. 나는 아빠가 변해버린 내 얼굴 뒤에 숨은 죄책감을 읽어낼 수 있기를 바랐다. 내 머리 아래서 르네즈미가 코를 킁킁대며 찰리의 냄새를 기억 속에 저장하고 있었다. 나는 그 애를 꼭 안았다.

내가 불안하게 아래쪽을 바라보자, 찰리의 눈도 내 시선을 따라왔다.

"아. 그 애구나. 너희가 입양한다는 고아가."

아빠가 말했다. 분노는 일시에 그의 얼굴에서 사라지고, 그 자리엔 충격만 남았다.

"조카예요."

에드워드가 능숙하게 거짓말을 했다. 르네즈미가 자신과 너무 닮아서 어쩔 수 없다는 결론을 내린 것이다.

"너한테는 가족이 없는 줄 알았는데."

찰리가 다시 비난이 담긴 목소리로 말했다.

"부모님은 안 계세요. 형은 나처럼 입양됐고요. 그 후에는 형을 만난 일이 없어요. 그런데 형과 형수가 이 아이만 남겨두고 그만 자동차 사고로 죽은 거예요. 그래서 법원에서 혈육인 날 찾아냈죠."

에드워드는 정말이지 능수능란했다. 목소리는 차분한데다 적당히 순진했다. 저렇게 할 수 있게 되려면 정말 많은 연습이 필요하겠지.

르네즈미가 밖을 내다보며 다시 코를 킁킁거렸다. 그 애는 긴 속눈썹 아래로 수줍은 듯 찰리를 바라보다가 다시 숨어버렸다.

"이 아이는……, 음, 이 아인 정말 아름답구나."

"네."

에드워드가 대답했다.

"큰 짐이 될 텐데. 너희 둘은 막 결혼했잖아."

"그럼 어떻게 해야 했겠어요? 아이를 받아주지 말걸 그랬나요?"

에드워드가 손가락으로 가볍게 르네즈미의 뺨을 쓰다듬었다. 난 그가 잠깐 동안 아이의 입술을 만지는 걸 보았다. 아까 들려준 말을 잊지 않게 할 생각인 것이다.

"흠……, 음."

그가 멍하니 고개를 흔들더니 다시 물었다.

"제이콥이 그러던데, 이 아일 네시라고 부른다며?"

"아니에요. 애 이름은 르네즈미예요."

그렇게 대답하는 내 목소리는 높고 날카로웠다. 찰리가 다시 나를 바라보았다.

"이 문제에 대한 네 생각은 어떠니? 어쩌면 칼라일과 에스미가⋯⋯."

"르네즈미는 내 아이예요. 전 르네즈미를 원해요."

내가 말을 자르고서 그렇게 못 박자 찰리는 얼굴을 찡그렸다.

"날 벌써 할아버지로 만들 셈이냐?"

에드워드가 미소 지었다.

"칼라일도 할아버지인걸요."

찰리는 잠시 동안, 여전히 현관문 앞에 서 있는 칼라일을 믿을 수 없다는 듯 바라보았다. 그는 마치 제우스의 잘생긴 동생 같았다. 찰리가 코웃음을 치더니 곧 웃음을 터뜨렸다.

"그 말을 들으니 기분이 좋아지는걸. 그 애한테 자꾸 눈이 가는구나."

아빠가 르네즈미를 다시 바라보았다. 따뜻한 숨결이 전해져왔다.

르네즈미는 처음으로 찰리의 얼굴을 똑바로 응시하면서 내 머리카락을 놓고 그 냄새를 향해 몸을 뻗었다. 그 순간 찰리가 숨을 헐떡였다.

나는 그가 무엇을 보았는지 알아차렸다. 내 눈⋯⋯, 그리고 그의 눈이 르네즈미의 완벽한 얼굴에 그대로 담겨 있었던 것이다.

찰리가 거칠게 숨을 몰아쉬기 시작했다. 입술이 마구 떨렸다. 난 아빠가 입 속으로 숫자를 세고 있다는 걸 알았다. 거꾸로 수를 세어가면서 아홉 달의 시간을 끼워 맞춰보려는 것 같았다. 하지만 눈앞에 있는 증거는 그런 그의 노력과 서로 들어맞기를 거부했다.

제이콥이 다가와 찰리의 등을 두드렸다. 그리고 몸을 숙여 귓가에 무슨 말인가 속삭였다. 찰리는 우리 모두 그 귓속말을 들을 수 있다는 사실을 모르고 있었다.

"꼭 알아야 하는 것만 들으면 돼요. 찰리. 괜찮으니까요. 약속해요."

찰리는 침을 삼키더니 고개를 끄덕였다. 그리고는 주먹을 움켜쥔 채 번쩍이는 눈으로 에드워드에게 한발 다가섰다.

"모든 걸 알고 싶지는 않다. 하지만 이제 거짓말은 끝났어!"

"죄송합니다. 하지만 당신이 알아야 하는 건 진실이 아니라 '이야기' 예요. 대외적인 이야기. 중요한 건 그거니까요. 우리뿐 아니라 벨라와 르네즈미를 보호하기 위해서예요. 둘을 위해 거짓말을 그냥 넘겨줄 수는 없나요?"

에드워드가 조용히 말했다. 다들 조각처럼 움직이지 않았다. 나는 발목을 꼬았다. 찰리는 한 번 숨을 헐떡이더니 나를 바라보았다.

"미리 경고라도 해줬어야지."

"그랬으면 좀 더 받아들이기 쉬웠을까요?"

아빠가 얼굴을 찡그리더니 내 앞에 무릎을 꿇었다. 나는 피부 아래로 흐르는 피를 꿰뚫어보고, 그 따스한 진동을 감지할 수 있었다.

르네즈미도 마찬가지였다. 그 애가 미소 짓더니 분홍빛 손바닥을 그에게 내밀었다. 나는 그 손을 잡아당겼다. 그러자 르네즈미는 다른 손을 내 목에 댔다. 그 애의 생각 속에 들어 있는 건 호기심, 갈증, 그리고 찰리의 얼굴. 나는 르네즈미의 메시지를 보면서 그 애가 에드워드의 말을 완벽하게 이해했다는 걸 깨달았다. 그 애는 갈증을 인식하고 있으면서도 동시에 억누르고 있었다.

"후……. 몇 개월이나 됐어?"

찰리가 르네즈미의 완벽한 이를 바라보며 숨을 헐떡였다.

"석 달 됐어요. 그것치곤 좀 크죠. 하지만 어떤 면에서는 아직 그만큼이 안 돼요. 그냥 다른 애들보다 발육 상태가 좋은 거죠."

에드워드가 느릿하게 설명했다. 르네즈미는 아주 차분하게 그에게 손을 흔들었다. 찰리는 심하게 눈을 깜박였다. 제이콥이 그를 팔꿈치로 찔렀다.

"제가 그랬잖아요. 아주 특별한 애라고."

찰리는 제이콥의 몸이 닿자 움찔하며 물러섰다.

"아, 찰리. 난 예나 지금이나 똑같은 사람이라니까요. 오늘 오후의 일은 그냥 없었던 걸로 해주세요."

제이콥이 투덜댔다. 그 말에 아까 있었던 일을 다시 상기했는지 찰리의 입술이 창백해졌다. 하지만 그는 고개를 한 번 끄덕였다.

"이 상황에서 네 역할은 뭐냐, 제이콥? 빌리는 얼마나 알고 있어? 넌 왜 여기 있는 건데?"

그렇게 물은 찰리가 제이콥의 얼굴을 보았다. 제이콥은 홍조를 띤 채 르네즈미를 바라보았다.

"음, 사실 전 다 얘기해줄 수 있어요. 빌리도 알고 있는 일이고. 하지만 상당 부분이 늑대인……."

"악! 그만해라. 알고 싶지 않아."

찰리가 귀를 막았다. 제이콥이 씩 웃었다.

"다 잘될 거예요, 찰리. 눈에 보이는 것만 믿지는 말아요."

아빠는 뭔가 이해할 수 없는 말을 중얼거렸다.

"우! 힘내라, 게이터스!"

갑자기 에밋의 낮은 목소리가 들려왔다. 제이콥과 찰리는 움찔했고, 나머지는 그대로 얼어붙었다. 찰리는 곧 정신을 차리고 고개를 돌려 에밋을 바라보았다.

"플로리다가 이기고 있나?"

"첫 번째 터치다운을 했어요."

에밋이 확인해주었다. 그는 내 쪽을 흘깃 보더니 보드빌 쇼에 등장하는 악당처럼 눈썹을 움직였다.

"여기 있는 누군가처럼 말이죠."

나는 이를 갈았다. 찰리 앞에서 감히 저런 소릴? 에밋은 선을 넘었다.

하지만 찰리는 상징적인 의미를 알아차리지 못한 것 같았다. 아빠가 깊이 숨을 들이쉬었다. 마치 발끝까지 공기를 채우려는 듯이. 그 모습을 보고 있으니 부러워졌다. 찰리는 비틀거리며 일어서더니 제이콥을 지나 빈 의자에 쓰러지듯이 앉았다.

"음."

한숨을 쉰 아빠가 덧붙였다.

"리드를 지켜낼 수 있을지 지켜봐야겠는데."

# 26

# 상상 이상의 일

─────◆─────

"르네에게 어느 정도로 말해줘야 할지 모르겠다."

찰리가 문 밖으로 한 발을 내딛은 채 머뭇거렸다. 그가 기지개를 켜자 배에서 꼬르륵 소리가 났다. 나는 고개를 끄덕였다.

"알아요. 전 엄마를 놀라게 하고 싶지 않아요. 사실 보호해주는 게 낫다고 생각해요. 이런 얘긴 심약한 사람에겐 안 좋을 테니까요."

그의 입매가 슬픈 듯 올라갔다.

"방법만 알았다면 나도 널 보호해주고 싶구나. 하지만 넌 절대로 심약한 사람이라곤 할 수 없으니까. 그렇지?"

나는 미소를 지으며 이빨 사이로 타는 듯한 공기를 빨아들였다. 찰리는 멍하니 배를 두드렸다.

"생각 좀 해봐야겠다. 나중에 이야기할 시간이 있겠지?"

"네."

난 그렇게 약속했다. 어찌 보면 긴 하루였고, 또 어떤 면으로는 짧았던 하루였다. 찰리는 저녁 식사에 늦었다. 수 클리어워터가 그와 빌리에게 저녁을 차려줄 것이다. 어색한 저녁 시간이 되겠지만 최소한 아빠는 진짜 음식을 먹을 수 있을 것이다. 요리 솜씨가 형편없는 그가 굶어죽지 않도록 누군가 돌봐주고 있는 게 정말 다행이라고 생각했다.

하루 종일 긴장해 있었던 탓에 시간이 더디게 흘렀다. 찰리는 굳은 어깨를 내내 풀지 못했다. 그러면서도 서둘러 돌아가지는 않았다. 아빠는 두 경기를 모두 본 후에도(하지만 자기 생각에 몰두하고 있어, 풋볼과는 관계가 적은 에밋의 외설스러운 농담을 전혀 알아차리지 못했다), 경기해설에 뉴스까지 보았다. 아빠가 전혀 움직일 생각이 없어보이자 세스는 찰리에게 시간을 상기시켜주었다.

"빌리 아저씨랑 우리 엄마는 바람맞히시려고요, 찰리? 자자, 벨라와 네시는 내일도 여기 있을 거예요. 이제 뭐 좀 먹으러 가죠?"

찰리가 세스의 말을 믿지 않는다는 건 눈을 보면 알 수 있었다. 그래도 어쨌든 아빠는 세스를 앞장서게 했다. 하지만 여전히 의심을 떨쳐버리지 못한 듯, 다시 현관에 멈춰 섰다.

"제이콥에게 들었어. 너, 나한테서 떠날 계획이라면서."

아빠가 중얼거렸다.

"다른 방법이 있으면 가급적 그러고 싶지 않아요. 우리가 아직 여기 남아 있는 것도 그래서고요."

"제이콥 말로는, 잠시 동안 여기 머물 수도 있다면서. 내가 강인하게 대처하고, 또 입을 다물기만 한다면."

"네…… 하지만 절대 떠나지 않겠다는 약속은 할 수 없어요, 아빠. 좀 복잡해서……."

"그러게 되면 나한테 이야기해줘야 한다."

아빠가 말했다.

"그럼요."

"떠나게 되어도, 찾아와줄 거지?"

"약속할게요, 아빠. 이젠 아빠도 상황을 '충분히' 알게 되었으니까요. 괜찮을 거예요. 아빠가 원한다면 전 가까이 있을 거예요."

그는 아주 잠깐 입술을 깨물더니 조심스럽게 팔을 벌리고 천천히 내게 몸을 숙였다. 나는 이를 악물고 숨을 참은 채로, 잠든 르네즈미를 왼팔로 옮긴 후 아빠의 따뜻하고 부드러운 허리를 오른팔로 아주 가볍게 감쌌다.

"진짜 가까이에 있어야 한다, 벨라. 정말로 가까이에."

그가 중얼거렸다.

"사랑해요, 아빠."

나는 이를 악물고 속삭였다. 그가 몸을 떨더니 내게서 떨어졌다. 나도 팔을 내렸다.

"사랑한다, 애야. 모든 게 변한다 해도 그것만은 바뀌지 않아. 이 아이, 널 많이 닮았구나."

그는 한 손가락으로 르네즈미의 핑크빛 뺨을 쓰다듬었다. 난 동요하면서도 애써 아무렇지 않은 표정을 지었다.

"에드워드와 더 비슷하죠."

내가 머뭇대다가 이렇게 덧붙였다.

"곱슬머리는 아빠랑 닮았고요."

찰리가 움찔하더니 코웃음을 쳤다.

"허. 그런 것 같구나. 하! 할아버지라. 안아 봐도 되니?"

미심쩍은 듯 고개를 흔들던 아빠가 내게 물었다. 나는 잠깐 얼어붙어 눈만 깜박이다가 겨우 마음을 가라앉혔다. 0.5초간 고민한 후 나는, 이제 완전히 곯아떨어진 르네즈미를 살펴보았다. 그리고 끝까지 운을 믿어보기로 했다. 어쨌든 오늘은 일이 너무 잘 풀렸으니까.

"여기요."

내가 르네즈미를 안은 팔을 내밀었다. 아빠는 어색하게 팔을 벌렸고, 나는 르네즈미를 안겨주었다. 아빠의 피부는 르네즈미만큼 뜨겁지는 않았지만, 얇은 세포막 아래로 온기가 흐르는 것이 느껴져 목구멍이 따끔거렸다. 내 하얀 피부가 닿자 찰리의 피부에 소름이 돋았다. 그것이 내 체온에 대한 반응인지, 아니면 순전히 심리적인 것인지는 알 수 없었다. 찰리는 르네즈미를 안고는 낮게 꿍얼거렸다.

"음……, 튼튼한데."

나는 얼굴을 찡그렸다. 내게 르네즈미는 깃털처럼 가벼울 뿐이었으니까. 하지만 이상한 건 역시 내 쪽이겠지.

"튼튼한 건 좋은 거야. 게다가 이런 괴상한 분위기에 둘러싸여 있으니, 얘도 강인해져야겠다."

찰리가 내 표정을 보며 말하더니 부드럽게 팔을 좌우로 흔들었다.

"내가 본 중에서 가장 예쁜 아기야. 너까지 포함해서 말이야. 미안하지만 사실이다."

"알아요."

"예쁜 아기야."

그가 다시 그렇게 말했지만 이번에는 속삭임에 가까웠다. 난 아빠의 얼굴에서 르네즈미에 대한 애정이 점점 더 커가고 있다는 걸 읽어낼 수 있었다. 찰리 역시 우리들만큼이나 르네즈미의 마법 앞에 무력했다. 팔에 아주 잠깐 안겨 있었을 뿐이지만 그 애는 이미 아빠를 정복해버렸다.

"내일 와도 되니?"

"그럼요, 아빠. 당연하잖아요. 우린 여기 있을 거예요."

"그래, 그랬으면 좋겠구나."

아빠는 단호하게 그렇게 말했지만 여전히 르네즈미를 바라보는 얼굴은 부드러웠다.

"내일 보자, 네시."

"아빠까지!"

"응?"

"얘 이름은 르네즈미예요. 르네와 에스미를 합친 거죠. 다른 이름은 없어요. 이 애의 가운데 이름을 듣고 싶으세요?"

난 그렇게 말하고서 이번에는 심호흡을 하지 않고 마음을 진정시켰다.

"아, 당연히 듣고 싶지."

"칼리예요. C로 시작하죠. 칼라일과 찰리를 합친 거예요."

찰리가 환한 눈웃음을 보이자 나도 긴장이 풀렸다.

"고맙다, 벨라."

"고마워요, 아빠. 너무 짧은 시간에 너무 많은 변화가 있었어요. 그래서 머릿속이 계속 핑핑 도네요. 지금 아빠를 만나지 못했다면 나는…… 현실 감각을 완전히 잃었을 거예요."

하마터면 '내가 누구인지 잊었을 것'이라고 말할 뻔했다. 아빠가 듣지 않아도 될 말이었다. 그때 찰리의 배에서 꼬르륵 소리가 났다.

"가서 식사하세요, 아빠. 우린 여기 있을 거니까요."

나는 그 느낌을 떠올렸다. 내가 처음으로 빠져들었던 불편한 환상……. 모든 게 아침 햇살에 사라져버릴 거라는 느낌 말이다.

찰리는 고개를 끄덕이더니 마지못해 르네즈미를 내게 넘겨주었다. 그는 집 안을 바라보았고, 잠시 동안 좀 거칠어진 눈빛으로 크고 환한 거실을 둘러보았다. 제이콥만 빼면 전부 있었다. 제이콥은 부엌에서 냉장고를 뒤지는 중이었다. 앨리스는 가장 아래 계단에 앉아 있었고, 재스퍼는 그녀의 무릎을 베고 있었다. 칼라일은 무릎에 두꺼운 책을 올려놓은 채 고개를 숙인 모습이었다. 에스미는 메모장에 스케치를 하면서 흥얼거리는 중이었다. 로잘리와 에밋은 계단 아래에서 거대한 카드 집을 쌓았고, 에드워드는 부드럽게 피아노를 연주하고 있었다. 하루가 끝나간다는 느낌도 없고, 식사를 하려는 기색도 없었다. 저녁을 맞으려 분주해진 조짐 역시 찾을 수 없었다. 막연하지만 뭔가가 달라져 있었다. 컬렌 사람들은 평소 같지 않았다. 그 동안 해온 연기가, 인간다운 제스처가 사라지니 찰리도 그 변화를 느낄 수 있을 정도였다. 아빠가 몸을 떨며 머리를 흔들더니 한숨을 쉬었다.

"내일 보자, 벨라."

인사를 건넨 그는 얼굴을 찡그리더니 이렇게 덧붙였다.

"네 모습이 안 좋아 보인다는 건 아냐. 나도 곧 익숙해질 거다."

"고마워요, 아빠."

찰리는 고개를 끄덕이더니 생각에 잠겨 차로 걸어갔다. 난 아빠의 차가 빠져나가는 모습을 지켜보았다. 그리고 차가 고속도로로 들어서는 소리를 듣고 나서야, 내가 결국 해냈다는 사실을 깨달았다. 찰리를 다치게 하지 않고 하루를 무사히 보냈다. 혼자 힘으로! 내겐 정말로 초능력이 있는 게 분명하다.

너무 좋아서 사실 같지가 않았다. 이대로 내 새 가족, 그리고 옛 가족 모두와 잘 지낼 수 있는 거야? 정말로? 지금까지는 꽤 완벽한 것 같은데.

"와."

내가 탄성을 내뱉었다. 눈을 깜박이자 세 번째 콘택트렌즈가 녹아내리는 게 느껴졌다. 피아노 소리가 멈추더니 에드워드가 팔로 내 허리를 감싸고 내 어깨에 턱을 댔다.

"그건 내가 할 말이었는데."

"에드워드, 나 해냈어."

"그래. 믿을 수가 없어. 신생 뱀파이어가 된 후 가장 걱정했던 일이 이거였는데, 넌 전부 해낸 거야."

그가 조용히 웃었다.

"갓 태어난 뱀파이어는커녕 그냥 뱀파이어인지도 의심스럽다니까. 벨라는 너무 온순해."

에밋이 계단 아래에서 소리쳤다. 그러자 그가 내 아버지 앞에서 했던 당황스러운 말들이 다시 내 귓가에 메아리쳐 왔다. 르네즈미를 안고 있는 게 다행이었다. 몸이 부자유스러웠으므로 난 대신 숨 죽여 으르렁대기만 했다.

"으, 무서워."

에밋이 웃었다. 내 입에서 위협하는 소리가 흘러나오자 르네즈미는 내 품에서 꿈틀거렸다. 아이는 곧 혼란스러운 표정으로 몇 번 눈을 깜박이더니 사방을 둘러보았다. 그리고 코를 킁킁대면서 내 얼굴을 향해 손을 뻗었다.

"찰리는 내일 올 거야."

내가 그 애를 안심시켰다.

"좋았어."

에밋이 말했다. 이번에는 로잘리도 그와 함께 웃었다.

"후회하게 될 걸, 에밋."

에드워드가 냉소적으로 말했다. 그러곤 르네즈미를 받아 안기 위해 팔을 뻗었다. 내가 주저하자 눈짓을 보냈고, 당황한 나는 그에게 아이를 넘겨주었다.

"무슨 소리야?"

에밋이 물었다.

"이 집에서 가장 강한 뱀파이어에게 덤비는 건 바보짓이잖아?"

에밋이 머리를 뒤로 젖히더니 코웃음을 쳤다.

"장난하지 마!"

"벨라. 몇 달 전에 네게 이런 말을 했었는데 기억나? 불멸의 존재가 되면 내 부탁을 하나 들어달라고 했었잖아."

에밋이 귀를 기울이는 가운데 에드워드가 중얼거렸다. 희미하게 종소리

가 들리는 것 같았다. 나는 희끄무레하게 남아 있는, 인간일 때의 기억을
살펴보았다. 조금 후 마침내 그 일을 떠올려내고 숨을 헐떡였다.

"아!"

앨리스는 우렁찬 소리로 한참이나 웃어댔다. 제이콥이 입에 음식을 가
득 넣은 채 구석에서 머리를 내밀었다.

"뭔데?"

에밋이 투덜거렸다.

"진짜지?"

내가 에드워드에게 물었다.

"날 믿어."

그가 대답했다. 나는 심호흡을 했다.

"에밋, 내기할까?"

에밋은 곧바로 튕겨 일어섰다.

"오, 무서운데. 얘기해봐."

나는 잠깐 입술을 깨물었다. 그가 너무 거대했기 때문이다.

"한번 해 보라고. 너무 무섭지만 않다면……."

에밋이 그렇게 덧붙였다. 나는 어깨를 폈다.

"나랑, 팔씨름하자. 식탁에서. 지금."

에밋이 씩 웃었다.

"저, 벨라. 그 식탁은 에스미가 정말 좋아하는 건데. 골동품이란 말이야."

앨리스가 재빨리 말했다.

"고맙다, 앨리스."

에스미가 앨리스에게 고마움을 표시했다.

"괜찮아. 이리 와, 벨라."

에밋이 환하게 미소 지었다. 난 그를 따라 뒷문을 나선 후 차고 쪽으로

향했다. 다들 내 뒤를 따르고 있었다. 큼직한 화강암 표석이 강 근처의 어지럽게 늘어선 바위들 사이에 놓여 있었다. 에밋의 목적지는 여기인 게 분명했다. 표석은 살짝 둥글고 울퉁불퉁하기도 했지만 팔씨름을 하기에는 좋았다.

에밋이 팔꿈치를 표석에 올려놓더니 내게 손짓했다. 꿈틀거리는 에밋의 팔 근육을 보며 나는 다시 긴장했지만 얼굴에 드러내지는 않았다. 에드워드는 말했었다. 한동안은 내가 그 누구보다 강할 거라고. 그는 아주 확신에 차 있었고, 사실 나 자신도 내가 강하다고 느꼈다. 하지만 정말로 그렇게 강할까? 난 뱀파이어가 된 지 이틀도 안 되었고, 그건 충분히 믿어볼만한 점이었다. 하지만 내가 모든 면에서 정상적이지 않다면, 어쩌면 내 힘은 보통의 어린 뱀파이어들만큼 강하지 않을지도 모른다. 내가 이렇게 쉽게 스스로를 통제할 수 있는 것도 그 때문일지도. 팔꿈치를 표석에 올려놓으며 난 애써 태연한 척했다.

"좋아, 에밋. 내가 이기면 당신은 내 섹스라이프에 대해 아무 말도 해서는 안 돼. 로잘리한테도. 암시도 안 되고, 풍자도 안 돼. 아무것도 안 된단 뜻이야."

그가 눈을 가늘게 떴다.

"좋아. 하지만 내가 이기게 되면 더 심하게 해주지."

그는 내 숨이 멎는 소리를 듣더니 흉악하게 웃었다. 그의 눈에 허세의 빛이라곤 없었다.

"너무 쉽게 나가떨어지는 거 아냐, 제수씨? 별로 열정적이지도 않고, 그지? 분명히 오두막에는 긁힌 자국 하나 없을 거야."

에밋이 빈정거리더니 웃어대며 덧붙였다.

"나랑 로잘리가 집을 몇 채나 쓰러뜨렸는지, 에드워드가 얘기 안 해줬어?"

나는 이를 갈며 그의 커다란 손을 잡았다.

"하나, 둘……."

"셋."

그가 으르렁거리더니 내 손을 밀었다.

아무 일도 일어나지 않았다. 내 새로운 두뇌는 계산에 아주 능숙했다. 그래서 만약 아무 저항도 없었다면 그의 손은 표석을 손쉽게 가루로 만들었으리란 사실을 알 수 있었다. 에밋이 점점 힘을 주는 동안 난 급경사를 내려오는 시멘트 트럭의 속력을 예로 그 힘을 가늠하고 있었다. 시속 64킬로미터? 시속 80킬로미터? 시속 108킬로미터? 어쩌면 그 이상이겠지.

하지만 에밋의 힘은 내 손을 쓰러뜨리기에는 역부족이었다. 그의 손이 엄청난 힘으로 내 손을 눌러댔지만 불쾌하지는 않았다. 아니, 이상하게 기분이 좋았다. 그 긴 잠에서 깨어난 후 줄곧 나는 물건을 부수지 않기 위해 아주 조심해야 했다. 그래서 근육을 마음껏 사용할 수 있는 지금은 묘한 안도감이 들었다. 힘을 억누르는 대신 자유롭게 풀어놓을 수 있으니까.

에밋이 투덜거리며 이마를 찡그렸다. 그러고는 온몸에 힘을 준 채 움직이지 않는 내 손을 향해 덤벼들었다. 한동안 그가 땀(어디까지나 비유상의 표현이지만)을 흘리게 내버려두고서, 나는 내 팔에 흘러넘치는 엄청난 힘을 즐겼다.

몇 초가 흐르니 조금 지루해졌다. 내가 팔을 구부리자 에밋의 팔은 1인치쯤 넘어갔다. 나는 웃었다. 에밋이 이를 악물고 거칠게 으르렁거렸다.

"입 다물어."

나는 이렇게 말하고서 그의 손을 표석에 처박아주었다. 에밋의 손이 돌에 부딪히면서 엄청난 소리가 숲에 메아리쳤다. 표석이 덜덜 떨리더니 파편(그 바위의 8분의 1쯤 되는 크기였다)이 보이지 않는 곳까지 치솟았다가 땅으로 추락했다. 돌은 에밋의 발에 떨어졌고 나는 깔깔대며 웃기 시작했다. 제이콥과 에드워드가 숨죽여 웃는 소리가 들렸다.

에밋은 파편을 강 건너로 차버렸다. 돌은 어린 단풍나무를 반토막내고서 거대한 전나무 밑둥에 부딪혔다. 전나무는 마구 흔들리다가, 다른 나무 위로 쓰러져버리고 말았다.

"다시 붙어. 내일."

"내 힘이 그렇게 빨리 없어질 것 같지는 않은데. 한 달은 있어야 하는 거 아냐?"

내가 그렇게 말하자 에밋은 이를 드러내고 으르렁거렸다.

"내일."

"좋아, 원한다면."

에밋이 돌아서서 걸어갔다. 그가 화강암을 내리치는 바람에 파편과 가루가 흩어졌다. 유치한 행동이긴 해도 대단하다고 생각했다.

나는, 내가 아는 가장 힘센 뱀파이어보다 더 강하다. 그 부인할 수 없는 증거에 흥분한 나는 바위에 손을 올리고 손가락을 펴보았다. 그리고 손가락으로 천천히 바위를 파냈다. 팠다기보다는 뭉갰다고 해야 옳을 것이다. 단단한 치즈를 으깨는 느낌이었다. 내 손에 파편이 잔뜩 잡혔다.

"정말 멋지다."

나는 중얼거렸다. 그리고 얼굴 가득 미소를 짓고서 한 바퀴 돌며 손날로 표석을 격파했다. 바위가 날카로운 소리를 내며 신음하더니, 곧 엄청난 먼지를 일으키며 둘로 쪼개졌다. 난 소리 내어 웃었다.

내가 표석을 손으로 때리고 발로 차서 조각내는 동안 내 뒤에서 킥킥대는 소리가 들렸지만 별로 신경 쓰지 않았다. 그저 깔깔대고 웃으며 너무나도 즐거운 시간을 보냈다. 그러다 문득 작은 웃음소리가 들려왔으므로, 그제야 나는 바보 같은 놀이를 멈췄다. 높은 음조의 그 소리는 종소리를 닮아 있었다.

"르네즈미가 웃은 거야?"

다들 나처럼 놀란 표정으로 르네즈미를 바라보았다.

"그래."

에드워드가 말했다.

"누군들 웃지 않겠어?"

제이콥이 눈동자를 굴리며 중얼거렸다.

"너도 처음에는 마찬가지였어."

에드워드가 빈정거렸지만 그의 목소리에는 전혀 적개심이 없었다.

"좀 달라. 벨라는 어른이잖아. 결혼도 했고 엄마까지 됐다고. 그러니까 더 점잖아야 하는 거 아냐?"

제이콥이 말했다. 난 그가 에드워드의 어깨를 툭툭 치는 걸 보고 깜짝 놀랐다. 르네즈미가 얼굴을 찡그리더니 에드워드의 얼굴을 만졌다.

"르네즈미가 뭐래?"

내가 물었다.

"점잖은 건 싫대. 즐거워하는 널 지켜보는 게 나만큼이나 재미있었나 봐."

에드워드가 싱긋 웃었다.

"내가 웃겨?"

나는 르네즈미에게로 달려가 물었다. 그 애가 내게 팔을 뻗는 것과 동시에 나도 그 애에게 팔을 뻗었다. 나는 에드워드에게서 아이를 받아든 다음 손에 들고 있던 바위 파편을 주었다.

"해볼래?"

그 애가 반짝이는 미소를 보이더니 두 손으로 돌을 잡았다. 르네즈미가 손을 비틀며 정신을 집중하자 눈썹 사이가 작게 패였다. 이윽고 작게 돌이 갈리는 소리가 나더니 먼지가 약간 일었다. 그 애가 얼굴을 찡그리며 다시 내게 돌을 내밀었다.

"내가 할게."

나는 그 돌을 움켜쥐고 모래로 만들었다. 그 애는 박수를 치며 웃었다. 그 상쾌한 소리에 우리 모두 박수를 치기 시작했다.

갑자기 구름 사이로 나타난 태양이, 루비색과 황금색이 섞인 햇빛을 우리 열 명에게 길게 비춰주었다. 나는 햇빛을 받은 아름다운 내 피부에 거의 넋을 잃었다. 완전히 매혹당하고 말았다.

르네즈미가 부드러운 다이아몬드 빛이 도는 내 피부를 쓰다듬다가, 자기 팔을 내 팔 옆에 대보았다. 아이의 피부는 희미하게 빛나고 있었다. 섬세하고도 신비하게. 르네즈미의 피부는 나처럼 반짝이지 않으니까 햇빛이 좋은 날 안에 가둬둘 필요는 없을 것이다. 그 애가 내 얼굴을 만졌다. 나와 다른 게 불만인 것 같았다.

"네가 제일 아름다워."

내가 르네즈미를 안심시켜주었다.

"글쎄, 잘 모르겠는데."

에드워드가 말했다. 나는 그에게 한마디 해주려고 돌아섰지만 햇빛에 비친 그의 얼굴을 보고는 아무 말도 할 수 없었다. 제이콥은 손으로 얼굴을 가리고 눈이 부신 척했다.

"무시무시한 벨라."

제이콥이 중얼거렸다.

"그래, 벨라는 정말 경이로워!"

제이콥의 말이 칭찬이라도 되는 양 에드워드가 맞장구를 쳤다. 나는 에드워드 때문에 눈이 부셨고, 그는 나 때문에 눈부셔했다.

이렇게 무엇인가에서 두각을 나타낸다는 건 완전히 낯선 느낌이었다. 하지만 지금 겪는 모든 것이 낯설었으므로 그리 크게 놀랍지는 않았다. 인간일 때 나는 그 무엇도 잘하지 못했다. 내 엄마만큼은 그럭저럭 잘 다루었지만, 아마 다른 사람이었다면 나보다 더 잘 해냈을 것이다. 필도 아주 잘 해내고 있는 것 같다. 또 난 괜찮은 학생이긴 했지만, 절대로 1등은 하지 못했다. 운동도 별로였고, 미술도 또 음악도 마찬가지였다. 자랑할 만한 특별한 재능이라곤 없었다. 책을 많이 읽었다고 트로피를 주는 사람은 없으니까. 18년 간 평범하게만 살다보니 평균에 머무는 데 더없이 익숙해졌다. 뭔가에 두각을 나타내보려는 야심 따위는 내가 오래전에 버렸다는 걸 이제야 깨달았다. 세상에 전혀 적응하지 못한 채, 그냥 내가 가진 범위 안에서 최선을 다하려 했던 것이다.

그러니 이건 정말 색다른 경험일 수밖에 없다. 지금의 난 경이로운 존재이다. 그들에게 있어서도, 또 나 자신에게 있어서도. 나는…… 마치 뱀파이어가 되기 위해 태어난 것 같아. 그렇게 생각하니 나는 웃음이라도 터뜨리고 싶었다. 심지어 노래라도 부르고 싶었다. 이제야 세상에서 내 자리를 찾았으니까. 내가 어울리는 자리, 내가 빛날 수 있는 자리를.

# 27

# 여행 계획

뱀파이어가 된 후 나는 전보다 훨씬 더 신화를 믿게 되었다.

불멸의 존재가 되고 첫 3개월을 되돌아보면서, 운명의 베틀에 걸려 있는 내 운명의 실은 과연 어떤 모양일지 상상해 보았다. 누가 알겠어? 정말 그런 베틀이 있을지. 그렇다면 내 운명의 실은 분명 색이 달라졌을 것이다. 처음엔 예쁜 베이지색이었다. 참을성 있고 순종적인, 배경색으로 어울릴 만한 그런 빛깔. 이제 그 색은 선홍색으로 바뀌었으리라. 아니면 반짝이는 금색일지도.

거기에 내 가족과 친구들이 함께 얽혀 아름답게 반짝이는 태피스트리(여러 가지 실을 써서 그림을 짜 넣은 직물. 벽걸이나 실내장식 등의 용도로 쓴다: 편집자)를 만들어낸다. 태피스트리를 가득 메운 밝은 빛깔들은 서로를 보완해준다.

내 삶에 얽인 여러 가지 운명의 실들 중에는 나를 깜짝 놀라게 하는 것들도 있다. 깊은 숲의 빛깔을 지닌 늑대인간들이 그렇다. 그들이 내 삶에 얽혀들 거라곤 상상조차 하지 못했다. 제이콥, 그리고 당연히 세스도. 하지만 오랜 친구인 퀼과 엠브리가 예상치 못하게 제이콥의 무리에 합류하면서 내 태피스트리의 일부가 되었고, 샘과 에밀리와도 우호적인 관계가 될 수 있었다. 르네즈미 때문에 가족 사이의 긴장도 많이 사라졌다. 누구라도 그 애를 사랑할 수밖에 없으니까.

수와 리 클리어워터 역시 우리 삶에 엮여 든 사람들이다. 이것도 기대하지 않았던 일이었다. 수는 찰리가 별다른 어려움 없이 공상의 세계로 들어올 수 있게 도와주었다. 자기 아들이나 제이콥 무리의 다른 일원들처럼 컬렌 가가 편한 것 같지는 않았지만, 그래도 그녀는 찰리와 함께 이곳을 찾곤 했다. 말은 자주 하지 않았다. 그저 방어하듯 찰리 주변을 서성였을 뿐. 르네즈미가 뭔가 나이에 걸맞지 않는 행동을 하면 찰리는 누구보다도 먼저 수에게 도움을 청했다. 그 대답으로 수는 세스를 의미심장하게 바라보고는 했다. "그래, 나한테 다 털어놔 봐."라고 말하는 것처럼.

오히려 수보다는 리가 불편했다. 최근 늘어난 우리 가족 중 그녀만이 적개심을 떨쳐버리지 못했기 때문이다. 하지만 그녀와 제이콥 사이에는 이미 새로운 동지애가 싹텄고, 그 때문에 리는 우리 곁에 머물렀다. 나는 제이콥에게 그 동지애가 어떤 것인지 머뭇거리며 물어본 일이 있었다. 캐물을 생각은 아니었지만 둘의 관계가 예전과는 너무 달라보여서 호기심이 생겼기 때문이다. 그는 어깨를 으쓱해 보이더니, 이건 자기 무리 사이의 일이라고만 대답했다. 그녀는 이제 그의 부대장, 즉 '베타'가 되어 있었다. 베타. 오래전에 한 번 써 본 적 있는 단어다.

"내가 알파 역할을 하는 동안 규칙은 지키는 게 좋을 것 같아서."

제이콥은 그렇게 설명했다. 이 새로운 책임을 맡게 되고 나서 리는 자주 제이콥을 살피러 왔다. 그는 항상 르네즈미와 있었고…….

이곳에 함께 있는 동안 리는 행복하지 못했다. 우리 중 유일한 예외였다. 이제 행복은 내 삶의 가장 중요한 요소가 되었고, 내 운명의 실이 짜낸

태피스트리의 가장 주요한 패턴이기도 했다. 나는 재스퍼와도 예상했던 것보다 훨씬 더 가까운 사이가 되었다.

그래도 처음에는 정말 짜증스러웠다.

어느날 저녁 나는 르네즈미를 어린이용 철제침대에 눕히고 나서 에드워드에게 투덜댔다.

"아, 정말! 내가 아직 찰리와 수를 죽이지 않았다면 앞으로도 죽이지 않을 거란 뜻이잖아. 이젠 재스퍼가 하루 종일 따라다니지 좀 않았으면 좋겠어!"

"아무도 널 의심하지 않아, 벨라. 전혀, 조금도. 재스퍼가 어떤지 알잖아. 그가 즐겁고 행복한 분위기에 사족을 못 쓴다는 거 말이야. 니가 요즘 너무 행복해하잖아. 그래서 재스퍼는 아무 이유 없이 그냥 네게 끌리는 거야."

에드워드는 그렇게 날 안심시키며 꼭 안아주었다. 내가 새로운 삶에 도취해 황홀해하는 모습을 보는 것만큼 그를 즐겁게 하는 일은 없기 때문이다.

나는 대부분의 시간을 기쁨에 도취된 상태로 보냈다. 낮 시간은 내 딸을 사랑하는 것만으로도 부족했고 밤 시간은 에드워드를 탐닉하는 데도 부족했다.

그 기쁨에 전혀 다른 이면이 존재하긴 했지만. 삶이라는 태피스트리를 뒤집어보면 의심과 공포라는 음침한 회색 실이 드러난다.

르네즈미는 생후 1주일 만에 처음으로 말을 했다. '음마'라는 단어였다. 무시무시한 속도로 성장하는 그 애를 보며 내 얼굴은 공포로 굳어졌다. 억지 미소조차 지을 수 없었다. 그런 생각만 아니었다면 정말로 기뻤을 텐데…… 그 애가 첫 번째 단어를 뱉고 나서 연이어 첫 번째 문장까지 말했다는 놀라운 사실도, 전혀 도움이 되지 않았다.

"음마, 할아버지는 어디 갔어?"

맑고 높은 소프라노 목소리로 그 애가 물었다. 내가 거실 반대편에 있었으므로 큰소리를 낼 수밖에 없었다. 르네즈미는 이미 그 애 나름의 정상적인(다른 시각에서 본다면 심각하게 비정상적인) 방법으로 로잘리에게 같은 질문을 했었다. 하지만 로잘리가 제대로 답해주지 못했기 때문에 다시 내게 물어본 것이다.

태어난 지 3주도 되지 않아 걷기 시작했을 때에도 마찬가지였다. 앨리스가 팔에 꽃을 가득 안은 채 춤추듯 거실을 돌아다니며 여기저기 놓여 있는 꽃병에 꽃을 꽂는 모습을 오랫동안 유심히 지켜보던 르네즈미는, 곧 조금도 비틀거리지 않고 일어서더니 우아하게 거실을 걸어 다녔다.

그 모습을 보고 제이콥은 요란하게 박수를 쳤다. 그게 르네즈미가 기대하는 반응이었기 때문이다. 그 애와 너무도 깊이 연결되어 있다 보니 어느새 제이콥 자신의 반응은 부차적인 것이 되어버렸다. 그저 반사적으로 르네즈미에게 필요한 것들만을 해줄 뿐. 그러나 우리의 눈이 서로 마주쳤을 때 제이콥의 눈에 깃들어 있던 것은, 나와 똑같은 극심한 공포였다. 내가 두려워하고 있다는 걸 아이가 알아챌까봐 나 역시 손뼉을 쳤다. 에드워드도 내 옆에서 조용히 박수를 보내기 시작했다. 우린 말하지 않아도 서로 같은 생각을 하고 있다는 것을 알게 되었다.

에드워드와 칼라일은 해답을 찾기 위해, 앞으로 어떤 일이 벌어질지 알아내기 위해 연구에 연구를 거듭했다. 하지만 찾아낸 건 거의 없었고, 그나마 얻은 정보들도 검증하기는 불가능했다.

대개 앨리스와 로잘리는 패션쇼로 하루를 시작했다. 르네즈미는 같은 옷을 두 번 입지 않았다. 워낙 빨리 자라서 금세 옷이 맞지 않게 되는 탓도 있고, 앨리스와 로잘리가 몇 주 분량은커녕 몇 년 분량은 족히 되는 아기 앨범을 만들려 한 탓도 있었다. 그들은 수천 장의 사진을 찍어 순식간에 흘러가버리고 있는 그 애의 어린 시절을 기록했다.

생후 3개월쯤 되면 르네즈미는 덩치가 큰 두 살배기, 혹은 덩치가 작은 세 살배기 정도로 자라게 되리라. 그 애는 이미 유아라고 보기 힘들었다. 몸이 가늘고 우아한 데다, 신체 비율도 어른처럼 균형 잡혀 있었기 때문이다. 르네즈미의 브론즈색 곱슬머리는 허리까지 내려왔다. 만약 앨리스가 허락했다고 해도, 나 역시 절대 그 머리카락을 자르게 하는 일은 없었을 것이다. 르네즈미는 말할 때 문법상으로나 발음상으로나 완벽한 문장을 구사했다. 하지만 그래도 자기가 원하는 것을 사람들에게 그냥 보여주는 쪽을 더 좋아했다.

어느날 밤 나는 아이에게 테니슨의 시를 읽어주었다. 그 시의 흐르는 듯한 리듬이 편안하게 느껴졌기 때문이다. (나는 끊임없이 새 책을 찾아야 했다. 다른 아이들과 달리 르네즈미는 자기 전에 같은 이야기를 반복해서 읽어주는 걸 좋아하지 않았고, 그림책은 싫어했다) 아이가 손을 올려 내 뺨을 만졌다. 그 애의 마음속에 떠오른 이미지는 그 책을 들고 있는 자신의 모습이었다. 나는 미소를 지으며 르네즈미에게 책을 주었다.

"여기 달콤한 음악이 흐르네. 풀밭에 떨어진 활짝 핀 장미 꽃잎보다도, 그늘 드리운 화강암 벽 사이 고요한 강물 위로 내려앉은 밤이슬보다도 부드럽게. 반짝이는……."

머뭇대지 않고 그 애는 그것을 읽어가기 시작했다. 나는 로봇처럼 뻣뻣하게 책을 다시 받아들었다.

"책을 읽으면 잠이 오겠어?"

겨우 떨리지 않는 목소리로, 나는 그렇게 말할 수 있었다.

칼라일의 계산에 따르면, 르네즈미의 몸이 성장하는 속도는 더뎌지고 있었다. 하지만 마음은 여전히 빠른 속도로 성장했다. 속도가 계속 느려지고 있다곤 해도, 그 애는 4년 정도면 어른이 될 것이다.

4년. 그렇게 해서 열다섯 살이 되면 르네즈미는 노년으로 접어들게 되리라.

15년밖에 되지 않는 정말 짧은 삶.

하지만 그 애는 지금 아주 건강하다. 밝고, 열정적이고, 또 행복해했다. 건강하고 행복한 그 모습을 보며 나는 미래에 대한 걱정을 잠시 미뤄둔 채 당장의 행복에 젖어들 수 있었다.

칼라일과 에드워드는 나직한 목소리로 앞으로 어떤 대안들이 있을지 토론을 벌이곤 했지만, 난 굳이 들으려 애쓰지 않았다. 그들은 제이콥이 곁에 있을 땐 절대로 이런 이야기를 하지 않았다. 르네즈미가 더 이상 나이를 먹지 않게 할 수 있는 한 가지 확실한 방법이 있긴 했지만, 제이콥은 그걸 좋아하지 않을 테니까. 사실 나도 마찬가지긴 했다. '너무 위험해!' 내 본능이 그렇게 소리치고 있었다.

제이콥과 르네즈미는 여러 면에서 참 비슷하다. 두 종족이 섞인 존재라는 것, 그리고 서로 다른 두 모습을 동시에 가지고 있다는 것도. 늑대인간들의 모든 전설은 이렇게 주장한다. 뱀파이어의 독은 불멸의 존재가 될 수 있는 수단이 아니라, 죽음에 이르게 하는 사형선고일 뿐이라고.

칼라일과 에드워드는 이미 이곳에서 할 수 있는 조사란 조사는 다 끝낸 상태였다. 이젠 옛 전설들을 파헤쳐 볼 차례다. 일단 브라질로 가서 그곳에서부터 시작하는 거다. 티쿠나 족 사이에서는 르네즈미 같은 아이들에 대한 전설이 전해내려 온다. 만약 그런 아이들이 정말로 존재했다면, 반(半)불사의 존재가 과연 얼마나 살 수 있는지, 그 수명에 관한 내용도 남아 있지 않을까?

이제 남은 문제는, 떠나는 시기를 언제로 잡느냐는 거였다.

지금 떠나지 못하는 이유는 나 때문이었다. 우선 나는 찰리를 위해, 크리스마스 때까지는 포크스 근처에 있고 싶었다. 하지만 그보다 절실한 이유가 있다. 이곳을 떠나기 전에 먼저 어떤 곳에 다녀와야 하기 때문이다. 이 여행은 그 무엇보다 중요하고, 또 반드시 나 혼자 가야만 한다.

그 때문에 에드워드와 나는, 내가 뱀파이어가 된 이후 처음으로 싸웠다. 주된 이유는 '혼자' 가야 한다는 것 때문이었다. 하지만 사실이 그런 것을 어쩌겠는가. 게다가 내가 세운 계획은 꽤 이성적인 것이었다. 나는 볼투리 가를 만나러 가야만 한다. 반드시 혼자서!

오래된 악몽에서 자유로워지고 난 후에도, 도저히 볼투리 가를 잊을 수는 없었다. 그들이 그러게 내버려두지 않았으니까.

아로의 축하 선물이 도착하기 전까지 난 앨리스가 볼투리 가의 지도자에게 청첩장을 보냈다는 사실을 몰랐다. 우리가 에스미 섬에 있을 때 앨리스는 미래를 살피다가 볼투리의 전사들을 보았다고 했다. 그 중에는 치명적인 위력을 과시하는 쌍둥이 전사 제인과 알렉도 있었다. 카이우스는 자신들의 명령을 거역하고 내가 아직 인간으로 남아 있는지 확인하기 위해 사냥팀을 보낼 계획이었다(나는 뱀파이어들의 비밀을 알게 된 대가로 뱀파이어가 되거나, 아니면 침묵해야만 했다, 영원히). 그래서 앨리스는 그들에게 서신을 보냈다. 결혼한다는 사실을 공표함으로써 시간을 벌 계획이었던 것이다. 하지만 그들은 분명 이곳에 올 것이고, 그건 의심의 여지 없는 사실이었다.

선물 자체만으로 볼 때는 그리 위협적인 것이 아니었다. 하지만 사치스럽고…… 그래, 맞아. 보는 순간 겁을 집어먹게 될 만큼 사치스러웠다. 위협은, 아로의 축하 메시지 안에 담겨 있었다. 아로는 평범해 보이는 두툼한 흰 종이에 직접 검은 잉크로 이렇게 썼다.

　　새로운 컬렌 부인을 개인적으로 만나보고 싶군요.

선물은 화려하게 조각된 고풍스런 나무상자에 담겨 있었다. 나무상자는 금과 진주층으로 상감되어 있고, 무지갯빛 보석으로 장식되어 있었다. 앨리스는 상자 자체만으로도 값을 매길 수 없는 보물이라면서, 그 안에 들어 있던 보석을 제외한 그 어떤 보석도 이 상자만은 못할 거라고 했다.

"13세기에 영국의 존 왕이, 왕관에 있던 보석들을 저당 잡힌 일이 있었지. 그 보석들이 어디로 사라졌는지 항상 궁금했었는데, 볼투리 가와 관련되어 있다고 해도 놀랄 일은 아니겠구나."

칼라일이 말했다.

목걸이 모양 자체는 단순해 보였다. 금으로 된 비늘 같은 질감의 두툼한 체인이었다. 목을 휘어 감는 유연한 뱀과 비슷했다. 그리고 보석 하나가 체인에 매달려 있었다. 골프공만 한 다이아몬드가.

아로의 메시지에 담긴 노골적인 암시가 목걸이보다 더 흥미로웠다. 볼투리 가는 내가 불멸의 존재가 되었다는 사실, 컬렌 사람들이 볼투리의 명령에 복종했다는 사실을 직접 눈으로 확인해야만 하는 거다. 그것도 당장. 그들이 포크스 근처까지 오게 둘 수는 없다. 우리의 삶을 안전하게 지켜내려면 한 가지 방법밖에 없는 것이다.

"너 혼자는 못 가."

에드워드가 주먹을 쥔 채 이를 악물었다.

"그들은 날 해치지 않을 거야. 그럴 이유가 없으니까. 난 뱀파이어잖아. 그러니까 사건 종결이지."

나는 에드워드를 달래며, 자신 있게 말해주었다.

"안 돼. 절대 안 돼."

"에드워드, 그게 르네즈미를 지킬 수 있는 유일한 방법이야."

그는 반박하지 못했다. 내 논리에 빈틈이 없었기 때문이다.

아로를 안 지는 얼마 되지 않았지만, 난 그에게 수집 취미가 있다는 걸 알고 있다. 그리고 그의 가장 소중한 보물은 바로, '살아있는' 작품들이다. 그는 특출하게 아름답고, 재능 있고, 희귀한 뱀파이어들을 자기 수하에 두고 싶어 했다. 금고에 보관된 어떤 값진 보석보다 아로는 그런 뱀파이어들을 탐냈다. 그가 앨리스, 에드워드의 능력에 눈독을 들이게 된 건 정말 불행한 일이었다. 내가 합류했다고 해서 그가 칼라일의 가족을 새삼 더 질시할 이유는 없다. 하지만 르네즈미는 아름답고, 놀라운 능력이 있으며, 아주 독특하다. 세상에 단 하나뿐인 존재니까.

그래도 아로는 그 애를 볼 수 없을 것이다. 심지어 다른 사람의 생각을 통해서도. 아로가 생각을 엿볼 수 없는 유일한 상대는 바로 나다. 그러니 나는 혼자 가야만 한다.

앨리스는 여행에 별 문제가 없으리라고 예언했다. 하지만 미래가 흐릿하게 보이는 걸 걱정했다. 아직 확실하게 결정되지 않은 외부 요인들이 있을 때 나타나는 현상이었다. 안그래도 내키지 않아하고 있던 에드워드는, 불확실하다는 이유로 더 강하게 반대했다. 그는 런던에서 비행기를 갈아탈 때까지라도 나와 같이 있고 싶어 했지만, 난 르네즈미를 부모 없이 혼자 두고 싶지 않았다. 그래서 대신 칼라일이 함께 가기로 했다. 칼라일이 단 몇 시간만 빼고는 계속 내 옆에 붙어 있으리라는 걸 알고 나자, 에드워드는 조금이나마 안심하는 것 같았다.

앨리스는 미래를 좀 더 살펴보았지만 엉뚱한 것들만 보았다. 주식시장의 동향이라든가, 아직 확정되지는 않았지만 아이리나가 화해를 청하러 방문할 거라는 것, 앞으로 6주간은 눈보라가 없으리라는 것, 그리고 르네의 전화. 나는 최대한 '거친' 목소리를 내려 연습하고 있었고 성과는 매일 나아져갔다. 엄마는 내가 병에서 회복중인 걸로 알고 있었다.

르네즈미는 생후 3개월이 되었고, 바로 그다음 날 나는 이탈리아 행 비행기 티켓을 끊었다. 아주 잠깐 다녀올 생각이었기 때문에 찰리에게는 이야기하지 않았다. 제이콥은 이 여행에 대해 알고 있었고 에드워드와 같은 생각이었다. 하지만 오늘 논쟁을 벌인 이유는 브라질 때문이었다. 제이콥은 우리와 함께 갈 생각이었다.

우리 셋, 그러니까 제이콥, 르네즈미, 나는 함께 사냥을 가곤 했다. 사실 르네즈미는 동물의 피를 그리 좋아하지 않았고, 그래서 제이콥이 함께 간 것이다. 제이콥은 사냥을 둘만의 게임으로 만들었고, 이제는 르네즈미도 적극적으로 따라나섰다.

르네즈미는 선악을 확실하게 구분하고 있었으므로, 인간을 사냥하는 게 나쁘다는 걸 알고 있었다. 그 애는 수혈팩에 들어 있는 피가 멋진 타협책이라고 생각했다. 인간의 음식을 먹으면 배도 부르고 또 몸에도 맞았지만, 르네즈미는 마치 고통을 견디듯 그런 음식들을 받아들였다. 예전에 내가 콜리플라워나 리마 콩을 먹을 때 그랬던 것처럼. 적어도 동물의 피는 그보다는 나았다. 경쟁심이 강한 르네즈미는 제이콥을 이겨야 한다는 생각에 들떠 있었다.

"제이콥."

나는 르네즈미가 좋아하는 향기를 따라 기다란 공터로 춤추듯 달려가는 것을 보며, 다시 한 번 제이콥을 설득해보려 했다.

"넌 이곳을 지키는데 책임이 있잖아. 세스와 리는 또 어쩌고?"

그가 코웃음을 쳤다.

"난 걔네들 보모가 아냐. 그리고 라푸시를 책임질 의무는 그들에게도 있고."

"그나저나 너 고등학교는 중퇴할 거야? 르네즈미를 따라잡으려면 열심히 공부해야 할 텐데."

"휴학 같은 거야. 진행 속도가 더뎌지면 학교로 다시 돌아갈 거야."

제이콥이 그렇게 말했을 때 나는 그를 설득하려던 마음에 더 이상 집중할 수 없었다. 우리 둘 다 반사적으로 르네즈미를 바라보았다.

그 애는 하늘에서 나부끼는 눈을 보고 있었다. 눈송이는 우리가 서 있는 긴 쐐기 모양의 초원으로 내려오더니, 노랗게 시든 풀에 미처 내려앉을 틈도 없이 그대로 녹아버렸다. 태양이 구름 사이로 깊이 파묻히자 르네즈미의 주름 잡힌 아이보리색 드레스에 눈송이보다 짙은 색의 그림자가 졌다. 하지만 그래도 적갈색 머리카락은 은은하게 반짝였다.

우리가 지켜보는 동안 그 애는 몸을 웅크리더니 허공으로 5미터쯤 뛰어올랐다. 그리고 작은 손으로 눈송이를 움켜쥐더니 땅바닥에 가볍게 착지했다.

르네즈미가 너무도 아름다운, 그래서 도저히 익숙해지기 힘든 미소를 지으며 우리를 향해 돌아섰다. 그리고 눈이 녹기 전에 손을 벌려 완벽한 별 모양의 눈 결정을 보여주었다.

"예쁘다! 그런데 너, 일부러 시간을 끄는 거 아냐, 네시?"

제이콥은 감탄한 듯 소리치고는 르네즈미에게 그렇게 물었다.

그 애가 제이콥에게로 달려왔다. 그는 그 애가 뛰어드는 순간에 맞춰 팔을 벌렸다. 둘의 움직임은 완벽한 조화를 이루었다. 르네즈미는 소리 내어 말하는 것을 좋아하지 않았고, 할 말이 있을 때마다 상대의 품속으로 뛰어들었다.

엘크 떼가 숲으로 더 깊이 들어가는 소리가 들리는 가운데, 르네즈미는 귀엽게 얼굴을 찌푸린 채 제이콥의 얼굴을 만졌다.

"아, 그래. 물론 갈증이 나겠지. 네시 너, 내가 또 제일 큰 놈을 잡을까 봐 걱정하고 있는 거지?"

제이콥이 좀 비아냥대듯이, 그러면서도 한없이 응석을 받아줄 것 같은 투로 그렇게 말했다. 그 애는 제이콥의 품에서 뛰어내린 다음 눈동자를 굴렸다. 그럴 때면 에드워드와 정말 비슷해 보인다. 르네즈미는 곧 나무들을 향해 달려갔다.

"좋아."

내가 그 애를 따라가려고 몸을 숙이는데 제이콥이 말했다. 그리고 뒤따라 숲으로 달려가면서 티셔츠를 벗어던졌다.

"네가 아무리 꾀를 써도 소용없어."

제이콥이 르네즈미에게 소리쳤다. 그들이 지나간 자리에서 나뭇잎이 펄럭였다. 나는 머리를 흔들며 미소를 지었다. 가끔 제이콥은 르네즈미보다 더 아이 같다.

나는 이 사랑스런 사냥꾼들이 나보다 앞설 수 있도록 몇 분간 기다렸다. 그들을 추적하는 게 나로선 너무 간단한 일인 데다, 르네즈미는 커다란 사냥감을 잡아 날 놀라게 해주는 걸 좋아했기 때문이다. 나는 다시 미소 지었다.

좁은 초원은 아주 고요하고, 또 쓸쓸했다. 휘날리던 눈송이가 점점 잦아들더니 어느새 거의 눈이 그쳐 있었다. 앨리스는 이제 여러 주 동안 눈이 내리지 않을 거라고 했다.

대개 에드워드와 나는 함께 사냥을 했다. 하지만 오늘 에드워드는 칼라일과 함께 리우데자네이루로 떠날 계획을 세우고 있다. 제이콥 모르게……. 얼굴이 찡그려졌다. 난 돌아가면 제이콥 편을 들어줄 것이다. 그는 우리만큼이나 이 일과 깊은 관련이 있고, 그러니 함께 가야 한다. 그의 인생 전체가 걸려 있는 일이니까. 내가 그렇듯이.

가까운 미래의 일을 골똘히 생각하면서도, 내 눈은 기계적으로 산허리를 훑으며 사냥감과 위험을 찾고 있었다. 생각은 필요 없다. 본능적인 충동이었다.

아마 내가 그렇게 훑어본 데는 이유가 있었을 것이다. 머리로 미처 깨닫기 전에 내 예리한 감각들이 작은 위험을 감지한 것이다.

내 눈이 먼 절벽 가장자리를 살피는데, 진녹색 숲과 대비를 이루는 청회색의 무언가가 보였다. 그리고 특히 은색(아니, 금색이었나?)의 섬광이 내 주의를 끌었다.

나는 그곳과 어울리지 않는 생소한 색깔에 시선을 맞추었다. 흐릿한 대기를 뚫고서 저 먼 곳을 응시했다. 아마 독수리조차 보지 못하리라.

그녀도 나를 보았다.

그녀는 뱀파이어였다. 피부는 대리석처럼 하얗고 인간보다 100만 배는 더 매끈했다. 구름 아래서도 그녀는 반짝였다. 피부가 눈에 띄지 않았더라도 아마 미동도 없는 그 모습이 시선을 끌었을 것이다. 그렇게 어떤 움직임도 없이 꼼짝 않고 있을 수 있는 건 뱀파이어와 조각상뿐이다.

그녀의 머리카락은 아주 옅은 금발로, 거의 은색에 가까웠다. 그 머리카락이 반짝이면서 내 눈에 띈 것이다. 반으로 갈라 늘어뜨린 머리칼은 턱까지 완만한 각도를 이루며 마치 자처럼 뻗어 있었다.

낯선 모습이었다. 전에 그녀를 본 적이 없었다. 인간이었을 때도. 내 흐릿한 기억 속에 들어 있는 어떤 얼굴과도 들어맞지 않았다. 하지만 나는 짙은 황금빛 눈을 보고나서야, 그녀가 누구인지 뒤늦게 깨달았다.

아이리나가 결국 이곳에 찾아온 것이다.

잠깐 동안 난 그녀를 응시했고 그녀도 나를 보았다. 내가 누군지 알아차렸을까? 손을 살짝 들어 올려 흔들려 했지만 아이리나는 입술을 살짝 비틀었다. 그녀의 표정이 적대적으로 바뀌었다.

숲에서 르네즈미의 기쁨에 찬 외침과 제이콥이 우렁차게 울부짖는 소리가 들려왔다. 몇 초 후 이 소리가 그곳에까지 울려 퍼지자 그녀는 갑자기 고개를 돌렸다. 시선이 약간 오른쪽으로 향해 있었다. 나는 그녀가 무엇을 보는지 알았다. 거대한 적갈색의 늑대인간, 그녀가 사랑했던 로렌트를 죽인 바로 그 늑대인간이었다. 아이리나는 얼마 동안이나 우릴 지켜보고 있었던 걸까? 아마도 우리의 애정 어린 몸짓과 대화를 모두 보고 들을 수 있을 만큼 오랫동안이지 않았을까? 나는 그렇게 확신했다.

그녀의 얼굴이 고통스러운 경련을 일으켰다. 나는 본능적으로 사과하듯 손을 내밀었다. 그녀가 나를 바라보더니 이를 드러냈다. 이를 악문 아이리나가 으르렁거렸다.

그 소리가 희미하게 들려올 즈음, 그녀는 이미 몸을 돌려 사라진 뒤였다.

"젠장!"

나는 으르렁거렸다. 그리고 르네즈미와 제이콥을 따라 숲으로 들어갔다. 그들이 내 눈에 보이지 않아 불안했다. 아이리나가 어느 방향으로 갔는지, 지금 이 순간 그녀가 얼마나 화가 났는지도 알 수 없었다. 뱀파이어들은 복수심에 쉽게 사로잡히고, 이를 쉽게 떨쳐내지도 못한다. 나는 전속력으로 달려서 2초 만에 르네즈미와 제이콥 곁에 갈 수 있었다.

"내가 잡은 게 더 커."

우거진 가시덤불을 헤치고 그들이 서 있는 작은 공터로 들어서는데 르네즈미의 목소리가 들렸다.

제이콥은 내 표정을 보더니 귀를 납작하게 눕혔다. 그리고는 이를 드러내며 앞으로 몸을 숙였다. 주둥이는 피로 얼룩졌고, 그의 눈은 숲을 샅샅이 살피고 있었다. 제이콥의 목에서 낮게 으르렁거리는 소리가 흘러나왔다.

르네즈미도 제이콥만큼 경계하고 있었다. 죽은 수사슴을 발치에 내려놓은 르네즈미는 내 품으로 뛰어들더니, 호기심을 담아 손을 내 뺨에 댔다.

"내가 좀 과민했나 봐. 괜찮은 것 같아. 잠깐만."

나는 재빨리 그들을 안심시켰다. 그러고는 휴대전화를 꺼내 단축 버튼을 눌렀다. 전화벨이 울리자마자 에드워드가 받았다. 내가 에드워드에게 상황을 설명하는 동안, 제이콥과 르네즈미는 내 옆에 붙어서 열심히 귀를 기울였다.

"칼라일을 데려와."

내가 너무 빨리 말했으므로, 제이콥이 과연 알아들었을지 궁금해졌다.

"아이리나를 봤어. 그녀도 날 봤고. 그런데 제이콥을 발견하고 화가 나서 가버린 것 같아. 여기엔 나타나지 않았어, 아직까지는. 하지만 화가 많이 났으니까 이리로 올지도 몰라. 만약 여기 오지 않으면, 너와 칼라일이 그녀를 쫓아가서 얘기를 좀 해 봐. 별로 느낌이 안 좋거든."

옆에서 제이콥이 으르렁거렸다.

"바로 갈게."

에드워드가 나를 안심시켰다. 곧이어 그가 일으키는 바람 소리가 들렸다. 우리는 공터로 돌아갔고, 제이콥과 나는 낯선 기척이 있는지 귀를 기울이며 조용히 기다렸다.

조금 후 익숙한 소리가 들려왔다. 곧 에드워드가 내 옆에 와 섰고, 그 몇 초 뒤 칼라일이 나타났다. 나는 칼라일 뒤에서 들려오는 묵직한 발소리에 놀라고 말았다. 하지만 사실 놀랄 일도 아니다. 르네즈미가 위험해질 낌새가 조금이라도 보이면 제이콥은 당연히 지원군을 부를 테니까.

"그녀는 저 산등성이에 있었어요."

난 아까의 지점을 가리키며 설명하기 시작했다. 만일 아이리나가 가버렸다면 이미 상당히 앞서 있을 것이다. 칼라일이 불러 세우면, 멈춰 서서 이야기를 나눌 수 있을까? 아까 본 표정을 생각하면 그렇지 않을 것 같았다.

"에밋과 재스퍼에게 전화해서 함께 가세요. 그녀가 내게 으르렁거렸어요."

"뭐?"

에드워드가 화가 나서 되물었다. 칼라일은 그의 팔을 잡았다.

"지금 아이리나는 슬퍼하고 있는 거야. 내가 따라가 봐야겠다."

"같이 가요."

에드워드가 말했다.

그들은 한참 동안 시선을 교환했다. 칼라일은 아이리나를 향한 에드워드의 분노와, 마음을 읽는 그의 능력이 얼마나 도움이 될지를 서로 비교해 저울질하는 것 같았다. 마침내 칼라일이 고개를 끄덕였고 그들은 재스퍼와 에밋에게 전화하지 않고 바로 아이리나를 찾아 나섰다.

제이콥은 초조하게 숨을 몰아쉬며 코로 내 등을 찔렀다. 만약에 대비해 르네즈미를 안전한 집으로 데려가자는 뜻이었다. 나는 그의 뜻에 따라 세스와 리를 양옆에 거느린 채 서둘러 집으로 향했다.

르네즈미는 한 손을 내 얼굴에 올린 채 만족스럽게 내 품에 안겨 있었다. 사냥이 중단되었으니 그 애는 수혈용 혈액을 마셔야 할 것이다. 르네즈미의 기분은 한껏 들떠 있었다.

## 28

# 미래

칼라일과 에드워드는 결국 아이리나의 흔적이 소음들 속으로 사라지기 전에 그녀를 따라잡지 못했다. 반대쪽 강둑으로 헤엄쳐간 그들은 아이리나의 자취를 샅샅이 훑었다. 동쪽 강기슭에서 각기 다른 방향으로 몇 킬로미터씩 갔지만 흔적을 발견하지 못했다.

전부 내 잘못이다. 앨리스가 예언한 것처럼 그녀는 컬렌 가와 화해하기 위해 왔으리라. 그러다 나와 제이콥이 친한 사이인 걸 알고 분노한 것이다. 제이콥이 변신하기 전에 내가 좀 더 일찍 그녀를 알아보았다면 얼마나 좋았을까. 여기가 아니라 다른 곳으로 사냥을 갔더라면.

칼라일은 타냐에게 전화를 걸어 실망스러운 소식을 전했다. 타냐와 케이트는 우리의 결혼식에 참석하기로 한 후부터 아이리나를 보지 못했다고 했다. 그들은 아이리나가 이렇게 가까이까지 오고서도 집에 들르지 않았다는 데 몹시 당황하는 것 같았다. 잠깐이라도 자매를 잃는 것은 그들에게 몹시 힘겨운 일이었기 때문이다. 어쩌면 몇 세기 전에 잃은 엄마를 떠올리고 있는 것은 아닐까.

앨리스는 아이리나의 가까운 미래를 언뜻 엿볼 수 있었지만, 구체적인 건 없었다. 앨리스는 그녀가 디날리로 돌아가지 않을 거라고 했다. 이미지들은 흐릿했고, 앨리스가 확인할 수 있는 건 그녀가 몹시 화가 났다는 것뿐이었다. 아이리나는 황폐한 표정으로 눈 덮인 황야를 헤매고 있었다. 북쪽인가, 아니면 동쪽? 어디로 향할 것인지는 결정하지 않은 것 같았다. 그저 슬픔을 안고 정처 없이 배회할 뿐.

며칠이 지났다. 아이리나와 그녀의 고통은 어쨌든 다시 내 기억 뒤편으로 밀려났다. 물론 아무것도 잊지는 않고 있었지만, 지금은 생각해야 할 중요한 일들이 많았다. 이제 며칠 후면 나는 이탈리아로 떠날 것이다. 또 그곳에서 돌아오고 나면 다 함께 남미로 향하게 된다.

모든 세부 사항들은 이미 수백 번도 더 점검해보았다. 가능하면 티쿠나 족의 전설부터 그 뿌리까지 추적해볼 계획이었다. 제이콥도 우리와 함께 간다. 그는 이 계획에서 상당히 중요한 위치를 차지하고 있다. 뱀파이어를 믿는 사람이라면 우리에겐 자신들의 이야기를 들려주지 않을 테니까. 티쿠나 족에서 다시 막히게 되면, 인근의 밀접한 부족들을 탐구해볼 생각이었다. 아마존에는 칼라일의 옛 친구들이 몇 있다. 그들을 찾아내기만 하면, 유용한 정보를 얻을 수 있을지도 모른다. 적어도 우리가 어디서 해답을 찾아야 할지 지침 정도는 줄 수 있겠지. 세 명의 아마존 뱀파이어들은 뱀파이어 전설과는 관련이 없는 것 같았다. 그들 모두 여성이었기 때문이다. 이런 조사에 시간이 과연 얼마나 걸릴지는 짐작조차 하기 힘들었다.

우리가 떠날 긴 여행에 대해 찰리에겐 아직 말하지 않았다. 에드워드와 칼라일이 토론을 계속하는 동안 나는 아빠에게 뭐라고 설명하면 좋을지 고민하고 있었다. 어떻게 하면 제대로 이야기를 전할 수 있을까?

나는 고민하며 르네즈미를 보았다. 아이는 이제 소파 위에 웅크린 채 느린 호흡을 하며 깊이 잠들어 있었다. 헝클어진 곱슬머리가 얼굴 위로 어지러이 흩어져 있었다. 대개 에드워드와 나는 그 애를 오두막으로 데려가 침대에 눕히곤 했다. 하지만 오늘밤 우리는 가족들 곁에 남아 있었고, 에드워드와 칼라일은 계획을 짜느라 정신이 없었다.

그 사이 에밋과 재스퍼는, 사냥할 생각으로 들떠 있었다. 아마존은 우리가 평소 접하지 못했던 사냥감들이 널려 있을 테니까. 예를 들면 재규어나 표범 같은 것. 에밋은 아나콘다와 맞붙어 볼 생각을 하고 있었다. 에스미와 로잘리는 짐 꾸릴 계획을 짜는 중이었다. 제이콥은 라푸시를 비우는 동안에 대비하기 위해 샘의 무리를 만나고 있었다.

앨리스는 커다란 거실을 그녀로서는 느린 걸음걸이로 서성이면서, 이미 깨끗한 그곳을 쓸데없이 치우고 있었다. 완벽한 각도로 달려 있는 에스미의 화환들을 다시 똑바로 걸고, 캐비닛 위에 놓인 꽃병을 다시 한가운데로 세팅했다. 그녀의 표정이 이리저리 변하는 것(집중했다가, 멍해졌다가, 다시 집중하는)을 보고 나는, 앨리스가 미래를 보고 있다는 걸 알았다. 나는 그녀가 제이콥과 르네즈미 때문에 생기는 사각지대를 피해가며 남미에서의 일을 내다보는 거라고만 생각했다. 하지만 재스퍼는 "내버려둬, 앨리스. 그녀는 우리랑 상관없잖아."라고 말했고, 거실에는 보이지 않는 고요함이 내려앉았다. 앨리스는 다시 아이리나 일을 걱정하는 게 분명했다.

그녀는 재스퍼에게 혀를 내밀어 보이더니 흰 장미와 붉은 장미가 가득 꽂혀 있는 크리스털 꽃병을 들고 부엌으로 갔다. 흰 장미 한 송이가 아주 살짝 시들었을 뿐이지만, 미래가 제대로 보이지 않아서인지 앨리스는 완벽성에 유난히 집착하고 있었다.

다시 르네즈미를 바라보느라 나는 꽃병이 앨리스의 손에서 미끄러지는 것을 보지 못했다. 그러다 크리스털 꽃병이 떨어지면서 공기를 가르는 소리를 들었다. 눈을 들자 꽃병이 부엌의 대리석 바닥에 부딪히면서 1만 개의 다이아몬드 조각으로 흩어지는 것이 보였다.

조각난 크리스털이 귀에 거슬리는 소리를 내며 사방으로 흩어지는 동안, 우리는 꼼짝하지 않고 앨리스의 등만 바라보았다.

처음에 떠오른 건 좀 비이성적인 생각이었다. 앨리스가 우리에게 장난을 치고 있다는 생각. 실수로 꽃병을 떨어뜨릴 리는 없었기 때문이다. 거실을 가로질러 충분히 꽃병을 잡을 수도 있었겠지만 나는 그러지 않았다. 당연히 그녀가 잡으리라 생각했던 탓이다. 어떻게 꽃병이 앨리스의 손가락에서 미끄러질 수 있지? 빈틈이라곤 없는 그 손가락에서…….

난 뱀파이어가 실수로 뭔가를 떨어뜨리는 걸 본 일이 없다. 단 한 번도.

그때 앨리스가 알아채지도 못할 만큼 재빠르게 몸을 돌려 우리에게로 돌아섰다. 그녀의 눈은 반쯤은 이곳을, 그리고 다른 반은 미래를 보고 있었다. 앨리스의 눈이 점점 커지면서 파리한 얼굴을 채웠고, 곧 얼굴 밖으로 넘쳐흐를 듯한 정도가 되었다. 그녀의 눈을 들여다보는 기분은, 마치 무덤 안에서 밖을 내다보는 것과 비슷했다. 시선 속에 담긴 공포와 절망, 그리고 고뇌에 파묻혀버릴 것 같았다.

에드워드가 숨을 헐떡였다. 고르지 못한, 질식해 헐떡이는 것 같기도 한 소리가 났다.

"뭐야?"

재스퍼가 소리 지르며 순식간에 그녀 옆으로 왔다. 부서진 크리스털은 그의 발에 밟혀 가루가 되었다. 재스퍼는 앨리스의 어깨를 잡고 마구 흔들었고, 그녀는 손 안에서 조용히 흔들렸다.

"무슨 일인데, 앨리스?"

에밋이 내 시야 안으로 들어왔다. 그는 공격이 있으리라 예상한 듯 이를 드러내고서 창밖으로 시선을 향했다. 에스미, 칼라일, 로잘리는 나처럼 얼어붙은 채 침묵했다. 재스퍼가 다시 앨리스를 흔들었다.

"무슨 일이냐고!"

"그들이 오고 있어. 그들 전부."

앨리스와 에드워드가 동시에 속삭였다.

침묵.

이번만은 내가 가장 빨리 알아들었다. 그들의 말 속에 담긴 무언가가, 나만이 알고 있는 환각 같은 영상을 떠올렸기 때문이다. 어떤 꿈에 대한 오래된 기억. 마치 두꺼운 거즈를 통해 보듯 희미하고, 투명하고, 흐릿한…….

나는 다가오는 검은 무리, 반쯤 잊어가고 있던 악몽 속의 유령을 보았다. 워낙 흐릿한 영상이었으므로 루비색 눈이 번쩍이거나 날카롭고 축축한 이빨이 빛나는 것을 볼 수는 없었다. 하지만 분명 어딘가에서 섬뜩한 빛을 발하고 있으리라…….

장면 자체보다 더 강하게 기억에 남은 것은 그때의 느낌이었다. 내 뒤에 숨어 있는 소중한 것을 보호해야 한다는 절박한 소망.

난 르네즈미를 내 품으로 안아 올려 내 살갗과 머리카락 뒤에 숨기고 싶었다. 어떻게든 보이지 않게 하고 싶었다. 하지만 나는 그 애를 돌아보지도 못하고 있었다. 돌이 아니라 얼음이 된 것 같았다. 뱀파이어로 다시 태어난 후 처음으로 추위를 느꼈다.

주위에서 내 공포에 쐐기를 박는 말들이 들려왔지만 귀를 기울이지 않았다. 그럴 필요가 없었다. 이미 알고 있으니까.

"볼투리 가."

마치 신음하는 것처럼 앨리스가 말했다.

"그들 전부."

그와 동시에 에드워드가 내뱉었다.

"왜? 어떻게?"

앨리스가 혼자 중얼거렸다.

"언제?"

에드워드가 속삭였다.

"왜?"

에스미가 되풀이했다.

"언제?"

재스퍼가 얼음이 쪼개지는 듯한 목소리로 다시 물었다.

앨리스의 깜빡이지 않는 눈은 마치 베일에 덮인 것 같았다. 그 안에 깃든 건 절대적인 공허. 입만이 그녀의 공포를 드러내고 있었다.

"얼마 안 남았어."

그녀와 에드워드가 함께 답했고, 다시 앨리스가 혼자 말했다.

"숲에 눈이 쌓여 있어. 도심에도 쌓여 있고. 한 달도 안 남았어."

"왜?"

이번에는 칼라일이 물었고, 에스미가 대답했다.

"이유가 있겠죠. 어쩌면……."

"벨라 때문이 아니에요. 그들 모두 올 거예요. 아로, 카이우스, 마르쿠스, 경호원들, 심지어 그 부인들까지."

앨리스가 텅 빈 목소리로 말했다.

"부인들은 그 탑을 떠난 일이 없는데……, 단 한 번도. 남부에서 폭동이 일어나는 동안에도, 루마니아 뱀파이어들이 그들을 무너뜨리려 했을 때에도, 불멸의 아이들을 사냥하던 때마저도. 절대로."

재스퍼가 감정을 읽을 수 없는 목소리로 앨리스의 말에 반박했다.

"이번에는 올 거야."

에드워드가 속삭였다.

"하지만 왜? 우린 아무 짓도 하지 않았어! 아니, 무슨 짓을 했더라도 마찬가지야. 도대체 무엇 때문에 이렇게까지 하는 거지?"

칼라일이 다시 말했다.

"우린 수가 너무 많아요. 그들은 확실히 하고 싶었을 거예요……."

에드워드가 멍하니 대답했다. 그는 결국 말을 끝맺지 못했다.

"그건 답이 되지 않아! 왜지?"

나는 칼라일의 질문에 대한 답을 스스로 알고 있다고 느꼈다. 하지만 동시에 모르고 있는 것 같기도 했다. 르네즈미가 이유이리라. 확신할 수도 있었다. 그들이 르네즈미 때문에 오리라는 건 처음부터 알았다. 르네즈미를 가지기 훨씬 전부터, 잠재의식은 계속 경고를 보내고 있었다. 이제는 기묘한 기대감마저 느껴졌다. 마치 볼투리 가가 나타나 내게서 행복을 앗아가리란 걸 늘 알고 있었던 것처럼.

하지만 이것 역시 그 질문에 대한 답은 아니었다.

"과거를 살펴봐, 앨리스. 원인을 찾아보란 말이야, 어서."

재스퍼가 애원했다. 앨리스는 어깨를 늘어뜨린 채 천천히 고개를 흔들었다.

"그냥 느닷없이 나타났어, 재스퍼. 난 그들을, 그리고 우리 일을 알려 했던 게 아니야. 아이리나를 찾고 있었어. 그녀는 내가 전혀 예상하지 못했던 곳에 있었지……."

앨리스가 말꼬리를 흐렸다. 그녀의 눈은 다시 정처 없이 표류하기 시작했고, 꽤 오랫동안 아무것도 응시하지 않았다. 이윽고 앨리스의 머리가 번쩍 들리더니 눈이 돌처럼 단단해졌다. 에드워드가 숨을 죽였다.

"그녀는, 그들에게 가기로 결심했어. 볼투리 가를 찾아가기로 한 거야. 그리고 볼투리들이 판결하겠지. 그들이 그녀가 올 때까지 기다리고 있는 것처럼 보여도…… 사실 결정은 이미 내려졌어. 그냥 기다리는 것뿐이야."

앨리스가 말했다. 우리는 말을 잃고 생각에 잠겼다. 아이리나가 볼투리 가에게 뭐라고 말하기에, 앨리스가 그렇게 무시무시한 미래를 본 걸까?

"그녀를 막을 수 있을까?"

재스퍼가 물었다.

"방법이 없어. 벌써 거의 도착했어."

"아이리나는 뭘 하고 있지?"

칼라일이 물었지만 이제 난 대화를 듣지 않고 있었다. 나는 머릿속으로 힘겹게 하나의 이미지를 짜맞추고 있었고, 내 관심은 온통 거기 쏠려 있었다.

절벽에서 우리를 주시하고 있던 아이리나의 모습을 떠올렸다. 그녀는 무엇을 보았을까? 베스트프렌드인 뱀파이어와 늑대인간. 그 이미지가 아이리나의 반응을 설명해줄 수 있을 것 같아서, 나는 거기에 좀 더 집중했다. 그래, 아이리나가 본 건 그게 전부가 아니었다.

그녀는 아이도 보았다. 흩날리는 눈발 속에서 너무도 아름다웠던 아이. 인간 이상의 존재임이 분명한······.

아이리나······, 그리고 엄마를 잃은 그녀의 자매들······. 칼라일은 말했었다. 어머니가 볼투리 가의 손에 처형되고 난 후 타냐, 케이트, 아이리나는 종족의 규칙만은 무슨 일이 있어도 지키게 되었다고.

그리고 조금 전 재스퍼는 이런 말도 했었다. "불멸의 아이들을 사냥하던 때마저도"라고. 불멸의 아이들. 입에 담을 수 없는 재난, 무시무시한 금기······.

과거에 그런 일을 겪었던 아이리나가 어떻게 공터에서 본 장면을 다르게 판단할 수 있겠는가? 그녀는 르네즈미의 심장소리를 듣고 그 애의 체온을 느낄 만큼 가까이 있지 않았다. 르네즈미의 장밋빛 뺨은 그녀가 아는 모든 것을 감추기 위한 우리 쪽의 속임수라고 생각했을지도 모른다. 무엇보다도, 컬렌 가는 늑대인간들과 동맹 관계였다. 아이리나의 시각에서 본다면 이 상황은 역시······.

눈 내리는 황야에서 양 손을 꽉 쥐고 있던 아이리나. 그녀는 로렌트 때

591

문에 비탄에 젖어있던 게 아니었다. 컬렌 가를 밀고하는 게 자기 의무란 걸 깨달았기에 고민하고 있었던 것이다. 그렇게 할 경우 컬렌 가족들에게 무슨 일이 일어날지 알고 있었으니까. 결국 그녀의 양심은 수세기에 걸친 우정을 이겼다.

그리고 이런 위법 행위에 대한 볼투리 가의 반응은 정해져 있는 거나 다름없다. 이미 결정은 끝났다.

나는 잠든 르네즈미 위로 몸을 숙였다. 내 머리카락으로 그 애를 덮고 그 애의 곱슬머리에 얼굴을 묻었다.

"그 오후에 그녀가 뭘 봤는지 생각해보세요. 아이리나는 불멸의 아이 때문에 어머니를 잃었죠. 그러니 르네즈미가 뭘로 보였겠어요?"

뭔가 이야기하려는 에밋에 앞서 내가 낮은 목소리로 말했다. 다들 내가 거쳐 온 생각을 따라잡느라 조용했다.

"불멸의 아이."

칼라일이 속삭였다. 에드워드가 르네즈미와 나를 팔로 감싸며 무릎을 꿇었다. 나는 계속 말을 이었다.

"하지만 아이리나의 생각은 틀렸어요. 르네즈미는 그 아이들과는 달라요. 그들은 그냥 그 상태로 고정되어 있지만, 르네즈미는 매일 자라잖아요. 그 애들은 통제 불능이었지만 르네즈미는 찰리도, 수도 해치지 않았어요. 심지어 그들을 당황하게 할 일조차 하지 않았다고요. 이 아인 스스로를 통제할 수 있어요! 이미 대부분의 성인보다 똑똑하고요. 그러니 그럴 이유가 없어……."

나는 누군가 한숨을 내쉬기를, 내 말이 옳다는 걸 깨닫고 거실 안의 싸늘한 긴장이 누그러지기를 기다리며 계속 지껄였다. 그러나 오히려 더 싸늘해진 것 같았다. 결국 나의 작은 목소리도 고요 속으로 사라졌다.

한동안 아무도 말하지 않았다.

그리고 에드워드가 내 머리카락에 대고 속삭였다.

"이건 재판을 받아야 하는 종류의 범죄가 아냐. 아로는 아이리나의 생각을 통해 이미 증거를 봤어. 그들은 설명을 들으러 오는 게 아니라 처형하러 오는 거야."

그의 목소리는 조용했다.

"하지만 그들은 틀렸어."

내가 완강하게 말했다.

"그들은 해명할 기회를 주지 않아."

목소리는 여전히 고요하고 상냥했으며 부드러웠다. 하지만 그 안에 담긴 고통과 슬픔만큼은 숨길 수 없었다. 에드워드의 목소리도 조금 전 앨리스의 목소리와 비슷했다. 무덤 안에서 들려오는 것 같았다.

"어떻게 해야 해?"

내가 물었다. 내 팔에 안겨 평화로운 꿈을 꾸는 르네즈미는 따스하고, 또 너무 완벽했다. 나는 르네즈미가 지나치게 빨리 자라는 게 걱정스러웠었다. 그런 속도면 겨우 10년 남짓밖에 살지 못할 것 같아 무서웠다. 이제는 그 걱정이 모순되게 느껴졌다.

이젠 한 달 남짓이 되어버렸어…….

여기까지가 한계인가? 난 대부분의 사람들보다 더 행복했다. 세상에는 행복과 불행을 공평하게 나누어야 한다는 자연의 법칙 같은 거라도 있는 걸까? 내가 너무 행복해서, 균형이 깨져버린 걸까? 내게 허락된 건 그넉 달이 전부였을까.

대답을 바라지 않았던 내 질문에 대답해준 이는 에밋이었다.

"싸워야지."

그가 조용히 말했다.

"우린 이길 수 없어."

재스퍼가 으르렁거렸다. 나는 그의 표정, 앨리스를 보호하듯 웅크린 그의 자세를 상상할 수 있었다.

"어차피 도망칠 수도 없어. 드미트리 때문에 안 된다고."

에밋이 화난 목소리로 말했다. 난 본능적으로 그가 볼투리 가의 추적자 때문이 아니라 도망친다는 생각에 화가 난 것을 알았다. 에밋이 덧붙였다.

"그리고 우리가 정말 이길 수 없을까? 방법이 몇 가지 있잖아. 우리끼리만 싸워야 하는 것도 아니고."

그 말에 나는 고개를 들었다.

"그렇다고 퀼렛 부족을 죽음으로 몰아서는 안 돼, 에밋!"

"진정해, 벨라. 난 그 무리를 얘기한 게 아냐. 하지만 현실적으로 생각해봐. 제이콥이나 샘이 모른 척할 것 같아? 꼭 네시 일이 아니더라도 말이야. 게다가 아이리나 덕분에 아로는 우리가 늑대인간들과 동맹을 맺은 것도 알게 됐어. 하지만 어쨌든 난, 늑대인간들이 아니라 우리의 다른 친구들을 이야기한 거였어."

그의 표정은 아나콘다와 싸우겠다는 이야기를 할 때와 다르지 않았다. 전멸의 위협조차도 에밋의 사고방식, 도전 앞에 전율을 느끼는 성향을 바꿀 수는 없었다.

"다른 친구들도 죽음으로 몰아서는 안 돼."

"그들에게 결정권을 주면 되잖아요. 꼭 우리와 함께 싸워야 한다는 뜻은 아니에요."

에밋이 달래는 투로 그렇게 말했다. 나는 그가 말을 하면서 자신의 계획을 구체화해가는 것을 느낄 수 있었다.

"어쨌든 그들이 우리 옆에 서 있기만 해도 볼투리 가는 망설일 거예요. 벨라가 옳아요. 그들을 멈춰 세우고 우리 이야기를 듣게 할 수만 있다면. 그럼 싸울 이유가 사라지니까……"

이제 에밋의 얼굴에 희미하게 미소가 비쳤다. 아무도 그를 때려주지 않는 게 놀라울 뿐이었다. 내가 때려주고 싶었다.

"그래. 그럴 듯하구나, 에밋. 우리에게 필요한 건 잠깐이나마 볼투리 가를 묶어두는 거야. 우리의 이야기에 귀를 기울일 만큼만."

에스미가 간절히 말했다.

"믿을 만한 증인들이 필요하겠지요."

로잘리가 거칠게 말했다. 그녀의 목소리는 유리처럼 날카로웠다. 에스미가 동의하듯이 고개를 끄덕였다. 그녀는 로잘리의 목소리에 담긴 냉소를 알아차리지 못한 것 같았다.

"친구들에게 부탁하면 돼. 그냥 증인이 되어달라고."

"우리도 그들을 위해 증인이 되어주었잖아요."

에밋이 말했다.

"그들에게 부탁해. 그래야 해. 아주 조심스럽게 보여줘야 해."

앨리스가 중얼거렸다. 그녀의 눈은 다시 짙은 공허로 채워져 있었다.

"보여준다고?"

재스퍼가 물었다. 앨리스와 에드워드는 르네즈미를 내려다보았다. 그리고 앨리스의 눈이 흐려졌다.

"타냐의 가족. 시오반의 가족. 아문의 가족. 그리고 떠돌이들 몇몇도. 가렛과 메리는 분명히 도와줄 거예요. 어쩌면 앨리스테어도."

그녀가 말했다.

"피터와 샬럿은?"

재스퍼가 조금 두려운 듯이 물었다. 대답이 '노(No)'이기를, 그래서 옛 형제가 눈앞으로 다가온 대학살을 피할 수 있기를 바라는 것 같기도 했다.

"어쩌면."

"아마존 일가는? 카치리, 자프리나, 세나는?"

칼라일이 물었다.

처음에 앨리스는 대답을 찾기 위해 자신의 환상 속으로 더 깊이 들어간 것 같았다. 그러다 문득 마구 몸을 떨었고, 시선은 다시 현재로 돌아왔다. 그녀는 아주 잠깐 동안 칼라일과 눈을 마주쳤다가 시선을 떨어뜨렸다.

"안 보여요."

"뭘 봤는데? 정글 속에서 그들을 찾을 수 있는 거야?"

에드워드가 물었다. 속삭이긴 했지만 심문에 가까웠다.

"안 보여."

앨리스는 그의 눈을 바라보지 않았다. 잠깐 에드워드의 얼굴에 혼란스러운 표정이 스쳤다.

"우린 뿔뿔이 흩어져서, 서둘러야 해. 눈이 땅에 얼어붙기 전에. 가능한 누구라도 찾아. 그리고 이리 데려와서 보여줘야 해. 반드시 엘리저에게 물어보도록 해. 불멸의 아이 그 이상의 일이 있어."

그녀가 다시 집중했다. 앨리스가 무아지경에 빠져있는 동안 다시 불길한 침묵이 길게 이어졌다. 이윽고 그녀가 천천히 눈을 깜박였다.

"시간이 많지 않아. 서둘러야 해."

그녀가 속삭였다.

"앨리스? 너무 빨리 지나가서 이해를 못했어. 뭐……"

에드워드가 물었다.

"안 보여! 제이콥이 거의 다 왔단 말이야!"

그녀가 에드워드에게 소리쳤다. 로잘리가 현관을 향해 한 걸음 뗐다.

"내가 처리……"

"아냐, 들여보내."

앨리스가 재빨리 말했다. 그녀의 목소리는 단어 하나하나를 말하면서 더 높아졌다. 앨리스가 재스퍼의 손을 잡고 그를 뒷문으로 잡아끌었다.

"네시와 떨어져야 더 잘 볼 수 있어. 이제 가야겠어. 정말로 집중해야해. 보이는 모든 걸 봐야 하니까. 난 여기서 나가야 해. 자, 재스퍼. 시간이없어."

우리 모두, 제이콥이 계단을 올라오는 소리를 들었다. 앨리스가 초조하게 재스퍼의 손을 잡아당겼다. 그는 에드워드만큼이나 혼란스러운 눈을하고서, 재빨리 앨리스를 따라갔다. 문을 빠져나간 그들은 은빛의 어둠 속으로 들어갔다.

"서둘러! 그들 모두를 찾아야 해."

그녀가 우리를 향해 소리쳤다.

"뭘 찾아? 앨리스는 어디 갔어?"

제이콥이 현관문을 닫으며 물었다. 아무도 대답하지 않았다. 우리 모두그저 바라보기만 했다. 제이콥은 르네즈미를 바라보면서 젖은 머리카락을털더니 티셔츠 소매에서 팔을 뺐다.

"헤이, 벨라! 지금쯤이면 오두막에 갔을 줄 알았는데……."

그는 나를 바라보며 눈을 깜빡이더니 잠시 뚫어지게 응시했다. 표정을보니 겨우 분위기를 파악한 것 같았다. 바닥에 흥건한 물, 흩어진 장미, 크리스털 파편을 보고 제이콥이 눈을 크게 떴다. 손가락이 떨렸다.

"뭐야? 무슨 일이야?"

그가 단호하게 물었다. 하지만 대체 어디서부터 이야기를 시작해야 할지 가늠할 수가 없었다. 다들 마찬가지였으리라.

제이콥은 세 걸음 만에 거실을 가로지르더니 나와 르네즈미 옆에 무릎을 꿇었다. 강한 열기가 그의 몸을, 팔을 지나 손까지 마구 떨리게 하는 것을 느낄 수 있었다.

"네시에게 문제가 있는거야? 장난치지 마, 벨라, 제발!"

르네즈미의 이마를 쓰다듬은 제이콥이, 머리를 숙여 르네즈미의 심장소리에 귀를 기울이며 물었다.

"르네즈미한테는 아무 일 없어."

나는 숨이 막혔다.

"그럼 누구?"

"우리 모두, 제이콥."

내가 속삭였다. 이젠 내 목소리 역시도 무덤 속에서 들려오는 것 같았다.

"끝났어. 우리 모두 사형선고를 받았어."

# 29

# 변절

---

　우리는 조각상처럼 밤새도록 거실에 앉아 있었다. 극심한 공포와 슬픔 속에서. 앨리스는 돌아오지 않았다.

　우리 모두 분노로 꼼짝할 수 없는 상태였고, 이제 한계가 온 것 같았다. 칼라일은 간신히 입술을 움직여 제이콥에게 모든 걸 설명했다. 다시 이야 기하며 상황을 정리하다 보니 상황은 더 심각해 보였다. 그 순간부터 에밋 도 조용해졌다.

　해가 뜨고 르네즈미가 깨어날 시간이 되어서야 나는, 앨리스가 무얼 하러 그렇게 오랫동안 나가 있는지 궁금해지기 시작했다. 내 딸이 깨어나서 이것저것 묻기 전에 더 알고 싶었다. 대답을 얻기 위해. 아주 작고 작은 희 망이라도 찾아서 웃을 수 있게, 르네즈미가 진실을 알고도 두려워하지 않 도록.

　내 얼굴은 밤새 쓰고 있던 가면 그대로 굳어버린 것 같았다. 다시 웃게 되는 날이 올까?

　제이콥은 구석에서 코를 골며 잠들어 있었다. 바닥에 누운 거대한 털 뭉치에 계속 불안한듯 경련이 일었다. 샘도 이제 모든 것을 알게 되었다. 늑대인간들은 다가오는 일에 대비하고 있었다. 그래봤자 그들 모두 우리 가족과 함께 죽어가게 되리라.

햇빛이 뒤쪽 창으로 비쳐들면서 에드워드의 피부가 반짝였다. 앨리스가 나간 후 난 그에게서 시선을 떼지 않았다. 우리는 밤새 서로를 바라보며 서로를 잃고는 살아갈 수 없음을 깨달았다. 햇빛이 내 피부에 닿으면서 고뇌에 찬 그의 눈 속에 반짝이는 내 모습이 비쳤다. 그의 눈썹이 아주 살짝 움직이더니 곧 그의 입술도 움직였다.

"앨리스."

그렇게 말하는 그의 목소리는, 얼음이 녹아내리며 갈라지는 소리 같았다. 우리 모두 잠깐 동안 다시 움직였다.

"앨리스 나간 지 오래됐잖아."

로잘리가 놀란 듯이 중얼거렸다.

"도대체 어딜 간 거지?"

에밋이 궁금해 하면서 현관문으로 한 발짝 뗐다.

"방해하고 싶지는 않지만……."

그렇게 말하며 에스미는 팔을 손으로 단단히 감쌌다.

"전에는 이렇게 오래 걸리지 않았는데."

에드워드가 말했다. 가면처럼 굳어 있던 그의 표정은 새로운 걱정으로 바뀌기 시작했다. 이목구비가 다시 살아 움직였다. 에드워드의 눈은 심한 공포로 커져 있었다.

"칼라일, 무슨 일이 있는 것 같지 않아요? 그들이 앨리스를 잡으려고 누군가를 보냈다면요?"

아로의 반투명한 얼굴이 내 머리를 가득 채웠다. 아로, 그는 앨리스의 마음속을 속속들이 들여다보았고, 그녀가 무엇을 할 수 있는지 확실히 알고 있었다.

에밋이 큰 소리로 욕을 하는 바람에 잠에서 깬 제이콥은 비틀거리며 일어나더니 으르렁거렸다. 그러자 마당에서 그의 무리도 울부짖었다. 이미 내 가족은 움직이고 있었다.

"르네즈미 곁에 있어!"

난 현관문으로 뛰쳐나가면서 제이콥에게 소리쳤다.

아직도 가족들 중 내가 가장 강하다. 난 그 힘을 믿고 앞으로 나섰다. 몇 번 도약하자 곧바로 에스미를 따라잡았고, 몇 걸음 만에 로잘리도 따라잡았다. 나는 우거진 숲을 지나 마침내 에드워드와 칼라일 뒤에 바짝 붙을 수 있었다.

"기습을 당한 걸까?"

칼라일이 물었다. 전속력으로 달리는 게 아니라 꼼짝 않고 서 있는 상태인 양 차분한 목소리였다.

"잘 모르겠어요. 하지만 아로는 그녀에 대해 누구보다 잘 아니까요. 나보다 더 잘 알잖아요."

에드워드가 대답했다.

"함정일까?"

에밋이 우리 뒤에서 소리쳤다.

"그럴지도. 앨리스와 재스퍼를 제외하면 아직 다른 냄새는 없어. 둘은 어딜 간 거지?"

에드워드가 말했다.

앨리스와 재스퍼의 흔적은 커다란 호를 그리고 있었다. 그 호는 처음에는 집의 동쪽으로 뻗었다가 강 건너편에서 북쪽으로 향한 다음, 몇 킬로미터 만에 다시 서쪽으로 움직였다. 우리는 다시 강을 건넜다. 우리 여섯은 서로 1초의 간격도 두지 않고 강을 뛰어넘었다. 선두에 선 에드워드는 정신을 잔뜩 집중했다.

"지금 이 냄새 맡았니?"

두 번째로 강을 건넌 후였다. 에스미가 앞쪽을 향해 소리쳤다. 왼쪽 끝에 뒤처져 있던 그녀가 남동쪽을 가리켰다.

"가장 뚜렷한 흔적을 좇기로 해요. 퀼렛 부족과의 경계에 가까워졌어요. 이제 함께 모여 있어야겠어요. 그들이 북쪽으로 돌았는지 아니면 남쪽으로 돌았는지 보자고요."

에드워드가 간결하게 답했다.

나는 다른 가족들만큼 퀼렛 부족과의 경계선에 익숙하지 않았다. 하지만 동쪽에서 불어오는 미풍에 섞인 늑대들의 냄새를 맡을 수 있었다. 에드워드와 칼라일은 습관 탓인지 속도를 늦추고는 좌우로 고개를 움직였다.

그때 늑대 냄새가 한층 더 진해졌다. 에드워드가 고개를 들었다. 그는 갑자기 멈춰 섰고, 우리도 그 자리에 얼어붙었다.

"샘? 뭐죠?"

에드워드는 감정이 느껴지지 않는 목소리로 물었다.

샘이 나무들을 지나 몇 백 미터 떨어진 곳에 나타났다. 그는 양쪽에 늑대(폴과 저레드였다)들을 거느린 채 인간의 모습으로 재빨리 우리를 향해 왔다. 조금 시간이 지난 후에야 샘은 우리 앞에 도착했다. 인간의 걸음이 너무 느리게 느껴졌으므로 우리는 초조했다. 잠깐이라도 지금 벌어지고 있는 일에 대해 생각하고 싶지 않았다. 나는 계속 움직이고 행동하고 싶었다. 어서 앨리스를 포옹하고, 그녀가 안전하다는 것을 확인하고 싶었다.

샘의 생각을 읽으면서 에드워드의 얼굴이 창백해졌다. 샘은 에드워드를 무시하고는 곧장 칼라일에게 다가와서 이야기를 시작했다.

"자정이 지나자마자 앨리스와 재스퍼가 찾아왔습니다. 우리 땅을 지나

바다로 갈 수 있게 해달라더군요. 난 허락했고 직접 해안까지 데려다줬죠. 그들은 곧장 바다로 뛰어들더니 돌아오지 않았습니다. 해안까지 가는 동안 앨리스가 정말 중요한 일이라면서, 당신을 만나기 전까지는 제이콥에게도 이야기하지 말라더군요. 그리고 당신이 자길 찾아 여기까지 오면 이 메모를 전해주라고 했습니다. 마치 우리 모두의 생명이 거기 달려 있다는 듯이, 자기 말대로 하라고 명령하더군요."

쪽지를 건네주는 샘의 표정이 불쾌해 보였다. 쪽지에는 온통 작은 글자들이 인쇄되어 있었다. 책에서 찢어낸 종이 같았다. 칼라일이 그것을 펼치는 동안 내 날카로운 눈은 바깥쪽에 인쇄된 단어들을 읽고 있었다. 『베니스의 상인』의 판권 페이지였다. 칼라일이 그 쪽지를 흔들어 펼치자 내 체취가 희미하게 풍겨 왔다. 내 책에서 찢어낸 종이인 게 분명했다. 난 찰리의 집에서 우리의 오두막으로 몇 가지 물건들을 가져다놓았다. 평범한 옷가지들과 엄마의 편지와 내가 좋아하는 책들. 찢겨나간 셰익스피어 선집은 어제 아침 내 서가에 놓여 있던 것이었다.

"앨리스가 우리를 떠났구나."

칼라일이 속삭였다.

"뭐라고요?"

로잘리가 소리쳤다. 칼라일이 우리 모두 읽을 수 있게 쪽지를 돌렸다.


우릴 찾지 마세요. 시간이 없어요.

기억해두세요. 타냐, 시오반, 아문, 앨리스테어, 거기에다 찾아낼 수 있는 떠돌이 전부라고 했죠. 우리도 떠나는 길에 샬럿과 피터를 찾아볼게요. 인사도, 변명도 하지 못하고 이렇게 떠나게 되어서 정말 죄송해요. 하지만 어쩔 수가 없네요.

사랑해요.

우리는 다시 꼼짝할 수 없었다. 늑대들의 심장이 뛰는 소리와 숨소리 말고는 침묵뿐이었다. 분명 늑대들의 생각도 시끄럽게 울려 퍼지고 있겠지. 에드워드는 샘의 머릿속에서 들려오는 생각에 반응하여 가장 먼저 움직이기 시작했다.

"그래요, 정말 위험하죠."

"가족을 버릴 만큼?"

샘이 큰 소리로 물었다. 비난하는 투였다. 칼라일에게 쪽지를 건네줄 때까지 그 내용을 몰랐던 게 분명했다. 화가 난 샘은 앨리스의 부탁을 들어준 걸 후회하고 있었다.

에드워드의 표정이 굳었다. 아마도 샘에게는 화를 내거나 거만하게 구는 걸로 보이겠지. 그러나 나는 딱딱하게 굳은 그의 얼굴에서 고통을 볼 수 있었다.

"그녀가 무엇을 보았는지는 아직 모릅니다. 앨리스는 무정하지도 않고 겁쟁이도 아니에요. 그저 우리보다 더 많은 정보를 가지고 있었던 것뿐이죠."

에드워드가 말했다.

"우리는 절대로……"

샘이 말문을 열었다.

"당신들은 우리와는 달리 묶여 있으니까. 우리에겐 자유 의지가 있지요."

에드워드가 날카롭게 응수했다. 샘이 이를 악물었다. 갑자기 그의 눈이 흐릿한 검정색으로 보였다. 에드워드가 계속해서 말을 이었다.

"하지만 경고를 무시하진 마세요. 당신은 이런 일에 말려들고 싶지 않을 거예요. 당신은 앨리스가 본 일을 피할 수 있습니다."

에드워드의 말을 들은 샘은 험악한 미소를 보였다.

"우리는 도망치지 않아."

그의 뒤에서 폴이 씩씩거렸다.

"그 자존심의 대가로 가족이 살육당할 거요. 그들을 희생시키지 말아요."

칼라일이 조용히 끼어들었다. 샘은 한층 누그러진 표정으로 칼라일을 바라보았다.

"에드워드의 말처럼 우리는 당신들과 같은 자유를 누리지 못합니다. 하지만 르네즈미는 이제 당신의 가족일 뿐 아니라 우리 가족이기도 해요. 제이콥은 그녀를 버릴 수 없고 우리는 그를 버릴 수 없으니까요."

그가 앨리스의 쪽지를 흘깃 보더니 입술을 굳게 다물었다.

"당신은 그녀를 몰라요."

에드워드가 말했다.

"당신은 압니까?"

샘이 퉁명스럽게 물었다. 칼라일이 에드워드의 어깨를 잡았다.

"우린 할일이 많다, 아들아. 앨리스가 어떤 결정을 했든 우린 그녀의 조언을 따라야 해. 어서 집에 가자."

에드워드가 고개를 끄덕였다. 그의 얼굴은 여전히 고통으로 경직되어 있었다. 내 뒤에서 에스미가 눈물도 흘리지 못한 채 조용히 흐느끼고 있었다.

뱀파이어의 몸으로는 어떻게 울어야 하는 것일까. 난 그저 노려보는 것밖에는 할 수 없었다. 아직은 아무 감정도 느껴지지 않았다. 여러 달 만에 다시 꿈을 꾸듯 모든 일이 비현실적으로 느껴졌다. 악몽을 꾸고 있는 것처럼.

"고마워요, 샘."

칼라일이 말했다.

"미안합니다. 그녀를 통과시키지 말았어야 했는데."

샘이 말했다.

"아니, 잘한 일이에요. 앨리스에게는 자기 마음대로 할 자유가 있으니까요. 난 그녀의 자유를 속박하지 않을 겁니다."

칼라일이 말했다.

난 항상 컬렌 가를 전체로, 나눌 수 없는 하나로 생각했었다. 그러다 문득 꼭 그렇지만은 않다는 걸 기억했다. 칼라일은 에드워드, 에스미, 로잘리, 에밋을 뱀파이어로 창조했다. 그리고 에드워드가 나를 만들어냈다. 우리는 육체적으로, 피와 독으로 이어져 있었다. 나는 단 한 번도 앨리스와 재스퍼를 별개의 존재로 생각해본 일이 없다. 컬렌 일가가 그들을 가족으로 받아들였으니까. 하지만 실은 앨리스가 컬렌 가를 받아들인 것이다. 그녀는 단절된 과거를 떠안은 채, 그녀처럼 과거의 비밀을 지닌 재스퍼와 함께 컬렌 가에 뿌리를 내렸다. 그녀와 재스퍼는 이미 컬렌 가족 밖의 또 다른 삶에 대해 알고 있었다. 이제 컬렌 가족과 함께 하는 삶이 끝났다는 걸 알고, 새로운 삶을 찾아가기로 결정한 걸까?

역시 우린 끝난 모양이다. 운이 다한 것이다. 아무 희망이 없다. 앨리스는 우리에게서 흐릿한 한 줄기 빛조차 보지 못한 것이다. 심하게 절망한 탓인지 환한 아침 공기가 갑자기 음침하고 어두워졌다.

"난 싸워보지도 않고 굴복할 생각은 없어. 앨리스는 우리가 뭘 해야 할지 알려주고 갔잖아. 그대로 해보자."

에밋이 낮게 으르렁거렸다. 다들 결연한 표정으로 고개를 끄덕였다. 그들은 앨리스가 우리에게 준 가능성에 매달리고 있었다. 무력하게 굴복해버리고서 이대로 죽음을 기다리진 않을 것이다.

그래, 우린 모두 싸울 거다. 달리 무엇을 할 수 있겠는가. 다른 뱀파이어들에게도 도움을 청할 것이다. 앨리스가 떠나기 전에 그러라고 했으니까. 어떻게 우리가 앨리스의 마지막 경고를 따르지 않을 수 있을까. 늑대들도 르네즈미를 위해, 우리와 함께 싸워줄 것이다.

우리는 싸울 거고, 그들도 싸울 것이다. 그리고 결국 우리 모두 죽게 되겠지.

나로서는 다른 가족들처럼 결연한 의지를 품기 힘들었다. 앨리스는 이미 우리가 살아남을 확률이 얼마나 되는지 알고 있었다. 그녀는 우리에게 유일해 보이는 가능성에 대해 알려주었지만, 그 가능성이 너무나 희박해서 스스로의 운명을 걸 수는 없었던 것이다.

비난하는 표정의 샘에게서 등을 돌리고, 칼라일을 따라 집으로 돌아오면서 난 이미 패배한 기분이었다.

우리는 이제 무의식적으로 달리고 있었다. 그러나 조금 전처럼 미친 듯이 서두르지는 않았다. 강 근처에 이르렀을 때 에스미가 고개를 들었다.

"앨리스와 재스퍼의 냄새가 나. 새로 생긴 것 같은데."

그녀는 냄새가 나는 쪽을 향해 고개를 끄덕였다. 아까 앨리스가 잡혀간 줄 알고 미친 듯이 달리던 때……

"그건 이전에 생긴 거예요. 재스퍼 말고 앨리스만요."

에드워드가 힘없이 말했다. 에스미가 얼굴을 찡그리더니 고개를 끄덕였다.

나는 조금 뒤처진 채 오른쪽으로 움직였다. 에드워드의 말이 옳다는 건 알지만…… 그래도. 어떻게 앨리스는 내 책장에 메모를 남길 수 있었을까?

내가 머뭇대고 있을 때 에드워드가 무감각한 목소리로 나를 불렀다.

"벨라?"

"난 저 냄새를 따라가고 싶어."

내가 그렇게 대답했다. 좀 더 일찍 만들어진 흔적에서 희미하게 앨리스의 냄새가 났다. 재스퍼의 냄새가 섞이지 않은 앨리스만의 냄새였다. 물론 냄새를 맡는 게 내게는 생소한 일이었지만, 그래도 정확히 알 수 있었다.

에드워드의 황금빛 눈은 공허해보였다.

"아마 집으로 이어질 텐데."

"그럼 집에서 봐."

처음에는 그가 나를 혼자 가게 내버려 둘 줄 알았다. 그러나 내가 몇 걸음을 떼자마자 그의 공허한 눈이 생기를 되찾았다.

"같이 가. 집에서 만나요, 칼라일."

그가 조용히 말했다. 칼라일은 고개를 끄덕였고 다들 가버렸다. 나는 그들이 보이지 않을 때까지 기다렸다가 에드워드를 미심쩍은 시선으로 바라보았다.

"너와 떨어져 있을 수는 없어. 상상만으로도 괴로워."

그가 작은 목소리로 말했다. 더 이상 설명하지 않아도 이해할 수 있었다. 그와 떨어져 있을 걸 생각하니 내게도 똑같은 고통이 느껴졌다. 그 시간이 아무리 짧다고 해도.

이제 우리가 함께 있을 시간은 많지 않으니까.

내가 손을 내밀자 그가 잡았다.

"서두르자. 르네즈미가 깰 때가 됐어."

그가 말했다. 나는 고개를 끄덕였고 우리는 다시 달렸다.

호기심 때문에 르네즈미와 떨어져 시간을 낭비하는 건 어리석은 짓일지도 모른다. 하지만 역시 그 쪽지가 신경 쓰였다. 필기구가 없었다면 바위나 나무에 메모를 남겨 놓을 수도 있었을 거다. 아니면 고속도로 근처의 아무 집에나 들어가 포스트잇을 훔칠 수도 있었겠고. 그런데 왜 하필 내 책이지? 언제 그 책을 찢은 거야?

흔적은 컬렌 저택과 근처 숲의 늑대들로부터 멀리 떨어진 우회로를 통해 오두막까지 이어졌다. 그것이 어디로 이어지는지 확실해지자 에드워드는 혼란스러운 듯 눈썹을 찡그렸다. 그는 이유를 생각해내려 노력하는 것 같았고, 이렇게 물었다.

"재스퍼를 기다리게 하고 여기까지 온 건가?"

우리는 거의 오두막에 도착했고 나는 불안감을 느꼈다. 에드워드가 내 손을 잡고 있는 게 기쁘면서도, 왠지 나 혼자 왔어야 했다는 기분이 들었다. 재스퍼를 기다리게 하고서 책장을 찢어가다니 역시 이상하다. 전혀 이해할 수 없는 그 행동에는 무언가 메시지가 담겨 있는 것 같았다. 내 책을 찢었으니, 분명 내게 뭔가 알리려 했던 거겠지. 만약 에드워드도 알길 원했다면 그의 책에서 한 페이지를 가져가지 않았을까……?

"잠깐만 기다려."

문 앞에 도착했을 때 난 그에게서 손을 뺐다. 그가 이마를 찡그렸다.

"벨라?"

"부탁이야. 30초만."

나는 그의 대답을 기다리지 않았다. 그냥 급히 안으로 들어가 문을 닫아버렸고, 곧장 서가로 향했다. 앨리스의 냄새가 났다. 하루도 채 되지 않은 냄새였다. 벽난로에 피운 적도 없는 불길이 나지막하게 타오르고 있었다. 나는 서가에서 『베니스의 상인』을 꺼낸 다음 제목 페이지를 펼쳤다.

깃털 모양의 테두리를 남긴 채 찢어진 책장 옆에, 그리고 '베니스의 상인, 윌리엄 셰익스피어'라는 글자 밑에 메모가 있었다.


　보고 나면 없애버려.


그 아래 써 있는 건 시애틀의 주소, 그리고 이름이었다.

에드워드가 30초를 채 기다리지 못하고 안으로 들어섰을 때 나는 그 책을 태우고 있었다.

"뭐해, 벨라?"

"앨리스가 여기 왔었어. 그리고 내 책을 찢어 메모를 남긴 거야."

"왜?"

"나도 몰라."

"그건 왜 태우는데?"

"난……, 나는……."

난 얼굴을 찡그린 채 당황스러움과 고통이 담긴 표정을 지었다. 앨리스가 무엇을 말하려는 건지는 몰라도, 나를 제외한 누구에게도 알리지 않으려 한 것만은 분명했다. 난 에드워드가 마음을 읽을 수 없는 유일한 존재니까. 앨리스는 그에게 알리고 싶지 않았고, 그래서 내 앞으로만 메시지를 남겼을 것이다.

"그러는 게 좋을 것 같아서."

"우린 그녀가 뭘 하고 있는지 몰라."

그가 조용히 말했다. 나는 불꽃 속을 들여다보았다. 에드워드에게 거짓말을 할 수 있는 사람은 세상에 나밖에 없다. 앨리스가 원한 게 그걸까? 그것이 그녀의 마지막 부탁인 건가?

"우리가 이탈리아 행 비행기를 타고 있을 때였어."

난 속삭였다. 어떻게 보면 거짓말이라고 할 수 없다. 정황상으로는.

"우린 널 구하러 가는 길이었어……. 앨리스는 재스퍼가 따라오지 못하도록 거짓말을 했지. 그가 볼투리 가와 마주친다면 죽게 되리라는 걸 알았으니까. 그녀는 그를 위험에 빠뜨리느니 자기가 죽으려 했어. 날 위해서도 기꺼이 목숨을 내놓으려 했고, 또 널 위해서도 그랬지."

에드워드는 대답하지 않았다.

"그녀한테도 우선순위라는 게 있어."

나는 말했다. 스스로도 그 설명이 거짓말 같지 않았으므로, 이미 멈춰선 심장이 아파왔다.

"난 믿지 않아."

에드워드가 말했다. 하지만 그가 논쟁을 벌이는 대상은 내가 아니라 그 자신인 것 같았다.

"어쩌면 재스퍼만 위험한 건지도 몰라. 그녀의 계획 덕에 우리 모두 살아날 수 있다 해도 그는 잃게 되겠지. 아마도……."

"그랬다면 말해줄 수도 있었잖아. 그를 멀리 보낼 수도 있고."

"하지만 그런다고 재스퍼가 갔을까? 앨리스는 재스퍼에게도 거짓말을 하고 있을지 몰라."

이어 나는 그의 말에 수긍하는 척하며 그렇게 말했다.

"어쩌면 그럴 수도 있다는 얘기야. 자, 집에 가야지. 시간이 없어."

에드워드가 내 손을 잡았고 우리는 달렸다. 앨리스의 메모는 내게 희망을 주지 못했다. 만일 시시각각 다가오는 대학살을 피할 방법이 있었다면 앨리스는 이곳에 남았을 것이다. 다른 가능성은 생각해낼 수 없다. 그런 한편 그녀는, 내게 또 다른 뭔가를 남겼다. 도망치기 위한 방법은 아니었다. 앨리스는 내가 원하는 어떤 것에 대한 해답을 준 걸까? 뭔가를 구할 수 있는 방법? 아직도 내가 구할 수 있는 게 남아 있을까?

칼라일과 다른 가족들은 우리가 없는 동안에도 빈둥대지 않았다. 우리가 그들과 떨어졌던 시간은 기껏해야 5분 남짓이었지만 그들은 이미 떠날 준비를 마쳤다. 구석에는 다시 인간의 모습으로 변한 제이콥이 무릎에 르네즈미를 앉히고 있었다. 둘 다 눈을 동그랗게 뜨고 우리를 쳐다보았다.

로잘리는 실크 랩드레스 대신 튼튼해 보이는 청바지, 러닝화, 배낭여행객들이 즐겨 입는 두꺼운 단추달린 셔츠를 입고 있었다. 에스미도 비슷하게 옷을 입었다. 커피 테이블에는 지구본이 놓여 있었지만 이미 살펴본 후인 것 같았다. 모두 우리 둘을 기다리고 있었다.

분위기는 전보다 긍정적이었다. 모두들 계획을 실행하는 게 기분 좋은 것 같았다. 그들은 모든 희망을 앨리스의 조언에 걸고 있었다. 지구본을 보니, 우리가 처음으로 가야 할 곳이 어디인지 궁금해졌다.

"우리는 여기 남을까요?"

에드워드가 칼라일을 바라보았다. 그의 목소리는 밝지 않았다.

"앨리스는 그들에게 르네즈미를 보여줘야 한다고 했어. 아주 주의 깊게. 누구라도 찾아내면 이리로 보낼게. 에드워드, 이 일엔 네가 적임자야."

칼라일이 말했다. 에드워드는 한 번 고개를 끄덕였다. 그의 얼굴은 여전히 밝지 않았다.

"가야 할 곳이 많네요."

"흩어져야지. 로잘리와 나는 떠돌이들을 찾아다닐 계획이야."

에밋이 대답했다.

"넌 바빠질 거야. 타냐의 가족은 아침에 도착할 거고, 전혀 영문을 모르고 있겠지. 우선 그들이 아이리나처럼 반응하지 않도록 설득해. 그다음에는 앨리스가 엘리저에 대해 한 말이 무슨 뜻인지 알아보고. 그 정도면 그들이 우릴 위해 여기 남아서 증언해 주려나. 다른 뱀파이어들이 오면 다시 그 과정을 반복해야 해. 우선은 우리가 그들을 설득해서 이리로 보내야겠지만. 네가 가장 힘들 거야. 우리도 빨리 돌아와서 도와줄게."

그렇게 말한 칼라일은 한숨을 쉬었다. 그리고 잠깐 동안 에드워드의 어깨 위에 손을 올린 후 내 이마에 입을 맞추었다. 에스미는 우리 둘을 안아주었고 에밋은 우리의 팔을 주먹으로 툭툭쳤다. 로잘리는 에드워드와 내게 차갑게 미소를 짓고 르네즈미에게 키스를 보내더니 제이콥에게는 얼굴을 찡그렸다.

"행운을 빌어요."

에드워드가 말했다.

"너희들도. 우리 모두 행운이 필요할 거야."

칼라일이 말했다. 나는 그들이 떠나는 모습을 지켜보며 그들에게서 한 점의 희망이라도 읽어낼 수 있기를 바랐다. 그리고 단 몇 초간이라도 혼자서 컴퓨터를 사용할 수 있었으면 하고 바라기도 했다. J. 젠크스라는 사람이 누구인지, 앨리스가 왜 그 이름을 내게만 알려주려 했는지 알아내야 했으므로.

르네즈미가 제이콥의 품에서 몸을 비틀더니 그의 뺨에 손을 댔다.

"칼라일의 친구들이 올지 안 올지는 알 수 없어. 오면 좋겠는데. 지금은 우리가 수적으로 불리하거든."

제이콥이 르네즈미에게 속삭였다. 이젠 르네즈미도 알게 되었다. 르네즈미는 이미 무슨 일이 벌어지고 있는지 너무도 명확하게 이해하고 있었다. 각인된 늑대인간은 자신이 각인한 대상이 원하는 것은 뭐든 해준다더니. 질문에 답해주는 것보다는 그 애를 보호하는 게 더 중요하지 않을까?

난 조심스럽게 그 애의 얼굴을 보았다. 제이콥과 조용히 대화를 나누는 아이의 모습은 겁에 질린 것 같지는 않았다. 다만 불안하고, 동시에 아주 진지해 보였다.

"아니, 우리는 안 돼. 우린 여기 있어야 해. 사람들은 널 보러 오는 거니까."

제이콥이 말했다. 르네즈미가 얼굴을 찡그렸다.

"아냐, 나도 여기 있어야 돼."

제이콥이 다시 말했다. 그러다 에드워드를 쳐다보고는 자신의 말이 틀렸을지도 모른다는 사실을 깨달았다.

"나도 여기 있는 거 맞지?"

에드워드가 머뭇거렸다.

"말해."

제이콥의 목소리가 긴장으로 거칠어졌다. 그 역시 우리처럼 한계에 도달해 있었다.

"여기 오는 뱀파이어들은 우리와는 달라. 타냐 가족은 인간의 생명을 존중하는, 우리 외의 유일한 뱀파이어 집단이지. 하지만 그들조차 늑대인간은 존중하지 않아. 내 생각에는 좀 더 안전하려면⋯⋯."

에드워드가 말했다.

"내 몸은 내가 지킬 수 있어."

제이콥이 불쑥 말했다.

"그렇게 하는 게 르네즈미에게도 더 안전한 길이야. 그들이 르네즈미에 대한 우리의 이야기를 믿을지 말지 결정할 때 늑대인간을 보고 부정적인 영향을 받아서는 안 되니까."

에드워드가 말을 이었다.

"친구치곤 대단하네. 네가 늑대인간과 어울린다는 이유만으로 등을 돌린다고?"

"정상적인 상황이라면 참아주겠지. 하지만 너도 이해해야 해. 네시를 받아들이는 건 단순한 일이 아냐. 이미 힘든 걸 더 힘들게 할 필요가 있을까?"

지난 밤 칼라일은 제이콥에게 불멸의 아이들에 관한 법을 설명했었다.

"불멸의 아이들이 정말 그렇게 나쁜 거야?"

제이콥이 물었다.

"그들이 뱀파이어의 집단의식에 얼마나 깊은 상처를 남겼는지 넌 상상도 못할 거야."

"에드워드⋯⋯."

제이콥이 미움이 담기지 않은 목소리로 에드워드의 이름을 부르는 게 여전히 이상하게 느껴졌다.

"알아, 제이콥. 르네즈미와 떨어져 있는 게 얼마나 힘든지. 우린 상황을 봐서 움직일 거야. 일단 그들이 르네즈미에게 어떻게 반응하는지 보겠어. 만약에 대비해서, 앞으로 몇 주 정도 네시는 때때로 숨어 있어야 할지도 몰라. 우리가 그 앨 소개할 때까지는 우선 오두막에 있어야 해. 네가 이 집과 안전거리를 유지한다면……."

"할 수 있어. 그들이 아침에 온다고 했나?"

"그래. 가장 가까운 친구들이지. 이번에는 최대한 빨리 공개하는 게 나을지도 몰라. 내일은 여기 있어도 돼. 타냐는 너에 대해 알고 있으니까. 세스는 이미 만났고."

"좋아."

"샘에게 앞으로 일어날 일에 대해 얘기해 줘. 곧 숲에 낯선 자들이 나타날 테니까."

"좋은 생각이네. 뭐, 샘은 어젯밤에 나한테 아무 말도 안 했었지만."

"앨리스의 말을 듣는 게 대개는 옳은 일이니까."

제이콥은 이를 갈았다. 그는 앨리스와 재스퍼에 대해 샘과 같은 생각을 하는 것 같았다.

그들이 대화를 하는 동안 난 뒤쪽 창문으로 걸어갔다. 마치 잡념에 빠져 불안해하는 것 같은 모습으로. 그리 어려운 일은 아니었다. 난 거실에서 식당으로 이어지는 벽에 머리를 기댔다. 컴퓨터 책상 바로 옆이었다. 그리고 숲 쪽을 바라보며 키보드를 눌렀다. 마치 아무 의미 없는 행동인 듯이. 뱀파이어들도 무의식적인 행동이란 걸 할까? 누군가 내게 관심을 가질 거라곤 생각하지 않았지만 굳이 고개를 돌려 확인하지 않았다. 모니터에 불이 들어왔다. 난 다시 키보드를 눌렀다. 그러고는 나무책상을 조용히 손가락으로 두드렸다. 이 모든 게 아무 의미 없는 행동이라는 듯이. 내가 다시 키보드를 두드렸다. 그리고 주변시를 이용해 스크린을 살펴보았다.

J. 젠크스는 없었지만 제이슨 젠크스라는 이름은 있었다. 변호사. 무릎 위에 올려둔 채 거의 잊고 있던 고양이를 무의식적으로 쓰다듬듯이 난 박자를 맞춰가며 키보드를 두드렸다. 제이슨 젠크스 이름의 멋진 웹사이트가 있었지만, 홈페이지에 나와 있는 주소는 틀렸다. 시애틀인 건 맞지만 우편번호가 달랐다. 난 전화번호를 기억한 다음 박자에 맞춰 키보드를 두드렸다. 이번에는 주소로 검색해 보았는데 아무 결과도 나타나지 않았다. 그런 주소는 없는 것 같았다. 나는 지도를 보려다가 그냥 행운을 믿어보기로 했다. 그리고 접속기록을 없애기 위해 한 번 더 키보드를 두드렸다⋯⋯.

난 계속 창밖을 바라보면서 책상을 몇 번 쓰다듬었다. 내게 다가오는 가벼운 발소리가 들렸다. 다른 때와 다름없는 표정이기를 빌며 나는 고개를 돌렸다.

르네즈미가 내게 팔을 뻗었고 난 팔을 벌렸다. 그녀는 늑대인간의 냄새를 진하게 풍기면서 내 품으로 뛰어들더니 목에 머리를 기댔다.

내가 견뎌낼 수 있을지 잘 모르겠다. 내 생명, 에드워드의 생명, 나머지 가족들의 생명에 대한 두려움도 내 딸 때문에 느끼는, 내장을 비트는 듯한 공포와는 비교할 수 없었다. 이 애를 살릴 방법을 찾아야만 한다. 그게 내가 할 수 있는 유일한 일이라면.

그것만이 내가 원하는 전부라는 걸 갑자기 깨달았다. 그 나머지는, 견뎌야 한다면 견딜 것이다. 하지만 이 애의 생명을 빼앗는 건 절대로 참을 수 없다. 제발 그것만은.

이 아인, 내가 구해야 할 유일한 존재다.

앨리스도 그걸 알고 있었을까?

르네즈미가 내 뺨을 부드럽게 쓰다듬었다. 그 애는 내게 내 얼굴, 에드워드의 얼굴, 제이콥의 얼굴, 로잘리의 얼굴, 에스미의 얼굴, 칼라일의 얼굴, 앨리스의 얼굴, 재스퍼의 얼굴을 보여주었다. 우리 가족의 얼굴이 점점 더 빠르게 나타났다 사라졌다. 그러고는 다시 세스와 리. 찰리, 수, 빌리. 몇 번이나 되풀이되었다. 그 애도 다른 모두처럼 걱정하고 있었지만, 그냥 걱정일 뿐이었다. 제이콥이 최악의 상황까지는 얘기해주지 않은 것 같았다. 우리에게 희망이 없으며, 한 달 후면 모두 죽게 되리란 것 말이다.

그 애는 앨리스의 얼굴을 보여주며 그리워하고 혼란스러워했다. 앨리스는 어디 있어?

"몰라. 하지만 앨리스잖아. 앨리스는 항상 그랬듯이 옳은 일만 할 거야."

내가 속삭였다. 어쨌든 앨리스에게 있어 옳은 일을. 난 그녀에 대해 그런 생각을 하는 게 싫었지만, 그렇게 밖에는 이 상황을 이해할 수 없었다. 르네즈미가 한숨을 쉬었고 그녀의 그리움이 깊어지는 것을 느꼈다.

"나도 보고 싶어."

슬픔을 애써 안으로 감추려 하자, 눈이 뻑뻑하고 건조하게 느껴졌다. 그런 불편한 느낌 때문에 나는 눈을 깜박였고, 입술을 깨물었다. 숨을 쉬자 공기가 목구멍으로 왈칵 들어가 목이 메었다.

르네즈미가 몸을 뒤로 젖히더니 나를 바라보았다. 난 그녀의 생각과 눈 속에 비친 내 얼굴을 보았다. 오늘 아침에 보았던 에스미의 모습이었다. 마치 우는 것 같은.

내 얼굴을 바라보는 르네즈미의 눈이 촉촉하게 반짝였다. 그 애는 내 얼굴을 쓰다듬었다. 뭔가를 보여주기 위해서가 아니라 나를 달래기 위해서.

혹시 우리도 서로 역할이 뒤바뀐 모녀관계가 되는 걸까? 르네와 내가 그랬듯이. 그럴 거라고 생각해 본 일은 단 한 번도 없었지만, 갑자기 미래를 예측할 수 없어졌다.

르네즈미의 눈에 눈물이 고였다. 난 입맞춤으로 그 눈물을 닦아주었다. 그 애는 놀란 듯 자신의 눈을 만지더니 손가락에 묻은 물기를 바라보았다.

"울지 마. 괜찮을 거야. 넌 괜찮을 거야. 내가 빠져나갈 방법을 찾아낼 거야."

　다른 방법이 없다면 르네즈미라도 살려낼 것이다. 앨리스가 내게 들려
주려던 이야기 역시 그것이리라고 나는 믿게 되었다. 앨리스는 알고 있었
을 거야. 그리고 내게 방법을 남겨 두었을 거다.

## 30
# 저항할 수 없는 힘

생각할 일이 너무 많았다.

어떻게 J. 젠크스를 찾아낼까? 앨리스는 왜 그 사람에 대해 알려준 걸까?

만약 앨리스가 남긴 단서가 르네즈미와 관계없는 것이라면, 내 딸을 어떻게 구해야 할까?

에드워드와 나는 아침에 도착할 타냐 가족에게 이 상황을 어떻게 설명해야 할까? 그들이 아이리나처럼 반응하면 어떻게 하지? 싸움으로 번져 버린다면?

나는 싸우는 방법을 모른다. 한 달 만에 배울 수 있을까? 볼투리 가에 위협적인 존재가 될 만큼 빨리 배울 수 있을까? 그냥 아무 쓸모없는 존재로, 손쉽게 그들에게 처형당하는 또 하나의 신생 뱀파이어가 되는 걸까?

찾아야 할 답은 많았지만 질문할 기회는 없었다.

난 르네즈미에게 평소 같은 모습을 보여주고 싶어서, 잘 시간이 되자 그애를 오두막으로 데려갔다. 제이콥은 늑대의 모습으로 우리 곁을 따랐다. 그 모습이 편한 것 같았다. 싸울 태세를 갖추고 있으면 긴장도 쉽게 이길 수 있을 테니까. 나도 그렇기를, 준비가 되어 있기를 바랐다. 그는 숲 속을 뛰어다니면서 다시 경계를 섰다.

난 깊이 잠든 르네즈미를 침대에 눕히고, 궁금한 것들을 물어보기 위해 거실로 갔다. 최소한 내가 물어볼 수 있는 것들만이라도 물어보기 위해. 가장 어려운 점은 그에게 뭔가를 숨겨야 한다는 것이었다. 아무리 그가 내 생각을 들을 수 없다 해도 쉽지 않은 일이었다.

그는 내게서 등을 돌린 채 난롯불을 바라보고 있었다.

"에드워드, 나……."

그는 몸을 돌리더니 순식간에 거실을 가로질러왔다. 눈 깜짝할 사이 그의 입술이 내 입술에 부딪히더니 에드워드의 팔이 강철 들보처럼 내 허리를 감싸 안았다. 얼굴에 떠오른 사나운 표정을 알아 볼 수 있을 정도의 시간밖에 없었다.

그날 밤 나는 더 이상 내 질문들에 대해 생각하지 않았다. 그의 기분을 이해하는 데는 오랜 시간이 걸리지 않았고, 그보다 더 짧은 시간 동안 나역시 같은 기분이 되었다.

난 그에게 느끼는 욕망과 주체할 수 없는 열정을 다스리는 데는 최소 몇년이 걸릴 거라고 생각했었다. 그리고 그 후 수세기동안은 이 사랑을 즐길 만한 여유가 생길 거라고. 하지만 함께 할 시간이 한 달밖에 없다면…… 우리가 지금 어떻게 멈출 수 있을까. 대체 어떻게. 지금의 나는 이기적일 수밖에 없다. 지금 주어진 제한된 시간 동안 그를 마음껏 사랑하는 것, 그게 내가 원하는 전부였다.

태양이 떠올랐다. 그에게서 떨어져 나오는 건 힘겨운 일이었다. 하지만 우리에게는 해야 할 일이 있었다. 다른 가족들보다 더 어려운 일. 그 생각을 떠올리자마자 나는 다시 긴장했다. 내 신경이 고문대 위에서 점점 얇게 잡아 늘여지는 것 같았다.

"네시에 대해 말하기 전에 엘리저에게서 필요한 정보를 얻어내면 좋을 텐데. 만약에 대비해서 말이야."

에드워드가 중얼거렸다. 우리는 거대한 옷 방에서 서둘러 옷을 입고 있었다. 여기 있으니 앨리스 생각이 많이 났다.

"하지만 그는 질문 자체를 이해하지 못할 거야. 그들이 설명해줄 거라고 생각해?"

내가 물었다.

"모르겠어."

나는 자고 있는 르네즈미를 침대에서 들어 올려 꼭 안았다. 곱슬머리가 내 얼굴을 간질였고, 그 애의 달콤한 향기가 다른 냄새들을 압도했다.

오늘은 단 1초도 낭비할 시간이 없다. 내가 찾아야 할 답도 많았고, 에드워드와 둘이 있을 수 있는 시간이 얼마나 될지도 몰랐기 때문이다. 만일 타냐 가족과 일이 잘 풀리게 된다면, 한동안은 그들과 함께 지내게 될 것이다.

"에드워드, 싸우는 방법 좀 가르쳐줄래?"

에드워드가 어떻게 나올지 알 수 없어서 나는 긴장했다. 그는 내가 나갈 수 있도록 문을 잡고 있었다.

에드워드의 반응은 내가 예상했던 대로였다. 그는 그 자리에서 꼼짝도 하지 않고 의미심장한 눈빛으로 나를 훑어보았다. 마치 처음으로, 아니 마지막으로 나를 보는 것처럼. 그의 눈이 내 팔에 안겨 있는 우리 둘의 딸을 응시했다.

"싸움이 벌어지면 우리가 할 수 있는 일이 별로 없어."

그가 말했다. 내가 침착한 목소리로 응수했다.

"내가 스스로를 방어할 수 있게는 해줘야지."

에드워드가 발작적으로 침을 삼켰다. 잡고 있는 문이 흔들리면서 경첩

이 삐걱거렸다. 그러다 그가 고개를 끄덕였다.

"네가 그렇게 말한다면…… 최대한 빨리 시작하자."

나도 고개를 끄덕였고 우리는 집을 향해 출발했다. 굳이 서두르지 않았다.

내가 이 상황에서 무엇을 할 수 있을까? 난 나름대로 특별하다고 할 수 있다. 아주 조금은. 두꺼워서 누구도 꿰뚫어볼 수 없는 두개골을 특별하다고 할 수 있다면 말이다. 그걸 어떻게 이용할 수 있을까?

"그들의 가장 큰 이점은 뭐야? 그들한테도 약점이 있어?"

물을 필요도 없이 그들은 볼투리 가였다.

"공격군 중 가장 위력이 강한 건 알렉과 제인이야. 방어부대는 실제 전투에는 거의 참가하지 않지."

그는 야구팀에 대해 이야기하는 것처럼 덤덤했다.

"제인은 꼼짝 않고도 누군가를 태워버릴 수 있으니 그렇겠지. 뭐, 정신적으로 그렇다는 얘기지만. 그럼 알렉이 하는 일은 뭔데? 제인보다도 그가 더 위험하다고 말한 적 있었지?"

"그래. 어떤 면에서 그는 제인의 해독제라고 할 수도 있어. 제인은 상상할 수 있는 최악의 고통을 주지. 반대로 알렉은 아무것도 느끼지 못하게 해. 아무것도. 때로 볼투리 가는 알렉에게 처형 대상을 마취시키는 친절을 베풀기도 해. 처형자가 항복했거나, 뭔가 그들을 기쁘게 했을 경우에."

"마취라고? 그런데 어떻게 그가 제인보다 위험할 수 있어?"

"알렉은 모든 감각을 마비시키고 절단해버리거든. 아무 고통도 없는 건 맞지. 하지만 동시에 무엇도 볼 수 없고, 아무 소리도 들을 수 없고, 어떤 냄새도 맡을 수 없어. 모든 감각을 박탈당하는 거야. 암흑 속에서 완전히 혼자가 되는 거지. 그들이 몸을 태우기 시작해도 전혀 느끼지 못해."

몸이 떨렸다. 이것이 우리가 바랄 수 있는 최선일까? 죽음이 다가왔을 때 보지도, 느끼지도 못하는 것?

"상대를 무력화해서 속수무책으로 만든다는 점에서 제인과 알렉은 똑같이 위험해. 그들 사이의 차이점은 나와 아로의 차이와 같지. 아로는 한 번에 한 사람의 마음만을 들을 수 있어. 제인도 한 사람만을 고통스럽게 할 수 있고. 반면 나는 동시에 모든 사람의 마음을 들을 수 있지."

에드워드는 여전히 초연한 목소리로 말했다. 그의 이야기가 어디로 흘러갈지를 깨닫고 나는 한기를 느꼈다.

"알렉은 동시에 우리 모두를 무력하게 할 수 있다고?"

내가 속삭였다.

"그래. 그가 우리에게 자신의 능력을 사용한다면, 우린 모두 눈과 귀가 먼 채 죽게 되겠지. 볼투리들은 우리의 사지를 찢을 필요도 없이 그냥 태우기만 하면 될 거야. 싸우려고 하면 할수록 우린 그들이 아니라 스스로에게 상처를 입히게 될 테지."

에드워드가 대답했다. 우리는 몇 초 동안 조용히 걸었다. 머릿속에서 한 가지 생각이 구체화되고 있었다. 아주 희망적인 것은 아니었지만, 아무것도 없는 것보다는 나았다.

"알렉은 뛰어난 전사야? 무력화하는 기술을 빼고 본다면 말이야. 만약 그 능력 없이 싸운다면……. 물론 그렇게 하려고 하지도 않겠지만."

내가 물었다. 에드워드가 날카로운 시선으로 나를 바라보았다.

"무슨 생각을 하는 거야?"

나는 앞을 바라보았다.

"음, 그 능력이 나한테도 통할까? 알렉의 능력이라는 게, 만약 아로나 제인, 너와 비슷하다면. 어쩌면…… 그가 스스로를 방어해본 일이 없다면……. 그리고 내가 몇 가지 전투기술을 배우면……."

"그는 수세기를 볼투리 가와 함께했어."

에드워드가 내 말을 잘랐다. 갑자기 그의 목소리는 두려움으로 가득 차 있었다. 그는 아마도 머릿속에 나와 똑같은 이미지를 떠올리고 있을 것이다. 나를 제외한 컬렌 가족들 모두가, 무력하고 무감각한 돌기둥처럼 죽음의 벌판에 서 있다. 싸울 수 있는 건 오직 나뿐이다.

"그래, 분명 그의 힘은 너에게 미치지 않을 거야. 하지만 넌 이제 막 태어난 뱀파이어야, 벨라. 몇 주 안에 널 강한 전사로 만들 수는 없어. 분명 그는 훈련받았을 거야."

"그럴 수도 있고, 아닐 수도 있지. 어쨌든 유일하게 나만 할 수 있는 일이야. 내가 잠깐 동안만 그의 정신을 빼놓아도⋯⋯."

다른 가족들에게 기회가 생길 만큼 내가 버틸 수 있을까?

"제발, 벨라. 이 이야기는 하지 말자."

에드워드가 이를 악물었다.

"이성적으로 생각해."

"싸우는 법은 가르쳐줄게. 하지만 제발, 네가 희생하는 모습을 떠올리게 하진 말아줘⋯⋯."

그는 목이 메어 말을 마치지 못했다. 나는 고개를 끄덕였다. 이 계획은 나 혼자만 간직하고 있어야지. 우선은 알렉이다. 그리고 내가 엄청난 행운으로 그에게 승리하게 된다면, 그다음은 제인. 나 때문에 볼투리 가의 가장 위협적인 전사들이 사라지고 양쪽이 팽팽하게 대치하게 되면, 혹시 기회가 있을지도⋯⋯. 마음이 급해졌다. 내가 그들의 집중력을 흩트려놓거나, 그들을 꺾을 수 있다면? 솔직히 말하면, 제인이나 알렉이 싸움을 익힐 필요가 있었을 거라곤 생각되지 않았다. 성미 급한 제인이 자신만의 이점을 접어두고 굳이 싸움 기술을 배우려 했을 것 같지 않아서였다. 만약 내가 그들을 죽일 수만 있다면 상황은 얼마나 달라질까?

"난 배울 수 있는 모든 걸 배워야 해. 한 달 동안 네가 내 머릿속에 최대한 많이 쑤셔 넣어줘야 한다고."

내가 속삭였다. 그는 못들은 척했다.

그럼, 그다음에는 누구? 내가 알렉을 공격하고도 살아남는다면 더 이상 거칠 게 없을 것 같았다. 내 '두꺼운 두개골'이 유리하게 작용하는 또 다른 상황에 대해 생각해보았다. 나는 다른 뱀파이어들의 능력에 대해서는 잘 모른다. 거대한 체구의 펠릭스 같은 전사들은 분명 나보다 잘 싸우겠지. 에밋에게 정정당당하게 겨뤄 볼 기회를 주는 게 좋을 것 같았다. 볼투리 가의 나머지 경호원들에 대해서도 별로 아는 게 없다. 드미트리를 제외한다면…….

드미트리를 생각하는 동안 내 표정은 누그러졌다. 분명히 그도 전사겠지. 그렇지 않다면 항상 공격의 창끝 앞에 서 있는 그가 그렇게 오래도록 살아남을 수 있었을 리 없다. 그리고 그는 항상 선두에 설 것이다. 추적자니까. 의심의 여지없이, 세계 최고의 추적자니까. 드미트리보다 나은 추적자가 있었다면 볼투리 가는 당장 갈아 치웠을 것이다. 아로는 자기 옆에 최고가 아닌 자는 두지 않으니까.

드미트리만 없다면 우리는 도망칠 수 있을 것이다. 우리 중 누구라도 살아남는다면, 만약 그럴 수 있다면, 내 딸이어야 한다. 품에서 느껴지는 따스한 온기……. 누군가 이 애와 영원히 도망칠 수만 있다면. 제이콥이나 로잘리, 누구라도 살아남는다면.

그리고…… 드미트리가 없다면 앨리스와 재스퍼는 영원히 안전할 수 있으리라. 앨리스가 본 게 바로 그것일까? 우리 가족 중 그 둘만은 삶을 이어갈 수 있을까. 최소 그들 둘만이라도.

그렇다고 내가 그녀를 질투할 수 있을지 궁금했다.

"드미트리……."

내가 말했다.

"드미트리는 내 차지야."

에드워드가 차갑고 굳은 목소리로 말했다. 나는 재빨리 그를 쳐다보았다. 표정이 사나웠다.

"왜?"

내가 속삭였다. 처음에 그는 대답하지 않았다. 그러다 강에 이르고 나서야 그렇게 중얼거렸다.

"앨리스를 위해서. 지난 50년간 함께 해준 것에 대한 감사 표시로."

그의 생각도 나와 같았다.

얼어붙은 땅에 제이콥의 묵직한 발소리가 들려왔다. 몇 초 후 그는 검은 눈으로 르네즈미를 응시하며 우리 뒤를 따르고 있었다. 나는 그에게 고개를 끄덕여 보이고 다시 내 질문들에 대해 생각했다. 시간이 너무 부족했다.

"에드워드, 앨리스가 엘리저에게 볼투리 가에 대해 물어보라고 했잖아. 그 이유가 뭘까? 최근에 그가 이탈리아에 갔다 오기라도 한 거야? 엘리저가 특별히 알고 있는 게 있어?"

"엘리저는 볼투리 가의 모든 걸 알고 있어. 네가 모른다는 걸 잊고 있었군. 그 역시 볼투리 가의 일원이었으니까."

나는 무의식적으로 으르렁대는 소리를 냈다. 제이콥도 내 옆에서 으르렁거렸다.

"지금 뭐라고 했어?"

나는 우리의 결혼식에 참석했던 한 남자를 떠올렸다. 긴 회색 망토를 걸친 검은 머리의 아름다운 남자.

에드워드의 얼굴은 이제 조금 누그러져 있었다. 그가 살짝 미소 지었다.

"엘리저는 아주 상냥한 사람이야. 볼투리 가에 있을 때 그는 행복하지 못했지. 하지만 그래도 법과 그 필요성을 존중했고, 자신이 공공의 선(善)을 위해 일하고 있다고 느꼈어. 그는 그들과 보낸 시간을 후회하지 않아.

하지만 카르멘을 만나면서 마침내 자신이 있어야 할 자리를 찾았지. 둘은 서로 아주 비슷했거든. 둘 다 뱀파이어들에게 아주 관대했지."

그는 다시 미소 짓고 이야기를 이어갔다.

"둘은 타냐 자매를 만나게 됐고, 그들의 가족이 되었지. 그리고 이런 생활방식에 잘 적응해 나갔어. 타냐를 만나지 못했더라도 엘리저와 카르멘은 인간의 피 없이 살 수 있는 방법을 스스로 찾아냈을 거야."

머릿속의 이미지들이 마구 삐걱댔다. 아무리 해도 그것들을 서로 조화시킬 수 없었다. 동정심을 아는 볼투리 가의 전사라고?

그때 에드워드가 제이콥을 바라보며 그의 질문에 대답해주었다.

"아니, 그는 전사가 아니었어. 다만 그에게도 능력이 있었지."

분명 제이콥은 뭔가 질문을 했음에 틀림없다.

"그는 다른 뱀파이어의 능력을 본능적으로 알아봐. 그러니까 뱀파이어들이 지닌 특별한 능력을 감지하는 거지. 엘리저는 능력이 있는 뱀파이어에게 그저 접근하는 것만으로도 아로에게 상당히 유용한 정보를 전해줄 수 있어. 전투가 벌어질 땐 특히 큰 도움이 되었지. 상대 뱀파이어 중 누가 볼투리 가를 애먹일지 단번에 알 수 있었으니까. 하지만 그런 경우는 드물었어. 볼투리 가를 수세로 몰 만한 기술이 있는 뱀파이어가 흔할 리 없잖아. 아주 잠깐이라도 말이지. 사실 그의 능력은 아로가 자신에게 유용한 뱀파이어들을 발탁하는 데 더 많이 활용되었어. 엘리저의 능력은 어느 정도는 보통 인간에게도 통해. 잠재력이란 아주 흐릿한 것이라서, 극도로 집중해야 알아볼 수 있지만. 아로는 뱀파이어가 되고 싶어 하는 사람들에게 잠재력이 있는지를 알아보곤 했어. 아로는 그가 떠나는 걸 애석해했지."

에드워드가 제이콥에게 설명해주었다.

"그래서, 그냥 보내줬어? 그냥 그렇게?"

내가 물었다. 이제 그의 미소가 조금 어두워지고 조금 비딱해졌다.

"볼투리 가는 네가 생각하는 것처럼 악당만은 아냐. 오히려 우리가 지켜온 평화와 문명의 토대지. 경호원들은 볼투리 가를 섬기기 위해 발탁된 자들이고, 그건 대단한 영예야. 그들 모두 볼투리 가에 소속된 걸 자랑스러워 하지. 강요 때문에 거기 있는 게 아니야."

난 고개를 숙인 채 얼굴을 찡그렸다.

"범죄자들이나 그들을 잔인하고 사악하다고 생각하는 거야, 벨라."

"우린 범죄자가 아냐."

제이콥이 동의하듯 숨을 헐떡였다.

"어쨌든 그들은 그걸 모르니까."

"우리 이야기를 듣게 만들 수 있을까?"

에드워드는 아주 잠깐 주저하더니 어깨를 으쓱해보였다.

"만일 우리 편이 되어줄 친구들을 많이 찾아낸다면, 가능할 수도 있겠지."

만일……. 갑자기 마음이 급해졌다. 에드워드와 나는 달리기 시작했다. 제이콥이 재빨리 따라왔다.

"타냐는 머지않아 도착할 거야. 준비하고 있어야 할 것 같아."

에드워드가 말했다. 하지만 얼마나, 어떻게 준비를 해야 하지? 우리는 준비하고 또 준비하고, 생각하고 또 생각했다. 르네즈미를 처음부터 공개할까, 아니면 숨겨둬야 할까? 제이콥을 거실에 있게 할까, 아니면 밖이 나으려나? 제이콥은 자기 무리에게 근처에 숨어 있으라고 말해둔 상태였다. 그도 숨어 있어야 하는 걸까?

결국 인간으로 변신한 제이콥과 르네즈미, 그리고 나는 현관 모퉁이에 있는 식당에서 기다렸다. 우리는 거대하고 세련된 식탁에 앉았다. 제이콥은 언제든 변신할 수 있도록 르네즈미를 내게 맡겼다.

나는 르네즈미를 안고 있는 게 기쁘면서도 쓸모없는 존재라는 생각에 스스로 괴로워해야 했다. 성숙한 뱀파이어와 싸울 때 난 그저 아주 손쉬운 목표물에 지나지 않는다는 걸 다시 상기해야 했으니까. 그러니 굳이 전투 태세를 갖출 필요도 없는 것이다.

난 결혼식에 참석했던 타냐, 케이트, 카르멘, 엘리저의 모습을 떠올려보았다. 내 기억 속에서 그들의 얼굴은 흐릿하기만 했다. 모두 아름다웠다는 것, 둘은 금발이었고 둘은 짙은 갈색머리였다는 것만 기억났다. 그들의 눈빛이 우호적이었는지도 기억할 수 없었다.

에드워드는 뒤쪽의 유리벽에 기댄 채 꼼짝 않고 현관문을 노려보았다. 거실에서 일어나는 일은 눈에 들어오지도 않는 것 같았다. 우리는 고속도로를 지나가는 자동차 소리에 귀를 기울였다. 속도를 늦추는 차는 없었다.

르네즈미는 내 목에 머리를 기대고서 손으로 내 뺨을 만졌다. 하지만 머릿속에는 아무 이미지도 떠오르지 않았다. 지금 그 애의 느낌을 그대로 표현할 수 있는 이미지가 없었던 것이다.

"손님들이 날 좋아하지 않으면 어떡해?"

르네즈미가 속삭였다. 우리 모두 아이의 얼굴을 보았다.

"당연히 널……."

제이콥이 입을 열었다. 내가 조용히 하라는 뜻을 담아 그를 바라보았다.

"아마 널 이해하지 못할 거야, 르네즈미. 너 같은 사람은 만나본 적이 없으니까. 그들을 이해시키는 게 중요한 문제란다."

내가 말했다. 아이에게 거짓 약속을 하고 싶지는 않았다. 아이가 한숨을 쉬더니 내 머릿속에 우리 모두의 모습을 비춰주었다. 뱀파이어, 인간, 늑대인간. 그 애는 어디에도 속하지 않았다.

"넌 특별해. 그건 나쁜 게 아냐."

그 애는 동의하지 않는 듯 머리를 흔들었다. 그리고 우리의 긴장한 얼굴을 비추더니 이렇게 말했다.

"내 잘못이야."

"아냐."

제이콥과 에드워드와 내가 동시에 말했다. 그러나 미처 뭔가를 더 이야기할 틈도 없이 우리가 기다리던 소리가 들려왔다. 고속도로에서 엔진 소리가 느려지더니 포장도로 위를 달리던 타이어가 부드러운 흙 위를 움직이기 시작했다.

모퉁이를 돈 에드워드는 문 옆으로 가서 기다렸다. 르네즈미는 내 머리카락 밑에 숨었다. 제이콥과 나는 반쯤 자포자기한 표정이 되어 식탁 너머로 서로를 바라보았다.

차는 찰리나 수가 운전하는 것보다 훨씬 빨리 숲을 지났다. 잔디밭으로 들어선 차가 포치 앞에서 멈추는 소리가 들렸다. 네 개의 문이 열렸다가 다시 닫혔다. 그들은 아무 말도 하지 않고 현관문으로 다가왔다. 에드워드는 그들이 문을 두드리기 전에 문을 열었다.

"에드워드!"

여자의 열광적인 목소리가 들렸다.

"안녕, 타냐. 그리고 케이트, 엘리저, 카르멘."

세 사람이 인사말을 속삭였다.

"칼라일이 급하게 할 말이 있다고 해서."

첫 번째 목소리가 말했다. 타냐였다. 그들 모두 아직 현관문 밖에 있었다. 에드워드가 문간에서 그들을 막고 있는 것 같았다.

"무슨 일이야? 늑대인간들 때문에 그래?"

제이콥이 눈동자를 굴렸다.

"아니. 늑대인간들과의 휴전은 예전보다 강력해졌어."

에드워드가 그렇게 대답하자 한 여자가 킥킥거렸다.

"안 들여보내줄 거야?"

타냐가 물었다. 그러더니 대답도 듣지 않고 말을 이었다.

"칼라일은?"

"칼라일은 일이 좀 있어서."

잠깐 침묵이 이어졌다. 그러다 타냐가 물었다.

"무슨 일이야, 에드워드?"

"몇 분만 내 이야기를 좀 들어줄 수 있겠어? 이해하기는 힘들겠지만 마음을 열고 끝까지 들어줬으면 해."

에드워드가 대답했다.

"칼라일은 괜찮아?"

남자의 걱정스러운 목소리가 들렸다. 엘리저였다.

"우리 중 누구도 괜찮지 않아, 엘리저. 하지만 몸에 대해 묻는다면 칼라일은 괜찮다고 할 수 있지."

에드워드가 뭔가를 가볍게 쳤다. 아마 엘리저의 어깨를 두드리는 것 같았다.

"몸은 괜찮다고? 무슨 뜻이야?"

타냐가 날카롭게 물었다.

"우리 가족 모두가 심각한 위험에 빠져 있어. 하지만 먼저 약속해줬으면 해. 내 얘기를 끝까지 들어 주겠다고. 이렇게 애원할게."

그가 그렇게 말하자 한참 동안 정적이 이어졌다. 긴장된 침묵 속에서 나와 제이콥은 조용히 서로를 바라보았다. 그의 적갈색 입술이 창백해졌다.

"들을게. 다 듣고 나서 판단하겠어."

마침내 타냐가 말했다.

"고마워, 타냐. 다른 방법이 있었다면 이 일에 너희들을 끌어들이지는 않았을 거야."

에드워드는 열띤 목소리로 그렇게 말하고 나서 움직이기 시작했다. 네 명의 발소리가 문간을 지났다. 누군가 코를 킁킁거렸다.

"그 늑대인간들도 연루되었나 보네."

타냐가 중얼거렸다.

"응. 그들은 우리 편이 됐어. 이번에도."

그 말에 타냐가 입을 다물었다.

"벨라는?"

다른 여자의 목소리가 들렸다.

"그녀는 잘 있어?"

"조금 있다 나올 거야. 벨라는 잘 있어, 고마워. 그녀는 놀라울 정도로 잘 적응하고 있지."

"그럼 어떤 위험인지 얘기해봐, 에드워드. 들을게. 그리고 네 편이 되겠어, 거기가 우리가 있어야 하는 자리니까."

타냐가 조용히 말했다. 에드워드가 심호흡을 했다.

"우선 증인이 되어줬으면 해. 다른 방에 귀를 기울여봐. 무슨 소리가 들리지?"

조용했다. 그러더니 누군가 움직이는 소리가 났다.

"부탁인데, 우선 그냥 듣기만 해."

에드워드가 말했다.

"늑대인간, 내 생각에는. 그리고 그의 심장소리도 들려."

타냐가 말했다.

"또?"

에드워드가 물었다. 정적이 흘렀다.

"저 팔딱이는 소리는 뭐지? 음······, 새라도 있나?"

케이트와 카르멘이 물었다.

"아니. 하지만 이 소리를 잘 기억해둬. 그럼 이제 냄새를 맡아봐. 무슨 냄새가 나지? 늑대인간의 냄새 말고."

"여기 인간이 있어?"

엘리저가 속삭였다. 타냐가 곧바로 반박했다.

"아니. 사람이 아니야……. 하지만…… 여기서 나는 다른 냄새들에 비해 사람 냄새에 가까운 것 같군. 이건 뭐지, 에드워드? 이런 냄새는 맡아 본 일이 없어."

"분명 그럴 거야, 타냐. 제발, 제발 너희들이 이런 냄새를 처음 맡아봤다는 걸 기억해줘. 선입견은 던져버리고."

"듣겠다고 약속했잖아, 에드워드."

"그래, 알았어. 벨라? 이제 르네즈미를 데려와."

이상하게도 다리에 감각이 느껴지지 않았다. 곧 나는 다리가 문제가 아니라 머리가 멍한 거라는 걸 깨달았다. 모퉁이까지 몇 미터를 걸어가면서 뒷걸음질 치거나 멈춰 서지 않으려 애써 노력했다. 내 뒤를 바짝 따라오는 제이콥의 뜨거운 체온이 느껴졌다.

난 거실로 한 발을 들여놓고서 그 자리에 얼어붙었다. 더 이상 앞으로 나아갈 수가 없었다. 르네즈미는 심호흡을 하더니 내 머리카락 사이로 바깥을 슬쩍 내다보았다. 부정적인 반응을 예상한 듯 아이의 작은 어깨가 굳어 있었다.

그 어떤 반응에도 난 이미 준비가 되어 있다고 생각했다. 비난하든, 고함을 치든, 아니면 심한 긴장으로 꼼짝없이 얼어붙든.

인간들이 독사와 마주쳤을 때 그러듯 타냐는 네 걸음 뒤로 물러섰다. 그녀의 붉은 곱슬머리가 마구 떨리고 있었다. 케이트는 문까지 점프한 후 몸을 지탱하려는 듯 벽에 기댔다. 충격으로 악문 이 사이에서 위협하는 듯한 소리가 흘러나왔다. 엘리저는 카르멘을 보호하려는 듯 그 앞에 방어자세로 몸을 숙였다.

"아, 제발."

제이콥이 낮게 투덜댔다. 에드워드는 나와 르네즈미를 감싸 안았다.

"들어준다고 약속했잖아."

그가 말했다.

"들어줄 수 없는 것도 있어! 에드워드……, 어떻게 네가 이런 짓을? 이게 뭘 의미하는지 모르는 거야?"

타냐가 소리쳤다.

"여기서 나가야 해."

케이트가 문고리를 잡은 채 불안에 떨며 말했다.

"에드워드……."

엘리저는 말문이 막힌 것 같았다.

"잠깐만 기다려. 아까 들은 소리와, 아까 맡았던 냄새를 기억해 봐. 르네즈미는 너희들이 생각하는 그런 존재가 아니라고."

에드워드가 좀 더 굳어진 목소리로 말했다.

"이 규칙에는 예외가 없어, 에드워드."

타냐가 날카롭게 말했다.

"타냐. 이 애의 심장소리를 들을 수 있잖아! 좀 진정하고 그게 무슨 의미인지 생각해 봐."

그렇게 대답하는 에드워드의 목소리에는 날이 서 있었다.

"심장소리?"

카르멘이 엘리저의 어깨 너머로 넘겨다보았다.

"이 앤 완전한 뱀파이어가 아냐. 반은 인간이지."

에드워드는 그 중 가장 적대적인 표정이 덜한 카르멘을 바라보았다. 마치 에드워드가 알아들을 수 없는 언어를 구사한다는 듯, 네 명의 뱀파이어는 그를 바라보았다.

"내 말을 들어. 르네즈미는 단 하나뿐인 종족이야. 유일한 존재지. 그리고 난 이 애의 아버지야. 창조자가 아니라, 생물학적 아버지 말이야."

에드워드가 벨벳처럼 부드러운 목소리로 설득했다. 타냐의 머리가 아주 조금 떨렸다. 그녀는 그걸 알아차리지 못하는 것 같았다.

"에드워드, 기대하지 마. 우리가……."

엘리저가 입을 열었다.

"그럼 다른 설명을 제시해봐, 엘리저. 공기 속에서 이 애의 온기를 느낄 수 있잖아. 혈관 속을 흐르는 피도. 엘리저, 냄새를 맡을 수도 있을 거야."

"어떻게 이런 일이?"

케이트가 속삭였다.

"벨라는 이 애의 생물학적 어머니야. 벨라는 인간일 때 이 아일 가졌고 또 낳았어. 그래서 거의 죽을 뻔했지. 벨라를 살리기 위해 난 그녀의 심장에 엄청난 양의 독을 주입해야 했어."

에드워드가 말했다.

"이런 얘기는 들어본 적이 없어."

엘리저가 말했다. 그의 어깨는 여전히 굳어 있었고 표정은 차가웠다.

"뱀파이어와 인간 사이의 육체관계가 흔한 일은 아니니까. 그런 관계에서 살아남는 인간도 더욱 드물고. 그렇게 생각하지 않아, 사촌들?"

이제 에드워드의 목소리에는 음울한 유머가 깃들어 있었다. 케이트와 타냐가 얼굴을 찡그렸다.

"자, 가까이 와봐, 엘리저. 그럼 이 애가 우리와 닮았다는 걸 알 수 있을 테니까."

에드워드의 말에 제일 먼저 반응을 보인 것은 카르멘이었다. 그녀는 엘리저의 경고를 무시하고서 그를 지나쳐 우리에게 걸어왔다. 바로 내 앞에 멈춰 선 그녀는 몸을 숙이고, 조심스럽게 르네즈미의 얼굴을 들여다보았다.

"엄마의 눈과 똑같구나. 하지만 얼굴은 아빠를 닮았네."

그녀가 조용한 목소리로 말하고 르네즈미에게 미소를 보냈다. 르네즈미도 그녀에게 눈부시게 미소 지었다. 아이는 카르멘을 바라보면서 내 얼굴을 만졌다. 카르멘의 얼굴을 만져도 괜찮은지 묻고 있었다.

"르네즈미가 직접 이야기하고 싶다는데 괜찮을까요? 이 아이에겐 설명하는 능력이 있거든요."

내가 카르멘에게 물었다. 여전히 긴장하고 있던 나는 간신히 목소리를 낼 수 있었다. 카르멘은 여전히 르네즈미에게 미소를 보냈다.

"말을 하려고, 꼬마야?"

"네."

르네즈미가 떨리는 하이소프라노의 음색으로 대답했다. 카르멘을 제외한 타냐의 가족은 르네즈미의 목소리에 움찔했다.

"하지만 난 말로 할 수 있는 것보다 더 많은 걸 보여줄 수 있어요."

그 애는 작고 통통한 손을 카르멘의 뺨에 댔다. 카르멘이 전기 충격이라도 받은 듯 뻣뻣해졌다. 엘리저는 재빨리 옆으로 오더니 카르멘을 멀리 떼어내려는 듯 그녀의 어깨에 손을 올렸다.

"잠깐."

카르멘이 숨을 죽이고 말했다. 그리고 눈도 깜박이지 않은 채 르네즈미를 바라보았다.

르네즈미는 카르멘에게 한참 동안 자신의 설명을 '보여주었다'. 카르멘을 바라보는 에드워드의 얼굴은 진지했다. 나도 그가 듣고 있는 것들을 들을 수만 있다면…… 제이콥은 내 뒤에서 초조하게 어슬렁거렸다. 그 역시 나와 같은 마음이라는 걸 알 수 있었다.

"네시가 뭘 보여주고 있지?"

제이콥이 숨을 죽이고 투덜댔다.

"모든 것."

에드워드가 중얼거렸다. 또다시 1분이 지나자 르네즈미가 카르멘의 얼굴에서 손을 뗐다. 그리고 충격으로 굳어진 뱀파이어에게 애교 있게 미소 지었다.

"정말 네 딸이 맞구나? 이런 능력이라니! 역시 능력 있는 아빠에게서 물려받았겠지!"

카르멘이 숨을 헐떡이며 커다란 토파즈색 눈을 에드워드에게 돌렸다.

"그 애가 보여준 걸 믿는 거야?"

에드워드가 애타는 표정으로 물었다.

"의심하지 않아."

카르멘이 간단하게 대답했다. 엘리저의 얼굴이 고민 때문에 경직되었다.

"카르멘!"

카르멘이 그의 손을 잡고 비틀었다.

"불가능해 보이지만, 에드워드의 말은 전부 진실이야. 아이에게 보여 달라고 해."

카르멘은 엘리저를 내쪽으로 가까이 데려온 후 르네즈미에게 고개를 끄덕였다.

"그에게도 보여줘, 사랑스러운 아이야."

르네즈미는 카르멘이 자신을 받아준 게 기쁜 듯 싱긋 웃더니, 엘리저의 이마에 가볍게 손을 댔다.

"으악!"

그가 스페인어로 그렇게 내뱉더니 르네즈미에게서 떨어졌다.

"저 애가 무슨 짓을 한 거야?"

타냐가 조심스럽게 다가와서 물었다. 케이트도 앞으로 살금살금 걸어 나왔다.

"저 애는 그 이야기를 자기 입장에서 보여주려 한 것뿐이야."

카르멘이 달래는 목소리로 말했다. 르네즈미는 초조하게 얼굴을 찡그렸다.

"봐주세요, 제발."

르네즈미가 엘리저에게 말하고서, 그를 향해 손을 뻗은 채 기다렸다. 그 애의 손가락과 엘리저의 얼굴은 몇 센티미터밖에 떨어져 있지 않았다. 엘리저는 르네즈미를 의심스러운 눈으로 쳐다보더니 도움을 청하듯 카르멘을 바라보았다. 그에게 용기를 불어넣는듯 카르멘이 고개를 끄덕였다.

곧이어 엘리저는 심호흡을 하고서 얼굴을 조금씩 르네즈미 쪽으로 움직였다. 마침내 그의 이마와 그 애의 손이 다시 닿았다. 그는 몸을 떨면서도 꼼짝하지 않은 채 눈을 감고 집중했다.

"그래, 이제 알겠어."

몇 분 후 눈을 뜬 그가 한숨을 내쉬었다. 르네즈미가 그에게 미소 지었다. 그는 주저하더니, 마지못해 살짝 미소를 보냈다.

"엘리저?"

타냐가 불렀다.

"모두 사실이야, 타냐. 얘는 불멸의 아이가 아냐. 반은 인간이지. 자, 직접 봐."

조용히 타냐가 내 앞에 섰다. 그다음에는 케이트였다. 둘 다 르네즈미의 손이 닿고 첫 이미지가 나타났을 때는 심한 충격을 받는 듯했다. 그러나 카르멘과 엘리저가 그랬듯 그들 역시, 르네즈미가 모든 걸 보여주자 수긍하는 것 같았다.

이렇게 쉽게 풀려갈 수도 있는 걸까? 나는 에드워드의 부드러운 얼굴을 흘깃 바라보았다. 그의 황금빛 눈은 밝고 그늘이 없었다. 그가 조용히 말했다.

"들어줘서 고마워."

"하지만 넌 심각한 위험이 있다고 했어. 이 아이가 직접적인 위협은 아닌 것 같고, 그렇다면 분명 볼투리 가겠지. 그들이 어떻게 아이에 대해서 안 거지? 언제 도착하는데?"

타냐의 말이었다. 그녀가 재빨리 사태를 파악하는 걸 보고도 나는 놀라지 않았다. 우리처럼 강력한 뱀파이어 가족에게 위협이 될 만한 것이 볼투리 가 외에 달리 뭐가 있겠는가?

"그날 벨라가 산에서 아이리나를 봤어. 그때 벨라는 르네즈미와 함께 있었지."

에드워드가 설명했다. 케이트가 눈을 아주 가늘게 뜨더니 위협하는 소리를 냈다.

"아이리나가 이런 짓을? 너한테, 그리고 칼라일에게? 아이리나가?"

"아냐. 다른 누군가가……."

타냐가 속삭였다.

"그녀가 그들에게 가고 있는 걸 앨리스가 봤어."

에드워드가 말했다. 그가 앨리스의 이름을 부르면서 움찔하는 걸 여기 있는 다른 이들도 알아차렸을까?

"아이리나가 어떻게 이럴 수 있지?"

엘리저는 그렇게 물었지만, 사실 정말로 누군가에게 질문을 던진 건 아니었다.

"좀 멀리서 르네즈미를 봤다고 생각해봐. 우리의 설명을 듣지 않았다고 가정하고."

타냐의 눈이 굳었다.

"그녀가 무슨 생각을 했든…… 우린 가족이야."

"지금 아이리나의 선택을 되돌릴 방법은 없어. 너무 늦었어. 앨리스는 우리에게 한 달의 시간이 있다고 했지."

타냐와 엘리저가 고개를 갸웃거렸다. 케이트는 눈썹을 찡그렸다.

"그렇게 오래 걸려?"

"그들 모두 올 거라더군. 그러려면 준비가 필요하겠지."

엘리저가 숨을 헐떡였다.

"경호원이 전부 온다고?"

"경호원뿐만이 아냐. 아로, 카이우스, 마르쿠스, 그들의 부인들까지 모두."

그렇게 말하는 에드워드의 턱은 긴장으로 굳어 있었다. 그들의 눈이 충격으로 흐릿해졌다.

"있을 수 없는 일이야."

엘리저가 멍하니 말했다.

"이틀 전이었다면 나 역시 그렇게 말했을 거야."

에드워드가 대답했다. 엘리저는 얼굴을 찡그리더니 거의 으르렁대듯 말했다.

"하지만 이해가 안 돼. 그들이 굳이 왜 자신을, 그리고 부인들을 위험 속에 몰아넣는 거지?"

"그런 시각에서 보면 확실히 이해가 안 되지. 앨리스는 우리를 처벌하려는 목적 이상의 뭔가가 있다고 했어. 네가 우릴 도와줄 수 있을 거라고도 했고."

"처벌하는 것 이상이라고? 하지만 달리 뭐가 있지?"

엘리저는 마치 이곳에 혼자만 있는 것처럼, 눈썹을 찡그린 채 고개를 숙이고 문 쪽으로 어슬렁거렸다. 타냐가 물었다.

"그런데 다들 어디 갔어, 에드워드? 칼라일과 앨리스, 그리고 나머지 가족들은?"

에드워드는 표시 나지 않게 머뭇거렸다. 그리고 그녀의 질문 중 일부에만 대답해주었다.

"우리를 도와줄 친구들을 찾으러 갔어."

타냐가 앞으로 손을 내밀더니 에드워드 쪽으로 몸을 숙였다.

"에드워드, 아무리 많은 친구를 모아도 소용없어. 우린 너희가 이기도록 도와줄 수 없으니까. 그저 함께 죽어줄 수 있을 뿐이지. 넌 그걸 알아야 해. 물론 우리 넷은 그래도 싸우지만. 아이리나가 저지른 짓도 있고, 예전에도 너희를 실망시킨 적 있으니까. 그때도 아이리나 때문이었지만."

에드워드가 재빨리 머리를 흔들었다.

"우리와 같이 싸워달라거나 죽어달라는 게 아냐, 타냐. 너도 알잖아. 칼라일은 절대 그런 부탁은 하지 않는다는 걸."

"그럼 뭔데, 에드워드?"

"우린 증인을 찾고 있어. 만일 우리가 그들을 제지할 수만 있다면……, 잠깐이라도 말이야. 그들이 우리에게 설명할 기회만 준다면……."

에드워드가 르네즈미의 뺨을 쓰다듬었다. 그 애는 그 손을 잡더니 자신의 뺨에 대고 세게 눌렀다.

"직접 보면 우리 이야기를 의심할 수 없잖아."

에드워드가 말을 맺었다. 타냐가 천천히 고개를 끄덕였다.

"그 애의 과거가 그들에게 있어서도 중요할 거라고 생각해?"

"과거가 곧 미래를 결정한다면 그렇겠지. 이 규칙의 핵심은 우리의 존재가 노출되는 걸 막고, 통제할 수 없는 위험한 아이들이 양산되는 걸 방지하는 거야."

"난 전혀 위험하지 않아요."

르네즈미가 끼어들었다. 나는 그 애의 높고 맑은 목소리에 귀를 기울이며, 다른 사람들에게 그 목소리가 어떻게 들릴지 상상해보았다.

"난 할아버지도, 수도, 빌리도 해치지 않았어요. 나는 인간들을 사랑해요. 그리고 나의 제이콥 같은 늑대인간들도."

그 애가 에드워드에게서 손을 떼더니 제이콥의 팔을 두드렸다. 타냐와 케이트는 재빨리 시선을 교환했다.

"아이리나가 그렇게 빨리 오지만 않았어도 이런 일은 없었을 텐데. 르네즈미는 엄청난 속도로 자라고 있거든. 이 달 말이면 다른 아이들이 반년에 걸쳐 성장하는 만큼 자랐을 거야."

생각에 잠긴 듯 에드워드가 그렇게 말했다.

"음, 그건 우리가 증언해줄 수 있어. 우린 아이가 자라는 걸 직접 목격할 수도 있으니까. 볼투리 가라고 해도 그렇게 명백한 증거를 무시할 수는 없을 거야."

카르멘이 결연한 목소리로 말했다. 엘리저가 중얼거렸다.

"어떻게, 정말로?"

그는 여전히 고개를 들지 않은 채, 주위에서 일어나는 일에는 조금도 관심이 없는 것처럼 계속 걸어 다니기만 했다.

"그래, 우리가 증언할 수 있어, 확실하게. 그 외에 더 할 일이 없는지도 생각해볼게."

타냐가 말했다.

"타냐, 우리와 함께 싸워주길 바라는 게 아냐."

그녀의 생각을 들은 에드워드가 그렇게 말했다.

"그래도 볼투리 가가 잠시 멈춰 서서 우리의 증언을 들어주지 않는다면, 그냥 방관할 수만은 없어. 아, 이건 물론 나에 한해서지만."

타냐가 그렇게 말하자 케이트가 냉소적으로 되물었다.

"그렇게 날 못 믿어?"

타냐가 그녀를 향해 활짝 미소 지었다.

"어쨌든 이건 자살 미션인걸."

케이트가 씩 웃더니 태연하게 어깨를 으쓱였다.

"나도 넣어줘."

"나도 저 아이를 지킬 수 있다면 뭐든 하겠어."

카르멘이 말했다. 그러고는 도저히 참을 수 없다는 듯이 르네즈미에게 팔을 뻗었다.

"안아 봐도 되니, 예쁜 아가야?"

르네즈미는 새로운 친구가 생긴 것을 기뻐하며 카르멘에게 손을 뻗었다. 카르멘이 스페인어로 뭐라고 중얼거리면서 아이를 꼭 안아주었다.

찰리, 그리고 그 전에 컬렌 가족 모두가 그랬듯이 르네즈미에게는 그 누구도 저항할 수 없게 하는 힘이 있었다. 무엇 때문에 모두가 르네즈미에게 끌리는 걸까? 왜 다들 자신의 목숨을 걸고서라도 그 애를 지키려 할까.

나는 잠깐 동안 정말로 시도해 볼 가능성이 있을지도 모르겠다는 생각을 했다. 어쩌면 르네즈미는 그 불가능한 일을 해내고, 우리의 친구들에게 그랬듯 적들도 끌어들일 수 있을지 모른다.

그때 우리 곁을 떠난 앨리스가 떠오르면서, 내 희망은 처음 나타났을 때만큼이나 빠르게 사라져버렸다.

# 31

# 능력

---

"그런데 늑대인간은 여기 왜……?"

타냐가 제이콥을 쳐다보며 물었다. 에드워드보다 먼저 제이콥이 대답했다.

"볼투리 일가가 네시에 대한 이야기를 들어주지 않는다면…… 아, 네시는 르네즈미야."

그는 타냐가 자신이 붙인 바보 같은 별명을 모른다는 사실을 깨닫고 잠시 바로잡았다. 그리고 이렇게 말을 이었다.

"우리가 그들을 멈춰 세울 거야."

"아주 용감하구나, 꼬마야. 하지만 너보다 경험 많은 전사들에게도 그건 불가능한 일이야."

"우리가 뭘 할 수 있는지 모르잖아."

제이콥이 이렇게 반박하자, 타냐가 어깨를 으쓱했다.

"그래, 네 마음대로 해야겠지. 네 삶이니까."

제이콥이 르네즈미를 바라보았다. 르네즈미는 여전히 카르멘의 팔에 안겨 있었고, 그 주위를 케이트가 서성이고 있었다. 그 둘의 모습에서 나는 갈망을 읽어낼 수 있었다.

"저 앤 특별해. 거부하기 힘들어."

타냐가 생각에 잠긴 듯 말했다.

"아주 뛰어나고, 또 특별한 가족이지."

엘리저가 서성이며 중얼거렸다. 발걸음이 점점 빨라지고 있었다. 그는 거의 1초 간격으로 현관문과 카르멘 사이를 오가고 있었다.

"아빠는 마음을 읽고, 엄마는 '실드(방패, 방어막 등의 의미: 편집자)'고, 이 특별한 아이는 알 수 없는 마법으로 우리를 매혹시키는군. 저 애의 능력을 대체 뭐라고 불러야 하는 거지? 뱀파이어 혼혈은 다 저런 건가? 그래, 그게 정상일지도 모르지! 뱀파이어 혼혈이라니, 세상에!"

"잠깐."

에드워드가 당황한 목소리로 그렇게 말하며, 다시 현관문 쪽으로 돌아서던 엘리저의 어깨를 잡았다.

"지금 내 부인을 뭐라고 부른 거야?"

흥분으로 들떠 있던 걸음을 잠시 멈춘 엘리저가 에드워드를 의아한 눈으로 바라보았다.

"실드라고. 지금은 그녀가 스스로 차단하고 있어서 확신할 수가 없지만."

잔뜩 당황한 나는 눈썹을 찡그린 채 그를 바라보았다. 실드? 차단하고 있다는 건 또 무슨 뜻이지? 난 아무도 방해하지 않고 그냥 여기 서 있었는데.

"실드?"

멍해진 에드워드가 그렇게 되풀이했다.

"저 말이야, 에드워드! 내가 능력을 감지할 수 없는 걸 보니 너도 그녀의 생각을 읽을 수 없을 것 같은데. 지금 벨라의 생각, 들을 수 있어?"

엘리저가 물었다.

"아니. 실은 단 한 번도 들은 적 없어. 인간이었을 때도."

에드워드가 중얼거렸다.

"한 번도 없다고? 재미있군. 뱀파이어가 되기 전에도 그 정도였다면 잠재력이 강력하다는 건데. 난 벨라가 쳐놓은 방어벽을 뚫고 그 능력을 가늠해 볼 수가 없어. 하지만 아직은 훈련되지 않은 날것 그대로의 상태인 것 같군. 뱀파이어가 되고 나서 이제 겨우 몇 달이 흘렀을 뿐이니까."

엘리저가 눈을 깜박였다. 에드워드를 바라보는 그의 시선에는 이제 분노의 빛마저 어려 있었다. 그가 말을 이었다.

"분명히 자신이 뭘 하고 있는지조차 의식하지 못했겠지. 완전한 무의식 상태. 아이러니 아니야? 아로는 나에게 전 세계를 돌아다니면서 그런 특별한 존재들을 찾게 했어. 그런데 넌 우연히 만나 계속 함께 있으면서도 조금도 깨닫지 못하다니."

그렇게 말한 엘리저는 믿을 수 없다는 듯 고개를 흔들었다. 나는 얼굴을 찡그렸다.

"무슨 말을 하는 거예요? 내가 실드라니요? 그게 대체 무슨 의미인데요?"

내 머릿속에 떠오르는 건 우스꽝스러운 중세의 갑옷뿐이었다. 엘리저가 고개를 갸웃하더니 다시 날 훑어보았다.

"호위대의 구성원은 각기 능력에 따라 치밀하게 분류되어 있지. 사실 능력을 분류하는 기준은 주관적이고 일관성도 없어. 모든 능력이 저마다 독특해서, 같은 힘이 중복해서 나타나는 경우는 없거든. 하지만 벨라의 능력은 구분하기 쉬운 편이야. 어디까지나 방어에 한정되는 능력인데, 고위직을 외부의 힘으로부터 보호하지. 이런 능력을 가진 이들은 늘 '실드'라고 불려. 나나 네 남편 말고 다른 뱀파이어에게 그 능력을 시험해 본 적 있어?"

이제 난 민첩한 새 두뇌를 갖게 되었지만, 그래도 머뭇거린 후에야 겨우 대답을 생각해낼 수 있었다.

"특정한 경우에만 효과가 있었던 것 같아요. 내 머릿속은…… 꽤 비밀스런 공간이긴 하죠. 하지만 재스퍼가 내 기분을 조종하거나 앨리스가 내 미래를 보는 건 막지 못해요."

내가 그렇게 대답했다.

"순전히 정신적인 방어력이군. 한계가 있긴 하지만 강력해."

엘리저가 혼자 고개를 끄덕였다.

"아로도 벨라의 생각을 들을 수 없었어. 그때 벨라는 인간이었는데도 말이야."

에드워드가 끼어들었다. 엘리저의 눈이 커졌다.

"전에 제인이 내게 고통을 주려 했었지만 소용없었죠.'에드워드가 그러던데요. 드미트리는 날 찾을 수 없을 거고, 알렉 역시 내게 아무 힘도 쓰지 못할 거라고. 그게 좋은 건가요?"

내가 말했다. 엘리저는 입을 벌린 채 고개를 끄덕였다.

"당연하잖아."

"실드! 그 생각은 못했어. 이 능력에 대해서라면, 전에 레나타를 만나본 게 전부라서. 그녀와는 아주 다르잖아."

에드워드의 목소리는 아주 만족스러워하는 것처럼 들렸다. 엘리저가 조금 정신을 차린 듯했다.

"그래, 어떤 능력도 완전히 일치하지는 않아. 그 누구도 서로 똑같은 방식으로 생각하지 않으니까."

"레나타가 누구야? 그녀는 무슨 일을 하는데?"

내가 물었다. 르네즈미도 궁금한지 카르멘과 케이트 옆으로 목을 빼고 쳐다보았다.

"레나타는 아로의 개인 보디가드야. 아주 실용적인 실드지. 강력하기도 하고."

엘리저가 말했다. 무시무시한 탑에서 아로 주위를 서성이던 소수의 뱀파이어 무리가 흐릿하게 기억났다. 그들 중 일부는 여자였고 일부는 남자였다. 그 껄끄럽고 두려운 기억 속에서 여자들의 얼굴은 떠오르지 않았다. 아무튼 레나타는 그중 한명이었으리라.

"내 생각에⋯⋯."

엘리저는 잠깐 생각에 잠겼다가 말을 이었다.

"그래, 레나타는 물리적인 공격을 막아내는 강력한 방패였어. 위기 상황이 닥치면 그녀는 항상 아로 곁을 지키지. 누구든 그녀나 아로에게 다가가면⋯⋯ 어느새 몸이 다른 방향으로 돌려져 있어. 그녀 주위에는 밀어내는 힘이 있어. 거의 알아차리긴 힘들지만 말이지. 그래서 원래 가려던 방향과는 다른 방향으로 가게 되고, 처음 그쪽으로 가려던 이유가 뭔지조차 잊게 되는 거야. 레나타는 몇 미터 밖에까지 실드를 펼칠 수 있어. 그리고 카이우스와 마르쿠스도 보호하긴 하지만 1순위는 늘 아로야. 사실 그녀의 능력도 물리적인 건 아냐. 우리의 능력이 대부분 그렇듯 마음속에서 벌어지는 일이지. 그녀와 네가 붙으면 누가 이길까? 난 아로나 제인의 능력이 먹히지 않았다는 얘기는 한 번도 들어본 적이 없어."

그가 고개를 저었다.

"엄마는 특별해."

르네즈미는 놀라지도 않고 마치 내 옷 색깔을 이야기하는 것처럼 말했다. 몹시 혼란스러웠다. 내가 내 능력에 대해 알고 있었던가? 나는 놀랄 만한 자제력을 지니고 있어서 갓 태어난 뱀파이어들이 으레 겪어야 하는 그 시기를 건너뛸 수 있었다. 뱀파이어들은 단 하나의 초능력만 가지게 되는 거 아닌가?

아니면 에드워드가 옳았던 걸까? 에드워드는 내 자제력이 완벽한 준비의 산물이라고 했었다. 집중력, 그리고 자세의 문제라는 것이다. 그게 그의 생각이었다. 그러자 칼라일은 내 자제력이 '자연스럽지 않다'고 말했었다.

누구 말이 옳은 걸까? 내가 할 수 있는 게 더 있을까? 나는 어떤 이름을 갖고 어떤 능력을 가진 것으로 분류될까?

"발사할 수 있어?"

케이트가 흥미로운 듯 물었다.

"발사요?"

내가 물었다.

"실드를 내보내는 것 말이야. 너 외에 다른 사람도 보호할 수 있도록."

케이트가 설명했다.

"모르겠어요. 해본 적이 없어서. 그래야 되는 줄도 몰랐는데요."

"아, 어쩌면 할 수 없을지도 몰라. 나도 여러 세기 동안 노력했지만 기껏 내 피부에 전류가 흐르게 하는 게 고작인걸."

케이트가 재빨리 말했다. 어리둥절해져서 나는 그녀를 바라보기만 했다.

"케이트에게는 공격능력이 있어. 제인과 비슷하지."

에드워드가 말했다. 나는 무의식적으로 케이트에게서 물러났고 그녀는 웃음을 터뜨렸다.

"난 고통을 주는 걸 즐기는 사람이 아냐. 그러니까 능력은 전투 중에나 사용하지."

그녀가 나를 안심시켰다. 그제야 케이트의 말이 서서히 이해되기 시작했다. '너 외에 다른 사람을 보호한다'고, 그렇게 표현했었지. 내 이상하고 변덕스럽고 고요한 머릿속에 다른 사람을 들여놓을 방법이 있는 것처럼.

볼투리 가의 작은 성탑에서 에드워드가 오래된 돌바닥 위를 구르며 괴로워했던 게 떠올랐다. 인간일 때의 기억이지만 다른 기억들보다 훨씬 뚜렷하고 더 고통스러웠다. 내 뇌 조직에 새겨져 있는 것처럼.

그런 일이 다시 반복되지 않도록 내가 막을 수 있다면? 내 힘으로 에드워드, 그리고 르네즈미를 보호할 수 있다면? 그들을 지켜줄 수 있는 가능성이 아주 조금이라도 있다면…….

"가르쳐줘요! 어떻게 해야 하는 건지 가르쳐줘요!"

내가 무턱대고 케이트의 팔을 잡았다. 그러자 케이트는 움찔했다.

"뭐, 내 팔을 부러뜨리지만 않는다면."

"앗! 미안해요!"

"네 실드는 지금도 작동되고 있네. 사실 심한 충격을 느꼈어야 하거든. 팔이 떨어져나갈 정도로. 지금 아무것도 못 느꼈지?"

케이트가 말했다.

"그럴 필요까진 없었어, 케이트. 벨라가 고의로 그런 것도 아니잖아."

에드워드가 나지막하게 말했다. 우리 둘 다 그의 말에는 신경 쓰지 않았다.

"네, 아무것도 못 느꼈어요. 전류 같은 걸 흐르게 했나요?"

"응. 흠. 그게 통하지 않는 상대는 만나본 적이 없는데. 불멸의 존재든, 그렇지 않든."

"당신은 피부로 그걸 '발사' 한 건가요?"

케이트가 고개를 끄덕였다.

"원래는 손바닥에만 흘렀어. 아로처럼."

"그리고 르네즈미처럼."

에드워드가 끼어들었다.

"하지만 끊임없이 연습했기 때문에, 이젠 몸 전체에 전류를 흐르게 할 수 있어. 괜찮은 방어술이지. 나를 만지려 했다간 테이저 총(전기충격기: 편집자)에 맞은 인간처럼 나가떨어지게 돼. 쓰러져 있는 건 한 1초 정도지만 그러면 충분하거든."

난 케이트의 말에 반쯤 귀를 기울이면서, 만약 훈련을 거친다면 나 역시 내 가족을 보호할 수 있을지에 대해 생각하고 있었다. 뱀파이어로서의 삶에 신기할 만큼 잘 적응하고 있는 것처럼, 이 능력도 능수능란하게 다룰 수 있게 되기를 간절히 바랐다. 인간일 때의 삶은 내가 자연스럽게 적응하는 데 전혀 도움을 주지 않았다. 오히려 계속 잘해나갈 수 있으리라는 믿음을 앗아가 버렸다.

전에는 이렇게 간절히 뭔가를 바랐던 적이 없었다. 내가 사랑하는 사람들을 지키고 싶다는 소망. 나는 그 생각에 너무 몰두했기 때문에, 에드워드와 엘리저의 목소리가 들리기 전까지 그들 사이에 침묵의 대화가 오고 갔다는 것을 느끼지 못했다.

"단 한 번의 예외도 없어?"

에드워드가 물었다. 나는 그 말이 무슨 뜻인지 궁금해 고개를 돌렸다가, 이미 모두가 그 두 사람을 보고 있다는 걸 알아차렸다. 그들은 서로에게 몸을 숙이고 있었다. 에드워드의 얼굴은 의심으로 굳어 있었고, 엘리저는 뭔가 꺼림칙한, 불행해 보이는 표정이었다.

"그들을 그런 식으로 생각하고 싶지 않아."

엘리저가 이를 악물고 말했다. 분위기가 갑자기 바뀌었으므로 나는 깜짝 놀랐다.

"네가 옳다면……"

엘리저가 다시 입을 열었다. 에드워드가 그의 말을 잘랐다.

"그건 네 생각이지, 내 생각은 아냐."

"만약 내가 옳다면…… 그 의미조차 파악할 수 없어. 그건 우리가 창조한 세계를 완전히 변화시킬 거야. 내 삶의 의미도 바뀌버릴 거고. 내가 속해 있는 곳도 역시……."

"넌 항상 좋은 의도를 갖고 최선을 다했잖아, 엘리저."

"그런 게 과연 중요할까? 내가 했던 일이 뭔데? 얼마나 많은 생명이……."

타냐가 위로하듯이 엘리저의 어깨를 잡았다.

"도대체 무슨 이야기를 하는 거야? 뭔지 알고 싶어. 그래야 대화가 되지. 그리고 넌, 이렇게 자책할 만한 일은 한 적이 없어."

"아, 정말?"

엘리저가 중얼거렸다. 그는 어깨를 으쓱이더니 다시 서성이기 시작했다. 전보다 빨리. 타냐는 아주 잠깐 그를 보다가 에드워드에게 시선을 돌렸다.

"설명해봐."

에드워드가 긴장으로 굳어진 눈으로 엘리저를 좇으면서 고개를 끄덕이더니 이야기를 시작했다.

"그는 왜 그렇게 많은 수의 볼투리 일가가 우리를 처벌하러 오는지 궁금해 했어. 전엔 그런 적이 없으니까. 분명히 우리 집안은 볼투리 가가 다스리는 여러 집단 중 가장 크기는 하지만, 과거에도 스스로를 지키기 위해 여러 집단이 힘을 합친 경우는 있었거든. 하지만 대부분 수만 많았지 별위협은 되지 않았어. 반면 우리 가족은 좀 더 친밀하게 연결되어 있지. 일단은 그게 원인이긴 하지만, 결정적인 이유는 아닐 거야. 그는 예전에 이런저런 이유로 처벌받았던 여러 집단들을 떠올렸어. 그러자 어떤 일정한 주기가 보이기 시작한 거야. 볼투리 가의 다른 경호원들은 절대로 알아차리지 못했을 주기지. 왜냐하면 엘리저는 아로의 비밀요원으로 일했으니까. 그 주기는 200여 년마다 반복되었어."

"그 주기가 뭔데?"

카르멘도 에드워드처럼 엘리저를 바라보며 물었다. 에드워드가 설명을 이어갔다.

"어떤 집단을 처벌하기 위해 아로가 직접 움직이는 경우는 드물어. 하지만 그가 특별히 원하는 것이 있을 때는 얘기가 좀 다르지. 그럴 때면, 이 집단이 뭔가 용서할 수 없는 죄를 지었다는 증거가 오래지 않아 나타나곤 했어. 이런 경우에 고위층 뱀파이어들은 호위대가 법을 집행하는 걸 지켜본다는 명목으로 여행에 따라나섰지. 그리고 문제의 집단은 철저히 파괴되었어. 아로가 구원의 손길을 뻗치는 단 한 명을 제외하고서 말이야. 대외적인 이유는 '반성하는 태도가 가상하다'는 것이었지만, 그 유일한 한 명이 실은 아로가 탐낼 만한 능력의 소유자였다는 사실이 머지않아 밝혀지고는 했지. 그런 이들 모두가 볼투리 가의 호위대로 합류하고, 기꺼이 심복이 되었어. 자신에게 베풀어진 은혜와 영예에 감사하면서. 예외는 없었지."

"뭐, 선택받는다는 게 꽤 감격스러운 일이긴 할 거야."

케이트가 고개를 끄덕였다.

"하!"

엘리저는 그렇게 코웃음 치고, 계속 서성거렸다. 에드워드가 엘리저 대신 설명하기 시작했다.

"호위대에 소속되어 있던 첼시란 이름의 뱀파이어가 있어. 그녀는 감정적인 유대에 영향력을 발휘할 수 있었지. 그런 유대감을 약화시킬 수도 있고, 반대로 강화시킬 수도 있었어. 첼시는 상대를 조종해서 볼투리 가에 유대감을 느끼고, 소속되고 싶어 하고, 또 충성하게 만들었어."

엘리저가 갑자기 멈춰 섰다.

"우린 첼시의 역할이 중요하다는 걸 알아. 전투를 할 때 상대편의 유대를 파괴하고 서로 결집하지 못하게 한다면 쉽게 이길 수 있을 테니까. 집단 내에서 죄 없는 자와 죄 지은 자를 감정적으로 유리시킬 수 있다면, 굳이 잔인한 행위를 하지 않고도 효율적으로 심판할 수 있겠지. 죄인들에겐 쉽게 벌을 내릴 수 있고, 죄가 없는 사람들은 그대로 두면 될 테니까. 그렇게 하지 않으면 집단은 하나로 뭉쳐 볼투리 가에 대항하겠지. 그래서 첼시는 그들을 묶어주던 유대를 파괴하곤 했어. 내겐 대단히 친절한 행위로 보였지. 아로의 관대함을 보여주는 증거랄까. 난 첼시가 우리 호위대들도 단단하게 묶어주고 있는 건 아닐까 의심하곤 했어. 하지만 그게 나쁘다고 할 순 없지. 덕분에 우린 일사불란하게 움직일 수 있었고, 쉽게 공존할 수 있었으니까."

이 말은 내 오래된 의문을 명쾌하게 설명해주었다. 볼투리 가의 경호원들이 주인에게 그렇게 기쁘게, 마치 헌신적인 연인처럼 복종하는 것이 전에는 이해되지 않았었다.

"첼시의 능력은 얼마나 강하지?"

타냐가 날카롭게 물어보더니, 재빨리 자신의 가족을 하나하나 훑어보았다. 엘리저는 어깨를 으쓱였다.

"내가 카르멘과 단둘이서, 너희들을 떠날 수 있는 정도?"

그러더니 그는 고개를 저었다.

"파트너보다 약한 관계라면 뭐든 위험해. 적어도 보통의 집단이라면. 그들의 유대는 우리 가족보다 약하지. 인간의 피를 마시지 않은 덕분에 우리 쪽이 더 문명화되어 있잖아. 게다가 우린 진정한 사랑으로 연결되어 있어. 그녀는 우리의 유대를 끊어놓을 수 없을 거야, 타냐."

타냐는 다시 확인하듯이 고개를 끄덕였고 그 사이에 엘리저는 이야기를 이어갔다.

"아로가 그렇게 많은 뱀파이어를 거느리고 직접 오는 이유는, 그의 목적이 처벌이 아니라 '획득'이기 때문이지. 자신이 직접 지휘해야 할 테니까. 만약 상대 집단의 구성원이 많고 또 능력자도 많다면 호위대 전부를 데려와야 할 거야. 하지만 그렇게 되면 볼테라에 남아 있는 다른 고위층 뱀파이어들이 보호 받을 수 없어. 너무 위험하지. 누군가 이 기회를 이용할지도 모르니까. 그래서 그들 전부가 오는 거야. 원하는 능력을 손에 넣으려면 그 외에 다른 방법이 있겠어? 그게 누군지, 어떤 능력인지는 모르지만 정말 간절하게 탐내고 있나 봐."

엘리저는 그렇게 말하고서 생각에 잠겼다. 에드워드의 목소리가 숨소리만큼 작아졌다.

"지난봄에 그의 생각을 봤어. 아로는 앨리스를 원하고 있었지. 그 무엇보다도 열렬하게."

오래전에 상상했던 악몽 같은 이미지를 떠올리자 내 입은 벌어졌다. 검은 망토를 걸치고 붉은 눈을 한 에드워드와 앨리스가 차갑고 냉담한 표정을 지은 채 그림자처럼 붙어 서서 아로의 손을 하나씩 받들고 있었다……. 앨리스도 이런 모습을 본 걸까? 그녀는 첼시가 우리 가족에 대한 자신의 사랑을 끊어버린 후, 아로와 카이우스와 마르쿠스에게로 묶어놓는 장면을 보았던 것일까.

"그래서 앨리스가 떠난 걸까?"

그녀의 이름을 발음하는 내 목소리가 갈라졌다. 에드워드가 내 뺨을 감쌌다.

"그럴 거야. 아로가 가장 원하는 걸 얻지 못하도록. 자신의 힘을 그에게서 지켜내려고."

타냐와 케이트가 불안한 목소리로 속삭이는 소리를 듣고서야 그들이 아직 앨리스에 대해 모른다는 사실을 기억해냈다.

"아로는 너도 원해."

내가 속삭였다. 에드워드가 어깨를 으쓱했다. 그의 얼굴이 갑자기 차분해졌다.

"그렇게 간절히 탐내지는 않아. 난 그가 이미 가지고 있는 것 이상을 줄 수 없으니까. 게다가 날 설득해서 자신의 뜻을 관철할 방법도 찾아야 하고. 그는 나를 잘 알아. 그래서 그게 얼마나 힘든 일인지도 알고 있지.”

그는 냉소적으로 한쪽 눈썹을 치켜 올렸다. 엘리저가 태연한 에드워드를 보며 얼굴을 찡그렸다.

“그는 네 약점도 알고 있어.”

엘리저가 나를 쳐다보았다.

“그만하자.”

에드워드가 재빨리 말했다. 엘리저가 그의 말을 무시하고 이야기를 계속했다.

“그리고 네 부인도 원할 거야. 자신을 좌절시킨 인간에게 호기심을 느꼈을 테니까.”

에드워드는 이런 이야기가 거북한 것 같았다. 그건 나도 마찬가지였다. 아로가 내게 뭔가를 원한다면 분명 에드워드를 볼모로 얻어낼 것이다. 마찬가지로 에드워드에게 뭔가를 바란다면 나를 미끼로 협박하리라. 어쩌면 죽는 게 더 나은 것일까? 생포되는 쪽을 더 두려워해야 하는지도 모른다. 에드워드가 화제를 바꿨다.

“볼투리 가는 명분이 생기기를 기다렸던 것 같아. 어떤 일이 계기가 될지는 그들 스스로도 몰랐겠지. 하지만 계획은 이미 잡혀 있었어. 아이리나가 끼어들기 전에 앨리스가 이미 그들의 결정을 볼 수 있었던 것도 그래서였지. 결정은 이미 내려놓고서, 그걸 정당화해줄 수 있는 명분만 기다렸던 거야.”

“볼투리 가가 자신들에 대한 뱀파이어의 믿음을 남용한다면······.”

카르멘이 중얼거렸다.

“그게 중요하긴 해? 누가 믿겠어? 그리고 설령 볼투리 가가 권력을 남용하고 있다는 사실을 다른 뱀파이어들에게 알린다고 해도 뭐가 달라지겠어? 아무도 그들에 맞설 수 없는데."

엘리저가 반박했다.

"우리야 제정신이 아니니까 시도해보겠지만."

케이트가 중얼거렸다. 에드워드가 고개를 저었다.

"너희는 그냥 증언만 해주면 돼, 케이트. 아로의 진짜 목적이 뭐든 간에, 그것 때문에 볼투리 가의 평판까지 더럽히려 하지는 않을 거야. 명분을 없애버리면 그도 우리를 내버려 둘 수밖에 없지."

"지당한 얘기야."

타냐가 중얼거렸다. 하지만 다들 자신은 없는 것 같았다. 서로 한참이나 말이 없었다. 그때 자동차가 고속도로를 빠져나와 컬렌 가의 드라이브웨이로 들어서는 소리가 들렸다.

"아 젠장, 찰리가 왔나 봐. 디날리에서 오신 분들은 잠시 위층에……."

내가 다급하게 속삭였다.

"아냐. 네 아버지가 아냐."

에드워드가 나직한 목소리로 말했다. 잠시 공허한 시선으로 문을 바라보던 그는 곧 덧붙였다.

"앨리스가 피터와 샬럿을 보낸 거야. 다음 라운드를 준비하자."

에드워드가 나를 바라보았다.

## 32

# 한패

---

  컬렌 가의 거대한 저택은 비좁게 느껴질 만큼 손님들로 붐비고 있었다. 손님들 중 누구도 잠을 자지 않는다는 게 그나마 다행이었다. 비록 식사 시간에는 좀 아슬아슬했지만. 손님들은 최선을 다해 우리에게 협조해주었다. 그들은 포크스와 라푸시를 피해 다른 주에서 사냥을 했다. 에드워드는 주저하지 않고 자신의 차를 빌려주는 등 훌륭하게 주인 노릇을 했다. 나는 그들이 어차피 세상 어딘가에서 지금껏 사냥을 해왔다는 사실로 스스로를 설득하려 했다. 그러나 그런 타협은 몹시도 내 마음을 불편하게 했다.

  제이콥은 나보다 더 힘들어했다. 인간의 생명을 지키기 위해 존재하는 늑대인간이, 그들 무리의 경계선 밖에서 자행되는 살인을 묵과해야 했으니까. 그러나 르네즈미가 엄청난 위험에 처한 상황이었으므로 그 역시 입을 다문 채 바닥만 쳐다봐야 했다.

  난 뱀파이어들이 제이콥을 쉽게 받아들이는 것을 보고 깜짝 놀랐다. 에드워드가 예상했던 문제는 벌어지지 않았다. 모두가 그냥 제이콥을 본척만척했다. 그는 보통의 인간과 다르고, 따라서 먹이가 될 수도 없기 때문인 것 같았다. 그들은 동물을 좋아하지 않는 사람들이 친구의 애완동물을 대하듯이 제이콥을 대했다.

당분간 리, 세스, 퀼, 엠브리는 샘의 무리에 합류해 있기로 했다. 르네즈미와 떨어지는 걸 견딜 수만 있었다면, 그리고 르네즈미가 칼라일의 친구들과 어울리지만 않았다면 제이콥도 기꺼이 그들과 함께 했을 것이다.

우리는 디날리 일가에게 르네즈미를 소개할 때와 같은 장면을 여섯 번쯤 반복했다. 처음에는 앨리스에게 아무 설명도 듣지 못한 채 우리를 찾아온 피터와 샬럿에게였다. 앨리스를 아는 대부분의 사람들처럼 그들도 그녀의 말을 무조건 믿었다. 앨리스는 자신과 재스퍼가 어디로 가는지 그들에게 말하지 않았고, 다시 만나자는 인사도 하지 않았다고 했다.

피터도, 샬럿도 불멸의 아이를 직접 본 적은 없었다. 그 규칙에 대해 알고 있긴 했지만 그들의 반응은 디날리의 뱀파이어들만큼 부정적이지 않았다. 호기심 때문에 그들은 르네즈미에게 '설명' 할 기회를 줬다. 그리고 곧바로 르네즈미가 보여준 것들을 믿게 되었다. 이제 그들도 우리를 위해 증언해주기로 약속했다. 타냐 가족만큼이나 헌신적인 태도로.

칼라일은 아일랜드와 이집트에서 친구들을 보냈다.

아일랜드 뱀파이어들이 먼저 도착했는데, 그들을 설득하기는 놀랄 만큼 쉬웠다. 시오반(엄청난 존재감을 지닌 여자 뱀파이어로, 부드럽게 물결치듯 움직이는 몸이 아름답고 매혹적이었다)이 리더였지만 그녀와 그 남편인 리엄은, 가장 늦게 합류한 매기의 판단을 오래전부터 신뢰해왔다. 탄력 있는 빨간 곱슬머리의 젊은 매기는 시오반과 리엄만큼 인상적이지는 않았지만, 거짓말을 간파하는 능력이 있었다. 때문에 그녀의 판단은 의심받는 일이 없었다. 매기는 에드워드가 진실을 말하고 있다고 선언했고, 시오반과 리엄은 르네즈미의 손이 닿기도 전에 우리의 이야기를 절대적으로 신뢰하게 되었다.

아문을 비롯한 이집트 뱀파이어들은 조금 달랐다. 그들 중 상대적으로 젊은 벤저민과 티아가 르네즈미의 설명을 통해 확신을 갖게 된 후에도, 아문만은 끝내 거부했다. 그리고 그의 무리에게 떠나기를 종용했다. 벤저민 (기이하게 느껴질 만큼 유쾌한 뱀파이어로, 간신히 소년티를 벗었으며 아주 자신만만한 동시에 몹시 부주의해 보였다)은 자신들의 관계가 와해될지도 모른다는 위협을 느낀 듯, 아문을 설득해 이곳에 머물게 했다. 그러나 아문은 르네즈미를 계속 거부했고, 자신의 아내인 케비가 르네즈미를 만지는 것 또한 허락하지 않았다. 이집트 뱀파이어들은 서로 그리 어울리지 않는 조합으로 보였다. 검은 머리카락이나 올리브색 얼굴 등 겉모습은 너무 비슷해서 쉽게 생물학적 가족으로 통할 수 있겠지만.

아문은 최고 연장자로 대외적인 리더였다. 케비는 아문을 그림자처럼 따라다녔고, 난 그녀의 목소리를 한 번도 듣지 못했다. 벤저민의 부인인 티아도 조용했다. 하지만 그녀가 하는 한 마디 한 마디에는 매우 깊은 통찰과 진지함이 담겨 있었다. 그들 모두의 구심점은 벤저민이었다. 마치 그가 보이지 않는 자력을 가지고 있어서 다른 뱀파이어들이 그에게 의지해 균형을 맞추는 것 같았다. 엘리저가 눈을 크게 뜨고 그 소년을 주시하는 걸 보고, 나는 벤저민이 다른 뱀파이어를 끌어들이는 능력을 지니고 있을 거라고 추측했다.

"그게 아냐. 그의 능력은 너무나 비범해. 그래서 아문은 그를 잃을까 봐 두려워하고 있지. 우리가 르네즈미를 아로에게서 숨기려 하는 것처럼."

그날 밤 우리 둘만 남았을 때 에드워드는 그렇게 말했다. 그러고는 한숨을 쉬었다.

"아문은 벤저민이 아로의 관심을 끌지 못하도록 지키고 있어. 아문은 벤저민이 특별하다는 걸 알고 그를 뱀파이어로 만들었거든."

"그가 뭘 할 수 있는데?"

"엘리저조차 절대로 본 적이 없었던 것. 나 역시 한 번도 들어보지 못한 것. 네 실드 능력은 상대도 안 되는 어떤 것."

그가 심술궂게 미소를 지었다.

"그는 4대 원소들을 움직일 수 있어. 땅, 바람, 물, 그리고 불. 환상을 만들어내는 게 아니라 실제로 움직일 수 있는 거야. 벤저민은 아직 그 능력을 훈련 중이지. 그리고 아문은 그를 무기로 써먹으려고 해. 하지만 벤저민이 얼마나 독립적인지 너도 봤잖아. 그는 이용당하지 않을 거야."

"그를 좋아하는구나."

그의 목소리를 듣고 나는 그렇게 추측했다.

"그는 옳고 그름에 대한 아주 명쾌한 판단력을 지니고 있어. 나는 그런 태도가 마음에 들어."

그러나 아문은 달랐다. 벤저민과 티아는 디날리 가족이나 아일랜드 뱀파이어와 금방 친구가 되었지만, 그와 케비는 계속 겉돌았다. 우리는 칼라일이 어서 귀가하여 아문과의 긴장이 사라지기를 바랐다.

에밋과 로잘리는 뱀파이어들을 한 명씩 보냈다. 칼라일의 떠돌이 친구들이었다.

가장 먼저 도착한 가렛은 열정적인 붉은 눈을 가진 키가 크고 손발이 긴 뱀파이어로, 긴 모래 빛 머리카락을 가죽 끈으로 묶고 있었다. 그는 모험가였다. 우리가 도전할 과제를 제시하면 그는 스스로를 시험하기 위해 기꺼이 그걸 받아들일 것이다. 그는 금방 디날리 자매들과 한패가 되어 그들의 생활방식에 대해 끊임없이 질문을 던졌다. 채식주의가 새로운 도전과제가 된다면, 그는 이번에도 스스로를 시험해보려 할까?

메리와 랜들도 왔다. 여기까지 함께 온 건 아니었지만 둘은 이미 친구였다. 르네즈미의 이야기를 들은 그들은, 다른 사람들처럼 증언을 해주기 위해 이곳에 남았다. 디날리 일가가 그랬듯 그들도 볼투리 가가 멈추지 않으면 자신들이 어떻게 해야 할지 생각했다. 그들 떠돌이 셋은, 끝까지 우리 편이 되어줄지에 대해 비교적 가볍게 고민하고 있는 중이었다.

물론 제이콥은 새로운 뱀파이어들이 도착할 때마다 점점 더 적대적으로 변해갔다. 가능하면 뱀파이어들과 거리를 유지하려 했고, 그럴 수 없을 때에는 누군가 색인이라도 만들어줘야 자신이 새로운 흡혈귀들의 이름을 똑바로 외울 거라고 르네즈미에게 투덜거렸다.

칼라일과 에스미는 떠난 지 일주일 만에 돌아왔고, 로잘리와 에밋은 그로부터 며칠이 더 지난 후에 돌아왔다. 그들이 돌아왔을 때 우리 모두는 안도감을 느꼈다. 칼라일은 또 다른 친구를 데려왔다. 친구라는 단어를 사용하는 건 좀 무리일지도 모르지만. 앨리스테어는 염세적인 영국의 뱀파이어로, 칼라일을 1세기에 한 번 이상 방문하는 일은 거의 없었지만 그래도 자신의 가장 가까운 지인으로 여겼다. 앨리스테어는 혼자 떠도는 것을 아주 좋아했기 때문에 칼라일은 그를 여기로 데려오기 위해 수없이 설득해야 했다. 그는 모두와 대면하기를 피했고, 다른 뱀파이어들도 그를 좋아하지 않는 게 분명해보였다.

짙은 머리색의 이 음울한 뱀파이어는 아문처럼 르네즈미와 접촉하기를 거부했다. 하지만 그 애의 태생에 대한 칼라일의 말은 모두 믿었다. 에드워드는 앨리스테어가 여기 머무는 걸 꺼림칙해 하지만, 이 일의 결말을 알지 못하게 되는 걸 더 걱정하고 있다고 칼라일, 에스미, 그리고 내게 귀띔했다. 앨리스테어는 모든 종류의 권위에 대해 의구심을 품고 있어서 볼투리가 역시 신뢰하지 않았다. 지금 벌어지는 일들은 그의 공포를 확인시켜주는 것 같았다.

"이제 그들은 내가 여기 있었던 걸 알게 될 거야."

우리는 그가 다락방에서 투덜대는 소리를 들었다. 다락방은 그가 마음껏 투덜대기 위해 고른 장소였다.

"아로의 눈을 속일 방법은 없어. 꼼짝없이 몇 세기 동안 도망쳐 다녀야겠군. 지난 세기에 칼라일과 이야기를 나눈 자는 모두 그들의 리스트에 오를 거야. 이런 말썽에 말려들다니. 아주 친구 대접을 제대로 하는군."

볼투리 가를 피해 다녀야 한다면, 그럴 수만 있다면 그의 상황은 우리보다 훨씬 희망적인 셈이었다. 드미트리처럼 정확하고 유능하지는 않았지만 앨리스테어도 추적자였다. 앨리스테어는 자신이 찾는 것에 흐릿한 끌림을 느끼곤 했다. 그런 끌림이 그가 어디로 도망쳐야 할지 알려줄 것이다. 바로 드미트리가 있는 곳과 반대방향이 되리라.

그때 예상하지 못한 두 명의 친구가 도착했다. 칼라일도, 로잘리도 아마존의 뱀파이어들에게는 미처 연락을 취하지 못했었다.

"칼라일."

키가 크고 야성적인 두 명의 여자 중 좀 더 키가 큰 쪽이 칼라일에게 인사했다. 그들은 마치 몸을 잡아당겨 늘여놓은 것 같았다. 긴 팔다리, 긴 손가락, 길고 검은 머리채, 긴 얼굴에 긴 코. 몸에는 동물 가죽을 걸쳤을 뿐 아무것도 입지 않았다. 가죽조끼, 옆선을 가죽 매듭으로 장식한 몸에 꼭 붙는 바지. 별난 옷차림뿐 아니라 모든 것(불안한 붉은 눈에서부터 갑작스럽고 재빠른 움직임에 이르기까지)이 그들을 더없이 야성적으로 보이게 했다. 나는 그렇게 문명화되지 않은 뱀파이어는 처음 만나보았다.

앨리스가 그들을 보냈다는 게 흥미로웠다. 앨리스는 왜 남미에 있을까? 아무도 아마존 뱀파이어들에게 연락하지 못한 걸 알고 있어서였을까?

"자프리나, 세나! 카치리는? 셋이 떨어져 있는 건 본 적이 없는데."

칼라일이 물었다.

"앨리스가 우리 셋이 따로 가야 한다고 해서."

자프리나가 야성적인 외모에 어울리는 거칠고 굵은 목소리로 대답했다.

"서로 떨어져 있는 건 불편하지만, 당신이 우리를 필요로 한다고 해서.

앨리스는 카치리와 함께 갈 데가 있다더군. 그냥 그렇게만 말했어. 엄청나게 위급한 상황이라던데……?"

자프리나는 의문문으로 말끝을 흐렸고 나는 신경을 곤두세운 채(아무리 이 일을 자주, 계속한다 해도 절대로 익숙해지지는 못할 것이다) 르네즈미를 그들과 대면시켰다.

사나운 외모와 어울리지 않게 그들은 아주 조용히 우리 이야기를 들어주었고, 르네즈미가 그 사실을 증명할 수 있게 했다. 그들 역시 다른 뱀파이어들처럼 르네즈미에게 매혹되었다. 그러나 나는 그들이 르네즈미 근처에서 움직이는 모습을 볼 때마다 걱정스러웠다. 세나는 아무 말 없이 자프리나 옆에 붙어 있었다. 그러나 그들의 모습은 아문이나 케비와는 달랐다. 케비의 태도는 순종적이었지만, 세나와 자프리나는 하나의 몸에 달린 두 개의 팔다리 같았다. 자프리나는 그저 입의 역할을 하는 것뿐이었다.

앨리스 소식을 들은 게 이상하게 위안이 되었다. 그녀는 자신을 얻으려는 아로의 계획을 좌절시키기 위해 모종의 임무를 수행하고 있는 게 분명했다.

에드워드는 아마존 뱀파이어가 우리와 함께 있다는 데 기쁨과 전율을 느끼고 있었다. 그녀의 능력은 퍽 위협적인 공격무기가 될 수 있었기 때문이다. 에드워드는 자프리나에게 우리 편이 되어 싸워달라고 말하지는 않았다. 하지만 우리가 내세우는 증인들을 보고도 볼투리 가가 멈추지 않는다면, 아마 그와 전혀 다른 장면을 보고 멈추게 될 것이다.

"아주 실감나는 환상이지."

이번 역시도 내게는 아무것도 보이지 않는 걸로 판명되자, 에드워드는 그렇게 설명해주었다. 자프리나는 그녀가 전에 한 번도 경험해본 일 없는 내 면역성을 보며 퍽 즐거워했다. 내가 보지 못한 것들에 대해 에드워드가 설명해주는 동안 자프리나는 쉬지 않고 서성였다. 설명을 하는 에드워드의 눈은 초점이 맞지 않았다.

"자프리나는 자신이 보여주고 싶은 장면을 보여줄 수 있어. 상대는 그녀가 보여주는 것 외에 다른 것은 보지 못하게 되지. 예를 들자면, 지금 난 열대우림 한가운데 혼자 있어. 내 팔에 네가 느껴지지 않는다면 나는 꼼짝없이 그렇게 믿어버리겠지."

자프리나의 입술이 씰룩이더니 딱딱하게 미소 지었다. 조금 뒤 에드워드의 눈은 다시 초점을 찾았다. 그가 미소 지었다.

"대단하군요."

에드워드가 찬사를 보냈다. 르네즈미는 그들의 대화에 매혹되어 겁 없이 자프리나에게 팔을 뻗었다.

"나도 볼 수 있어요?"

르네즈미가 물었다.

"뭘 보고 싶은데?"

자프리나가 물었다.

"아빠가 본 거요."

자프리나가 고개를 끄덕였고 르네즈미는 공허하게 허공을 응시했다. 나는 불안한 마음으로 그들을 바라보았다. 그로부터 잠깐 후, 르네즈미는 황홀한 미소를 지었다.

"더요."

르네즈미가 말했다. 그 후 르네즈미를 자프리나와 그녀의 아름다운 이미지들로부터 떼어놓기는 쉽지 않았다. 나는 걱정스러웠다. 자프리나가 전혀 아름답지 않은 이미지도 만들어낼 수 있다는 걸 알고 있었기 때문이다. 하지만 르네즈미의 생각을 통해 나도 자프리나가 만들어낸 이미지를 보고, 적합한지 그렇지 않은지 판단할 수 있었다.

쉬운 결정은 아니었지만, 결국 난 자프리나가 르네즈미와 함께 있어주는 게 좋다고 판단했다. 내게도 여유가 필요하니까. 육체적으로나 정신적으로나 배울 게 너무 많았고, 남은 시간은 너무 짧았다.

한편 싸움을 배우려는 시도는 그리 순조롭지 않았다. 에드워드는 나를 2초 정도 꼼짝 못하게 했다. 하지만 내가 스스로 빠져나오게 하는 대신 제 발로 떨어져나갔다. 나는 곧바로 뭔가가 잘못되었다는 걸 알아차릴 수 있었다. 그는 돌처럼 꼼짝하지 않고 초원 건너편을 응시했다.

"미안해, 벨라."

그가 말했다.

"아냐, 괜찮아. 다시 하자."

내가 대답했다.

"할 수 없어."

"무슨 소리야? 할 수 없다니! 우린 방금 시작했잖아."

그는 대답하지 않았다.

"저, 내가 서툴다는 건 알아. 하지만 네가 도와주지 않으면 나아질 수 없어."

그는 아무 말도 하지 않았다. 난 장난삼아 그에게 덤벼들었다. 그는 전혀 방어를 하지 않았고 우리 둘 다 땅에 쓰러졌다. 내가 급소에 입술을 갖다댔지만 그는 꼼짝도 하지 않았다.

"내가 이겼다."

나는 그렇게 선언했다. 그는 눈을 가늘게 뜬 채 아무 말도 하지 않았다.

"에드워드, 왜 그래? 왜 안 가르쳐주는 거야?"

시간이 흐르고서야 그는 다시 입을 열었다.

"그냥…… 견딜 수가 없어. 에밋과 로잘리도 나만큼 할 거야. 타냐와 엘리저는 나보다 나을 거고. 그러니까 다른 사람에게 부탁해."

"불공평해! 너도 잘 하잖아. 전에는 재스퍼를 도와 모두를 훈련시키기도 했잖아. 넌 재스퍼와 싸웠고, 다른 가족들과도 싸웠었지. 그런데 왜 난 안 돼? 내가 뭐 잘못했어?"

그는 화가 난 듯 한숨을 내쉬었다. 그의 눈은 검은색이었다. 그 검은색을 밝혀줄 황금색은 거의 보이지 않았다.

"너를 싸움의 대상으로 바라보는 것, 널 목표물로 분석하는 것, 죽일 방법을 찾는 것……. 그런 것들이 너무 생생해서 견디기가 힘들어. 우리에겐 시간이 많지 않으니 누가 널 지도하든 차이가 없을 거야. 누구든 기본은 가르칠 수 있거든."

그가 움찔했고, 나는 얼굴을 찡그렸다. 그는 툭 튀어나온 내 아랫입술을 만지더니 미소를 지었다.

"게다가 훈련은 필요 없을 거야. 볼투리 가를 멈추게 할 수 있을 테니까. 그들은 충분히 알아들을 거야."

"만약 그렇지 않으면? 그러니까 난 배워야만 해."

"다른 스승을 찾아봐."

그 후로도 우리의 대화는 계속되었지만 에드워드의 결정은 조금도 흔들리지 않았다.

그와 대조적으로 에밋은, 기꺼이 내 선생이 되어주었다. 팔씨름에서 패한 복수인 것 같기도 했지만. 내가 인간이었다면 내 몸은 머리부터 발끝까지 멍이 들어 자주색이 되어 있을 것이다. 로잘리, 타냐, 엘리저는 느긋하고 자상했다. 그들을 보니 지난 6월에 공터에서 싸움을 가르치던 재스퍼의 모습이 떠올랐다. 비록 당시의 기억은 내게 흐릿하고 아득하게만 남아 있었지만.

어떤 손님은 내 모습에 재미있어했고, 또 어떤 손님은 직접 나를 가르치기도 했다. 떠돌이 가렛도 내게 몇 번 싸움을 가르쳐주었다. 그는 정말 훌륭한 스승이었다. 다른 뱀파이어들과도 쉽게 친해지는 그가 정착할 가족을 찾지 못하는 게 이상하기만 했다. 르네즈미가 제이콥의 품에 안겨 지켜보는 가운데 나는 자프리나와도 한 번 싸웠다. 덕분에 몇 가지 싸움 기술을 배웠지만, 다시는 그녀에게 도움을 청할 수 없었다. 나는 자프리나를 정말 좋아했고 그녀가 나를 해치지 않으리라는 것도 잘 알고 있었다. 그런데도 그 야성적인 여자가 죽을 만큼 무서웠다.

나는 많은 것을 배웠지만 여전히 초보라는 느낌을 지울 수 없었다. 내가 알렉이나 제인과 맞붙어서 몇 초나 버틸 수 있을지. 그래서 그저 다른 가족들에게 도움이 될 수 있을 만큼만 버틸 수 있기를 기도했다.

르네즈미를 돌보거나 싸움을 배울 때를 제외한 다른 시간은, 케이트와 함께 뒷마당에서 내 안의 실드를 밖으로 끌어내 다른 사람을 보호하는 훈련을 했다. 에드워드가 날 격려해 주었다. 그는 내가 사선 밖에 머물면서도 충분히 전력에 보탬이 되는 방법을 찾아내기를 바라고 있었다.

훈련은 정말 힘들었다. 손으로 잡을 수 있는 어떤 것, 실체가 있는 것이 없었기 때문이다. 그저 도움이 되고 싶다는, 에드워드와 르네즈미와 내 가족을 지키고 싶다는 강렬한 욕망뿐이었다. 흐릿한 실드를 밖으로 끄집어내려는 내 시도는 가끔씩만 성공을 거두었다. 보이지 않는 고무 밴드와 씨름하는 것 같았다. 손에 만져지다가 어느 순간 연기처럼 사라지는 고무 밴드.

에드워드만이 기꺼이 우리의 기니피그가 되어주었다. 내가 어설프게 실드와 씨름하는 동안 그는 케이트에게 몇 번이나 전기충격을 받아야 했다. 우리는 한 번에 몇 시간씩 훈련을 했다. 내가 인간이었다면 온몸이 땀으로 범벅이 되었겠지만 내 완벽한 몸은 그런 허점을 드러내지 않았다. 내 피로는 정신적인 데 있었다.

케이트가 '낮은' 전류를 되풀이해 쏘아대는 동안 에드워드는 계속 몸을 움찔거렸다. 난 팔로 그를 감쌌지만 아무 소용이 없었다. 에드워드가 고통을 겪는 게 괴로웠다. 그래서 실드로 우리 주위를 감싸려고 애썼다. 때때로 그런 시도는 성공을 거두기도 했지만 또 다시 금방 사라지곤 했다.

이 훈련이 난 정말 싫었다. 그리고 케이트 대신 자프리나가 도와주길 바랐다. 그러면 에드워드는 자프리나가 만들어내는 환상만 보고 있으면 될 테니까. 하지만 케이트는 내게 더 확실한 동기가 필요하다고 우겼다. 즉 에드워드가 고통스러워하는 모습을 봐야 내가 더 열심히 할 거라는 뜻이다. 나는 처음 만나던 날 그녀가 했던 말을 의심하게 되었다. 자신의 능력을 사디스트처럼 쓰지 않는다던 말. 지금 상황으로 보면 케이트는 나를 상대로 마음껏 즐기고 있는 것 같았다.

"이야, 따끔하지도 않던데. 잘했어, 벨라."

에드워드가 고통을 숨긴 채 유쾌하게 말했다. 내가 싸움을 배우는 걸 막기 위해서였다. 난 숨을 깊이 들이쉬고, 조금 전에 내가 어떻게 했는지 곱씹어보았다. 그리고 또 한 번 탄력성 있는 밴드를 잡아 늘인 채로 버텼다.

"다시, 케이트."

내가 이를 악물고 투덜거렸다. 케이트는 에드워드의 어깨에 손바닥을 댔다. 그가 안도의 한숨을 쉬며 말했다.

"이번에는 괜찮았어."

그녀가 한쪽 눈썹을 치켜 올렸다.

"지금 건 낮은 전류가 아니었는데."

"좋아."

내가 큰 소리로 말했다.

"준비해."

그렇게 말한 그녀가 다시 에드워드에게 손을 뻗었다. 이번에는 에드워드가 몸을 떨면서 이빨 사이로 낮게 숨을 내뱉었다.

"미안! 미안! 미안!"

나는 입술을 깨물었다. 왜 잘 해낼 수가 없는 걸까?

"잘하고 있어, 벨라. 이제 겨우 훈련한지 며칠인데 어느 정도 실드를 사용할 수 있게 되었잖아. 케이트, 벨라가 얼마나 잘하고 있는지 말해봐."

에드워드가 나를 꼭 안아주었다. 케이트가 입술을 내밀었다.

"모르겠는걸. 벨라는 분명 엄청난 능력을 가지고 있어. 하지만 지금은 간신히 그 맛만 봤을 뿐이야. 더 잘할 수 있어. 다만 동기가 부족해."

나는 무의식적으로 이빨을 드러내고서 그녀를 노려보았다. 내 앞에서 에드워드에게 전기충격을 주면서 어떻게 동기가 부족하다는 말을 할 수 있지?

내가 훈련을 하는 동안 구경꾼들이 점점 늘어났다. 처음에는 엘리저, 카르멘, 타냐뿐이었는데 곧 가렛이 어슬렁거리며 나타났다. 그다음에는 벤저민, 티아, 시오반, 매기가 가까이 왔고, 이제는 앨리스테어까지 3층 창문으로 내다보고 있었다. 구경꾼들도 에드워드의 말에 동의했다. 그들도 내가 이미 꽤 잘 해내고 있다고 생각했다.

"케이트······."

케이트가 새로운 훈련을 생각해내자 에드워드가 경고하듯 그녀의 이름을 불렀다. 그러나 이미 행동에 나선 뒤였다. 케이트는 강으로 갔다. 그곳에는 자프리나, 세나, 르네즈미가 천천히 산책을 하고 있었다. 르네즈미는 자프리나와 손을 잡은 채 서로의 이미지를 주고받았다. 제이콥은 몇 미터 뒤에서 그들을 그림자처럼 따르고 있었다.

"네시, 가서 엄마 좀 도와줄래?"

케이트의 말이었다. 방문자들도 그 짜증나는 별명에 금방 익숙해진 것 같았다.

"안 돼."

내가 으르렁거렸다. 에드워드는 위로하듯 나를 안아주었다. 르네즈미가 마당을 가로질러 다가오는 것을 보고 나는 그를 밀어냈다. 케이트, 자프리나, 세나가 르네즈미를 뒤따르고 있었다.

"절대 안 돼, 케이트."

르네즈미는 내게 팔을 뻗었고 나는 무의식적으로 팔을 벌렸다. 그 애가 내게 안기더니 머리를 내 어깨에 기댔다.

"하지만 엄마, 돕고 싶어요."

단호한 목소리였다. 르네즈미는 내 목에 손을 대고 우리 둘이 함께 한 팀이 된 이미지를 보여주었다.

"안 돼."

난 재빨리 뒤로 물러났다. 케이트는 우리를 향해 손을 뻗은 채 천천히 한 걸음 다가왔다. 내가 경고했다.

"오지 말아요, 케이트."

"싫은걸."

그녀가 앞으로 다가왔다. 마치 사냥감을 모는 사냥꾼 같았다. 나는 르네즈미를 등에 업고 케이트의 걸음에 맞춰 뒤로 물러났다. 이젠 손이 자유로워졌으므로, 케이트가 자기 손이 손목에 온전히 붙어 있기를 바란다면 내게 다가오지 않는 편이 나을 것이다.

케이트는 아마 이해하지 못하리라. 아이를 향한 엄마의 사랑이란 걸 절대로 경험해볼 일이 없을 테니까. 자기 행동이 지나치다는 것도 모를 것이다. 너무 화가 나서 주위의 모든 것이 붉은색으로 보였고, 뜨거운 금속 막이 혀를 덮은 것 같았다. 내가 억누르고 있던 힘이 근육으로 분출되었다. 이대로 나를 좀 더 압박한다면 그녀를 으깨 조각조각 난 다이아몬드처럼 만들어버릴 수도 있을듯 했다.

분노로 내 감각은 좀 더 예리해졌다. 이제 나는 실드의 신축성을 좀 더 섬세하게 느낄 수 있었다. 이제 보니 밴드라기보다는 내 몸의 머리부터 발끝까지를 덮고 있는 얇은 층, 얇은 막과 같았다. 분노가 일렁이면서 나는 실드를 좀 더 정확하게 감지할 수 있었고, 좀 더 단단하게 잡을 수도 있었다. 나는 케이트의 공격에 대비해 그 막을 밖으로 뽑아낸 다음 르네즈미를 감쌌다.

케이트가 한 걸음 다가오자 사나운 울음소리가 내 이 사이로 흘러나왔다.

"조심해, 케이트."

에드워드가 주의를 주었다. 한 걸음 내딛던 케이트는 나같이 어설픈 뱀파이어도 알아차릴 수 있는 실수를 저질렀다. 풀쩍 뒤로 물러나면서 에드워드에게로 시선을 돌린 것이다. 나는 르네즈미를 등에 단단히 업고 몸을 웅크린 채 뛰어오를 준비를 했다.

"네시가 뭐라는지 들려?"

케이트가 조용하고 태평하게 물었다. 내가 케이트를 덮치지 못하도록 에드워드가 우리 사이로 뛰어들었다.

"아니, 안 들려. 자, 벨라가 진정할 수 있게 시간을 좀 줘, 케이트. 이렇게 자극하면 안 돼. 벨라는 뱀파이어가 된 지 몇 달 안 됐잖아."

그가 이렇게 말했다.

"시간이 없어, 에드워드. 좀 더 다그쳐야 한다고. 그리고 벨라에게는 잠재력이……"

"조금만 기다려, 케이트."

케이트는 얼굴을 찡그리면서도 에드워드의 경고를 진지하게 받아들였다. 르네즈미가 내 목에 손을 댔다. 그 애는 케이트의 공격을 떠올리며 악의가 없음을, 아빠도 그걸 알고 있음을 보여주었다.

그러나 분노는 사라지지 않았다. 내 눈에 들어오는 빛의 스펙트럼은 여전히 붉은색으로 물들어 있었다. 그러나 이제는 좀 더 자제력을 발휘할 수 있었고, 케이트의 말이 옳다는 사실도 알 수 있었다. 분노는 확실히 도움이 되었다. 궁지에 몰려야 난 더 빨리 배울 것이다. 그렇다고 그게 좋다는 의미는 아니다.

"케이트."

나는 으르렁거렸다. 그리고 에드워드의 허리에 손을 올려놓았다. 여전히 실드가 나와 르네즈미를 강하고 유연한 시트처럼 에워싸고 있는 게 느껴졌다. 그대로 실드를 더 밀어내 에드워드까지 감쌌다. 이 신축성 있는 막은 갈라질 조짐도, 찢어질 위험도 보이지 않았다. 난 숨을 헐떡이기 시작했다. 분노 때문이 아니라 숨이 차서였다.

"다시, 에드워드만."

내가 케이트에게 말했다. 그녀는 눈동자를 굴리더니 앞으로 나와 에드워드의 어깨에 손바닥을 댔다.

"아무렇지 않은데."

에드워드가 말했다. 나는 그의 목소리에 웃음기가 배어 있는 걸 느꼈다.

"그럼 지금은?"

케이트가 물었다.

"아무렇지 않아."

"그럼 지금은?"

이번에는 그녀가 긴장한 목소리로 물었다.

"아무렇지도 않아."

케이트가 투덜대면서 뒤로 물러섰다.

"그럼 이건 보여?"

자프리나가 우리 셋을 노려보면서 거칠고 낮은 목소리로 물었다. 그녀는 기묘한 악센트의 영어를 구사했다.

"아무것도 안 보이는데요."

에드워드가 말했다.

"그럼 너는, 르네즈미?"

자프리나가 물었다. 르네즈미는 웃으면서 고개를 저었다.

이젠 분노가 거의 사라진 상태였다. 나는 탄력성 있는 실드를 밖으로 빼내고서 가쁜 숨을 몰아쉬며 이를 악물었다. 내가 실드를 치고 있으면 있을수록 그것은 더 무거워졌다. 실드가 다시 안으로 끌려 들어왔다.

"다들 놀라지 마. 벨라가 실드를 얼마나 확장할 수 있는지 궁금해서 그래."

자프리나가 나를 지켜보고 있던 뱀파이어들에게 경고해두었다. 그곳에 있던 모두, 그러니까 엘리저, 카르멘, 타냐, 가렛, 벤저민, 티아, 시오반, 매기가 충격으로 숨을 삼켰다. 자프리나가 무슨 짓을 하든 항상 준비가 되어 있는 세나만 빼고서. 그들의 눈은 공허했고 표정은 불안해 보였다.

"다시 앞이 보이면 손을 들어. 자, 벨라. 네가 몇 명이나 보호할 수 있는지 보여줘."

자프리나가 지시했다. 난 거칠게 숨을 몰아쉬었다. 에드워드와 르네즈미를 제외하고 가장 가까이에 서 있는 케이트와의 거리도 3미터 정도나 되었다. 나는 이를 악물고서, 탄력성이 있어 잘 밀려나가지 않는 보호막을 가능한 한 멀리 보냈다. 조금씩 케이트에게로 실드를 밀어낼 때마다 강한 반동이 느껴졌지만 그래도 버텼다. 그저 불안해하는 케이트의 표정만 바라보았다. 마침내 그녀가 눈을 깜박이고, 눈동자에 초점이 돌아왔을 때 나는 안도감으로 신음소리를 냈다. 그녀가 손을 번쩍 들었다.

"멋진데! 원웨이 유리(한쪽 방향에서만 투명하게 보이는 유리: 편집자)같아. 난 그들의 생각을 전부 읽을 수 있지만 그들은 실드 뒤에 있는 나에게 아무 짓도 할 수 없다니. 게다가 아까 밖에 있을 때는 르네즈미의 생각이 들리지 않았는데 이젠 들려. 분명히 케이트도 내게 전기 충격을 줄 수 있을 거야. 같은 보호막 아래 있으니까. 하지만 여전히 네 생각은 안 들리는군……. 어떻게 이런 일이 가능한 거지? 내가 궁금한 건……."

에드워드가 숨죽여 속삭였다. 그는 계속 뭔가를 중얼거리고 있었지만 거기에 귀를 기울일 수는 없었다. 이제 나는 케이트 옆에 있는 가렛에게까지 실드를 확장시키고 있었다. 거의 이를 갈면서. 가렛도 손을 번쩍 들었다.

"아주 잘했어. 자……."

자프리나가 나를 칭찬했다. 하지만 너무 이른 칭찬이었다. 나는 날카롭게 숨을 한 번 헐떡였고, 실드는 너무 세게 잡아당긴 고무 밴드처럼 원래의 형태로 쭈그러들었다. 르네즈미는 자프리나가 만들어낸 암흑을 보고는 내 등에서 몸을 떨었다. 난 다시 신축성 있는 실드를 잡아당겨 급히 르네즈미를 보호했다. 거의 기진맥진한 상태로 사투를 벌여야 했다.

"1분만요."

나는 숨을 헐떡였다. 뱀파이어가 된 후 단 한 번도 휴식이 필요한 적이 없었는데. 하지만 이상하게도 내가 강하다는 느낌이 들었다. 이렇게 진이 빠져있는데도.

"물론이지."

자프리나가 말했다. 그녀가 다시 볼 수 있게 해주자 구경꾼들은 긴장을 풀었다.

"케이트."

가렛이 불렀다. 앞을 볼 수 없어 동요하던 몇몇 뱀파이어들이 웅성거리며 그 자리를 빠져나갔다. 뱀파이어들은 그런 무력감을 느끼는 데 익숙지 않았다. 가렛은 내 훈련을 도와준 여러 선생들 중 유일하게 특별한 능력이 없는 뱀파이어였다. 그의 마음을 잡아끈 건 대체 무엇이었을까.

"나라면 안 할 거야, 가렛."

에드워드가 경고했다. 그럼에도 불구하고 가렛은 생각에 잠긴 듯 입술을 오므린 채 케이트를 향해 말을 이어갔다.

"네가 뱀파이어들을 완전히 뻗어버리게 한다던데."

"맞아. 궁금해?"

그녀는 그렇게 묻더니, 교활한 미소를 지으며 손가락을 장난스럽게 그에게로 움직였다. 가렛이 어깨를 으쓱였다.

"그런 건 본 적이 없어서. 좀 과장된 거 같은데……."

"그럴 수도 있지. 어쩌면 약하거나 어린 뱀파이어에게만 효과가 있는 걸지도 몰라. 나도 확신할 수는 없어. 넌 강해 보이는군. 그러니 어쩌면 버 텨낼 수 있을지도 몰라."

진지한 얼굴로 그렇게 말한 케이트가 손바닥을 위로 향한 채 그에게 손을 뻗었다. 명백한 유혹이었다. 케이트의 입술이 실룩거렸다. 그녀는 그를 끌어들이려고 일부러 심각한 표정을 짓고 있었다.

가렛은 도전과 마주하게 되자 곧 미소를 지었다. 그리고 자신 있게 검지를 그녀의 손바닥에 댔다. 그 순간 그는 크게 숨을 헐떡이더니 무릎을 꿇고 뒤로 넘어갔다. 그의 머리는 화강암에 부딪혔고, 곧 금이 가는 소리가 들렸다. 충격적인 장면이었다. 뱀파이어가 그렇게 쓰러지는 것을 보고 본능적으로 나는 움찔하지 않을 수 없었다. 너무도 낯선 광경이었으니까.

"내가 그렇다고 했잖아."

에드워드가 중얼거렸다. 가렛은 몇 초 동안 눈꺼풀을 떨더니 크게 눈을 떴다. 그리고 히죽거리는 케이트를 올려다보며 감탄한 듯 미소를 지었다.

"와."

그가 말했다.

"즐거웠어?"

그녀가 심술궂게 말했다.

"내가 미쳤어? 하지만 대단하더군."

그가 천천히 상체를 일으키더니 머리를 흔들면서 웃었다.

"그래, 다들 그러더라고."

에드워드가 눈동자를 굴렸다.

그때 앞마당에서 소란스러운 소리가 들려왔다. 놀란 목소리들 사이로 칼라일의 목소리가 들렸다.

"앨리스가 보내셨나요?"

그렇게 묻는 칼라일은 좀 동요한 것 같았다. 또 뜻밖의 손님이 온 건가?

에드워드는 집으로 달려갔고 다른 뱀파이어들도 그 뒤를 따랐다. 나는 르네즈미를 업은 채 좀 더 천천히 움직였다. 칼라일에게 시간을 줘야 하니까. 새로운 손님이 누구든 간에, 마음의 준비를 시킬 시간이 필요할 테니까.

난 르네즈미를 품에 안고 잔뜩 귀를 기울이면서, 현관문이 아닌 부엌문으로 들어갔다.

"아니, 보낸 사람은 없소."

깊은 목소리가 칼라일의 질문에 속삭이듯 대답했다. 부엌에 있던 난 즉시, 아로나 카이우스 같은 선조격의 고위층 뱀파이어들의 목소리를 떠올리고 그 자리에 얼어붙었다.

집안에 있던 모두가 새로운 방문자를 보러 간 상태였으므로 거실에는 많은 뱀파이어들이 있었지만 거의 아무 소리도 나지 않았다. 들리는 건 얕게 숨을 쉬는 소리가 전부였다. 칼라일은 조심스러운 목소리로 대답했다.

"그럼 여기까지 어떻게 오셨습니까?"

"소문을 들었으니까."

또 다른 목소리가 대답했다. 첫 번째 목소리가 그렇듯 깃털처럼 가벼운 목소리였다.

"볼투리 가가 당신들을 해치려 한다는 소식을 들었지요. 그리고 당신들이 혼자가 아니라는 이야기도. 소문은 분명 사실이었군요. 정말 대단한 집회로군."

"우리는 볼투리 가에 도전하려는 게 아닙니다. 오해가 있었어요. 그게 전부입니다."

칼라일이 그렇게 대답하고 다시 말을 이었다. 잔뜩 긴장한 목소리였다.

"사실 아주 심각한 오해긴 하지만, 그래도 풀리기를 바랍니다. 이들이 증인이 되어줄 겁니다. 우린 볼투리 가가 우리 이야기를 들어주길 바라고 있어요. 우리는……."

"그자들이 당신들에 대해 뭐라고 떠들든 관심 없소. 당신들이 법을 어겼는지에 대해서도 관심 없고."

첫 번째 목소리가 끼어들었다.

"아무리 엄청난 위법이라고 해도."

두 번째 목소리가 뒤를 이었다.

"우린 저 이탈리아의 쓰레기들에게 누군가 반기를 들어주기를 천오백 년 동안이나 기다려왔소. 그들이 무너질 가능성이 조금이라도 있다면 우린 그 모습을 낱낱이 지켜볼 거요."

첫 번째 목소리가 말했다.

"아니면 그들을 무너뜨리도록 돕겠소. 당신에게 가능성이 있기만 하다면!"

두 번째 목소리가 덧붙였다. 그들은 계속 매끄럽게 연달아 말하고 있었다. 서로 목소리가 너무 비슷해서, 청각이 둔하다면 한 명이 말하는 것으로 착각할 정도였다.

"벨라? 르네즈미를 데려와. 루마니아 손님들에게 설명해야 하니까."

에드워드가 굳은 목소리로 내게 말했다.

루마니아 뱀파이어들이 르네즈미를 보고 소란을 벌이더라도, 거실에 있는 뱀파이어의 절반은 르네즈미를 지켜 줄 거라는 생각을 하니 조금 안심이 되었다. 난 그들의 목소리도, 그들의 말 속에 숨어 있는 어두운 협박도 마음에 들지 않았다. 거실로 걸어가면서 그런 평가를 내린 게 나만은 아니라는 걸 깨달았다. 뱀파이어들 대부분이 적의가 담긴 눈으로 미동도 없이 새로운 방문객들을 바라보고 있었다. 특히 카르멘, 타냐, 자프리나, 세나 등 몇몇 뱀파이어들은 그들과 르네즈미 사이에 방어하는 듯한 자세로 서 있었다.

현관문에 서 있는 뱀파이어들은 가냘프고 키가 작았다. 한 명은 검은 머리이고, 다른 한 명은 밝은 회색으로 보이는 잿빛 금발이었다. 그렇게 두드러지지는 않았지만 그들의 피부도 볼투리 가의 뱀파이어들처럼 푸석해 보였다. 볼투리 일가를 보았을 때 난 아직 결점 많은 인간의 눈을 가지고 있었으므로 확신하기는 힘들었지만. 그들의 날카롭고 가느다란 눈은 짙은 포도주 색이었고, 우윳빛 막은 끼어 있지 않았다. 또 현대적으로 보일 수도 있는 심플한 검은 옷을 입고 있긴 했지만 사실 아주 오래된 디자인 같았다.

내가 나타나자 검은 머리의 뱀파이어가 씩 웃었다.

"이것 보시오, 칼라일. 장난이 심하군요?"

"저 애는 당신들이 생각하는 그런 존재가 아닙니다, 스테판."

"우리는 어느 쪽이라도 상관없소. 조금 전에 말하지 않았소."

금발 머리가 대답했다.

"그렇다면 마음껏 지켜봐도 좋습니다. 하지만 조금 전에 말했듯이 우리는 볼투리 가에 도전하려는 게 아닙니다."

"그러면 손가락을 걸고."

스테판이 말문을 열었다.

"행운을 빌어야겠군요."

블라디미르가 말을 끝냈다.


결국 우리는 총 열일곱 명의 증인을 모았다. 아일랜드에서 온 시오반,

리엄, 매기. 이집트에서 온 아문, 케비, 벤저민, 티아. 아마존에서 온 자프리나와 세나. 루마니아에서 온 블라디미르와 스테판. 그리고 떠돌이인 샬럿, 피터, 가렛, 앨리스테어, 메리, 랜들. 거기에 우리 가족 열한 명이 더해졌다. 타냐, 케이트, 엘리저, 카르멘은 자신들을 가족에 포함시켜 달라고 했다.

볼투리 가의 경우를 제외한다면, 뱀파이어 역사상 성숙한 뱀파이어가 이만큼 모인 일은 없었을 것이다. 이제 우리 모두 작은 희망을 품기 시작했다. 심지어 나조차도. 르네즈미는 짧은 시간 안에 많은 뱀파이어들을 자기편으로 끌어들였다. 이제 볼투리 가는 싫든 좋든 아주 잠깐이라도 우리 이야기를 들어야만 할 것이다.

루마니아 뱀파이어들은 1500년 전 자신들의 제국을 무너뜨린 자들에 대한 쓰라린 원한에 젖어 있었다. 그들이 바로 마지막 생존자였다. 어쨌든 스테판과 블라디미르는 모든 것을 담담히 받아들였다. 그들은 르네즈미를 만지지는 않았지만, 그 애에게 아무런 반감도 보이지 않았다. 또 늑대인간과 우리가 맺은 동맹관계에 이상하게 흥분하는 것 같았다.

그들은 내가 자프리나나 케이트와 함께 실드 다루는 법을 연습하는 장면을 지켜보았고, 에드워드가 마음 속 질문들을 듣지 않고도 대답하는 것을 보았으며, 벤저민이 단지 생각만으로 강에서 물을 뿜어 올리거나 고요한 대기에서 날카로운 돌풍을 일으키는 모습을 보았다. 볼투리 가가 드디어 적수를 만났다는 격렬한 희망에 그들의 눈이 빛났다.

그들과 같은 마음은 아니었지만, 어쨌든 우리 역시 희망을 품게 되었다.

# 33

# 위조

---

"아직 아빠가 알면 안 되는 친구들이 집에 있어서요. 네, 르네즈미를 본지 일주일도 넘은 건 저도 알아요. 하지만 지금은 오시면 안 돼요. 제가 르네즈미를 데려갈까요?"

찰리는 한동안 말이 없었다. 그가 내 이면에 감춰진 긴장을 느낀 건 아닐까 걱정되었다. 하지만 그때 그가 중얼거리는 소리가 들렸다.

"알면 안 되는…… 윽."

나는 아빠가 한참이나 뜸을 들인 게 초자연적인 것에 대한 경계심 때문이라는 걸 깨달았다.

"좋아. 오늘 아침에 데려올 수 있어? 수가 점심식사를 만들어 주기로 했거든. 너처럼 그녀도 내가 요리하는 걸 질색하더라."

찰리가 말했다. 그리고 옛날 일을 생각하며 웃다가 한숨을 쉬었다.

"오늘 아침이 딱 좋겠는데요."

빠를수록 좋다. 난 이미 이 일을 너무 오랫동안 미뤄왔다.

"제이콥도 오니?"

늑대인간의 각인현상에 대해 찰리는 모르고 있었다. 하지만 그 누구라도 제이콥과 르네즈미의 남다른 관계는 알아차릴 수 있었다.

"아마도요."

뱀파이어들 없이 르네즈미와 보낼 수 있는 오후 시간을 제이콥이 놓칠 리 없었다.

"그럼 빌리도 초대해야겠구나. 하지만…… 흠, 다음에 하지 뭐."

찰리가 생각에 잠긴 듯 말했다. 나는 찰리의 말에 반쯤 귀를 기울이고 있었다. 이 정도면 알아차리기에 충분하다. 찰리가 빌리 이야기를 할 때 이상하게 내켜하지 않는 걸. 하지만 난 그 이유까지는 고민하지 않기로 했다. 찰리와 빌리는 어른이다. 그들 사이에 무슨 일이 있다면 스스로 해결할 수 있을 것이다. 내게는 고민해야 할 더 중요한 일이 많으니까.

"조금 있다 봐요."

나는 전화를 끊었다.

이번 방문은 이상한 방식으로 조합된 스물일곱 명의 뱀파이어들로부터 아빠를 지키는 것 이상의 의미가 있었다. 다들 반경 500킬로미터 안에서는 아무도 죽이지 않겠다고 맹세했지만 그래도……. 인간이라면 분명 이들 근처에 가지 않는 게 좋으리라. 에드워드에게 들이댔던 핑계도 그거였다. 르네즈미를 찰리에게 데려가서 그가 여기 오지 못하게 하겠다는 것. 그건 집을 나설 수 있는 좋은 이유가 되었지만, 사실 외출의 진짜 목적은 아니었다.

"네 페라리로 가면 안 돼?"

차고에서 제이콥이 불평했다. 나는 이미 르네즈미와 함께 에드워드의 볼보에 오른 뒤였다.

에드워드는 나의 '이후 차'를 공개했지만 나는 선물에 걸맞은 감격한 모습을 보여주지 못했다. 그가 예상한 대로였다. 분명 예쁘고 빠르긴 하지만 내 발로 달리는 게 더 좋으니까.

"너무 눈에 띄잖아. 걸어가고 싶지만 찰리가 놀랄 거야."

내가 대답했다. 제이콥은 투덜대면서 앞좌석에 앉았다. 르네즈미는 내 무릎에서 그의 무릎으로 옮겨갔다.

"어때?"

나는 차고를 빠져나가면서 제이콥에게 물었다.

"넌 어떻게 생각하는데? 난 저 냄새나는 흡혈귀들이 신물 나."

제이콥이 신랄하게 쏘아붙였다. 그리고 내 표정을 보더니 내가 미처 대답을 하기도 전에 이렇게 말했다.

"그래, 알아, 알아. 다 좋은 녀석들이고, 도우러 여기까지 와 줬고, 우리 모두를 구해줄 거야…… 기타 등등이겠지. 자, 네가 원하는 걸 말해봐. 난 드라큘라 1과 드라큘라 2는 여전히 섬뜩하다고."

웃지 않을 수 없었다. 루마니아 뱀파이어들은 나 역시 좋아하는 손님들이 아니었으니까.

"그래. 그 말엔 동의해야겠네."

르네즈미는 고개를 흔들었지만 아무 말도 하지 않았다. 우리들과 달리 르네즈미는 그 루마니아 뱀파이어들에게 이상하게 매력을 느꼈다. 그들이 자신을 만지는 것을 허락하지 않자 그 애는 말로 대화를 나눠보려 했었다. 르네즈미가 던진 질문은 그들의 특이한 피부에 대한 것이었다. 난 그들이 기분 나빠할까 봐 걱정되면서도 그 애가 물어봐준 게 기뻤다. 나도 궁금했기 때문이다.

그들은 르네즈미의 호기심에 기분이 상한 것 같지는 않았다. 조금 슬퍼하는 것 같기는 했지만.

"우리는 아주 오랫동안 가만히 앉아 있었단다, 아가야."

블라디미르가 대답했다. 스테판은 고개를 끄덕일 뿐 평소처럼 블라디미르의 말을 이어가지 않았다.

"우리의 신성함에 대해 생각하면서 말이야. 모두가 제 발로 우리를 찾는다는 건 곧 우리가 가진 힘의 징표였지. 사냥감, 외교사절, 우리의 호의를 구하는 사람들……. 우린 왕좌에 앉아서 우리 자신을 신이라고 믿었단다. 그래서 오랜 세월에 걸쳐 우리가 변하고 있는 걸 알아차리지 못했어. 거의 돌이 되어가고 있었지. 볼투리 가가 우리의 성을 불태웠을 때, 적어도 한 가지 면에서만은 우리에게 좋은 일을 해준 셈이었지. 스테판과 나는 적어도 더 이상 돌이 되어가지는 않으니까. 이제 볼투리 가의 눈은 부옇게 흐려졌지만 우리의 눈은 밝아. 그게 우리가 그들의 눈알을 후벼 파낼 수 있게 도와주겠지."

그 후 나는 르네즈미가 그들 곁에 가지 못하게 했다.

"찰리하고는 얼마나 있어야 해?"

제이콥이 내 생각에 끼어들었다. 우리 집과 방문자들에게서 멀어지자 눈에 띄게 긴장이 풀린 것 같았다. 그가 나를 뱀파이어로 여기지 않는 게 기뻤다. 나는 그냥 벨라였다.

"꽤 오랫동안."

내 말투가 그의 관심을 끌었다.

"네 아빠를 방문하는 것 말고 다른 용건이 있지?"

"제이콥, 너 에드워드 앞에서 생각을 아주 잘 감추더라?"

그가 짙은 검은색 눈썹을 치켜 올렸다.

"그래?"

나는 르네즈미를 흘깃 보면서 고개만 끄덕였다. 그 애는 차창을 내다보고 있어서 우리 대화를 얼마나 열심히 듣고 있는지 알 수 없었다. 하지만 난 더 이상 위험한 짓은 하지 않기로 했다. 제이콥은 내 말을 기다리다가 아랫입술을 내밀고는 생각에 잠겼다.

조용히 차를 타고 가는 동안 나는 성가신 콘택트렌즈를 통해 차가운 비를 곁눈질했다. 눈이 올 만큼 아주 춥지는 않았다. 이제 내 눈은 처음처럼 무시무시해 보이지는 않았다. 선홍색보다는 붉은 기가 도는 오렌지색에 가까웠다. 곧 호박색이 되어 콘택트렌즈가 필요없게 될 것이다. 그런 변화에 찰리가 너무 놀라지는 않았으면.

찰리의 집에 도착할 때까지 제이콥은 우리의 두서없는 대화를 곱씹고 있었다. 우리는 인간다운 걸음으로, 하지만 재빨리 빗속을 뚫고 지나며 서로 아무 말도 하지 않았다. 아빠는 우리를 기다리고 있었다. 내가 문을 두드리기도 전에 현관문이 열렸다.

"어서와라! 벌써 몇 년은 못 본 것 같구나. 이제야 만나네, 네시! 할아버지한테 오렴! 15센티미터는 큰 것 같구나. 마른 것 같기도 하고. 우리 아가. 엄마 아빠가 너한테 밥을 잘 안 주던?"

찰리는 그렇게 말하며 나를 노려보았다.

"너무 빨리 커서 그런 거예요. 안녕하세요, 수."

나는 중얼중얼 답하고 나서 찰리의 어깨 너머로 인사를 건넸다. 닭고기, 토마토, 마늘, 그리고 치즈 냄새가 부엌에서 풍겨왔다. 인간들에게라면 좋은 냄새일 것이다. 또 신선한 소나무와 먼지 냄새도 났다. 르네즈미는 보조개를 만들며 미소 지었다. 그 애는 찰리 앞에서는 절대로 말을 하지 않았다.

"추운데 어서 들어와. 우리 사위는 어디 있나?"

"친구들을 대접하고 있죠. 거기 끼지 않은 걸 행운으로 아세요, 찰리. 내가 말할 수 있는 건 그게 다예요."

제이콥의 삐딱한 대답이었다. 찰리가 움찔하는 걸 보며 나는 가볍게 제이콥의 허리를 때려주었다.

"아얏."

제이콥이 낮게 투덜거렸다. 음, 난 가볍게 때렸다고 생각했는데.

"실은요, 아빠. 볼 일이 좀 있어서요."

제이콥은 나를 흘깃 보고는 아무 말도 하지 않았다.

"크리스마스 쇼핑이니, 벨라? 그러고보니 며칠 안 남았구나."

"네, 크리스마스 쇼핑이요."

내가 어색하게 대답했다. 그래서 먼지 냄새가 났구나. 찰리는 오래된 크리스마스 장식을 꺼낸 게 분명했다.

"걱정 마, 네시. 네 엄마가 잊어버리면 내가 챙겨줄게."

그가 르네즈미의 귀에 속삭였다. 나는 그를 향해 눈동자를 굴렸지만, 사실 크리스마스 같은 건 전혀 생각하지 못하고 있었다.

"점심 차려놨어요. 다들 와요."

수가 부엌에서 불렀다.

"나중에 봐요, 아빠."

난 그렇게 말하고 제이콥과 재빨리 시선을 교환했다. 그는 에드워드 앞에서도 이 장면을 떠올릴 수밖에 없겠지만, 다행히도 내가 그와 공유한 건 많지 않다. 그는 내가 무엇을 하려는 건지 전혀 모르니까.

하지만 차에 오르면서 생각해보니, 아는 게 별로 없기는 나도 마찬가지였다.

길은 미끄럽고 어두웠지만 더 이상 운전하기 두렵지 않았다. 뛰어난 반사 신경 덕에 능숙하게 운전할 수 있었고, 사실 거의 길을 주시할 필요도 없었다. 문제는 다른 차가 있을 때 눈에 띄지 않도록 속도를 늦추는 것뿐이었다. 오늘의 미션을 무사히 끝내고 싶었으니까. 이 미스터리를 해결하고 어서 하던 일로 돌아가고 싶었다. 누군가를 보호하는 법을 배우고, 누군가를 죽이는 법을 배우는 것.

나는 점점 더 능숙하게 실드를 다룰 수 있게 되었다. 케이트도 더 이상 나를 자극할 필요가 없다고 믿게 되었다. 분노가 열쇠라는 걸 알게 되었으므로 일은 전보다 훨씬 쉬워졌다. 그래서 이제는 대개 자프리나와 훈련했다. 그녀는 내가 방어막을 넓혀갈 때마다 기뻐했다. 나는 3미터 정도의 거리를 1분 이상 실드로 덮을 수 있게 되었다. 그러고 나면 온몸이 녹초가되었다. 오늘 아침 자프리나는 내가 실드를 아예 내 몸 밖으로 밀어낼 수있는지 보고 싶어 했다. 그게 언제 쓰이게 될지는 모르지만, 자프리나는이 훈련을 계속하면 내가 더 강해질 거라고 했다. 팔뿐 아니라 배와 등의근육까지 같이 단련하는 게 좋은 것처럼. 결국 온몸의 근육이 강해져야 더무거운 것도 들 수 있는 거니까.

하지만 쉽지는 않았다. 난 그녀가 펼쳐 보인 정글의 강을, 아주 잠깐 동안만 볼 수 있었다.

하지만 다가올 일에 대비해 다른 할 일들도 있었다. 이제 2주밖에 남지않았기 때문에 내가 가장 중요한 일을 팽개치고 있는 건 아닌가 하는 걱정이 들었다. 그래서 오늘, 그런 태만을 바로잡기 위해 나온 것이다.

지도를 미리 외워둔 덕에, 온라인상에 존재하지 않았던 J. 젠크스의 주소를 찾는 건 힘든 일이 아니었다. 다음번에는 다른 주소지의 제이슨 젠크스를 찾을 것이다. 앨리스가 알려준 사람은 아니지만.

그리 좋은 동네가 아니라고 말하는 건, 이곳을 과소평가하는 일이다. 컬렌 가의 차들 중 가장 평범한 차조차도 이 동네에서는 지나치게 눈에 띄었다. 내 낡은 세비도 이곳에서는 멀쩡해 보일 것이다. 인간일 때였다면 자동차문을 모두 잠그고 최대한 속도를 내어 이곳을 지나쳤겠지. 나는 살짝흥미를 느꼈다. 앨리스가 어떤 이유로 이곳에 왔을지 상상해보았지만 도무지 떠오르지 않았다.

건물들(모두 3층이고, 하나같이 좁고, 내리치는 빗방울에 머리를 숙이듯 살짝 기울어진 모습이었다)은 대부분 오래된 아파트들이었다. 벗겨진

페인트는 원래 어떤 색깔이었는지 알아보기 힘들었다. 모든 것이 회색으로 빛이 바래 있었다. 몇몇 건물들은 1층에 상점들이 있었다. 유리창에 검은 칠이 된 지저분한 바, 번쩍이는 네온싸인들과 타로 카드가 문에 매달려 있는 마술용품 가게, 깨진 유리창에 덕트테이프를 붙이고 있는 탁아소. 인간의 눈에는 어두울 텐데도 불이 켜진 곳은 없었다. 멀리서 낮게 중얼거리는 소리가 들렸다. 텔레비전 소리 같았다.

사람들이 몇 명 눈에 띄었다. 두 명은 빗속에서 서로 반대 방향으로 걸어가고 있었고, 한 명은 판자를 두른 싸구려 법률사무소의 나지막한 포치에 앉아 비에 젖은 신문을 읽으며 휘파람을 불고 있었다.

태평한 휘파람소리에 정신이 팔린 나는 처음에는 그 황폐한 건물이 내가 찾던 주소지라는 것을 깨닫지 못했다. 그 허름한 곳에서는 번지를 찾아볼 수 없었지만, 그 옆의 문신 가게 번지수가 내가 찾는 곳의 번지수와 둘밖에 차이나지 않았다.

모퉁이에 차를 대고서 나는 아주 잠깐 시동을 켜두었다. 꼭 저 건물에 들어가야 할 텐데, 어떻게 해야 저 남자에게 들키지 않을까? 다음 골목에 차를 세우고 뒤로 들어가면……. 그쪽에는 사람이 더 많을 수도 있다. 그럼 지붕으로? 그러기에는 너무 밝지 않을까?

"이봐요, 아가씨."

휘파람을 불던 남자가 나를 불렀다. 난 그의 목소리가 들리지 않는 것처럼 조수석의 창문을 내렸다.

그 남자는 신문을 내려놓았고, 그 남자의 옷차림을 본 나는 깜짝 놀랐다. 남루한 먼지막이 코트 안에 그는 한껏 차려입고 있었다. 바람이 불지 않아 냄새가 실려 오지는 않았지만, 반짝이는 진홍색 셔츠는 실크 같았다. 검은 고수머리는 헝클어졌지만 검은 피부는 매끈하고 완벽했으며, 하얗고 고른 치아를 가지고 있어서 서로 대비를 이뤘다.

"그 차는 거기 주차하지 않는 게 좋을 거요, 아가씨. 도둑맞을 테니까."

그가 말했다.

"알려주셔서 고맙습니다."

나는 그렇게 인사하고 시동을 끈 뒤 차에서 내렸다. 아마 주거침입을 하는 것보다는 휘파람 불던 남자에게 물어보는 편이 빠를 것이다. 나는 커다란 회색 우산을 폈다. 사실 내가 입고 있는 긴 캐시미어드레스가 비에 젖을까 봐 우산을 펴든 건 아니었다. 그냥 사람들이 그렇게 하니까 그랬을 뿐.

그 남자는 빗방울 사이로 흘깃 내 얼굴을 보고 눈을 크게 떴다. 그는 침을 삼켰고, 내가 다가가는 동안 그의 심장소리는 빨라졌다.

"누굴 좀 찾고 있는데요."

내가 말했다.

"나 역시 '누구'이기는 한데. 도와드릴까요, 아름다운 아가씨?"

그가 미소 지었다.

"당신이 J. 젠크스인가요?"

내가 물었다.

"아! J를 왜 찾는데요?"

그가 되물었다. 기대하는 것 같던 표정은 이제 뭔가를 이해하는 표정으로 바뀌었다. 자리에서 일어선 그가 눈을 가늘게 뜨고 나를 살펴보았다.

"만나야 할 일이 있으니까요. 당신이 J예요?"

나는 단서를 주지 않았다.

"아닙니다."

그가 날카로운 눈으로 내가 입은 은회색 원피스를 위아래로 훑어보는 동안, 우리는 한참이나 마주 서 있었다. 마침내 그의 시선이 내 얼굴로 향했다.

"일반 고객은 아닌 것 같군요."

"아마도 그럴 거예요. 최대한 빨리 그를 만나야 하는데요."

내가 말했다.

"어떻게 해야 할지 모르겠군요."

그의 말이었다.

"이름이 뭐죠?"

내가 그렇게 묻자 그는 싱긋 웃었다.

"맥스."

"반가워요, 맥스. 당신은 일반 고객에게 뭘 해주는데요?"

웃고 있던 그가 얼굴을 찡그렸다.

"음, J의 일반 고객 중에는 당신 같은 사람이 없는데. 당신 같은 고객은 쓸데없이 도심 사무실에서 서성이지 않죠. 대신 고층빌딩에 있는 그의 멋진 사무실로 직행하겠지."

나는 다른 주소를 불러주었다.

"바로 거기요. 어째서 거기로 가지 않았죠?"

그가 다시 의심스러운 듯이 말했다.

"이곳 주소를 받았으니까요. 아주 믿을 만한 사람에게서."

"당신이 선량한 사람이라면 여기 오지 않았을 텐데."

나는 입술을 오므렸다. 나는 허세를 부리는 데는 익숙하지 않았지만 앨리스 때문에 어쩔 수 없었다.

"어쩌면 난 선량한 사람이 아닐지도 모르죠."

맥스가 미안한 표정을 지었다.

"저, 아가씨……."

"벨라예요."

"좋아요. 벨라. 난 이 일을 해야만 합니다. 하루 종일 여기 그냥 나와 있으면 J는 내게 많은 보수를 주죠. 나도 돕고 싶어요. 정말로요. 하지만…… 어디까지나 가정으로 얘기하는 거예요. 아니면 우리끼리 하는 얘기라도 좋고, 뭐든 당신이 편한 방식으로 하자고요. 어쨌든, 함부로 사람을 들여보냈다가 그에게 문제가 생기게 되면 난 잘려요. 자, 이제 뭐가 문젠지 알겠죠?"

나는 입술을 깨물며 1분쯤 생각했다.

"나 같은 사람이 온 적은 없어요? 음, 나랑 비슷한 부류 말이죠. 내 언니는 나보다 키가 작고 검은 머리카락을 삐죽삐죽 세웠는데."

"J가 당신의 언니를 알아요?"

"그럴 거예요."

맥스는 잠깐 생각에 잠겼다. 나는 그에게 미소를 지었고 그의 호흡이 가빠졌다.

"내가 어떻게 할지 이야기해줄게요. 일단 J에게 전화를 걸어 당신에 대해 설명할 거요. 그리고 결정은 그가 하는 거죠."

J. 젠크스는 무엇을 알고 있을까? 나에 대한 설명하는 게 과연 의미가 있을까? 갑자기 걱정스러워졌다.

"내 성은 컬렌이에요."

그게 중요한 정보가 될지는 알 수 없었다. 앨리스에게 슬슬 화가 나기 시작했다. 이렇게까지 내가 아무것도 모르고 있어야 했을까? 한두 마디 정도는 더 알려줄 수도 있었을 텐데…….

"컬렌, 알았어요."

그가 전화번호를 누르는 동안 나는 그 번호를 기억해두었다. 음, 일이 잘 안되면 내가 직접 J. 젠크스에게 전화를 걸 수 있을 것이다.

"안녕하세요, J? 맥스예요. 긴급 상황이 아니면 이 번호로 전화하지 말라고 했던 건 알지만……."

―긴급한 상황이란 뭔가?

수화기 너머로 희미하게 목소리가 들려왔다.

"음, 정확히 그런 건 아니고요. 어떤 아가씨가 당신을 보고 싶어 해서요……."

—급한 일 같지는 않은데. 왜 절차대로 하지 않았지?

"일반 고객 같지 않아서요."

—조직 사람인가?

"아뇨……."

—확실하지 않잖아. 쿠바레프 쪽 사람 같아……?

"아뇨, 내가 설명할게요, 네? 당신이 이 아가씨의 언니인지 누구인지를 안다던데요."

—허튼 소리 같은데. 그 여자가 어떻게 생겼는데?

"어떻게 생겼느냐 하면……."

그의 눈이 감상하듯 내 얼굴부터 신발까지를 훑었다.

"음, 끝내주는 슈퍼모델 같아요. 딱 그렇게 생겼죠."

나는 미소 지었다. 그가 내게 윙크하더니 통화를 계속했다.

"멋진 몸에 백지장처럼 창백하고 진갈색의 머리카락이 허리까지 내려오죠. 밤에 잠을 좀 자야 할 것 같고요. 귀에 익지 않아요?"

—전혀 모르겠는데. 이 봐, 자네. 마음에 안 들어. 예쁜 여자에게 약하다 했더니만…….

"그래요, 나 예쁜 여자 좋아해요. 그게 뭐 잘못인가요? 귀찮게 해서 미안해요. 그냥 잊어주세요."

"이름이요."

내가 속삭였다.

"아, 맞다. 잠깐만요. 그녀의 이름은 벨라 컬렌이래요. 뭐 좀 알겠어요?"

맥스가 말했다. 잠깐 침묵이 이어졌다. 그리고 갑자기 수화기 속의 목소리는 트럭 정류장에서나 들을 수 있는 단어들을 섞어가며 마구 소리를 지르기 시작했다. 맥스의 표정이 완전히 바뀌었다. 그의 얼굴에서 장난기가 사라지고 입술이 창백해졌다.

"안 물어봤잖아요!"

당황한 맥스가 소리를 질렀다. 잠깐 침묵이 이어지는 동안 J가 흥분을 가라앉혔다.

─아름답고 창백해?

J가 조금 더 잦아든 목소리로 물었다.

"내가 그렇게 말했잖아요, 안 그래요?"

아름답고 창백하다고? 저 남자는 뱀파이어에 대해 알고 있는 걸까? 그도 뱀파이어일까? 그런 만남에는 아직 준비가 되어 있지 않은데. 나는 이를 갈았다. 앨리스는 대체 날 무슨 일에 끌어들인 거야?

맥스는 약 1분가량 거친 욕설과 명령에 귀를 기울이더니, 거의 겁먹은 표정이 되어 나를 바라보았다.

"하지만 화요일에는 여기 고객들을 만나야 하잖아요. 알았어요, 알았어! 그래요."

그는 핸드폰을 닫았다.

"나를 만나고 싶대요?"

내가 유쾌하게 물었다. 맥스가 얼굴을 찡그렸다.

"중요 고객이면 중요 고객이라고 이야기를 해줬어야죠."

"몰랐어요."

"당신이 경찰인 줄 알았어요. 경찰 같아 보이진 않지만. 그래도 행동이 좀 이상해서요."

그가 말했다. 나는 어깨를 으쓱해 보였다.

"마약 조직원인가요?"

그가 물었다.

"누가요, 나요?"

내가 물었다.

"네. 아니면 당신의 남자친구라도."

"아뇨, 미안하지만 난 마약은 안 해요, 내 남편도 마찬가지고요. '저스트 세이 노(Just Say No)'라는 캠페인처럼 말이죠."

맥스가 낮게 탄식했다.

"결혼했어. 난 참 운도 없지."

나는 미소를 지었다.

"마피아?"

"아뇨."

"다이아몬드 밀수?"

"이런! 당신은 그런 사람들만 상대하나요, 맥스? 새로운 직업을 구해 보는 게 어때요?"

인정해야겠다. 지금 난 이 상황을 즐기고 있었다. 아직 난 찰리와 수 외에는 인간들을 거의 만나지 못했고, 그가 허둥대는 걸 보는 게 재미있었다. 게다가 그를 죽일 마음이 생기지 않는 것도 기뻤다.

"당신은 뭔가 큰일에 연루되어 있군요. 그리고 나쁜 일에."

"그런 거 아니에요."

"다들 그렇게 말하더군요. 하지만 그렇지 않다면 뭣 때문에 서류가 필요하겠어요? 그리고 어떻게 J에게 보수를 줄 수 있겠어요? 뭐, 어쨌든 내 일은 아니니까."

그러더니 그는 '결혼했어.'라는 말을 다시 한 번 중얼거렸다.

그는 처음 듣는 주소 하나를 알려주고 그곳의 위치도 설명해주었다. 그리고 내 차가 멀어지는 동안 의심과 서운함이 반반 섞인 눈으로 내 쪽을 바라보았다.

이제 난 거의 모든 것에 준비되어 있었다. 제임스 본드 영화에 등장하는 악당 소굴처럼 최첨단으로 꾸며진 곳이라면 어떨까. 그래서 맥스가 시험 삼아 내게 가짜 주소를 주었을지도 모른다는 상상을 했다. 아니면 문제의 소굴은 멋진 주거지에 자리 잡은, 아주 평범한 스트립 몰(상점이 한 줄로 늘어선 쇼핑센터: 편집자) 지하에 있을지도 모른다. 근처에는 수목이 우거진 언덕이 있을 테고.

나는 공터에 차를 세우고, '제이슨 스콧 변호사 사무실'이라고 적힌 세련된 간판을 올려다보았다.

사무실 내부는 베이지색으로 꾸며져 있고 중간 중간 초록색으로 포인트를 주었다. 거북하지도, 튀지도 않았다. 뱀파이어의 냄새가 나지 않아 마음이 놓였다. 익숙하지 않은 인간의 냄새뿐이었다. 벽에 붙은 수족관이 보였고 예쁘장한 금발의 여자가 안내 데스크에 앉아 있었다.

"안녕하세요. 어떻게 도와드릴까요?"

여자가 나를 맞았다.

"스콧 씨를 만나러 왔는데요."

"예약이 되어 있나요?"

"꼭 그렇지는 않은데요."

그녀가 살짝 히죽거렸다.

"그럼 좀 기다리셔야 합니다. 저기 앉아서……."

그때 책상에 놓여 있던 수화기에서 남자의 다그치는 목소리가 들려왔다.

—에이프릴! 컬렌 부인이 오기로 했는데.

미소를 지으며 그녀에게 날 가리켜보였다.

—그녀가 오면 당장 들여보내. 알겠나? 다른 일은 다 젖혀두고.

난 그의 목소리에서 조바심 이외의 다른 것도 엿들을 수 있었다. 스트레

695

스. 신경질.

"방금 도착하셨는데요."

에이프릴이 바로 대답했다.

—뭐? 들어오시게 해! 뭘 기다리는 거야?

"네, 스콧 씨."

그녀가 일어서더니 두 손을 흔들며 나를 그리 길지않은 복도로 안내했다. 복도를 걸어가는 동안 그녀는 내게 커피를 마실 건지 차를 마실 건지 물었다.

"여기예요."

문을 통과한 그녀는 나를 한 사무실로 안내했다. 묵직한 나무 책상이 놓이고 한쪽 벽에 가구가 세워진 방이었다.

"문 닫고 나가게."

신경질적인 테너 목소리가 명령했다.

에이프릴이 서둘러 방을 나가는 동안 난 책상 뒤에 앉아 있는 남자를 자세히 살펴보았다. 키가 작고 대머리에 배가 나온 그는 쉰다섯 살쯤 되어 보였다. 흰색과 파란색의 줄무늬 셔츠에 빨간 실크 타이를 맨 차림이었고, 감색 블레이저는 의자 등받이에 걸려 있었다. 그는 몸을 떨고 있었고 이마에는 땀이 흘렀다. 또 낯빛은 밀가루 반죽같이 창백했다. 나는 그의 뱃살 아래에서 마구 휘젓고 다니는 궤양을 상상했다.

제정신을 찾은 J는 불안하게 의자에서 일어났다. 그가 책상 너머로 손을 내밀었다.

"컬렌 부인, 뵙게 되어 기쁩니다."

나는 내 손을 그의 손에 겹치고는 재빨리 한 번 흔들었다. 그는 차가운 내 피부에 움찔했지만 그리 놀라는 것 같지는 않았다.

"젠크스 씨, 아니면 스콧 씨가 편한가요?"

그는 다시 움찔했다.

"편하신 대로 하십시오."

"벨라라고 불러주세요. 전 당신을 J라고 불러도 될까요?"

"오랜 친구들처럼 말이죠. 내가 드디어 재스퍼 씨의 사랑스러운 부인을 만나게 된 건가요?"

그렇게 물으며 그는 실크 손수건으로 이마를 닦았다. 그리고 내게 앉으라고 손짓하더니 자신도 자리에 앉았다. 아주 잠깐 동안 나는 생각했다. 이 남자는 앨리스에 대해서는 모른다. 하지만 재스퍼는 알고 있고, 동시에 몹시 두려워하는 것처럼 보였다.

"재스퍼의 동생 부인이죠."

마치 나만큼이나 필사적으로 이 상황의 의미를 파악하려는 것처럼 그는 입술을 오므렸다.

"재스퍼 씨는 건강하시죠?"

그가 조심스럽게 물었다.

"아주 건강할 거예요. 벌써 휴가 중이거든요."

내 말에 J의 의문이 어느 정도 풀린 것 같았다. 그는 혼자 고개를 끄덕였다.

"그렇군요. 본사무실로 오시지 그랬어요. 거기 직원들이라면 바로 나와 연결시켜줬을 텐데. 그런 불편한 과정은 거칠 필요가 없었겠지요."

난 고개를 끄덕였다. 왜 앨리스는 그 빈민가의 주소를 알려주었을까?

"아, 어쨌든 이리로 오셨으니까. 뭘 도와드릴까요?"

"서류요."

나는 내가 무슨 소리를 하는지 아는 것처럼 목소리를 꾸몄다.

"좋습니다. 출생증명서, 사망증명서, 운전면허증, 여권, 사회보장카드……?"

J가 즉시 대답했다. 나는 심호흡을 하고 미소 지었다. 맥스에게 큰 빚을 진 것 같았다.

그때 내 미소가 희미해졌다. 앨리스는 이유가 있어서 나를 여기로 보낸 거였다. 내게 마지막 선물을 주기 위해서. 내가 간절히 원하는 한 가지. 르네즈미를 보호하는 것.

르네즈미가 위조범을 필요로 하는 경우라면 딱 한 가지뿐이다. 도망쳐야 할 경우. 그리고 르네즈미가 도망쳐야 할 상황 역시 한 가지뿐이다. 우리가 패하는 경우.

만약 에드워드와 내가 함께할 수 있다면 이런 서류는 필요하지 않을 것이다. 신분증 같은 건 에드워드가 구할 수 있고, 또 직접 만들 수도 있다. 게다가 그는 신분증 없이 탈출하는 방법도 분명 알고 있었다. 우리는 그 애를 데리고 수천 킬로미터라도 달릴 수 있다. 그 애와 함께 대양도 건널 수 있다.

우리가 그 애를 곁에서 지켜줄 수만 있다면.

그리고 에드워드에게 이 모두를 비밀로 해야 하는 이유는, 그가 아는 모든 것을 아로도 알게 될 가능성이 높기 때문이다. 만일 우리가 지게 되면 아로는, 에드워드를 없애기 전에 모든 정보를 빼낼 것이다.

내가 의심했던 그대로였다. 우리는 이길 수 없다. 그래도 패하기 전에 반드시 드미트리를 없애야 한다. 르네즈미가 도망칠 수 있도록.

내 멈춰버린 심장이 돌덩이처럼 무겁게 느껴졌다. 모든 희망은 햇빛 속의 안개처럼 사라졌다. 눈이 따끔거렸다.

이 일을 누구에게 맡겨야 하지? 찰리? 하지만 그는 약해빠진 인간일 뿐이다. 그리고 어떻게 르네즈미를 그에게 보낸단 말인가? 싸움이 벌어지는 현장에 아빠는 오지도 못할 텐데. 그러면 남는 건 한 사람뿐이다. 원래부터 다른 사람은 있지도 않았다.

나는 이 모든 계획을 아주 순식간에 짜냈기 때문에, J는 알아차리지도 못했다.

　"출생증명서 두 개, 여권 두 개, 운전면허증 하나."

　나는 낮고 긴장한 목소리로 말했다.

　"이름은요?"

　"제이콥…… 울프. 그리고…… 바네사 울프요."

　네시는 바네사의 애칭으로 들릴 것이다. 제이콥은 울프라는 성을 재미있어하겠지. 그의 펜이 서류 위를 재빠르게 움직였다.

　"가운데 이름은요?"

　"흔한 걸로 넣어주세요."

　"좋으실 대로. 나이는요?"

　"남자는 스물일곱, 여자는 다섯 살이에요."

　제이콥은 잘 해낼 거다. 그는 야수니까. 그리고 르네즈미가 자라는 속도를 감안할 때 나이를 높이 잡는 게 나을 것이다. 제이콥이 그 애의 계부가 될 수 있겠지…….

　"사진이 필요한데요. 재스퍼 씨는 대개 직접 일을 끝내곤 했죠."

　J의 말에 나는 생각을 멈췄다. J가 앨리스의 얼굴을 모르는 것도 그래서였다.

　"잠깐만요."

　내가 그렇게 말했다. 운이 좋았다. 내 지갑에는 가족들의 사진이 몇 장 들어 있었다. 그리고 때마침 운 좋게, 찍은 지 한 달밖에 안 되는 사진도 있었다. 제이콥이 르네즈미를 안고 포치 계단에 앉아 있는 사진이었다. 이 사진은 며칠 전 앨리스에게서 받은 것이었다……. 아. 어쩌면 운이 좋았던 것만은 아닌 것 같다. 앨리스는 내가 이 사진을 가지고 있을 것을 미리 알고 있었다. 아마 그녀는 사진을 주기 전에 흐릿하게 보았을 것이다. 이 사진이 필요하게 된다는 것을.

"여기요."

J는 잠깐 사진을 살펴보았다.

"딸이 엄마를 많이 닮았네요."

나는 긴장했다.

"아빠를 더 많이 닮았어요."

"이 남자는 아닌데."

그가 제이콥의 얼굴을 가리켰다. 난 눈을 가늘게 떴다. J의 번들거리는 머리에 또다시 땀이 흐르고 있었다.

"아뇨. 그는 우리 가족과 아주 가까운 친구예요."

"미안합니다. 이 서류들이 언제 필요하십니까?"

그는 그렇게 묻고 다시 펜을 움직이기 시작했다.

"일주일 안에 찾을 수 있을까요?"

"촉박하군요. 그럼 보수를 두 배로 내셔야 합니다. 아니, 죄송합니다. 당신이 누구인지 잊고 있었군요."

분명히 그는 재스퍼를 알고 있었다.

"금액만 얘기하세요."

재스퍼와 거래할 때는 액수가 문제가 되지 않는다는 걸 이미 알 텐데도 그는 주저하고 있었다. 전 세계에 컬렌 사람들의 이름으로 개설된 거액의 계좌들 말고도, 집 안 여기저기에는 작은 나라를 10년 정도는 풍족하게 먹여 살리기에 충분한 현금이 숨겨져 있었다. 찰리의 집을 뒤져보면 서랍 뒤쪽에 항상 100여 개의 낚싯바늘이 들어 있었던 것처럼. 내가 미래에 대비하기 위해 그 돈에 조금 손을 댄다고 누가 알아차리기나 할까?

J는 서류 아랫부분에 금액을 적었다. 나는 조용히 고개를 끄덕였다. 내게는 그보다 많은 돈이 있었다. 나는 다시 가방을 열어 그 액수만큼의 돈

을 꺼냈다. 클립으로 5000달러마다 표시해놓았기 때문에 시간이 오래 걸리지는 않았다.

"여기요."

"아, 벨라. 지금 값을 모두 치를 필요는 없습니다. 반만 먼저 지불하고, 확실히 계약을 이행한 후에 나머지 반을 내는 게 관례죠."

난 그 신경질적인 남자에게 희미하게 미소 지었다.

"당신을 믿어요, J. 난 당신에게 보너스를 줄 생각이에요. 이 서류를 찾아갈 때 말이죠."

"그럴 필요는 없습니다, 정말입니다."

"걱정 마세요. 그럼 다음주에 같은 시간에 여기서 뵙는 거죠?"

지금 서류를 가져갈 수 있을 것 같지는 않았다. 그가 화난 듯 나를 바라보았다.

"사실 이런 거래는 내 사업과는 관계가 없는 곳에서 하죠."

"물론. 당신이 예상하듯이 그렇게 거래하지는 않을 거예요."

"컬렌 가족에 대해서는 아무 예상도 하지 않습니다."

그는 얼굴을 찡그렸다가 재빨리 얼굴을 펴고 덧붙였다.

"일주일 뒤, 패시피코에서 8시에 만나죠. 유니언 레이크에 있습니다. 음식도 맛있고요."

"좋아요."

난 그와 식사를 하지는 않을 것이다. 사실 그 역시, 나와 식사하는 걸 별로 좋아하지 않을 것 같다. 나는 일어섰고 그가 다시 악수를 청했다. 이번에는 움찔하지 않았다. 하지만 그에게는 새로운 걱정이 생긴 것 같았다. 그는 입을 꼭 다물었고 등은 굳어 있었다.

"데드라인이 촉박해서 그러세요?"

내가 물었다.

"네? 데드라인이요? 아, 아뇨. 전혀 문제없습니다. 제때 서류를 준비해 두겠습니다."

내 질문에 경계를 푼 그가 날 올려다보며 대답했다.

에드워드도 함께 왔더라면 J의 진짜 걱정이 뭔지 알아낼 수 있었을 텐데. 나는 한숨을 쉬었다. 에드워드에게 비밀을 만들어야 하다니, 최악이었다. 그와 떨어져 있어야 하는 것 역시 감당하기 힘들었다.

## 34

# 감출 수 없는 진실

◆

차에서 내리기 전부터 음악 소리가 들렸다. 앨리스가 떠나던 날부터 에드워드는 피아노 앞에 앉지 않았다. 자동차 문을 닫는 동안 이제 그 음악은 간주 부분을 지나 내가 흥얼거리던 자장가로 바뀌었다. 에드워드는 나를 반기고 있었다.

나는 르네즈미를 안아 차에서 내리게 했다. 하루 내내 외출했던 아이는 이제 깊이 잠들어 있었다. 제이콥은 찰리의 집에 남겨두었다. 그는 수의 차를 타고 오겠다고 했다. 제이콥은 찰리의 집을 나설 때의 내 표정을 기억에서 밀어내기 위해 애써 머릿속을 평범한 일들로 가득 채우려는 것 같았다.

천천히 집으로 향하면서 깨달았다. 오늘 아침 이 커다란 하얀 집을 에워쌌던, 오라처럼 눈에 보이는 것만 같던 희망과 흥분은 결국 나만의 것이었다는 걸. 이제 그것들은 내게 너무나 이질적으로 느껴졌다.

에드워드가 나를 위해 연주하는 소리를 들으니 다시 울고 싶어졌다. 하지만 참았다. 그가 의심하는 건 싫으니까. 할 수만 있다면 그의 마음에 아무 단서도 남기지 않을 생각이다. 아로가 알아차리지 못하도록.

내가 안으로 들어서자 에드워드는, 고개를 돌리고 미소를 지으며 연주를 계속했다.

"집에 온 걸 환영해. 찰리하고 재미있게 지냈어?"

평소와 다름없이 그가 말했다. 마치 이런저런 일을 하며 거실에 흩어져 있는 열두 명의 뱀파이어와, 다른 어딘가에 흩어져 있는 또 다른 뱀파이어들의 존재를 아예 모르는 것처럼.

"응. 너무 늦게 와서 미안해. 르네즈미에게 크리스마스 선물을 사주려고 잠깐 나갔다 왔거든. 대단하지는 않지만……."

나는 어깨를 으쓱해보였다. 에드워드가 갑자기 연주를 멈추고 의자 위에서 몸을 돌렸다. 이제 그의 몸은 나를 향하고 있었다. 그가 내 허리를 잡더니 끌어당겼다.

"생각 못했는데. 네가 원한다면 좋은……."

"아니. 르네즈미에게 아무것도 주지 않고 지나치기 싫어서 그런 것뿐이야."

그렇게 나는 그의 말을 잘랐다. 억지로 즐거운 척해야 한다는 생각을 하니 움찔하지 않을 수 없었다.

"봐도 돼?"

"마음대로. 그냥 작은 거야."

정신없이 곯아떨어진 르네즈미는 내 목에 기댄 채 살짝 코를 골았다. 나는 르네즈미가 부러웠다. 단 몇 시간이라도 현실에서 도망칠 수 있다면 얼마나 좋을까.

에드워드가 안에 든 돈을 보지 못하도록 조심스럽게 클러치 백을 열고, 벨벳으로 된 작은 보석 상자를 꺼냈다.

"차를 몰고 가는데 어떤 고풍스러운 가게에 이게 진열되어 있잖아."

나는 그의 손바닥에 금으로 만든 작은 로켓을 떨어뜨렸다. 둥근 모양으로, 가장자리에 가늘게 덩굴이 새겨져 있었다. 에드워드는 작은 잠금쇠를 열고 안을 들여다보았다. 작은 사진을 넣는 자리가 있고, 그 반대편에 프랑스어 글귀가 새겨져 있었다.

"무슨 뜻인지 알아?"

그가 가라앉은 목소리로 말했다.

"가게 주인이 '내 생명보다 소중한'이란 뜻이라고 알려줬어. 맞지?"

"그래. 맞아."

그의 토파즈색 눈이 나를 올려다보았다. 나는 잠깐 그와 시선을 마주치고는 텔레비전에 정신이 팔린 척했다.

"르네즈미가 좋아하면 좋겠는데."

내가 중얼거렸다.

"당연히 좋아하겠지."

그가 아무렇지 않은 척 가볍게 말했다. 순간 내가 뭔가를 숨기고 있다는 걸 그가 알아차렸으리라는 생각이 들었다. 물론 자세히 알지는 못하겠지만.

"르네즈미를 오두막으로 데려가자."

그가 일어서더니 내 어깨에 팔을 둘렀다. 나는 머뭇거렸다.

"왜?"

그가 물었다.

"에밋과 함께 훈련을 좀 하고 싶은데……."

정말 중요한 일 때문이긴 했지만, 결과적으로 하루를 까먹고 말았다. 그래서인지 뒤처진 느낌이 들었다. 에밋(그는 로잘리와 함께 소파에 앉아 있었다. 물론 리모컨을 들고서)이 나를 보더니 기대감에 씩 웃어 보였다.

"좋아. 숲을 좀 솎아내야겠는걸."

에드워드가 처음에는 에밋에게, 그다음에는 내게 얼굴을 찡그렸다.

"내일도 시간은 많잖아."

그가 말했다.

"바보 같은 소리하지 마. 시간이 많다는 게 말이 돼? 생각할 수 없는 일이야. 난 배울 것도 많고……."

나는 투덜거렸다. 그가 내 말을 잘랐다.

"내일."

그는 에밋도 꼼짝 못할 표정을 짓고 있었다.

다시 우리의 새로운 일상으로 돌아가기는 정말 어려웠다. 품고 있던 약간의 희망이 사라지자 모든 게 불가능한 일로만 보였다.

그래도 난 긍정적인 부분에 초점을 맞추려 했다. 내 딸에게 살아남을 기회가 주어졌다는 것. 그리고 제이콥에게도. 만일 그들에게 미래가 있다면, 어느 정도는 승리한 게 아닐까? 제이콥과 르네즈미에게 도망갈 기회를 줄 수만 있다면 우린 최선을 다해 버텨야 할 것이다. 그래, 우리가 정말 잘 싸워야만 앨리스의 전략도 먹히는 거다. 볼투리 가가 지난 천 년간 그 어떤 도전도 받지 않고 건재했다는 걸 고려한다면, 그것도 일종의 승리라고 할 수 있다.

어쨌든 세상의 종말은 아니니까. 그저 컬렌 가의 마지막일 뿐. 에드워드의 종말이자, 나의 종말일 뿐.

꽤 괜찮은 일 아닌가. 에드워드의 종말이 곧 나의 종말이라는 것은. 나는 에드워드 없이는 살 수 없다, 다시는. 만일 그가 이 세상에서 사라지게 된다면 나도 뒤를 따를 것이다.

때로는 우리에게도 저 세상이 있을지에 대해 멍하니 생각해보았다. 에드워드는 그렇게 믿지 않았지만 칼라일은 믿었다. 나 자신에 대해서는 상상하기 힘들었다. 하지만 에드워드가 어딘가에 존재하지 않으리라고는 믿을 수 없었다. 만일 우리가 그 어디서든 함께 있을 수 있다면, 그건 해피엔딩이다.

그렇게 내 일상은 계속되었다. 전보다 훨씬 더 힘들게.

크리스마스에 에드워드, 르네즈미, 제이콥, 그리고 나는 찰리를 만나러 갔다. 제이콥의 무리 외에도 샘, 에밀리, 수가 모여 있었다. 찰리 집의 작은 거실에 그들이 모여 있는 게 꽤 큰 위안이 되었다. 크고 뜨끈한 몸뚱이들이, 찰리가 장식하려다 지겨워서 포기한 게 뻔히 보이는 빈약한 크리스마스트리 주위에 억지로 몸을 밀어 넣고서 가구들이 있는 자리까지 위협했다. 설령 그게 자살행위라고 해도 늑대인간들은 다가오는 싸움에 항상 들뜨곤 했다. 그들의 흥분이 내 무기력을 감춰주었다. 그리고 항상 그랬듯 에드워드는 나보다는 훌륭한 배우였다.

새벽녘이 되자 르네즈미는 내가 준 로켓을 목에 걸었고, 그 애의 재킷 주머니에는 에드워드가 준 MP3 플레이어가 들어 있었다. 앙증맞은 MP3 플레이어에는 이미 에드워드가 가장 좋아하는 노래 5000곡이 저장되어 있었다. 그 애의 손목엔 섬세하게 꼬아 만든 퀼렛 족의 팔찌가 끼워져 있었다. 약속의 팔찌였다. 에드워드는 이를 갈았지만 나는 상관하지 않았다.

이제 곧, 정말 곧 르네즈미를 제이콥에게 넘겨주어야만 한다. 제이콥에게 모든 걸 걸어야 하는 지금, 어떻게 그의 헌신을 상징하는 선물에 짜증을 낼 수 있겠는가?

에드워드는 찰리의 선물도 주문했다. 선물은 어제 도착했고, 아침 내내 찰리는 낚시에 쓰일 새로운 수중음파탐지기의 사용설명서를 읽었다.

늑대인간들이 먹는 모습을 보니 수가 준비한 점심 식사는 훌륭한 것 같았다. 이렇게 모인 우리가 다른 사람들에겐 어떻게 보일까? 우리는 주어진 역할을 잘 해내고 있는 걸까? 유쾌하게 명절을 즐기는 사이좋은 친구들처럼?

자리에서 일어날 시간이 되었을 때 에드워드와 제이콥은 나만큼 안도감을 느꼈을 것이다. 중요한 일들이 더 많은데, 평범한 인간처럼 보이기 위해 에너지를 소모하다니 이상하기만 했다. 내 경우엔 정신을 집중하기가 더 힘들었다. 하지만 아빠를 보는 것도 아마 지금 이 순간이 마지막일 것이다. 너무 무기력한 상태라 그런 사실을 제대로 인식하지 못하는 게 차라리 다행이었다.

결혼식 이후로 엄마를 보지 못했지만, 2년 전부터 서로 소원해진 게 오히려 기뻤다. 내 세계를 받아들이기에 엄마는 너무 약하니까. 나는 엄마가 내가 속한 세계의 어떤 부분도 나눠 갖지 않기를 바랐다. 찰리는 엄마보다는 강하다. 어쩌면 지금 작별해도 괜찮을 만큼 강할 수도 있다. 하지만 나는 그렇지 못했다.

차 안은 아주 조용했다. 밖에는 비와 눈 사이를 오락가락하며 이슬비가 내리고 있었다. 르네즈미는 내 무릎에 앉아 로켓을 열었다 닫았다 하며 놀고 있었다. 나는 그 애를 보며 에드워드가 없다면 제이콥에게 해주었을 말을 상상하는 중이었다.

안전해지면 르네즈미를 찰리에게 데려가. 그리고 언젠가 그에게 전해 줘. 이 모든 이야기를. 내가 얼마나 사랑했는지, 인간으로서의 삶이 끝났을 때조차 아빠를 떠나는 일이 얼마나 힘들었었는지를. 찰리에게 최고의 아빠였다고 말해줘. 그리고 이 말도 부탁해. 사랑한다는 말을 르네에게 전해달라고. 엄마의 행복과 건강을 바란다고도…….

너무 늦기 전에 제이콥에게 서류들을 넘겨주어야 한다. 찰리에게 남길 쪽지와 르네즈미에게 남길 편지도. 내가 더 이상 그 애에게 사랑한다는 말을 해줄 수 없게 되었을 때 읽을 수 있도록 말이다.

우리가 컬렌 저택에 들어섰을 때, 겉보기에는 별로 달라진 게 없었다.

그러나 집 안에서 미세하나마 소란의 흔적을 느낄 수 있었다. 여러 개의 낮은 목소리들이 웅얼거리고, 때론 으르렁대고 있었다. 긴장한 것 같기도 하고, 논쟁이 벌어진 것도 같았다. 특히 칼라일과 아문의 목소리가 자주 들려왔다.

에드워드는 빙 둘러 차고로 가는 대신 집 앞에 차를 세웠다. 차에서 내리기 전에 우리는 경계의 눈빛을 한 번 교환했다.

제이콥의 태도도 바뀌었다. 얼굴이 좀 더 신중하고 조심스러워졌다. 그는 알파의 임무를 수행중인 것 같았다. 무슨 일이 벌어진 게 분명했고, 제이콥은 자신과 샘에게 필요한 정보를 얻고 있었다.

"앨리스테어가 떠났어."

계단으로 달려가면서 에드워드가 속삭였다.

거실에서는 한창 다툼이 벌어지고 있었다. 앨리스테어, 그리고 실랑이를 벌이는 세 명의 뱀파이어를 제외한 나머지 뱀파이어들은 벽에 둘러서서 이 장면을 지켜보았다. 에스미, 케비, 티아가 중앙에 서 있는 세 명의 뱀파이어들 곁에 붙어 서 있었다. 거실 한가운데에서는 아문이 칼라일과 벤저민에게 화를 내는 중이었다.

이를 악문 에드워드가 내 손을 잡아끌더니 재빨리 에스미 곁으로 다가 갔다. 나는 르네즈미를 가슴에 꼭 안았다.

"아문, 가고 싶으면 가. 아무도 있으라고 강요하지 않으니까."

칼라일이 조용히 말했다.

"넌 내 가족의 절반을 훔쳐갔어, 칼라일. 이게 날 부른 이유야? 애초부터 훔칠 속셈이었지?"

아문이 한 손가락으로 벤저민을 가리키며 소리를 질렀다. 칼라일이 한숨을 쉬었고, 벤저민은 눈동자를 굴렸다.

"그래요, 칼라일은 볼투리 가와 갈등을 빚었고 가족을 위험에 빠뜨렸어요. 그래서 난 여기 끝까지 남으려는 거예요. 이성적으로 생각하세요, 아문. 난 여기 남겠어요. 옳은 일을 해야 하니까요. 다른 가족에 합류하려는 게 아니라고요. 칼라일 말대로 당신은 하고 싶은 대로 하면 돼요."

벤저민은 냉소적으로 대답했다.

"끝이 좋지 않을걸. 여기서 제정신인 건 앨리스테어뿐이군. 우리 모두 달아나야 한다고."

아문이 으르렁거렸다.

"당신이 제정신이라고 한 사람에 대해 생각해보세요."

티아가 조용하게 중얼거렸다.

"우린 전부 죽게 될 거야!"

"아니, 싸움은 없어!"

칼라일이 단호하게 말했다.

"장담할 수 있어?"

"싸움이 벌어지면 넌 그쪽편이 되면 되잖아, 아문. 볼투리 가는 네 도움을 고마워할 텐데."

아문이 코웃음을 치더니 쏘아붙였다.

"어쩌면 그게 정답이겠군."

칼라일의 대답은 부드럽고 진지했다.

"널 원망하지 않을 거야, 아문. 우리는 오랫동안 친구였지만, 난 절대 너에게 날 위해 죽어달라는 말은 하지 않을 생각이니까."

이제 아문의 목소리도 좀 더 가라앉아 있었다.

"하지만 넌 나의 벤저민을 흔들고 있어."

칼라일이 아문의 어깨에 손을 얹었다. 아문은 그 손을 쳐냈다.

"남겠어, 칼라일. 하지만 그게 네게는 손해가 될 거야. 살아남을 수만 있다면 난 당장 그들에게 달려갈 테니까. 볼투리 가에 맞설 수 있다고 생각하다니 다들 바보로군."

그가 얼굴을 찡그리더니 한숨을 쉬고는 나와 르네즈미를 바라보았다. 그러더니 그는 화난 목소리로 덧붙였다.

"저 아이가 자라고 있다는 건 증언하겠어. 그건 사실이니까. 누구라도 알 수 있을 거야."

"우리가 부탁한 건 그것뿐이야."

아문이 얼굴을 찡그렸다.

"하지만 넌 그 이상을 얻은 것 같은데."

이제 벤저민에게로 돌아선 아문이 말했다.

"난 너에게 생명을 주었어. 그런데 넌 그걸 낭비하고 있군."

벤저민의 얼굴은 그 어느 때보다 차가워 보였다. 그 표정은 소년 같은 그의 이목구비와 이상하게 대비되었다.

"그 과정에서 내 의지를 당신 의지로 바꿔버릴 수 없었던 게 유감이군요. 그랬더라면 당신도 만족했을 텐데."

아문이 눈을 가늘게 떴다. 그는 갑자기 케비에게 손짓했고 그들은 우리를 지나 현관문으로 나갔다.

"떠나는 게 아냐. 지금보다 더 거리를 두려는 거지. 그가 볼투리 가를 돕겠다고 한 건 그냥 으름장이 아니었어."

에드워드가 내게 조용히 말했다.

"앨리스테어는 왜 간 거야?"

내가 속삭였다.

"확실하지는 않아. 쪽지도 남기지 않았으니까. 그가 중얼대던 걸 생각하면 분명 싸움을 피할 수 없다고 생각했을 거야. 행동은 그렇게 했어도, 사실 그는 볼투리 가를 지지하기에는 칼라일을 너무 많이 좋아했어. 결국 위험이 너무 크다고 생각했겠지."

에드워드가 어깨를 으쓱였다. 분명 우리 둘 사이의 대화였지만 모두가 듣고 있었다. 엘리저는 에드워드가 그들 모두에게 이야기한 것처럼 이렇게 대답했다.

"나도 그가 중얼거리는 소리를 들었지만, 그게 다는 아니었어. 우린 볼투리 가가 어떻게 나올지에 대해서는 별로 얘기한 적 없었지. 하지만 앨리스테어는, 우리가 아무리 컬렌 집안의 무죄를 증명한다 해도 볼투리 가는 듣지 않을 거라고 걱정했어. 그는 그들이 어떤 핑계를 찾아서든 결국 자신들의 목적을 이룰 거라고 믿고 있었지."

뱀파이어들이 불안하게 서로를 바라보았다. 볼투리 가가 원하는 것을 얻기 위해 스스로 만든 신성한 법을 조작하리라는 가설은 그리 호응을 얻지 못했다. 루마니아 뱀파이어들만이 유일하게 침착했다. 그들은 희미하게 미소 짓고 있었다. 빈정대는 느낌이었다. 다른 뱀파이어들이 자신들의 오랜 적에 대해 긍정적으로 생각하려 애쓰는 모습을 보고 기쁜 것 같았다.

동시에 여기저기서 나지막하게 토론하는 소리가 들렸지만 나는 루마니아 뱀파이어들에게 귀를 기울였다. 머리색이 옅은 블라디미르가 계속 내쪽을 바라보았기 때문이다.

"앨리스테어의 생각이 옳았으면 좋겠군. 결과가 어떻던 소문은 날 테니까. 이제 우리 종족들도 볼투리 가의 실체를 알아야만 해. 그들이 자행하는 불합리한 일들이 우리 삶을 지켜준다는 믿음이 뱀파이어들 사이에 남아 있는 한, 그들은 절대 무너지지 않아."

스테판이 블라디미르에게 중얼거렸다.

"적어도 우리가 다스릴 때는, 우리 스스로에 대해서만은 정직했지."

블라디미르가 대답했다. 스테판이 고개를 끄덕였다.

"하얀 모자를 쓰고 성자인 척 해본 일은 없어."

"싸울 때가 온 것 같군. 이보다 더 나은 군대는 상상조차 하기 힘들어. 이만큼 좋은 기회가 언제 또 오겠나?"

블라디미르가 말했다.

"불가능한 일은 없어. 어쩌면 언젠가……."

"우린 1500년을 기다렸어, 스테판. 그리고 그들은 해가 갈수록 더 강해졌지."

블라디미르가 말을 멈추더니 다시 나를 바라보았다. 그는 내가 자신을 응시하는 걸 알고도 놀라지 않았다.

"볼투리 가가 이긴다면 더 강력해져서 돌아가겠지. 어떤 집단을 한 번 정복할 때마다 그들의 힘은 강해져갔어. 저 신생 뱀파이어만 해도 그렇지. 볼투리 가의 일원이 되면 얼마나 큰 역할을 하겠어. 지금은 자기 능력에 대해 제대로 알지도 못하고 있지만."

나를 턱으로 가리킨 블라디미르는, 이번에는 벤저민을 향해 고개를 끄덕였다.

"그리고 저기, 땅을 움직이는 뱀파이어도."

벤저민의 몸이 굳었다. 이제 거의 모든 뱀파이어가 나처럼 루마니아 뱀파이어들의 대화를 듣고 있었다.

"환상을 만들어내는 뱀파이어나 불꽃을 일으키는 뱀파이어는 별로 필요하지 않을 거야. 이미 그 사악한 제인과 알렉 쌍둥이가 있으니."

그의 눈이 자프리나, 그 다음은 케이트에게로 향했다.

스테판은 에드워드를 보았다.

"저 마음을 읽는 자는 꼭 필요한 건 아니야. 하지만 네 말이 무슨 뜻인지는 알겠군. 그들이 이기게 된다면 정말 많은 것을 얻게 될 거야."

"우리가 용납할 수 있는 수준보다 훨씬 더 많이. 동의하나?"

스테판이 한숨을 쉬었다.

"동의해야겠지. 그러니 즉 우리는……."

"희망이 있는 한 그들에 맞서야 한다는 뜻이지."

"우리가 그들을 무력하게 만들 수 있다면, 폭로하는 거야……."

"그러고 나면 언젠가, 다른 뱀파이어들이 이 일을 마무리하겠지."

"그리고 복수를 위한 우리의 오랜 싸움도 마침내 보답 받게 되는 거야."

그들은 한동안 마주보더니 함께 중얼거렸다.

"그게 유일한 방법인 것 같군."

"싸워야 해."

스테판이 말했다. 그들이 생존의지와 복수심 사이에서 갈등하는 것을 알 수 있었지만, 서로 교환하는 미소 속에는 기대감이 가득했다.

"우린 싸울 거야."

블라디미르가 말했다.

잘된 일인 것 같다. 앨리스테어처럼 나 역시 싸움을 피할 수는 없을 거라고 확신했다. 그런 경우에 대비해 우리 편에 뱀파이어가 두 명 더 있다면 도움이 될 것이다. 하지만 루마니아 뱀파이어들의 결정은 여전히 나를 두렵게 했다.

"우리도 싸울 거예요. 볼투리 가는 분명 권력을 남용하려 할 거고, 우린 그들과 한 편이 되고 싶지 않아요."

티아의 말이었다. 평소에도 엄숙하던 그녀의 목소리는 한층 더 경건해져 있었다. 티아는 곧 자신의 남편에게로 시선을 돌렸다. 벤저민은 씩 웃더니 루마니아 뱀파이어들을 장난스러운 눈빛으로 바라보았다.

"분명 나는 최고의 인기 상품이겠죠. 그러니 자유로울 권리를 쟁취해야겠어요."

"왕정으로부터 나 자신을 지키기 위해 싸우는 게 이번이 처음은 아냐."

가렛이 짓궂은 목소리로 말했다. 그리고 벤저민에게 걸어가더니 그의 등을 치며 외쳤다.

"압제에서 자유로 나아가길!"

"우린 칼라일 편에 설 거예요. 그리고 그와 함께 싸울 거예요."

타냐가 말했다. 루마니아 뱀파이어들의 선언으로 다른 뱀파이어들도 자신들의 입장을 밝혀야겠다는 생각을 한 것 같았다.

"아직 우린 결정을 내리지 않았어요."

피터가 그렇게 말하고, 자그마한 그의 동반자를 내려다보았다. 샬럿은 불만스러운 듯 입술을 삐죽였다. 그녀는 이미 결정을 내린 것 같았다. 과연 어떤 결단을 내렸을지 궁금했다.

"나도 마찬가지요."

랜들이 말했다.

"나도요."

메리가 덧붙였다.

"우리 무리도 컬렌 가족과 함께 싸울 겁니다. 뱀파이어 같은 건 무섭지 않으니까."

제이콥이 갑자기 그렇게 말하고는 씩 웃었다.

"꼬마들 주제에."

피터가 중얼거렸다.

"아니, 아기지."

랜들이 그렇게 정정하자 제이콥은 비웃었다.

"음, 나도 끼워줘요. 진실은 칼라일 쪽에 있죠. 난 그걸 모른 척할 수 없어요."

매기가 제지하는 시오반의 손에서 빠져 나오며 말했다. 시오반은 걱정스러운 눈으로 자신의 어린 가족을 바라보며 입을 열었다.

"칼라일. 나는 싸움으로 번지는 걸 원하지 않아."

그녀는 갑작스럽게 만들어진 엄숙한 분위기, 예상치 못하게 터져 나온 선언들을 무시하고서 칼라일과 단둘인 것처럼 말했다.

"나도 그래, 시오반. 그건 내가 가장 원하지 않는 일이지. 당신은 모든 일이 평화롭게 끝나길 빌어줘."

그가 어색하게 미소 지었다.

"그게 도움이 안 된다는 걸 알잖아."

그녀가 말했다. 아일랜드 뱀파이어들의 리더에 대해 로잘리와 칼라일이 나누던 대화가 기억났다. 그러니까 칼라일은 시오반이 무슨 일이든 자기 생각대로 이룰 수 있는, 미묘하지만 강력한 능력을 지니고 있다고 믿었다. 하지만 시오반 자신은 그렇게 믿지 않는다고 했다.

"해로울 것도 없잖아."

칼라일이 말했다. 시오반이 눈동자를 굴렸다.

"내가 바라는 결과를 그리라고?"

그녀가 냉소적으로 말했다. 이제 칼라일은 공공연하게 웃고 있었다.

"응."

"그럼 우리 가족은 입장을 표명할 필요가 없겠네? 싸울 가능성 자체가 없어지는 거니까."

그녀는 그렇게 말하고서 매기의 어깨에 손을 올리더니 자기 쪽으로 끌어당겼다. 시오반의 남편인 리엄은 아무 표정 없이 조용히 서 있었다.

거실에 있던 거의 전원이 칼라일과 시오반의 농담 같은 대화에 어리둥절해 하는 것 같았다. 그러나 그들은 설명해주지 않았다.

그것으로 그날 밤의 극적인 연설들은 끝났다. 뱀파이어들은 천천히 흩어졌다. 일부는 사냥을 떠났고, 일부는 칼라일의 책과 텔레비전과 컴퓨터로 시간을 보냈다. 에드워드, 르네즈미, 그리고 나는 사냥을 하러 나섰다. 제이콥이 뒤를 따랐다.

"멍청한 흡혈귀들. 자기들이 잘난 줄 알아."

밖으로 나오자 제이콥이 혼자 중얼거리더니 코웃음을 쳤다.

"만약 '아기들'이 그 잘난 생명을 구해준다면 그들도 충격을 받을 거야, 그렇지?"

에드워드가 말했다. 제이콥은 미소 짓더니 그의 어깨를 때렸다.

"당연하지, 그럴 거야."

이것이 우리의 마지막 사냥은 아니었다. 우리 모두 볼투리 가가 올 때쯤 다시 사냥을 할 계획이었으니까. 데드라인이 아직 정해지지 않았으므로, 만약에 대비해 우리는 앨리스가 보았던 커다란 공터에서 며칠 밤을 보낼 계획이었다. 오래 전 컬렌 가족들이 야구시합을 했던 바로 그 공터. 지금 알고 있는 거라고는 내린 눈이 얼어붙는 날 그들이 온다는 것뿐이었다. 우리는 볼투리 가가 사람이 많은 번화가에 가까이 가지 않기를 바랐다. 드미트리는 우리가 있는 곳이라면 어디든 그들을 안내할 것이다. 나는 그가 과연 누구를 타깃 삼아 추적할지 궁금했다. 날 추적할 수는 없을 테니, 아마도 에드워드겠지.

사냥을 하면서도 드미트리에 대해 생각하느라 사냥감이나 흩날리는 눈(마침내 눈이 내리기 시작했지만 바위투성이 땅에 내려앉기 전에 녹아버렸다)에는 거의 신경을 쓰지 못했다. 드미트리는 자신의 추적하는 능력이 내게 먹히지 않는다는 사실을 깨닫게 될까? 그 점에 대해 어떻게 생각할까? 아로는? 혹시 에드워드의 생각이 틀린 건 아닐까? 내가 막아낼 수 있는 힘에는 사실 예외가 있다. 실드, 즉 방어막은 내 마음 밖에서 작용하는 것에는 취약했다. 재스퍼, 앨리스, 벤저민의 힘을 막아낼 수 없었던 게 그 증거다. 어쩌면 드미트리의 능력도 좀 다르게 작용할지 모른다.

문득 어떤 생각이 떠올라, 난 그 자리에 멈춰 섰다. 내가 들고 있던 반쯤 피가 흘러나간 엘크가 돌투성이 땅으로 떨어졌다. 눈송이가 작게 지글거리는 소리를 내면서 따뜻한 엘크의 주검 근처에서 증발해버렸다. 피가 묻은 손을 나는 공허하게 내려다보았다. 에드워드는 자신이 잡은 사냥감에는 손도 대지 않은 채 내 옆으로 달려왔다.

"왜 그래?"

그가 낮은 목소리로 물었다. 그리고 내가 무엇 때문에 그런 반응을 보였는지 알아내려고 주위의 숲을 훑어보았다.

"르네즈미."

나는 목이 메었다.

"그 앤 저 나무들 속에 있는데. 르네즈미의 생각과 제이콥의 생각을 모두 들을 수 있어. 르네즈미는 괜찮아."

그가 나를 안심시켰다. 내가 대답했다.

"그런 게 아냐. 내 실드에 대해 생각하고 있었어. 넌 그게 어느 정도는 도움이 될 거라고 생각하잖아. 다른 뱀파이어들도 내가 자프리나나 벤저민을 보호할 수 있기를 바라고 있어. 단 몇 초만이라도. 그런데 그게 오해라면? 너나 그들의 나에 대한 믿음이…… 우리가 패배하는 원인이 된다면?"

애써 마음을 다잡고 나직한 목소리로 말했지만, 내 목소리는 조금씩 날카로워지고 있었다. 르네즈미가 걱정하게 하고 싶지 않은데…….

"벨라, 왜 그런 생각을 해? 물론 네가 스스로를 보호할 수 있는 건 좋은 일이야. 하지만 그렇다고 해서 꼭 누군가를 구해야 하는 건 아냐. 쓸데없이 고민하지 마."

"하지만 아무것도 보호할 수 없으면 어떡해? 허점투성이에 변덕스러운…… 그런 게 내 능력이야! 알렉에겐 아무 소용이 없을지도 몰라."

내가 숨을 헐떡이며 속삭였다. 그가 나를 진정시켰다.

"쉿, 벨라. 진정해. 알렉에 대해서도 걱정하지 말고. 그의 능력도 제인이나 자프리나와 다르지 않으니까. 그저 환상일 뿐이야. 그 역시 나처럼 네 머릿속에 들어갈 수 없어."

"하지만 르네즈미는? 그 앤 내 머릿속에 들어오잖아!"

나는 이를 악물고 미친 듯이 고함을 쳤다.

"그냥 자연스러운 일 같아서 전에는 의문을 품지 않았어. 르네즈미의 한 부분이라고 생각했으니까. 하지만 그 애는 다른 사람들에게 하듯이 내 머릿속에도 들어와서 곧바로 자기 생각들을 보여주잖아. 그러니 내 실드에는 구멍이 있는 거야, 에드워드!"

내 무시무시한 깨달음에 동의해주기를 기다리며 나는, 절망적인 눈으로 그를 바라보았다. 에드워드는 어떻게 말해야 할지를 고민하듯 입술을 오므렸다. 하지만 표정은 왠지 느긋해 보였다.

"이미 알고 있었구나, 그렇지?"

내가 물었다. 여러 달 동안 너무나 분명한 사실을 간과해온 내가 바보처럼 느껴졌다. 그는 희미하게 미소를 지으며 고개를 끄덕였다.

"르네즈미가 처음 너를 만지던 순간부터."

스스로의 아둔함에 한숨이 났지만, 침착한 그의 모습을 보니 마음이 조금 놓였다.

"그런데도 걱정되지 않아? 별 문제 아니라고 생각하는 거야?"

"나한테 두 가지 가정이 있어. 하나가 다른 하나보다 가능성이 높지."

"그럼 우선 가능성이 낮은 것부터 말해봐."

"음, 르네즈미는 네 딸이잖아. 유전적으로 반은 너지. 내가 전에 놀렸던 거 기억나지? 네 마음은 우리들과는 주파수가 다르다고 했잖아. 어쩌면 르네즈미도 그럴지 몰라."

에드워드가 말했다. 이 말은 내게 별 도움이 되지 않았다.

"하지만 넌 그 애의 마음은 잘 듣잖아. 모두가 그 애의 생각을 듣지. 만약 알렉도 주파수가 다르다면? 그땐 어떻게 해야 해……?"

그가 내 입술에 손가락을 댔다.

"거기에 대해 생각해봤어. 다른 이론이 훨씬 가능성이 높다고 생각하는 것도 그 때문이야."

나는 이를 갈며 기다렸다.

"르네즈미가 너에게 첫 번째 기억을 보여준 다음에 칼라일이 했던 말, 생각나?"

물론 기억하고 있었다.

"응. 칼라일이 그렇게 말했었잖아. '참 흥미로운 일이지. 르네즈미는 너와는 정확히 반대되는 능력을 가진 것 같아'라고."

"그래. 그 말을 듣고 난 생각했어. 어쩌면 그 애는 네 능력을 물려받아서 그걸 반대로 뒤집어놓았을지도 모른다고."

나는 그 말을 곱씹어보았다.

"너는 그 누구도 네 마음속에 들이지 않지."

그가 입을 열었다.

"그럼 르네즈미는 그와 반대로…… 누구에게든 들어갈 수 있다고?"

나는 주저하며 말을 맺었다. 에드워드가 내 물음에 대답했다.

"그래, 바로 그거야. 만일 그 애가 네 머릿속에 들어갈 수 있다면, 그 애를 막을 수 있는 실드는 적어도 이 행성에는 없을 거라고 생각해. 지금까지 그 애의 생각을 본 이들은 누구도 그 진실성을 의심하지 못했어. 그리고 르네즈미가 가까이 다가간다면 아무도 막을 수 없을걸. 만일 아로가 그 애에게 설명할 기회를 주기만 한다면……."

르네즈미가 아로의 탐욕스러운 우윳빛 눈 가까이 다가가는 모습을 상상하며 나는 몸을 떨었다. 에드워드가 굳어진 내 어깨를 부드럽게 문질렀다.

"그래, 무엇도 그의 눈앞에 진실이 펼쳐지는 걸 막을 수는 없을 거야."

"하지만 그 진실이…… 그를 멈춰 세울 수도 있을까?"

내가 중얼거렸다.

에드워드는 아무 대답도 하지 못했다.

# 35

# 데드라인

〰️

"외출한다고?"

에드워드가 태연한 목소리로 물었다. 애써 침착한 척하려 했지만 뭔가 어색함이 묻어나는 표정이었다. 그는 르네즈미를 가슴에 조금 더 꼭 안았다.

"응, 마지막으로 처리할 일들이 있어서⋯⋯."

나는 아무렇지도 않은 양 대답했다. 그는 내가 가장 좋아하는 미소를 보여주었다.

"빨리 돌아와야 해. 내 곁으로."

"당연하지."

나는 이번에도 에드워드의 볼보를 몰았다. 돌아온 후에 그가 주행계를 살펴볼까? 그는 이제까지 얼마나 많은 사실을 짜 맞추어 추측했을까? 내게 비밀이 있다는 건 이미 알았겠지. 내가 왜 사실을 털어놓지 않는지, 그 이유까지도 알아냈을까. 자신이 아는 모든 걸 아로가 곧 알게 될지도 모른다는 사실을, 그 위험을 생각이나 하고 있을까. 에드워드라면 그런 결론에 도달할 수도 있었을 것 같다. 그래서 아무것도 묻지 않는 것일 수도 있다.

나는 그가 내 행동을 마음에 담아두지 않으려고, 또 너무 깊이 생각하지 않으려고 애쓰고 있는 거라고 생각했다. 앨리스가 떠나버린 날 아침에 내가 했던 이상한 행동—책을 태웠던 것—과 지금 하는 외출을 연결지어 생각해 보았을까? 물론 겨우 이런 정도의 단서들로 상황을 예측할 수 있었을지는 의문이지만.

이미 황혼처럼 어두운, 음울한 오후였다. 나는 짙은 구름을 바라보며 그 우울함 속을 달렸다. 오늘밤에 눈이 내릴까? 그리고 땅에 쌓여서, 앨리스가 본 그 풍경을 그려내게 될까? 에드워드는 우리에게 이틀쯤의 시간이 남았을 거라고 예상했다. 그러면 우리는 숲 속을 개간해 만든 그 공터로 나가 볼투리 가를 맞을 것이다.

어두워지는 숲으로 향하면서 지난번 시애틀에 다녀왔을 때의 일을 떠올렸다. 나는 앨리스가 나를 음침한 접선 장소, 그러니까 J. 젠크스가 '좀 더 수상한' 고객들을 맞이하기 위해 마련한 곳으로 보낸 목적을 알게 되었다. 그의 다른 사무실, 즉 합법적인 사무실 중 한 곳으로 먼저 갔다면 무엇을 부탁해야 할지 알 수 없었을 것이다. 제이슨 젠크스나 제이슨 스콧 같은 합법적인 변호사의 모습으로 그를 만났다면, 위조 서류를 제작해주는 J. 젠크스에 대해서는 절대로 알 수 없었으리라. 지금 내가 원하는 게 불법적인 일이라는 사실을 분명하게 하기 위해 난 이쪽을 거쳐야 했다. 이것이 앨리스의 의도가 뭔지 알아낼 수 있었던 단서였다.

식당 입구에서 주차를 대신 해 주려고 안달이 난 주차 요원들을 무시하고, 약속시간보다 몇 분 일찍 주차장에 차를 댔을 때는 이미 사방이 어두워진 후였다. 난 콘택트렌즈를 끼고 식당 안에서 J를 기다렸다. 이 우울한 일을 어서 해치우고 가족에게 돌아가고 싶었지만, J는 깔끔하지 못한 거래로 오점을 만들지 않으려 노력하는 것 같았다. 어두운 주차장에서 서류를 넘겨받는 건 그의 기분을 상하게 할 거란 생각이 들었다.

나는 안내데스크에 젠크스라는 이름을 알려주었고, 알랑거리는 지배인이 나를 위층의 작은 방으로 안내했다. 석조 난로에서 탁탁 소리를 내며 불길이 타오르고 있었다. 나는 앨리스가 이 자리에 적합하다고 판단해 미리 마련해둔 옷을 입었고, 그걸 감추기 위해 위에 종아리까지 오는 아이보리 색 트렌치코트를 걸쳤다. 내 트렌치코트를 받아주던 지배인은 굴 빛깔의 새틴 칵테일드레스를 보고는 조용히 탄성을 내뱉었다. 난 조금 우쭐해졌다. 내가 에드워드 말고도 모두에게 아름다워 보인다는 사실이 아직도 익숙하지 않았다.

악수를 하기 전에 조금이라도 손을 따뜻하게 하려고 나는 난로 옆에 서서 불을 쪼였다. J는 컬렌 가의 사정을 모르겠지만 어쨌든 연습해두면 유용한 습관일 것 같았다.

그러다 불 속에 손가락을 넣으면 어떤 느낌일지 잠깐 동안 궁금해졌다. 독 때문에 몸이 타오르던 그때 같을까······.

J가 들어오는 바람에 나의 병적인 망상은 사라졌다. 지배인이 그의 코트를 받아주었다. 그걸 보며 이번 만남을 위해 옷을 차려입은 게 나만은 아니라는 사실을 알았다.

"늦어서 미안합니다."

우리만 남겨지자 J가 말했다.

"아뇨, 정각에 오셨는걸요."

그는 손을 내밀었다. 악수를 하는 동안 난 J의 손이 내 손보다 상당히 따뜻하다는 걸 느낄 수 있었다. 하지만 그는 상관하지 않는 것 같았다.

"실례가 될지 모르겠지만 아름다우십니다. 컬렌 부인."

"감사합니다. J. 벨라라고 불러주세요."

"재스퍼 씨가 아닌 당신과 일하는 건 아주 색다른 경험이었어요. 훨씬······ 마음이 편했습니다."

그가 주저하며 미소 지었다.

"정말요? 저는 재스퍼와 있으면 항상 마음이 편하던데."

"그런가요?"

그는 눈썹을 찡그리더니 곧 예의바르게 중얼거렸다. 이상한데. 재스퍼는 이 남자에게 무슨 짓을 한 걸까?

"재스퍼를 안 지는 오래되셨나요?"

그가 마음이 편하지 않은 듯 한숨을 쉬었다.

"20년 이상 거래했죠. 그리고 내 늙은 동업자는 그보다 15년 전에 그를 알았고…… 재스퍼 씨는 절대로 변하지 않더군요."

J가 살짝 움찔했다.

"네, 그런 면에서 좀 재미있는 사람이죠."

내 대답에 J는 불안한 생각을 떨치려는 양 머리를 흔들었다.

"앉으세요, 벨라."

"사실 좀 급해서요. 집까지 한참 가야 하거든요."

난 보너스로 챙겨온 두툼한 하얀 봉투를 가방에서 꺼내 그에게 건넸다.

"아, 네."

그가 조금 실망한 목소리로 말했다. 그리고 안에 든 돈의 액수를 살펴보지도 않고 재킷 안주머니에 봉투를 넣었다.

"잠깐이라도 얘기를 나누고 싶습니다만."

"뭐에 대해서요?"

"우선 부탁한 것부터 받으시죠. 마음에 드시는지 확인하고 싶습니다."

그는 돌아서더니 테이블 위에 서류가방을 올려놓고 잠금쇠를 열었다. 그리고 안에서 법정 규격의 마닐라 봉투를 꺼냈다.

내가 무엇을 기대해야 하는지는 알 수 없었지만, 어쨌든 난 봉투를 열고 그 내용물을 대충 훑어보았다. J는 제이콥의 사진 색깔을 바꿔 그의 여권과 운전면허증에 붙였다. 덕분에 원본 사진과 그 사진이 같은 거라는 걸 금방 알아보기 힘들었다. 사실 내게는 둘 다 완전한 진짜로 보였지만 그건 중요하지 않았다. 난 바네사 울프의 여권에 붙은 사진을 흘깃 보고서 시선을 돌렸다. 목에서 뭔가가 울컥 치밀어 올랐다.

"고맙습니다."

내가 말했다. 그가 눈을 조금 가늘게 떴다. 내가 더 철저히 살펴보지 않아 실망한 것 같았다.

"당신에게 드린 서류는 전부 다 완벽합니다. 전문가들의 엄격한 검열을 거쳐도 모두 통과할 거예요."

"당연히 그렇겠지요. 이렇게 잘 처리해 주셔서 정말 감사합니다, J."

"아니에요, 벨라. 앞으로도 컬렌 가족에게 필요한 게 있다면 언제든 오세요."

물론 그럴 의도로 한 말은 아니었겠지만, 그의 말은 내가 재스퍼 역할을 대신 해 달라는 의미처럼 들렸다.

"얘기하고 싶은 게 있다고요?"

"어, 네. 상당히 미묘한 건데……."

그는 미심쩍은 표정으로 돌 난로 쪽을 가리켰다. 나는 난로 옆에 앉아 있었고 그는 내 옆에 앉아 있었다. 다시 그의 이마에 땀이 맺혔고 그는 푸른색의 실크 손수건을 주머니에서 꺼내 닦기 시작했다.

"당신은 재스퍼 씨의 처제입니까? 아니면 그의 형제와 결혼했나요?"

그가 물었다.

"남동생과 결혼했는데요."

내가 대답했다. 이 질문의 의도가 무엇인지 궁금해졌다.

"그럼 에드워드 씨의 부인이군요?"

"네."

그가 사과하는 것처럼 미소 지었다.

"컬렌 집안 분들의 이름을 많이 봤거든요. 늦었지만 축하합니다. 에드워드 씨가 드디어 이런 사랑스러운 부인을 맞게 됐다니 저도 기쁘군요."

"감사합니다."

그는 이야기를 멈추고 땀을 닦았다.

"여러 해에 걸쳐 난 재스퍼 씨와 그의 가족에 대해 존경심을 갖게 되었습니다."

나는 조심스럽게 고개를 끄덕였다. 그는 깊게 숨을 들이쉬었다가 다시 뱉었다.

"J, 할 말이 있으면 뭐든 하세요."

그가 다시 심호흡을 하더니 재빨리 중얼거렸다.

"그 어린 소녀를 아빠에게서 유괴할 계획이 아니라는 걸 확인시켜주셔야…… 제가 오늘 밤 다리를 뻗고 잘 수 있을 것 같은데요."

"아."

난 어안이 벙벙해졌다. 그가 지금 뭘 오해하고 있는지 깨닫는 데 조금 시간이 걸렸다.

"아, 아니에요. 절대 그런 게 아니에요."

나는 희미하게 미소를 지으며 그에게 믿음을 주려고 애썼다.

"내 남편과 내게 무슨 일이 생겼을 경우에 대비해서 그 애에게 도피처를 마련해주려는 거예요."

그가 눈을 가늘게 떴다.

"무슨 일이 일어난다니요?"

그렇게 말한 그는 곧 얼굴을 붉히더니 사과했다.

"물론 제가 상관할 바는 아니겠지요."

그의 섬세한 피부 결 아래로 홍조가 번져나가는 걸 보면서, 내가 보통의 어린 뱀파이어들과 다르다는 게 다행스러워졌다. 그가 저지르는 범죄행위를 별개로 한다면 J는 좋은 사람 같았다. 그를 죽이는 건 수치스러운 일이었으리라.

"네, 그런 것 같네요."

내가 한숨을 쉬었다. 그는 얼굴을 찡그렸다.

"행운을 빕니다. 하지만…… 그 일 때문에 골치 아픈 일은 생기지 말았으면 해서요. 만약…… 재스퍼 씨가 내게 와서 그 서류들을 어떤 이름으로 만들어줬느냐고 묻는다면……."

"당연히 있는 그대로 얘기하셔도 돼요. 전 재스퍼가 우리의 거래에 대해 전부 다 알았으면 하거든요."

내가 거리낌 없이 정직하게 대답하자 그의 긴장은 다소 풀린 것 같았다.

"좋습니다. 저녁을 함께 하시면 어떨까요?"

그가 말했다.

"미안해요, J. 지금은 시간이 없어요."

"네, 그러면 부디 몸조심하시고 잘 지내시길 바랍니다. 컬렌 가족에게 필요한 것이 있다면 언제든 들러주세요, 벨라."

"고마워요, J."

나는 위조서류를 들고 그곳을 나왔다. 흘깃 돌아보니 J가 불안과 후회가 뒤섞인 표정으로 나를 보고 있었다.

돌아올 때는 시간이 덜 걸렸다. 어두운 밤이라 나는 헤드라이트를 끄고 전속력으로 차를 몰았다. 집에 돌아와 보니 앨리스의 포르쉐와 나의 페라리를 비롯한 대부분의 차들이 눈에 띄지 않았다. '채식주의자'가 아닌 뱀파이어들은 갈증을 달래기 위해 가능한 한 멀리 나갔다. 희생되는 사람들의 모습을 머릿속에 그리는 것만으로도 오싹했기 때문에, 난 그들의 사냥에 대해서는 애써 생각하지 않았다.

케이트와 가렛만이 거실에서 동물의 피가 얼마나 영양가가 있을까에 대해 장난삼아 토론하고 있었다. 가렛은 '채식주의 스타일'로 사냥을 해보려다가, 그게 쉽지 않다는 걸 깨달은 것 같았다.

에드워드는 르네즈미를 재우러 오두막에 갔을 것이다. 분명 제이콥은 오두막 근처 숲에 있겠지. 나머지 우리 가족은 사냥을 떠났고, 케이트를 제외한 디날리 가족도 거기 따라나섰을 것이다.

이제 집에는 나밖에 없는 거나 마찬가지였다. 난 이 기회를 이용하기로 했다.

앨리스와 재스퍼가 떠난 이래, 내가 가족 중 처음으로 그들의 방에 들어가 본다는 걸 냄새로 알 수 있었다. 나는 조용히 거대한 벽장을 살펴다가 적당해 보이는 가방을 발견했다. 아마 앨리스 거겠지. 작고 검은 가죽 가방으로 보통은 핸드백으로 사용되는 종류였다. 크기가 작아서 르네즈미가 가지고 다녀도 이상하지는 않을 것 같았다. 나는 보통 미국 가정이 벌어들이는 1년 수입의 두 배쯤 되는 '푼돈'을 그들의 벽장에서 털었다. 여기서 꺼내는 게 가장 눈에 띄지 않을 것 같아서였다. 이 방은 이제 모두를 슬프게 하는 곳이 되었기 때문이다. 난 가짜 여권과 신분증이 든 봉투를 돈과 함께 가방에 넣었다. 그러고는 앨리스와 재스퍼의 침대에 걸터앉아 초라한 짐을 바라보았다. 이게 내 딸과 내 가장 소중한 친구의 목숨을 구하기 위해 내가 해줄 수 있는 전부라니. 무력감을 느끼며 침대 기둥에 쓰러지듯 기댔다. 하지만 다른 방법이 없는걸.

난 몇 분 동안 머리를 숙인 채 거기 앉아 있었다. 그때 좋은 생각이 어렴풋이 떠올랐다. 만일…….

제이콥과 르네즈미가 달아난다고 가정한다면, 동시에 드미트리가 죽는다는 가정도 해야 한다. 그래야 앨리스와 재스퍼를 포함한 생존자들의 숨통이 조금이라도 트일 테니까.

그렇다면 앨리스와 재스퍼가 제이콥과 르네즈미를 도울 수 있지 않을까? 그들 넷이 만난다면 르네즈미는 더할 나위 없이 확실한 보호를 받을 수 있을 텐데. 그런 일이 불가능하리란 법은 없었다. 다만 문제는 제이콥과 르네즈미 모두 앨리스가 볼 수 없는 존재라는 데 있었다. 어떻게 하면 앨리스가 그들을 찾게 할 수 있을까?

난 잠깐 동안 생각하다가 그 방을 나와서 칼라일과 에스미의 방으로 갔다. 평소처럼 에스미의 책상 위에는 계획표와 청사진이 쌓여 있었다. 물건들이 높다랗게 쌓였지만 아주 깔끔하게 정리된 상태였다. 책상에는 서류를 정리할 수 있는 선반들이 많이 붙어 있었는데, 그중 하나에 문구류가 들어 있었다. 난 새 종이와 펜을 꺼냈다.

그로부터 5분간 나는 텅 빈 아이보리 색 종이를 바라보며 생각에 잠겼다. 앨리스는, 제이콥과 르네즈미는 볼 수 없지만 나는 볼 수 있을 것이다. 나는 이 순간 그녀가 이 장면을 바라보는 모습을 머릿속에 그렸다. 제발 이 장면을 보지 못하고 지나치는 일이 없기를 간절히 바랐다.

나는 천천히, 그리고 신중하게 '리우데자네이루'라는 글자를 대문자로 썼다.

리우데자네이루는 그들을 보낼 최적의 장소였다. 여기서 멀리 떨어져 있는데다, 앨리스와 재스퍼도 지금 남미에 가 있을 테니까. 갑자기 더 심각한 문제들이 생겼다고 해서 우리가 고민했던 예전 문제들이 사라진 것은 아니었다. 르네즈미는 여전히 빠른 속도로 성장하고 있었고 그 애의 미래가 어떻게 될지는 아무도 알 수 없었다. 어쨌든 우리는 남쪽으로 가야 한다. 이제 그 전설들을 추적하는 것은 제이콥의 일, 그리고 바라건대 앨리스의 일이 될 것이다.

갑작스럽게 울음이 북받쳐서 나는 다시 머리를 숙인 채 이를 악물었다. 르네즈미는 나 없이 사는 게 더 나으리라. 하지만 벌써 그 애가 보고 싶어서 견딜 수 없었다.

나는 심호흡을 한 다음 제이콥이 금방 찾을 수 있도록 배낭 바닥에 이 메모를 넣었다.

나는 제이콥이 최소한, 비슷한 언어인 스페인어 수업이라도 받았기를 바랐다. 그가 다니는 고등학교에 포르투갈어 수업이 있을 것 같지는 않았으니까.

이제는 기다리는 일만 남았다.

이틀 동안 에드워드와 칼라일은 숲 속 공터에 머물렀다. 볼투리 가가 그곳에 나타나는 것을 앨리스가 보았기 때문이다. 지난여름 빅토리아가 이끌고 온 신생 뱀파이어들이 공격을 개시했던 죽음의 벌판이 바로 그곳이었다. 칼라일에게는 이미 있었던 일의 반복으로 느껴지지 않을까? 마치 데자뷔현상처럼. 하지만 내게는 아주 새로운 경험이 되겠지. 그때와 달리 이번에는 에드워드와 내가 우리 가족 곁을 지킬 테니까.

우리는 볼투리 가가 에드워드나 칼라일을 타깃으로 추적할 거라는 점만 예상해볼 수 있었다. 자신들의 먹잇감이 도망치지 않은 것을 보고 그들은 놀랄까? 경계할까? 볼투리 가가 과연 조심해야겠다는 생각이나 한 적이 있을지 의심스럽긴 하지만.

나는 계속 에드워드 곁에 있었다. 드미트리에겐 내가 보이지 않겠지. 아니, 그냥 내 희망사항이다. 나는 당연히 에드워드와 함께 있어야 한다. 그 뿐이다. 우리가 함께 할 시간은 단 몇 시간밖에 남지 않았으므로.

에드워드와 나는 장엄한 마지막 이별장면을 연출하지는 않았고, 그럴 계획도 없었다. 그런 말을 하고 나면 정말 끝나버리고 말 테니까. 원고의 마지막 페이지에 '끝'이라고 쓰는 것과 마찬가지로. 그래서 우리는 작별 인사를 하지 않았고 항상 옆에 붙어 서로의 몸에 닿아 있었다. 어떤 결말이 오든 우리는 절대로 헤어지지 않을 것이다.

우리는 르네즈미를 위해 안전한 숲을 찾아냈고, 몇 미터 안쪽에 보이지 않게 텐트를 쳐주었다. 다시 제이콥과 추위 속에 캠핑을 하면서 우리는 다시 한 번 데자뷰를 경험했다. 지난 6월 이후 얼마나 많은 것이 바뀌었는지 믿기지 않았다. 7개월 전, 우리의 삼각관계는 도무지 해결하기 불가능한 문제로 보였고, 세 사람 모두 저마다 다른 아픔을 피할 길이 없었다. 그러나 이제 모든 것은 완벽하게 균형을 찾았다. 파멸의 순간에야 퍼즐조각이 맞춰지다니! 쓴 웃음을 짓지 않을 수 없었다.

12월 31일 전야에 눈이 내리기 시작했다. 작은 눈송이가 돌투성이 공터에 내려앉아 쌓이기 시작했다. 제이콥이 코를 요란하게 고는데도 르네즈미가 깨지 않는 게 나는 신기했다. 어쨌든 르네즈미와 제이콥이 자는 동안 눈은 땅 위에 얇게 얼어붙기 시작하더니, 점점 그 층이 두꺼워졌다. 해가 뜰 때쯤 앨리스가 본 풍경이 완성되었다. 에드워드와 나는 눈이 덮여 반짝이는 벌판을 바라보며 아무 말도 하지 않은 채 손을 맞잡고 있었다.

이른 아침이 되자 뱀파이어들이 모이기 시작했다. 그들의 눈은 이미 싸울 준비를 완벽하게 끝냈다는 것을 소리 없이 보여주었다. 어떤 뱀파이어의 눈은 밝은 금색이었고 어떤 뱀파이어의 눈은 선명한 선홍색이었다. 우리 모두가 모인 직후 숲 속에서 늑대들이 움직이는 소리가 들렸다. 제이콥은 르네즈미를 계속 자게 두고 그들과 합류하기 위해 텐트에서 나왔다.

에드워드와 칼라일은 다른 뱀파이어들을 골프 경기의 갤러리처럼 옆으로 늘어세웠다.

난 그들과 조금 떨어져 텐트 옆에 서서, 르네즈미가 깨기를 기다리며 그 광경을 바라보았다. 이윽고 르네즈미가 잠에서 깨자 나는 이틀 전에 골라놓은 옷을 입혔다. 주름이 많고 여성스러운 옷이었지만 아주 튼튼해서, 거대한 늑대의 등을 타고 2개 주를 횡단해도 해어지지 않을 것이다. 그리고 그 애의 재킷 위에 서류, 돈, 쪽지, 편지(르네즈미와 제이콥, 그리고 찰리와 르네 앞으로 쓴 것이다) 등이 든 검은색의 가죽 배낭을 메 주었다. 르네즈미는 튼튼하니까 이 가방이 짐이 되지는 않을 것이다.

근심스러운 내 표정을 보더니 르네즈미의 눈이 커졌다. 그러나 생각이 깊은 그 애는 무슨 일인지 묻지 않았다.

"사랑해. 그 무엇보다도 더."

내가 그 애에게 말했다.

"사랑해요, 엄마. 우린 항상 함께일 거예요."

르네즈미가 대답했다. 그러곤 목에 걸고 있던 로켓을 만졌다. 이제 로켓 안에는 나와 에드워드와 그 애가 함께 찍은 작은 사진이 들어 있었다.

"마음속에서 우린 항상 함께일 거야. 하지만 오늘…… 때가 되면, 넌 나를 떠나야 해."

나는 숨을 쉬듯 조용히 속삭였다. 르네즈미가 눈을 크게 뜨더니 내 뺨을 만졌다. '싫어요' 라는 침묵의 뜻이 소리치는 것보다 더 크게 울려 퍼졌다.

나는 목구멍으로 치밀어 오르는 덩어리를 애써 삼켰다. 목이 퉁퉁 부은 것 같았다.

"날 위해서. 제발."

그 애가 내 얼굴을 손가락으로 더 세게 눌렀다. 왜요?

"말해줄 수 없어. 하지만 곧 알게 될 거야, 약속할게."

내가 속삭였다.

이어 머릿속에 제이콥의 얼굴이 비쳤다. 나는 고개를 끄덕이고는 그 애의 손가락을 치웠다.

"이 생각은 감춰 두고 있어. 내가 도망가라고 말할 때까지는 제이콥에게도 말하지 마, 알았지?"

내가 그 애의 귀에 속삭였다. 르네즈미는 내 말을 알아들었고, 고개를 끄덕였다. 마지막으로 나는 주머니에서 또 하나의 물건을 꺼냈다.

집에서 르네즈미의 짐을 꾸리는 동안, 번쩍이는 빛깔이 내 눈을 사로잡았다. 채광창으로 들어온 햇빛이 오래된 보석 상자에 들어있는 목걸이를 비춘 것이었다. 보석 상자는 선반 한 귀퉁이에 놓여 있었다. 나는 잠깐 생각하다가 어깨를 으쓱했다. 앨리스가 남긴 단서들을 맞추고 나니 이 상황이 평화롭게 마무리될 거라는 희망을 가질 수 없게 되었다. 하지만 최대한 우호적으로 그들을 맞는 것도 괜찮지 않을까? 나는 스스로에게 질문해 보았다. 그게 해가 될까? 역시 약간의 희망이라도 남겨두는 게 좋겠다는 생각이 들었다. 맹목적이고 무모한 희망일지라도. 그래서 선반을 기어 올라가 아로가 보낸 결혼 선물을 꺼내왔다.

나는 그 굵은 금목걸이를 목에 걸었다. 내 목에 자리 잡은 거대한 다이아몬드의 무게가 느껴졌다.

"예뻐요."

르네즈미가 속삭이고서, 팔을 내 목에 족쇄처럼 단단히 감았다. 나는 그 애를 가슴에 꼭 안았다. 그렇게 서로 하나가 된 채로 우리는 공터로 갔다.

내가 다가가자 에드워드가 한쪽 눈썹을 치켜 올렸다. 하지만 내 목걸이나 르네즈미의 가방에 대해 별말은 없었다. 그는 한숨을 쉬며 한참동안 우리를 꼭 안았다가 다시 풀어주었다. 그의 눈을 들여다보았지만 작별인사 같지는 않았다. 어쩌면 그는 이 삶이 끝난 이후의 삶을 바라보려 했을지도 모를 일이다.

우리는 각자 자리를 잡았고 르네즈미는 내가 두 손을 자유롭게 쓸 수 있도록 재빨리 내 등으로 기어 올라갔다. 칼라일, 에드워드, 에밋, 로잘리, 타냐, 케이트, 엘리저가 앞에 섰고 나는 그들 뒤로 몇 미터 떨어진 곳에 섰다. 내 옆에는 벤저민과 자프리나가 있었다. 최대한 그들을 보호하는 것이 내 일이었다. 그들은 우리가 보유한 비장의 공격무기니까. 만일 볼투리 가가 그간의 전투에서 잠깐이라도 앞을 볼 수 없게 되었었다면 상황은 완전히 바뀌었을 것이다.

자프리나는 강인하고 사나워 보였고, 그 옆에 선 세나는 자프리나와 거의 똑같은 모습으로 서 있었다. 벤저민은 손바닥을 바닥에 댄 채 땅에 주저앉아, 단층선에 대해 낮은 소리로 불평하고 있었다. 어젯밤 그는 바위더미를 최대한 자연스럽게 보이도록 여기저기 흩뿌려놓았고, 이제 공터 뒤쪽 바위더미들에는 눈이 쌓여 있었다. 그 돌들이 뱀파이어에게 상처를 줄 수는 없겠지만, 적어도 집중력을 흐트러뜨리는 효과 정도는 있기를 바랐다.

증인들은 우리의 왼쪽과 오른쪽에 모여 있었다. 일부 뱀파이어는 다른 뱀파이어보다 더 밀착해 서 있었다. 이미 자신의 입장을 밝힌 뱀파이어들이 가장 가까이에 섰다. 눈을 감은 시오반은 한껏 집중하고서 관자놀이를 문질렀다. 칼라일의 기분을 맞춰주려는 건가? 이 상황이 평화적으로 해결되는 모습을 머릿속으로 그려보는 걸까?

우리 뒤쪽 숲에는 늑대들이 모든 준비를 마친 채 미동도 없이 대기하고 있었다. 그들의 거친 숨소리와 심장소리만이 우리 귀에 들려왔다.

구름이 몰려들면서 빛이 흩어져, 아침인지 오후인지 알 수 없었다. 상황을 주시하고 있던 에드워드의 눈이 굳었다. 나는 에드워드가 두 번째로 이 장면을 보고 있다는 걸 확신했다. 첫 번째는 앨리스를 통해 보았을 것이다. 이제 볼투리 가가 도착할 시간이 도래한 것 같았다. 우리에게는 몇 분, 아니 몇 초밖에 남지 않았다.

우리 가족과 동지들은 모두 마음을 다잡았다.

숲에서 적갈색의 거대한 것이 튀어나왔다. 그 늑대들의 알파가 내 옆에 섰다. 위험이 이렇게 가까이 다가온 상황에서 르네즈미와 떨어져 있는 게 그에게는 힘겨웠을 것이다.

르네즈미는 제이콥의 거대한 어깨 위에 손을 올려놓고 털 속으로 손가락을 밀어 넣었다. 그 애의 몸에서 긴장이 어느 정도 풀려가는 것 같았다. 제이콥이 가까이 있으니 그 애는 더 차분해졌다. 나 역시 조금 마음이 편해졌다. 제이콥이 함께 있는 한 르네즈미는 괜찮을 것이다.

긴장을 늦추지 않고 계속해서 앞을 주시하면서 에드워드가 내게로 뒷걸음질쳐 왔다. 나는 팔을 뻗어 그의 손을 잡았다. 그가 자신의 손가락을 내 손가락 사이에 끼워 넣었다.

그리고 또 1분이 흘렀고, 나는 뭔가가 다가오는 소리에 몸을 떨었다.

그때 에드워드가 긴장하더니 악문 이빨 사이로 위협하는 것 같은 소리를 냈다. 시선은 우리가 서 있는 곳에서 정북 방향의 숲으로 향했다.

우리는 그가 바라보는 곳을 바라보았다. 그렇게 기다리는 동안 마지막 몇 초가 흘러갔다.

## 36

# 피를 부르는 욕망

———◆———

그들은 화려하게, 그리고 우아하게 나타났다.

엄숙하고 견고한 대형을 이룬 그들은 함께 움직였지만 행진하고 있지는 않았다. 적들은 나무 사이에서 완벽하게 하나가 되어 나타났다. 하얀 눈 위로 몇 센티미터 되는 지점을 맴돌고 있는 어두운 형태. 그들의 움직임은 부드러웠다. 행렬의 가장 바깥쪽은 회색이었다. 그 빛깔은 안으로 들어갈수록 점점 진해져서 가운데 부분은 완전한 검은색이 되어 있었다. 두건을 쓴 모두의 얼굴에는 그림자가 드리워 있었다. 희미한 발소리는 너무 규칙적이어서 마치 음악 같았다. 절대 흐트러지지 않는 복잡한 리듬의 음악.

뭔가 신호가 있었는지(어쩌면 이미 수천 년 동안 연습해 온 덕에 신호 같은 건 필요 없는지도 모른다), 가장 바깥쪽 줄이 반으로 접히며 양쪽으로 벌어졌다. 색깔로 봐서는 꽃이 피는 모습을 연상시켰지만 그 움직임은 아주 딱딱하고 곧았다. 부채가 펼쳐지는 모습이 그렇듯 우아하지만 절도가 있었다. 회색의 망토를 걸친 뱀파이어들이 옆으로 늘어섰고 더 진한 색 망토를 걸친 뱀파이어들이 가운데에서 밀려나왔다. 그 모든 움직임이 주도면밀했다.

그들의 움직임은 느리고도 차분했다. 서두르지도, 긴장하지도, 불안해하지도 않았다. 무적의 정복자가 보여 주는 발걸음 그 자체였다.

내 오랜 악몽과 거의 똑같았다. 다만 꿈과는 달리 그들의 얼굴에는 번득이는 욕망이 드러나지 않았다. 사악한 기쁨의 미소도 보이지 않았다. 감정을 겉으로 드러내기엔 너무 잘 훈련되어 있었으니까. 그들은 여기서 자신들을 기다리고 있는 뱀파이어 무리……, 즉 볼투리 가와 비교하면 오합지졸에 불과한 우리를 보고 전혀 놀란 것 같지도, 당황한 것 같지도 않았다. 또 한가운데 서 있는 거대한 늑대를 보고도 놀라지 않았다.

난 숫자를 세어보았다. 서른두 명이었다. 가장 뒤의 안전한 위치에 있는 것으로 보아 공격에 가담하지 않을 것처럼 보이는 검은 망토의 두 뱀파이어를 제외하고도, 우리는 여전히 수적으로 열세였다. 그 두 뱀파이어는 부인들인 것 같았다. 우리 중 함께 싸울 자는 열아홉 명이었고 우리가 죽어가는 모습을 지켜볼 자는 일곱 명이었다. 열 명의 늑대인간을 합친다 해도 우리가 열세였다.

"붉은 군복(미국 독립전쟁 당시의 영국 군인들을 의미하는 말. 가렛이 독립전쟁에 참전했으리라고 유추하게 하는 대목이다: 편집자)들이 오고 있다. 붉은 군복들이 오고 있다."

가렛은 혼자 알 수 없는 소리를 중얼거리더니 한 번 킥킥거렸다. 그리고 그는 케이트에게 한 발자국 다가갔다.

"드디어 왔군."

블라디미르가 스테판에게 속삭였다.

"경호원들, 부인까지 전부. 그들 모두가 왔어. 우리가 볼테라를 치지 않은 건 잘한 일이었군."

스테판이 이를 갈았다.

하지만 그 숫자로도 부족했던 모양이다. 볼투리 가가 느리고 장엄하게 앞으로 움직이자 그들 뒤쪽으로 더 많은 뱀파이어들이 나타났다.

끊임없이 쏟아져 나오는 뱀파이어들의 얼굴은 볼투리 가의 무표정한 얼굴과 대조를 이루었다. 그들은 예상치 못하게 자신들을 기다리고 있는 뱀파이어 무리를 보더니 처음에는 충격 받은 표정, 그다음에는 불안한 표정을 지었다. 하지만 그런 표정은 순식간에 사라졌다. 그들은 자신들의 수가 압도적이라는 데 안심하고, 무적의 볼투리 가가 자신들 앞에 있다는 것에 안심했다. 그들의 얼굴은 이내 우리를 보고 놀라기 전으로 돌아갔다.

난 그들의 기분을 쉽게 알아차릴 수 있었다. 얼굴에 분명하게 드러나 있었으니까. 광기에 휩쓸리고 정의에 목마른, 분노에 가득 찬 무리. 이 얼굴들을 보기 전까지는 정말 몰랐다. 뱀파이어들이 '불멸의 아이'라는 존재에 대해 어떻게 생각하고 있는지 말이다.

마흔 명이 넘는 그들은 모두 볼투리 가의 증인들이었다. 우리가 죽고 나면 그들은, 범죄자들이 축출되었으며 볼투리 가는 공정하게 일을 처리했다는 소문을 퍼뜨릴 것이다. 대부분은 단순한 증인 이상의 역할을 바라는 것 같았다. 그들은 우리의 몸을 찢어서 불태우는 데도 가담하고 싶어 했다.

우리에게는 실낱같은 희망도 없었다. 우리가 볼투리 가의 이점들을 무력화시킬 수 있다 해도, 그들은 우리를 수적으로 제압할 수 있으니까. 드미트리를 죽이게 되더라도 제이콥은 여기서 달아날 수 없을 것이다. 우리 쪽의 다른 뱀파이어들도 똑같은 생각을 하고 있었다. 대기 중에 감도는 절망이 나를 무겁게 짓눌렀다.

우리 반대편에 있는 뱀파이어 중 한 명은 그 어느 쪽 편도 아닌 것 같았다. 아이리나는 혼자만 다른 표정을 하고 두 무리 사이에서 머뭇대고 있었다. 그녀가 선두에 서 있는 타냐를 두려운 듯한 시선으로 바라보았다. 에드워드가 작은 소리로, 하지만 사납게 으르렁거렸다.

"앨리스테어가 옳았어요."

그가 칼라일에게 중얼거렸다. 칼라일이 궁금증 어린 눈빛으로 에드워드를 바라보았다.

"앨리스테어가 옳다고?"

타냐가 속삭이듯 물었다.

"카이우스와 아로는 우리를 없애고 전리품을 얻기 위해 여기 온 거야. 이미 여러 가지 전략을 짜두었지. 아이리나의 증언이 잘못된 것으로 드러난다 해도, 어차피 다른 명분을 찾아내 공격할 거야. 지금 그들은 르네즈미를 보고 자신만만해 있어. 그래도 우린 그들이 조작한 혐의에 대해 반론을 펴볼 수는 있을 거야. 그러려면 먼저 저들이 멈춰 서서 진실에 대해 들어야 하겠지만."

에드워드가 조용히 속삭였다. 우리 진영만 들을 수 있는 목소리였다. 조금 뒤 그는 더 작게 중얼거렸다.

"하지만 그들은 전혀 그럴 생각이 없어."

제이콥이 작은 소리로 분노를 표시했다. 그리고 아주 잠시 후 갑자기 행렬이 멈췄다. 그 완벽한 움직임이 만들어내던 낮은 음악소리도 더 이상 들리지 않았다.

내 뒤로 우렁찬 심장소리들이 들려왔다. 전보다 더 가까이에서. 난 왜 볼투리 가가 멈춰 섰는지 이유를 알아내기 위해 흘깃 돌아보았다.

늑대들 때문이었다.

울퉁불퉁하게 늘어선 우리 진영 양편으로 늑대들이 길게 줄을 이루었다. 보자마자 적어도 열 명 이상이라는 걸 알아차렸다. 내가 아는 늑대들도 있고, 전에 보지 못한 늑대들도 있었다. 열여섯 명의 늑대인간들이 우리 주위를 에워쌌다. 제이콥까지 세면 모두 열일곱 명이었다. 키나 발 크기로 보아 새로 합류한 늑대들은 아주 어린아이들 같았다. 미리 예상했어야 했다. 이웃한 지점에 이렇게 많은 뱀파이어들이 모여 있으니, 늑대인간의 수도 폭발적으로 늘어난 것이다.

더 많은 아이들이 죽어가게 되리라. 처음엔 어떻게 샘이 이런 상황을 받아들일 수 있었는지 이해가 안 되었지만, 그로서도 다른 대안은 없었을 거라는 생각이 들었다. 늑대인간이 한 명이라도 우리 곁에 있다면 볼투리 가는 결국 나머지 늑대인간들까지 색출해낼 것이다. 샘 일행은 이 일에 늑대인간의 운명을 걸었다.

그리고 우리는 지게 되겠지.

갑자기 화가 났다. 나는 분노를 넘어서 격노했다. 이제까지 느꼈던 무력한 절망감은 완전히 사라졌다. 분노 때문에 내 앞에 서 있는 검은 무리들이 희미한 붉은빛으로 보였다. 나는 그들에게 이빨을 박아 넣고 팔다리를 찢은 다음 불 속에 던져버리고 싶었다. 그들이 산 채로 태워지는 장작더미 옆에서 춤이라도 출 수 있을 것 같았다. 적들의 몸뚱이가 연기를 피우며 타오르는 동안 난 큰 소리로 웃어줄 것이다. 어느새 내 입술이 벌어지더니 명치에서부터 낮고 사납게 으르렁대는 소리가 흘러나왔다. 어느새 나는 입가에 미소를 띠고 있었다.

옆에 있던 자프리나와 세나도 나와 같이 낮게 으르렁거리며 분노를 표출했다. 에드워드가 내 손을 꼭 잡으며 나를 제지했다.

그늘이 드리운 볼투리 가의 얼굴들엔 여전히 아무 표정이 없었다. 그들 중 두 명의 눈동자만이 감정을 드러냈다. 한가운데에 있던 아로와 카이우스가 손을 잡더니 생각에 잠겼고, 다른 경호원들은 죽이라는 명령만 기다리며 멈춰 서 있었다. 그 둘은 서로를 보지는 않았지만 분명 대화를 나누고 있었다. 마르쿠스는 아로의 다른 손을 잡고 있었지만 대화에는 참가한 것 같지 않았다. 그의 표정은 경호원들처럼 무심하지는 않지만 거의 멍한 느낌이었다. 전에 보았을 때처럼 그는 지루한 것 같았다.

볼투리 가의 증인들은 몸을 앞으로 기울인 채 르네즈미와 나를 바라보았다. 그들은 볼투리 가의 경호원들과 멀리 떨어져 숲 가장자리에 서 있었다. 아이리나만 예외였다. 그녀는 금발에 피부가 푸석하고 눈에는 뿌연 막이 끼어 있는 고위층 여자 뱀파이어들과 그들을 지키는 엄청난 수의 보디가드들로부터 단 몇 걸음 떨어진 곳에서, 볼투리 가 바로 뒤를 서성이고 있었다.

아로 뒤에는 진회색 망토를 입은 여자가 있었다. 확실치는 않지만 그녀는 아로의 등을 만지고 있는 것 같았다. 저 여자가 또 다른 방어막인 레나타일까? 엘리저처럼 나 역시, 그녀가 나를 이길 수 있을지 궁금했다.

하지만 카이우스나 아로에게 접근하느라 헛되이 목숨을 잃지는 않을 것이다. 내게는 더 중요한 목표들이 있으니까.

나는 그들을 찾기 위해 볼투리 진영을 살펴보았고 진회색 코트를 걸친 작은 형체 둘을 핵심부 근처에서 쉽게 찾아냈다. 호위대 중 가장 작은 알렉과 제인은 마르쿠스 옆에 서 있었다. 알렉과 제인 옆으로 드미트리가 보였다. 쌍둥이들의 사랑스러운 얼굴은 그 어떤 감정도 드러내지 않은 채 평온하기만 했다. 그들은 검은 망토를 걸친 고대 뱀파이어들 옆에 가장 진한 회색의 망토를 입고 서 있었다. 사악한 쌍둥이들, 블라디미르는 그렇게 표현했었다. 그들의 힘은 볼투리 가의 공격력을 떠받치는 토대였다. 아로가 모은 값진 보석들이라 할 수 있었다. 내 몸의 근육들이 공격 태세를 갖추며 팽팽히 긴장되었다. 입 안에 독이 가득 고였다.

아로와 카이우스는 우리 쪽으로 흐릿한 붉은 눈을 번득였다. 아로는 잃어버린 누군가를 찾는 듯 우리의 얼굴을 되풀이해서 살펴보며 실망한 표정을 지었다. 분노로 그의 입술이 굳었다.

그 순간 나는 앨리스가 도망친 것이 기쁘기만 했다.

침묵이 길어지면서 에드워드의 숨소리가 빨라졌다.

"에드워드?"

칼라일이 낮고 불안한 목소리로 불렀다.

"어떻게 시작할지 그들은 아직 결정하지 못했어요. 주요 목표물들을 고르면서 대안을 검토하고 있죠. 그 목표들이란 나, 칼라일, 엘리저, 그리고 타냐예요. 마르쿠스는 우리의 취약점을 찾는 동시에 우리의 유대가 어느 정도인지 가늠해보고 있어요. 그리고 루마니아 뱀파이어들 때문에 초조해하고도 있네요. 모르는 얼굴 때문에 좀 불안해하는 것 같기도 하고요. 특히 자프리나와 세나에 대해서요. 당연히 늑대들에 대해서도 꺼림칙해 하고 있죠. 그들은 전에는 한 번도 수적으로 열세였던 적이 없었거든요. 그래서 멈춰선 거예요."

"수적으로 열세라고?"

타냐가 믿을 수 없다는 듯 속삭였다.

"자기네들이 세운 증인은 포함시키지 않았거든. 볼투리 가의 호위대에게 있어 무의미한 존재들이니까. 아로는 그저 그들을 관객으로 둘 셈이었지."

에드워드가 속삭였다.

"내가 이야기를 시작하는 게 좋을까?"

칼라일이 물었다. 에드워드는 주저하다가 고개를 끄덕였다.

"지금이 유일한 기회예요."

칼라일은 어깨를 펴더니 우리 쪽 방어선에서 몇 걸음 앞으로 나아갔다. 나는 그가 아무 보호도 받지 못한 채 혼자 서 있는 게 싫었다. 그가 인사를 하듯 손바닥을 위로 향한 채 팔을 벌렸다.

"아로, 내 오랜 친구여. 몇 세기만에 다시 보는군요."

하얗게 눈이 덮인 공터는 오랫동안 죽은 듯 조용했다. 아로가 칼라일의 말을 곱씹는 동안 에드워드는 그의 생각을 듣고 있었다. 그에게서 긴장을 느낄 수 있었다. 매초가 지날수록 긴장감은 고조되었다.

그때 아로가 볼투리 가의 핵심부에서 앞으로 걸어 나왔다. 방어막인 레나타가 손끝으로 그의 옷자락을 잡은 채 그와 함께 움직였다. 처음으로 볼투리 가의 대열이 반응을 보였다. 그들은 작은 소리로 투덜대면서 눈썹을 찡그리고 이빨을 드러냈다. 몇몇 경호원은 공격 태세를 갖추듯 앞으로 몸을 숙였다. 아로가 그들을 향해 한 손을 들어올렸다.

　"조용히."

　아로는 몇 걸음 더 걸어 나오더니 한쪽으로 머리를 갸웃했다. 그의 부연 눈이 호기심으로 반짝였다.

　"그러게 말입니다, 칼라일. 저들은 당신이 모은 군대가 나를, 그리고 내가 아끼는 이들을 죽일까 봐 동요하는 거랍니다."

　그가 가느다란 목소리로 중얼거렸다. 칼라일이 고개를 흔들더니 오른손을 앞으로 내밀었다. 그는 둘 사이의 거리가 100미터 가까이나 된다는 것을 깨닫지 못하는 것 같았다.

　"내 손을 만져보면 알 겁니다. 그럴 의도는 전혀 없다는 걸."

　아로가 날카로운 눈을 가늘게 떴다.

　"하지만 당신이 저지른 짓을 보시오. 의도를 따지는 게 지금 중요하겠소, 칼라일?"

　아로가 얼굴을 찡그렸고 얼굴에는 슬픈 표정이 스쳐갔다. 하지만 과연 진심일지는 알 수 없었다.

　"난 죄를 짓지 않았습니다."

　"그럼 죄지은 자에게 벌을 줄 수 있게 옆으로 비켜서는 게 어떤가요. 진심입니다, 칼라일, 난 당신의 생명을 지켜주고 싶어요."

　"아무도 법을 어기지 않았습니다. 아로. 설명할 기회를 주세요."

　다시 칼라일이 손을 내밀었다. 아로가 대답을 하기도 전에 카이우스가 재빨리 앞으로 나와 아로 옆에 섰다.

"칼라일! 그렇게 많은 무의미한 규칙과 불필요한 법들을 스스로 만들어 낸 당신이, 어떻게 진짜 중요한 법은 어길 수 있는 거요?"

백발의 고대 뱀파이어는 위협하는 소리를 냈다.

"우린 그 법을 어기지 않았습니다. 들어만 주신다면……."

"이미 두 눈으로 저 애를 본 후요, 칼라일. 우릴 바보로 보지 마시오."

카이우스가 으르렁거렸다.

"저 애는 불멸의 아이가 아닙니다. 뱀파이어가 아니란 말입니다. 조금만 시간을 주면 설명할 수 있습니다."

카이우스가 그의 말을 잘랐다.

"불멸의 아이가 아니라면 왜 저렇게 많은 자들을 동원해 저 애를 보호하려는 거요?"

"당신들이 데려온 자들처럼 저들도 증인입니다, 카이우스."

칼라일이 숲 가장자리에 모여 있는 분노에 찬 무리들을 가리켰다. 그러자 그들 중 몇몇이 으르렁거렸다.

"이 친구들은 당신에게 진실을 말해줄 겁니다. 아니면 당신이 직접 저애를 봐도 되겠지요, 카이우스. 저 애의 뺨에 인간의 혈색이 도는 걸 보십시오."

"그건 그냥 위장이잖소! 제보자는 어디 있지? 그녀를 데려와!"

카이우스가 날카롭게 외쳤다. 이어 그는 고개를 돌리더니 부인들 뒤에서 머뭇거리는 아이리나를 알아보았다.

"너! 나와!"

아이리나는 알아듣지 못한 것처럼 그를 바라보았다. 그녀는 끔찍한 악몽에서 완전히 깨어나지 못한 것 같았다. 카이우스는 신경질적으로 손가락을 튕겨 소리를 냈다. 부인들의 덩치 큰 보디가드 중 한 명이 아이리나옆으로 다가가서 그녀의 등을 거칠게 밀었다. 멍한 표정의 아이리나가 두 번 눈을 깜빡이더니 천천히 카이우스에게 다가왔다.

그녀는 여전히 자신의 자매들을 바라보면서 몇 미터 뒤에 멈춰 섰다. 카이우스가 그녀에게 다가가더니 뺨을 때렸다.

아프지는 않겠지만 너무나도 모욕적이었다. 마치 누군가 개를 걷어차는 모습을 본 것 같았다. 타냐와 케이트가 동시에 이 가는 소리를 냈다.

아이리나가 긴장하더니 마침내 카이우스를 바라보았다. 그는 날카로운 손톱이 달린 손가락으로 르네즈미를 가리켰다. 르네즈미는 여전히 내 등에 매달린 채 손가락으로 제이콥의 털을 잡고 있었다. 분노 때문에 내 눈에는 카이우스가 온통 빨갛게 보였다. 제이콥의 가슴에서 으르렁거리는 소리가 울려나왔다.

"네가 본 애가 저 애냐? 인간이 아니라던 애가?"

카이우스가 다그쳤다. 아이리나가 우리 쪽을 보더니, 공터에 도착하고 처음으로 르네즈미를 자세히 관찰했다. 그녀가 머리를 갸웃대며 혼란스러운 표정을 지었다.

"아……?"

카이우스가 으르렁거렸다.

"잘…… 모르겠습니다."

그녀가 혼란스러운 목소리로 말했다. 그녀를 다시 때리려는 듯 카이우스의 손이 움찔거렸다.

"대체 무슨 말을 하는 거냐?"

그가 냉혹하게 속삭였다.

"그때와 똑같지 않습니다. 하지만 그 아이가 맞는 것 같습니다. 그러니까, 아이가 변한 것 같습니다. 그때보다 더 커졌군요. 하지만……."

분노한 카이우스가 갑자기 이를 드러내고 숨을 몰아쉬기 시작했고, 아이리나는 말을 맺지 못했다. 아로가 카이우스 옆으로 다가가더니 어깨를 잡고 그를 진정시켰다.

"진정해요, 형제. 시간은 충분해요. 서두를 필요가 없습니다."

부루퉁한 표정으로 카이우스가 아이리나에게 등을 돌렸다.

"자, 귀여운 아가씨. 무슨 말을 하려던 건지 보여주렴."

아로가 따뜻하고 달콤하게 속삭였다. 그러고는 당황한 아이리나에게 손을 내밀었다. 아이리나가 자신 없는 태도로 그의 손을 잡았다. 그는 5초 동안 그녀의 손을 잡고 있었다.

"봤어요, 카이우스? 이렇게 간단하잖아."

그가 말했다. 카이우스는 대답하지 않았다. 아로는 흘깃 자신의 관객과 군중들을 바라보고서 칼라일에게 돌아섰다.

"수수께끼로군요. 저 아이는 성장하고 있는 것 같으니 말이오. 하지만 아이리나의 첫 번째 기억에 등장한 애는 불멸의 아이가 맞았는데. 재미있는 일이군."

"그게 바로 내가 설명하려던 겁니다."

칼라일이 말했다. 안도하는 목소리였다. 간절히 바라던 대로 우리는 잠깐 그들을 멈춰 세울 수 있었다.

하지만 마음을 놓을 수는 없었다. 분노로 거의 감각을 잃은 상태로 나는 에드워드가 이야기했던 그들의 다음 전략을 기다렸다.

칼라일이 다시 손을 내밀었다. 아로는 잠깐 주저했다.

"이 일과 직접 관련이 있는 자에게서 설명을 듣고 싶소, 친구. 이런 범죄 행위를 당신이 직접 저지른 건 아닐 텐데요?"

"범죄 행위는 없었습니다."

"그렇다고 해도 난 진실을 속속들이 봐야겠어. 그러려면 당신의 아들에게서 직접 증거를 찾아야겠군요."

가볍던 아로의 목소리가 딱딱해졌다. 그가 에드워드 쪽으로 머리를 기

·울었다.

"저 애가 에드워드의 아내에게 매달려 있는 걸 보면, 그가 관계된 것 같은데."

당연히 그는 에드워드를 원하리라. 에드워드의 마음을 들여다보면 우리의 생각을 모두 알 수 있을 테니까. 나만 빼고.

에드워드는 재빨리 돌아서더니 눈도 마주치치 않고 나와 르네즈미의 이마에 입을 맞추었다. 그는 눈 덮인 벌판을 가로지르더니 칼라일을 지나치면서 그의 어깨를 두드렸다. 내 뒤에서 낮게 훌쩍이는 소리가 났다. 에스미의 공포는 결국 이렇게 밖으로 터져 나오고 있었다.

비할 데 없는 분노 때문에 내 눈에는 핏발이 섰다. 그래서 마치 볼투리 무리가, 지금껏 본 그 어느 것보다 붉게 타오르는 아지랑이에 감싸 있는 것처럼 보였다. 난 에드워드 혼자서 텅 빈 하얀 벌판을 걸어가는 모습을 보고만 있을 수가 없었다. 하지만 르네즈미가 단 한 발자국이라도 적들과 가까워지는 것 역시 견딜 수 없었다. 서로 상반된 욕구 사이에서 난 괴로웠다. 꼼짝 못하고 자리에 얼어붙은 채 당장이라도 산산이 부서져버릴 것 같았다.

에드워드가 두 진영의 중간 지점을 지나 우리보다 그들과 더 가까워지자 제인이 미소를 지었다.

그 의기양양한 미소 덕분에, 내 분노는 마침내 정점에 이르렀다. 늑대들이 이 불운한 싸움에 말려들었을 때 느꼈던, 피를 보고 싶다는 맹렬한 욕망보다 더 큰 분노였다. 나는 혀로 직접 광기를 맛볼 수도 있었다. 순수한 힘이 밀물처럼 나를 덮쳐오는 것을 느꼈다. 근육이 단단해지더니 자동적으로 움직였다. 난 온 정신을 다해 창을 던지듯이 실드를 던졌다. 내가 만들어낸 방어막은 믿을 수 없을 만큼 먼 거리에 도달했다. 나는 거칠게 숨을 내쉬었다.

실드는 순수한 에너지로 만들어진 거품처럼, 액체 금속으로 이루어진 버섯구름처럼 내게서 뿜어져 나갔다. 막은 마치 살아 있는 것처럼 요동쳤다. 실드의 맨 꼭대기에서 가장자리에 이르기까지 난 그 모든 부분을 느낄 수 있었다.

이제 탄력성 있던 방어막은 반동조차 없이 견고했다. 그 순간 나는, 전에 방어막이 반동을 일으켰던 게 순전히 내 탓이란 걸 깨닫게 되었다. 예전의 난 스스로를 보호하기 위해, 보이지 않는 또 다른 나의 일부인 실드를 무의식적으로 끌어당겼던 것이다. 하지만 지금은 자유자재로, 힘조차 들이지 않고 50미터 떨어진 곳에까지 방어막을 펼칠 수 있었다. 실드는 마치 근육처럼 내 의지에 따라 움직였다. 난 막을 밀어내 길고 뾰족한 타원형으로 만들었다. 유연한 강철의 막 아래 놓인 모든 것이 갑자기 내 일부가 되었다. 밝은 열점을 느끼듯, 실드 아래에 있는 모든 것의 생명력을 느낄 수 있었다. 그리고 나를 에워싼 빛의 불꽃에 매혹되었다. 나는 공터 끝까지 방어막을 넓게 퍼뜨린 후 그 아래에서 에드워드의 밝은 빛을 느끼며 안도의 한숨을 내쉬었다. 그리고 이 새로운 근육을 수축시켜 에드워드를 에워싼 채 계속 견뎠다. 얇지만 찢기지 않는 막이 그의 몸과 적들 사이를 가로막고 있었다.

이렇게 되기까지는 거의 1초도 걸리지 않았다. 에드워드는 여전히 아로에게 걸어가는 중이었다. 모든 게 완전히 바뀌었는데도 나를 제외한 그 누구도 모르고 있었다. 놀라움에 웃음이 터져 나왔다. 다들 나를 쳐다보았고, 제이콥은 미친 사람을 보듯 커다란 검은 눈동자로 나를 훑어보았다.

에드워드는 아로에게서 몇 걸음 떨어진 곳에 멈춰 섰다. 이제 그가 아로와 접촉할 수 있게 방어막을 걷어야 한다고 생각하니 분노가 솟구쳤다. 그러나 우리 모두 이 순간을, 아로가 우리 측의 이야기를 들어주는 순간을 기다렸기 때문에 참아야 했다. 고통스러웠지만 난 마지못해 방어막을 뒤로 잡아당겨 에드워드를 다시 위험에 노출시켰다. 웃고 싶은 기분도 사라졌다. 나는 에드워드에게 잔뜩 정신을 집중하고서, 무슨 일이든 생기면 즉시 그를 보호할 준비를 했다.

에드워드가 오만하게 턱을 치켜들더니, 대단한 영광이라도 누리게 해주는 것처럼 아로에게 손을 내밀었다. 아로는 기쁜 것 같았지만 모두가 그렇게 기뻐하는 것은 아니었다. 레나타는 아로의 그림자 속에서 초조하게 움직였다. 카이우스는 얼굴을 심하게 찡그리고 있어서 그의 종잇장 같은 투명한 피부에 새겨진 주름이 영원히 펴질 것 같지 않았다. 제인은 이를 드러냈고, 그녀 옆에 있던 알렉은 눈을 가늘게 뜨고 집중하고 있었다. 난 그가 나처럼 당장이라도 움직일 준비를 하고 있을 거라고 생각했다.

아로는 계속해서 에드워드에게 다가왔다. 사실 그가 두려워 할 게 뭐가 있겠는가? 밝은 회색 망토를 입은 거대한 그림자들, 펠릭스처럼 억센 전사들이 몇 미터 떨어진 곳에 있었다. 제인은 에드워드가 고통 속에서 몸부림치게 할 수 있었다. 알렉은 에드워드가 아로 쪽으로 한 걸음 떼기 전에 그의 눈과 귀를 멀게 할 수 있었다. 그러나 내가 그들을 막을 수 있는 힘을 지닌 것은 아무도 모르고 있었다. 심지어 에드워드조차도.

고요한 미소를 지으며 아로가 에드워드의 손을 잡았다. 그가 눈을 감자 그에게로 정보가 쏟아져 들어가면서 아로의 어깨가 수그려졌다.

모든 비밀, 모든 전략, 그리고 통찰들. 지난 한 달간 에드워드가 주위에서 들은 모든 것이 이제 아로에게 넘어갔다. 그리고 더 나아가 앨리스가 본 모든 것, 우리 가족이 함께 한 모든 순간들, 르네즈미의 머릿속에 있던 그림들, 입맞춤, 우리 사이의 수많았던 접촉의 순간들……. 그것들이 이제 전부 아로에게 넘어갔다.

나는 좌절감에 이를 갈았고, 방어막도 내 분노에 따라 그 형태와 크기가 바뀌었다.

"진정해, 벨라."

자프리나가 속삭였다. 나는 이를 악물었다.

아로는 계속 에드워드의 기억에 집중했다. 에드워드는 고개를 숙이고 꼼짝도 하지 않은 채 아로가 자신에게서 빼간 모든 것을 다시 읽어내면서 그에 대한 아로의 반응을 살피고 있었다.

서로에게 말하고 있기는 하지만 결코 평등하지는 않은 대화가 오랫동안 계속되면서, 볼투리 가의 경호원들조차 동요했다. 낮게 중얼거리는 소리가 흘러나오자 카이우스가 조용히 하라고 날카롭게 명령했다. 제인은 어쩔 수 없다는 듯 조금씩 앞으로 나왔고 레나타의 얼굴은 고통으로 굳어버렸다. 잠깐 동안 나는 힘이 빠져 공황 상태가 되었지만, 그래도 강력한 방어막인 레나타를 자세히 살펴보았다. 그녀는 아로에게는 유용한 부하지만 전사는 아니었다. 그녀의 임무는 보호하는 것일 뿐, 싸우는 게 아니었다. 레나타에겐 피를 보려는 욕구가 없었다. 비록 내가 미숙하기는 하지만, 그녀와 맞붙게 된다면 어렵지 않게 제거할 수 있으리라.

아로가 몸을 펴고 번쩍이는 눈을 뜨면서 놀라움과 조심스러움이 교차하는 표정을 짓는 것을 보고 나는 다시 정신을 집중했다. 그는 에드워드의 손을 놓아주지 않았다.

"보셨습니까?"

에드워드가 벨벳같이 부드러운 목소리로 물었다.

"그래, 봤다. 신들 사이에서든, 인간들 사이에서든 어찌 이보다 더 뚜렷하게 볼 수 있겠느냐."

아로가 대답했다. 놀라움이 담긴 목소리였다. 잘 훈련된 경호원들의 얼굴에도 나처럼 믿을 수 없다는 반응이 나타났다.

"자네 때문에 생각할 게 많아졌다네, 젊은 친구. 내가 예상했던 것보다 훨씬."

아로가 말을 이었다. 그는 여전히 에드워드의 손을 놓지 않았다. 에드워드는 대답하지 않았고, 아로의 주변에서 귀를 기울이고 있는 자들과 마찬가지로 초조해 보였다.

"그 애를 만나 봐도 될까? 지금껏 그런 존재는 상상도 못했었는데! 종족의 역사에 한 획을 그을 수 있겠군."

아로가 갑자기 열렬한 흥미를 보였다. 그의 말은 거의 간청에 가까웠다.

"무엇 때문에 그러는 거요, 아로님?"

에드워드가 대답하기 전에 카이우스가 투덜댔다. 아로의 질문을 들은 나는 르네즈미를 등에서 내려 보호하듯 품에 꼭 안았다.

"당신같이 현실적인 이는 꿈조차 꿔본 적 없을 일이랍니다, 친구여. 우리가 집행하려던 형벌은 이들에게 적용되지 않을 것 같아요. 조금만 생각해봅시다."

그 말에 놀란 카이우스가 으르렁대는 소리를 냈다.

"진정해요, 형제."

아로가 달래듯 말했다.

이건 좋은 소식이어야 했다. 우리가 듣고 싶어 했던, 하지만 절대로 들을 수 없으리라 생각했던 집행유예 선고니까. 아로는 진실에 귀를 기울였다. 그리고 법이 깨지지 않았음을 인정했다.

그러나 에드워드에게 고정되어 있던 내 눈은 그의 등이 움찔하는 것을 보았다. 나는 아로가 카이우스에게 잠깐 생각하자고 했던 말을 떠올리며 그 안에 담긴 이중적인 의미를 파악했다.

"딸에게 나를 소개해주겠나?"

아로가 다시 에드워드에게 물었다. 이 말에 으르렁거리는 소리를 낸 건 카이우스만이 아니었다. 에드워드는 마지못해 고개를 끄덕였다. 르네즈미는 이제까지 수많은 이들을 자기편으로 끌어들였었다. 아로는 고대 뱀파이어들의 실질적인 지도자였다. 만일 그 역시 르네즈미의 편이 된다면, 다른 자들도 우리에게 불리한 행동을 할 수 없는 게 아닐까?

아로는 여전히 에드워드의 손을 잡은 채 우리가 듣지 못한 질문에 답해 주고 있었다.

"이런 상황에서는 한 가지 절충안이 있지. 한가운데에서 만나는 것."

아로는 에드워드의 손을 놓았다. 에드워드는 우리 쪽으로 돌아섰고 아로는 마치 친한 친구처럼 한 팔을 그의 어깨에 걸쳤다. 그는 끊임없이 에드워드와 접촉하고 있었다. 아로와 에드워드가 공터를 가로질러 우리 쪽으로 걸어오기 시작했다.

경호원들도 모두 그들과 보조를 맞춰 걷기 시작했다. 아로가 돌아보지도 않고 무심히 한 손을 들었다.

"멈추라, 친애하는 제군들. 우리가 평화를 보장한다면, 저들도 우리에게 해를 입히지 않아."

호위대는 이 말에 반항하듯 저마다 으르렁거리거나 위협적인 소리를 내면서도, 제자리를 지켰다. 레나타만이 아로에게 바싹 달라붙은 채 불안하게 투덜거렸다.

"주인님."

그녀가 속삭였다.

"걱정 마라, 사랑스런 레나타. 괜찮아."

그가 대답했다.

"경호원을 몇 명 데려가시죠. 그래야 저들이 마음을 놓을 겁니다."

에드워드가 말했다. 생각했어야 하는데 미처 그러지 못했다는 듯 아로가 고개를 끄덕였다. 그는 손가락을 튕겨 두 번 소리를 냈다.

"펠릭스, 드미트리."

두 뱀파이어가 즉시 그의 옆에 섰다. 그들은 지난번에 보았을 때와 똑같

753

은 모습이었다. 둘 다 키가 크고 머리색이 검었다. 드미트리는 칼날처럼 단단하고 호리호리한 반면 펠릭스는 쇠침이 박힌 곤봉처럼 거대하고 위협적이었다.

그들 다섯은 눈 덮인 벌판 한가운데에 멈췄다.

"벨라! 르네즈미를 데려와……. 친구들도 몇 명 데려오고."

에드워드가 소리쳤다.

나는 심호흡을 했다. 몸이 말을 듣지 않았다. 르네즈미를 분쟁의 중심지로 데려간다는 생각 때문에……. 하지만 난 에드워드를 믿었다. 아로가 비열한 계획을 세우고 있었다면 에드워드가 미리 알아냈겠지.

아로에게는 세 명의 경호원이 있었다. 그래서 난 두 명을 데려가기로 했다. 잠깐 고민하지 않을 수 없었다.

"제이콥? 에밋?"

나는 조용히 물었다. 에밋은 가고 싶어 죽을 지경일 거고, 제이콥은 뒤에 남겨지는 것을 견딜 수 없을 테니까.

둘 다 고개를 끄덕였다. 에밋은 씩 웃기까지 했다. 나는 양옆에 그들을 거느리고 공터를 가로질렀다. 우리를 보고 경호원들이 으르렁거렸다. 그들은 당연히 늑대인간을 신뢰하지 않았으므로. 이번에도 아로가 손을 들자 으르렁거리는 소리가 사라졌다.

"아주 흥미로운 친구를 두었군."

드미트리가 에드워드에게 중얼거렸다. 에드워드는 대답하지 않았지만 제이콥의 이빨 사이에서 낮게 으르렁거리는 소리가 났다.

우리는 아로와 몇 미터 떨어진 지점에 멈췄다. 에드워드가 아로의 팔에서 빠져나오더니 재빨리 우리 쪽으로 와서 내 손을 잡았다. 그와 나는 한동안 침묵 속에서 서로를 마주 보았다. 그때 펠릭스가 작은 목소리로 내게 인사했다.

"다시 만났네, 벨라."

그가 거만하게 씩 웃었다. 그러면서도 연신 주변시로 제이콥의 움직임을 주시하고 있었다. 난 거대한 산 같은 뱀파이어에게 쓴웃음을 지어보였다.

"안녕하세요, 펠릭스."

펠릭스가 쿡쿡 웃었다.

"예쁘네. 뱀파이어가 되니 잘 어울리는 걸."

"고마워요."

"천만에. 정말 유감스러운 일이지……."

그는 말을 맺지 않았지만, 에드워드의 도움이 없어도 나는 그 뒤에 이어질 말을 상상할 수 있었다. 유감스러운 일이지. 우리가 곧 너희들을 죽여야 하다니.

"네, 정말 안 된 일이죠?"

내가 중얼거렸다. 펠릭스가 윙크했다. 아로는 우리의 대화에는 관심을 쏟지 않았다. 그는 매혹당한 듯이 머리를 한쪽으로 갸웃거렸다.

"저 애의 묘한 심장소리가 들리는군. 저 애의 오묘한 냄새가 나."

그는 거의 곡조를 붙여 중얼거렸다. 그러더니 그의 부연 눈이 나를 향했다.

"젊은 벨라, 정말 특별한 뱀파이어가 된 것 같구나. 넌 아무래도 뱀파이어로 살기 위해 태어난 모양이다."

그가 말했다. 나는 그의 아첨에 한 번 고개를 끄덕였다.

"내 선물이 마음에 들었나?"

내가 걸고 있는 목걸이를 보며 그가 물었다.

"아름답습니다. 정말로 자애로우신 것 같아요. 감사합니다. 감사편지라도 보냈어야 하는데."

아로가 즐겁게 웃었다.

"그냥 굴러다니던 건데, 네 달라진 외모에 어울릴 것 같았어. 그런데 정말 어울리는구나."

볼투리 진영에서 작게 이를 가는 듯한 소리가 흘러나왔다. 나는 아로의 어깨 너머로 살펴보았다.

흠⋯⋯. 아무래도 제인은 아로가 지금 내게 지어보이는 표정이 마음에 안 드는 것 같다.

아로가 내 주의를 끌기 위해 헛기침을 했다.

"딸과 인사를 해도 될까, 사랑스러운 벨라?"

그가 부드럽게 물었다.

내가 바라던 일이야, 난 그렇게 스스로에게 일깨웠다. 르네즈미와 함께 도망치고 싶다는 충동과 싸우며 나는 천천히 두 걸음 앞으로 나섰다. 실드를 망토처럼 등 뒤에만 두른 채 르네즈미만 노출시키고, 나머지 가족은 방어막 아래에 두었다. 아로가 우리에게 밝게 미소 지었다.

"아름다운 아이군. 너와 에드워드처럼."

그가 중얼거리더니 곧 더 큰 목소리로 말했다.

"안녕, 르네즈미."

르네즈미가 재빨리 나를 보았다. 나는 고개를 끄덕였다.

"안녕하세요, 아로님."

그 애가 높고 울리는 목소리로 예의 바르게 대답했다. 아로의 눈빛이 멍해졌다.

"그 앤 뭐요?"

카이우스가 뒤에서 투덜거렸다. 이런 질문을 던져야 한다는 게 마뜩찮은 것 같았다.

"반은 인간, 반은 뱀파이어. 여기 있는 이 어린 뱀파이어가 아직 인간일 때 임신하고 출산한 아이지요."

아로가 매혹당한 듯 르네즈미에게서 시선을 떼지 않으면서 카이우스와 경호원들에게 말했다.

"말도 안 돼요."

카이우스가 코웃음을 쳤다.

"그럼 저들이 날 속였다고 생각합니까, 형제? 지금 들리는 심장소리가 사기 같아요?"

아로의 표정은 아주 즐거워 보였지만 카이우스는 움찔했다. 곧 그가 얼굴을 찡그렸다. 아로의 부드러운 질문들에 마치 주먹질이라도 당한 것처럼 화난 표정이었다.

"침착하고 조심스럽게 행동해야지요, 형제여."

아로가 르네즈미에게 계속 미소를 보이면서 말을 이었다.

"당신이 당신의 정의를 얼마나 사랑하는지 잘 알고 있소. 하지만 이 독특한 꼬마의 부모를 처벌하는 건 정의가 아니라오. 배울 게 너무 많아요, 너무 많다고요! 당신이 역사에는 그리 흥미가 없다는 걸 압니다, 형제. 하지만 놀랍고도 희귀한 이 사건을 역사의 한 페이지에 추가할 수 있도록 내게 아량을 베풀어주시는 게 어떤가요. 우리는 그저 정의를 바로 세우고, 친구라고 생각했지만 아니었던 자들 때문에 슬퍼하게 될 거라는 생각만 하며 이곳에 오지 않았소. 하지만 대신 우리가 뭘 얻게 되었는지 보세요! 우리에 관한 새롭고도 놀라운 사실들을, 가능성들을 알게 되었잖소."

그는 르네즈미에게 손을 내밀었다. 하지만 그건 르네즈미의 방식이 아니었다. 그 애는 위로 몸을 뻗더니 아로의 얼굴에 손끝을 댔다.

다른 뱀파이어들과 달리 아로는 르네즈미의 손이 닿아도 깜짝 놀라지 않았다. 그는 에드워드만큼 다른 이의 마음으로부터 생각과 기억을 받아들이는 데 익숙했다. 그가 점점 환하게 미소 짓더니 마침내 만족한 듯 한숨을 쉬었다.

"대단해."

그가 속삭였다. 르네즈미는 아로에게서 손을 떼고 다시 내 품에 폭 안겼다. 그 애의 얼굴은 아주 심각했다.

"제발요?"

그 애가 부탁했다. 아로가 상냥하게 미소 지었다.

"물론 네가 사랑하는 사람들을 해치지 않을 거야, 소중한 르네즈미."

아로의 목소리는 너무나도 포근하고 애정이 넘쳐흘러서 아주 잠깐 동안은 나도 속아 넘어갔다. 그때 에드워드가 이를 가는 소리가 들렸다. 그리고 멀리 우리 뒤쪽에서는 매기가 그 거짓말에 반응하여 분노에 찬 소리를 냈다.

"궁금하단 말이지."

아로는 이런 반응을 알아차리지 못한 것처럼 생각에 잠겼다. 갑자기 그의 눈이 제이콥에게로 향했다. 카이우스가 이 거대한 늑대에게 보였던 혐오감과는 달리, 아로의 눈에는 이해할 수 없는 갈망이 담겨 있었다.

"그렇지 않습니다."

에드워드가 갑자기 거친 목소리로 말했다. 더 이상 그의 목소리에서 조심스럽고 중립적인 태도는 엿볼 수 없었다.

"그냥 무심코 든 생각이라네."

아로가 제이콥을 노골적으로 바라보았다. 그러더니 그의 눈은 천천히 우리 뒤쪽에 두 줄로 늘어서 있는 늑대들에게로 향했다. 르네즈미가 그에게 무엇을 보여주었는지는 알 수 없지만, 덕분에 그는 늑대들에게 흥미를 갖게 된 것 같았다.

"그들은 우리의 소유물이 아닙니다, 아로님. 우리 명령을 따르지도 않습니다. 그들은 자신들이 원해서 여기 있는 겁니다."

제이콥이 위협적으로 으르렁거렸다.

"그래도 그들은 너에게 아주 애정이 깊은 것 같은데. 네 부인과 네……
가족에게도. 충성스럽기도 하고."

아로의 말이었다. 그는 아주 부드러운 목소리로 '충성'이라는 단어를
발음했다.

"그들의 임무는 인간의 생명을 지키는 겁니다, 아로님. 그 때문에 그들
은, 우리와는 공존할 수 있어도 볼투리 가와는 공존할 수 없습니다. 생존
방식을 바꾸지 않는다면 말이지요."

아로는 자못 즐겁게 웃더니 다시 말했다.

"그냥 잠시 해본 생각이라니까. 자네도 알지 않나. 아무 예고 없이 떠오
르는 생각들을 어떻게 막을 수 있겠나."

에드워드가 얼굴을 찡그렸다.

"뭘 말씀하시는 건지 압니다. 하지만 전 무심코 든 생각과 숨은 의도가
있는 생각을 구별하는 법 역시 알고 있습니다. 지금 생각하시는 일은 절대
로 이루실 수 없을 겁니다. 아로님."

제이콥이 커다란 머리를 에드워드 쪽으로 돌리더니 이빨 사이로 희미하
게 으르렁대는 소리를 냈다.

"그는…… 경호견에 대해 생각하고 있어."

에드워드가 중얼거렸다. 순간 정적이 흐르더니 곧 늑대 무리 전체에서
쏟아져 나온, 분노에 찬 으르렁 소리가 거대한 공터를 가득 채웠다.

명령하듯 날카롭게 짖는 소리가 났다. 확인해 보지는 못했지만 샘이 낸
것이리라. 그러자 불평하는 소리가 잦아들고 다시 험악한 고요가 내려앉
았다.

"그 질문에 대한 답인 모양이군. 이 패거리는 이미 어느 편에 설지 선택
했다."

아로가 다시 웃었다. 에드워드가 이를 가는 소리를 내더니 몸을 앞으로

숙였다. 그와 동시에 펠릭스와 드미트리가 웅크리는 모습을 보고 난 에드워드의 팔을 붙잡았다. 아로가 무슨 생각을 했기에 에드워드가 그렇게 격렬하게 반응할까? 아로는 다시 손을 흔들어 그들을 제지했다. 에드워드까지 모두들 이전의 자세로 돌아갔다.

"이야기할 게 많구나."

아로가 말했다. 마치 바쁜 사업가 같은 말투였다. 그가 말을 이었다.

"결정할 것도 많고. 여기까지 와준 컬렌 가족과 너희의 털가죽 두른 경호원들이 괜찮다면, 난 내 형제들과 의논을 좀 해야겠는데."

## 37

# 계략

———◆———

아로는 공터 북쪽에서 초조하게 기다리는 자신의 경호원들에게로 가지 않았다. 대신 그는 그들을 자신이 있는 앞쪽으로 불러냈다.

에드워드는 즉시 나와 에밋의 팔을 잡고 뒤로 물러났다. 우리는 위협적으로 다가오는 그들에게서 시선을 떼지 않고 서둘러 원래 자리로 돌아왔다. 제이콥은 어깨 털을 곤두세우고 아로에게 송곳니를 드러낸 채 가장 늦게 뒤로 물러섰다. 르네즈미는 제이콥의 꼬리를 잡고 있었다. 그 애는 목줄처럼 그걸 잡아 그를 우리 곁에 붙잡아두었다. 좀 칙칙한 망토를 입은 무리들이 다시 아로를 둘러싸는 것과 동시에 우리는 가족들 곁으로 돌아왔다.

이제 우리와 그들 사이의 거리는 50미터도 되지 않았다. 우리 중 누구라도 1초도 안 걸려 뛰어넘을 수 있는 거리였다.

카이우스는 곧바로 아로와 논쟁을 벌였다.

"이런 말도 안 되는 일을 어떻게 견딜 수 있소? 도대체 무엇 때문에, 저런 말도 안 되는 사기로 위장한 엄청난 범죄 행위를 보고도 무력하게 서 있기만 하는 거요?"

그는 완고하게 허리에 팔을 올렸다. 그의 손이 갈고리처럼 구부러졌다. 왜 그는 아로의 손을 잡고 의견을 나누지 않는 걸까? 그들 사이에 분열이 시작된 걸까? 설마 우리에게 그런 행운이 찾아온 걸까?

"전부 다 진실이라 이러는 겁니다. 자신들이 지켜보았던 그 짧은 시간 동안 저 기적의 아이가 자랐다는 걸 증언하기 위해, 그리고 저 애의 혈관에 따뜻한 피가 흐르고 있는 걸 증언하기 위해 얼마나 많은 증인들이 모였는지 보세요."

아로가 조용히 말했다. 아로가 손짓으로 한쪽 끝의 아문부터 반대쪽 끝의 시오반까지 모두를 가리켰다. 카이우스는 아로가 달래듯 말한 '증인'이라는 단어를 듣더니 좀 이상하게 반응했다. 그의 얼굴에서 분노가 사라지고 차가운 이성이 자리 잡았다. 그는 볼투리 가의 증인들을 조금…… 불안한 표정으로 흘깃 보았다.

나도 분노한 군중들을 흘깃 보고는 '분노한'이라는 표현이 더 이상 들어맞지 않는다는 걸 깨달았다. 당장이라도 행동에 나서고 싶어 하던 그들은 이제 혼란스러운 것 같았다. 모두들 무슨 일인지를 이해하려고 애쓰면서 작게 수군대고 있었다.

카이우스는 얼굴을 찡그린 채 깊은 생각에 잠겼다. 생각에 빠진 그의 표정을 보니 걱정스러운 동시에, 꺼지지 않은 분노가 불꽃처럼 치밀어 올랐다. 아까 행진해올 때 그랬듯 경호원들이 보이지 않는 신호에 따라 움직인다면? 나는 불안한 마음으로 방어막을 점검했다. 여전히 뚫을 수 없을 만큼 단단하게 느껴졌다. 이제 방어막을 낮고 널찍한 돔 형태로 펼쳐 우리 진영을 덮었다.

내 가족과 친구들이 서 있는 지점에서 빛의 기둥들을 느낄 수 있었다. 모두들 다른 특색을 지니고 있어서 연습을 하면 구별할 수 있을 것이다. 나는 이미 에드워드의 빛은 식별할 수 있었다. 그들 모두 중에서 그의 빛이 가장 밝았기 때문이다. 나는 빛의 기둥들 주위에 비어 있는 공간들이 걱정되었다. 실드에는 물리적인 공격을 막는 기능은 없었기 때문에, 만약 볼투리 가의 뛰어난 전사가 방어막 아래로 들어오기라도 한다면 나 이외에는 아무도 보호받지 못하게 된다. 나는 이마를 찡그리면서 탄력 있는 실드를 아주 조심스럽게 내게로 조금 잡아당겼다. 칼라일이 가장 멀리에 있었다. 나는 그의 몸을 방어막으로 감싸기 위해 조금씩 막을 빨아들였다.

방어막은 마치 내 마음을 아는 듯 그의 몸을 완전히 감쌌다. 칼라일이 타냐에게로 움직이자 실드도 그가 움직이는 대로 늘어났다가 수축되었다.

이거 정말 좋은데! 나는 여러 가닥으로 뻗어 있는 방어막을 잡아당겨 가냘프게 빛나는 친구들과 동지들의 몸을 하나씩 감쌌다. 막은 그들의 몸에 알아서 붙은 후 그들이 움직이는 대로 움직였다.

아주 잠깐의 시간이 흘렀을 뿐이었다. 카이우스는 여전히 생각에 잠겨 있었다.

"늑대인간들."

그가 마침내 중얼거렸다. 깜짝 놀란 나는 대부분의 늑대인간들이 실드의 보호를 받지 못하고 있다는 걸 깨달았다. 방어막을 넓히려는데, 문득 그들에게서 빛의 기둥들이 느껴졌다. 이상한 일이었다. 나는 뱀파이어들 중 가장 바깥쪽에 서 있는 아문과 케비가 늑대들과 함께 방어막 밖으로 노출될 때까지 막을 안으로 잡아당겼다. 방어막 바깥쪽에 놓이자 아문과 케비의 빛이 사라졌다. 그들은 더 이상 느껴지지 않았다. 그러나 늑대들은 여전히 밝게 빛나고 있었다. 정확히 말하자면, 그들 중 절반은 아직 빛나고 있었다. 흠……. 나는 다시 바깥쪽으로 방어막을 밀어냈고 샘이 막 아래에 들어오자마자 모든 늑대들이 다시 밝게 빛났다.

그들의 마음은 내가 생각했던 것보다 더 밀접하게 연결된 것 같았다. 우두머리가 막의 안쪽에 있으면 나머지 늑대들도 함께 보호된다.

"아, 형제……."

아로가 괴로운 표정으로 카이우스의 말에 대답했다.

"저들의 동맹 관계를 그냥 받아들일 생각이오, 아로? 달의 아이들은 아주 옛날부터 우리의 숙적이었소. 그래서 유럽과 아시아에서는 거의 절멸할 때까지 그들을 사냥했지요. 그런데 칼라일은 저 거대한 해충들과 동맹을 맺고 있소. 분명 우릴 무너뜨리려는 속셈인거요. 그래야 자신의 괴상한 삶의 방식을 더 확실히 지킬 수 있을 테니까."

카이우스가 그렇게 말했다. 그리고는 큰 소리로 헛기침을 하는 에드워드를 노려보았다. 카이우스 때문에 난처한 듯 아로가 가늘고 섬세한 손으로 자신의 얼굴을 감쌌다.

"카이우스님, 지금은 한낮입니다."

에드워드가 말했다. 그리고 제이콥을 가리켰다.

"저들은 달의 아이들이 아니에요. 세상 반대편에 있는 당신의 적들과는 관계가 없지요."

"여기서 변종이라도 기르고 있는 모양이지."

카이우스가 내뱉었다. 에드워드가 이를 악물었다가 다시 침착하게 대답했다.

"저들은 늑대인간이 아닙니다. 나를 못 믿겠다면 아로님이 보증해줄 겁니다."

늑대인간이 아니라고? 나는 어리둥절해서 제이콥을 바라보았다. 그는 거대한 어깨를 으쓱해 보였다. 그 역시 에드워드의 말을 이해하지 못한 것 같았다.

"친애하는 카이우스님, 내게 당신의 생각을 말해줬다면 이런 얘기는 하지 말라고 미리 경고해줬을 텐데요. 저들은 스스로를 늑대인간이라고 생각하지만 사실은 그렇지 않아요. 저들의 더 정확한 이름은 쉐이프시프터 (Shape-shifter, 형체 변형자: 편집자)죠. 늑대의 모습을 하고 있는 건 순전히 우연일 뿐입니다. 첫 번째 변화가 나타났을 때 곰이나 매나 표범이 될 수 도 있었지요. 저들은 달의 아이들과는 전혀 아무런 관계도 없습니다. 그저 변신하는 기술을 조상들에게서 물려받은 것뿐이에요. 유전적인 거죠. 저 들은 늑대인간들처럼 다른 사람들을 감염시켜서 자신들의 종을 이어가지 도 않아요."

아로가 중얼거렸다. 카이우스가 화가 난 듯이, 아니 배신감을 느끼는 것 처럼 아로를 노려보았다.

"그들은 우리의 비밀을 알고 있소."

그가 단호하게 말했다. 에드워드보다 빨리 아로가 대답했다.

"저들도 우리처럼 초자연적인 세계의 창조물들이오, 형제. 그리고 아마 우리보다 더 절실히 비밀을 지켜야 할 거요. 저들은 우리의 비밀을 폭로할 수 없어요. 조심해요, 카이우스. 아무 증거도 없는 주장은 득이 될 게 없으 니까."

카이우스는 심호흡을 하더니 고개를 끄덕였다. 그들은 오랫동안 의미심 장하게 시선을 교환했다.

난 아로의 말 뒤에 담긴 진의를 이해했다. 정당하지 않은 비난은 양측의 목격자들에게 믿음을 주지 못한다. 아로는 카이우스에게 다음 전략으로 넘어가자는 신호를 보낸 것이다. 두 고대 뱀파이어들 사이가 삐걱거리는 이유는 뭘까. 카이우스가 아로의 손을 잡고 생각을 공유하지 않으려하는 건, 카이우스가 아로만큼 다른 뱀파이어들의 눈을 의식하지 않아서일까? 평판을 지키는 것보다 곧 시작될 학살이 카이우스에게 더 중요하다면 그 럴지도.

"제보한 당사자와 이야기를 해야겠어."

카이우스가 갑자기 이렇게 말하더니 아이리나를 바라보았다. 아이리나는 카이우스와 아로의 대화를 듣고 있지 않았다. 그녀는 고통스러운 표정으로, 죽을 준비를 하고 있는 자신의 자매들을 보고 있었다. 이제 그녀는 자신의 행동이 오해에서 비롯된 잘못이었다는 걸 깨닫고 있었다.

"아이리나!"

카이우스가 소리쳤다. 그는 아이리나에게 말을 거는 게 전혀 내키지 않는 것 같았다. 깜짝 놀란 그녀가 겁에 질려 고개를 들었다. 카이우스가 손가락으로 소리를 냈다.

볼투리 진영의 가장자리에 서 있던 그녀가 머뭇대며 다시 카이우스 앞에 섰다.

"네가 했던 제보는 잘못된 정보 같구나."

카이우스가 말했다. 타냐와 케이트가 불안하게 몸을 내밀었다.

"죄송합니다. 확인을 했어야 하는데. 하지만 몰랐어요……."

아이리나가 그렇게 속삭이고, 무력하게 우리 쪽으로 손짓을 했다.

"친애하는 카이우스님, 정말 이상하고 불가해한 일이 아닙니까. 그러니 아이리나도 금방 판단을 내릴 수 없었을 거예요. 아니, 누구라도 그렇게 오해했겠지."

아로가 말했다. 카이우스는 손가락을 튕겨 아로를 침묵시켰다.

"우리 모두 네가 실수한 건 알고 있다. 나는 이 일을 벌인 동기에 대해 묻는 거야."

그가 퉁명스럽게 말했다. 아이리나는 초조하게 그의 말이 이어지기를 기다렸다가 이렇게 반문했다.

"동기요?"

"그래. 애초에 그들을 엿보게 된 이유 말이야."

아이리나는 엿본다는 말에 움찔했다.

"컬렌 가와 안 좋은 일이 있었지?"

그녀는 몹시도 가여운 눈으로 칼라일을 바라보았다.

"네."

그녀가 인정했다.

"이유는……?"

카이우스가 재촉했다.

"늑대인간들이 내 친구를 죽였어요. 그리고 컬렌 가는 내가 복수하게 내버려두지 않았고요."

그녀가 속삭였다.

"쉐이프시프터라니까."

아로가 조용히 바로잡아주었다.

"그러면 컬렌 가는 우리의 종에 맞서, 그리고 친구의 친구에 맞서 쉐이프 시프터의 편을 든 거군."

카이우스가 말했다. 에드워드가 혐오를 담아 나지막한 소리를 냈다. 지금 카이우스는 우리를 옭아 맬 죄목을 찾고 있었다. 아이리나의 어깨가 긴장했다.

"네, 그렇게 생각했죠."

카이우스가 다시 재촉했다.

"쉐이프시프터를, 그리고 그들을 도운 컬렌 가를 정식으로 고소하려면 지금 하도록."

그는 아이리나가 자신에게 또 다른 명분을 제공해주길 기다리며 잔인한 미소를 지었다. 카이우스는 진짜 가족에 대해 모르는 것 같았다. 가족이란 집단은 권력욕이 아닌 사랑에 기초한다는 걸 이해하지 못하는지도 모른다. 어쩌면 그녀의 복수심을 과대평가했을지도 모르고.

아이리나가 턱을 들고 어깨를 폈다.

"아뇨, 늑대들이나 컬렌 가를 고소하지 않겠습니다. 당신은 여기에 불멸의 아이를 파괴하러 왔습니다. 하지만 불멸의 아이는 없었습니다. 모두 내 실수입니다. 내가 모든 책임을 지겠습니다. 컬렌 가는 무고합니다. 당신들이 이곳에 있을 이유는 없습니다. 미안해요."

그녀가 우리에게 사과하더니 볼투리 가의 증인들을 바라보았다.

"범죄 행위는 없었습니다. 여러분은 여기 있을 이유가 없습니다."

아이리나의 이야기가 계속되는 동안 카이우스가 손을 들었다. 그의 손에는 화려한 조각과 장식들이 달린 금속성의 물체가 들려 있었다.

그것은 신호였다. 너무 순식간에 벌어진 일이라 모두 멍하니 바라만 보고 있었을 뿐이다. 우리가 미처 움직이기도 전에 모든 게 끝나버렸다.

볼투리 가의 경호원 셋이 앞으로 나오더니 아이리나를 자신들의 회색 망토로 완전히 가렸다. 동시에 무시무시한 쇳소리가 공터에 울려 퍼졌다. 카이우스가 뒤엉켜 있는 회색의 무리 한가운데로 미끄러져 들어가자 날카로운 소리와 함께 널름거리는 불꽃과 화염이 터져 나왔다. 경호원들은 그 지옥 같은 곳에서 물러나더니 원래의 자리로 돌아갔다. 경호원들이 완벽한 일직선으로 늘어서 있는 곳으로.

카이우스는 불타는 아이리나의 주검 옆에 서 있었다. 그의 손에 들려 있는 금속성의 물건은 아이리나의 주검에 여전히 불꽃을 토해내고 있었다.

작게 딸각이는 소리가 나더니 카이우스가 들고 있던 물건이 사라졌다. 볼투리 가 뒤에 서 있던 증인들이 숨을 헐떡였다.

우리는 너무 놀라서 아무 소리도 내지 못했다. 죽음이 멈출 수 없는 속도로 무자비하게 찾아온다는 사실을 아는 것과 실제로 그런 장면을 보는 건 완전히 차원이 다른 일이었다.

카이우스가 차갑게 미소 지었다.

"이제 그녀는 자기 행동에 모든 책임을 진 셈이군."

그의 눈이 우리 쪽으로 향하더니 얼어붙은 타냐와 케이트를 재빨리 훑어보았다.

그 순간 나는 카이우스가 가족의 유대를 과소평가해본 적이 단 한 번도 없다는 사실을 깨달았다. 이건 계략이었다. 그는 절대로 아이리나가 고소하길 원하지 않았다. 오히려 도전하길 원했다. 그녀를 파괴할 핑계를, 진한 가연성의 안개처럼 대기를 가득 채우고 있는 폭력에 불을 붙일 계기를 얻기 위해 그는 성냥을 던진 것이다.

이 긴장으로 가득 찬 평화는 실낱같은 거미줄보다 더 불안하게 흔들리고 있었다. 일단 싸움이 시작되면 멈출 방법은 없다. 싸움은 한쪽이 완전히 몰살될 때까지 격렬하게 계속될 것이다. 물론 몰살되는 쪽은 우리겠지. 카이우스는 그걸 알고 있었다.

에드워드도 알고 있었다.

"이들을 막아!"

에드워드가 이렇게 소리치며 타냐의 팔을 잡았다. 타냐는 분노로 미친 듯이 울부짖으며 미소 짓고 있는 카이우스에게 비틀거리며 다가갔다. 그녀는 에드워드를 떼어내려 했지만 곧 칼라일도 그녀의 허리를 잡았다.

"아이리나를 돕기에는 너무 늦었어. 저들이 바라는 대로 행동하면 안 돼!"

몸부림치는 그녀에게 칼라일이 소리쳤다.

케이트는 붙잡기가 더 힘들었다. 그녀는 타냐처럼 알아들을 수 없는 비명을 지르면서 상대를 공격하기 위해 한 걸음 내디뎠다. 그녀의 공격은 우리 모두를 죽음으로 몰아넣을 것이다. 가장 가까이에 있던 로잘리가 그녀의 머리를 팔로 감아 붙잡으려 했지만 케이트의 전기 충격에 쓰러지고 말았다. 에밋이 케이트를 붙잡아 쓰러뜨렸지만 곧 비틀거리며 물러나더니 무릎을 꿇었다. 케이트는 자리에서 일어섰다. 아무도 그녀를 막을 수 없을 것 같았다.

이번에는 가렛이 그녀를 덮쳐 쓰러뜨렸다. 그는 팔로 그녀를 감싼 다음 자신의 두 손으로 자기 손목을 잡아 그녀를 죄었다. 곧 그도 그녀의 전기 충격에 경련을 일으켰다. 그러나 눈이 돌아갈 지경이 되어도 가렛은 손을 풀지 않았다.

"자프리나."

에드워드가 소리쳤다. 케이트의 눈동자가 텅 비더니 비명소리가 신음소리로 바뀌었다. 타냐는 몸부림을 멈추었다.

"환영을 치워 줘."

타냐가 이를 가는 소리를 냈다. 나는 필사적으로, 친구들 주위를 최대한 섬세한 방어막으로 더 단단히 에워쌌다. 그리고 가렛을 실드로 감싸고 케이트에게서는 막을 벗겨내, 그들 사이에 두터운 막을 만들려고 했다.

그때 가렛이 정신을 차리더니 케이트를 안고 눈으로 굴렀다.

"놓아주면 다시 날 쓰러뜨릴 거지, 케이트?"

그가 속삭였다. 그녀는 여전히 몸부림을 치며 으르렁거렸다.

"잘 들어, 타냐, 케이트."

칼라일이 낮지만 열기가 어린 목소리로 속삭였다.

"복수는 아이리나에게 도움이 되지 않아. 아이리나도 너희들이 이렇게 목숨을 버리길 원하지는 않을 거야. 너희들이 무슨 짓을 하고 있는지 생각해봐. 그들을 공격하게 되면 우리 모두 죽는 거야."

타냐의 어깨가 슬픔으로 구부정해졌다. 그녀는 칼라일에게 기댔다. 마침내 케이트도 잠잠해졌다. 칼라일과 가렛은 그들 자매를 계속 위로했다. 너무 다급한 목소리여서 위로처럼 들리지는 않았지만.

혼돈에 빠진 우리를 지켜보는 시선들이 다시 느껴졌다. 흘깃 보니 칼라일과 가렛을 제외한 모두가 다시 경계 태세로 돌아와 있었다.

가장 날카롭게 우리를 쏘아보는 것은 카이우스였다. 분노에 찬 그는 눈 속에서 믿을 수 없다는 듯 케이트와 가렛을 바라보고 있었다. 아로도 그 둘을 바라보고 있었다. 그의 얼굴에 나타난 가장 강한 감정은 불신이었다. 그는 케이트의 능력을 알았다. 에드워드의 기억을 통해 그녀의 힘을 느꼈기 때문이다.

그는 지금 무슨 일이 벌어지고 있는지 알까. 이제 내 방어막이 에드워드가 알고 있던 것보다 더 강력하고 섬세해졌다는 사실을 알까? 아니면 가렛이 케이트의 능력에 나름대로 적응했다고 생각할까?

볼투리 가의 경호원들은 더 이상 절도 있는 차려 자세로 서 있지 않았다. 그들은 앞으로 몸을 웅크린 채 우리의 공격이 시작되자마자 반격할 준비를 했다.

그들 뒤로는 마흔세 명의 증인이 처음 공터에 들어올 때와는 다른 표정으로 우리를 지켜보고 있었다. 그들의 혼란스러움은 이제 의심으로 바뀌어 있었다. 재빠르게 아이리나를 처단하는 모습에 그들 모두가 동요한 것이다. 그녀의 죄가 뭐지?

곧바로 공격이 있었다면 카이우스의 경솔한 행동에 대한 관심도 사라졌을 것이다. 그러나 그런 공격이 없자 볼투리 가의 증인들은 여기서 무슨 일이 벌어지고 있는지 의심하기 시작했다. 아로는 재빨리 뒤를 돌아보았다. 그의 얼굴에는 초조함이 드러났다. 관객을 데려온 것은 완전히 오판이었던 것이다.

아로의 불안한 모습에 고요히 기뻐하며 스테판과 블라디미르가 중얼거리는 소리가 들렸다.

루마니아 뱀파이어가 말했듯이 아로는 항상 올바른 편이라는 위치를 지키고 싶어 했다. 그러나 나는 볼투리 가가 평판을 더럽히지 않기 위해 우리를 내버려두리라고는 생각하지 않았다. 볼투리는 우리를 해치운 후에는 목격자들을 모두 죽여 자신들의 평판을 지킬 것이다. 우리가 죽는 걸 보여주기 위해 볼투리 가가 데려온 낯선 뱀파이어들이 갑자기 불쌍하게 느껴졌다. 드미트리는 그들 모두를 끝까지 추적해 제거할 것이다.

제이콥과 르네즈미를 위해, 앨리스와 재스퍼를 위해, 앨리스테어를 위해, 오늘 자신들이 어떤 대가를 치러야 하는지 알지 못하는 이방인들을 위해 드미트리는 반드시 죽어야 했다.

아로가 카이우스의 어깨를 가볍게 만졌다.

"아이리나는 이 아이에 대해 거짓된 증언을 했기 때문에 벌을 받은 거예요."

그것이 그들의 변명이었다. 그의 말은 계속되었다.

"즉시 그 문제에 대해 다시 이야기해봐야겠죠?"

카이우스가 몸을 꼿꼿이 세웠다. 그의 딱딱한 표정은 읽어낼 수가 없었다. 그는 멍하니 앞을 주시했다. 마치 자기가 강등당했다는 걸 방금 안 사람 같은 표정이었다.

아로가 앞으로 나오자 레나타, 펠릭스, 드미트리도 자동적으로 그를 따라 움직였다.

"철저하게 하기 위해서…… 그쪽 증인들과 대화를 하고 싶은데. 절차상."

그는 그렇게 말하고 경멸적인 태도로 손을 흔들었다. 즉시 두 가지 일이 벌어졌다. 아로를 바라보는 카이우스의 얼굴에 잔인한 미소가 다시 나났고, 에드워드가 이를 갈며 주먹을 움켜쥐었다. 그의 손가락뼈가 모두 부러져 다이아몬드만큼 단단한 그의 피부를 뚫고 나올 것 같았다.

나는 그에게 무슨 일인지 물어보고 싶었지만 아로가 숨소리까지 들릴 만큼 가까이에 있었다. 에드워드를 걱정스럽게 바라보던 칼라일의 얼굴도 굳어버렸다.

카이우스가 싸움을 부추기려고 쓸데없는 비난을 하고 분별없이 이것저

것 해 보는 동안, 아로는 더 효과적인 전략을 생각해낸 게 틀림없었다.

아로가 우리 진영의 서쪽 끝으로 소리 없이 다가가더니 아문과 케비에게서 10미터쯤 떨어진 곳에 멈췄다. 근처의 늑대들은 분노로 털을 곤두세웠지만 겨우 제자리를 지켰다.

"아, 아문, 남쪽에 사는 나의 이웃. 나를 찾아온 지 좀 된 것 같군요."

아로가 따뜻하게 말했다. 아문은 불안한 듯이 꼼짝도 하지 않았고, 케비는 조각처럼 아문 옆에 서 있었다.

"시간은 의미가 없죠. 난 시간의 흐름을 느끼지 못하니까요."

아문이 입술을 움직이지 않고 말했다.

"그렇죠. 하지만 찾아오지 않은 데는 또 다른 이유가 있을 텐데요."

아로가 말했다. 아문은 아무 대꾸도 하지 않았다.

"새로 무리를 꾸리는 건 오랜 시간이 걸리는 일이죠. 나도 잘 압니다! 나도 다른 뱀파이어를 합류시켜 지루함을 다스리곤 하죠. 당신의 새로운 구성원이 그렇게 적응을 잘하고 있다니 기쁘네요. 소개받고 싶었는데. 곧 나를 찾아와줄 걸로 믿겠습니다."

"물론이죠."

아문이 말했다. 그의 목소리에는 아무 감정도 드러나 있지 않았다. 공포도, 냉소도.

"어쨌든 이렇게 다들 모이다니, 멋지지 않습니까?"

아문이 멍한 얼굴로 고개를 끄덕였다.

"하지만 당신은 그리 유쾌하지 않은 이유 때문에 여기 있는 걸로 아는데요. 칼라일이 증인을 서달라고 했나요?"

"네."

"뭘 증언해 달라고 하던가요?"

아문은 똑같이 감정 없는 차가운 목소리로 대답했다.

"난 저 아이를 관찰했습니다. 그리고 금방 알 수 있었지요. 저 애가 불멸의 아이가 아니라는 걸……."

"단어의 뜻을 짚고 넘어가야겠네요. 새로운 종인 것 같으니까요. 당신이 말한 불멸의 아이란 뱀파이어에게 물려 뱀파이어가 된 인간의 아이를 말하는 거지요?"

아로가 끼어들었다.

"그렇소."

"그렇다면 저 아이에게서 뭘 관찰했지요?"

"당신이 에드워드의 마음에서 본 그대로요. 저 애는 생물학적으로 에드워드의 자식입니다. 계속해서 자라고 있고 학습도 하지요."

"그래요, 그래요."

아로가 말했다. 목소리에 초조한 기색만 담겨 있지 않다면 상냥하게 들렸을 것이다. 그가 말을 이었다.

"하지만 여기 있는 몇 주 동안 특히 뭐가 눈에 띄었습니까?"

아문이 눈썹을 찡그렸다.

"저 애는…… 아주 빨리 자랍니다."

아로가 미소를 지었다.

"그럼 저 아이를 살려두어야 한다고 생각합니까?"

내 입술 사이로 으르렁대는 소리가 흘러나왔다. 하지만 나만 그런 소리를 낸 것은 아니었다. 우리 쪽에 늘어서 있는 자의 반 정도가 나와 같은 소리를 냈다. 그 소리들은 분노로 타오르며 허공으로 퍼져갔다. 그러자 건너편에서 몇몇 볼투리 가의 증인들도 똑같은 소리를 냈다. 에드워드가 뒷걸음질치더니 손목을 잡고 나를 제지했다.

아로는 소리가 나는 쪽을 돌아보지 않았지만 아문은 불안한 듯 사방을 둘러보았다.

"난 판단을 하러 온 게 아닙니다."

그가 얼버무렸다. 아로가 가볍게 웃었다.

"그냥 당신 의견을 말해요."

아문이 턱을 들었다.

"저 아이에게서 위험한 점은 발견하지 못 했습니다. 저 아이는 자라는 속도보다 배우는 속도가 빠르니까요."

아로가 생각에 잠긴 듯 고개를 끄덕였다. 잠시 후 그가 돌아섰다.

"아로?"

아문이 불렀다. 아로가 몸을 돌렸다.

"왜 그러지요, 친구?"

"난 이미 증언을 했습니다. 더 이상 여기에는 볼일이 없어요. 내 아내와 나는 이제 떠나고 싶습니다."

아로가 따뜻하게 미소 지었다.

"물론. 당신과 이야기를 나눌 수 있어서 기뻤소. 곧 다시 만나길 바라오."

아문은 한 번 고개를 숙였다. 눈앞에 드러난 위협을 인정하듯 그의 입술이 굳어 있었다. 그가 케비의 팔을 쳤다. 그들은 재빨리 공터의 남쪽으로 달려가더니 나무들 속으로 사라졌다. 그들은 아주 오랫동안 쉬지 않고 달려갈 것이다.

아로는 길게 늘어선 우리 줄을 따라 미끄러지듯 동쪽으로 움직였다. 경호원들은 긴장한 채 서성였다. 그는 이제 거대한 시오반 앞에 멈췄다.

"안녕하시오, 친애하는 시오반. 여전히 사랑스럽군요."

시오반이 머리를 숙였다.

"그럼 당신은 어떻소? 아문과 같은 대답이요?"

그가 물었다.

"그렇습니다. 하지만 조금 더 덧붙여야겠는데요. 르네즈미는 자기가 해서는 안 될 일에 대해 잘 압니다. 그 애는 인간에게 위협이 되지 않습니다. 우리보다 더 잘 조화를 이루지요. 정체를 드러낼 위험은 전혀 없습니다."

시오반이 말했다.

"정말 아무 위험도 없습니까?"

아로가 진지하게 물었다. 에드워드가 으르렁거렸다. 목구멍 깊숙한 곳에서 낮게 울려나오는 소리였다.

카이우스의 부연 선홍빛 눈이 빛났다. 레나타가 자신의 주인을 향해 팔을 뻗었다.

곧이어 가렛이 케이트를 풀어주고 한 발자국 앞으로 나섰다. 이번에는 케이트가 가렛을 저지하려 했지만 그는 그녀의 손을 뿌리쳤다.

시오반은 천천히 대답했다.

"무슨 말인지 모르겠군요."

아로가 무심히 나머지 경호원들 쪽으로 다가갔다. 레나타, 펠릭스, 드미트리는 아로의 그림자보다 더 가까이 그에게 붙어있었다.

"확실히 법을 어긴 건 없지요."

아로가 달래듯이 말했지만 우리 모두는 여기 조건이 붙으리라는 걸 알 수 있었다. 분노가 목구멍으로 치밀었지만 나는 꾹 참았다. 나는 분노를 방어막에 실었다. 덕분에 막은 더 두껍게 모두를 보호했다.

"위법은 없었어요. 그렇다고 위험도 없느냐? 그건 아니지요."

아로가 다시 말했다. 그는 부드럽게 고개를 흔들었다.

"그건 별개의 문제입니다."

그 말에 늘어날 대로 늘어난 신경이 경직되었다. 우리와 함께 가장자리에 서 있던 매기가 분노로 고개를 흔들었다. 좀처럼 분노를 느끼지 않는 그녀가.

아로가 생각에 잠겨 서성였다. 걷는 게 아니라 떠다니는 것 같았다. 나

는 그가 움직일 때마다 조금씩 자신의 경호원들과 가까워지는 것을 알아
차렸다.

"저 애는 독특해……! 완벽하게, 정말 말도 안 되게 독특해. 저렇게
사랑스러운 존재를 파괴하는 건 엄청난 낭비로군. 우리가 배울 것도 많
은데……."

그는 마음이 내키지 않는 듯 한숨을 쉬고서 덧붙였다.

"하지만 위험해. 무시해버리기에는 너무 위험해."

아무도 그의 말에 대답하지 않았다. 그가 혼잣말처럼 독백을 계속하는
동안 사방은 너무나 고요했다.

"인간이 진보할수록 과학에 대한 믿음이 커지고, 그런 믿음이 세상을
강력하게 지배할수록 우리의 존재가 드러날 위험이 더 줄어든다는 건 얼
마나 아이러니한 일인가! 초자연적인 것을 인간이 믿지 않게 된 덕분에
우리는 점점 없는 존재가 되어 갔고, 인간은 점점 더 강력한 기술을 갖추
게 되었지. 이제 인간은 원한다면 얼마든지 우리를 위협하고 파괴할 수 있
게 되었어."

아로의 말이 이어졌다.

"수천 년 동안 우리가 비밀을 지킨 건 인간으로부터 안전하고 싶어서라
기보다는 우리가 편하게 살기 위해서, 여유를 갖기 위해서였지. 하지만 위
태롭고 험했던 지난 세기에는 우리 불멸의 존재조차도 위협할 수 있는 무
기들이 탄생했어. 이제 우리는 진실이 아니라 단순한 신화 속 존재가 됨으
로써, 우리의 약해빠진 사냥감들로부터 겨우 우리를 지킬 수 있는 비참한
상황에 처한 것이지."

그는 르네즈미를 만지려는 것처럼 손바닥을 아래로 향한 채 손을 들어
올렸다. 이제 거의 볼투리 진영으로 돌아간 그와 르네즈미 사이의 거리는
40미터나 되었지만.

"이 놀라운 아이! 저 애의 잠재력을 알 수만 있다면, 저 애가 우리처럼 항상 은밀하게 살아가리라는 걸 알 수만 있다면! 하지만 우리는 저 애가 어떻게 될지 전혀 몰라! 저 애의 부모조차 미래를 두려워하고 있지. 우린 저 애가 어떻게 자랄지를 알 수 없어."

그는 그 자리에 서더니 먼저 우리 쪽 증인을 보고, 그다음에는 의미심장하게 자기 쪽 증인을 보았다. 그의 목소리도 말의 내용에 따라 달라졌다.

그가 자기 쪽 증인들을 보며 다시 입을 열었다.

"알려진 것만이 안전해. 알려진 것만이 허용될 수 있어. 알려지지 않은 건…… 약점이야."

카이우스가 사악하게 미소를 지었다.

"그건 지나친 생각입니다, 아로."

칼라일이 음울한 목소리로 말했다.

"진정해요, 친구. 재촉하지 마세요. 모든 면에서 살펴봐야 하니까요."

아로가 미소를 지었다. 여전히 그의 얼굴은 친절하고 그의 목소리는 상냥했다.

"내가 한마디 해도 될까요?"

가렛이 한 걸음 나서면서 침착하게 말했다.

"방랑자로군."

아로가 고개를 끄덕였다. 가렛이 턱을 들었다. 그는 공터 끝에 모여 있는 볼투리 가의 증인들에게 직접 이야기하기 시작했다.

"난 다른 뱀파이어들처럼 칼라일의 부탁으로 증언을 하기 위해 여기까지 왔습니다. 아이에 대해서는 더 이상 증언이 필요할 것 같지 않군요. 우리 모두 그 애를 보았으니까요."

가렛은 또렷하게 말을 이어갔다.

"대신 다른 것을 증언하기 위해 남았습니다. 거기 당신 둘은 내가 알지!

마케나, 찰스. 그 외에도 여러분들 중에 나 같은 떠돌이가 여럿 끼어 있다는 걸 알아요. 대답할 필요는 없어요. 지금부터 하는 이야기를 듣고 잘 생각해보세요."

손가락으로 경계하는 뱀파이어들을 가리키고, 다시 가렛이 말했다.

"이 고대 뱀파이어들은 여러분이 알고 있듯이 정의를 세우기 위해 이곳에 온 게 아닙니다. 우리가 품었던 많은 의심들이 이제야 사실로 드러나는군요. 그들은 잘못된 정보로 이곳을 찾아왔지만 자신들의 행동에 대한 그럴듯한 명분은 있었습니다. 이제 그들이 자신들의 진정한 목적을 이루기 위해 얼마나 뻔한 핑계들을 대는지 똑똑히 봐두세요. 그들이 숨기고 있던 진정한 목적, 바로 이 가족을 파괴하는 것을 위해 얼마나 필사적으로 명분을 찾는지 똑똑히 봐두세요."

그가 칼라일과 타냐 쪽을 가리켰다.

"볼투리 가는 경쟁자들을 없애러 이곳에 온 겁니다. 아마 나처럼 여러분도 저들의 황금빛 눈을 보았을 겁니다. 저들을 이해하기는 어렵습니다, 그건 사실입니다. 하지만 고대 뱀파이어들은 이들의 이상한 선택 이외의 뭔가에 주목했습니다. 바로 그들이 지닌 힘을 본 거죠.

난 이 가족이 지닌 끈끈한 유대감을 봤습니다. 난 저들을 무리가 아닌 가족이라고 부르겠어요. 황금빛 눈을 한 이 이상한 뱀파이어들은 자신들의 본성을 부정했습니다. 그렇다면 저들은 단순히 욕구를 채우는 것 이상의, 더 가치 있는 뭔가를 찾았을까요? 나는 여기 머무는 동안 그들에 대해 조금 연구했습니다. 이런 희생적이고 평화로운 삶이 강한 유대감의 본질을 이루는 것 같더군요. 거대한 남쪽의 무리들이 심하게 반목했기 때문에 급속히 성장했다가 쇠락하는 것을 우리 모두 눈으로 똑똑히 보았습니다. 그들 무리가 보였던 공격성은 여기에는 없습니다. 누군가를 지배하려는 생각이 없기 때문입니다. 아로는 나보다 이런 사실을 더 잘 알고 있습니다."

가렛의 비난에 나는 긴장하며 아로의 얼굴을 보았다. 그러나 아로는 유쾌한 표정을 짓고 있었다. 마치 짜증을 부리는 어린아이를 바라보는 어른처럼, 그래서 그 아이가 결국 아무도 자신에게 관심을 두지 않는다는 사실을 깨닫기 바란다는 것처럼.

"칼라일은 우리에게 어떤 일이 다가오는지 설명하면서, 싸워달라고 우리를 부른 게 아니라고 했습니다. 이 증인들은……."

가렛은 시오반과 리엄을 가리키며 잠시 멈추었다가 다시 말을 이었다.

"칼라일에게 스스로를 변호할 기회를 주기 위해 증언을 하기로 했습니다. 이곳에 함께 서서 볼투리 가의 행진을 늦추기로 한 거죠."

"하지만 우리 중에는 의심하는 자도 있었습니다."

그는 엘리저를 힐긋 보고 나서 다시 말을 이었다.

"칼라일의 진실이 당신들이 말하는 정의라는 걸 막을 수 있을지에 대해서 말이죠. 볼투리 가는 우리의 비밀을 지키기 위해 왔을까요, 아니면 자신들의 권력을 지키러 왔을까요? 그들은 불법적으로 태어난 창조물을 파괴하러 왔을까요, 아니면 삶의 방식을 파괴하러 왔을까요? 위험하다는 생각이 순전히 오해로 드러났을 때 그들은 만족할까요? 아니면 정의라는 명분을 팽개친 채 자신들의 뜻을 관철시킬까요?

우리는 이 모든 질문에 대한 답을 알고 있습니다. 우린 아로의 거짓말 속에서 이미 그 대답을 들었죠……. 우리 중에는 거짓을 간파하는 능력을 가진 자가 있으니까요. 그리고 이제는 카이우스의 탐욕스러운 미소에서 그 대답을 보았습니다. 그들의 경호원들은 마음이 없는 무기이자 주인들의 지배욕을 채워주는 도구일 뿐입니다.

이제 여러분이 대답해주어야 할 질문들이 남았습니다. 누가 여러분을 다스리나요, 떠돌이 여러분? 여러분 자신의 의지 외에 누구의 의지를 따르려는 겁니까? 자유롭게 자신의 삶을 선택하겠습니까, 아니면 볼투리 가의 결정에 따라 살겠습니까? 난 증언을 하기 위해 이곳에 왔습니다. 그리고 싸우기 위해 이곳에 남았습니다. 볼투리 가는 이 아이의 죽음에는 전혀 관심이 없습니다. 그들의 목적은 우리의 자유의지를 죽이려는 것입니다."

그러더니 그는 돌아서서 고대 뱀파이어들을 바라보았다.

"자, 더 이상 거짓투성이 합리화에 귀를 기울이지 맙시다. 우리가 우리의 목적을 정직하게 이야기하듯이, 당신들도 당신들의 목적을 정직하게 이야기하세요. 우리는 우리의 자유를 지킬 겁니다. 당신들은 공격을 할 수도 있고, 하지 않을 수도 있습니다. 어서 선택하세요. 그리하여 이곳에서 논의되고 있는 진짜 문제가 뭔지를 똑똑히 알려주시오."

그는 한 번 더 볼투리 가의 증인들 쪽을 바라보더니 그들 하나하나의 얼굴을 주시했다. 그들은 감동적인 연설 때문에 마음이 흔들렸다.

"여러분은 우리 쪽에 합류하겠다고 생각할지도 모릅니다. 하지만 볼투리 가가 여러분을 살려두어 이 이야기를 퍼뜨릴 수 있을 거라고 생각한다면 착각입니다. 우리 모두 죽을 테니까요."

그는 어깨를 으쓱해보였다.

"물론 그렇지 않을 수도 있습니다. 어쩌면 우리는 그들이 알고 있는 것 이상으로 강할지 모릅니다. 어쩌면 볼투리 가는 마침내 호적수를 만났을지도 모르죠. 하지만 여러분에게 이것만은 확실히 말하겠습니다. 우리가 죽으면 여러분도 죽습니다."

그는 열정적인 연설을 끝내고 케이트의 옆으로 돌아가 반쯤 앞으로 몸을 웅크렸다. 공격에 대비하기 위해서였다.

아로가 미소를 지었다.

"아주 멋진 연설이군, 혁명가 친구."

가렛은 자세를 바꾸지 않았다.

"혁명가?"

그가 으르렁거렸다.

"내가 누구에게 혁명을 일으켰다는 거요? 당신이 나의 왕이오? 내가 당신의 경호원들처럼 당신을 주인님이라고 부를 거라고 생각하나보군."

"진정하게, 가렛. 자네가 태어났을 때가 그런 시기였기에 한 말이네. 내 보기엔 아직도 혈기 왕성한 애국자 그대로군."

아로가 참을성 있게 말했다. 가렛은 분노에 찬 눈빛으로 노려보았다.

"우리 증인들에게 물어봐야겠군. 결정을 하기 전에 그들의 생각을 들어 야겠어. 말해보시오, 친구들."

아로가 말했다. 그리고 그는 아무렇지 않게 우리에게 등을 돌리고는 초조해하는 증인들 쪽으로 몇 미터쯤 다가갔다. 증인들은 이제 숲 근처를 맴돌고 있었다.

"어떻게 생각하시오? 저 애는 우리가 염려하던 그런 존재는 아닙니다. 하지만 위험을 무릅쓰고 저 애를 살려두겠습니까? 이 가족을 살려둠으로써 우리 세계를 위험에 빠뜨리겠습니까? 아니면 저 혈기 왕성한 가렛이 우리 세계를 좌지우지할 권리가 있습니까? 여러분은 저들과 한편이 되어 우리에게 맞서겠습니까?"

증인들은 조심스런 표정이었다. 덩치가 작은 검은 머리의 여자가, 옆에 서 있는 짙은 금발의 남자를 슬쩍 쳐다보았다.

"우리에게 주어진 대안은 그것뿐인가요? 당신에게 동의하거나, 당신에게 맞서거나?"

그녀가 아로를 바라보았다.

"물론 그렇지는 않지, 친애하는 마케나. 아문처럼 아무 일없이 이곳을 떠날 수도 있어. 평의회의 결정에 동의하지 않아도 말이야."

누군가 그런 질문을 했다는 사실에 두려움을 느끼는 것처럼 아로가 대답했다.

마케나는 금발 남자를 다시 보았고 그는 고개를 끄덕였다.

"우린 싸우러 온 게 아닙니다."

그녀는 숨을 내뱉으며 말을 멈췄다가 다시 이었다.

"우리는 증언하기 위해 왔습니다. 그리고 고소당한 이 가족이 무죄라는 것을 증언합니다. 가렛의 말은 모두 진실입니다."

"아. 우리를 그렇게 보다니 유감이군. 우리 같은 이들의 숙명인 셈인가."

아로는 자못 구슬프게 그렇게 외쳤다.

"본 게 아니라 느낀 겁니다."

마케나 옆에 있던 담황색 머리의 남자가 높고 신경질적인 목소리로 말했다. 그는 가렛을 바라보며 말을 이었다.

"가렛은 자신들에게 거짓을 알아채는 방법이 있다고 했습니다. 나도 진실과 거짓을 구분할 수 있습니다."

그는 두려운 눈으로 아로의 반응을 기다리며 자신의 아내에게 다가갔다.

"우리를 무서워 말게, 찰스. 저 애국자는 자신의 말이 진실인 줄 알고 있네."

아로가 소리 내어 웃자 찰스는 눈을 가늘게 떴다.

"우리의 증언은 끝났습니다. 이제 떠나겠습니다."

마케나가 말했다. 그리고 그녀와 찰스는 천천히 뒷걸음질 쳐서 숲으로 사라졌다. 그러자 한 명의 뱀파이어가 똑같이 뒷걸음질 쳤고, 그다음에는 세 명의 뱀파이어들이 그의 뒤를 따랐다.

이제 남아 있는 뱀파이어는 서른일곱 명이었다. 그들 중 몇몇은 너무 혼란스러워서 결정을 내리지 못하는 것처럼 보였다. 그러나 그들 대다수는 이 대결이 어떻게 흘러갈지를 너무나 잘 아는 것 같았다. 내 생각에 그들은 누가 자신들을 추적할지 정확히 알기 위해 출발을 미룬 것이다.

분명 아로도 나와 같은 생각일 것이다. 그는 신중한 걸음으로 경호원들

쪽으로 돌아갔다. 그리고 경호원들 앞에 멈추더니 또렷한 목소리로 말했다.

"우리는 수적으로 열세다, 제군들. 우리는 도움을 바랄 수 없다. 살기 위해 이 문제를 그냥 넘어가야 할까?"

그가 말했다.

"아닙니다, 주인님."

그들이 한목소리로 속삭였다.

"그럼, 우리 세계를 지키기 위해 몇몇의 희생을 불사해야 하는가?"

"그렇습니다. 두렵지 않습니다."

그들이 속삭였다. 아로가 미소를 짓더니 검은 옷을 입은 자신의 동료들에게 돌아섰다.

"형제들. 생각해야 할 게 많습니다."

아로가 침울하게 말했다.

"의논해봅시다."

카이우스가 열성적으로 말했다.

"의논해봅시다."

마르쿠스가 무관심하게 말했다.

아로가 다시 우리에게 등을 돌린 채 고대 뱀파이어들을 바라보았다. 그들은 손을 잡고 검은 삼각형을 만들었다.

아로가 회의를 시작한 틈을 타서 그들의 증인 중 두 명이 조용히 숲으로 사라졌다. 난 그들이 재빠르게 도망치기만을 빌었다.

지금이었다. 난 조심스럽게 내 목에서 르네즈미의 팔을 풀었다.

"엄마가 한 말, 생각나지?"

아이는 눈에 눈물이 고인 채 고개를 끄덕였다.

"사랑해요."

그 애가 속삭였다.

에드워드가 토파즈색 눈을 크게 뜨고 우리를 쳐다보았다. 제이콥도 커다란 검은 눈으로 흘깃 우리를 보았다.

"나도 사랑해. 내 생명보다 더."

난 그 애의 로켓을 만지작거리며 이마에 입을 맞췄다.

제이콥이 불안하게 끙끙거렸다. 난 발돋움을 한 후 그의 귀에 속삭였다.

"그들의 관심이 완전히 흐트러질 때까지 기다렸다가 르네즈미와 도망쳐. 최대한 멀리. 여기서 최대한 멀리 달아난 다음 비행기를 타. 르네즈미가 필요한 모든 걸 가지고 있어."

에드워드와 제이콥은 서로 꼭 닮은 두려운 표정을 짓고 있었다. 그들 중한 명은 동물인데도.

르네즈미는 에드워드에게 팔을 뻗었고 그는 르네즈미를 품에 안았다. 그들은 서로를 꼭 껴안았다.

"내게 비밀로 하던 게 이거였어?"

그가 르네즈미의 머리 위로 속삭였다.

"네가 아니라 아로에게 비밀로 한 거지."

내가 속삭였다.

"앨리스야?"

내가 고개를 끄덕였다.

그의 얼굴에 이해와 고통의 빛이 스쳤다. 앨리스가 남긴 단서를 모두 맞추었을 때의 내 표정도 저랬을까?

고양이가 가르랑거리듯이 제이콥은 차분하게 계속 으르렁거렸다. 그가목털을 세우더니 이빨을 드러냈다.

에드워드가 르네즈미의 이마와 두 뺨에 입을 맞추더니 그 애를 제이콥의 어깨에 태웠다. 민첩하게 제이콥의 등에 올라탄 르네즈미는 제이콥의털을 잡고 그의 거대한 어깨뼈 사이에 자리 잡았다.

제이콥은 나를 돌아보았다. 그의 눈에는 고통의 빛이 가득했고, 가슴에서는 여전히 으르렁거리는 소리가 흘러나왔다.

"우리가 르네즈미를 믿고 맡길 수 있는 유일한 존재는 너뿐이야."

나는 그에게 중얼거렸다.

"네가 르네즈미를 그렇게 사랑하지 않았다면 난 정말 괴로웠을 거야. 네가 르네즈미를 보호해줄 수 있다는 걸 알아, 제이콥."

그는 다시 구슬픈 소리를 내며 머리를 숙여 내 어깨에 부딪혔다.

"알아. 사랑해, 제이콥. 넌 항상 내게 최고의 남자일 거야."

나는 속삭였다. 야구공만큼이나 큰 눈물이 그의 적갈색 털 위로 흘러내렸다.

에드워드는 제이콥의 어깨에 머리를 기댔다.

"안녕, 제이콥, 내 형제……, 내 아들."

다들 이런 이별의 장면을 모르는 것 같았다. 다들 세 명의 뱀파이어에게 시선을 집중하고 있었기 때문이다. 그러나 나는 그들이 우리의 대화를 듣고 있는 걸 알았다.

"그럼 아무 희망도 없는 건가?"

칼라일이 속삭였다. 그의 목소리에는 전혀 공포가 드러나지 않았다. 단지 마음을 굳히고 이 상황을 받아들이고 있었을 뿐.

"분명 희망은 있어요."

내가 말했다. 그럴지도 몰라. 정말 그렇게 생각했다.

"난 내 운명을 알아요."

에드워드가 내 손을 잡았다. 그는 내 운명에 자신도 속해 있는 걸 알고 있었다. 내가 내 운명이라고 하면 말할 것도 없이 그건 우리 둘의 운명을 의미한다. 우리는 원래 하나였던 존재가 둘로 나뉘어진 것이니까.

뒤에서 에스미의 거친 숨소리가 들렸다. 그녀는 우리의 얼굴을 쓰다듬으며 우리 곁을 지나더니 칼라일 옆에 가서 그의 손을 잡았다. 갑자기 주위에서 조용한 작별 인사와 함께 '사랑한다' 는 말들이 들려왔다.

"우리가 여기서 살아난다면…… 어디든 당신을 따라가겠어."

가렛이 케이트에게 속삭였다.

"이제야 고백하는군."

케이트가 중얼거렸다.

로잘리와 에밋은 재빨리, 하지만 열정적으로 키스했다.

티아가 벤저민의 얼굴을 어루만졌다. 그는 유쾌하게 미소 지으며 그녀의 손으로 자신의 뺨을 눌렀다.

난 이들의 사랑과 고통의 표현들을 모두 보지는 못했다. 갑자기 방어막 바깥쪽에 압력이 느껴졌기 때문이다. 그 압력이 어디서 가해졌는지는 알 수 없었지만 우리의 가장자리, 특히 시오반과 리엄이 있는 쪽을 겨냥한 것 같았다. 그 압력은 아무런 해를 입히지 않고 사라졌다.

그러나 사방은 변함없이 조용했고 고대 뱀파이어들은 꼼짝 않고 회의할 뿐이었다. 어쩌면 내가 신호를 놓쳤을 수도 있었다.

"준비하세요. 시작됐어요."

내가 모두에게 속삭였다.

# 38
# 권능

---

"첼시가 우리의 유대감을 깨려 하고 있어."

에드워드가 속삭였다.

"하지만 결국 성공하지 못했지. 그녀는 우리를 느낄 수가 없어⋯⋯. 네가 한 거야?"

그의 눈이 나를 응시했다. 나는 그에게 의미심장하게 미소 지었다.

"내 힘이 이곳 전체를 덮고 있지."

갑자기 에드워드가 비틀거리며 물러서더니 칼라일에게 손을 뻗었다. 동시에 나는 칼라일의 빛을 감싸고 있던 방어막에 아주 날카로운 타격이 가해지는 것을 느꼈다. 고통스럽지는 않았지만 기분이 썩 좋지도 않았다.

"칼라일? 괜찮으세요?"

에드워드가 미친 듯이 숨을 헐떡였다.

"응. 왜?"

"제인이요."

에드워드가 대답했다.

그가 그 이름을 말하자마자 1초간 열두 번의 날카로운 공격이 방어막 여기저기에 가해졌다. 우리 쪽의 열두 명을 노린 공격이었다. 나는 막이 손상되지 않은 걸 확인했다. 제인은 방어막을 뚫을 수 없는 것 같았다. 난 재빨리 주위를 둘러보았다. 다들 괜찮아 보였다.

"믿을 수 없어."

에드워드가 말했다.

"왜 결정이 내려질 때까지 기다리지 않는 거지?"

타냐가 투덜거렸다.

"정상적인 절차야. 재판 중인 자들을 무력화시켜서 도망칠 수 없게 하는 거지."

에드워드가 퉁명스럽게 대답했다. 난 건너편의 제인을 보았다. 분노한 제인은 믿을 수 없다는 표정으로 우리를 바라보았다. 자신의 맹공을 견뎌 낸 자들을 나 말고는 처음 보는 것 같았다.

어쩌면 이런 내 행동은 유치한 것인지도 모르겠다. 하지만 아로는 아주 잠깐 후면 내 방어막이 에드워드의 생각을 통해 본 것보다 훨씬 강력하다는 사실을 깨달을 것이다. 아직도 그가 깨닫지 못했다면 말이다. 나는 이미 저들의 주요 목표가 되었으니, 나의 능력을 비밀로 할 이유도 없었다. 그래서 난 제인에게 한껏 의기양양한 미소를 지었다.

그녀가 눈을 가늘게 떴고 또 다른 압력이 느껴졌다. 이번에는 나를 노린 것이었다.

나는 입술을 벌려 이빨을 드러냈다. 제인은 높은 소리로 으르렁거렸다. 모두가 움찔했다. 심지어 훈련이 잘된 경호원들까지도 그랬다. 회의 중인 고대 뱀파이어들을 제외한 모두가. 그녀의 쌍둥이 형제가 뛰쳐나오려는 그녀의 팔을 잡았다.

루마니아 뱀파이어들은 음울한 기대감에 킥킥대기 시작했다.

"우리에게 기회가 왔다고 했잖아."

블라디미르가 스테판에게 말했다.

"저 마녀의 얼굴을 보라고."

스테판이 깔깔거렸다.

알렉은 위로하듯 제인의 어깨를 두드리고는 그녀를 자신의 팔 아래로 당겼다. 그는 우리를 바라보았다. 그야말로 천사 같은, 부드러운 얼굴이었다.

난 그의 공격을 예상하고 방어막에 압력이 가해지기를 기다렸다. 하지만 아무것도 느낄 수 없었다. 알렉은 우리 쪽을 계속 바라보았지만 그의 아름다운 얼굴은 평온했다. 지금 공격을 하고 있는 건가? 내 방어막을 뚫고 있는 건가? 내 눈에만 그가 보이는 걸까? 난 에드워드의 손을 잡았다.

"괜찮아?"

내가 간신히 말했다.

"응."

그가 속삭였다.

"알렉이 공격하고 있어?"

에드워드가 고개를 끄덕였다.

"그의 공격은 제인보다 느려. 소리없이 살금살금 다가오지. 몇 초 후에 느낄 수 있어."

그때 난 그의 말이 무슨 의미인지 알 수 있었다.

이상한 안개가 눈이 쌓인 바닥을 스멀스멀 기어오고 있었다. 흰 눈 때문에 거의 보이지도 않는 안개였다. 그걸 보고 있으니 신기루가 떠올랐다. 그 안개는 시야를 약간 왜곡시키는 것도 같고, 아지랑이 같기도 했다. 나는 칼라일을 비롯하여 선두에 서 있는 모두의 앞으로 조금 더 멀리까지 방어막을 밀어냈다. 형체가 없는 내 막이 뚫리면 어떻게 해야 하지? 도망가야 하는 걸까?

발아래에서 낮게 우르릉거리는 소리가 나더니 한 줄기 바람이 불어왔다. 그리고 우리와 볼투리 가 사이에 눈이 흩날렸다. 벤저민이 슬금슬금 다가오는 안개를 밀어내려 한 것이었다. 눈 덕분에 그가 어느 쪽으로 바람을 보냈는지 알 수 있었다. 그러나 안개는 끄떡하지 않았다. 바람이 그림자를 어쩌지 못하듯, 그 안개는 아무 영향도 받지 않았다.

격렬한 소리가 나더니 공터 한가운데의 땅이 기다란 지그재그 형태로 깊고 좁게 갈라졌다. 그러자 삼각형을 이루며 서 있던 고대 뱀파이어들이 마침내 흩어졌다. 잠깐 동안 발아래의 땅이 흔들렸다. 흩날리던 눈이 그 구멍 속으로 빨려 들어갔지만 안개는 그 구멍을 가로질러 왔다. 바람뿐 아니라 중력도 그 안개에는 소용없었다.

아로와 카이우스는 눈을 크게 뜨고 벌어진 땅을 바라보았다. 마르쿠스는 아무 감정 없이 그것을 응시하고 있었다.

그들은 아무 말도 하지 않았다. 안개가 우리에게 다가오는 동안 그저 기다리고 있었다. 바람은 더 크게 휘몰아쳤지만 안개의 방향을 바꾸지는 못했다. 이제 제인은 미소 짓고 있었다.

그때 안개가 방어막에 닿았다.

안개가 막에 닿자마자 난 그 맛을 느낄 수 있었다. 진하고 너무나 달콤해서 금세 싫증이 나는 맛이었다. 혀에 치과용 마취제가 닿았을 때의 얼얼함과 비슷한 것 같았다.

안개가 막을 타고 위로 올라오면서 균열, 약점을 찾기 시작했다. 그러나 어디에도 균열은 없었다. 안개는 방어막 위로 올라 그 주위를 빙 돌면서 안으로 들어올 길을 찾았다. 안개 덕분에 막의 엄청난 크기가 드러났다.

벤저민이 만든 협곡의 양편에서 소스라치는 소리가 들려왔다.

"잘했어, 벨라!"

벤저민이 낮은 목소리로 찬사를 보냈다. 나는 미소를 지었다.

알렉이 눈을 가늘게 떴다. 그의 안개가 맥없이 방어막 주위를 맴돌자 그의 얼굴에 처음으로 의아한 표정이 드러났다.

그다음에야 난 내가 무엇을 할 수 있는지를 실감했다. 분명히 나는 가장 먼저 죽여야 할 대상이 될 것이다. 하지만 내가 버티는 한 우리는 볼투리가보다 유리했다. 우리에게는 벤저민과 자프리나가 있고, 그들에게는 어떤 초자연적인 능력도 없으니까. 내가 버티는 한은.

"난 집중해야 돼. 백병전이 벌어지면 우리 편에게만 방어막을 치고 있는 게 더 힘들어져."

내가 에드워드에게 속삭였다.

"내가 그들의 접근을 막을게."

"아니, 넌 드미트리를 처리해야 해. 자프리나가 내 곁에서 그들을 막아줄 거야."

자프리나가 엄숙하게 고개를 끄덕였다.

"아무도 건드리지 못하게 할게."

그녀가 에드워드에게 약속했다.

"난 제인과 알렉을 맡으려고 했지만 여기 있는 게 낫겠군."

"제인은 내 거야. 제인도 한 번 당해봐야지."

케이트가 위협적인 소리를 냈다.

"알렉은 이제까지 내 동료를 수없이 죽였어. 하지만 이젠 내 차례야."

블라디미르가 반대편에서 으르렁거렸다.

"난 카이우스를 상대하겠어."

타냐가 침착하게 말했다. 다른 뱀파이어들도 서로 맡을 상대를 나누다가 곧 입을 다물었다.

무기력한 알렉의 안개를 조용히 바라보던 아로가 마침내 입을 열었다.

"우리가 투표를 하기 전에……."

그는 이렇게 말문을 열었다. 나는 화가 나서 머리를 흔들었다. 이런 뻔한 수작이 지겨웠다. 피를 보고 싶다는 갈망이 다시 내 안에서 불붙었다. 내가 가만히 서 있는 게 모두에게 더 큰 도움이 된다는 사실이 유감스러웠다.

"다시 한 번 여러분에게 말하겠소."

아로가 말을 이었다.

"평의회의 결정이 어떻게 나든 이곳에서 폭력 사태는 없을 거요."

에드워드가 냉소적으로 웃었다. 아로는 슬프게 그를 바라보았다.

"여러분을 잃는 건 서글픈 손실입니다. 특히 젊은 에드워드와 그 짝인 이 어린 뱀파이어 말이지요. 여러분이 볼투리 가에 합류한다면 기쁠 거요. 벨라, 벤저민, 자프리나, 케이트. 여러분에게는 많은 기회가 있소. 한 번 고민해보시오."

우리를 흔들어놓으려는 첼시의 시도는 내 방어막에 막혀 무력했다. 아로는 우리의 단호한 눈빛을 훑어보며 누군가 머뭇대는 자가 없는지 찾았다. 그의 표정으로 보아 아무도 찾지 못한 것 같았다.

그는 무슨 수를 써서라도 에드워드와 나를 차지하고 싶은 모양이었다. 앨리스를 노예로 삼으려던 것처럼. 그러나 이 싸움은 너무 치명적이었다. 내가 살아난다면 그는 이기지 못할 것이다. 아로가 나를 죽일 수밖에 없을 정도로 내가 너무 강력하다는 사실이 견딜 수 없이 기뻤다.

"그럼 투표합시다."

그가 주저하며 말했다. 카이우스가 서둘러 끼어들었다.

"저 아이는 미지의 존재요. 저런 위험을 남겨둘 이유가 없소. 저 아이와 저 아이를 지키려는 자들은 함께 죽어야 합니다."

그가 기대감에 미소를 지었다. 난 그 잔인한 웃음에 대한 반항의 뜻으로 소리를 질렀다.

마르쿠스는 무관심한 눈을 들더니 유심히 우리를 살폈다.

"내가 보기에 당장은 위험한 것 같지 않소. 지금 저 아이는 안전하오. 나중에 재평가를 해도 될 거요. 평화롭게 떠납시다."

그의 목소리는 형제들의 가벼운 한숨소리보다도 작았다. 그의 말에도 경호원들은 공격 자세를 풀지 않았다. 카이우스의 기대감에 찬 웃음도 사라지지 않았다. 마치 마르쿠스가 아무 말도 한 적이 없었다는 듯이.

"내 의견으로 결정이 나겠군요."

아로가 생각에 잠긴 듯이 말했다. 갑자기 내 옆에 서 있던 에드워드가 긴장했다.

"그래!"

에드워드에게서 난 소리였다. 나는 위험을 무릅쓰고 그를 바라보았다. 그는 도저히 이해할 수 없는 의기양양한 표정을 짓고 있었다. 세상이 불타는 것을 바라보며 파괴의 천사가 지을 만한 표정이었다. 아름답고 무시무시한 표정.

경호원들에게서 작은 반응이 보였다. 그들이 초조하게 웅성거렸다.

"아로님?"

에드워드가 거의 소리를 지르듯이 그의 이름을 불렀다. 그의 목소리는 의기양양했다. 아로는 에드워드의 기분이 달라진 이유를 고민하며 아주 잠깐 머뭇거렸다.

"뭐지, 에드워드? 뭔가 있나……?"

"어쩌면요. 우선 한 가지를 짚고 넘어가도 될까요?"

에드워드가 알 수 없는 흥분을 억누르며 유쾌하게 말했다.

"물론."

아로가 눈썹을 치켜 올렸다. 예의상 흥미로운 척하는 것 같았다. 난 이를 갈았다. 아로는 정중할 때 가장 위험했기 때문이다.

"내 딸이 어떻게 자랄지 예측할 수 없기 때문에 위험하다는 거죠? 그게 문제의 핵심이죠?"

"맞는 말이네, 에드워드. 저 애가 자라는 동안 인간 세계에 드러나지 않으리라고, 우리의 비밀을 폭로하지 않을 거라고 안심할 수만 있다면······ 확신할 수 있다면야······."

그렇게 말하던 아로는 어깨를 으쓱이며 말꼬리를 길게 늘였다.

"저 아이가 어떻게 자랄지 확실히 알 수만 있다면······, 그러면 평의회는 필요 없는 거죠?"

에드워드가 물었다.

"완전하게 확신할 수만 있다면."

아로는 그렇게 시인했다. 그의 깃털 같은 목소리가 조금 더 날카로워졌다. 그는 에드워드의 의도를 알지 못했다. 그건 나도 마찬가지였다.

"그렇게 된다면야 필요 없겠지, 논쟁할 문제 자체가 없어지게 될 테니까."

"그럼, 우린 다시 한 번 좋은 친구로서 평화롭게 작별 인사를 나눌 수 있겠군요?"

에드워드는 조금 빈정대는 목소리로 물었다.

좀 더 날카로운 목소리로 대답이 돌아왔다.

"물론, 젊은 친구. 그렇게 되면 나도 정말 기쁠 거야."

에드워드가 의기양양하게 웃었다.

"그럼 좀 더 보여드릴 게 있습니다."

아로가 눈을 가늘게 떴다.

"저 애는 완전히 독특한 존재야. 저 애의 미래는 그저 추측만 할 수 있을 뿐이지."

"꼭 그렇지는 않습니다. 분명 희귀하기는 하지만 하나뿐인 존재는 아니죠."

에드워드가 말했다.

나는 충격을 받았지만 애써 평정을 되찾았다. 갑작스러운 희망이 생겨나면서 자꾸만 집중력이 떨어지려 했다. 엷은 안개가 여전히 방어막 주위를 맴돌고 있었다. 정신을 집중하던 나는 다시 날카로운 압력이 막에 가해지는 것을 느꼈다.

"아로, 제인에게 제 아내를 공격하는 걸 멈추라고 하십시오. 아직 증거에 대해 이야기를 나누고 있으니까요."

에드워드는 정중하게 말했다. 아로가 한 손을 들었다.

"진정하게, 제군들. 그의 이야기를 들어보세."

압력이 사라졌다. 제인이 내게 이를 드러냈다. 나는 그녀에게 미소를 지어 보였다.

"왜 안 나오는 거야, 앨리스?"

에드워드가 크게 소리쳤다.

"앨리스."

충격을 받은 에스미가 그녀의 이름을 되뇌었다.

앨리스!

앨리스, 앨리스, 앨리스!

"앨리스!"

"앨리스!"

내 주위에서 다른 목소리들이 들려왔다.

"앨리스."

아로가 그녀의 이름을 중얼거렸다. 안도와 기쁨이 나를 덮쳤다. 나는 온 의지를 다해 방어막을 떠받쳤다. 알렉의 안개가 여전히 막의 약한 부분을 찾고 있었다. 제인은 구멍이 나타나면 즉시 알아차릴 것이다

그때 그들이 숲을 달려서, 아니 날아서 재빨리 우리에게 다가오는 소리

가 들렸다.

양 진영 모두 기대감에 꼼짝도 하지 않았다. 볼투리 가의 증인들은 다시 혼란스러워하며 얼굴을 찡그렸다.

그때 앨리스가 춤을 추듯 공터 남서쪽에서 나타났다. 그녀의 얼굴을 다시 보니 너무 반가워서 나는 쓰러질 것만 같았다. 재스퍼는 그녀 뒤를 바짝 따르고 있었다. 맨 앞에는 키가 크고 근육질에 검은 머리카락을 산발한 여자가 있었다. 카치리가 분명했다. 그녀는 다른 아마존 뱀파이어들처럼 긴 팔다리와 길쭉한 외모를 지니고 있었다. 그녀의 몸은 그들 중에서도 유난히 더욱 길어 보였다.

다음은 올리브색의 피부를 지닌 자그마한 여자 뱀파이어가 나타났다. 검은색으로 기다랗게 땋은 머리가 그녀의 등 뒤에서 이리저리 흔들리고 있었다. 그녀의 깊은 포도주색 눈이 대치중인 양 진영을 초조하게 살폈다.

그리고 마지막으로 젊은 남자가 있었다……. 그가 달리는 모습은 너무 빠르지도, 그렇다고 흐르듯이 느리지도 않았다. 그의 피부는 믿을 수 없을 만큼 풍부하고 짙은 갈색이었다. 그가 조심스러운 눈빛으로 모여 있는 자들을 훑어보았다. 눈은 따뜻하고 짙은 고동색이었다. 또 그는 여자들만큼 길지는 않은 검은 머리카락을 땋아 내렸다. 매우 아름다운 남자였다.

그가 다가오자 들려오는 새로운 소리 때문에 다들 충격을 받았다. 그 소리는 뛰느라 빨라진 심장소리였다.

앨리스가 방어막 근처를 맴도는 안개를 가볍게 뛰어넘더니 에드워드 옆에 멈춰 섰다. 나는 손을 뻗어 그녀의 팔을 만졌다. 에드워드, 에스미, 칼라일도 마찬가지였다. 이렇게 말고는 달리 인사할 수 있는 여유가 없었다. 재스퍼와 다른 세 명도 그녀를 따라 방어막 안으로 들어왔다.

그들이 보이지 않는 방어막을 쉽게 넘어서는 모습을 경호원 전부가 유심히 지켜보고 있었다. 펠릭스와, 그와 비슷한 체구의 다른 경호원들이 갑자기 희망에 찬 눈빛으로 나를 바라보았다. 그들은 내 방어막이 무엇을 막아낼 수 있는지에 대해 확신하지 못했었다. 그러나 이제 막이 물리적인 공격을 막아낼 수 없다는 걸 분명히 알았다. 아로가 명령을 내리자마자 공격이 시작될 것이다. 나를 유일한 목표물로 삼고서. 자프리나는 몇 명이나 눈을 멀게 할 수 있을까? 그들을 얼마나 막아낼 수 있을까? 케이트와 블라디미르가 제인과 알렉을 제거할 만큼 버텨줄까? 내가 바랄 수 있는 것은 그것뿐이었다.

아로와의 대화에 집중하던 에드워드도 그들의 생각을 듣고 긴장했다. 그는 감정을 억제하며 다시 아로에게 말했다.

"앨리스는 마지막 주 동안 증인들을 찾아다녔습니다."

그가 고대 뱀파이어에게 말했다.

"그리고 그녀는 이제 증인과 함께 돌아왔습니다. 앨리스, 네가 데려온 증인을 소개해봐."

카이우스가 으르렁거렸다.

"증인을 소개할 시간은 지나갔다! 자, 표를 던져요, 아로님!"

아로는 손가락을 하나 들어 자신의 형제를 진정시켰다. 그의 시선은 앨리스만을 향하고 있었다.

앨리스는 가볍게 앞으로 나오더니 낯선 자들을 소개했다.

"휠렌과 그녀의 조카인 나후엘입니다."

그녀의 목소리를 듣고 있자니…… 마치 한순간도 우리 곁을 떠난 적이 없었던 것 같았다.

앨리스가 새로운 자들의 관계를 소개하자 카이우스의 눈이 굳었다. 볼투리 가의 증인들 사이에서 위협하는 소리가 났다. 뱀파이어의 세계는 변하고 있었고 모두가 그걸 느낄 수 있었다.

"말해봐라, 휠렌. 여기까지 무엇을 증언하러 왔는지."

"아버지에게는 딸이 두 명 있었지만 아들은 없었거든요. 아버지는 내가 누나들처럼 자신과 함께 살 거라고 생각했습니다. 그러다 내가 혼자 살지 않는다는 걸 알고 아버지는 놀랐습니다. 내 누나들에게는 독이 없었지만 그게 성별에 따라 달라지는 건지, 아니면 우연히 결정되는 건지…… 누가 알겠습니까? 내겐 이미 가족인 휠렌 이모가 있었고, 나 자신도 변화에는 별로 관심이 없었거든요."

그는 관심이라는 단어를 심술궂게 내뱉었다.

"때로 아버지를 만납니다. 이제는 여동생도 생겼어요. 그녀는 10년 전쯤에 어른이 되었지요."

"아버지의 이름은?"

카이우스가 이를 갈면서 물었다.

"요함입니다. 그는 스스로를 과학자로 생각합니다. 그는 자신이 새로운 슈퍼 종족을 만들어냈다고 생각합니다."

나후엘은 그렇게 대답하면서 혐오감을 감추지 않았다.

"너의 딸도 독이 있나?"

카이우스가 이번엔 나를 바라보며 거칠게 물었다.

"아뇨."

내가 대답했다. 아로의 질문에 고개를 들었던 나후엘은 이제 갈색 눈으로 내 얼굴을 바라보고 있었다.

카이우스는 확인을 받으려는 듯 아로를 보았지만 아로는 생각에 잠겨 있었다. 그는 입술을 내밀고 칼라일, 그다음에는 에드워드를 보다가 내게로 시선을 옮겼다.

카이우스가 으르렁거리더니 아로를 재촉했다.

"이곳의 문제를 정리하고 남쪽으로 갑시다."

아로는 내 눈을 바라보았다. 길고도 긴장된 순간이었다. 나는 그가 무엇

아로가 명령했다. 가냘픈 여자가 초조하게 앨리스를 바라보았다. 앨리스는 용기를 주듯이 고개를 끄덕였고 카치리는 그 작은 뱀파이어의 어깨에 자신의 기다란 손을 올려놓았다.

"나는 휠렌입니다."

억양은 어색했지만 그녀는 영어로 또렷하게 말했다. 그녀는 이 이야기를 들려주기 위해 따로 준비하고 연습한 게 분명했다. 그건 어릴 때 많이 들었던 옛날이야기 같았다.

"150년 전 나는 우리 부족인 마푸체 족과 살았어요. 피레는 내 자매였죠. 그녀의 피부가 희어서 산 위의 눈이라는 뜻으로 우리 부모님이 그렇게 이름을 지어주신 거예요. 그리고 그녀는 정말 아름다웠답니다……. 너무 아름다웠습니다. 어느 날 그녀가 몰래 내게 오더니 숲에서 천사를 보았다고 했습니다. 그 천사는 밤마다 그녀를 찾아온다더군요. 나는 그녀에게 경고했습니다."

휠렌은 슬픈 듯이 고개를 흔들고서 덧붙였다.

"그녀의 살갗에 생긴 멍을 뻔히 보면서도 그녀는 자기가 위험하다는 걸 모르는 듯 했습니다. 난 그 자가 전설에 나오는 리비쇼맨이라는 걸 알았습니다. 하지만 그녀는 내 말을 듣지 않았습니다. 완전히 홀려버렸거든요. 어느 날 그녀가 말했습니다. 검은 천사의 아이가 그녀 안에서 자라고 있다고. 난 도망가려는 그녀를 막지 않았습니다. 우리 엄마아빠조차 그 애를 없애려 할 테니까요. 피레까지 함께 말이죠. 나는 그녀와 깊은 숲으로 들어갔습니다. 그녀는 자신의 사악한 천사를 찾아 헤맸지만 찾을 수 없었습니다. 나는 쇠약해진 그녀를 돌보고 사냥을 했습니다. 그녀는 동물들을 날 것 그대로 먹고 피를 마셨습니다. 그녀의 자궁에 무엇이 들어 있는지 더 이상 확인할 필요가 없었습니다. 난 그녀의 생명을 구하고, 뱃속의 괴물을 죽일 수 있기를 바랐습니다.

하지만 그녀는 아이를 사랑했습니다. 그 애가 튼튼하게 자라나 그녀의 뼈까지 부러뜨리자 그녀는 정글살쾡이의 이름을 따서 그 애를 나후엘이라고 불렀습니다. 그리고 여전히 그 애를 사랑했죠. 난 그녀를 구할 수 없었습니다. 그 애는 그녀를 찢고 밖으로 나왔고 그녀는 금방 죽었습니다. 죽어가면서도 그녀는 나후엘을 부탁했습니다. 그녀의 마지막 소망이었고, 난 그러겠다고 약속했습니다.

그녀의 시체에서 아이를 들어 올리려는데 아이가 나를 물었습니다. 난 죽으려고 정글로 기어갔습니다. 그러나 멀리 가지는 못했습니다. 고통이 엄청났거든요. 결국 그 애가 나를 찾아냈습니다. 아이는 덤불을 헤치고 내 곁으로 다가와서 기다렸습니다. 내 고통이 사라지자 그는 내 옆구리에 붙어서 잠을 잤습니다.

난 그가 스스로 사냥할 수 있을 때까지 돌보았습니다. 우리는 숲 주위의 마을에서 사냥을 하며 둘이서만 살았습니다. 우리는 지금껏 집을 떠난 적이 없었지만, 나후엘이 저 아이를 보고 싶어 했어요."

이야기를 마친 휠렌이 인사를 하고는 뒤로 물러나 카치리 뒤에 반쯤 숨었다.

아로가 입술을 오므렸다. 그는 검은 피부의 젊은이를 보았다.

"나후엘, 넌 백오십 살인가?"

그가 물었다.

"10년 정도 더 먹었을 수도, 덜 먹었을 수도 있습니다. 우리는 나이에는 신경 쓰지 않으니까요."

그가 또렷하고 따뜻한 목소리로 말했다. 그의 악센트는 두드러지지 않았다.

"그럼 언제 어른이 되었지?"

"생후 7년 정도 되었을 때 완전한 성인이 되었습니다."

"그 이후로 바뀌지 않았나?"

나후엘이 어깨를 으쓱였다.

"별다르게 변한 건 없습니다."

제이콥이 몸을 덜덜 떨었지만 난 아직은 이 일에 대해 생각하고 ... 았다. 모든 위험이 지나간 후에 생각해볼 일이니까.

"먹는 건?"

어느새 아로는 흥미를 느낀 것 같았다.

"대개는 피를 마시지만 인간의 음식도 먹습니다. 난 둘 다 먹을 수 니다."

"뱀파이어를 만들어낼 수 있나?"

휠렌을 가리키며 아로가 물었다. 그의 목소리가 갑자기 긴장했다. 어막에 정신을 집중했다. 그는 새로운 핑계를 찾고 있었다.

"네. 하지만 저 외에 나머지는 만들 수 없습니다."

세 집단 모두 놀라서 웅성거렸다.

아로의 눈썹이 치켜 올라갔다.

"나머지?"

"내 누이들 얘깁니다."

나후엘이 다시 어깨를 으쓱했다. 아로는 잠깐 동안 사납게 노려보다 표정을 부드럽게 했다.

"이야기가 좀 더 있는 것 같은데, 마저 들려주게."

나후엘이 얼굴을 찡그렸다.

"아버지는 엄마가 죽고 몇 년 후에 나를 찾아왔습니다. 그는 나를 찾 는 기뻐했습니다."

그는 그렇게 답하고 잘생긴 얼굴을 조금 찡그렸다. 목소리로 미루어 ... 작할 때, 그 자신은 기쁘지 않았던 것 같다.

아로가 명령했다. 가냘픈 여자가 초조하게 앨리스를 바라보았다. 앨리스는 용기를 주듯이 고개를 끄덕였고 카치리는 그 작은 뱀파이어의 어깨에 자신의 기다란 손을 올려놓았다.

"나는 휠렌입니다."

억양은 어색했지만 그녀는 영어로 또렷하게 말했다. 그녀는 이 이야기를 들려주기 위해 따로 준비하고 연습한 게 분명했다. 그건 어릴 때 많이 들었던 옛날이야기 같았다.

"150년 전 나는 우리 부족인 마푸체 족과 살았어요. 피레는 내 자매였죠. 그녀의 피부가 희어서 산 위의 눈이라는 뜻으로 우리 부모님이 그렇게 이름을 지어주신 거예요. 그리고 그녀는 정말 아름다웠답니다……. 너무 아름다웠습니다. 어느 날 그녀가 몰래 내게 오더니 숲에서 천사를 보았다고 했습니다. 그 천사는 밤마다 그녀를 찾아온다더군요. 나는 그녀에게 경고했습니다."

휠렌은 슬픈 듯이 고개를 흔들고서 덧붙였다.

"그녀의 살갗에 생긴 멍을 뻔히 보면서도 그녀는 자기가 위험하다는 걸 모르는 듯 했습니다. 난 그 자가 전설에 나오는 리비쇼맨이라는 걸 알았습니다. 하지만 그녀는 내 말을 듣지 않았습니다. 완전히 홀려버렸거든요. 어느 날 그녀가 말했습니다. 검은 천사의 아이가 그녀 안에서 자라고 있다고. 난 도망가려는 그녀를 막지 않았습니다. 우리 엄마아빠조차 그 애를 없애려 할 테니까요. 피레까지 함께 말이죠. 나는 그녀와 깊은 숲으로 들어갔습니다. 그녀는 자신의 사악한 천사를 찾아 헤맸지만 찾을 수 없었습니다. 나는 쇠약해진 그녀를 돌보고 사냥을 했습니다. 그녀는 동물들을 날것 그대로 먹고 피를 마셨습니다. 그녀의 자궁에 무엇이 들어 있는지 더이상 확인할 필요가 없었습니다. 난 그녀의 생명을 구하고, 뱃속의 괴물을 죽일 수 있기를 바랐습니다.

하지만 그녀는 아이를 사랑했습니다. 그 애가 튼튼하게 자라나 그녀의 뼈까지 부러뜨리자 그녀는 정글살쾡이의 이름을 따서 그 애를 나후엘이라고 불렀습니다. 그리고 여전히 그 애를 사랑했죠. 난 그녀를 구할 수 없었습니다. 그 애는 그녀를 찢고 밖으로 나왔고 그녀는 금방 죽었습니다. 죽어가면서도 그녀는 나후엘을 부탁했습니다. 그녀의 마지막 소망이었고, 난 그러겠다고 약속했습니다.

그녀의 시체에서 아이를 들어 올리려는데 아이가 나를 물었습니다. 난 죽으려고 정글로 기어갔습니다. 그러나 멀리 가지는 못했습니다. 고통이 엄청났거든요. 결국 그 애가 나를 찾아냈습니다. 아이는 덤불을 헤치고 내 곁으로 다가와서 기다렸습니다. 내 고통이 사라지자 그는 내 옆구리에 붙어서 잠을 잤습니다.

난 그가 스스로 사냥할 수 있을 때까지 돌보았습니다. 우리는 숲 주위의 마을에서 사냥을 하며 둘이서만 살았습니다. 우리는 지금껏 집을 떠난 적이 없었지만, 나후엘이 저 아이를 보고 싶어 했어요."

이야기를 마친 휠렌이 인사를 하고는 뒤로 물러나 카치리 뒤에 반쯤 숨었다.

아로가 입술을 오므렸다. 그는 검은 피부의 젊은이를 보았다.

"나후엘, 넌 백오십 살인가?"

그가 물었다.

"10년 정도 더 먹었을 수도, 덜 먹었을 수도 있습니다. 우리는 나이에는 신경 쓰지 않으니까요."

그가 또렷하고 따뜻한 목소리로 말했다. 그의 악센트는 두드러지지 않았다.

"그럼 언제 어른이 되었지?"

"생후 7년 정도 되었을 때 완전한 성인이 되었습니다."

"그 이후로 바뀌지 않았나?"

나후엘이 어깨를 으쓱였다.

"별다르게 변한 건 없습니다."

제이콥이 몸을 덜덜 떨었지만 난 아직은 이 일에 대해 생각하고 싶지 않았다. 모든 위험이 지나간 후에 생각해볼 일이니까.

"먹는 건?"

어느새 아로는 흥미를 느낀 것 같았다.

"대개는 피를 마시지만 인간의 음식도 먹습니다. 난 둘 다 먹을 수 있습니다."

"뱀파이어를 만들어낼 수 있나?"

휠렌을 가리키며 아로가 물었다. 그의 목소리가 갑자기 긴장했다. 난 방어막에 정신을 집중했다. 그는 새로운 핑계를 찾고 있었다.

"네. 하지만 저 외에 나머지는 만들 수 없습니다."

세 집단 모두 놀라서 웅성거렸다.

아로의 눈썹이 치켜 올라갔다.

"나머지?"

"내 누이들 얘깁니다."

나후엘이 다시 어깨를 으쓱했다. 아로는 잠깐 동안 사납게 노려보다가 표정을 부드럽게 했다.

"이야기가 좀 더 있는 것 같은데, 마저 들려주게."

나후엘이 얼굴을 찡그렸다.

"아버지는 엄마가 죽고 몇 년 후에 나를 찾아왔습니다. 그는 나를 찾고는 기뻐했습니다."

그는 그렇게 답하고 잘생긴 얼굴을 조금 찡그렸다. 목소리로 미루어 짐작할 때, 그 자신은 기쁘지 않았던 것 같다.

"아버지에게는 딸이 두 명 있었지만 아들은 없었거든요. 아버지는 내가 누나들처럼 자신과 함께 살 거라고 생각했습니다. 그러다 내가 혼자 살지 않는다는 걸 알고 아버지는 놀랐습니다. 내 누나들에게는 독이 없었지만 그게 성별에 따라 달라지는 건지, 아니면 우연히 결정되는 건지…… 누가 알겠습니까? 내겐 이미 가족인 휠렌 이모가 있었고, 나 자신도 변화에는 별로 관심이 없었거든요."

그는 관심이라는 단어를 심술궂게 내뱉었다.

"때로 아버지를 만납니다. 이제는 여동생도 생겼어요. 그녀는 10년 전쯤에 어른이 되었지요."

"아버지의 이름은?"

카이우스가 이를 갈면서 물었다.

"요함입니다. 그는 스스로를 과학자로 생각합니다. 그는 자신이 새로운 슈퍼 종족을 만들어냈다고 생각합니다."

나후엘은 그렇게 대답하면서 혐오감을 감추지 않았다.

"너의 딸도 독이 있나?"

카이우스가 이번엔 나를 바라보며 거칠게 물었다.

"아뇨."

내가 대답했다. 아로의 질문에 고개를 들었던 나후엘은 이제 갈색 눈으로 내 얼굴을 바라보고 있었다.

카이우스는 확인을 받으려는 듯 아로를 보았지만 아로는 생각에 잠겨 있었다. 그는 입술을 내밀고 칼라일, 그다음에는 에드워드를 보다가 내게로 시선을 옮겼다.

카이우스가 으르렁거리더니 아로를 재촉했다.

"이곳의 문제를 정리하고 남쪽으로 갑시다."

아로는 내 눈을 바라보았다. 길고도 긴장된 순간이었다. 나는 그가 무엇